收获

NOVEL HARVEST

长 篇 专 号

春卷

长江出版传媒
长江文艺出版社

图书在版编目（C I P）数据
收获长篇专号2019. 春卷 /《收获》文学杂志社编．—武汉：长江文艺出版社，2019.3
ISBN 978-7-5702-0956-9
Ⅰ. ①收… Ⅱ. ①收… Ⅲ. ①长篇小说—小说集—中国—当代 Ⅳ. ①I247.5
中国版本图书馆CIP数据核字（2019）第048596号

名誉主编■李小林
主　编■程永新
副主编■钟红明　王　彪

出品人■尹志勇
策　划■黄　嗣　阳继波
责任编辑■黄文娟　田敦国
责任校对■陈　琪
责任印制■邱　莉　胡丽平
封面设计■李　筱
插　图■木　森
出　版■长江出版传媒　长江文艺出版社
地　址■武汉市雄楚大街268号
邮　编■430070
网　址■http://www.cjlap.com
发　行■长江文艺出版社
电　话■027-87679360
印　刷■湖北新华印务有限公司
开　本■787毫米×1092毫米　1/16
印　张■25　插页　2页
版　次■2019年3月第1版　2019年3月第1次印刷
字　数■630千字
定　价■35.00元

《收获》文学杂志社

地　址■上海巨鹿路675号
邮　编■200040
电　话■021-54036905

目录 Contents

春卷

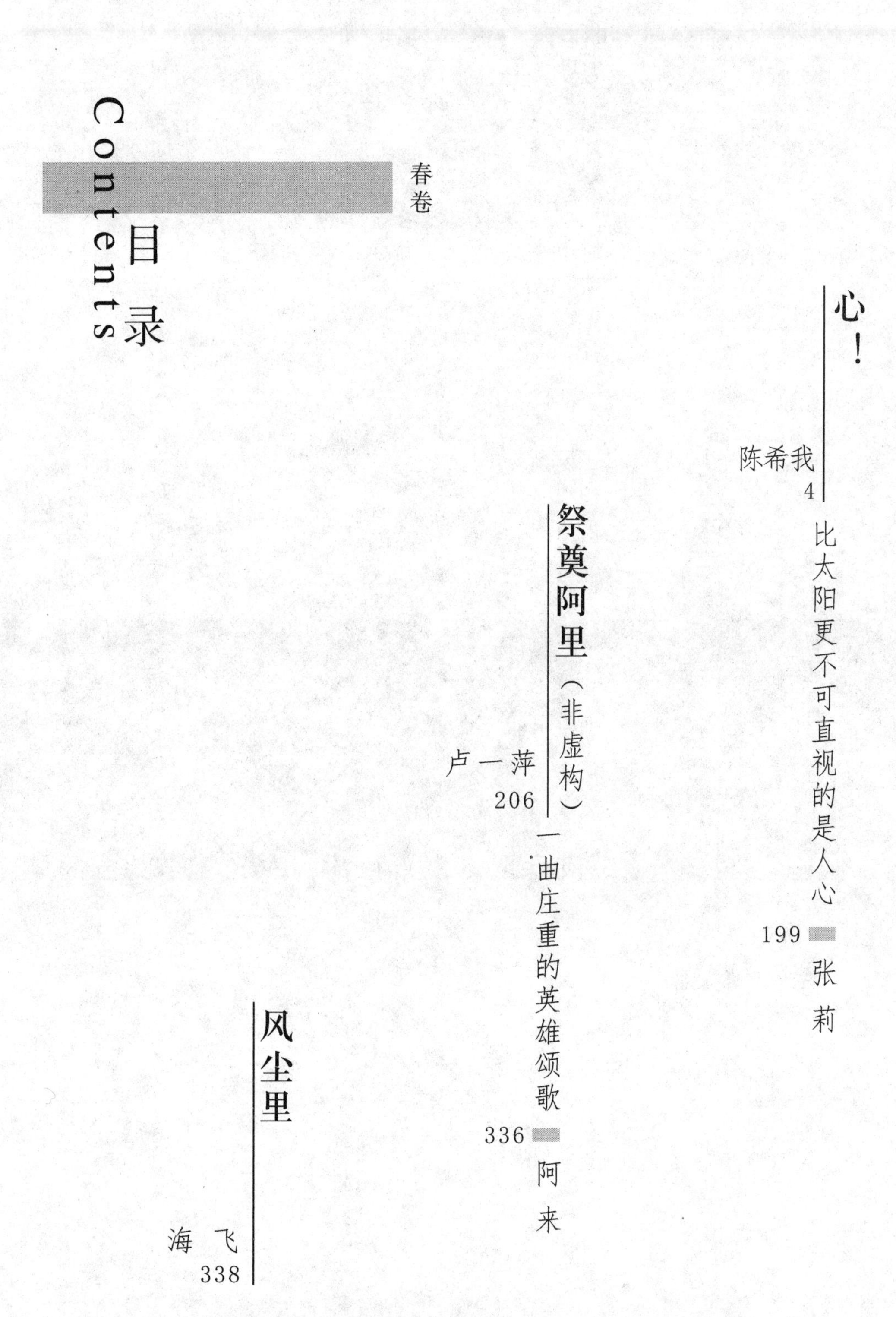

心！

陈希我

这里，魔鬼同上帝在进行斗争，而斗争的战场就是人心。

——费·陀思妥耶夫斯基

抉心自食，欲知本味。创痛酷烈，本味何能知？

——鲁迅

八月一日，一艘中国帆船载杂物由福州抵达，十时左右，
看守发现长崎湾外六英里处有一艘帆船。

——远藤周作《沉默》

人物

林修身（又名“U”、“呦”、林光、长谷川光、长谷川龙）
林北方：横滨中国料理店“佛跳墙”少东家
林老板：横滨中国料理店“佛跳墙”老板
长谷川幸之助：长谷川远洋船运社社长
长谷川香织：林修身夫人，长谷川幸之助之女
林太郎：林修身与长谷川香织之子
佐伯照子：长谷川家女佣
坂本胜三：长谷川远洋船运“光”号船长
森达矢：长谷川远洋船运“光”号水手
李香草：巨港日军集中营劳工
迈克尔·佩恩：巨港日军集中营美军俘虏
林修身父亲：中国疍民
远藤神父
司空医生
我

第一章

心碎

一天，一个人走进医院，对医生说：“我的心碎了！”

医生愣愣瞅着他，眼角一个抽搐。正要笑，笑声已从对面助手那里发出了。医生马上严肃下来。助手也赶忙用圆珠笔做出敲牙动作，咧着嘴。他有蛀牙。

“您是说，心脏不舒服？”医生问病人。

“碎了！”他说。

心哪里会碎？所谓心碎不过是一种修辞。或是对方在开玩笑？这是一个老人，看上去已有八十多岁了。但他确实右手捂着胸口，表情痛苦。他的眼珠惊恐乱转，好像真的瞧见自己的心碎掉了。医生叹了口气，又问：

“哪里不舒服吗？”

“碎了……”对方仍然说。

能这么说话，说明他还不太难受。医生想。但病人突然伸出左手，好像要去抓桌上的听诊器。医生迅速把听诊器一收，又去收笔和处方笺，通通划进抽屉。这使得他再开始给病人诊断时，多费了一些时间。再看病人，病人已经趴在

桌沿上了。医生紧张起来。

“您详细描述一下……”

老人已经不能抬起头来了，只把头顶对着医生。他的脑袋像婴儿，只有细细的胎毛一样的毛发。皮肤很白，白得有点透明，可以瞧见血管。医生伸手去摸他的额头，汗水潸然淌下，沾医生满手。医生甩着手，茫然四顾，才发现没有人陪同病人。后来医生喊冤：这么大年纪了，竟然没人陪同，叫医院怎么办？医生站起身，到诊室外喊护士。没有护士应，医生又支使助理去叫领导。

院长来了，说这人好像在昨天报纸上见过，是从日本来的什么人物，就住在离医院不远的饭店。他应该有人陪伴回国的。再询问老人，助理抢在诊室门口，只消老人一开口，他就会像子弹一样飞出去找人。老人听要叫人，竟然可以仰起头来。但他使劲摇头。他竟然还有这么大的力气摇头，好像把最后的力气全拼出来了。院长就摆手安慰他：“好，好，我们不找……”他才又耷拉下脑袋，几乎同时，他身体猝然像被抽空了，瘫在地上。

判断是急性心梗。就地抢救，同时采集血液标本，检查超声心电图。但病人没有抢救过来。

日本那边亲属要求把尸体运回日本。包机的事，他们可以解决。家属一再强调不要给尸体换衣服。当时中方担心被日方追责，多一事不如少一事好，当然照办。尸体运回日本后，这边就着手处理相关人员，医生被停职审查了。

医生姓司空。在往后的几年里，司空医生一直纳闷这患者患的究竟是什么病，当时患者整个心室失去了收缩功能，这种情况从没有见过。另外，患者心肌酶并没有预计的那么高，只是比正常值高出少许。直到五年后，一个叫佐藤的日本医生才发现了一种特异的心脏病，病发时，还真是心苞破裂。这种病，后来被命名为 Stress-Induced Cardiomyopathy，中国称为“心碎综合征”。

但一般来说，只有绝经期妇女才会患上这个病，因为雌性荷尔蒙的流失。五年后佐藤医生拿到当年的病历时，一度怀疑是中国方面做事马虎，把性别写错了。好在死者的儿子证明，死去的是他的父亲。当然，即使没有死者儿子证明，那倒霉的中国医生司空也不可能再倒霉了。时过境迁，一九九〇年，作为西方阵营的日本与中国已过了“蜜月期”。

第二章

盖棺

去世的人叫林修身，日本长谷川商会会长。他是作为爱国华人被邀请回国的。一九八五年八月十五日，世界反法西斯战争暨抗日战争胜利四十周年纪念日，这日子让正处“蜜月期”的中日两国有点尴尬。最后中方决定，把侧重点放在爱国主题上，结合招商引资，邀请海外同胞与侨胞回国联谊，林修身就在被邀之列。

其时，我在日本为系列专题做采访，这个林修身并非我的采访对象。之所以临时决定专访他，是因为他在北京有个壮举，他表示要把全部财产捐出去。

据大使馆人员介绍，这个林修身总是强调他的姓氏应读作 lin，是中国姓。这确实就是中国人名字。我看着“修身”二字，想象着他的形象。那时国内人普遍赞叹日本，但我的逆反性格让我不愿人云亦云。我习惯于去挖日本的缺陷，比如日本人的神情我就很不喜欢。我想象非日本人的林修身应该是气宇轩昂的，讲礼仪，但不像日本人那样刻意谦卑。他知大义，择善而从，他回祖国捐资就是一个例证。

据说那天在北京，国家领导人接见来宾。“现在想起来，当时就发现他脸色很红。”过后在场的人回忆说，“但没有人把注意力停留在他身上。气氛很好，领导人很亲切，中国改革开放，百废待兴，大家都想为祖国出力，畅谈甚欢。这个林修身也很高兴，发言时，他竟然说不出话来了。”

回忆者描述的林修身外表，竟跟我想象的大相径庭。这个林修身，脸和身材都圆溜溜的，就像小孩。当时可能是为了给自己打气，他的手臂不停地舞动着。这让他更显得幼稚。他张开了嘴，他嘴里没有牙齿，空空的也像刚出生的婴儿。他猛地迸出一句话：

“我要裸捐！”

那时候还没有“裸捐”这词，没有人听明白。人家以为是他发音问题，他是福建口音。在场相当多的人说福建话，但也听不懂，原来他们说的是闽南话，而他是福州人。他又攮着舌头说了一遍，有人听清了。“就是 naked donation。”有人向领导人解释，“或者是 all-out donation……”。

但这简直失礼，岂非把领导人当作不会英语的人。领导人还真懂英语，手掌一竖，表示明白。很多人也都明白了。但“裸捐”这词也太不庄重了，特别是在这种场合，大家都有点尴尬。有人在心里想：他还真是从日本来的。

但领导人也用“裸捐”这词。领导说：“裸捐，好！什么叫‘海外赤子’？‘赤子’就是‘裸’，这就是‘赤子’啊！”

大家鼓起掌来。这使得这个林修身一下子成了明星，媒体大量报道。消息传到了日本，大使馆推荐我采访他。我算了一下日程，等他回国，我还在日本，到时候再采访他不迟。我做的是深度报道，但必须先跟他预约一下。我就给他在北京下榻的饭店打了电话。电话那头，他哼哼哈哈的，我想是他一时没有反应过来。约好具体时间，没想到第二天他就离世了。

我随大使馆人员去他家吊唁。他住在横滨元町。老远就听到了哭丧的声音。葬礼是中式的，哭丧声是从扩音喇叭传出来的。日本人喜欢安静，难道不会造成扰民？我后来知道，真有邻居来提醒过。但丧家没有收敛。邻居就托町内会来说，丧家还是不理睬。町内会就反映到了社区建设委员会。社区建设委员会倒反过来说服町内会的人，说丧者毕竟是中国人。

“知道是中国人。让人很舒服的一个人。”町内会的人说。这大概是日本邻居对这中国人的普遍评价。“修身，修身先生，确实，人如其名，但这下怎么会这样？”

“一个国家有一个国家的习俗。”建设委员会的人说，“现在不是日中友好吗？”

“这是扰民的理由吗？”

“当然不是。”建设委员会的人改变了策略，“毕竟是生命最后的告别嘛！按自己国家风俗办一场，也是可以理解的嘛！包涵包涵！”

实际上，建设委员会已被横滨日中友好协会打过了招呼。而横滨日中友好协会，则是受了日本华商会的委托。说是林修身先生德高望重，生前做了很多对国家和社会有益的事，又是日中友好名人，家属提出的要求，理应得到满足。

但即使是中国丧俗，哭丧也不至于要用扩音喇叭。当时国内是有一些爱显摆的丧家这么做，但这个林修身，不是早已生活在国外了吗？

据说这是死者生前要求的。到了晚年，他多次向儿子说起葬礼的做法。

不仅有哭丧，还有乐队。国内丧礼也有用乐队，但这里是两个乐队，一个中国民族乐队，一个西洋乐队，并且统一着装。西洋乐队着西洋军乐队服，但民族乐队所穿的服装有点莫名其妙。我试着问乐队人员，回答说是中国传统服装。哪个年代的？对方也答不上来，只说戏剧上都这么穿的。我倒是曾看过一篇探究中国戏服的文章，“衣箱规制”是以明朝生活服饰为基础的，再参照其他朝代。为什么是明朝？明朝是最后一个汉人的王朝。但这种说法未必站得住，明之前就没有外族统治？清之后的民国呢？也许戏服嘛，就是戏服。人生如戏，有什么可较真的？

而且那是二十世纪八十年代，探究传统，简直迂腐。一个世纪来，“新文化”“新生活”运动，还有战乱，然后“破四旧”“文革”然后是“新启蒙”，传统已像被打掉的一排牙，噼啪四溅，无处捡了。就是若干年后掀起“文化寻根”浪潮，传统也更多的只是作为批判对象。就是捡回来，也难以接上血脉。有一种说法：传统在海外保持了下来。远离祖国的中国人，更珍惜自己的母国文化。我曾去横滨中华街，那里的关帝庙确实像模像样的。但这个林修身的丧仪让我觉得，所谓海外保留的传统也是可疑的。

我发现竟然有人在画十字。难道丧主是信教的？这让我惶惑。如果丧主是教徒，那么我该行什么礼？比如天主教，我印象中天主教徒前往外教丧家吊唁，是禁行圣礼的。那么反过来呢？外教人对教徒该怎么做？好在他的儿子是跪着叩头答谢的，牌位上也没有写“神”“灵”，写的是“显考”。

但确实没有念经的。中式天主教葬礼是不念经的。牌位可以按中式写，还可以在牌位前行本地之礼。也讲“事死如事生，事亡如事存”，但这句来自《中庸》的话，被天主教做了特殊的阐释，在“事死”与“事生”之间建起类比，把重点放在“如”字上。既是“如”，那就不是“是”，那么牌位只是个假借的类似物，灵魂并不在牌位上。

这个林修身，灵魂在哪里？

我走出长谷川宅门，发现门口有一棵巨大的树，这棵树形如苍老的手，几乎遮盖了大部分庭院。“这是榕树。”蓦地有人在对我说话。我扭头看，一个老人。我记起我刚来时，就看见丧家人在请这个老人进屋。但他不肯进。当时我只以为他是客套。再看他的脸，瘦骨嶙峋，神情诡异地望着我，又望望榕树。

“大树底下好乘凉啊！中国的大树更好乘凉！”他又说。

我这才意识到对方说的是中国话。“您是中国……”

“台湾人！”他说，“老实说。”

我并没有意识到他的用意，只是想，台湾人不就是中国人嘛。

“我叫林北方。”

跟林修身相反，他用日语拼读他的“林”，はやし。“大使馆的吧？”他说，戳了戳停着大使馆汽车的方向。我点头。

“可算是斩获满满了！”

“什么？”我问。这个人说话，像日本人那样没有主语。

他仍然没说主语。“那天从这个门进去，就想着有这种结局吧？这榕树知道。”

我大概能猜到他指的是谁了。

他又仰头望着树。树沙沙响。“那天早晨，树也是这么响着。树都是这么响着的，但主人换了。这声音像掌声，还是像叹气？对我是，对长谷川先生，也一定是叹气吧？”

“长谷川先生？”

他指门口的表札。但上面写着“林”。他好像才发现到，显得有些沮丧。“是啊，表札都换了！是啊，来蹭我的姓了。还叫‘修身’？装什么圣人！但长谷川商会这名字还在。长谷川商会，不是长谷川家的产业吗？”

我没想到这。

“长谷川幸之助先生要早知会引狼入室，那天他是无论如何不会答应的。”

“那天?”

“而且是在那一天。”

“哪一天?”

“昭和十六年十二月九日。”

他用的是天皇年号纪年。我努力在脑子里换算着，好像是战争时期。他的声音在我耳边嗡嗡响：“就在这个城市。大清早，一家叫‘佛跳墙’的中国料理店，门被推开了。”

林北方嘴里的他

门铃“咣当”大响起来。就连送货人的动作也没这么鲁莽。“佛跳墙”店主总是提醒送货的，楼上的人还在睡觉。睡觉的是店主独生儿子林北方。父亲疼儿子，总是说：“小孩多睡一会，多睡一会！长身体。”

推门的是一个女子，一股狐味让楼上的林北方一下子醒了。他跳起来，就往楼下跑。楼下台柜上冒出一个脑袋，那是店里的伙计。伙计也被来人惊起，他急急绕到台柜外侧，向门口跑去。过道上有个仪容镜，他刹住脚，往镜子里照。他个头矮小，只能在镜子下半部照着。镜子里可以见到他脑袋顶着一头乱发。他发觉自己手里还拿着饭勺，就顺手拿饭勺往头上一梳。

“混蛋！想滚蛋吗?”店主正从叉烧炉上爬下来，一眼撞见，喝道。

已经说了好多次了，就是改不了，这个伙计，总是随手拿饭勺梳头发。这下店主太生气了，伸手越过台柜，抢过饭勺，一勺向伙计敲去。伙计闪身，撞到斜对面的壁橱上。壁橱里的瓶罐大响了起来。瓶罐碰响中一个女声响起：“对不起……”

伙计将头别向门口相反的方向。那里有镜子，他可以从镜子瞧见门口。林北方说，他从半明半暗的镜子里瞧见伙计的眼睛，就像白天的灯一样悄然发亮。

门口女子又叫了一声：“有人吗?”

店主没明白来的是谁，又一挥木勺。“你死了？还不快去！”

伙计愣着，不敢相信店主真的让他去迎接来客。他猛地一个嬉笑，就往门口奔去。但到了门前又刹住脚，故作刻板地应了一声：

“对不起，还没到营业时间呢……”

来人没有理睬，战争时期用来替代招牌板的门帘不由分说被撩开了。“说什么营业不营业啊!”话音未落，对方的手就向伙计伸了过来。伙计缩了一下，但没有后退。他的胳膊立刻就被对方的手抓住了。其实只不过是被对方的手指搭上。对方是女的，手指细短，明显握不住他的胳膊，但他还是被对方牢牢控制住了。他慌张瞥店主。店主正忙着事。他就顺势让对方把自己拉走。

林北方骨碌下楼，跟了上去。

街上雾气蒙蒙，从海港方向传来几声轮船的鸣笛，带着破晓的激动与焦灼。伙计的手被女子抓着，林北方能感觉到女子的手像烙铁一样滚烫。他家伙计也好像感觉到烫，不住地转着手腕，调整着接触部位。但他始终没有将手脱出来。不仅没有，倒好像在通过一再转动，去蹭对方的手肉。身边人影幢幢，林北方也不知道为什么街上人这么多，好像发生了什么。但他没心思去想，他只跟着前面这对狗男女。

人流不时阻挡着狗男女的去路，他们在人流中艰难穿行。这让林北方解气，觉得全世界都在支持他。这对狗男女不得不停下脚来，女的在寻找出路，男的焦急地原地踩着脚。女的抓住一个人流空当，钻了过去。伙计来不及反应，被拽得踉跄。但他的手没有脱开。他们的脑袋忽然被人流淹没了，林北方紧张，跳起来寻找。他们的脑袋就像落水者头上掉出来的帽子，失去了方向，在人流中漂来漂去。林北方真想冲上去，逮住他们。他从人流底部钻过去，赶上他们。但他又不敢行动，或者说，他不敢在那女子面前这样做。他虽然咒骂他们是“狗男女”，但他还是想把他和她区别开来。虽说捉奸捉双，但这不能叫作“奸”。他相信是他家伙计去纠缠人家的，就像他现在死死抓住人家的手。还因为抓得太紧，女的一度叫起疼来。他慌忙撒手，但接着又抓上去。是他家伙计不要脸。林北方这么犹豫着，人家已走远了。他认出这是通往长谷川家的路，那女子是长谷川家的小姐，叫长谷川香织。

“那时候长谷川家门口表札上还写着‘长谷川’，主人是长谷川幸之助。”林北方说。

这个林北方嘴角深深凹陷，这使得他的颧骨格外凸出。因为颧骨凸起，眼窝又凹下去，那脸神秘而狰狞。

“那时候这榕树还没有这么大，但已经足够威风了！”他又说，“那天早上就站在这棵榕树下。”

林北方说，当时，望着这棵榕树，他家伙计也生出了畏惧。他发出一声嘟哝，更像是在念咒：“我不……”

“你还想回‘佛跳墙’去吗？”长谷川香织问。

伙计赶紧摇头。林北方说，他家伙计应该很清楚，他这一脚从“佛跳墙”跨出去，是别想再回来了。要回就回你中国去。林北方说，他家伙计是中国来的，他最怕回中国。林北方平时恶作剧，就冲他喊：“滚回中国去！”他就吓得连屎都绿了。

伙计摇头，香织笑了。“就是嘛！”香织说，牵着他，一提。“来！”她把他身体提得歪斜。他不敢调正身体，就这么歪斜着由她牵着走。她把他带到边门，那门翕着，估计是她刚才出来时有意虚掩着。林北方也想跟进去，不料一个仆人过来，把门关上了。他急得攀着围墙，里面是空旷的庭院，他不敢进去。

长谷川香织带着那伙计横穿庭院，伙计歪歪扭扭踩着铺石，竭力让自己不碍着香织。到了廊檐下，他简直就像牵线木偶一样，被她提着上了走廊。她提得很轻松，因为他没有给她重量。倒不是他个子小的缘故，而是他是自己先蹿上去了。他早已迫不及待了。倒是她，因为要拈和服下摆，显得有点费事。

女佣们在廊道上穿梭跑着，地板在急急颠跑中颤抖。耳膜上挠着收音机的嗞嗞声，这声音被女人们的碎步搅得凌乱。香织险些撞到一个女佣身上，她欢快地尖叫一声。

“都忙起来了呢！”她回头对跟在后面的他说。

廊道折了个弯，方向是接近大门口。她带着他走来，把他推进尽头一个房间，林北方知道，那是她的闺房。他灵机一动，爬上了榕树。攀上一个枝丫，他可以看到那个房间。他曾经偷窥时在窗纸上戳过一个洞，也许是位置太高，没有被发现，这洞还在。这洞在高位，给他好视野，他可以俯瞰整个房间。房间有点暗，凌乱极了，被褥没有收进壁橱，还掀开一大角，保留着女主人离床时的状态。空间狭小封闭，香织那特有的体味好像都从窗纸破洞透出来了。香织让伙计坐被子上，他愣着。香织把他一推，他就坐下了。不过他马上起来，换成了跪坐的姿势。但他的手还是不老实地悄悄蹭了几下被子。香织说了声“等着”，就要出去。他嘟哝了一声什么，香织停了下来，回头说：

“别怕，这是我的房间，没人会进来！”

他又嘟哝了一句什么。他扭扭捏捏，声音很小。

“爸爸刚起床呢！”香织说，“是啊，有点早。但不这么早，你能出得来吗？我去催催爸爸，爸爸一定在那边应酬叔叔他们。”香织看了看门外，继续往外走，回身关好拉门。

伙计一个人跪坐着，姿势僵硬。他的胸和背没有半点动静，好像连呼吸都屏住了。他把视线收缩在自己膝盖前，一副坐以待毙的样子。他看上去好像一只任人宰杀的羔羊。

"嗨呀，原来全在这啊！"一个男人粗野的声音。他吓了一跳，身体好像被这声音搡歪了。他斜着身，窥视着拉门。拉门完好关着，声音是穿过拉门糊纸进来的。

"是你这家伙啊！是什么风把你给刮来的啊？"这是长谷川先生的声音。

"珍珠港方向刮来的神风嘛！哈哈哈哈……"来人说。

大家一起大笑了起来。

"实在是振奋人心啊！是到了让洋鬼子瞧瞧咱们厉害的时候了！宣战，宣战！"来人又说。

他霍地站了起来。

"这太平洋路线一打开，我们这些搞航运的就马上大有可忙的啦！"来人说。

"是啊！"一个说，"以前没我们民办航运什么事……"

"你这是什么话！"另一个声音说，"人家长谷川航运早就在编了！"

"还不是在北千岛吗？还不是在那个择捉岛什么军冠湾睡大觉吗？"

"怎么能睡得着嘛！"长谷川先生的声音。

"总之，现在可以掀开被子了！大干一场！"一个说，"忙，忙！忙得焦头烂额，屁滚尿流！屁滚尿流，焦头烂额！哈哈，南方的资源圈啊，石油，特别是石油！哗哗地喷来吧！可是没有油轮怎么行啊？那我们就可以出力了！喂，哪位还要把船卖掉的，请卖给敝人吧！全卖给我！我多想去忙死累死啊！"

"我的是客轮，又不是油轮，又有什么用？"一个说。

"这又是你的悲观情绪在作怪了！"又一个说，"客轮也是船，不能改造吗？现在单靠总共百来只、五十几万吨的油轮，能干什么事啊？瞧着吧，统统都要改造！客轮、普通货轮都要改造。长谷川老兄，你信不信我的预见力？当初美国人禁输石油，我就说过要打的。长谷川老兄，我说过这话吧？"

"的确说过。"长谷川先生说。

喝彩声像惊鸳一样飞了起来。声音绵绵不绝，尾音中又冒出一个沙哑的歌声。大家又追着这歌声拍手，很快合上了节拍，齐唱起来：

代天讨伐不义……

歌声与拍手声把拉门糊纸震得啪啪脆响。那伙计盯着糊纸，眼神慌张，但又晶亮。他的嘴巴也畏畏缩缩嗫嚅起来，好像在热身，像跑步前的助跑。他很快就跟上了那歌声。他冲着门的方向斗胆一冲，但又缩住了。他好像在寻找着什么。他的手摸上了自己的后脑勺，放下来时，他手上沾了一点血丝。这是他早上被木勺打的。他脸一皱，做出疼痛的表情。虽然他的手已经离开了伤口，但他还是叫了一声疼。他的眼睛紧盯着血，好像用放大镜聚焦着火柴头，他期待着火柴头燃烧起来。他终于如愿以偿了，他的愤怒情绪被点燃了。他简直幸灾乐祸。他的嘴疼得一咧，然后顺势哼起了歌。他好像获得了放肆的权力，他在理直气壮讨伐着什么。他的手臂摇动起来，好像在摇动着发动机。他被动力驱动了，向拉门步步逼近。但拉门还是关着，他也没有胆量去打开拉门。他只能在幽暗的门内哼着歌，做着种种扭曲的动作。林北方从来没有见过他这种形象，在林北方眼里，他家伙计总显得很憨厚，甚至傻乎乎的，现在他简直是唯恐天下不乱的乱贼。他乱舞着，以至于门上投上了两个人影都没发觉。

门"哗啦"拉开了，香织带着父亲出现在门口。长谷川先生穿着黑色和服，微微撑着手臂，那样子好像蝙蝠。他把拉门推得大开，手臂一张，身材骤然高大，简直像传说中的鲲鹏，那宽阔的翅膀后面骤然交炽起两道光。伙计好像被这光射中，一个倒退，身子一晃倒了下去。

香织惊叫一声。长谷川先生几乎跟女儿同时跨进了房间。

伙计的手摸在后脑勺上。香织被诱导，发现

了他头上的伤。“啊，血！爸爸，流血了！”她夸张地叫。

“没事……”他却嘟哝。

林北方说，他总是这样，做出卑微的样子，让人可怜他。但当人家可怜他，他又表示很能忍受，于是就让人更加可怜他。现在他故伎重演，他做出要挣扎爬起的样子。但他又哼了一声，脸一扭，身子也好像就要疼得撑不住了。这让香织赶紧去扶他，命令他躺下。但他更要爬起来。他于是就被香织硬按住，躺着。他仰着身体，好像完全被缴械了，他的样子更可怜了。

“一定是‘佛跳墙’打的！”香织叫，简直是在宣扬。她的声音里有按捺不住的兴奋，好像她找到了说服她爸的有力证据。“老是挨打！打伤了还照样干活，刚才我去时，他还在干活……爸爸，您看看，这么多血！”

伙计摆手，好像在否认。

“还忍着！”香织更有话可说了，“爸爸您看，受了那么多苦还忍着，总是这样……”

“对不起！”伙计竟然道歉。这是他又一个策略，不但表现出自己不值得一提，还向关心他的人表示歉意，自己给人家添麻烦了。这下，长谷川先生被打动了。他也蹲下身去。“香织，去叫人把急救箱拿来！”长谷川先生说。

香织跳起来，就往门外跑。但在门口，她站住了。她转过来的脸上带着要挟，“爸爸您还没有答应我呢！”

长谷川先生仰起头来，好像没有反应过来。

“不管怎样是不能再回‘佛跳墙’了！爸爸您可不能见死不救啊！”

“先去……”

“不！”香织叫。

长谷川先生急躁地用脚底蹭了蹭榻榻米草席，眉间闪过一丝厌烦。但他的女儿并不怕他，她竟然把身体倚在门上，袖着手。长谷川先生的神情转成了愠怒。“香织，你太任性了！”

“都是你们大人要打仗，才去不成中国了！”香织叫。她委屈地哭了起来。

“哪里是我们要打仗……”长谷川先生辩，“是西洋人……”

“我不管！反正您答应过的……”

“那只是旅游，是玩！这是国家大事……”

“不管怎么说，就是食言了！爸爸您不是说要文明吗？日本已经是文明国家了，不是野蛮国家了。野蛮人才言而无信！”

长谷川先生无言以对。香织应该是看出父亲被她抓住了要害，转变策略，啜泣道：“爸爸您不仅言而无信，还不爱我！”

“我怎么不爱你？”

“一点也不爱我！你只顾自己，一点也不管我！我有了最好的朋友，你也不肯给我！他是‘一寸法师’，我是‘春姬公主’，他会保护我的，陪我！”

这“一寸法师”的绰号，还真被香织用上了！但林北方纳闷，他家伙计什么时候成了香织的朋友，而且是最好的朋友了？

“你能够陪我的，是不是？”香织说着又扑向伙计，搡着他。她又拉起他，在他身后推着，向她父亲逼去，一边叫着：“向爸爸保证！向爸爸保证！”

长谷川先生狼狈地后退着。他竟一直被逼退到门外的走廊上。他好像冷静了下来，拍打着衣服，庄重地说：“香织，这不是你要怎样就怎样的！爸爸得谈谈！”

香织止住哭，好像在评估父亲的诚意。她突然把伙计的脑袋抱住，朝地上磕下去。是真磕，发出重重的响声，好像那不是人的脑袋一样。磕一下，又提起来再磕。他的身体在她的制约下，像空布袋一样不成姿势。他的腿在挣动着，竭力不让自己瘫倒。他努力双膝支地，跪住，但香织动作太鲁莽，他没有支住。

“‘一寸法师’，你说，你能好好陪我的，保护我的！”香织叫，“你说！‘一寸法师’，你机会来了！你说啊！”

他嘴里发出虫鸣一样的声音。他好像在不断地重复着什么，但就是表达不清晰。香织索性叫："爸爸，听到了吗？在求您呢！大声点！再大声点……"

他的声音大声了些，但也只是显得更尖而已，仍然听不出他在说什么。香织又叫：

"再大声！再大声！"

香织的音调在不断升高，那虫鸣声也越来越响亮起来，终于发出一个清晰的声音：

"留下我！请留下我！……叫我干什么都行！求您了……"

"呦"（"U"）

我才换算出来，昭和十六年就是一九四一年。

"十二月九日？不是八日？"我问。

我还算出来了日本与美国的时差。东京时间一九四一年十二月八日凌晨三点，日本偷袭珍珠港。

"九日，"他领会我的意思，笑了一下，"第二天。四十四年前。"

四十四年前太遥远。我无法想象四十多年前在这个宅子里发生的情景。我曾经看过一张被轰炸后的东京照片，俯拍下的东京几乎被夷为平地。横滨情况也好不了吧？这宅子居然还保留着。那一片废墟的东京，只有明治神宫可辨。明白地说，是明治神宫的树丛可辨。它们好像在告诉轰炸者，它们的生命是在地下。这个宅子前的榕树，它的生命力也在地下吧？

我隐约感觉到一种从地下冒上来的气息。再看那个林北方，他幽幽向我笑着。他抿着嘴，那嘴里好像还藏着秘密。

"太平洋战争爆发，他开始发迹。他很好地利用了这时机。"他说。

我愣。

"刚才说到'一寸法师'。"他继续说，"'一寸の虫にも五分の魂'，听过吗？'一寸虫五分魂'。厉害啊！长谷川先生也算是英雄一世，利用战争发财，但最后，财富都到了这个'一寸虫'手里了。现在还回国光宗耀祖？中国那么欢迎他，当然，'三菱''丰田''东芝'，不也都受欢迎了吗？"

我知道他指的是什么？这些日本企业，战时曾支持过日本侵华战争。二十世纪八十年代，中国国内也对此有所议论，有人讽刺是"鬼子回来了"。长谷川企业，应该在战争期间也有不光彩的行为。但尽管如此，跟林修身应该没什么关系。即使按林北方说法，林修身是在太平洋战争爆发时进入长谷川家，那又能说明什么？

"成功总是好的啊！"林北方感叹道，"成功就能洗污！"

这算污吗？或者就因为战争？我不想再听他纠缠林修身与战争的关系。"我知道，他走了，对您家，对'佛跳墙'形成了伤害……"我说。

"是背叛！"他说，"只有背叛，才能达到成功！"

"嗯……也许也可以这么说。"我承认，"但未免言重了……"

"言重了吗？"林北方尖锐问，"是我们家收留了他。"

五十四年前的一个凌晨，"佛跳墙"中国料理店老板林发有推车上市场采购，回来时，带回了一个流浪儿。那时候"佛跳墙"刚开张不久，为省成本，老板自己上市场。林老板见一家菜店扬着"松蕈初荷"的旗幡，"呦，松蕈上市了啊！"他刚发出一声，一团脏得发油的东西就滚到他的跟前。

林老板又"呦"了一声，闪了闪脚，并未在意，问价，挑货，过秤，付钱，又转到了鱼市。在一个熟人的鱼摊聊了几句，说到近来价格上涨，对方说："不过东西还是好的！"拿手抹开箩筐上的碎冰，现出鱼来。林老板欠身，鱼鲜得出乎意料，他又"呦"了一声。那脏东西又出现了，好像从地底下钻出来的。

原来是一个人，一个十来岁的孩子。

林老板仍然没有在意，买了鱼，就往推车上拎。鱼市通道狭窄，车难以掉头，林老板就改用拉。蓦然觉得车子轻了许多，回头看，原来是那孩子在推着，还嘻嘻笑着。路是铺石路，坑坑洼洼的，经他这么一推，确实轻快了许多。林老板以为对方是帮忙，道了谢。途中经过一家米店，停下来时，发现那孩子还跟着，仍然嘻嘻笑着。他这才瞧清了，这简直是一个乞丐。

走到了比较平坦的路上，林老板不知不觉走得快了，那孩子从推车，实际上已经变成了跟车，又变成了追。小乞丐追得上气不接下气，但在林老板的审视下，却竭力稳住呼吸，不让自己虚弱喘气，做出轻轻松松的样子。

林老板打趣地笑了，"你小子，真不累啊？"

他笑着，好像努力在听懂对方的话。他终于作出了判断，使劲点了点头。

"累？"林老板问。

他又点头，但马上又发觉不对，又大幅度摇了摇头。

林北方说，他父亲说的是日语，那家伙当然听不懂。那家伙完全是在蒙。林老板又问他家在哪里？这下，他无法用点头或摇头回答了。林老板又问他叫什么名字。林老板用意是从名字中判断他是哪个国家人，但他疏忽了，他仍然用日语问。对方答不上来。

林老板并没发觉自己错误，也忙，早上时间紧，他又急匆匆用日语向对方道了谢，进了米店。他点好几袋米，米店老板刚开始喊店里的伙计来搬，那小乞丐又出现了，他已经挽起袖子，弓着腿，身体前倾。他手一伸，一袋米就蹦到他肩膀上了。他迅速就往外扛。林老板大笑了起来，拍着手上的粉尘，就让他搬。这时候米店伙计才到，米店老板埋怨他们动作太慢。"你们看人家！"米店老板指着那小乞丐的背影。

说话间，那小乞丐已经返回来了，又是同样的姿势，动作熟练。他那么用劲，竟然还嘻嘻笑着，也许不是笑，而是太用劲之下产生的吃力表情。他好像怕被别人抢走了机会，一点也不敢停歇。米店老板对林老板说：

"新来的？你可真是捡了大便宜了！"

"什么大便宜嘛！"林老板说。

"那就给我了！"米店老板说。

林老板忽然有点不舍得了。那边米店老板还在说："捡了便宜还卖乖可不行啊！"

出发时，林老板就让那小乞丐推车。"会推吗？"对方愣着，但一副随时行动起来的架势。林老板发现自己的疏忽了，对方根本听不懂自己的话。他做了推车的动作，果然那孩子明白了，推着车就走。他快步流星，林老板在后面都赶不上了。林老板得意地大笑了起来。

林北方说，当时他父亲确实以为捡到一个便宜宝贝了，竟不知到头来是"养鼠咬布袋"了。

倒是他母亲犹豫过，"不是哑巴吧？"

"应该不是哑巴。"父亲说，"你瞧他，眼睛一个激灵一个激灵的，有反应。"确实，而且因为他不会说话，那眼神显得特别活跃。林北方说，那时他常嘲弄地想到一句耳熟能详的话：上帝关闭了一扇门，就打开了一扇窗。"他听得见。"父亲判断，"十聋九哑，聋了才哑。他不聋。"

"我爹曾经试着跟那小乞丐说台湾话。"林北方对我说，"他也听不懂。"

"台湾话？"我问，"不就是福建话吗？"

"台湾话。"林北方说。

"哦，是闽南话。"

"不，台湾话。"

他的回答听起来怎么有点别扭。不过我不想在这方面跟他纠缠。"嗯，他说的是福州话。"我说。

"好在他听得懂'呦'这个音。"林北方说，"人类语言隔阂，但有的语音是相通的，比如'妈妈'。也许应该说语气？我不是语言学家。总之，我爹一发出'呦'这个音，他一听，就会跳起来，像听到冲锋号令一样。爹说：说什么都没反应，就这个‘呦’！往后就叫你小子‘呦’吧！’”

大家就叫他“呦”。但因为“呦”是语气词，叫起来总是有点怪，林老板想用日语“ゆ”称之，但林北方觉得不如用英语字母“U”简单，于是就用“U”。

大家高兴起来，还亲切地叫他“阿U”。时间久了，通过探听，才知道小乞丐是从福州来的。他是怎么来日本的？他只说是乘船过来的，其他都说不清。林北方说，现在他回忆起来，脑子里还是出现一个空白地带。他甚至弄不清这个地带是有，还是没有。一种深不可测的感觉。当时店里忙，他父母也懒得再问。林北方也才十来岁，喜欢用一种轻慢的态度给他安个标签：那边来的。日本人说起中国人，总说“那边”。但这样总显得不够确切，于是林北方又叫他“小中国”。林北方说，他太轻视这个“小中国”了，从来就没有用正眼瞧过他，只是鄙视他。

单是他那吃饭的样子就让人鄙视。作为伙计，他不能和主人坐在饭桌上吃饭。就是打烊后，老板坐下来喝酒，他还在收拾打扫。干完了，装一碗饭，夹上几筷菜，蹲在灶台边上吃。因为是蹲着，头压得低，颈肌就绷得紧，就像马在伸头吃草。两颞还深陷下去，这是贪吃穴。随着扒食，那颞坑一深一浅的，他脖子上的肉也扇动了起来，再配上他吃的声音，林北方说，那简直就是一头猪。

这个叫U的伙计从来没有坐着吃饭过。但他照样吃得很香。他吃得很快，好像生怕随时被人抢走了碗筷，那紧张的样子很可笑。但他一点也不顾形象，只要有吃就行。尽管这样，他能吃到的也很有限。店铺小本经营，老板得精打细算，能留给伙计的基本只有残剩的东西。又遇到战时，他好像总是吃不饱。有一次看见他偷偷把手伸到砂糖罐里，沾上糖，放在嘴里舔。老板看到了，一个勺子扔了过来。那以后他再也不敢了，就连老板娘分他一角煎饼什么的，他都不敢接。但接着，家里人发现这伙计开始吃客人吃剩的东西。一小块肉，一粒贝类，哪怕是用来泼在食物上的糖醋汁。收进来的盘子里，如果还剩下一点东西，他就把它放一边，趁老板不注意，迅速伸手，把东西送进嘴里，再迅速合拢嘴。有一次老板叫他，因为嘴里堵着东西，都应不出声来了。他指着盘子说明是退剩下来的，不是偷吃店里的东西。因为说话，东西不小心滑进肚里去了。他被噎着，脸都黑了。老板娘吓坏了，别闹出人命来。后来老板娘对老板说，索性允许他捡退下来的残食。

“只是，不能误了干活！”林老板说。

“是！”他一挺胸脯。好像为了表达感激，他比平时更疯狂地大干起来。林北方不明白这有什么好兴奋的？别人吃剩的，脏死了。可见这个人之前是在多么恶劣的环境下生存的，只要能活命，什么脏臭，他都无所谓。只要有得吃，让他怎么卖命都行。

林北方说，这个家伙，与其说他干活卖力，不如说是善于听命令。老板一发声，他就像子弹一样“嗖”地发出去。开始老板还不适应，见他子弹一样飞出去，会吓一跳。“慢点，想吓死我啊！混蛋！”

有一次林老板打趣他：“阿U，你是我发出的子弹啊？”老板做出抄自己裆下的姿势，用手比画出一把手枪的样子。“砰！”

那家伙竟然受宠若惊地点头称是。后来有一次，老板闲着，问他：

“阿U，喜欢干活？”

“喜欢！”他说。这时候他已经学会了一些日语了。

“为什么喜欢？”

“会干活才有用！”

“你看人家！”林老板拿伙计教训儿子，“苦孩子早懂事！哪像你！人家可是跟你一般年龄啊！”

林北方不以为然，他怎么能跟我比？林北方说，他那时是很任性的。父亲经常说他，家里虽然是开餐馆的，但柴米油盐他都拿不清楚。他喜欢管外面的事，大事。他爱打抱不平。对方被打了，家长告上门来，父亲很生气，骂他，他就拿父亲平时讲的侠义故事来顶父亲。父亲说：

“你要普度众生，你自己先得是佛！”

这话他没听进去，但被他家的伙计听进去了。“现在他真的普度众生了！”林北方说，“普度众生才不是靠修行，靠投机。”

林北方说，他家小伙计表面上干活卖力，实际上变着法子偷懒。比如剁饺子馅，这是很费时费力的活，他就左手拿一把刀，右手拿一把刀，双管齐下。听起来，剁肉声密集了，剁的频率也确实高了，但他是为了省力。这边剁下去，那边就势弹起；这边再剁下去，那边就又就势弹起。老板起初以为他在玩耍。“你小子敲鼓哪！”

他就更快地剁，表演性地强调出快频率来。老板听出来了，道：“你小子挺会琢磨的嘛！机灵鬼！能快就行！”

林北方说，这个U“战后”发明了绞肉机，就是他父亲当时宽容和鼓励的结果。当然，后来想起来，琢磨出这样狠的机器，也说明这个人心思有多凶狠。其实他时有暴露出凶狠。最初一次，林老板跟邻里吵架，他突然像小狼狗一样冲出来，叫：

“你霸，你霸个把把！你把把啊！”

这是这小伙计家乡话。霸，就是霸道、了不起；把把，就是男人生殖器。意思是：“你了不起啊？你了不起个×啊！你只是个×啊！”这话霸气十足，完全不跟对方讲什么道理，直接骂，并且亮出最粗野最不堪之处：生殖器。这小伙计突然显出这种形骸，是他之前完全没有暴露出来的。

他还有一句骂：“我把把靠你肩上！”

还有：“×你娘！”

这个小伙计虽然年龄小，但已经现出凶狠和霸气的端倪。只是林老板没有警惕，林老板喜欢狠角，喜欢机灵加上狠，他自己就是机灵加狠的角色。当年从台湾来日本，没有任何资本。因为是台湾人，出人头地更加困难。既然没有任何资本，那么挣一点就是挣。他什么都干，反正日本又不是自己的家乡，出了事了，拍屁股换个地方。终于挣了点钱，开起了中国料理店。其实把钱投在开中国料理上也很冒险，当时日本跟中国正在打仗，很多中国的东西成了禁忌。但再禁也禁不了人的味蕾，林老板抱定这一点。林北方说，他父亲比他看得透。

父亲喜欢打烊后喝点小酒，一边炫耀自己的经历。每当这时，U就默默听着，眼神幽幽的。偶尔发觉被人注意了，他就掩饰地嬉笑起来。他很会嬉笑，那样子憨厚极了，让人觉得他傻。林北方说，后来想起来，林老板的人生经验，这个U都在默默记着。

林老板开店前，只在一家料理店干过两个月。从刷碗、洗地板到搬东西，干到洗食材，再被允许切食材。没有站厨机会，厨艺都是靠他自己观察揣摩出来的。这也使得他脑子里没有条条框框。店名叫“佛跳墙”，“佛跳墙”肯定要成为店里的招牌菜。但“佛跳墙”是福州菜，他不是福州来的。他只是喜欢这三个字，吉祥，有发达之气。但即便是不论籍贯，“佛跳墙”是中国菜，这是日本，食材也成问题。一方食材造就一方饮食。但这没有难住他。他理解的“佛跳墙”的神髓就是酒腌加杂烩，用日本食材照样可以做。他就地取材，果然受欢迎。当然也是日本人味蕾迟钝，好忽悠。

那时候‘佛跳墙’总是新菜迭出。客人进店，总是说：“有什么新菜？做出来尝尝！”有一次，林老板在清汤里放了一只鲇鱼，对客人称，这是中国正宗宫廷名菜，叫“游龙过海”。客人照样相信，赞不绝口。过后，U悄悄问老板，这“游龙过海”真是正宗的？

“正宗？”老板应，“连鲇鱼都是滋贺琵琶湖的。正宗？老子从来就没‘宗’！”

林老板说着，呛了一样大笑起来。“没有

‘宗’，就全是‘宗’！中国菜里就根本没有‘游龙过海’。”

林北方说，他跟长谷川香织交往，就因为“佛跳墙”的名声。他们原来是同学，但在学校时，林北方对她没有什么好印象。只记得她是中途从关西转学来的，脸上有雀斑，身上有狐臭。林北方还会跟同学们一起取笑她。他用汉语喊她：“虎を威張っ狐！”狐假虎威，惹得她像男生一样追着要打他。那时她家不过是做些水路运输，同学们说起“佛跳墙”还会赞叹：“有名的店铺啊！はやし君，什么时候让我们尝尝中国饺子？”毕业后听说，长谷川先生去了满洲。至于去满洲做什么，好像跟航运并没有关系。但后来又做回航运了，据说是因为搭上了军方关系，买卖做大了。

多年后，已经考上高等专科学校的林北方遇见了这个女同学，她竟然走在街头能招蜂引蝶了。聊起来，她父亲已是长谷川远洋船运会社的社长了。她脸上的雀斑也不见了，当然是被厚厚的脂粉盖上了。至于她身上的气味，林北方也没觉得那么难闻了，甚至还感觉是一种特殊味道。他跑回家，对父亲说：

“爹，今年赏樱宴，我要做东！我要请老同学来，办中华饺子宴！”

父亲说：“你索性把你爹吃破产算了！”

林北方急道：“爹，您开店十几年，还不如人家跟军部搭个线呢！”

“你把你爹卖了去搭线！”父亲说。

父亲疼儿子，最后还是答应了。整整一星期，长谷川家几乎成了林北方唯一的话题。为了让父亲感兴趣，林北方在书本和市井传说的基础上，糅进自己的想象，把长谷川家描述得神乎其神，香织也成了典型的京都贵族小姐。每当这时候，他家伙计就会不由得停了手中的活，目光贼亮。有时他还禁不住问个什么问题。

“去去去，有你什么事！”林北方根本没听他的，“到时服侍不周到了，扒了你的皮！”

对方嘻笑了起来。

“扒了你的皮，给香织包饺子！”林北方又说。

他竟笑得很甜，好像是得到了恩惠一样。

长谷川小姐

请客定在周末。一大早，林北方就起床了。但他家伙计已经在擦拭客座了。甩着胳膊，动作幅度很大。这家伙常会忽然间高兴起来，大干起来，也不知什么原因。林家人完全不知道他脑子都想些什么，也没人去在意他，反正卖力就好。问题在于回头一检查，他却常常没把事情干清楚。但这天不同，林北方去瞄桌面，检查做得干净与否，非常干净。又转到另一侧，借着门外光线，斜瞥桌面，锃亮。林北方高兴起来，不禁夸了他一句。

做好所有准备工作，时候还早，林北方去房间再打理一下自己，给自己头发上蜡，梳得油光发亮。从房间出来时，他瞧见他家伙计也在对镜子戴厨师帽。伙计个子非常矮小，高高的厨师帽戴着，身子显得更短了。帽子是新洗的，雪白雪白，这倒让林北方喜欢。伙计干干净净，他也体面。伙计将帽子拉得挺挺的，又脱下来，捏帽沿线，一节一节捏过去，整圈棱角分明，再戴上。

老板喊他提水，他好像不知该把帽子怎么办了。他不舍得脱下帽子，又害怕戴着帽子干活，弄坏了帽型。他只嘴里应着，磨蹭着。老板骂：“你戴什么帽子！猴子戴帽不像人形！”

他拿手护着帽子，生怕老板又去敲他，把帽型敲坏了。好在老板连手都没抬，他太忙了，只动嘴骂。他终于还是没把帽子脱下来，慌慌张张跑去提水，脖颈硬硬的，让帽子保持着稳定，那样子可笑极了。

那时候林北方只知道取笑他，根本没去寻思他的动机。林北方只关心香织来了没有，已经到点了。同学们陆陆续续来了，却不见香织。他跑去门口张望，又失望地回来。回来时，他家伙计也往外跑，差点没把林北方撞倒。

“干什么！”林北方啐他。伙计神色慌张。林北方说，他当时就应该意识到他家伙计对长谷川小姐有企图。他虽然个子小，看上去活像没长成的小孩，但他已经不是小孩了。伙计应该也觉得掩饰不住，就向上翻起手掌，手指支着，好像他是要出去搬货，只是货还没有到，没有搬成。

林北方望了望挂在调理间小窗上的钟。“这钟今早没上发条吧？”他嚷。

“有，我上的！”伙计说，“还上了两次！”

“上两次干什么？两次一次还不是一样？”林北方啐。

“我想保险一点……”

“傻瓜！”

伙计嘻笑了。“这不是替少东家着急嘛！”伙计说，“长谷川小姐怎么还不来？”

林北方说，当时他真以为他家伙计是为他着急。毕竟是自家伙计！他竟觉得这个伙计暖心了。

他到自己房间，又往头发上了一层发蜡。从房间镜子里，他看见他家伙计也用手捞了水，故意经过门口，在仪容镜前快快把刘海抹了一下。见他出来，伙计又掩饰地去瞅钟，然后模仿着钟摆，摆啊摆的。“我就是钟！转啊转啊转啊！长谷川小姐马上来啦！”

林北方笑了。趁着他笑，伙计又往门外跑。刚到门口，就急蹦进来，邀功地大叫：“来啦，来啦！”

林北方跳起来，就往外冲。伙计迎面跑来，拦住了林北方的去路。林北方推开他。两个人竟然都没有瞧见已经到跟前的人，不是长谷川小姐，是几个男同学。他们叫：“啊！这么欢迎我们！”林北方懊丧，都是这个傻伙计闹的。“快给我们带路吧！”同学把林北方押住。他扭头寻找伙计，只见他还望着门外。

“死人！还不快接客人上楼！”他啐。伙计这才退了回来，仍然恋恋地回头看门外，这边林北方被男同学们押上楼了。

伙计端茶水上来，林北方就溜了下来。伙计很快也跑下楼来，这下他不敢再到门外了，他装作要做什么，在门口的仪容镜前磨磨蹭蹭。林北方刚要喝叫，就觉得镜子泛了一下光。随着外面一个人力车夫的“约希”声，这边门帘下，一只草履现了出来。

“对不起……”一个女声。门帘撩开，店骤然亮堂了起来。

“门外射进来的光好像一把火，把店里的一切，连同那个伙计，都烧毁了。什么都消失了。”几十年后，垂垂老矣的林北方对我回忆当时的情景，还目光发亮。“一种晕幻的感觉！晕幻，日本式的美。正是樱花开得最烂漫的时候，店前樱树开出的花漫天漫地的，花的颜色，把香织的脸映照得特别娇嫩。几片花瓣落下来，划过她的发梢，落在她的和服上。她好像不堪一击，身子一歪，她那特有的味道就荡了起来，像水被晃出水波一样。我就一个大胆，趁机去搀她胳膊。我的手被电了一下，想撤手，但好像被吸住了一样，撤不掉。就是后来那家贼碰着人家手那感觉，我知道这感觉。她也让我搀着，也不知过了多久，才赶紧撤手。唉，现在还说那干什么！”

香织是自己进去的。屋里顿时被反衬得晦暗了，这使得林北方只能看清门口的仪容镜。他看到他家伙计在镜子里，目光像新铁钉子一样亮。林北方仍是没有多想，他只为自己刚才的鲁莽害羞。他掩饰地朝楼上大叫一声：

“京美人到！”

楼上的同学全跑了下来。“出落成大美人了！”大家怪里怪气叫。

“要不怎么叫‘京美人’呢？”林北方自豪道。

香织明显是被养成了，不像小时候那样撵着大家跑，也没有做出要打的姿势。她只嫣然一笑，低头瞧着自己的两只并拢的脚丫。

“好漂亮的脚啊！”几个人无聊地盯着香织的

脚，色情地赞叹。林北方有点反感，想阻止大家，但他是东道主，只能转移话题，招呼大家上楼。刚坐下，一个男同学意犹未尽，又粗鲁地问：

"香织，有婆家了吧？"

"失礼呀！"林北方叫。他灵机一动，"不过这个问题既然问起了，大家就请做个题吧！到底有没有？认为有的举手！"

只有那个发问的同学举起手来。林北方心头一热，掩饰地扑过去搓那同学的脑瓜子。那同学嗷嗷叫，赶紧改嘴说没有。

"那么认为没有的呢？"林北方又问。

大家全举起手来。

"咦，林君，你呢？"有人问，"你是'有'还是'没有'啊？"大家要他表态。

"我不知道！"林北方赖皮地叫了一声，嗓音都欢快得变了调。

"不行！怎么能不知道！"大家叫。

"是你提议的，你得先说才是！"

"我爸在喊我了！"林北方叫。在大家责问声中，林北方美滋滋逃下楼去。在楼下，又撞上了他家伙计。

"我也不知道！"伙计居然很认真说。

林北方踹他一脚，"你小子也凑什么热闹！八格牙路！"

伙计没上过学，当然也没有同学，那天是他第一次看见别人的同学们在一起玩。离午饭时间还早，有人提议去外面走走。大家沿着河边走，河面上倒映着大家短短的身影。大家戳着倒影，彼此叫着当年的绰号。指到香织，一个脱口而出："狐假……"

大家冲林北方笑了起来。林北方叫："看我干什么？"

"狐、假、虎、威！"大家学着汉字读音。

林北方真是后悔死了，当时自己不懂事，给长谷川香织取绰号。好在香织一脸不明白，瞅着林北方。但大家都说她装作不明白。林北方很慌张，赶紧去转移大家的注意力，最好的办法就是把他家傻伙计拿出来开涮。他家伙计就在边上，也在笑着。

"笑什么！篮子都歪了！"林北方啐。

那天伙计提着装着食物的竹篮，跟着大家走。他像一只怎么也挥不走的苍蝇。大家指什么，他也指什么。大家喊，他也喊。好像他也是同学中的一员。林北方决定把他剔除出去。他一戳水里的樱树倒影，像当年在课堂上一样，念起了课文：

开了，开了，樱花开了！

大家会心地笑了，跟着朗诵下去。这是大家都读过的课文，只有伙计没读过。果然，他就像被赶出家门的狗一样狼狈起来，只能佯装整理提篮里的东西。但马上又不甘寂寞了，大家背完，哈哈大笑，鼓掌，他也鼓掌，嬉笑。他用笑黏住了这个群体，抹去了跟大家的差别。他那笑，简直就像鼻涕一样黏人，但比鼻涕黏性强，像胶水。林北方没办法，只能恨恨地冲水里吐一口唾沫。

大家要找一块草地坐下，伙计又用一种表面卑躬实则炫耀的神态，自告奋勇去寻找场地。林北方决定利用这机会，把他的得意劲彻底打下去。

"去！可得找个大家都满意的哦！"林北方假装应允。伙计立刻像出膛的子弹飞了出去。他个头小小的，真像子弹，嗖的一下就不见了，只有厨师帽在草丛里时而闪现。很快地，就听见他喊：

"少东家，这边真好！给长谷川小姐坐正合适！"

他居然只想着香织。大家一愣，喷笑起来。几个故意问香织要不要过去？香织好像没听到那边的话，茫然抬起头来。大家就朝那边喊：

"再说一遍！长谷川小姐没听见！"

林北方本来想用一次次否决，来打压他家伙

计，捉弄他，却没料到对方这么赤裸裸。他只能道："混蛋！什么破地方！还敢叫长谷川小姐坐？"他说"长谷川小姐"时语调加重，显出是在模仿对方，然后又对香织说，"香织，对不对？"

香织没有回答。

"人家香织不满意！"林北方于是叫，"再去找，再去找！"

"是！"那伙计一点也没有被羞辱的难堪，撑着喉咙应道。他又跑去找新地方。一会儿，又听见他喊：

"这边正好！多么好的草地啊，毛茸茸的，真舒服啊！"

他倒自己先陶醉了。他跑回来，要拉大家去审定。好在他不敢直接拉香织，但大家让他去拉香织，说我们又做不了主，长谷川小姐才做得了主。长谷川小姐满意，我们就满意。

这下伙计趁机瞅香织了，色眯眯的，却不敢靠近她。他流着汗，他一出汗，汗味就特别重。尽管有一段距离，林北方仍怕这气味熏着香织了，就喝叫他退远去。于是他就远远地瞥香织，还歪着脑袋。香织仍然不表态，林北方恍然明白，香织也在捉弄这个家伙。香织和他一起捉弄一个傻子，大家都在一个战壕里。林北方激动了，又啐道：

"混蛋，你小子找的什么好地方！那么远，叫人家一个'京美人'怎么走过去？"他向香织使了个同谋的眼色。香织眯眼一笑，林北方简直心花怒放了。但他家伙计也捕捉到这个笑，倒好像香织是笑给他的，也大为兴奋起来。他大声叫：

"是！我再去找！我再去找！近的，找近的！"

他竟然行了个军礼。他压根儿不知道怎么行军礼，行得不伦不类。但他腰板挺得笔直。他猛转身，张牙舞爪地跑了起来。他竟然又跑到很远的地方去了，林北方叫不住他，向香织兼大家摇头叹气：

"实在没有办法，累死啦！说来你们不信，这家伙连自己叫什么名都不知道，我干脆就叫他'小中国'了。"

"'小中国'？"

一直不说话的香织这下眼皮一眨，认真问道。林北方说，当时他只将香织的反应看作是被自己呆起了胃口，后来想起来，自己简直愚蠢，让香织对他家伙计的中国身份产生兴趣了。但也是天意，他当年根本不知道香织对中国感兴趣。

"可不是嘛！"他当时还说，"我家的伙计我还不清楚？那边的人嘛！"

林北方接着用神秘语气说起他家当年收容这伙计的趣事来。他瞅见香织忽而吃惊，忽而害怕。他正得意，又听到他家伙计"小中国"的喊声，说找到了一个坐蒲团一样的地方。大家笑："林君，你家伙计给'长谷川小姐'找到坐蒲团了！"

"是'小中国'！"林北方纠正大家。

"好好，'小中国'。"有人道，"还是量身定制呢！不，是量臀定制……"

于是有人做出要量香织屁股的样子，怪声怪气叫："哇，不大不小正合适！"

林北方不高兴了，但又不好发作，就冲他家伙计喝："滚回来！"

"是！"

他家伙计真的滚着土粉向这边跑来。那样子，他没觉得被骂，倒像真的被主人召唤。他个头矮，跑起来更矮了，脚步因此也跨度特别大。他还戴着高高的厨师帽，前后挣动的厨师帽看着特别显眼，倒好像跑动的腿，他的短腿倒像是晃动的头，整个人像倒过来，像马戏团小丑表演。大家一起起哄起来。有人喊起了跑步令，还有人吹口哨。林北方说，他家的伙计天生有着将耻辱当光荣的赖皮劲头，他竟跑得更起劲了。他还有意踏着号令的节拍。他嘻嘻笑着，满脸红光。但他的厨师帽跑掉了。他索性把厨师帽抓在手里，也不顾抓皱了，只将头发宣扬地一甩一甩。很快，他的厨师服也敞开了，宽宽大大，呼啦啦向后扯。他好像跑得很急，但前进的速度却很慢，老是到达不了这边。林北方猛然明白过来，这小子是在表演，敢情大家全成了他的观众了。大家笑得乱成一团，倒在地上，你压我，我推你，嗷嗷叫着。香织还矜持着，但林北方观察到，香织在强压着自己的嘴唇。她也在笑，她的嘴唇在抖着，眼看就要忍不住了。林北方想让香织笑出来，但他不知道还有什么更绝的招数，只觉得他的撒手锏全用完了，倒是被他家伙计接在手里。唯一还剩下的就是中国骂，中国骂才够恶毒，够糟蹋对方。他于是骂：

“×，×！×你妈！”

但大家听不懂，几无效果。大家问什么意思？他不知怎么解释，就握起拳头，拇指夹在食指和中指之间，用日语说“你的母亲”。大家好像明白了，纷纷叫：

“×你妈！”

还把手势对准香织。林北方又觉得玷污了她，不高兴了。好在香织好像也没看懂，她仍然在忍着笑。这有点让林北方失望，他要她笑出来。黔驴技穷的他只能学着他父亲的口气，向他家伙计喊：

“快！快！滚过来，老子给你希望！”

香织忍不住，喷地笑了。林北方没料到这话能对她产生这么大效果。她赶紧掩着嘴，不让自己失态。她的声音从手指缝断断续续发出来：

“他，他……一寸长！”

林北方才知道，对她，这才是笑点。女人真是难以捉摸。“‘一寸法师一寸长’！”他哼起了歌谣。“对啊，那以后就叫他‘一寸法师’吧！香织，你就这么叫他，我也这么叫他！喂，‘一寸法师’！应一声！”

“是！”他家伙计竟然真应了，俨然是对他的褒扬。是啊，一寸法师可是英雄。倒让他长脸了。“什么一寸啊！十寸！”林北方啐道。

大家没明白他说什么。他瞥了一眼香织，躲到一边去，招男同学们。大家跟了过去。香织识趣地没有跟过去，安安静静待在原地方。

林北方竭力控制音量，但他没有控制得了动作。

“那东西？十寸？”大家叫。

“嘘！”他制止大家的声音。

“你怎么知道？”

“我不知道谁知道？”

他说自己曾看到对方小便。“所以才叫他‘U’。”

林北方向我承认，这是他当时临时杜撰的。他蓦然觉得“U”这个称呼是多么的妙。

“那东西挂着，像不像‘U’字？像马一样，那么大，那么沉！”他当时对他的男同学们描绘，又心虚地瞥香织。香织对这边好像完全没有知觉，她都不再瞅那伙计了，仰着头看天。林北方说，那时候他太年轻，没意识到她是在装。他低估了香织的聪明。她是听到了。

林北方当时竭力夸张他家伙计的尺寸，但过后，他也不禁打量起自己来了。他倒希望他自己的也像他家伙计那么大，甚至更大。他想拉他家伙计来比试。对他家伙计，他从来是想怎么做就怎么做。但他终究没有做，他怕自己被比下去。

那以后，长谷川家经常来订菜，林北方兴奋地瞧见自己通往长谷川家的路已经打通。他争取亲自去送货。他第一次看见长谷川那豪宅，简直震撼了。因此后来他也能想象出他家伙计的感觉。在他跟香织交往时，他家伙计也在使手腕。当时他只奇怪香织对他来送货闷闷不乐，说劳驾“佛跳墙”少东家亲自送外卖，实在不敢当，倒不如往后去向肯让伙计送货的店家订餐。

林北方说：“我家的那‘小中国’，不，是‘一寸法师’，香织你又不是没见过，笨头笨脑的！”

“再笨还不会送货？”香织说。

“唉，你不知道，他是东南西北都认不清楚……”林北方又说。

“不都送得好好的？”

再坚持下去，就有被揭穿的危险了。林北方只能说：“我这……不是怕万一嘛！免得那傻子将东西送到鬼都不知道的地方了！”

香织笑了起来，笑得泪盈盈的，说：“这样倒好了，我就趁机去鬼都不知道的地方玩一玩。”

长谷川家女佣阿照再来“佛跳墙”时，就在店里等菜。这是不给林北方送货的机会。阿照也不直接提回去，让“佛跳墙”伙计提着，跟她一块走。那天林北方不在家里，回来听说伙计给长谷川家送外卖了，赶紧把伙计叫来。

“长谷川小姐非常满意！”伙计说。

林北方顿时放了心。他激动地敲了敲伙计的脑袋，“料你小子也不敢怠慢！”

“长谷川小姐说，还从来没有吃过这么好吃的饺子呢！”

“之前我不是送过吗？怎么从来没吃过？”林北方说，“人家香织是客套啦！你以为人家说什么就是什么啊？”

“香织……”伙计说，赶忙改口，“长谷川小姐她就是这么说的！还问了我中华饺子宴的知识呢！”

林北方急问：“你说了‘一饺一形，百饺百味’了？”

“我还说了‘酸、咸、甜、鲜、麻、辣、涫’七味了呢！”

伙计大声说，明显对“半桶水”的少东家不屑。林北方倒没生气，脸红了起来。“当然了，不说这个，还算什么回答？”他踢了伙计一脚。

林北方说，长谷川家一来点餐，他家伙计都高兴得过节一样，嘴里哼着他总唱不完整的流行曲子。有一次，林北方发现他回来时，嘴边有油腻，问他，他支支吾吾，说是长谷川小姐要他吃饺子了。

“我说不吃！我说我是服侍客人的，不能吃！长谷川小姐她一定要我吃，长谷川夫人也来劝，说不吃不行……”

林北方笑了起来：“什么客人不客人的？吃了吃了！长谷川小姐叫你吃，你就吃！要是执意不吃，小姐可是会生气的哦！”他一副大能做主的样子，挥了挥手。

“对不起……”伙计嘴里这么说，话却大胆起来了，“我吃的是莲花饺。平时只是剁啊包的，原来是这么好吃的味道啊！”

林北方忍不住拧了一下他的腮，咬牙切齿道：“你小子也沾了老子的光了呢！被人模狗样地招待了一回。下回再去，可得加倍侍候了，听到了吗？”

“听到了！”

但这样，林北方就难以见到香织了。他曾经去约她，她推三推四的。有关香织的消息，他只能向去送货的伙计打听。但伙计总是絮叨着小姐怎样要他吃东西，小姐记得他什么样的饺子已吃过了，什么样的还没吃，要他每样都品尝过。林北方追问香织是否说了关于自己的话，他总是一脸茫然。有一次，林北方发起火来：

“只顾吃，只顾吃！你小子还有几分心思干活！”

从此伙计就不再说了。一问起来，他就条件反射道：“长谷川小姐没有提起少东家！”

林北方想登门拜访，却找不到合适的理由。更令林北方不安的是，长谷川家来定外卖的时候越来越少了。“香织她不要我了！阿 U！”林北方向他家伙计悲鸣。他亲切称他家伙计“阿 U”。不知什么时候起，他把他家伙计当作自己跟香织感情的见证人了。他向伙计诉说自己的苦恼，伙计总是静静听着。在以后漫长的时间里，林北方像牛一样反刍起自己当时的言语，羞愧难当。我家伙计一定会在心里笑死我了！我被他耍了还不知道！我高高在上，他假装卑贱；我在明处，他在暗处。我被他算计了。这真是船翻到阴沟里。也怪我太大意，我以为他只不过是中国来的，“小中国”，中国人就是工于心计。我以为他不过是个孩子，还真是“三岁看大，七岁看老”……

“三岁看大，七岁看老”

“你是哪国人？”我脱口而出。

对方愣。“台湾……”

“台湾就不是中国？”

我承认我很不舒服，就因为他一口一个“小中国”“中国人”。那时候，我固然也觉得中国贫穷落后，但被别人这么说，还是不舒服。这个林北方分明是台湾的，却没把自己当中国人，还强调他的姓氏应该念“はやし”。

“你说的‘三岁看大，七岁看老’，可也是中国俗语哦！”我又说。

“是……所以我让您看看他小时候是什么样……”

这个人是为诋毁死者来的。他让我反感，这使得我更倾向于同情林修身。本来我对林修身的“裸捐”也抱有怀疑态度。他为什么这么做？当然可以理解成是一种投资，毕竟他是商人，在商言商，而中国这边也在招商引资。“我为人人，人人为我。”主观上为自己，客观上为社会，这就是我采访这些华商的价值支撑。在事业草创时期，特别是华侨，可能会有不堪，但是可以理解的，那年代的口号是“理解万岁”。甚至会有“原罪”，但又何妨？林修身最后不是用自己的“裸捐”清洗了吗？是的，可以把他的“裸捐”看作洗罪。我叉着手臂，挑衅地瞅着这个林北方，我倒要听听他接着怎么说。

一九四一年，全日本开展战时生活代用品运动。林北方因为响应号召，脱掉鞋子，穿木屐上学，获得了文部省“节约养战模范”的嘉奖。奖品是一双崭新的木屐。

领奖回来，邻里纷纷前来祝贺。奖状和木屐从这双手传到那双手。町内会会长从门前经过，也进来说：

“当学生就捧了这么大的奖回来，这孩子有前途啊！”

店里像年末客满一样，喜气洋洋。林老板一边迎接来客，一边大叫：

“阿U，把所有的灯全开起来！”

战时节省能源，灯也省着开。有人说：“这样不好吧？”

“只一会儿，一会儿！”林老板说，“庆祝庆祝！”

伙计U光着脚丫“噔噔”跑到楼梯口，拉亮一盏灯；又“噔噔”跑到门口，拉亮一排灯。全拉亮了，他又欣赏起灯光来。他眯着眼睛，一脸兴奋，好像这是他的喜事一样。他瞅着大家摸木屐，也想上前摸，但他明显不敢。等木屐被放到一边的柜子里，他就溜过去，把木屐拿出来，摸着。瞅着没人注意时，他大胆把木屐放在地上，脚穿进去。如果不是他忘乎所以，还走了几步，林北方说，他还没有发现。

“啊！你把我新木屐弄脏了！”林北方叫。

伙计U才从梦中吓醒，慌忙将木屐脱了下来，赤着脚。他脸上仍然是那种赖皮的嬉笑。他把话题岔开：“少东家穿上这木屐，长谷川小姐一定喜欢！”

林北方被他点醒了。

“你小子，还不傻嘛！”他一把抢过木屐，就要去见香织，但很快就站住了。长期被香织冷落，他有点胆怯，又多少有点怨恨她，这下要在她面前显摆一下，让她羡慕，让她后悔，他更想去了。

“这可是文部省的奖赏呢！”他对U说，“阿U，你拿着这奖品，去把香织叫来！”

U立刻像出膛的子弹一样射了出去。林北方在后面叫：

“别把我的木屐摔坏了！”

U这才稳下步子来，但又做出大腹便便的样子，捧着木屐，颠着身子，一副踌躇满志的样子去了。

林北方心焦地等着U回来。

U是在大家吵吵嚷嚷中幽灵一样回来的，新木屐不再端着，而是捏在手上。他也没有给少东家回话，悄悄把新木屐放回柜子。他一只手揣在衣袋里，见人就侧过身去，俨然藏着赃物。

林北方追上去，问：“香织呢？”

U的脸猛地哭丧起来，“我没有……”

林北方问：“没有见到香织？”

U仍然说：“我没有……”

林北方急了，“没有什么啊？是见到了，你没有说？”

U还是说：“没有……”

“你是说了，她不来？”

U的脑袋剧烈地摇起来，像要抖掉什么可怕的东西。猛地有不祥的预感，林北方一把抓住U的领子。

“香织她怎么说？八格牙路你说啊！”他叫。

好像被他搡散了筋骨，U身体坠了下去。林北方也坐在了地上，头脑空白。突然，林北方跳起来，向还在兴高采烈谈论着的人们扑过去。町内会会长正拿着奖状在高声说着什么，林北方一把抢过会长手中的奖状，就要撕。大家大吃一惊。

“混蛋！这是国家的荣誉！你小子知道后果吗？”町内会会长喝道。

“佛跳墙”老板夫妇被町内会会长的话吓得面如土灰，慌忙扑上来，一左一右死死牵制住儿子的胳膊，不让他撕。父亲还腾出一只手去抠儿子手中的奖状，儿子跟父母较着劲，万念俱灰。

“孽障，要叫你家大难临头吗！”父亲用中国话喝道。

他又叫起了伙计，U瞪直着眼，好像根本没听见。

“死人！老子一刀剁了你！”老板一个跺脚。

U这才好像被跺到了，跳起来。他冲过来，叫：“少东家，不能啊！我，我，我……都是我该死！我忘啦！”

U的手在衣服后面掏着，厨师服宽大的衣襟给林北方希望。他盯着U的手，胳膊不觉得松懈了。老板夫妇趁机掰出奖状，几个邻居婆娘围着八仙桌，七手八脚抚平奖状。可是这边，U的手却久久没有掏出什么东西来，他的神情恐惧而懊悔。

“老子撕了那没人要的废纸！”林北方威胁地吼道。虽然奖状已经离开他的手，但他那凶狠劲，仍然令人害怕。U身体一震，那插在怀里的手一弹，弹出了一块手绢来。

林北方的身体顿时软了。“这是香织的？”他问。

U点头。

“混蛋！你怎么不早点拿出来！”林老板骂道。

U又摇头。

“没有用的东西！”林老板继续骂。

U又点头，好像在赞同老板的话。这是他从来没有的，被老板骂，做伙计的不吭气就是了，就是表示接受。除非老板特地要求你保证，否则就是多余，有时候还显得是在抗拒。

林北方和他的父亲，谁也不会往这方面去想。“是香织送给我的？”林北方问。

U不再点头了，也不再摇头。

“说啊！”林北方叫，“你哑巴了？”

U像小孩一样哭了起来。

在场的人都掉过头来，怪异地瞧着这个伙计，不知道他为什么哭。U哭了，林北方就得不到答案。他竟然讨好地抱住U，说：“对不起，阿U……”

他猛地攥了手绢，就向门外跑去。他兴奋地欢呼着。U却好像受了惊吓，转成了号啕，好像自己要被判死刑了。林北方说，他家伙计当时应该明白，他要去哪里，他应该很清楚他的阴谋就要败露，他好日子到头了。

但急着收拾残局的林老板却宽心了。“爱疯就疯！”他冲儿子背影骂了一句。老板娘则向大家赔礼道歉，特别向町内会会长说明，这不过是小孩子不懂事。町内会会长也谅解，只是说了一句：

“已不是小孩了！就算是小孩，你看人家，你家这伙计也是小孩！”

老板老板娘都认为是U挽救了局势。见U还在哭，老板娘以从来没有过的温柔劝慰U，亲自为U抹眼泪。她问U怎么回事，怎么就将少东家哄住了。U竟破天荒认真起来，以前老板一家怎么说，他就怎么听，夸他，他更是照单全收，但这次，他抓住老板娘的衣袖，说：

“老板娘，U在您家这多年，什么时候骗过人了？”

老板娘没明白他为什么这么问，她也从没有想过这个问题。她索然把衣袖从伙计的手中抽出，说：“干活去吧！U。”

林北方叩响长谷川宅门时毫不犹豫，他想象着香织会情不自禁扑在他的身上，连同她身上的特殊味道。他想着这时候自己应该怎么做，他一直想不好。他想应该想好了再去，但他的脚却不听他的，停不下来。他头脑乱乱的就到了香织家。见到香织，他不知怎么办了，就拿手绢挥了挥舞。香织看见他手里自己的手绢，脸红了起来。他意识到自己的动作奏效了，更大幅度挥舞起来，它就像一面胜利的旗帜。那边香织表情更加尴尬了，她轻声说了句什么，他没听见。问她，她不再说了。他想一定是难以启齿的话，这种话，本来应该由他先说的，而且人家已经先用手绢表示了，手绢是献给爱人的。但他实在不知道怎么说起来，心里说，香织，既然你走出第一步了，那就再走一步吧！求你了！

他于是一再逼香织，问刚才说的是什么。

“那边的人真是怪！”终于，香织又说出一句。

“啊，是说我家的伙计啊！”他说，“他就是傻嘛！”

“也没傻到把人家送他的手绢送人吧？”香织不满道。

林北方脑子还热着，一时没有明白香织的话。他还笑了一笑，猛然觉得被掴了一个巴掌。他羞愧难当，就往外走。

店里还有客人，他直接从客人中间穿过去。这是很失礼的，应该从边缘走。即使要进客席收拾盘碗烟灰缸，也要小心翼翼的，说着“对不起”。他这动作甚至惊得有的客人站了起来。他母亲赶紧过来拉他，他已经穿过去了，直奔调理间。U不在调理间。他蓦地瞧见台板上一把菜刀，调理间光线晦暗，刀在晦暗中间或一闪，分外凛冽。他嘴一咧，抄起了刀，就去找U。

U在仓储间里。林北方横在门口，仓储间漆黑一团。黑暗中闪动着U发绿的眼睛。林北方向U逼去，U贴着侧壁，战战兢兢移动着脚步。林北方忽然产生了更恶毒的念头，他故意向一侧逼去，要将U像小鸡仔一样挤出去。他要在大庭广众教训他家伙计。U果然夺路而走。但林北方估计错了，U并没有逃出去，相反，他把门关上了。

“滚出去！”林北方喝叫，“让所有人都看一看你这个贱贼！”

林北方逼上去，刀光在U的脸前嗖嗖地飞舞。U吓得闭上了眼睛。但他仍然顽固地用背抵住门，他闭着眼睛，毋宁是听天由命。

“我没有！”U在嗓子眼里争辩。

“你没有什么？”林北方反问，“你这个贼！有胆量偷，就没胆量承认？你小子原来还有这个贼心啊！老子真是瞎了眼了！我们家是‘养鼠咬布袋’啊！让大家都瞧瞧你这个老鼠，你这个贼吧！你这个中国来的贼！贼！家贼！”

他从老家话里找到这个词，非常贴切，家贼。他叫嚷，一边挥舞着菜刀。U慌忙伸手要捂林北方的嘴，他的手被刀打中，刀倒咣当落在地上。林北方也愣了，他瞧见血从U的手背流了下来。他停住了，害怕起来。他想扯开U，打开门跑出去。不料这个U，竟然用手把住了门闩。他的手血淋淋的，林北方使劲拉开它，它坚持不放，一用力，血流得更多了。

“啊，杀人啦！杀人啦！”林北方恐怖地大叫起来。

门外很快响起了捶打声。U背抵着门，一边仍然用手把住门闩。他好像没有听见外面的捶打声。他应该身体在随着捶打声发抖，但他却没反应。他还把眼睛闭了起来，好像那声音不是听到的，而是看到的，简直愚蠢可笑。但林北方相信他是精明的，他这样做，一定是在设置圈套。这么想着，他更加害怕起来，更大声地叫：

“杀人啊！杀人啊！”他隐约听到自己父母的声音，“爸，妈！快救我！杀人啦！”

“杀人？杀人！啊，杀人了！儿子啊！”他母亲喊。

“是谁？谁在里面！”父亲的声音。

“U？”

“U！你干什么？”父亲威严喝道。

林北方顿然心稳了，有父母庇护，父母就在门外。虽然他家伙计死死顶住门，但能顶得住老板的威严吗？不可能！在老板面前，在老板一家人面前，这伙计从来不敢说个不是。他没这个胆。他敢偷，但不敢做。他敢做不敢当。他这么顶住门，就因为敢做不敢当吧？他想蒙混过关。他明白了。这样，他更要喊了。现在他不是因为害怕喊，而是为了整对方，整死他！他哭嚎起来：

“杀人啊！杀人啊！我要死啦！……我完啦！家贼把我毁了！我的未婚妻完了！我什么都没有了……”

林北方承认，那一次，他长期的思念打开了闸门，泛滥了。林北方至今还认为香织本来已经是他的了，是被家贼鸠占鹊巢了。那以后他一想起木屐心就会痛。他可以想见U穿着他的奖品，站在香织面前的样子。而香织则是裸脚，一览无余展露在U的面前。“女人本性就像母鸡，这里啄啄，那里啄啄，只看男人怎么勾引她。那贼利用送餐的机会引诱了香织，最后达到进入长谷川家的目的。”林北方说，“战争后期，长谷川先生在大空袭中被炸死，这个贼终于拿到了长谷川家的产业。战争，就是大洗牌。抢到了好牌，就抢先占有了优势。战争对我家那样的小店，只有坏处，没有好处。战争后期，中华街所有店铺都被强行疏散到了千叶县三武郡，再迁回来的时候，中华街已经成了‘牧场’了。”

“牧场？”我问。

“当时的说法。”林北方说，嘲弄地一笑，“被炸成一片平地，可以放牧牲口了。真是天翻地覆啊！”

为表示尊重，我跟着他沉默着。但他突然又大说起来：“但是老天毕竟有眼！人该怎样，就是怎样。他个子不大，心倒很大。心大，撑死你！这不，爆炸了！我知道他是怎么死的，他是叫着心碎了跑去医院的。心要爆炸了！就像，就像包饺子。他不是很会包饺子吗？贪图多包些馅，多装些，再多装些，悄悄地，瞒天过海。但一下锅，就爆开了。报应啊！”他幸灾乐祸地转动着眼珠，“不是不报，时候未到！出来混，总是要还的！”

第三章

遗体里的秘密

我想象死者的心脏像饺子一样爆开，但我只从寿棺窗口看到他的脸。那张娃娃脸，让我想起“一寸法师”的绰号。但这已经不是小孩了，是缩水了的成年人，一个老头，好像更像个老太太。当时我并不知道那绸缎被子下没有男性器官。估计林北方也不知道，要不然，他一定会拿这大做文章。他曾经妖魔化过那个器官。

无论如何，我无法将这个老人跟林北方所描述的人联系起来。他是那么慈眉善目，眉毛淡得几乎没有。他的眼睛不像是闭着，而像是眯着，好像在微笑，眼尾有很深的笑纹。可以想见，笑是他生时习惯的表情，他很会笑。这好像又印证了林北方的描述。林北方还描绘，他的眼神像新铁钉一样贼亮。我转去看遗像，遗像上，他的目光并不怎么亮。也许是因为眉毛太淡？我在心里给那眉毛加浓，那目光，竟然确实灼灼燃烧起来了。

葬礼过后，林修身的儿子林太郎接受了我的采访。林太郎身材高大，五官棱角分明，看不出遗传了父亲哪些地方。也许是遗传了母亲？在林北方的描述里，并没有说到长谷川小姐的身量和五官样子。

但不管怎么说，这个林太郎身上有一半中国血统。他相貌堂堂。在日本，我常叹息中国男性形象邋遢，无非就是因为贫穷。这林太郎在优裕的环境中长大，样子就不一样了。

不能用中文，林太郎表示他不会说中国话。这让我有点意外。采访地点不在客厅，因为还在办丧事，客厅比较乱。在一个小茶室。林太郎身后的墙上挂着一张女性黑白照片，穿着和服，三十来岁。我还没问起，他就介绍，这是他母亲。

“长谷川小姐？”我脱口而出，“哦，应该是林夫人？”我有点犹疑。

“家母仍姓长谷川。”林太郎说。

日本女人出嫁后，不是都随夫家姓吗？我不好问出口。照片上，长谷川香织微微低着头，略显谦卑。但从眼神，可以看出这是个难以驾驭的女人。这是日本女人的内质，表面上温柔，实际上比男人还坚韧。

“这是家母去世前一年照的。”林太郎说。

她这么早就去世了啊！

“要是家母在世，家父可能就不会去世。”他说。

我表示赞同。“您母亲很爱您父亲？”我问。

他点头。“家母是行动力很强的人。要是家母在，她一定会跟家父去北京的，那么家父病情就可以得到及时处置。”

我有点难为情。虽然林太郎没有丝毫责备中方的表情，但日本人是不轻易表露不满的。“很遗憾……”我说，赶紧转移话题，“您父亲也是行动力很强的人，要不然，就不会一捐就是‘裸捐’了。”

“什么‘裸捐’？”他说。

最初我以为，他的疑惑是因为我说“裸捐”时用的是中文，我不知道日语怎么表达。我向他解释了，“裸”是形象的说法。他显出莫名其妙的神情，“不可能吧？家父怎么可能说出这种粗俗的词来？”

确实，这词有点粗俗。

“不可能听错吗？”他又说。

“会议有记录的。”

“记录什么？”

“会议上说的话，全会记录下来。”

“也记录‘裸捐’？”

“可能不一定是这个词……”我支吾，“意思就是这个意思……”

“什么意思？”

“就是把财产全部捐出去。”

“怎么可能？”

我才明白过来，他针对的是什么。他躲在语言后面，目的是为了否认“裸捐”这事本身。我傻了。他怎么可能认可父亲把全部财产捐出去？他父亲的财产就是他的财产。他父亲认祖，报效祖国，他可不会。他可只是半个中国人。

据我所知，林修身没有来得及立下字据，他当然可以矢口否认了。“要是您父亲还在世，他会很伤心的吧？”我挖苦道。

我承认我有点失态。他稳稳地瞅着我，话也尖刻起来：

“家父的心，不都已经碎了吗？”

他嘴角浮现出一丝难以觉察的笑。这让我更加不满。

“为什么心碎？”我反问他。

“一生悬命……”他说。

他好像不想再跟我斗嘴，但我的斗志已被激发起来。但他说的难道有错吗？“一生悬命”是个很客观的词，无关价值判断。再看林太郎，他的神态也是那么客观，像面具一样无表情。我想起了林北方说的长谷川香织的脸，那是典型的日本人的脸。不争论，固执己见，这是典型的日本之阵。二十多年后我读到旅日作家陈希我的文章，他称这是日本“空洞之阵”。所谓空洞，就是抽离了意义内囊，于是事物脱离了本质，成了空泛的指涉，让对手找不到攻击的目标。对林太郎，我一无所知。我能够揪住的只有他的父亲。“该不会是不择手段吧？”我说。

“中文，我不懂。”他说。

我疏忽了，我说的是中文。我印象中，之前他也说了几句中文的，并非像他自己所说的那样完全不懂中文。但这下他躲到语言里去了。我能够用日语说“手段を選ばない”吗？我懂日语，但日语是他的母语，我是闯进了人家房间去争论。我从一开始就犯了一个错误，我自以为雄辩，但其实已钻进人家的裤裆。而这个裤裆里空空如也，“空洞之阵”。

那好，我可以用日语说，但我要更直接。“开战，是一生悬命的好机会吧？”我说。

“开战？”他显得莫名其妙。

“日本和中国开战。”我本来要说日本和美国开战，偷袭珍珠港是日本袭击美国，但这样绕得太远了，我急于攻击他。这使得我都忽视了应该用侵略这词。不是开战，是日本侵略中国，而他的父亲就在这种时候获得了飞黄腾达的机遇。

他仍然一副没听懂的样子。

“太平洋战争。”我又说。

“哦，那个啊！”他说，“战争的事情，怎么说得清……”

“怎么说不清？”我搬出林北方，“有人说得清。林北方认识吧？”

他没有表示认识还是不认识，只是问：“知道‘北方’是哪里吗？”

我还真没想过这问题。

“台湾人吧？台湾的北方是哪里？”

我恍然明白过来。

“向往北方？”他又说，脸上仍然没有表情。

我以林北方为武器，却不料这武器被对手夺在手里，我反而受制于对手。

“一个台湾人家庭，怎么可能受尊敬呢？哪怕是在学校里。是他自己觉得受尊敬吧？”

林北方身上，确实有自以为是的气息。

“人要记住自己的本分。”林太郎又说，“家父就是本分人，所以总是被人欺负。那个林北方先生没跟您说游戏的事吧？”

“游戏？”

“小孩玩游戏。”

林北方还真没说。

“那时候日中战争，您刚才说过的。”

“嗯。”

“小孩子玩游戏，也难免有战争色彩。分成两个阵营，一方称作‘日本’，一方称作‘中国’。大家都抢着去当‘日本’，没办法，只能‘じゃんけんポン’。‘じゃんけんポン’，您知道吧？”

我当然知道，就是划拳。

“这样，被分到‘中国’一方的，气势就已经弱了，未战先弱。林北方先生当然也有被分到‘中国’一边的时候，输了，回到家里，就要从家父这里补回来。他拉家父玩，不管三七二十一，就要让家父当‘中国’。‘你本来就是中国人嘛！你就叫‘小中国’嘛！’您应该也知道那个林北方先生给家父取的绰号吧？”

我点头。

“家父也是有尊严的。人都是有尊严的，是不是？尤其是那时候家父也是小孩，当然不肯

了，也要‘じゃんけんポン’。但人家不干。家父据理力争：这不合理！但人家是少东家，一拳头打过来了，说：‘老子给你合理！’”

“您怎么知道的？”

“家父跟我讲过。”林太郎说。

这个林修身还把小孩时的仇怨记得这么牢？

“就连老板都偏袒自己的儿子。不过家父说，那样也好，也让他明白了人世间的道理，就像当时老板所说的：你没有能力，就得受人摆布。那个‘佛跳墙’老板也是靠能力才拥有了自己立足之地的。”

我注意到，他没有用反问句：“不也是靠能力拥有了自己的店吗？”而是用陈述句。他好像只是很客观地在叙述一个基本事实。“只是，‘佛跳墙’的后代失去了能力。”他话锋转了，转到能力问题上。“能力！”他用中文又重复了一下。

“您应该也知道，家父被他们家叫作‘U’。知道为什么叫‘U’吗？”

难道他有另外的说法？

“势能。”他说，“那个林北方先生是学过物理的，他应该知道U常用作势能的符号，不仅是电势能，也用于引力势能、弹性势能等所有广义的势能。‘U’这名字就是他取的。他当然知道U的厉害，所以一直很忌讳和嫉妒。”

林太郎站起来，说还有很多事要处理。他向我鞠躬表示抱歉，然后，一昂首，头也不回地走了。他就这样把我撂在这里。从他的背影，我才发现他已经非常愤怒了。让我惊异的是，他面对愤怒的我时，表情依然那么矜持。

一个人过来送我，仍然很礼貌。我走出茶室，外面人来人往，我觉得每个人脸上都蒙着面具。我明白了，我无法从这里采访到什么。经过拐弯时，我又看到一张面具一样的脸。它对着我，其实它就是在等着我的。这是一张老妇人的脸，妆画得非常浓，更像盖着一个面具。它朝我笑，笑起来产生的裂纹，使得它显得真实一些。她在冲我表示善意，我也向她致意。

“我听到了你们讲中国话。”她说。

她只是说听到我们讲中国话，而不是说听到我们讲了什么，否则显得她在偷听，被偷听者也会尴尬。日本人说话就这么小心翼翼，但我却跟林太郎那样针锋相对了一场。我确实不希望被她听到。

“那个人对您讲的，也是中国话吧？”她又说。

“那个人？”

“那个林北方先生。”她说。

原来是指他。“是。”我说。

“所以会有偏颇。”她说。

这跟使用什么语言有关系吗？

“我听到刚才少爷说……”

少爷？我恍然明白过来，她指的是林太郎。

“……那个林北方先生缺乏……能力。”她居然用中文说“能力”。

“您听得懂中文？”

“当然，毕竟跟会长相处这么久了。”

会长，一定是指林修身了。

“那个林北方先生就不是重视能力的人。能力，日语读‘のうりょく’。虽然汉字一样，但说起这个词来，中国人跟日本人感受是不一样的。在日本人，‘のうりょく’是理所当然应该具备的，否则你还说什么话？是必须一生悬命去获得。但在中国人，可能就只是一个方面的品质，有了能力，当然好。”

我注意到，他把林北方排除在日本人之外。“但他的父亲，林老板，不也是中国人吗？”我问。

“是吧。”她承认。她明显不能自圆其说，“但他儿子没有能力，没办法接管他父亲留下的店。”

“不是说，是在大轰炸中炸毁了吗？”

“是疏散了。”

“但到回来时，已经成‘牧场’了。”

“总有东西吧？还有地皮，可以重建，你看

现在中华街，不是又繁荣起来了吗？”

这确实。

“不过，那时他老爹还在，也是建起来了。但没多久就生病了，儿子接不了手，很快就倒闭了。相反，当年他家的伙计却越来越有所作为了。毕竟，老天是有眼的。你们那句中国话怎么说的？会长过去经常说，哦，‘天将降大任于斯人也……’”

“您也知道啊！”我笑了，老太太让我感觉亲切。

老太太也呵呵笑了，“都是会长教的，他就爱说这话。别看他个头小小的，但志气大着呢，最终成就了这么了不起的事业。”

她是什么人？听上去跟林修身先生走得挺近的。我好奇了，问她。“会社员。”她说。

我奇怪，长谷川商会有这么老的会社员吗？“退休了啊？”我试探道。

“我不退休！”她说。“会社就是我的家！”

日本人视自己工作的会社如家。

“我也没有家。”但她又说。

这话稀奇。也许是老人太老了。再端详她，好像正带着情绪。一个年轻女性赶了过来，见到我，侧着身子匆匆行了个礼，然后对老人：

“照子奶奶，找了您半天！我们先回家好不好？”

“这就是我的家！”老人又说。

“怎么还是这话！”年轻女性说，“以后就别到会社来了！”

“就因为爷爷不在了？”老太太说。

“不是啦！会影响到社长工作。”

“是会长！”老太太纠正道，“马上就接管会长了！”

“说什么哪，奶奶，还没有开董事会呢！”年轻女性说。她叫老人“奶奶”，应该只是尊称，并没有血缘上关系。看她那服装，应该是会社职员。

“还用开董事会？”

“会的，到时候会请您的！”

“请我干什么？”

“您不是董事吗？”

“我是用人！”

“什么啊，奶奶！”

“不是吗？在‘二代目’眼里，我就是用人，资深用人！”

“二代目”，应该指的是林太郎。这让我想起刚才她称林太郎“少爷”，看来老人对林太郎接任会长这位子，心里不是很舒服。或是林太郎怠慢了她？那她是什么角色？

“才不是呢！”那女职员说。

“对了，我还是‘新平民’！”

女职员没听懂。

“就是‘部落民’！等外之民，贱民！”老太太又说。

一旁的我听懂了。“部落民”类似于中国的疍民。甚至有说他们就是来自中国大陆和朝鲜半岛的，还有人说其中就有部分是疍民。明治维新搞“四民平等”，“部落民”被称为“新平民”，但仍然地位低下。现在年轻人已经不知道这些事了，但这个老人却自己刨出来。

“我姓什么？佐伯！”她又说。

我估计“佐伯”是典型的“部落民”的姓。她言之凿凿，简直是恶狠狠的，好像执意要往自己身上捅刀子，这样她才快意。

“我知道，您是佐伯董事。”年轻职员说，“不管怎么说，您是董事啊！”

“那是长谷川先生恩赐给我的！先生对我有情有义，让我读书，让我有文化，又把我请到会社来……”

她好像沉浸在对林修身的思念中。

“我们知道啊！”年轻职员附和。

“知道？”老人冷笑，“要不是出了那事，你们现在要叫我‘夫人’！”

我吃惊。她跟林修身到底是什么关系？我对她产生了兴趣。那边有人在叫那年轻女职员，年轻女职员显出为难的样子，不知顾哪头才好。我趁机表示，老奶奶我可以代为照料。那年轻女性犹豫了一下，向我道了谢，忙去了。

“您刚才说，要不是出那事，您就是夫人了？”我单刀直入。

她点头。

“那是什么事呢？照子奶奶！”我也学着那职员的称呼，好让她觉得我跟她亲近。

她几乎要开口了，但又把话吞回去了。“这不能说！”她说。

“是因为太重要了？”我问。

“其实这倒没什么重要。”她说，明显要把这问题敷衍过去。

直到多年后，我才知道她指的应该是什么。是死者身体里的秘密耻辱，她当然不会说。

佐伯照子嘴里的他

“重要的是她死死缠住人家！”但佐伯照子又说。

“她？”

“还不是那个女人！”老人没好气道，“香织！”

跟我预想的差不多。为了让话题继续下去，我说：“哦。刚才我听林太郎先生说，他的母亲跟父亲的感情很好……”

“好？”照子老人大笑了起来，“他懂什么？他跟他母亲才一起生活多少年？从他被抱进长谷川家算起，就算他那时候了解世事，也才多少年？”

我大吃一惊，原来那个林太郎是抱养的。

“他是抱养的。”照子奶奶生怕我没听明白，又说。

“怪不得长得不像父亲。”我说。

“瞧那他身材，哪里有他父亲的影子？”她说。

“之前还想，他这高高大大的，会不会遗传他母亲呢！”

“他母亲？”照子奶奶又笑了起来，“他母亲高大，那我就成了巨人了！”

“原来如此！”我故作感叹，“那他母亲是怎样的呢？”

“把人家害到走投无路了，‘佛跳墙’断了阿U的饭……”

“饭碗？”

“首先是饭。”老人说，“不给他饭吃，饿他！”

怎么会？那林北方可没有说，他只说他父亲会打伙计。

“阿U他再也待不下去了！”照子奶奶继续说，“那个女人就可以乘人之危了。真是阴毒！简直就是恶女淀君！”

我知道淀君，是丰臣秀吉的侧室。照子奶奶这么说，是否把林修身看作丰臣秀吉？

“就因为她对中国人有好奇心！”照子奶奶继续说。

“对中国有好奇心？”

“还不是？”照子奶奶说。

照子奶奶回忆，长谷川小姐对外国很有猎奇的心理。这种猎奇心是受父亲长谷川幸之助先生影响的。父亲搞航运，到过许多国家。所到之处，他都有相好。对家里，他也不怎么回避，常常喝着酒，放肆谈论。自从搭上了军部关系，生意好起来了，他也越来越霸道了，太太只能隐忍。香织性格像父亲，心野得很。她喜欢干出格的事，比如洗澡，她总是把衣服脱在起居室，光着身子走到浴室，也不顾家里还有男用人。她母亲说过她几次，但长谷川先生倒是不在乎，总是打哈哈。好在浴室设在二楼，照子就按太太吩咐，小姐洗澡时，守在通往二楼的楼梯口。还不能让小姐香织知道，知道了，她还会斥骂照子。“她好像就是要脱光着让大家看的。”照子奶奶说。

“等等！”我打断，“她……不是很矜持吗？”

我从林北方描述中得到这种印象。但一说出这话，我就后悔自己幼稚了。

“矜持?”照子奶奶道，“嗯，是很矜持。日本人，特别是日本女人都很矜持。就我不矜持!”

“不不……”

“那全是假象!”照子奶奶说，“假嗓音，假微笑，假惊诧，假恍然大悟，假矜持……像我这种直来直去的人，只配做用人，一辈子是用人。但正因为我用人，才看得最清楚!”

我不觉也做出恍然大悟的样子。我是想鼓励她继续说下去。

照子奶奶说，那时候长谷川幸之助先生从国外回来，总会带一些稀奇古怪的东西，这些东西总带着一些异国故事。香织很感兴趣，要父亲带她去那些地方。但长谷川先生总是说，他是去工作的，工作太忙。香织闹，长谷川先生只能答应找个合适的时候去，全家一起去旅游。但这许诺一直没实现。

长谷川幸之助最常去的是中国，谈论起中国来，他说得最多的是中国料理。他说日本的中国料理不正宗，中国的才是正宗。香织喜欢吃中国饺子，就央求父亲从中国带正宗的饺子回来。

“傻瓜！怎么可能?”长谷川幸之助道，“知道中国离日本多远吗?路上就臭掉了!”

其实日本离中国并不很远。但要说远也未尝不可，因为香织不知道轮船的速度。但即使食物不易保鲜，冬天还是可以用冰镇之类的方法保存的，长谷川幸之助先生压根儿就没心思顾及女儿的要求。长谷川太太曾经怪丈夫，既不想带，又何必在女儿面前夸耀中国饺子?长谷川先生是性情中人，高兴起来，爱说什么就说什么。照子奶奶说，她觉得长谷川先生为了增强神秘感，还有点夸张了。但他的女儿被诱惑了。后来，香织被邀请去“佛跳墙”中国料理店，同学会，她迷上了“佛跳墙”的饺子了。

一个傍晚，香织在半卷起来的遮阳帘下叠着手绢。她虽然是端坐着，但是照子看出了她的无聊和焦躁。她突然跳起来，喊：

“阿照！阿照!”

照子以为出了什么事，赶紧上前。原来她要让照子去“佛跳墙”。照子奇怪，她自己怎么不直接去?接下来听香织叮嘱，照子明白了，她不想见“佛跳墙”少东家，让照子去订货。但她又不要照子直接把饺子提回来，要让“佛跳墙”伙计跟着照子，送货上门。照子说，香织虽然年纪不大，但心思还是很细的。相比之下，她自己笨多了，还跟香织纠缠半天。香织烦了：

“叫你这么做，就这么做!”

其实那天林北方也没在店里，照子就顺理成章把U带来了。那是照子第一次见到U。这个人经常被香织提起，“那个‘小中国’太好玩了!”香织总是说。但照子觉得他的好玩只是爱笑，那笑起来像小孩一样。他很谦卑，很努力。一路上，他干劲十足，提篮子的胳膊始终是勾起来的。要知道，篮子里除了饺子，还有一盘汤。汤水荡来荡去的，U说把胳膊弯曲着，胳膊成了缓冲的弹簧，汤就不会淌出来。这个U是个脑子很聪明的人。当伙计的，要么脑袋不好使，要么混日子。照子说，U是她见过的最好的伙计，要不是命运不济，U这种人是不可能沦落到给人当伙计的地步的，那么香织也不可能要他怎样就怎样了。那一次，香织借口U一路辛苦，一定要他喝了茶再走。U推辞，说店里忙。照子去端茶，他竟然跟了出来，不让照子去端。照子说，这是小姐吩咐的。U不好去为难照子，他是善解人意的。彼此都是用人，被人使唤，身不由己。看他那样子，照子也不忍，对他说：“我快快端来，你喝两口就走。”U感激，重重地点头。照子奶奶说，那一刻，她就觉得自己和他的心贴在一起了。

“我去了!”照子对他说，快快跑去，快快回来。她向他使眼色，让他快喝。U心领神会，小姐还没有开口说请，他就已经喝了一口。他大概也意识到失礼，于是做出实在太渴的样子，一边道歉着。照子站在小姐的侧后方，给他做了鬼脸。“真好!”U好像受了鼓励，技术越发圆熟，做出很满足的样子。照子知道，他接下来是要表示自己已经喝足了，该回去了。不料他还没开口，香织又说：

“那就多喝点!”

“已经很好啦!”

“那就更好一点!”

他只能又把茶端起来，又抿了一下。照子看得清楚，他根本就没喝进嘴，只在嘴唇沾了一下。但为了要显得他喝得够多了，他让茶水溢到嘴外，并且去擦。他擦的时候显得很笨拙，是用手背擦。手背哪里拦得住水?茶水顺着他的手背淌了下来，到他白衣服上。他赶忙猫身去擦衣服，仍然是用手，简直是抓。

“我来擦!”小姐说。要是照子，她早就骂开了。但她对U好像很温柔。她跑过来，拿起自己手绢给U擦。U哪里肯?但她坚持，脑袋顶在U肚子上。U弯不下腰来，只能嘴里大声道歉。但她不是会干事情的人，动作拖延，那水淌到了下衣摆了。她赶紧追着去擦下衣摆。那水又滴到了裤子上。她又去擦裤子。

“那是什么部位?”照子奶奶说，“她竟然也擦!我都不好意思看。她也不知道羞!她不知羞，人家阿U还知羞。阿U脸都黑了，好像要憋过去了。人家是人啊!人家也是人啊，才不是‘丸太’!”

“丸太?”

“长谷川先生经常奚落中国人，有一次，他说到在满洲里，中国人被当作‘丸太’，就是原木。人非草木，孰能无情。你没感情，人家还有感情。哦，不是阿U对她有感情，那不可能，她那么一种玩弄人的人。阿U对她从来没有感情。有一次，那女的竟然还把手绢送给人家!”

“手绢!”

“您应该也知道，日本女人，送男人手绢意味着什么!”

“就是送木屐来的那次?”

“木屐?”照子奶奶莫名其妙，“阿U是一直穿着木屐啊!”

“难道他是穿着来的?”

“木屐不穿着，端在手上啊?”

我想说，那是林北方得到的奖品。但我不想说，那等于承认那个为战争服务的奖。“也是。”我说。

照子奶奶继续说下去。“‘手绢事件’后，那个少东家就绞尽脑汁整阿U。阿U是个忠心耿耿的人，要不是被逼到绝境，他是无论如何不会离开‘佛跳墙’的。那个林北方，简直就是恶少，他很清楚阿U最害怕什么，就是最害怕把他赶回中国去。当然，你会说，他不一定就要回中国啊。但在日本，被原来东家赶走，就很难找到新东家了。当然可以换个地方，比如去东京，去名古屋，还可以跑得更远一些，大阪、北海道，但是他身上哪里有盘缠?‘佛跳墙’平时只供他吃住，从没有付给他工钱。再说，就是有了盘缠，去别的地方，人家也会问起你原来在哪里做过?阿U是个诚实的人，怎么会撒谎?只能回中国去。这可是万万不能的!”

“为什么万万不能?”我问。听林北方说时，我就有这疑问。从中国逃出来的多了，但好像没有人像这个U。“难道是因为中国在打败仗?”我提出一个设想。

“是吧!”照子奶奶恍然，“那时候，日本报纸广播天天都有中国打败仗的报道。”

这也算是一种说得过去的解释。

“不过，也不是只跟战争有关。”照子奶奶又说，“战争，大不了被打死，对不对?就是不回去，在日本，没人再雇你，饿死，也不过是死，死就死呗!但我理解U，更根本的问题在于你成了被赶走的人了，成了不义的人了。不义也就算了，但你是曾经受过人家恩的。虽然是东家你自己把我赶出来的，但人家毕竟曾经收留了你。虽然这么想是没道理的，但偏偏阿U这个人太重情，太迂。他老是念叨，‘佛跳墙’对他有恩。其实说白了，谁对谁有恩还说不清呢！其实‘佛跳墙’得到更多，得到了廉价的劳力。阿U任劳任怨，干最重的活，店里的活都是他干，每天最早起来，晚上最迟歇下。睡的是楼下由柴火间整理的房间。这也就罢了，他不能跟东家人在一个桌子吃饭，只能吃剩饭。除夕也这样。但尽管如此，阿U还是胖了。东家就说是他们把他养胖了，是他们的功劳。于是他干活稍微懈怠些，他们就说，我们好吃好喝供养着你，你却不干活。他们一再提醒阿U，我是你的恩人，说起什么事，都要说到这上头来。一不高兴，就说：‘滚出去！滚回中国去！’他们根本不去感受阿U的感恩之心：他不能被当作不知恩图报的人。那‘佛跳墙’一家，以为他只是害怕被送回中国。出了那个事，少东家甚至扬言，为了把U送回中国，他愿意出盘缠。但他的父亲还在犹豫，毕竟U是个好劳力。于是，那少东家就要破坏阿U在老板心中的这个形象。”

每天清早，老板出门上鱼市采购前，U就忙碌开了。林北方觉得这是整U的好时机。为了报仇他竟然早起了。他来到调理间，瞧见箩子，估摸着U早上要用箩子淘米，他就故意把箩子拿走，躲在楼梯拐角，看U怎么办？U找箩子要耽搁时间，这样，早上的活就干不完了。但U另有办法，改用瓷盆，照样装米，淘米。林北方只能再寻找机会。等U洗完，他冲出来，来抢过正要下锅的米，拿到亮处细细检查起来。他要从里面找出谷壳来。但不管他怎么挑剔，都找不到，天知道他家伙计在洗的时候，是怎么把它们剔除出去的。这个平日里游手好闲的林北方，只见过U的手在洗米的水上撩啊撩的。林北方失望地将瓷盆往台板上一丢，又转到淘米的洗槽，指着下水口，指责U在淘谷壳时，把米也淘掉了。

“别以为把洗槽冲干净了，我们就不知道你冲掉了多少米！”他说，“不是你的财物，你当然不心疼了！”

U没有辩解。“是，对不起！”他躬了躬身，继续干他的活。

“你承认了？”林北方兴奋地叫起来。

U没有应他。没有应，并不等于就是默认。那是不理睬，意味着对你蔑视。当然U是谦卑的人，照子奶奶说，他只是对少东家客气。林北方被挫败了，冲上去拉扯他，让他明确承认。U仍是一声不吭，衣服被他揪着，他就在有限的活动范围内继续干他的活。林北方就干脆把他干活的手控制住。U没办法，道歉了一句：

“对不起。”

语气平淡。在日本，道歉并不代表有错，甚至还可以抬高自己的人格。林北方应该能感受到这一点。他好像遇到了橡皮人。“你等着！”他叫，扫兴地回到自己屋里。

不到五分钟，他又出来了。这时U正在擦门口的地板，伏在地上，翘着屁股。林北方计上心头。他向门外走去，装作去门口张望什么，再返身回来。他的鞋底把U擦干净的地板又踩脏了。

U就只能重新擦。等他擦干净了，林北方就故伎重演，再去门口，装作在张望，嘴里还煞有介事念念有词，好像在看什么人来了没有。再转回来，再踩，地板又脏了。U只能又重新擦。林北方再出去时，还故意走到门口最脏的地方，把泥土带进来。擦地板的水一下子浑浊了。林北方就有了指责U的机会了，骂他用这么脏的水擦。“是擦干净啊还是擦脏！”他话刚出口，U已拎起水桶去换水了。换回来清水，林北方继续踩。来来回回，他已出门张望好几次了，总得换点什么做，于是就去信箱拿宣传单。宣传单也拿光了，他就拿着宣传单，在U擦的地板上走过来，走过去，看着。

最初，林北方走到左边，U就把右边擦干净；林北方向右边走去，U就又赶忙去擦左边。林北方加快步伐，U也加快。但这样，地板来不及干，就被林北方踩得污水满地，显得更脏了。林北方心中明显快乐得发抖，有一阵，他都发出了呼宠物的声音，那是他平时呼邻居一只小狗时的声音。U好像就是那只小狗，跟着他转，他牵哪里，小狗就跟到那里。忽然，U不跟了，立起身来，拿来一块干布。在擦湿之后，他迅速用干布把地板擦干。他跟着林北方的脚步，见缝插针地擦。林北方的鞋底渐渐走干了，地板上的脚印只成了几个毫无力量的土粉印，很快就又被擦干净了。接着连林北方的鞋底都干净了。林北方愤怒地朝水桶一脚踢去。脏水流了满地，地板终于又脏了。但U又很快把水擦干了，拎着脏水撤离这是非之地。

照子奶奶说，U是不怕干活的人，“佛跳墙”的少东家应该很清楚。当然，少东家还可以再走到门外，再把地板踩脏，至少，这样可以让U再返工。“要是你这样没完没了跟着我转，耽误了其他活，我爹回来也照样收拾你！”林北方一定这么想。他处在优越的地位，无论如何是会赢的。他又走到门外，再把鞋底踩脏，再在门口地板上走。U怕他再踢水桶，这下就只是拿着抹布过来，擦，再回过去漂洗。但他这样来回跑，确实太费时间，他还有许多事没有做。他终于不再擦了，先做别的事。林北方把地板踩得花花的，人也乏了。远远的，他瞧见父亲推着小推车回来了。他不敢再呆下去，否则父亲就看出来是他捣的鬼了。他躲进自己房间。

他父亲在跟邻店的人打招呼，然后喊U。少东家想，这下他家伙计死定了！他总是自作聪明。他晃荡着出来，阳光斜斜地投射在门口，整面的地板简直像抛光的金属面一样锃亮，令人难以置信。他家伙计是在什么时候又把地面擦干净的？他跌跌撞撞冲过去，去开电灯。仍然没有一点污迹，这灯光，倒好像是为他家伙计营造了一个表演的舞台。他又趴下身去，从斜侧去瞄，一排平整的光几乎把他晃晕。他用仇恨的眼睛再去寻找他家伙计，他眼睛应该还是晕的，瞧不见U，他只听到那个熟悉的剁切声。这是在切台湾笋干，那声音初有凝滞，接着快脆。它节奏平稳，连缀不断从幽暗处传出来。这已经是每天清晨老板回来前的最后一项工作了。失败，向林北方劈头盖脸而来。

但是，照子奶奶怎么知道林北方的感觉？她怎么知道得这么多？我产生了疑问。“是不是阿U跟您说的？”但我问照子奶奶时，却是这么问。我委实愿意相信林北方就是个恶少，U是被他践踏的人。

“他才不会说。”但照子奶奶说。

“那您怎么知道的？”

“是我零星套出来的。他哪里是会诉苦的人？他可不像那个林北方。他没跟您讲这些吧？”

林北方确实没有说。

“他当然不会说了。他怎么会说自己是恶少？人总是千方百计说对自己有利的话，人言不可信。所谓人间地狱，就是这样。人都为自己，都把别人看成地狱。你干得再好，也会被怀疑。不止，因为别人是地狱，所以别人干得越好，越是可疑。就连努力干活，也成了抢学技术。”照子奶奶说，摇着头。

“爹，以后防着那小子点！”一次，吃饭时，林北方提醒他父亲。

“防谁？防他？”林老板拿筷子戳了戳蹲在洗槽边扒饭的U。

“爹，您可别大意了！咱们家吃这小子的亏还不够吗？这种野贼，以为有了本领就能走遍天下呢！别‘养鼠咬布袋’了！什么叫‘教了徒弟打师傅’？”

那以后，林老板确实对U有了警惕。许多本来已经脱手给U去做的技术活，又收了回来。有一次，老板在忙别的，这边有客人点菜，U顶上去炒菜。老板瞧见了，慌忙撂下手中的事，抢过勺，“哎呀呀，放下来，放下来！”

U没明白，仍拿着勺，“老板，我会做……”

“混蛋！你小子做什么猪食狗食啊！这么乱来，‘佛跳墙’牌子要砸你手里了！”

U以为老板是怕他做不好，仍说：“我会做

的，您见过的……”

“放下！”老板喝道。

U这才觉得不对，撒手。但他马上预感到更可怕的事态，惶恐起来。他又用手指触碰勺子，好像这样，他还有可能让勺子回到他手上。他哀求道：

“老板，让我做一道吧！我现在能做好了！”其实他做这菜的技术早已得到老板认可，他这么说，只是姑且认错，好让老板允许他做。“这次我保证会做得让您非常满意！让顾客非常满意！让老板娘非常满意……”他竟然把老板娘都说到了，“我保证会的！”

“滚！”

大概他这样子，反让老板更误会了他，证实了少东家的话。

U像挨了炮烙一样，手缩回来。

那以后，他可以帮上手的活越来越少了。加上战争，食物供给越来越紧张，原材料日显枯竭。照子去“佛跳墙”，一次次感觉店里越加冷清。她瞧见U向上空摊着手掌，手指好像惊弓之鸟支立着。U当然十分清楚自己的前景。这时候，太平洋战争爆发了。

背负着“背叛者”之名

“他确实是那天离开‘佛跳墙’的？”我问。

“哪天？”照子奶奶问。

“太平洋战争爆发那天。哦，应该是第二天。”

尽管是第二天，但也处在那个时间节点上。我承认我也很在乎这个时间节点。

“是在那天。”照子奶奶坦言，“要不是发生了战争，他确实没机会进入长谷川家。但这不是他的错，又不是他发动的战争。一个人有权利把握自己的命运，特别是底层人，机遇来了接住，很正常！要知道，那可是战争时期，他又是一个外国人。要不是实在待不下去了，阿U还是会在‘佛跳墙’待下去的，哪怕是赖着。他是个忠心耿耿的人，又有能力，也许，要是他没有走，‘佛跳墙’后来也不会倒，他会辅佐少东家的。但那个少东家不知好歹，执意要赶走阿U。你不要，又不允许别人要，哪里有这种道理？”

“也许是因为，对方是长谷川小姐吧！”我说。

“就是这样。”照子奶奶说。“香织看上的是阿U。但对阿U来说，是从一个地狱，到了又一个地狱。”

地狱？言之过重了吧？我想。

“更深的地狱！”她又说，斩钉截铁地，“当然对林北方来说，地狱也到了。”

U一走，香织完全不见林北方了。那年冬天，林北方的世界一片黑暗，好像所有的好日子都被U带走了。“佛跳墙”前的樱树枝黑丫枯，毫无生机，他都想象不出来，当初香织就是在这里下车进屋的。“永远不再有了，我的人生从此完了！”这是林北方后来给香织的信中说的。照子奶奶说，香织看都不看，叫她把信烧了。

“那您怎么知道信的内容？”我问。

“不错，那时候我还不识字。”照子奶奶说，“我烧前找了阿胜。阿胜，就是胜三，坂本胜三，会社员。他识字。阿胜念给我听，那信的内容我至今还记得，那个恶少真的疯了。他在信中直说，他不仅恨他家伙计，也恨香织，连长谷川先生都恨。他把长谷川幸之助先生比作大仓喜八郎。大仓喜八郎，就是日俄战争时期的那个商人。他搭上军方关系，得到了千载难逢的发展机会。但是他是个奸商，为了加重分量，在卖给军队的罐头里加石头。为节省成本，他提供的军鞋鞋底是用糨糊粘的，结果士兵在甲板上沾到海水，鞋底就脱落了。还有士兵吃了他供应的罐头吐血的。事情曝光后，政界人士纷纷不跟他往来了，乃木希典将军也发誓不跟他见面，他彻底破产了。‘这样祸害国家的人，就该倒台！’那个林北方在信中说。他说眼下奸商就是长谷川幸之助。‘就因为有这样祸害国家的人，日本才没有希望！’他说。”

有一天，这个“佛跳墙”的少东家发现樱树枝丫间有了亮色。“开了，开了，樱花开了！”他喃喃自语着，跑进屋里，乒乒乓乓翻箱倒柜起来。他翻出了自己征兵检查甲等合格证明。五年前，他就已经接受了兵检，只因他还在上学，延期征集。现在，他不顾父母反对入伍了。

“他参过军？”

“他也没说？”

“可他是中国人……”

“台湾人！”

照子奶奶恶毒地纠正。我想起林北方曾经在我面前强调他是台湾人，简直讽刺。

“台湾人对付其他中国人，可是狠得多呢！尤其对阿U这么一个连身份都没有的人。一个在地下，一个呢，在天上……”

一霎时，祝贺的人接踵而至。饯别的彩饰和礼品袋成堆，还有扎着草包的大酒坛。“祝出征”的旗子插在店的四周，窗栏上还插着小旗子。那一段时间天气出奇的晴好，林北方肩上斜披着红色绶带，跟同期应征的人一起被人们簇拥着，在日本桥一带的大街小巷游行。他腰板挺直，雄赳赳迈步，被军歌和此起彼伏的“万岁”声拥抱。彩带和花屑从路旁的高楼向他撒落下来，扑闪扑闪的，把阳光打散得迷离。他猛地心花怒放，大喊一声，向长谷川家冲去。

照子奶奶说，林北方后来给香织的信中，承认自己没出息。他一脚跨进长谷川家，霎时觉得阳光被隔离在这深宅外面了。他说他这才明白自己为什么要去参军。外面的军乐声顿时变得凄凉起来，好像在为他预奏哀乐，好像他必定要战死疆场，一去不回了。他不禁悲怆起来。

香织是在母亲的强迫下才出来见林北方的。母亲说，毕竟人家是帝国军人，即将上战场，出于义理，也该出来见一下。香织出来了，彬彬有礼地鞠躬，然后像雏人节的木偶一样，跟来人面对面坐着，没有一句话，只是嘴角泛着若有若无的薄笑。照子说，这是小姐应付外人的假面。林北方应该也知道吧。甚至，他应该看出来，这是在嘲笑。自己这样子，在养尊处优的人面前，一定就像好斗的公鸡那样可笑。于是他开口道：

“长谷川小姐，敝人今天前来贵宅，是出征前有事相求。您把我们家的伙计拐走了。拐走了一个伙计，对我们根本没什么，不伤一根毫毛，我们还要感谢您捡走一个垃圾，省得我们动手去丢。只是您堂堂的长谷川家的小姐，这么做，不觉得有损体面吗？”

香织一动不动，两眼平视，若有所视，又视而不见。林北方一扯红绶带，腾地站了起来。

“长谷川小姐，作为一名即将为国捐躯的帝国军人，我想我应该有权利见见被我们家养大的人吧？看看这个忘恩负义的东西，被你们长谷川家调教得多么有出息了！”

香织仍然没有反应。林北方熬不住，喊了起来：

“U在哪里？U！U！出来！滚出来！”

这下香织才神色张皇，“您说什么啊，林先生！阿U现在可是长谷川航运会社的社员了，怎么可能闲在家里？”

“果然变得有出息了啊！人不大，心挺大。你那么个小小的身子里揣着那么大的心啊！贼心！”林北方道，对香织，“他那么个侏儒，你看中他什么？‘一寸法师’？”林北方挺了挺身体，穿着军装的身体显得更加伟岸。“真以为‘一寸法师’能干什么？哦，能钻进人家肚子里。他钻进你的肚子里了吧？能干内务？哦，该不会成了内务社员了吧？”

“内务社员”，就是吃软饭的男人。照子奶奶解释说。

林北方蓦然发觉香织向走廊尽头急促扫了一眼。他知道那是香织的卧室。他抬脚向那边冲去。“U，内务社员，您在哪！”他有意用“您”。

香织慌了，爬起来，跟在后面。但林北方冲

得快，他像一只发狂的野兽，红色绶带飘着，卷反了面，给他的冲锋增添了威力。香织惯性跟着她，她小小的身体，被他冲锋带出的风刮得摇摇晃晃。香织喊照子，照子比她跑得快。照子赶到林北方前面，挡住他。照子奶奶说，她这么做，是为了U，她觉得U可怜。被她一挡，香织赶上来了，林北方前进不了。他只能用嘴喊：

"U，'小中国'，我看你小子还是出来吧！不要再为难小姐啦！人家可是给你残羹剩饭吃的啊，你这个忘恩负义的野贼！你再削尖脑袋，也不过是个野贼！你小子何仁何德啊？值得人家这么待你？你有什么用啊？你是几等合格啊？戊等？哈哈！一钱不值的废物啊！你这个野种！要是你不服，就请出来吧！跟我去连队司令部，好男儿当兵上前线啊！哈哈！没人要吧？所以你小子不敢出来啦！你只能去中国当兵吧？去啊，我们战场上兵戎相见！"

他絮絮叨叨说着。他突然瞅个空当，钻了过去，照子和香织都没反应过来。到反应过来时，他已经冲到尽头。林北方并没有立刻去拉门，而是把手搭在门上，回头看香织。他掌控着时间。他看着香织，残酷地一咧嘴。他猛然一个抽搐，门"哗啦"被打开了。"这是我房间！"香织尖叫。

但房间里没人。林北方一愣。但被窝凌乱。他嗅了嗅鼻子，照子说，当时就连在门外的她都嗅到了U的汗味了，林北方应该对这味道很熟悉。他目光扫视，最终停留在壁橱门上。壁橱的门一动不动，他歪嘴一笑。

"敝人这才明白了，长谷川家原来看中了你什么了！U，还是出来吧！逃得了影子，逃不了你身上的下贱体味。这可是没有办法的啊！"

那门好像微微抖了一下。香织大喊一声，抢上前去，推搡林北方，"你出去，你出去！"

林北方被推得后退几步。但他继续说："敝人后天就要出发了！明天下午，町内会要举行出征送别会，警察署啊，军人会啊，国防妇女会啊，都要来。你小子就不想看看这些大人物吗？"

他突然把香织推开。香织拼命挡着他，一边求救："阿照！阿照！"

照子上去，也拖住他。但无济于事，他一个男人，力气实在太大了。香织又喊起了她母亲："妈妈！妈妈……"

长谷川夫人很快出现了。"先生，先生……"她叫。林北方回过头，他面前是一身富贵气的长谷川夫人，正可怜兮兮地向他恳求着。夫人可从来没有对他这么重视的。他挑逗地问道：

"夫人，您这是在叫敝人吗？敝人有什么做得不合义理吗？"

夫人答："没有没有……"

"那么，我倒是要跟您讲讲义理。"林北方道，摆出教训人的样子，"当今全国上下，齐心协力，参军参战，献身奉公，你们长谷川家的人都干了什么呢？长谷川小姐，您是怎么执行《勤劳报国协力令》的？"

"先生您怎么能这么说！"长谷川夫人身后一个男人道。他好像突然从地板下面钻出来的。照子说，他就是阿胜，坂本胜三。

"您怎么知道小姐没有执行《勤劳报国协力令》？"坂本胜三也一脸严肃，"您出征打仗是为了国家，我们又何尝不在奉公爱国？你们军人在前方打仗，没我们后方支援怎么行？我们长谷川航运也会为圣战作贡献的。就在今天，长谷川社长还被大日本帝国陆军省召去，商讨海外资源运输事宜呢！"

林北方顿时被对方压得翻不过身来。他的手在发抖，他猛然发出绝望的尖叫声："这样，就可以在家里干不要脸的事吗？"

"先生，作为堂堂帝国军人，请您说话自重！"坂本胜三忠告。

"你是什么人！"

"敝人是长谷川航运'光'号船长！"

照子说，当时她很吃惊，这阿胜什么时候成了船长了？虽然他是船老大出身，但已经不上船许多年了。这段时间，阿胜老是跟着长谷川先生在外面跑，没有想到摇身一变，当上船长了。

但林北方也不甘示弱，“船长先生，您是真不知道呢，还是假装糊涂呢？您要是真的不知道，那么请让敝人带您见识见识吧！”

林北方又要去拉壁橱的门。香织又叫，长谷川夫人自己过来拦，一边吆喝照子。照子去拉林北方，坂本胜三也上来帮照子，控制住这无理的青年。但坂本胜三毕竟没他年轻，难控制住对方。蓦然，香织像被掏空了的布袋，扑倒在地上，哭了起来。

“求您了！林君！求您了！”

林北方怔住了，目光黯淡了下去。

他懊丧地跳下廊道，跑出长谷川家。

“那，壁橱里……”我试探地问。

照子奶奶做出诡异的样子，点了点头，“这香织，简直荒唐！我是太清楚了！只有阿胜他不清楚。他只知道盯着我。”

什么意思？我恍然明白过来，这坂本胜三应该追求过照子奶奶，所以，她对他的称呼才那么随便。他们后来怎么没成呢？

“男人都这样！”她笑道。但这笑，与其说是冷笑，毋宁说是受用的笑。是啊，哪有被人爱而不受用的女人呢？“哪像U。”她把话题转到了U，“像阿U这么本分的男人，少啊！你们中国男人好，日本男人不行！当然日本女人也不行！”

我知道她剑指香织。

“都说日本女人会主动追男人，也没有像她那样没脸没皮的！”照子奶奶用词简直刻薄，“搞得人只能狼狈躲到壁橱里。”

照子奶奶说，那天U确实藏在壁橱里。他跑不出来，只能往壁橱躲。如果林北方进大门时他就离开，也不至于这么狼狈。但是香织拉着他。香织想打发走林北方之后再回到被窝里来。

“当天晚上，”照子奶奶说，“阿U对着我大哭了一场。我可从来没有见到一个男子汉哭成那样。那以后，也没有见阿U再哭得那么厉害。是被那个林北方刺激得太厉害了。阿U一再说少东家误解他了，他要去说明。这岂不是愚蠢？人家症结是在香织身上，阿U你哪里能支使得了香织？只要人家没能得到香织，都会迁罪于你。都说将心比心，但那些高高在上的人，哪里会去体谅我们下人的心呢？”

“‘我完了！’他对我嘟哝，‘我被看成背叛者了！’他念叨‘佛跳墙’老板对他怎么怎么好，老板娘怎么将他当儿子一样疼。其实我们都知道，这是没有的事。他们对他并不好。他还说少东家怎么照顾他。简直胡说。我很诧异，他这是怎么了？他的记忆错乱了吗？这么说完后，他又开始贬低自己，说自己背叛了对他好的人，骂自己不是人。然后，他抽了自己一个耳光。我大吃一惊，他这是干什么？难道是被刺激疯了？许多年后我才明白过来，阿U所以要这样践踏自己，是因为他实在没办法消除内心的煎熬。只有践踏自己，才能让心安下来，就像牙齿实在太痛了，只能用舌头去顶，让它痛到底，才能缓解。但是当时我就没想到这点。我自己也才二十岁。我就跟他争辩，说‘佛跳墙’一家子对你并没有这么好。‘你怎么知道？’他竟然反问我。确实，毕竟是外人，我至多只是去店里订餐，才看到一些。我就索性直接安慰他，‘不管怎么说，别管他！那个少东家，单看他今天的表现，就证明不是好东西！’

“‘他说得有错吗？’他竟然说。

“听听，他竟然站人家的立场，为人家说话。厚道人啊！从大道理上说，那林北方确实说得没错，句句都符合逻辑，但那是侵略战争逻辑。当然当时我也不会说这些，我只是叫他不要多想。这简直是在钻牛角尖。你一个中国人，跟这战争什么关系？当然你会说，林北方也是中国人，但人家已经归化日本了。撇开这些乱七八糟的，单说你一个伙计，一个用人，跟主人比什么啊？咱们做奴仆的，就是比主人做得差，又有什么？当然了，也许阿U的意思是：你照子不能这么看

我！他把我当成跟别人不一样的人。于是我就又说：‘别人怎么看，管他们呢！反正我不这么看你！’

“‘我自己就是这么看自己的！’他竟然还这么说，语气冷酷。

“他是自己不能放过自己！”照子奶奶说，“他虽然身份低贱，但是个要体面的人。靠自己勤奋与本领活在世上，体面做人。但现在他体面不起来了，甚至跳进了粪坑，更脏了。如果说在‘佛跳墙’那些事，完全可以把它看成是泼污，他鄙视自己，只是他太有洁癖，那么接下来，他确实掉在粪坑里了。一个人最可悲的不是被别人看不起，而是你确实有被别人看不起的理由。

“当初阿U进长谷川家，是作为厨子的。长谷川幸之助先生毕竟是有脑子的人，不可能因为女儿要招个玩伴，就养一个闲人。最初也确实让他干着厨房里的活。他很勤快，又感恩长谷川家收容他，所以别的事情也帮着干，这样，他和我就接触得多了。

“但是香织不喜欢阿U离开厨房。其实就是不让他跟我接触，她要把阿U控制在自己手掌心里。厨房专门辟出一个中餐烹调间，这里只有阿U一个人。这里简直就是香织囚禁阿U的囚笼，只有香织才能来，别人不能出现在那里。在那里，香织命阿U给她做各种各样的饺子。‘我要吃遍百饺！’她命令阿U，‘中国不是有“百饺宴”吗？’

“‘好，我做！’阿U说。

“‘不是做，是变！你不是“一寸法师”吗？’”

“一寸法师！”我心一跳，叫出声来，“在林北方嘴里我听过这个绰号。一寸法师童话，我也知道。”

“那不过是香织的幻想。”照子奶奶一甩手袖，“不，是装作幻想。她也老大不小了，怎么可能那么幼稚？还相信童话？不过是猎奇。哦，对了，她小时候还真以为中国人都是小个子，这是长谷川先生灌输给她的。长谷川先生去过中国，大概是出于对中国的轻蔑吧！他满嘴‘大日本’的。刚好，这边有个叫‘小中国’的中国人，在香织这里对上了。就连我，当时也以为中国人个头比日本人小呢！后来有一次，阿U朝我哭的时候，说到香织对他的侮辱，说香织竟然认为中国人都是小个子，我才知道我也错了。”

日本人竟然轻蔑中国人的身高，这我完全没想到。要说当时，中国人唯一能够蔑视日本人的，大概就是身高了。

“但香织就是装作不知道。”照子奶奶继续说，“她是故意的。但另一面，她又要树立阿U的形象，她毕竟是女的，她要男人保护，她自己个头又那么小，所以她就说阿U是‘一寸法师’。‘一寸法师’是小英雄。说是英雄，其实也无非是能被把控的英雄。所谓童话，无非是大人制造。为了营造这个童话世界，香织还自称是‘春姬公主’……刚才说到哪里了？”

“做饺子。”我说。

“对！做饺子！”照子奶奶拍着巴掌，道，“香织她可不是为了吃饺子，而是为了玩。做的时候，她一定在场。她不在场，阿U开始做了，她就要生气。她说她要学着做。她是好学的人吗？就是玩。我们做事的人都知道，自己做没什么，教人家做要累得多。何况教的是主人，是大小姐。大小姐也就算了，你好好学也行，但她是在玩。可以想象阿U当时有多难了。但没有办法，人家是主人，你寄人篱下。我们这些当用人的，只能听主人的，主人要我们怎么做，我们就怎么做。阿U只能顺着小姐，陪她玩。每次，香织都要玩得满脸是面粉。还要阿U帮她擦。擦干净了，她再故意往自己脸上扑面粉。有一次我推门进去，撞见了，香织大为光火，责备我怎么进来了？是的，这里是她的专属之地，这整个长谷川宅子都是她说了算的。但我为什么就不能进来？你怕你的丑态被我看到吗？”

年老了，照子奶奶仍然对此愤愤不平。

“她弄得满脸满身脏脏的，就要去洗澡。”她继续说，“她洗澡有个习惯，把衣服脱在起居室里，光着身体去洗澡间。”

这她说过。

“这是她小时就养成的习惯。一般来说，年龄大了，懂得害羞了，就会收敛，但她照样这样。这个没羞没臊的女人！太太曾想改变她，但她不听。长谷川先生也是，女儿光着身子从父亲眼前跑过去，父亲也没觉得什么不妥。她就一直被她父亲宠着，娇纵着。你也许不明白日本的父亲，他们跟母亲不一样，母亲对女儿要求严格，而父亲，所谓调教，不过是调教成父亲自己喜欢的女人罢了，かわいい（可爱），嗲声嗲气，甚至骄矜，都是上了年纪的男人所喜欢的。而父亲，就抱着怜香惜玉的心情。当然也不只是父亲，日本男人对比他晚辈的女人也是怜香惜玉的，其实也是当成了父女关系了。”

简直变态！我想。

“难道长谷川先生一点也不在意？我指的是……女儿洗澡……”

“还是在意的。”照子奶奶说，“家里毕竟有男佣。所以太太吩咐我，在小姐洗澡时，把住楼梯口，不让男佣上来。好在小姐的洗澡房在二楼。”

“这您说过了……”

“是啊！”她意犹未尽，“久而久之，男用人知道小姐在洗澡，就自觉不上二楼了。但我还得把着楼梯，万一他们上来了呢？但这个香织她却不在乎，她居然慢吞吞地泡澡。她身上那味道，一被热水泡上，就特别味重。好在开着门。但她一个女孩子把浴室的门打开着，像什么话？说是要听外面起居室的音乐。她每次洗澡前，都要打开留声机，播放西洋音乐。我至今也没有喜欢上那音乐，都是噪音，不像日本音乐。那有什么好听的？每一次，我都要在楼梯口站很久很久，还得被那噪音一样的音乐烦着。而且我还有别的工作不是？这也就罢了，让我没想到的是，一天，她洗着，竟让我去叫阿U！”

我一激灵，看照子奶奶，她正朝我点头，表示就是这样。

“‘有什么事吗？’当时我问她。

“‘做饺子。’她说。

“‘阿U已经在做了……’当时我委实没听明白。

“‘我要他在这里做。’

“‘这里？’

“‘是哟！’

“‘这里怎么做？不是专门有中餐烹调间吗？那里做中餐不是很好吗？’

“‘不好！’她说，‘这里做才好。’她眼尾都没有挑起来瞥我。

“‘可是这里是浴室啊！’我还想说服她。说是抵抗也可以，我要为阿U着想。她不高兴了，叫：‘我自己的家我还不清楚！’

“嗯，是她的家。没办法。但我仍然抱着侥幸，想我是不是把时间领会错了？‘现在吗？’我又问。

“‘你怎么这么笨！’她发怒了。我才猛然明白过来，她本来就是荒唐的人。倒是我傻了。但我怎么能把阿U往虎口里带？我就以无人把守楼梯为由，不去。她把木浴桶里的水拍打得满地都是。这没什么，我收拾就是了。我无论如何要为阿U把关。但香织她竟站了起来，要自己去叫。她赤条条的。这可不行，闹成这样，先生太太是绝对不会轻饶我的。做用人的就这样倒霉，自己错了是错，主人错了也是我们的错。我只能去叫了。”

照子奶奶说，当时她带着U往楼上走。她没有对U讲得很明白，那种内容她怎么说得出来？她只是对U说，小姐在叫你。但U应该是明白了，香织洗澡的时候，整个长谷川家都会有一种禁忌的气氛，男用人们小心不上楼去，有时候忘记了，走到一楼楼梯口，会猛然意识到，退回来，跑出去。U是特别小心的人，也许还因为他感觉到了香织的放肆吧，绷紧的神经更是一点也不敢松懈。所以照子这么对他说时，他推脱说手上正忙着，放不下，一会儿再去。照子知道这样无助于事，香织会一直等下去的。

而且，她自己是在这边等，还是回去？回去了，香织一定还要闹。不回去，香织在浴室，要是有哪个冒失男佣上楼去了，怎么办？

更重要的是天冷，需要往浴桶里加热水。虽然已经是樱花开放的季节，但还是春寒料峭。小姐着凉了，她也没有好果子吃。更不要说这个香织脑子一热，会干出什么来。照子就反过来说服U，让U无论如何先放下手上的活计。

U在照子引导下，走得战战兢兢。照子在心里责骂自己，自己这是干着什么事啊！U走得很慢，照子也顺着他，放慢脚步，以此来尽量拖延时间。除此之外，她什么也做不了。她本来想跟U说些玩笑的话，来缓解气氛，但她说不出来。

上楼梯时，照子和U一样，好像每个踏步都刷上了胶。他们的脚底都要被胶着好一阵，然后才好容易从胶里抽脱出来。这竟然被香织察觉出来了，他们终于磨蹭到了楼上，就听浴室里香织叫了出来：

“阿U，脚底长癣了吗？”

U没有反应过来，回答没有。

“那怎么老在地上磨呢？”

原来指的是这个。她这么开玩笑，倒让气氛缓和了一些。何况从照子和U所在的方位看过去，只看到浴室的门。虽然门半开着，但看不到香织，他们也还可以轻松一下。

“阿U身体要真的不舒服，要说哟！”香织又说。

“没有没有！”U赶紧说，还表示感谢。

“真的没事？”香织又问。

“真的！”U答，还撑了撑胳膊。

“硬朗？”

“硬朗！”

“那么好，你过来！”香织说。

U这才又记起自己的处境。但是他毕竟聪明，猛然想出了办法。“好，小姐您先起来……”他一边向照子使眼色，照子明白过来，过去要给香织穿上衣服。香织把她推开。

“我不要你，我要我的‘一寸法师’。‘一寸法师’！”她叫。

“在！”U只得应道。他连忙又说，“对了，我想起来了，我忘了把炉火关了，我去一下再来……”

“不要！”

“那是我的工作……”

“这也是你的工作！”香织道，“来，过来。阿照，你去关炉子！”

他的耻，小姐的癖好

“啊，好想吃饺子呢！”

小姐泡在浴桶里，仰着头，望着天花板，眼皮像蝴蝶翅膀一样扑闪扑闪，做出畅想的样子，自言自语。

U迟疑着。要是别人，小姐肯定呵责开了。小姐从来霸道，对用人呼来唤去，不容迟疑。这下竟然不是直接发指令，而显示出向朋友商量的样子，甚至还是恳求，还是撒娇。U一定起了鸡皮疙瘩。

“一寸法师，春姬公主好想吃饺子呢！”

U点头。“是！”

“得先揉饺子皮。”她说。

U没有动。他早知道香织不是真要吃饺子。他早知道她的意思，他已经像只被训练出来的宠物犬，主人只要稍稍暗示，就知道应该怎么做。只是U不是宠物犬，他挣扎，尽管已经做过多次，他仍然有心理障碍。

“好想啊！”她催促。

U战战兢兢伸出手。但他的手指还是在香织身子前停住了。他憋红了脸。他的手指甚至也做出揉搓的动作了，但就是没有触碰上去。

“是啊，我这姿势，你不顺手啊!”香织说着站了起来。她本来身体还掩在浴桶里，只露出上半个身体。U又在她背后，还看不到什么。这下，全身都露出来了。U想逃走，但他不能逃走，小姐要她做的事还没有做呢！他只能僵硬地保持着原来的动作，他把注意力集中在动作本身，手在空气中做足了揉搓的虚拟姿势。

“一寸法师，快点!”香织催促。她稍微侧了侧身体，好像要转过来。

“不要，不必要……”U叫，“揉的不是背部嘛!”

好在香织不再转了。那么，你就得开始揉了。U的手终于碰了上去，手指顿时麻木了。照子奶奶说，后来她向U探问起当时的感觉，是不是很舒服？U很生气，说一点都没有感觉。照子仍然审问他，他对天发誓。有一次，他甚至用轻佻的语气说：

“无非就像揉面团嘛!”

照子奶奶说，U是个性格温和的人，但他实在被逼急了。香织作践他，他已经很难受了，这下照子也作践他。全世界人作践他，都没有照子作践他这么让他难受。照子承认，自己当时是嫉妒了。受着这样攻击的U，变成了刻薄的人。

但这比喻的始作俑者也是香织自己，是她首先这么说的。她曾经对U说：就当揉面粉好了。“阿U每天不都这么工作的吗?”

工作，这说法让U的心稍安了下来。工作是天经地义的事。香织比画着揉面粉的动作，也让U真进入了擀饺子皮的状态，他这才触碰到那个裸体。这样，他的手指就不会那么敏感了。U这么对照子说明时，照子认为不对，这正暴露了U的心虚。像U这样热爱工作的人，一个优秀的匠人，他应该会倾情于工作的，会把没生命的物件儿当作有生命，那么怎么可能一点感觉也没有呢？照子于是又质疑，把U逼得不知怎么回答了。“现在想起来，觉得对阿U很抱歉!”照子奶奶说。

“香织一次次叫U给她揉背。”照子奶奶说，“她好像还上了瘾！没有U揉背，她就不从浴室出来。我怎么求也不行。只要她叫阿U，不管阿U正在干着什么都要放下来，不顾一切过去。她说这就工作，是阿U最重要的工作。工作当然要无条件地做好了，但U的工作并不是这个。但没道理可讲，人家是主人。日本，就是这样一个国家。老板的话就是一切，老板就是最高统领，拥有绝对权威。噢，还有天皇。现在天皇不这样了，已经是民主主义了呢!”

照子奶奶把“呢”拉得很长，表面上听，是在强调，在确认，其实有着讽诘的意味。我在日本，经常听到这样的腔调。照子奶奶毋宁在表达这样的意思：好一个民主主义啊！还不是跟过去一个样呢！

“只要U稍微迟疑，香织她就会大声叫嚷起来。阿U害怕被大家知道了。但其实，大家都已经知道了，有人还拿这打趣U。阿U受不了，有一次，好脾气的他竟然跟一个男用人吵了起来。这事让香织知道了，她就去教训那男佣，结果更让大家有话说了。好一点的说，小姐护着U，不好的说小姐宠着U，更有恶毒的，说U是‘吃软饭’的。阿U又不好去制止香织，只能又跑我那里哭了。

“长谷川夫人也知道了这事。夫人也觉得不像话，但她制止不了女儿。女儿搞得这么不像话，长谷川先生也不愿意了。但那阵子，长谷川先生非常忙，很少在家。回到家里，也很急躁。也许是因为受国家器重了，脾气也大了。夫人一跟他说话，他就说夫人啰唆，家里小事，不会自己处理？所以事态继续发展。不仅揉背，香织还要U给她揉别的地方，揉了背部，还要揉腰部、臀部、大腿。起初她只是弓着身子叫U揉，后来觉得不够舒坦了，躺到起居室的沙发上去。也不管沙发是布艺的，把沙发弄得湿漉漉的。好在这时候天气已经转暖了，不容易感冒了。她就那样横在阿U面前，她倒一点没有害臊的感觉，但人家阿U也是人呢！这实在很令人难堪。香织她就当阿U是透明的一样。我就让阿U给没有揉的部位先盖上毯子。”

有一次，香织忽然对U说，饺子皮揉得差不多了，应该开始包饺子了。当时照子因为什么事刚离开，在楼下听到香织这么说。她很奇怪，还没揉一会儿，今天小姐怎么这么快就放过了U？她听到楼上U感激地应道：

“是！”

就要走。他以为真可以去料理室干活了，却不料香织把他叫住，“去哪？”

“料理室……”

“料理室在这里！”香织说。

“这里……怎么包？”

U大概也明白过来了。作为用人，他只能先顺着主人的意思，再寻机化解，“好好，我包……”

“不，我包！”

“好……”

“你就当饺子馅！”香织说。

U彻底明白了。但他必须装作不明白。很少幽默的他，竟然打趣道：“要把我剁成饺子馅啊？那好，我去拿刀和砧板……”

他又企图往楼下跑。“不必！”香织说。

“我这么大块头，不剁碎了，怎么可能包……”

“你不用管！”

U无路可走了。他就像被关进了捕鼠笼里的老鼠。他挣脱，但只能在有限的范围里打转。他找了很多借口，在起居室里转来转去，拖延着时间。他一企图转出起居室，就被香织叫住。

照子决定上楼救U。只要她在场，香织不至于干得出来吧？她跑了上去。不料香织大怒，冲她喊：

“你还没走？滚出去！”

照子像钉子一样钉在那里，她要跟U生死与共。

那次没有成功，但毕竟U和照子都是香织使唤的用人，香织要支开照子，留下U，轻而易举。一次，照子被支去上街买东西，她知道U这下逃不脱了。

但更多时候，U还是无论如何试图逃脱。香织也不急着收线。她像姜太公一样放长线钓大鱼，让U仓皇地在二楼跑来跑去，捉弄着他。U想突围，她调戏他：“要下楼？那边不能下楼，下楼在这边！”

U好像被他控制了，没头苍蝇一样又往这边跑。

“干吗去？”香织又说。

U就不敢下楼了，继续在楼上大转，赤着脚。他赤着脚的样子，可怜极了。

“啊，阿U，才发现你的脚好大啊！”有一次，她说，“过来我看看！”

“不大……”

“过来我看看嘛！”

她既是撒娇，又是威慑。U只好过去。他不敢靠近她，只把脚伸向她。她就煞有介事地拿她那小小的手丈量了起来。

U的脚掌确实比一般人大。

“还说不大！”香织证据确凿道，“整个人才一寸，脚却这么大！那边人是不是都是大脚？”香织问，“对啦，女人是小脚，男人是大脚！”

她自己乱想起来。中国人在她心目中就是异类。她与其是喜欢U，毋宁是通过U，来满足她的中国想象。U摇头，但又点头。点头，是因为他的脚确实大，而且中国确实有女人小脚的现象。摇头，是因为不情愿进入香织的想象中。但又怕扫了小姐的兴。“要知道，你现在是寄人篱下。”照子奶奶说，“某种意义上说，你是靠中国人身份才可以留这里的。但这中国人，就是大脚吗？对了，我至今也没有弄清楚，中国男人的脚掌真的比日本男人大吗？”

“不会吧？”我答。

“我也认为应该不会。”照子奶奶说，“但为什么阿U的脚掌就特别大呢？确实特别大，我知道。”她强调，“我也量过。”

“也许是特例吧！”我说，我对这话题没有兴趣。我敷衍着。十多年后，我才知道当时我的视线里有个巨大的盲点，以至于我忽略了这个U，这个后来叫林修身的人的特殊出身。从当时照子奶奶对我说的话里，我判断，U也没有对她坦白这个身份。

“这样啊！”照子奶奶说，“反正这大脚，让阿U又受了不少罪。香织她，把阿U的脚量了，端详了，掰了脚趾瞅，又挠他脚底。阿U缩回来，一边为自己缩回来道歉着，一边放下脚跑走。但他怎么跑，也跑不出香织的手掌心。而且，他不可能永远这么逃着。那个捕鼠笼的门在向内推，挤向他，要把他压扁。不，应该说他是在香织的手掌心，香织在握紧手掌。阿U在她掌心里，在她身体里。”

我知道照子奶奶想表达的意思。

“那以后每一次搓背，都要发展到这样。阿U成了什么了？”时过境迁，照子奶奶依然很气愤，“哪里能这样！阿U终于抗议了。有一次，他声明自己是厨师，那香织怎么说？她竟然冷笑道：‘你以为你是厨师？告诉你，比你厨艺好的人有的是。告诉你，我就根本不喜欢吃饺子！’这么一来，之前的支撑阿U的价值全倒了。他之前还可以告诉自己：我是能干的人。不管怎样，我是厨师。现在，这荣誉感没了，他只是个玩物。他就索性破罐破摔了。香织见这种情形，缓和了下来，改口，说我当然知道阿U你做料理做得很棒的，只是不要老是挂在嘴上嘛！这下又把阿U给稳住了。而且，人家这么理解你，看重你，你也应该知足了，应该心甘情愿为人家服务了。只要香织还承认他有手艺，是靠技术吃饭的人，即使他现在干的事完全不相干，完全是相反的事，他也能接受。”

我能理解。

“但还没完。”照子奶奶说，“人不能太好心，好心被人利用；人不能屈服，一步屈服，步步屈服。就好像女的被强暴，一次屈服了，接受了，后面就有第二次第三次了。男的也一样。接着，香织还要睡觉前给她按摩。阿U说不会按摩，她反问：‘按摩不是中国的吗？’这是哪跟哪啊？就算按摩是中国的，也不等于中国人都会按摩啊！阿U当然要这么说，但人家根本就是装糊涂，‘醉翁之意不在酒。’她是……不在按摩。人家说：你现在不就按得挺好吗？就这么按！没办法，只得遵命了。按摩之后会发生什么，你也应该能想象得到。到后来，阿U就回不了自己的床上睡觉了，所以那天被‘佛跳墙’少东家撞上了！”

“但是，”我问，“长谷川小姐她就没有做些防备？”

“她哪里会？她才不管我们用人死活。她自己也不在乎。她是个没有礼义廉耻的女人！”

“但是，”我又生出疑问，“那个林北方要打开壁橱时，长谷川小姐不是很慌张吗？”

“这是你不了解日本人。”照子奶奶说，“日本人的礼仪不在身体上，只跟行为有关。所以‘佛跳墙’少东家闯进人家私人领域是违背礼仪的。当然他也搬出了更高的原则来，就是国家大义。在国家大义面前，没有私生活。不，应该说，私生活要被纳入国家秩序。我怎么说得像专家一样？我只是个用人，没文化……”

照子奶奶故意这么说。感觉得出来，她一直为自己曾经的卑贱身份耿耿于怀。我赶紧说：“您怎么会没文化？您上过学的。”

“您知道？”

“之前不是说过嘛！”

“那只是成人学校。”她说，“人家小姐上的才是正式学校，但是结果怎样呢？其实在战前，日本人教育就很发达了，但又怎样呢？照样是野蛮。”

我很赞同。

“几乎是每天晚上，”照子奶奶继续说下去，

“那房间里都在干着可耻的事。完事后，阿U为了表示他还是厨师身份，央求为小姐煮个吃的，什么都行，好尽自己职业之责。‘好吧，我也饿了！’香织说。阿U就跑去料理室，点火烧锅，大干起来。他好像一下子来了精神。他那么卖力，毋宁是让自己相信，他还是个靠厨艺立世的人。工作是他捡回尊严的唯一途径。他总是把厨帽拉得挺挺的，帽檐折得线条清晰。就是在半夜三更，也没有别人看他，大家都睡了，他也要把形象打理得体体面面。”

我想起林北方说的U折厨帽帽檐线的动作。

“他平时也是把自己打理得体体面面的。他喜欢照镜子。长谷川宅里当然不缺乏镜子，香织房间就有，但他不去那里照。他在我这里照。不是照我的镜子哦！”

照子奶奶停了一下，好像在等我提问。我确实没明白她说的是什么意思，我只能做出惊愕的样子。她也满足了，说：

“我本人就是他的镜子。”

她简直是哲人。

“他穿戴着，问我：阿照，看看哪里有问题。我说没问题。他又说：再看看！别被人笑话了！他是有极强自尊心的人，不能在别人那里丢人现眼。至于香织怎么看他，他左右不了，但他要自己看得起自己。还有用人们，用人们怎么看也管不着，但他要表现得无懈可击。无懈可击当然不可能，你都那样了。特别是那些男用人，饶有兴趣议论这事。男人全这样！也难怪，小姐你也太放肆了。你好歹该收敛一点啊！她那叫声，由不得人家不竖起耳朵来。有时候她一叫，阿U就会缩住，但她会责问为什么停下？是想偷懒？阿U只能继续。最后夫人无法忍受了，去劝。可是人家小姐说，是被按摩按得舒服了才叫的。鬼才信只是按摩呢！我这没有嫁人的都清楚这是在撒谎。当然也确实是，她那个舒服的啊！身体软塌塌的，简直像一摊水，让人不知怎么收拾。阿U一碰到那身体，那身体就成了一摊水，那个样子哪！”

照子奶奶竟然说得这么露骨。在我这个刚认识的人，一个外国人面前。她这么大年纪了。也许正因为年纪大了，倚老卖老了。

我忽然发觉出破绽，她怎么知道得这么清楚？

“U说的。”她说，“要知道，阿U跟我最亲近了！”

我瞅着满脸皱纹的照子奶奶，一时有一种感觉，好像这是一个老奶奶在说她的孙辈。那么，作为小辈的U对作为长辈的照子奶奶什么都说，这并没有可奇怪的。

“人到苦闷得不得了的时候，得有个诉苦的对象。”她继续说，“还好有我。我当然得听他说。但这种事，我听着，简直是拿刀在我身上戳。有时候我会想，阿U你为什么要告诉我？但他不对我说，又对谁说？如果不是出身低贱，如果香织不是主人，我们早就拒绝了。离开长谷川家也无妨。但走，我倒没什么，大不了再找东家，大不了被人审查一番。我也不怕审查，让他们去打听打听，长谷川家小姐是什么东西！但是阿U就不行了，他一个中国人。他又是男人，他必须养家，我一个人吃，全家不饿。当然他不能养家我来养，我可以养他。”

我彻底明白过来了，照子奶奶当年爱着U。他们是有可能组成家庭的，所以她才说她本来应该是夫人。我再看她，她的脸皱成了核桃，扑粉完全皲裂了，这倒使她变得真实。此时她正情绪激越，她在畅想当年可能发生的情景。但那张脸很快就又拉平下来了，像被打瘫了一样。“现在说这些又有什么用？阿修已经走了！”

“阿修？”

“哦，应该叫修身！”她说，“他后来改了名字叫林修身，这不，”她指边上挽联上的名字，“我就叫他‘阿修’。他也让我叫。只是他那姓，要念成リン。他讨厌日本人，他讨厌过去，不喜欢叫他U。当年的U，小猫小狗都不如啊！就是

想离开长谷川家，死在外面都不行，你的恩还没有报答完呢！你当初是被长谷川家小姐救过来的，对，也可以承认，确实是救，他已经走投无路了。接受了人家的恩惠，就是欠了人家的债，所以必须还债。不仅，还得还得更多，做得更好，无条件的，不能拒绝。必须卖身。无尊严了。不是吗？那句中国话怎么说的？日语叫‘一滴の水のような恩にも、涌き出る泉のような大きさでこれに报いるべし’。”

“‘滴水之恩，当涌泉相报。’”我说。

“U就是这样的人！”照子奶奶说，“更糟糕的是，他被长谷川家收容，就意味着背叛了他原来的东家。‘佛跳墙’当初也是收容他的，也应是对他有恩。他没能报人家的恩，背叛了人家，现在他怎能再背叛新恩主？怎能二次背叛？更要命的是，两个恩主是对头。他报答了后面恩主，就更是背叛了前面的恩主；他不报答后面的恩主，也不能消除他背叛前面恩主之耻；要是他背叛了后面的恩主，前面的恩主更会振振有词了，可以对后面恩主说：报应！甚至还会说：谢谢你捡了我的垃圾！总之，他怎么做都不是了。他经常对我说：我完了！早知道当初不来长谷川家，坚决不来，死也要死在‘佛跳墙’，就是被赶出来，死在路上也好。但话是这么说，死哪里又是容易的事？也是人之常情。受人之恩，知恩图报，则是义理。在义理跟人情的夹缝里活着，难啊！怎么选择都不行！到我现在这种年龄，想想人生的脚印，没有清楚的。谁是清清楚楚的呢？命运不济的人更是踩得乱七八糟。你还年轻，你不懂的！”

照子奶奶停下来，眯着眼睛瞥我。

“我懂。”我说。

“你这种年龄，都觉得自己懂！”她说，“到长大点，就会发现自己当年并不懂。当然那时候又会觉得自己懂了，但到头来会后悔的。U是早懂事的，比我早懂事，我那时头脑简单，只想着，大不了死！‘心中’！”

“‘心中’？”

照子奶奶在手心上写了一个“心”字，又在下面写一个“中”字。我其实知道这个词的意思，意思就是殉情。只是一直对这个词的汉字写法迷惑不解。“这两个字，跟殉情有什么关系吗？”

“把两个字倒过来排列看看！”她说。

“‘忠’？”

“就是这个意思！”照子奶奶说，“‘心中’就是义理加人情。我可以死，但我死了他怎么办？当然也可以相约‘心中’，但他是中国人，中国人可不像日本人这么想。他要活着。当然他也要我活下去。他死了，我也要活下去，我要活得幸福。他既然不要我死，我也不要他死，那么我们就活着，活得幸福。但那个女人死死缠着他，我们怎么可能幸福？他总说自己身上很脏，不愿意接近我。他不停地吐口水，洗澡，好像永远吐不掉那狐狸气味，您知道，那女人身上有狐臭。阿U觉得自己永远也洗不干净那味道。他被两边拉扯着，要拉成两半了！”

照子奶奶停住了，“对了，那时候他就说过心脏难受。”

“那么早？”

她抚着自己胸口。我发现，她的表情痛苦。难道她的心脏也出了问题？我的心一紧，赶忙去搀她。她把我推开，脸上现出微笑。

“是苦的味道。”她说。

“什么？”

“心碎的味道。”她说，“就是这样。”

她好像在咀嚼着U的痛苦。那不只是U的痛苦，也是她的痛苦。

“大概只有那女人执行《勤劳报国协力令》，出外义务劳动时，阿U才能够暂时轻松。你可知道？战时日本有《勤劳报国协力令》，规定十四到二十五周岁未婚女性，每年要义务劳动三十天。但也只有三十天，而且夫人让我陪她一起去，我也在这个年龄段不是？所以我也没机会跟阿U亲近。再说，香织像吸血鬼一样把阿U吸空了，他脸色苍白，走起路来，一副命若游丝的样子，好像一阵风就会把他吹倒了，完全没有了当初干劲十足提着送餐篮子的样子了。但他还是得服从香织，稍不服从，就会被指责忘恩负义。他不便说的话，我要为他去说。我虽然是下人，但我豁出去了。我去找香织，我说：‘小姐，您不能这样啊，阿U可是一个男子汉啊！’

“她应：‘是哟，我当然知道。’

“我又说：‘阿U他可是受过很多苦的！’

“‘我当然知道，’她还是这么说，‘受过很多苦的男人才是好男人！’

“她到底听得懂听不懂啊？好吧，我就用另一种方式，‘阿U他好可怜的……’

“‘是哟，所以我可怜他哟！’她说。

“我受不了了。‘小姐您哪里是可怜他？您是在欺负他，您是觉得他一个中国人好欺负，可以任人宰割，就因为他在这里没有亲人……’

“‘怎么会没亲人呢？’这个香织接着就要指自己就是阿U的亲人了，我知道，但我不能让她这么说。‘您吗？您是主人。’我说。我说得很冷酷。平时，虽然我跟她也有磕磕碰碰的，从来没有这么把她冒犯了吧，她脸变了。

“‘那你是说，你是阿U的亲人了？’

“‘爱人！’我说。我不知自己哪来的那么大勇气。来找小姐之前，我没想到我会说出这层关系的。要知道，那时候我不仅是用人，还是没有结婚的女孩子。当然我现在也没有结婚。我说完，自己也不知道自己说了什么了。我只看到香织她张大了嘴巴。我听不到她的声音。

“结果当然可想而知了。我们用人之间是不允许谈情说爱的，长谷川家以这个名义，把我赶走了。阿U他，几个月后也离开了。”

“离开了？”我奇怪，“不是现在还在这里吗？”

照子奶奶没有应我。她好像完全没有听见，我感觉到她老人家的狡猾。该听见的听见，该听不见的听不见。那么她是否该说的说，不该说的不说？

“那么，您后来呢？”我问。

“后来，还不是这家干干，那家干干？后来军需紧张，成了‘铳后之女’。”她判断我可能听不懂，做了个端枪射击的姿势，“造枪的！”笑了。

“再后来呢？”我又问。

“就是战败。全世界都知道的。”她说，“我们也败了！”

她指的是？

“要不然我就成夫人了。”她又说。

难道她说的本来她是夫人，是指在战后？有可能。那时长谷川先生已死，长谷川家很可能衰败了，长谷川小姐也没有霸道的资本了，那这对苦鸳鸯应该有机会走到一起了。

“战后，你们还见面？”我试探问。

“当然！”她说。

那为什么他们最终没有走在一起？难道真像林北方说的，U，就是这个林修身在乎长谷川家的资产？战后长谷川家还有多少资产？

“那你们怎么不结婚？”我问。

她愣了半晌，欲言又止。“发生了一件事。”最后她还是忍不住，说了一句。

她又说到发生了一件事。这究竟是什么事？我想刺探她。我故意跟她聊七聊八，但怎么也聊不到这件事来。我发现老人其实精明得很，她真是该说的说，不该说的牢牢守着嘴。

她蓦然想起了那个“阿胜”。那么她后来嫁给了这个阿胜了吗？也没有。她一直独身。

也许我可以从这个阿胜嘴里探听到什么。“那么，您跟阿胜……坂本胜三先生还有联系吗？”我问。

“怎么可能？”她嘲弄道。

“您离开长谷川家后，就再没见到过他？”

“怎么可能？”她又说了一句，“我可是个被长谷川家赶出来的人哪！”

"那么，坂本先生还健在吧？"

"在，健康得很呢！人家现在是长谷川商会的终身顾问。终身！祝他永远不死！不过永远不死可是判无期徒刑啊！"

第四章

坂本胜三嘴里的他

我决定采访坂本胜三。

我打听到九十岁的坂本先生住在田园调布，离横滨不远。大使馆联系到了他。老人一听说是中国大使馆，就表示欢迎。大使馆工作人员带我前往。

田园调布真像它的地名，一路景色像用清水洗过一样。车窗外时不时闪过豪宅，大使馆工作人员介绍，很多有钱人都选择这个地方居住。但林修身为什么还住在那个旧宅子里？这个坂本可比他老板懂得享受。

房子很豪华。话题自然从住房开始。这些年田园调布一带越来越好，坂本先生说，他曾经劝林修身迁居这里，但林修身觉得再买新房，浪费。"那边房子太旧了，翻新一下也不愿，怕花钱。会长总是这样！皮鞋穿破了，补了再穿。实在不能再补了，才答应去买双新的。我还在上班的时候，带会长去松阪屋。买了新鞋，直接穿着走就是了嘛，他竟然还要把旧鞋装起来带回去，说是还可以穿。"他呵呵笑了起来。"我只能说，我帮您提。在出门时，我说要上个厕所，就提着旧鞋去了。到回到家里，才跟他说我把旧鞋忘在厕所里了。他还让我返回去找。我只能去，但告诉他，找不到了。他这才作罢。他干了那么大的事业，竟然对自己这么苛刻。他这是为什么呢？你们不懂，我懂，他是有更大的志向。比如这次回国，一捐就是'裸捐'。"

他还不知道林修身的儿子已经赖捐了。"您也听说了'裸捐'这事？"我问。

"都传到日本来了嘛！"他说。

"但林一郎先生他否认了这事……"

坂本胜三一愣，意识到了什么，马上说："也许是我听错了呢！"他侧了侧脑袋。

老人家年龄大，但脑子并不迟钝。

"是啊！"他又说，"这'裸捐'这个词，我没有听说过呢！"

"是中国话。"我说。

"哦，怪不得这么陌生……"

毕竟这跟他没关系，他不便说话。谈话变得拘谨了，为了打开话匣，我搬出了佐伯照子。他的眼睛顿时发亮了。

"阿照她还好吧？"他问。

"还好。"我说。看来这个坂本胜三没有去参加林修身的丧礼。也许是因为年纪太大了，"她还跟我们说起当年的事呢！"

"什么事？"

"关于林修身先生的。"

"她会关心那些事？"他竟然说，"她也变得爱管闲事了？"

这话怪异，照子关心 U，怎么成了管闲事？而且，难道当初照子并不在乎 U？

"也许是人老了，性情变了。"他说，"何况会长已经过世了。怀念一下。过去的事，总有可怀念的嘛！”

老人明显想说什么，但瞅了一下身边的夫人，咽了一下喉咙。他的喉结大而凸出，从下提起来，再骨碌向下，稳住。但他明显不甘心，又说：“但后来的事实证明，会长要是娶了阿照，就不可能是后来的会长了。”

这话对，但也是一句废话。

“这是实话！”他又说，“努力是一回事。天赋，当然也很重要。但白手起家，谈何容易？我也很努力，我也有天赋吧？”他对夫人说。他样子变得有一些狂妄。夫人提醒他，他收敛了些，又说：

“说起来，会长也算是相当对得住阿照了。还资助她上成人学校，后来又给她个董事。会长可谓各方面都关照得很好。受过苦的人，会对别人的苦感同身受，这是没有受过苦的人不能体会到的。”

“您说的是……夫人？”我问。我知道有点唐突，但我急于把话题转到U和长谷川小姐的关系上。

他愣。“当然了，爱又是另一种体验了。”

“您说的是林修身先生跟他的夫人？”

“尽管夫人她脾气不好。”他说，“何况当时还是小姐。她从小就任性，到长大了，虽然懂得收敛，但还是想怎样就怎样。想用礼仪调教她，难啊。就像你们中国料理里的炖菜，用锅盖盖住，内部越加沸腾，却还要用锅盖压着，水蒸气推着锅盖，震荡着，时刻要把锅盖掀翻。就这种情形。中国料理真好吃呢！”

他扯到中国料理上去了。

“我知道，所以会长他特别为难。”我把话题拉回来。

“也不好说为难。”他却说，“这种性格，最初还是很有吸引力的。像火一样，一下子就燎过来了。”

我没想到坂本胜三也说到了手绢事件。那天，坂本外出办事回来，看见门口墙根放着一双旧木屐。进来，瞧见“佛跳墙”伙计站在一块岩石上，他的脚上穿着一双新木屐。坂本明白了，这家伙是在门口换上新木屐进来，给小姐看的。

但香织没有在意，她一直是对别人不在意的。“啊，对不起，帮我把椅子移到那边去！”香织支使他，指着边上一张椅子。

伙计木屐一个踢踏。香织仍然没在意。伙计撑了一会儿，只能从岩石上下来。但他简直是急冲下来的，因为这毕竟是在帮小姐做事。他像吃药的老鼠一样冲向椅子，抱起来，冲到指定的地方去。

放下椅子，气氛僵了下来，可以听到他的喘息声。

“好像还是放在这边的好呢……”香织又说。

U又抢了似的把椅子抱回来。坂本说，那时候他自己也才不到三十岁，很知道这种感情冲动。他能感觉到U听从香织每一次调遣，都兴奋得像小野兽一样。坂本可以从U的背部看出这种冲动的，也许他只顾了掩饰正面，忽略了背面了。但他搬东西时，毕竟要转身，香织也应该会觉察到的。但香织哪里会察觉到？

“小姐！”突然，U叫了一声。

“什么？”

但对方不吭气了，做出一心在干活的样子，好像那一声不是他叫的，只将木屐磕得异常响。

香织这下才注意到了木屐，但在她，那不过是一双新木屐。她好像知道了，对方要炫耀他穿了新木屐了。“什么？”她仍然装作不明白，故意钓着他。坂本说，香织是很会捉弄人的。

但对方又不作声。这下香织反而尴尬了。“啊，再挪过来些……”她只能去说椅子。

但香织不是能够掩饰的人，她熬不了。她又是极有好奇心的女孩。她要去引爆。U还没有搬动椅子，她就朝椅子坐下去，让正弓腰要去搬的U一跳，躲开。香织背向他坐着，不动。她用眼尾瞥着U。缩回的U仍然保持着搬东西的姿势，好像仍在搬着。他好像感觉到她在用眼尾瞥他，于是开始呵手掌，又是转胳膊，好像还没有开搬，刚才那情形并没有发生。这样，香织倒被将住了，真的成了等搬动的椅子，不好去动。也是凑巧，一只蝴蝶搅了进来。它在香织肩头扑闪，香织就把目光转了过去。蝴蝶飞去了，她就寻它去，这样，她就能动了。她一动，被解放了的身体就控制不住了，她毕竟不是个控制得了自己的女孩。何况她有想干的。她猛地扑向U。

"阿U，这个，请收下吧！"她急急说道。

坂本这才发现香织的手里攥着手绢。

U骤然不安起来，好像香织给他什么可怕的东西。坂本说，当时U确实神情非常害怕。他闪着手，推却着。手绢被香织长时间攥着，可能又热又潮，U碰上去，马上恐怖地甩手。但他又不敢甩，又补救地把手接上去。但又不敢接，又甩。香织索性把手绢塞到他怀里。U往后退，脚下一个踉跄，木屐把他绊住。他索性猫腰把木屐脱下来，抓在手里。他又把木屐藏在身后，香织笑了起来，他竟然不是把自己藏起来，而是把木屐藏起来，可见他慌乱到什么地步。香织的笑声好像逮着他，他跑了起来。香织就更逗他了，就追。他赤着光脚丫的样子，让他显得更加可爱。他越是跑，香织就越是追，抖着宽宽大大的袖子，肆无忌惮了。直到传来了母亲的叫唤声，她才停住。但又趁着U怔着的当口，迅速把手绢从他的领口塞进去。U像被烫了一样张开了嘴。她撮起嘴，一嘘。U像被施了定身法，不动了。U就这样被塞着手绢，战战兢兢走出长谷川家门。香织应该完全没有意识到，她会给U造成了那么大的灾难。

"坂本先生，您认为造成灾难的是手绢？"我问。

"一方看重的是手绢，另一方看重的是木屐。"他说，"男人女人，脑子就是错位啊！那木屐，后来我知道，可是'节约养战模范'的奖品啊！"

"是'佛跳墙'少东家的……"

"所以啊，会长后来怎么也不肯在宅里待了。"

"不是因为照子……奶奶才要离开的吗？"

"这是阿照跟你说的？"他问。

至少照子奶奶的话，给我的感觉是这样。"难道不是？"我问。

"照子就是自以为是。"坂本老人说。

这是什么意思？看来坂本对照子是有看法的。也是，照子奶奶向我描绘的当年U和长谷川香织的事，总让我觉得有点传奇。比如U在"佛跳墙"的事，照子她根本不可能在场。即使是U事后向他描述，也不可能有那么多细节吧？而对于木屐的事，照子奶奶又说得很含糊。

"男人怎么可能被女人羁绊嘛！"

女人？指谁？照子？还是香织？

"男人是要干大事业的。会长他更是了，他可是一条龙啊！"

"您也知道龙？中国龙。"

"龙，"他说，"会长的名字啊！"

他还有这名字？

"曾经的名字。"他夫人说明，"战后，他曾经名叫长谷川龙。"

这我完全不知道。

"那是他掌管会社时。"坂本说，"之前他还叫过'长谷川光'呢！"

这个人竟然有这么多名字，又是"林修身"，又是"U"，又是"长谷川光"，又是"长谷川龙"……我都有点乱了。这么多名字，不会有身份错乱感吗？好在分别用在不同时间。但一个人一生一次次改变名字，也够折腾的。

我蓦然意识到，这里岂不是有一条时间之轴？这条轴串起了他的人生。我可以沿着这条轴去把握他。

"那时他跟小姐结婚了，入籍用了'长谷川'这姓。至于那'长谷川光'的名字，还跟我有点关系呢！"老人说，"它是从林光来的。"

"林光？"

"不过只用了几天。"他说，"后来想名字，就沿用了。最初所以用‘光’，是因为‘光’号。我就是‘光’船长。”

我记起来，照子说坂本曾是“光”号船长。

“说来惭愧，我曾经是会长的顶头上司啊!”他快乐地笑了起来。

“您是说，林修身先生曾经在‘光’号工作过?”

“是哟！承蒙长谷川先生信任，我当上了‘光’号船长。”他说，“‘光’号刚被改造时，我发现有一阵长谷川先生很为家里的事苦恼，说伺候小姐的厨子老跟小姐请求，要出去干一番大事业。小姐不肯，厨子就一再磨她，到了较劲的地步。当初收他进来，就是用来伺候小姐的。也怪小姐脾气不好，长谷川先生也承认这一点。长谷川先生还是很明白自己女儿脾气的，他是很体谅人的。刚好，刚改装的“光”号缺个厨子，长谷川先生就想把他放‘光’号上。委实说，当时我心里很犯嘀咕。我能理解一个男人不愿意窝在家里的心情，再加上有一天，他原来的少东家来闹，仗着是军人，那个威风！我都觉得矮他一截。尽管如此，我还是担心，一个女孩都搞不定的人，能做什么大事？当然，人家是小姐，但你总会有办法的啊，不至于闹得鸡犬不宁，宅子里上上下下都知道。最后是小姐生气了，不要他了。他等于是被赶出来的。”

“光”号

一九四二年八月底，U作为厨子上了“光”号。

坂本胜三笑称，直到这个人上船，他还不知道这个人根本没有名字。他以为“U”只是个诨号。“名字?”他问。

“U!”U用敬语回答，鞠躬。

“名字?”

“U!”U仍答，仍是鞠躬。坂本说，他才不在乎对方礼仪，他是想知道对方名字嘛。“你听得懂日本话吗?”他啐道。对方样子惶恐。“登记名册时写的是?”坂本又问，他想这下对方总应该明白了吧?

“是U!”对方仍说。

坂本糊涂了，难不成登记造册时真的就这么写？对方好像明白了坂本的疑惑，补充道：“片假名的‘U’。”

“噢，U……”坂本皱着眉头，摇了摇头。他不只是对这名字感到困惑，也不解长谷川社长为什么不给这个U取个正式名字。那个用片假名记录在册的名字，一看就是外国人。在那个战争年代，外国人身份是敏感的。“这片假名的人名，开战以来可好久没见啦……”他嘟哝。他转头瞧见码头上几个搬货物的“光”号船员在磨磨蹭蹭，“喂喂喂，你们这些小子干什么？让外国人看日本人偷懒吗？八格牙路!”

大家赶紧加快动作。

U不知什么时候已经在他们中间了。只见他甩开膀子大干。坂本又叫其他日本人：“让外国人干，你们就这么放心吗?”

日本人船员去抢U肩膀上的东西，好像在抢救紧要物资一样。U把货物让给他们，又去搬新的。大家刚卸了货返回，就瞧见U扛着又一个货物兴冲冲上船了。他脸上汗涔涔的，但嘻嘻笑着。

坂本说，很惭愧，自己最初对U确实有点成见。也是他怕出差错，毕竟长谷川社长把一艘船交给他，他必须负责，所以本来应该由大副二副他们管的事，他也要管。尽管U搬的是食料，他是厨子，这工作理所当然应该由他做主，但坂本还是不放心，“慢点！轻点！这可是国家物资，可不是小姐一个人的事哟!”

这话，让U脸色煞地白了。

但很快就又堆起了笑。他竟然立正：“是!”

但他明显被刺痛了。他不肯将货物半途让给大家了，坚持自己扛到底舱。好像在说，这是他的工作，他要从头负责到底。他扭着身体，伸手阻挡大家伸过来的手，好像在挣脱强加给他的不信任。但他的脸上仍是笑嘻嘻的。他疾步如飞。坂本船长发现他的脚板很大，很有抓地力。他怎么长着这么大的脚板？但这样的脚板，在下底舱时明显显出了不适应。他用一只手抓着梯栏，吃力地适应着踏板。坂本叫别人帮他，但他仍是不肯让大家帮，他的固执里好像藏着对抗。坂本只能又教训他：

“这是国家物资！战争物资！你小子以为只是食料吗？性命攸关！这是战争！战争！出了事，别以为被解雇就可以完事……”

“是！”U应，虽然身体受着重压，但声音仍然响亮，“明白！”

U更快地在梯子上上下飞蹿。他的动作很快顺畅了，身体也灵活了，速度更快了。坂本说，他不得不承认这个U对轮船、对水上状况相当有悟性。大家和他一起干，倒成了大家追着他跑。大家还没有追赶上他，他已经风一样地下了底舱，迅速转进贮藏舱。贮藏舱很快就堆满了。但他好像有缩身本领，仍然可以进去，也许就因为个头小。大家只能愣在贮藏舱门口，听着舱内结结实实的移动货物的声响。

坂本也来到贮藏舱口。他不知道这个U在里面都是怎么干的？他不放心，朝一个船员啐：“还不快进去瞧瞧！出了差错，到时候，我是船长！”

但确实谁也进不去。坂本只能在舱外急煞煞走来走去。蓦地，发现U站在舱门口了。

“干什么你小子……”

“报告坂本船长，全部准备完毕，请检查！”

坂本说，当时他简直感觉惊奇。他好像没有听懂，这中国人说的好像是中国话。他盯着U，U的脸上洋溢着胜利的笑，鼻翼一抻一抻着，像飘扬起两面小旗。这让坂本觉得被冒犯了，他唯一能做的就是抓住这个中国人的破绽，打掉他的嚣张气焰。他要亲自去检查，严格检查。但他怎么进得去？但无妨，单是这通道问题，就足以骂对方了。他刚要开口，蓦地发现贮藏舱已经被整理出一个过道了，够他进去。这下，他不能不进去。但进去了发现不了问题，他的脸怎么挂得住？他转变策略，叫：

“怎么要我检查？大副呢？我是船长！每个人有每个人的工作！各就各位！八格牙路！”

坂本胜三笑着对我说，当时他这么说，也是在理。日本人讲的是层层问责，他是越俎代庖了。也许这个U精明就在这里：既然你越俎代庖，那么我就找你，看你有什么话说。这样，对展示他的工作也有好处，我就直接在你面前表现给你看，让你记住我。

我想，这不就是有些人善于做的走上层路线吗？

坂本继续回忆。他当时喊大副，大副慌忙跑了来。大副手上还拿着货单，他有他要忙的。坂本也觉得自己苛刻大副了，于是又护起大副来，冲U喊：

“自己分内的工作，不是要自己负起责来吗？”

“是！明白！”U大声道，鞠躬。他弓下的身体，让坂本觉得他并没有咄咄逼人，只是自己敏感了，自己对U有成见。他把U的肩膀擂了一下：

“好好干！”

“是！”又是鞠躬。

坂本喜欢U这个样子。他这么一个外国人，却这么忠心耿耿，他忽然生出一计：一个外国人在这个群体中，可以产生“鲶鱼效应”。坂本冲大家嚷：

“喂，都傻愣着干什么？让人家赶到前头来了，你们还是日本人吗？”

“是！”大家喊。其中竟然也夹着U的声音。

“我说的是日本人……”

“是！”不料U仍应。好像为了加强意思，他又“是”了一声。

“我没说你小子……”

"是！是！是！"他道。坂本笑了：

"'是'一声就够了！在日语里……"

"是！"

大家全笑了。坂本都觉得对方太一本正经了，揶揄道："你小子，头发还没有'是'啊！"

U没听明白，傻愣着。他上船前没有像其他船员那样剃光了头发。坂本指指大家，又拍拍自己光脑壳，"船员，也是战士，战士！什么'准备完毕'？你小子头发也准备完毕了吗？"

U一摸脑袋，摸到了一头长发。他立刻显出狼狈相。他的样子又把大家逗乐了。

"是！"U立刻下船把头发刮光了。

"我们'光'号出发时，也唱《出征士兵送别歌》。"坂本胜三回忆道，"那歌，怎么唱的？"他瞅了下夫人，夫人提醒了开头，他马上记起来，唱了起来，握着拳头：

> 受召于大君天皇，
> 生命辉煌如朝阳，
> 激情洋溢来相送，
> 一亿欢呼震九天。
> 出征吧勇士，日本男儿！

唱到最后一句，手使劲一顿。

"要整齐！就能产生向心力。"坂本胜三说，"共同朝着一个方向，这个方向就是心所指向的方向。"坂本胜三用动作比画着，生怕我理解不了。"就说这脑袋吧，大家都剃光了，大家都憋足了劲要大干一番，人心所向。看这光亮亮的脑袋好了，光，就是人心所向。'光'号这名称就是从这来的。其实这也是人的本能，无论是日本人，还是中国人，或者美国人，人类在向往光明上是一致的。但是这是在日本，是日本人的船。一个外国人，中国人，能够被允许上船，被我们接纳，他一定是有感恩之心的。他是个懂得感恩的人！"

他冲我点头。我也点头。

"但毕竟是外国人，"他又说，"毕竟孤身一人，在日本，没有亲人。没有人来给他送行，小姐还在生他的气。再说，人家是小姐嘛！启航时，大家争先恐后向码头上亲友告别，码头上写着醒目标语：'请各位记住家乡父老关注的目光！'但他没有亲人，我看出了他很孤单。欢送的人群朝船上投来一个又一个的彩带团，他不敢去接。忽然，一个彩带团投到他眼前。'阿U，抓住它！'我冲他喊。他好像被提醒，赶紧抓住那彩带。霎时许多人来抢。他虚弱了，拿眼瞥我，好像在问他该不该抢？甚至是，他是接受我命令去抢的，他放手了就是违抗我的命令。我笑了起来，用眼睛怂恿他。他一个嬉笑，把彩带团死死搂在怀里。大家抢得更欢了。彩带团被抓散，一条条连接在岸上。船开始动了，彩带一根根被扯断，掉落在水里。他把剩在手中的彩带使劲挥舞，把送别的人们都舞得凌乱了，他们在彩影后面渐渐退去，模糊了，他不知道他们中没有他的亲人了，他只是'光'号上的一员，'光'号上的U君。那时会长还叫'U'，'U君'！"

坂本胜三一会儿"会长"，一会儿"U"，我被他从历史拉到现实，又从现实拉到历史，有一种恍惚感。

"关于'U'这名字，"坂本继续说，"熟了后，我曾问他怎么来的？他告诉了我。但我还是不明白，为什么他偏是听到'U'这个声音就动起来呢？他总是用跑走路，好像要赶去抢干什么一样。但老实说，航程中时间是很缓慢的，至少没必要跑着去干。我理解了他为什么要这么跑去。"

"为什么？"

"希望！"

"没明白。"

"你们中国人也应该听懂'U'这个声音的吧？全人类语言都是这个音。也许应该说是信号，号令。或者，自己给自己发出号令。'U'！一惊喜，啊，机遇来了，赶快抓住！有机遇就有希望！”

“但是，就不能理解成惊愕吗？”我提出疑问。

“你试试！”他说。

我试了试，的确，惊愕时发不出这个音。这声音是欣慰的。

“这应该是来自人类原始语言吧！”坂本说，“人类无论再怎么进化，基本的东西是不会改变的，比如向往太阳，喜欢光明。不仅是向日葵，所有的植物都需要太阳，所有的动物，我们人，信仰不就是如此吗？我们日本人虽然严格上说谈不上有宗教信仰，但我们是太阳的国家，天皇就是天照大神在人间……”

他夫人碰了一下他的胳膊。“职业就是我们的信仰。”他夫人把话转开。

他好像意识到了，说：“对，对！日本人的信仰就是敬业。U君也是，他的工作做得非常好，他是个有信仰的职人哪！没有信仰，不是把职业当作信仰，干起活来不会是那种景象……”

瞅准火候，将木勺往装着清水的桶里一浸，揭开厚厚的蒸笼盖，加了碱的饭中热腾腾的香气顿然汹涌而出了。从舱口投进的光束打着转，好像光也贪婪地缠着香气。光被蒸汽胀得很大，U就立在光与蒸汽中，他的身影虚幻，简直就像神一样。他腰板挺得笔直，手执木勺，款款搅动着锅里的饭。他的勺子像犁，饭像肥沃的泥土一样被犁起，掀翻。又从另一侧犁起，松松的饭覆盖下来，再铺平。那执勺的手熟透了一样。勺退出来时，在笼壁节拍紧凑地轻敲两下，仅剩的一些附在勺上的饭粒清脆落下。几乎同时，木勺倏然扬起，拽着光影飞起一个美妙的弧线。

“U君，外国米的怪味就是这样被甩到海上去的吧？”船员们每每打趣，“怪不得一经U君的手，就跟日本米饭一样了呢！”

U很清楚这一类话的分量。在漫长的航海日子里，一切按部就班，可变的只有随时可能出现的险情和每餐的伙食。

“U君，今天做什么好吃的？”每次做饭时，都有人向厨舱探头探脑，问。

或者扮出一副苦脸叫道：“敝人可实在吃怕了三色饭啦！”

“我们在给帝国输送润滑油啊！”大家还会说，“一滴石油就是一滴血哪！”

这话脱胎于当时流行语，是坂本船长的口头禅。有一次，船长在就餐时这么说着，又接下去说了一句：

“我们给帝国供应润滑油，U君给我们供应润滑油呢！”

U嬉地笑起来。在这嬉笑底下，坂本觉察到了这个中国人不敢掉以轻心。他在审视坂本船长说的是真话，还只是开玩笑。他应该看出船长说的是真心话，但他仍然谦虚地摆了摆手。船长又说：

“喂，U君，大家从心里感谢你呢！”

“U君，谢谢你啊！”大家也跟着叫起来。

他又开始观察大家的诚意。大家明显是真诚的，但不知为什么，他仍然没有接受这种真诚。他有着聪慧的眼睛，他不是不识好歹的人，他对人总是带着一颗诚恳的心，他巴不得大家诚恳相待，但他偏偏不相信大家这下是真的在认可他了。他的嬉笑转成了哈笑，他打起哈哈来。

“哈，我有什么可感谢的？”他说。他甚至显出玩世不恭的样子，一副二流子的样子。

“怎么会是这种反应！”船长嗔怪地拍了拍他的后脑勺。

这一拍，让他确认了，他心里踏实了。他慌忙站起来，立正：“是！我还要继续努力！”

“这才像话嘛！”坂本船长哈哈大笑起来。

“这伟大的时代在呼唤忠诚的人才啊！人才难得，但光是有才又有什么用？不能为国家所用。忠诚更重要。忠诚的阿U，把你的本领全掏出来！”

“是！”U响亮应道。

他的身份

“等等，”我打断坂本胜三，“‘光’号是货轮?”

“远洋货轮。不过是改装的，货轮都被征用了，那么多海外资源，光靠那些货轮，怎么运回大本营?”

“大本营”这词让我不舒服。我明白“光”号是什么性质的轮船了。我曾经看到资料，太平洋战争期间，日本由民船改造的运输船，为战争运输了大量物资。我没料到林修身也上了这样的船。

我采访林修身，没料到竟踩进了战争。

我想结束采访，但坂本谈兴正浓，脸上发光，好像回到了青春时代。他不仅显得年轻，而且显出凶顽的样子。那应该就是他当年的样子。眼下，他顽固地要把回忆进行下去。我瞧了瞧在场的大使馆人员。应该是出于礼貌，或干脆就是担心惹出妨碍中日友好的事端来，大使馆人员没有要结束的意思，仍是一副礼貌的样子。我也只能继续听下去。

“昭和十七年夏天到十八年夏天，会长可算过上了他平生最有阳光的日子。”坂本说。

在这个坂本嘴里，那个黑暗年代竟然充满阳光。我曾经看过太平洋战争资料，印象中，昭和十七年，就是一九四二年夏天，到一九四三年夏天，正是日本对南方掠夺最凶狠的时期。东南亚被占领地区的百分之三四十的原油被运输到日本本土。“怎么可能!”我脱口而出。

老人现出吃惊的神情，瞧着我，又瞧大使馆人员。大使馆人员有点紧张，也瞧向我。我也觉得自己冒失了，“指的是……阳光……”

“真的哟，”坂本说，“太平洋上的阳光，难以想象的灿烂啊！但我不是说这个大自然的阳光，是他心里的阳光。”

他真是哪壶不开提哪壶。

“一个人，总要有自己的精神归宿，那就是一个集体，一个国家。唱着《君之代》，望着太阳旗，脑子中出现的自然就是天皇，绝不会是英国女王。数起心目中的英雄，自然会是自己民族的英雄，不会是麦克阿瑟。这是没法改变的……”

“但他是中国人呢!”我干脆说。

“确实是。”他承认，“他不是日本人。我当然知道。正因为他不是日本人，最初他才难了。但到了后来，我也忘了他是中国人了。”

“为什么?”

“信赖了，就渐渐忘记他是中国人了!”他说，“大家都是集体的一员。不仅船上大家是一个集体，天上也和我们是一起的，还有海上。我们的船队有军舰护卫，天上有飞机防卫。这让我们省心多了。大家也心情轻松，常常忘了这是在战时，好像这只是普通的航运。但这也有不好的地方，容易不讲究仪容。在船上，清一色男人，没有女人，人本来就容易邋遢。我就又喝令大家：我们也是军队，我们也要讲军容！只有U君，一直保持着体面的仪容。我几次发现他在干活时，朝水桶里照脸，他把水桶里的水当镜子了。”

林北方和照子奶奶都说过U爱照镜子。但这是为了自己体面，还是为了照见自己可耻?

“但到了昭和十八年的后半年，就大不一样了!”坂本继续回忆。

一九四三年后半年，盟军开始反攻，日本海军无暇顾及运输船，运输船频频遭受攻击，损失惨重。“光”号油轮也像惊弓之鸟，远远望见漂浮物，就会惊慌失措起来，“敌人，敌人!”

得知是日本船，就又会激动得又蹦又跳。“原来是自己人哪，自己人的船哪!”船员们彼此拥抱，也抱U，叫着：

“U君，U君!”

U也兴奋地搂大家。“啊，是自己人的船。‘光’号可平安无事啦！敌人不会出现的……”

他喃喃着。

自从船上来了一个叫森达矢的人，U的处境就尴尬了。森达矢是从部队病退下来的，到长谷川航运找工作，被安排到“光”号上。坂本说，这个森达矢上船的第一天，就被他掴了一耳光。这家伙虽然是日本人，但比中国人的U差劲多了。全船人也都不喜欢他。但他却不觉得羞耻，到处招惹人。这是一个标新立异的人，口口声声称自己只是来讨一口活命的饭的。坂本说，虽然连年战争，日本国内经济确实不景气，但他的话谁也不爱听。他那玩世不恭的样子，更是谁见了都厌恶。

没有人听他说话，他就拿战场上的事吸引大家，他毕竟是从前线下来的。他说盟军的鱼雷击中了多少日本军舰，哪些海域已经在盟军控制下了。他还说，真遇到飞机轰炸，人家在天上，居高临下，飞机速度又快，船慢，根本逃不了。他说人家用机关枪射击，从飞机上射下来的子弹，就是军舰，就是有三层钢板也会被射穿。

森达矢就是说了这样的话，被坂本掴了一巴掌。要不是当时缺人，坂本可以送他去牢里，这可是杀头罪。

“再胡说！动摇军心，扔你到海里去！”坂本威胁森达矢。

森达矢于是有所收敛。但他仍然用一种貌似客观的语气说前线的事。有一次说到各国所属的阵营，他戳着U，说：“中国属于英美阵营！”

坂本看到U当时脸都白了。这可是要命的指认。那时运输船队中也有中国人船主的货船，这些船被征用，日中处在战争中，他们作为敌国人，不仅不敢拒绝，还得表现出很愿意的样子。他们要比日本人更合作，稍有怠慢，就被认为在抗拒。稍有差错，就会被当作破坏圣战。虽然U跟大家熟了，大家都喜欢他，但到了小摩擦时，还是会想到他毕竟是中国人。

其实U几乎不跟人发生摩擦，他一直是好人。但太好人了，也会引起大家怀疑。这种情况，也在那些被征用的中国船的船主身上发生过。表现得对战争过于积极，就会被怀疑是别有企图。曾经有一个还被当作奸细抓了起来，这事U也知道。这样，U就必须拿捏好分寸。他毕竟是聪明人，他好像认定跟着船长就不会错，说吉利话就不会有错。那时运输船队虽然还有军舰护卫，但遭到进攻的时候明显增多，护卫的军舰也在逐渐减少。大家不能不想到，总有一天会被军舰完全抛弃。船长经常给大家鼓气：

“你们可没理由垂头丧气啊！我们是为国家运输石油的，军舰可没理由不保护我们！”

“对啊！”U就跟着说，“军舰上有大炮，还有鱼雷。对它们来说，离我们再远也很近呢！”

这时候的U好像个军事专家。

但森达矢来后，大家听到的老是盟军鱼雷袭击日本军舰，U就显得不懂装懂了。这下，森又指他是中国人，他简直就有奸细嫌疑了。

这个森达矢，很得意自己的话产生的效果。每当聊天，说着说着，总会扯到U的国家来，U的身份就会被凸显出来。好在U机灵，也是被逼到没有对策了，有一次，他反问：

“你怎么知道我是中国人？”

谁都知道U就是中国人，他怎么这么问？起初大家觉得他是在反击森达矢，但接下来他对任何人都这么反问，大家就觉得他在抵赖了。甚至想：中国人就是会撒谎。但日本人是不反驳人的，只是不理睬他。森达矢更得意了，一再把U的中国人身份提溜出来示众。坂本船长感觉U就像被推到了悬崖绝壁边上。他简直已经挂在绝壁上了，爬不上来，又掉不下去。坂本看不下去了，他决定帮U。

“什么中国不中国的！‘大东亚共荣圈’！”他说。“不仅是中国，菲律宾、泰国、印度尼西亚……都是‘大东亚共荣圈’！”

坂本船长还故意提起旧闻，对U说：“喂，你小子的中国不是还换了新的政府了吗？”

U瞪大了眼睛，他确实不知道。他怎么可能

关心新闻？新闻是日本的新闻，即使有中国的内容，又跟他什么关系？他只知道干好自己本职工作。但现在，他被逼着必须先解决好自己身份问题。他明显接收到了船长的善意。“中国也换政府了吗？”他做出惊喜的样子，大声问。

坂本知道，U是说给大家听的。坂本于是又道：“当然啦！”他伸手敲了一下U的脑壳，“早就换了！你就是不看报纸！《日华宣言》一调印，汪兆铭新国民政府就跟英国人美国人宣战啦！蒋那家伙跟在洋鬼子屁股后面，完全不行啦！你这个傻瓜，什么都不知道！只知道干活！”

U立刻做出羞愧的样子，一缩脖子。

“所以啊，”船长对大家说，“什么中国人、菲律宾人、印度尼西亚人，都是日本‘大东亚共荣圈’人！‘八纮一宇’！中国菜，你们不是都爱吃吗？你们觉得U君手艺不错吧？那就是中国菜！告诉你们，中国不仅菜好吃，姑娘也漂亮！”

为了增强效应，坂本故意说起女人的话题，并且做出兜着女人身体，上上下下套弄的动作。这动作日本男人都很喜欢做，不同的是，坂本做得更逼真，两手大拇指翘着，其他手指扇动着。大家哈哈大笑起来。U也笑。

“笑什么！”坂本猛地收起动作。

大家也煞住笑。

坂本一本正经道：“真的嘛！中国已经不是过去的中国了，你们这些小子啊！”

U道：“船长很知道我们中国的事情啊！”

坂本说，他听出了这嗓音里的暖意，U好像被他用棉被裹上了一样。不只是温暖，他的状态整个是涣散。经过长时间折磨，他产生了一种从骨髓里发出的极度的涣散，简直要虚脱了。

大家又恢复了对U的信任，日本人还是相信和服从上级的。坂本说，他发现U的话也多了一些。有时候，远远瞅见日本军舰驶过，他会叫：

“军舰开的方向是中国！”

接着他欢呼：“哦，军舰要开去中国了！”

但坂本注意到，一旦叫他做什么，他会更加紧张，噌地站得笔直，听着，手指也直直伸着，贴在裤脊上。对自己身份，他的心里还是有阴影的。“光”号不再理所当然是他可以依托的家了。以前，他觉得只要他干得好，他就可以理直气壮在“光”号站住脚跟，现在，他知道自己必须比别人更加卖力，才能让大家接受他。他就像脚踏在一块跷跷板上，需要不停地动，才能站稳脚跟。

那阵子，船上的伙食不时有新花样。他发明了很多新菜，有时候，大家不能适应新菜，觉得是他把菜做糟了。坂本也怀疑，他分析，有的菜确实是做糟了后补救的。坂本判断，也许是他太紧张了，太想要成就了，反而把事情办砸了。

一个凌晨，坂本船长听见甲板上一片喧闹。大家在指点着远处的海面，那里有一个扁平物体，它的周围还有几个黑影，怎么看怎么像舰艇。谁也弄不清这是哪一国的船。“美国人！”有人嘟哝一声，大家大为惊慌，也跟着叫了起来。

“混蛋！这是交换船！”船长根据航向判断，“送我们日本侨民回国的。”

大家才安静下来。

“没看到那白十字吗？”船长慢条斯理道，“哦，你们是只看那些旗啊！洋鬼子的旗！比如英国人的，”当时U正拿着写膳食的粉笔，他抢过U手中的粉笔，在地上画了个英国米字旗，“这是什么玩意儿嘛？花里胡哨，就像……琉球人围肚子的兜布片！哇哈哈哈哈……”

坂本率先夸张地大笑起来。大家也跟着笑了。他又装模作样端详着米字旗，指着被切割成的一个个三角形，“唔，如果拿这兜布片裁女人的裤衩嘛，倒可以裁出好几条呢！”

大家又笑。U也跟着笑。他笑得很夸张，坂本说，他看出来了，U是想用夸张的笑，用对洋鬼子的奚落，来表明跟大家同仇敌忾。

“还有美国旗……”船长又说，“就更像……尿布了！”

“狗畜英美！把他的旗射下来！”U叫。

这竟然是从U嘴里发出的，坂本说，当时他委实有点诧异。“狗畜英美”和“把他的旗射下来”，都是当时的时代流行语，几乎人人耳熟能详，U当然有可能掌握。但率先用上，不是日本人，却恰恰是这个中国人。他这么叫还真有效果，大家一下子有了共鸣。而且，这共鸣是围绕着U的，这就形成了一种局面，他是中心。退一步说，他至少也是无法跟大家分割的一分子，跟大家一道同仇敌忾。坂本说，他能看出U的意图，他的苦心。坂本于是推波助澜，也喊：

“把他的旗射下来！”

船长这么喊，喊的是U率先喊出的话，那么U就是被船长支持，大家就跟着大喊起来。但坂本船长注意到，U跟大家的表现又不一样，他喊时，眼尾在瞥着别人。他脸上还带着一丝笑意，那是讨饶的笑，好像在防着大家把他驱逐出来时，他也有个回旋的余地。这是在海上，回旋余地是很小的。一旦大家驱逐他，他只能到海上去。大家的吼声又给他带来震慑，他好像意识到必须有个更特别的表现，于是他在船长画的旗子上踩了起来。大家也围上去踩。他狠狠跺脚，大家也狠狠跺脚。这下他无可怀疑成了带头的了。坂本推波助澜：

“把洋鬼子的旗踩烂！”

大家也叫。

“把洋鬼子从太平洋赶出去！”坂本又叫，“从亚洲赶出去！亚洲是我们的亚洲嘛！大日本帝国，肩负着神圣的使命，‘亚洲的领袖、亚洲的保护者、亚洲之光’！”这是上次“光”号到印度尼西亚时学到的，“所谓‘三亚’！咱们这‘光’号，不就是‘亚洲之光’吗？”

坂本胜三回忆着，哈哈大笑了起来。

“就你善于鼓动！”坂本夫人在一旁笑他，“会长后来重用你，也因为看中了你鼓动能力吧？”

坂本胜三承认，“都是那年代的事了！那年代的人能够被鼓动起来，现在的人，鼓动不起来了！人没有了精神力量。中国还可以，那个‘文化大革命’……”

“中国已经否定‘文革’了！”我纠正他。

“哦，现在是‘改革开放’。反正干大事，都需要举国一致，鼓起精神力量。”

这老人价值观里太缺乏是非了。见我要反驳，大使馆人员制止了我。坂本就得以继续说了下去：

“不过，精神力量，也只是精神力量。鼓舞士气，鼓舞起来的毕竟也只是气。客观状况还是改变不了的。就说那英美旗事件，几个小时后，轰炸就来了……”

当时坂本船长正从厨舱走过，骤然一声巨响。船身剧烈颠簸，这使得船长倒退几步，看到了舱内的U。U正趴在台板上，企图按住台上的食料。但又一个冲击波，把台板上的食料扫在地上。U是跟着食料连同锅盆砧板一起下去的。他还企图把它们抓起，刚弓起腰，又是一个震荡，他的身体被甩到墙壁上去。“快出来，U！”坂本叫。U支起身，懵懵懂懂地从厨舱爬出来。他和船长一前一后爬到甲板上，抬头瞧天空，空中浮现着一块黑色的斑点。斑点不停地增大，片刻凝固，就慢慢扩散开来。

“好！”坂本船长知道那是怎么回事，叫起来。

好一阵，爆破声才传进耳里。打中的是美军飞机。“万岁！”大家喊。

U拿手在胸口画十字。这是基督徒才有的动作。坂本曾一度怀疑他是教徒，因为日本跟西方打仗，日本基督教被限制，他才不敢显露身份。但到了战后，U也没显露出自己是信基督的，坂本只能理解，这只是一个一般的祈求姿势。这次遭到空袭，毕竟是U上船以来遇到的最大一次。

况且，U做着这姿势，嘴里喊的却是“万岁！”

他又拿手挡着天光，瞧着天空中小鸟一样飞来窜去的飞机，又担忧地瞧瞧不远处的日本军舰，嘴唇嗫嚅：“打！打！打……”

一颗炮弹呼啸着飞上去了，他又慌忙闭上眼睛。但很快地，他又睁开眼。天上一个黑烟浓聚的地方，一只小鸟溜了出来。

“杀了它！八格牙路！”他怒号。

大家也跟着喊了起来。他和大家一起，好像要把怒号铸成炮弹，射上天去。那只小鸟终于被击中了。但几乎同时，又一只小鸟突然变成一只矫健的老鹰，冲向海上一艘船的上空。大家发现，就是早上看到的那艘交换船。不知什么时候，那交换船离这边近了许多。大家都愣了，不知道那老鹰要干什么。

交换船一副被盯得不敢动弹的模样，亮着自己船上的白十字标志。好在白十字标志够大。它缩着脖子，好像以此来表明自己手无寸铁。大家心头刚掠过一丝侥幸，那交换船就遭到重击。

交换船好像还沉在梦里，摇摇晃晃着。接着，它又一下被打击了。它每挨一下，身体就一震，顺着惯性在海面划个弧线，又怨怨艾艾地缩住，好像在说：我没有反抗啊！但接着它又挨一击。浓烟升起了，浓烟被底下的火光冲起来，好像腾空而起的黑色的伞，黑色伞的上方又有暗红火焰在闪。从火焰里不停有明亮火星迸出。“那是人啊！人！”U眼尖，叫道。

“啊！啊！”大家喊，好像火烧在自己身上。

“强盗！交换船也炸！”坂本船长骂，“践踏国际协约的强盗！”

再瞧那遭难的轮船，它终于在一个打滑之后，没能稳住，颓然倾斜了。

“救人啊！救人啊！”U喊。大家也喊。在喊声中，海面上，一只日本军用艇向交换船奔去了。“快！快！”大家催促着它，像在推着它。大家扑向舷栏，后浪推着前浪。U挤在最前沿，拳头敲着舷栏，喊得最大声。军用艇速度飞快，眼看就要接近交换船了，但又转变了方向。大家正要骂，就见交换船迅速倒了下去。它的船舷上挤满了蚂蚁一样的黑影，那是人影。他们一撂撂攀在摇摇欲坠的船帮上，忽然落下几个，紧接着越来越多扑簌簌掉下海去。

“啊！啊！”U悲惨地叫，好像是自己掉下海去。

交换船上空的老鹰还不肯罢休，又向下一个俯冲。“啊！啊！打！打它！”U又叫。一声炮响，那老鹰被击中了。U煞然止住喊，不安地环视着大家，好像在说，可不是因为我。但一个船员冲过来，搂住他，“U君！”紧接着又有几个人抱过来。U被他们搂着，憋红了脸，他好像不能承受大家的拥抱。他挣扎出来，在甲板上疾走起来。

“强盗！强盗！竟然炸交换船！践踏国际协约的强盗！太坏了！太坏了！强盗！强盗！洋鬼子！丧尽天良！滥杀无辜！八格牙路！啊！太坏了！强盗！谁是强盗？你就是！强盗！强盗……”

U疾走着，语无伦次，堆砌着这些词。他好像在声明自己的正当性，自己并不是一个恶毒的人，自己不是恶人，自己是好人，自己只是被逼的。他就这么走着，絮絮叨叨着，直到一颗炸弹掀起的巨浪横扫“光”号甲板，他被扑倒。

大家也全被冲倒。U好像摔得特别惨，他简直疯了，跳起来，站着，戳着空中一架敌机：“打！打死它！”

军舰上的炮好像按着他的指令，一颗炮弹飞出，击中了。大家欢呼起来，U好像又心虚了，怕被对方怪罪，说明性地嗫嚅：“这下要打死你们了！”

但敌人才不理睬他的说明，不知从哪里又出现了几架敌机。坂本船长心头一紧，要是扑向“光”号怎么办？他喊：“左满舵，左满舵！到那边雨云下面去！”

但机舱没有反应。船长冲进机舱，掌舵的已经昏在角落。船长自己抓住舵盘。大家也滚爬起来，奔向机舱，喊叫着，把心揉进舵盘，拽着轮船向暗云靠近。但轮船笨拙得像被绑住手脚的大汉，接近那块雨云非常艰难。坂本船长觉得舵盘整个地都要被拧下来了。空气沉闷，沉闷中，他听到U的喊叫声。U在外面，他叫喊着。这家伙不要命了？船长不得不分心去叫他，喝令他藏起来。但U好像完全没有听见，或者是根本不管。平时非常听话的U，完全变了一个人。他只管乱跑着，还破口大骂。一会儿日本话，一会儿中国话。大概是觉得日本话里骂人的内容太单调，不够狠，他加进了中国骂。坂本船长说，虽然他听不懂中国话，但他可以听出那是在骂。那一次，坂本第一次听到那么多中国骂人的话，竟然是从一贯谨小慎微的U嘴里听到的。这家伙可真是骂人专家。老实人一旦被激怒，那会比老虎还凶狠的。

U好像担心敌机听不见他的咒骂，有船员来报告，他竟然爬上舷梯了。坂本船长心一紧，把舵盘交给别人，冲出去，喝令他。但坂本的声音压不过U的声音。U登在舷梯顶，叫骂着。船顶上的天空阳光灿烂，他高高的身影在阳光下就像剪影。他的声音一发出来，被幻化在阳光里，大家已听不清他在喊什么了。大家望着他，觉得是在仰望一个神。

“但死神扫视人间是没有差别的，”坂本胜三对我说，“不管是日本人，还是中国人，还是交换船上的人，不管是日本侨民，还是美国人，还是，”他戳天上，“轰炸机上的美国人，都一样。只有在那种时候才知道，都一样。但人毕竟是不能只屈服于死神的，精神！”他又说“精神”，“高高在上的U君，就是一尊精神雕像。一架敌机就像锋利的剪刀，从他头顶上剪过去。这下他没有把手抚在胸口，他做出的却是双掌合十的姿势。这是信佛的人做的姿势。当然也是临时拿来用的，‘临时抱佛脚’。”坂本“嘿嘿”笑了起来。“当时，只见U君嘴在动，在念咒。但这时候的他，不像是佛，倒像是魔。魔才有力量，魔咒。那架敌机在他的魔咒中被击中了，灰飞烟灭……”

“帝国精良武器”

“战后大家见面，都会抱头痛哭。”坂本老人滔滔不绝。

只能让他继续说。

“从那种年代活过来不容易，大家可谓是生死之交了。大家回忆起当年，往往会回忆起那次遭到袭击之后的贺宴。”

“贺宴？”大使馆人员问。

坂本让夫人拿来纸笔，写“仮の宴”，又好像担心我不懂，把“の”省略掉，又写道：“仮宴”。

“我知道。”我说。

“不，未必知道。”他说，“这是日语。”

“我知道日语。”我说。

之前我不是一直跟他用日语对话吗？其实我是不想继续听下去。

“日语，只有日本人才能领会。”他顽固坚持。

“但林先生是中国人。”我说，“林修身先生。”

“他已经是日本人了！”坂本说。

我想争辩，大使馆人员拦住我。在当时那个“中日蜜月期”里，坂本这话未必有不友好的意思。大使馆人员做了个请继续说的手势。

“贺嘛，也不是贺，”坂本老人继续说下去，“是祝。祝是面向未来的。当然你也许会说，那种情况下可有未来？那未来确实抓不到，但是，还是拿光做比喻吧，谁让我是‘光’号船长呢！”他笑了起来，“谁又让我们‘光’号上有个‘U’呢？一见到光，就见到了希望。不是吗？但这光是抓不住的，只照着你，引导你通往希望。当然，也得有通向希望的实际道路，或者说，得走完这通向希望的路。都一样。也就是说，人必须活着。在每时每刻生命都可能失去的情况下，老实说，仅仅靠精神的力量是做不到的。”

“您刚才讲的就是这个话题。”大使馆人员点头道。

“这是真理！”坂本老人自负地迸出一句，他嘴里迸出几星唾沫。他夫人帮他擦掉。这当儿，他的眼睛望着天花板，回忆了起来。

“光”号从美军轰炸下死里逃生，就像惊弓之鸟。但恶性事态还没有结束。不到两天，日本军舰折转了航向，离开了运输船队。发现军舰离去，大家惶恐起来，拥向甲板，嘶喊着，哭号着。那个森达矢，竟然抓起救生圈，要跳到海里去追赶军舰。坂本船长急了，拽住他，猛给他一个耳光。

“我们不是客船！”森达矢嚷，“我们在为国奉仕！帝国海军不能丢下我们不管！”

这胆小鬼到了生命受到威胁，也会说这样的话了。“谁说丢下不管！”坂本船长喝道。

“军舰都走了！我们要死了！”

“炸弹还没落你头上呢，你小子就死了？”船长吼，“死总是自讨的！”

但这种话，连船长自己都不能让自己信服。茫茫太平洋处处潜伏着杀机，大家变得寡言少语了，只有在工作必需的时候，才干巴巴发出一声两声，像从眼看就要崩溃的危墙掉下来一两块土碴。森达矢更是连聒噪都不会了。有时候坂本船长倒希望他聒噪一些，这样，就有了声音，就有得对付了。没有声音就是死亡，没有得对付的，只能跟空虚作战。坂本船长心中藏着更深的忧虑，军舰离开前曾警告过船队，前方是盟军鱼雷密集区域，轮船要以锯齿状行进，避开鱼雷瞄准。军方建议最好绕道菲律宾，避开盟军潜艇。但这样，航程就延长了，食物就会不足。但越是在这种时候，越要稳定军心，稳定军心靠的就是食物。在漫长的航行中，人常常只有在吃的时候才有活着的感觉。还得吃得好。

一个大胆的计划在坂本心中酝酿。

一个午后，坂本船长拐进了厨舱，嗓音响亮得近乎夸张：“啊哈，好香啊！U君，今天的晚餐是牛肉饭吧？”

U瞅了瞅船长，神情诧异。厨台上分明放着做卯花饭的材料。在配给时期，就连小孩子都知道所谓的“卯花饭”，就是豆腐渣。

“U君，明天咱们办一场贺宴，庆贺一下咱们不死的‘光’号！”船长又说。

U明显没有听明白，愣着。

“就来个中华宴吧！”船长仍然说。

U侧了侧耳，这是表示不可理解、不可思议的姿势。船长心里清楚，U以为他在开玩笑。谁都知道中华宴需要丰富食材。但船长让自己表情严肃，丝毫没有玩笑的意思。U没有吱声。这也不是他的风格，他的风格是立正，“是！”这个U，已经习惯于无论如何满足主人或上司的要求。

“怎么了？”船长问。

“是……明天的膳食……中华定食。”U答，试探性的。这倒是他的风格，以前，船长出现口误，他总是采用把正确的话说出来的方式，不露痕迹地纠正了船长，给船长面子。

“不，是中华料理宴席！”船长向他竖起了食指，一板一眼重申，“叫大家在隆重的贺宴上吃定食，是你这个厨师之耻！”

U脸色变了。

“U君是极有耻辱感的人。”坂本老人说。

这简直不可理喻！我几乎要脱口而出。“巧妇难为无米之炊”，是你船长提出不合实际的要求，怎么反由人家来承担办不到的耻辱？日本上司真是霸道。我的心思又活跃了一些。也许，U，也就是林修身，他所做的一切都是被逼的吧？

“是坂本先生您自己的要求不合理吧？”我说。

“是不合理。”坂本老人坦然承认，“但这世界上有合理的事情吗？即使有所谓合理的事情，那么只遵循合理原则，就不会有创造力了，就不会有‘向死而生’了。人人都愿意做可以做到的事。但U君不是这种人。而且，他也不敢这样。”

“为什么？”

“说起来残酷啊！对不起U君，哦，是会长。现在想来，他后来能够成为会长，也是这么被逼出来的。”

果然是逼。我想。

“说起来，有耻感是绝对的好事。他是从长谷川家跑出来的，实际上就是背叛了长谷川小姐。所以，他得做出更大的成绩来雪耻。他要从更大的方面来证明自己是一个顶天立地的男子汉。国家的事，就是大的事，就是男子汉应该做的事。他应该是清楚自己带着耻辱上船的，我就是要拿这个耻辱激他！”

坂本的脸现出摁住猛兽时的凶狠。他紧抿着嘴，没有牙齿的嘴窝整个陷进去了，下巴都要顶上鼻尖了。这使得他像鹰。这是个凶狠的人，我可以想象当时U在他手下是怎样的受罪。

他夫人提醒他，他又恢复了慈祥的模样，以一个长辈的语气道：“主要是我比他虚长几岁，所以才敢那样。”他不好意思地掩着嘴笑了起来，“开玩笑，开玩笑!”他又摆着手，“但主要还是靠他自己。他自己躺倒了，你再激他，他也不会起来。自己要有自尊心。有自尊心，就有亏欠之心。”

“亏欠?”

“亏欠，亏欠之心。日本人喜欢说‘对不起’，就是常怀着亏欠之心。”他说，“再说，我曾经在大家面前夸他是‘帝国精良武器’……”

“‘帝国精良武器’!”

“是啊！其实这话也不是我发明的。那时候的报纸上颂扬战斗英雄，常这么说。U君也够得上。如果说之前，我这么说他，可能还不是太客观，我更多的是在鼓励他，但这次，我要让他成为够得上的英雄。你已经得到了‘帝国精良武器’这个荣誉……”

“但这是您加在他身上的。”我说，“他不一定要接受吧?”

“荣誉是能够接受就接受，不接受就不接受的吗?”

这简直是强盗逻辑。

“既然你有这荣誉，那么你就不能愧对这荣誉。你这么受器重，你就要做好，做得更好。”坂本说，那一次，U最后回答：“对不起……明白了，是中华宴席。”

坂本船长简直喜出望外，“能行吗？U君!”

“是!”

“真的能行吗?”船长又问。

“是!”U的嘴好像被锁在固定程序里了。

坂本瞅着U，又绕着U转一圈，像检阅自己亲手训练出来的士兵。这个U，虽然个头矮小，但像一根扎实的短钉子，钉在他的岗位上。他猛然出手击了一下U的膀子，“唔，果然是好样的！那就拜托啦!”

船长说着就往外走，生怕U又变卦，走到口上又站住，回过头来，“说定了!”他戳着U。

“是!”U像是被他施了法术，入定了。

他又于心不忍了。“本船长是明白的啊!”他说，“别人能够混，U君，混这种事，你可做不出来。U君会让大家有信心坚持下去的，是不是？我知道，U君的脑袋好着呢!”

U点头。

坂本船长清楚，U当时并没有想出完成任务的办法。这是一个简直不可能完成的任务。但根据他对U的了解，既然答应了，U就会完成。U是个有信仰的人。

我没想到坂本老人会扯到信仰上去。

“是职业信仰。”他又说，“有信仰跟没信仰全然不同。没信仰，能完成的才完成，不能完成的就不能完成。但有信仰，不能完成的也要完成。”

很快到了贺宴那天，全体船员集合在甲板上，围成一圈，盘腿坐定，腰板挺直，像岿然不动的金钟。每人的膝前都放着杯子、盘子，筷子汤匙横架在筷架上。正午，风凝固不动。船长一声令下，大家“唰”地站起来，鞋底在甲板上整齐一蹭。

“执盏!”船长叫。

大家弓腰，举杯，统一执在右手。没有酒，U给船长斟水，再给大家斟，最后斟给自己。船长举杯，大家也举杯。船长叫：

“为我们了不起的‘光’号大难不死干杯!”

过后大家说，当时，船长的声音就像从天空

传播下来的一样，好像天上有个大喇叭，这给大家奇妙的非现实感觉。船长率先一仰脖子，饮尽杯子里的水。大家也饮，水在大家喉咙里咕咕响着，整圈地回转。

水滋润了大家，大家显得轻快起来。

坂本船长用眼尾余光瞥U，U面无表情。以水代酒，这是船长料到的，大家也都会觉得正常，平时就这样。但接下来就考验他了，他会端出什么来？坂本船长心里没底。他必须为U顶住，就装作只顾自己，喝得酣畅的样子，下令大家坐下。“U君！”他忽然叫了一声，连眼睛也没有瞧U。

“在！”U应。

“还不快把你的中国料理端上来？”

“是！”

U端上第一道菜时，船长感觉到他身体是僵硬的。他的动作因此显得特别的沉稳，但这沉稳是有时间的，稍长就要崩溃。大家的眼睛都像聚光灯一样聚集到菜上。船长立刻“哟唏”一声，把大家的目光吸引到自己身上来。他拿起筷子，缓缓向盘子伸去。所有的目光跟着船长的筷子伸向菜。船长迅速一夹，迅速把手收回，大家的目光又跟着夹着菜的筷子回来了，回到船长嘴前，等待着船长的评价。船长慢悠悠地咀嚼着，面色凝重，令人担心。船长的鼻翼在“呼啦呼啦”扇动着，很快显示出是在抑住笑。终于，一个响亮的声音从装着食物的嘴里迸出来：

“这就是正宗的中国料理啊！”

大家的惊叹声就像海鸟一样，呼地飞起来。

U猛然不自在地竦了竦身子。这一竦，他的身体好像顿然化成了一摊水，他虚脱了，手里的托盘“咣当”掉地上。

“喂，别把端盘给我摔破了！”船长假装严厉道，“本船长还等着用它端更好吃的上来呢！”

大家全都笑了起来。U赶紧去捡，又是伸舌头，又是缩脖子，又是鞠躬致歉。他的身体灵活多了，腰柔韧得像弹簧。

船长又夹了一筷子，道：“怪！这看上去简简单单的食材，一经我们U君的手，怎么就成了美食了呢？U君，听说中华料理有个原则，叫作‘三分材料’什么的？”

“是‘三分材料，七分手艺’！”U答。

大家很感兴趣，伸着脖子。船长啐大家：“这有什么值得大惊小怪的？八格牙路！你们这些家伙，饮食之道懂得太少了！U君，给他们说说！”

大家目光又“唰”地射向U。U好像没有料到船长会来这一出，虚弱地将手中的托盘在胸前挡了挡。他瞅船长，船长向他发出狡黠的眼神。U嘻地笑了起来。

“笑什么！你这小子！”船长责备道，“你就说嘛！”

“是的，料理的原材料是不能决定厨师……”

“所谓饮食是文化嘛！”船长插嘴道，“在原材料面前没有了自信，垂头丧气，在物质面前不懂得超越，是阿猫阿狗呢！”

大家喷笑。几个活泼的学着猫狗叫起来。

“阿猫阿狗尽管叫去，本船长可是人呢，我要尝我们U君的手艺了！”

船长又提起筷子来。笑声止住了，大家纷纷动筷。船长又“唔唔”赞叹，大家也跟着赞叹，“唔唔”声从每一张嘴里发出。

“对啦！吃了半天，还没问这是什么菜名呢！”船长估计U已经被他引上路了，他应该懂得杜撰了，故意问。

“‘佛跳墙’……”U支吾。其实这只是把杂七杂八的东西混炖在一起。

“就是中国料理店‘佛跳墙’那个‘佛跳墙’吧？我知道，有名！以前长谷川先生总去‘佛跳墙’点这道菜，能作为店名的菜能不好吗？是秘传名菜啊！U君毕竟是‘佛跳墙’秘传弟子啊！”船长说。

U的表情僵住了。船长意识到自己弄巧成拙了，“佛跳墙”是U的忌讳之地，他是从那里被赶出来的。但船长又想，索性趁这时打破他心理障碍。他要给U放脓血，让他彻底从耻辱中解放出来。

“在‘佛跳墙‘学艺，没少挨打吧？高徒一定出自严师，严师才能出高徒嘛！”

他说。他巧妙地把话题限定在学艺上。U听明白了。

“师傅很严格的……”U说。他从船长的话里得到了启发，不说“老板”，而说“师傅”。他又确定地点头，重复道：“嗯，非常严格！”

“我当年走船，”船长道，“还差点被赶出来呢！”

U被刺了一下，脸躲在阴影里，不吱声。“喂！”船长故意喊他，“你有没有这种经历？”

“什么？”

“差点被老板赶出来。”船长这下说的是“老板”。这可是超出了学艺范围了。U只能嘻地笑起来。

“笑什么嘛！有没有？”船长逼问，“问你话呢！你小子！”

U像一只被追杀得无路可逃的兔子，抖着腿。

蓦地，他应：“有！”

“有吗？”

“被赶出来了！”

船长惊异，他只是说差点被赶出来，但U却干脆直接说被赶出来。这下倒是他愣了，瞧着U。这个U终于从遮遮掩掩里走出来了，而且这么彻底。

“那时候，我就看出来了，这是一个有强大心理的人，不可小觑，以后会有大作为的。”坂本老人议论道，“果然，干出了大事业！”

我可以承认这一点，他确实干了大事业。那么大手笔的报效祖国，不也说明了这一点吗？我点头。虽然我和坂本老人想的不是一个方面，但我们至少在观点上达成了共识。坂本老人高兴了，继续说下去。

“师傅他用心良苦啊！”U接着说。他竟然开始了回忆，是那样的深情，眼里隐约还有泪光。他不纠缠历史是是非非。他巧妙地把历史变成了塑造他形象的资源。

“对啊！小鸟长大了，总不能再待在羽翼下嘛！”船长接着他的话，“要是再待在‘佛跳墙’，那我们今天都尝不到U君的手艺了！”

“是啊！”大家附和。

“出师了，就要到外面打天下嘛！好老板就会让徒弟这么做的，让名声传得远远的。”船长说。

“真是名不虚传啊！”有人叫。

“稍等！”U打断大家，又跑向厨舱。再出来时，他三个手指支着一碗清汤，没有用托盘。那汤里只漂着一段大葱。

“这是？”大家问。

“‘游龙过海’！”他应，“当年师傅秘传的。”

“哦？是‘佛跳墙’的保留名菜吧？你们别动！本船长得先尝尝！”船长霸道地将汤碗拉到自己面前，又做出抱歉的样子，“对不住哟，谁让我是一船之长嘛！”

船长重重咂了一口，叫起来：“啊，真好吃！这一碗要是在东京，要卖非常贵的。没逢大喜事，怎么敢点啊！我们现在就是在庆贺大喜事，贺宴贺宴！”

甲板上真的洋溢起一片喜庆气氛。U受了感染，更加勤快起来。他又跑进去，一会儿端出一样菜，“看，扬州炒饭！”

大家又是喝彩。

“可是在中国，这道菜可不是这样的呢！”一个声音响了起来。船长的汤匙停在了嘴边。不用看，就知道说话的是那个令人讨厌的森达矢。他又冒出来了，“U君，你这是扬州炒饭吗？”

“森，怎么能这么说话？”船长喝道。

但森达矢仍然说：“敝人可是驻扎过扬州的！”

坂本啐道：“皇军驻扎扬州，就会去吃扬州炒饭吗？”

“敝人吃了！”

“你吃得到？部队吃的是部队伙食！”

“至少，敝人应征前也曾在中国料理店干过。”森达矢又找了个理由，“那扬州炒饭可不是这样的！中国料理讲究食材。敝人多想尝尝燕窝啊、熊掌啊……”

“达矢！”船长喝道。但他不知道还能说什么。这家伙不好摆布，但要是让他胡说八道，刚提起的士气要泄掉了。船长跳起来，去拉这家伙。大家慌忙来劝。其实坂本心里也明白，到了动手的地步，要是再不能制服对方，那么他的威信就完了。但他又不能罢手，他骑虎难下。他甚至后悔自己鲁莽了。蓦地，他听到身后响起一个声音。是U的声音。坂本简直惊异，U的声调是那么平稳，虽然用的是问句，但他好像不是在发问，而是在陈述：

“森君指的是哪一个中国料理？”

森达矢愣了。

“中国可是很大的哟，料理的种类也很多的。”

船长瞧着U，好像瞧着一个突然长大的孩子。坂本说，那一次，他顿然觉得自己老了，老朽得端不了架子了。倒是U撑住了他。这个U，在猖狂的森达矢面前沉稳应对。他说中国时，还带着夸耀。他不再遮掩自己的国籍，倒好像他身后站着一个实实在在的国家，历史悠久，文化发达，饮食种类繁多，他有底气。U镇住了森达矢，救了场，坂本船长像抱了个大果子的小孩一样，“咯咯”乐出声来。

“喂，森，还有什么话说？你小子在中国料理店才打几天工啊？还是你师傅不严格，不想教你啊？你的老板没打你吧？是不想打你吧？压根儿就不想打你，不想教你！”

森达矢被奚落，不服道：“那你说你这是什么种类？”

“U君，咱也不教他！”船长道。

大家笑了。船长理直气壮又道：“就是嘛！‘朽木不可雕’，为什么要教他？”

森达矢愤愤离开了。船长望着他背影，道：

“走了好！给别人省点吃的，大家放开肚皮吃啊！”

大家响应起来。

“U君，等战争结束了，带我们去中国，各种料理都吃一吃！”船长说，又对大家，“本船长用‘光’号送你们去！等打完仗，就不用他妈的老在这船上熬了！我们专程去解馋啊！喂，U君，傻站着干什么？大家在请求你呢！”

“是！”U答。

船长拍手鼓掌起来。“呀呀呀，U君答应啦！约一下！”船长伸着脑袋，夸张地寻找U的手指头。寻着了，勾住，又高高举了起来，“既然U君答应大家了，大家可不许辜负了U君一片心意啊！到时候谁也不许缺，一个也不能少！小子们都听清楚了吗？”

“是！”有几个回答。

船长故意侧了侧耳朵。“什么？本船长没听见！”

“是！”更多人答。

“啊，是在说‘是’啊！U君说‘是’，你们也说‘是’。‘是’‘是’‘是’！那么一言九鼎，男子汉说话算话，军中无戏言……”船长堆砌着辞藻，绞尽脑汁。他把勾着U的手拖向席中。他突然一改调笑的语气，庄严喝道：

“是大和民族男子汉的，勾起手来啊！”

大家的手，好像猛的被船长的声音一个抽打，跳将起来。它们叠在船长和U的手上，层层叠叠。

“U君，拜托啦！”船长叫。

“拜托啦！”大家叫。

“我们会熬到战争结束的！”船长说。

大家嘶喊起来。有人哭了起来，接着更多的人哭，最终大家抱头痛哭。

“不隐瞒地说，我也流出了眼泪。”坂本胜三对我说，“人心都是肉长的，将心比心，在那种时候，谁会那么心硬？我记得我朝大家喊：‘哭吧，小子们！哭吧，大哭一场就坚强起来啦！’”

“好”的哲学

我发现了破绽。

“美国人怎么会炸交换船？”我问。我期待用一个破绽，让坂本构建起来的世界坍塌。

“是哟！”但他肯定道。

“美国人为什么要炸交换船？”我又问。

“为什么要……”他那神情，不是因为被我揭后惶惑，而是因为被问了不可理喻问题，显得很无辜，“那得去问美国人，为什么要这么做……”

坂本夫人说：“也许是误炸吧？战争中会发生什么，谁知道呢！”她朝我征求意见地点着脑袋，“嘞！”

“所以要齐心协力，团结！”坂本说，话题又回来了。

夫人赶紧又纠正方向：“所以要避免战争。战争无论如何是个坏事。”又朝她丈夫一侧脑袋，“嘞！”

坂本胜三认可。“原爆。”他又说，“死了那么多人，现在还有人在患病。”

还是典型的日本人思维。他们习惯于强调自己受害。坂本夫人又来和稀泥：

“所以要和平！”

他们说的和平不是我们说的和平。日本人喜欢谈和平，虽然与中国和其他战争受害国一样，都在谈论和平，但他们谈的是空洞的和平，最后暗度陈仓到了他们价值观上的和平。

“会长无论如何是个好人。”夫人又说，朝她丈夫，“嘞！”

“绝对的好人！”坂本老人说，“工作好，技术好，人缘好，为人处世好！”

他的“好”也不是我的“好”。日本人信奉“相对主义”，回避绝对的价值标准，一味强调事物相对性。在这种情况下，林修身当然就可以是一个和善的同仁，一个优秀的职人，一个能工巧匠，一个勤勉的人，甚至是一个拯救了大家的功臣。这个坂本胜三，看上去不像是日本“右翼”。如果是，他不可能对中国大使馆这么热情。他只是在叙说林修身的“好”。

对“好”这种东西，我一直不以为然。我从来没有被称为“好”，无论是读书时代的“好学生”，还是工作中的“先进工作者”，乃至在幼儿园时，“好”都跟我无缘。我也从不争取，用父亲的话说：不求上进。也许我天生就不是“好”的坯。我喜欢搞“坏”。明明在做好事，却要用流里流气的方式；明明心里有正气，却要表现得逆反。此次这么重大的采访，本来是不会让我去的，虽然我的工作能力无可厚非。多亏父亲动用了上头领导的关系，所以父亲特别关心我的采访情况。采访坂本胜三的当晚，父亲还打国际长途来。他是老记者，他希望能帮到我。或者明确说，是在价值观上教导我。

“要多从正面想问题。”父亲说。

“正面？就是‘好’？”我反问。

“你这孩子，就是喜欢钻牛角尖！”父亲说，“毕竟，‘好’是人类共同追求的。”

无论是林北方揭发林修身，还是佐伯照子维护林修身，还是坂本胜三夸奖林修身，包括林太郎塑造父亲形象，都以“好”为价值原则。果然像父亲说的，“好”是人类共同追求的价值。这个“好”抽离具体现实，到了超凡脱俗的境界，类似于宗教。日本人没有宗教，“好”就是他们的宗教，这宗教内核是空洞的。我曾听过一个讲座，那个讲座说，在西方，教会跟世俗政权分立，宗教可以跟世俗政权分庭抗礼。但在日本，神道还成了天皇发动战争的精神武器。其实古代中国何尝不是如此？宗教依附于皇权生存和发扬光大。在这种情况下，“好”可以被人上下其手。多少人抱着这种“好”的哲学，成了暴政与罪恶的帮凶？

讽刺的是，就在这一年，一九八五年八月十五日，那个热衷于“中日友好”的日本首相中曾根康弘，竟参拜了靖国神社。靖国神社供着十四名甲级“战犯”名册，日本方面的理由却是他们死了，罪恶已经洗清了，已经成了好人了。这理由是鬼都不会相信的。我从此怀疑日本人不是不明白，而是装作不明白。同样是日本人，那个森达矢，他怎么就能明白？

我想找森达矢。

巧的是，这个森达矢曾经联系过大使馆。我拿到了他的联系方式。但他已经去世了。“战后”他回到了老家长崎，一直过得很糟糕。一九八四年，他在贫病交加中离开了人世。据说他在公寓里断气好几天，没有被人发现。他一直孤身一人。邻居发觉他门口木信箱里的广告单塞不下，撒在地上，报了警。警察破门而入，他身体已经长蛆了。

战后，他曾以战争期间就反战的民主人士身份，活跃在日本。他还写了一本回忆录。据说回忆录出版后，他还寄一本到长谷川会社，给他当年的同事U。但没有收到回应。我查了一下资料，那时候U虽然还在长谷川会社，但他已经不叫“U”了，改名叫“长谷川光”。这个叫长谷川光的人，已经跟长谷川家小姐结了婚。他是不可能去理睬森达矢的。他才不会去暴露自己在战争期间的作为。就是不考虑这，森达矢的反战行为，在日本人看来也不会被认可，哪怕这是战后，森达矢仍然被看作捣蛋的坏分子。长谷川光不可能跟这种人搞在一起，他是向“好”之人。

人人都向“好”，就好像小草向往阳光。坏人森达矢的书在日本无法出版，最后在美国用日文出版了。也就是说，美国人也不要看他的书。

据说，一九七二年中日邦交正常化时，森达矢曾一度兴奋起来。他可以作为当年的反战者，跟当年的被侵略国中国取得联系了。但他被当作一个不合时宜的人。

森达矢没有等到一九八五年。因为中曾根首相参拜靖国神社，中日关系开始转折。几乎与此同时，林太郎对父亲“裸捐”的承诺不认账的事，在中国引起了不满。关于林修身的宣传被取消。但我却感觉到机遇来了。本来，采访林修身只是我的工作，现在，我想做一个我自己感兴趣的事。我要挖出一个真实的林修身。当然，根本驱动力是我喜欢搞“坏”，我有这癖好。我要利用我工作之便，收集林修身的材料。我的企图被父亲发现了。

“你这是心理黑暗！是逆反，是戾气！那么多正面人物你没兴趣去追踪。你这样，是很危险的！”父亲说。

不幸一语成谶。

第五章

我的“一觉”

一九八七年，中国女排夺得“五连冠”。同事们都跑到街上，凡是会响的都拿出来敲。我太激动了，竟然去砸街边百货的橱窗。这本来也并没什么大不了的，但不知怎的，一年之后被翻出来了，并且号称已构成刑事案件。

那时我在美国采访。本来还计划在美国采访后，取道日本，干我的私活。将要飞日本，接到国内单位电话，要我直接回国。从父亲电话中，我知道事态严重。我怀疑有人在整我。我平时自视颇高，一定得罪了人。单是我之前去日本采访，就挤了别人的名额。

我决定留在美国。

我的英语一般。好在我原有的身份具有优势，我可以给报纸写跟中国有关的报道。报社也愿意派人给我订正英文。

就这么待着，干着，三年。苏联解体了，“冷战”结束了。

又干了三年。媒体对我没兴趣了。我每次跟报社谈选题都战战兢兢。选题被否决，就好像被掴了脸。渐渐地，每当这时，我的脸就会有一种烧痛，好像真的被掌掴了一样。

我去看医生，查不出病因。各项指标正常。医生说可能是心理原因。也许是吧，是我的失败感。

渐渐地，我的生活无法保障了。父亲说，你还是回来吧！现在回来还未晚。但我不甘心。明白说，是不甘心被父亲、被周围人看成失败。又赖了一年，我实在待不下去了，回国了。

一出机场，我发现自己的穿戴显得多么寒碜。相比之下，中国发展了。这是始料未及的。虽然在国外看到相关报道，但眼前生机勃勃的景象还是冲击得我有点晕眩。我出国时，宣传板上还是“中国女排”，现在是“马家军”了，铺天盖地是“中华鳖精”广告。出租车司机拉活很起劲，车挡风玻璃后挂着毛主席像，好像我小时候看到的。挂像衬上了红墙，原来车已经驶到了长安街，我又看到了天安门城墙，上面的毛主席像衬托在出租车里的毛主席像后面，一前一后，一大一小。近的小，远的大，不合透视原理，但有一种纵深感。

我回原单位，是父亲去托主管局濮局长争取到的。这濮局长就是我原来的上司，那个给我去日本采访机会的领导。他升职了。把当初为什么不回国的理由设计好，说我当时有所误解，实际上，构成刑事案件云云也确实是讹传。再加上身体不好，一直在生病，但还是想等病好后回国的。这理由居然被采信了。濮局长说：

“本来也没什么事，就是爱国热情。谁不爱国啊？中国长期以来被当作‘东亚病夫’，女排打败了日本，又征战世界，取得了排球史上唯一‘五连冠’。特别是最后这次，克服了重重困难，8比8，太不容易了！我也很激动。年轻人一激动就把持不住，可以理解嘛！”

濮局长说得轻描淡写。

“不过还是要吸取教训！”局长又说，脸严肃下来，“好好干！别让我听话！”

我知道这话的分量。我当然要好好干，单是为了感激老领导的宽容和帮助，我就要表现好。人应该有感恩之心。惹祸了，也让帮你的人倒霉了。人不能没有道义。

旧同事们欢迎我，好像我只是出差回来一样，也许因为我不可能像过去那样对他们形成威胁了。“好马不吃回头草”，我不是好马。当夜，我的脸突然肿得像馒头，还红彤彤的，只觉得睡梦中被掌掴了。两边脸都肿，好像是被掴了左边，又掴右边。左边被掴时，我躲右边；但右边又掴过来。左右开弓，我被夹中间，就被掴得扎扎实实。第二天请假，去医院看病。还是查不出原因来，仍然说是心因性的。

我一度想不干了，再去国外，哪怕是“偷渡”。一个偶然机会，我认识了一个福建人，他说他们那边很多偷渡的。但要花几十万，我没有钱。我的情绪被父亲察觉到了，父亲说，就是你不为自己着想，也要为濮局长着想吧？人家好心帮你，在上面为你说了多少好话，你就这么报答他？

我没话了。

“你该成熟起来了！”父亲说，“白活得这么大。”

一个人的成熟，是心理的成熟。一个成熟的人是能够消化屈辱的人。

但消化不了啊！

要消化！

实在消化不了啊！

必须消化！人得生存，就必须消化！

生存！这是个瓷实的理由。“生存还是死亡，这是个问题。”哈姆莱特的千古问题。

但哈姆莱特他自己也没有做好。我不管。我像任性的小孩。“那么好，就饿肚子。”父亲说，“都是吃太饱的缘故！”

父亲真的饿我肚子。饿两天我就屈服了，也消化了，脸也瘦下来了。

但其实，同事中也没有人记着我那些旧事的。大家都很忙，工作跟收入挂钩，大家都在为自己创造财富。以前大家会在一起争论，争得脸红脖子粗，什么“姓社”还是“姓资”，“物质文明”与“精神文明”，现在，“发展就是硬道理。”倒是我，还活在八十年代。用我父亲的话说，我在国外那几年，好像是被冷冻了。有时我老脾气又会犯，要挑起争论，但大家不接茬。有一次一个同事被我惹急了，说反正我有上头撑腰。我知道他指的就是濮局长。我哪里要局长为我撑腰？我要争的是理！我曾是那么的热爱真理。

即使局长为我撑腰，你就认了吗？但这似乎已是不必去争的问题，幼稚的问题。

理解我的同事，笑着说我没有进步。不仅周围的人在进步，整个中国都在进步。北京开始大规模城市建设，到处都在拆迁，到处都是工地，空气都在震动。身处剧变时代，我也最终被卷入了。当年林修身就是这么卷入的吧？但我要拒绝卷入。但当我的家也要拆迁时，我还是和父母一起，想方设法占便宜。通过拆户口，我单独拿到了房子。拿到房子钥匙的当晚，我的脸又肿了，但第二天又好了。

时会旧病复发，这使得我即使脸上没有痛感，也会经常神经质地去照镜子。有时候，对着镜子，还会忽然生出自己抽自己一巴掌的冲动。

那个林修身也爱照镜子。他是否也想过掴自己？没有人跟我说过，无论是林北方，还是佐伯照子，还是坂本胜三，更不用说林太郎了。林修身是个爱体面的人，他一定不会当着人的面这样做。我也不会。但他意识到他在耻辱中吗？从佐伯照子的回忆中，是的。那么，一个人可以长期生活在耻辱之中吗？

但其实，耻辱不影响活着，也不影响去打拼。就像胃病，消化不良，可以恢复过来；溃疡了，靡烂了，甚至切除了，只要留一部分，照样可以保持功能。耻辱感到底是什么劳什子？

我有房，很快结婚了。妻子很快就怀孕了。我生了儿子。我的儿子上学了，我也去跑各种关系。然后，我在单位里升职了。“这下好了！”父亲欣慰道，“可见我当初决定是正确的。还是回来好！”

我又升为部门领导。

在周围人眼里，我是成功的人。我获得不少奖。我能够体会到被肯定的幸福，至少，作为一个好人的安逸。每当夕阳西下，我还在办公室，加班不按时回家是成功男人的标配。从办公室向窗外望，远远的闹市车水马龙。亮起的灯光与其是起了照明的作用，毋宁是反而产生幽晦的效果。我捏着纸烟，在无名的思想中静静地合上眼睛。我看见很长的梦。忽而警觉，身外还是环绕着的昏黄，烟篆在不动的空气中飞升，如几片小小的夏云，徐徐幻出难以指名的形象来。

但我愣愣的并不认识他们。

大家叫我“航空母舰”。不仅因为没有我解决不了的难题，还因为我采访过“光”号。尽管我一再告诉他们，“光”号不是军舰，更不是航空母舰，但他们还是这么说。其实是他们自己有航空母舰情结，航空母舰已成热门话题，中国要制造航空母舰了。这可是中华民族一扫历史耻辱的重大举措。富裕起来的中国，现在又要崛起了，富强了。语境大为改变，中国人普遍有自豪感。这跟当年女排夺冠的自豪感不同，究竟怎么不同？我也说不清。

有时候我还疑心，他们称为“航空母舰”，是因为我胖了，也就是笨了。他们敬佩我，只不过是在忽悠我，谁认谁的账啊？谁服谁管啊？中国人都这样。再照镜子时，觉得自己简直长着猪一样的脸颊。“丸太”？蓦地，我心中冒上这个词，这个久违的词。

他儿子林太郎说

我惦记着林修身。二〇一一年，我弄了个赴日的机会。但坂本胜三和佐伯照子都去世了，林北方也不知所踪，我后悔当初没有留下他的联系方式。唯一能联系到的只有林修身的儿子林太郎。

林太郎老了许多。他接手父亲企业这二十年，就是被称为“失去的二十年”。他的企业经营状况应该好不到哪里去，日本在衰退，相反中国在飞速发展，GDP已经超过了日本。我再去找他，心里是有底气的。我甚至还有一丝幸灾乐祸，但我马上制止住了自己。我真有资格幸灾乐祸吗？

虽然仍是正襟危坐，但林太郎没有了二十年前的傲慢。他甚至表示向往中国，说中国是他的半个祖国。我猜，他是想跟中国做生意。全世界都想跟中国做生意。

我向他提起坂本胜三的话。我暗示，是战争使得他父亲林修身得以登堂入室。“不如说是战败吧！”他严谨辨析，“家父是在日本战败后接手长谷川企业的。”

“固然，”我说，“但企业就是那个企业，就像‘三菱’‘住友’等等。”

我不知自己为什么又去提起这些企业，它们曾经支持侵略战争，他们有原罪。我已经很久没去想这么严厉的问题了。现在，面对林太郎，我好像在面对善于抵赖的自己。

“似乎不能这么类比。”他说，“长谷川是小企业，底子薄，战时并没有怎么发展……”

怎么可能？

“就是有，战争结束时，也几乎没有什么家底了。家父接手的是这样的企业。就算有一点基础，彼基础也不是此基础，长谷川企业也已经变了经营内容。您知道，家父发明了绞肉机。”

“我知道。但毕竟还是在长谷川企业的基础上发展起来的，毕竟会社还叫‘长谷川’。”我说。

“确实。”他点头，“家父不如说是为家母代为接管会社。”

我没听明白。

“家母为什么要全权交给家父呢？”他说，“家父这么一个人，又没文化。家父当时没有上过学。家父是战后才开始读书的。本来想去文化补习，‘牛棚教室’‘露天教室’什么的，但会社实在太忙了，抽不出时间。家父就抽时间自学。家父很聪明，一个人没有文化，不等于他就不聪明，也许是因为没有学习的机会。而且，一旦有学习机会，这样的人往往会更加珍惜。家父就是这样的人。他越学越多，终生保持读书习惯。企业能出类拔萃，跟这个有很大的关系。当然，也应该归功于家母的决定。家母是会拿主意的人。”

岂止是会拿主意。我想起了照子奶奶的话，在心里笑。

“这也是遗传了外祖父。外祖父就是这样的人，不管是在开拓事业上，还是对自己女儿的影响上。说起来，家母冲破门阀，自由恋爱，外祖父外祖母当时还是有点犹豫的。但是家母就是爱家父，她是为爱而生的人。好像，您上次来跟照子奶奶也交谈过吧？照子奶奶一定也跟您说了一些事，一定是说家母对家父不好。”

他这么说，我反而不好承认了。“倒不是。好是好，但……就是有点强迫他……”我不知怎样表述。

“强迫，是的。”林太郎说，“那不正是说明家母爱家父吗？爱难道只是在嘴上说说吗？爱是理性的东西吗？虽然可能做得委实不合规矩，但当时还年轻，那是年轻时候的事情，年轻人的爱，难道不能理解吗？”

“但为什么您的父亲，当初竭力要离开？”我问。

“您指的是？”

“上‘光’号。”

“一个男子汉，怎么可能长期待在家里？”林太郎道，他立刻又补充道，“但并不等于在家里做得不好。”

这倒是。

“既然在家，就把家里的事做好。做什么都要做得好。”林太郎又说，“这是日本人的品格……”

“您父亲是中国人。”

“不管什么人，做人的品格都是一样的。一个事情做不好，别的事情也做不好。这里做不好，那里也做不好。小事情做不好，怎么可能做大事情？小事情做好了，就要做大事了。尽管家母很留恋家父，家父也留恋家母……”

“他留恋？”

“是的。家父是很重感情的人，各方面都照顾得很周到。您可以去会社里了解，特别是那些老人。家父常跟我说：要有雄狮的力量，佛陀的心肠。”

“佛？”我脱口而出。我想到了“佛跳墙”，还有“佛跳墙”老板说的你要普度众生，得先是佛。

“是的，佛陀。”林太郎说，“要用雄狮的力量去奋斗，要用佛陀的心肠去待人。对别人，他只想着把事情做得好一些，再好一些，让人满意。但这样，他就委屈了自己。他想满足任何人，但最终仍有不满意的，不能理解他的一片苦心。我都想不通，会说他，这是何苦呢？但他好像受苦成癖了，凡事都要让自己受苦，让别人舒服。有时候，超出了自己的能力，反而把事情做糟。比如‘裸捐’之事。”

我一跳。他竟然自己提起这事。

“您确认有这回事了？”我说。

“也是后来了解到的，确实有这事。当时我毕竟还没有全面接管会社嘛！接管后才知道，其实会社里并没有多少钱。我接手后又欠了银行的债务，到后来成了坏账，日本次贷危机，您也听说过吧？到现在企业还一蹶不振……”

我明白了，林太郎是在利用机会为自己不实现父亲的诺言辩解。

“我很惭愧，没能让家父实现遗愿。他一生心都在中国。说起来，他还救过中国人呢！”

林太郎忽然说。

“什么时候？”

“战争时候。”

我吃惊。“有这种事？”

“嗯，坂本先生跟您说过一个叫森达矢的人吗？”

我点头。

“我拜读过他的回忆录。”

这个林太郎读过森达矢那本书？难道就是森达矢寄给林修身的那一本？难道在森达矢的笔下，林修身，也就是当年的U，是另外一种人？

“您有这本书？”

“没有。”他说，“我当年是在东大图书馆读到的，叫《正义之光》。”

好高蹈的书名。

“在本校区。”他说。他是东京大学毕业的。“都快三十年了！太久了。当时没有太上心，虽然写了家父的事。当时太年轻，年轻人对上一代的事情没有兴趣。现在不知能否找得到？”

他表示可以通过校友关系，帮我进入东大图书馆。

我进入东大本乡校区图书馆。但无论怎么查，都没有查到这本《正义之光》。难道林太郎在忽悠我？或者曾经有过，后来因为什么原因丢失或被处理掉了？那么从数据库也应该查得到吧？但我也没有查到。

二〇一二年，“钓鱼岛事件”闹得厉害，我

本能地不想去日本了。

森达矢笔下的他

二〇一五年，单位有个赴美采访任务，我争取前往。并非对那个任务多么感兴趣，中美关系这些年，就像在沼泽地踩来踩去，没甚意思。世界变得不可捉摸。我只是仍然放不下林修身。通过网络，我查询到美国国会图书馆有《正义之光》这本书。

在国会图书馆，我终于在看到了它。很新，看得出来，几乎没有被人借阅过。在前言，森达矢谈到他为什么要做危险的反战工作，引了苏菲·索尔的名言：

> 毕竟，有些人要做先驱，因为我们所写的、说的，也被许多人认同，但他们不敢像我们一样表达出来。

我愣了半晌，一种久违的勇气。

森达矢还谈到苏菲·索尔事迹。一九四三年二月，这个慕尼黑大学的学生和她的哥哥汉斯·索尔一起，因为反战，被慕尼黑纳粹法官以“叛国罪”判处死刑。但他们最初是狂热支持纳粹的。森达矢坦承，自己最初也跟他们类似，相信日本在干着一场伟大的事业，振兴日本，拯救亚洲。毕竟当时他年轻，容易轻信。毕竟他处在那样的时代，容易被宣传所蛊惑。毕竟，他是日本人，日本是他的国家，振兴日本是日本人血液里的需求。

“这与那个中国人厨子不同。”森达矢写道。

在森达矢笔下，那艘“光”号运输船是一片黑暗无光的世界。它就像黑暗无光的日本，那些本来谨小慎微的日本人，一个个都藏着兽性。这兽性和荣誉感混杂。兽性产生很大程度是因为“群胆”，这“群”当然也包括国家民族，甚至，绝大部分是被国家民族这个“群”所正当化。但难说大家就完全不知道自己在行恶，但当组成团伙，大家会互相用眼睛的余光观察别人，仿照别人。同时，在这种观察和效仿中，你我都在试探恶的底线。还会因为群体作恶而产生的有恃无恐和责任泛化，继续探寻底线的底线。这让他们陷入黑暗的旋涡里，互相遮盖，遮天蔽日。

所谓忠诚，不过是这样的产物。但还出于“甘え心理”（依赖心理）。“甘え心理”来自日本人的“义理”与“人情”，它造成了日本社会封闭性与逻辑欠缺、道德欠缺，所以日本人的人格大多是不独立的，普遍害怕被驱逐出集体。他们不敢“冒天下之大不韪”。“他们把我这种人，斥之为标新立异。”森达矢写道。

森达矢承认，当年他的反战言论并没有起到作用。正义在哀鸿遍野的极权体制下是不会产生意义。他冒着杀头风险说的话，大家基本不听，还感觉厌恶。有人一听他讲话，就赶紧站起来走掉。甚至，有人害怕被告密自己听了森达矢的话，争先恐后向船长告状。

“我很清楚，孤立无援的自己所进行的，注定是一场没有人民的抵抗。”他写道。

那些人为了让自己免于被怀疑，还表现出非常相信战争宣传。他们甚至真的在心理上确信了。森达矢写道：人不至于瞎了眼。这边自己的家庭明摆着被战争搞得破败不堪，而那边，国家与天皇却仍然要求你为国家牺牲；这边柴米油盐供应日益紧张，衣食住行捉襟见肘，民不聊生，那边报纸广播却宣传皇军在海外取得多少战绩，捷报频传。怎么可能继续保持信仰？所谓信仰，不过是臣服于谎言而已。

森达矢也写到了船长坂本胜三。他写道：这个人是天底下最会装腔作势的人。他不仅自己满口套话，还对森达矢的真话给予打压。他是用喝叫来强迫大家信仰的。信仰应该是自主的选择，当只有一种信仰可以选择，如果你怀疑，就会被威胁扔到海里去，这信仰还叫信仰吗？茫茫大海中的“光”号，就是一个封闭的海上监狱。在这监狱里，所谓有信仰，不过是对死亡的恐惧。回头想，就是坂本船长自己，他难道就真有信仰吗？他也只不过是不敢表现出对“圣战”的怀疑罢了，天知道船上谁会告发他呢？

森达矢观察到，当日本人表现出对天皇、对国家、对“圣战”忠心耿耿的时候，那个中国人厨子U，一定在心里笑话着。他才不会被搅进这个日本人的迷障中。正是他异国人的眼睛，洞穿了这个由日本人自己制造的自欺欺人的世界。任何谎言都不能糊弄他。但他毕竟必须在这个船上生存，他又是一个外国人，严格说是敌国人，所以他必须虚与委蛇。因为他压根儿就不信那一套，所以他能表现得比信的人更信，特别一本正经。

他干活总是用跑代替走，就明显是在做戏。甚至，带着戏谑成分。

森达矢也记录了那场煞有介事的中华贺宴。当船长宣布某日将举办一场中国料理贺宴，他简直不相信自己的耳朵。森达矢自己也曾在中国料理店干过，他知道，这是绝对不可能的。但船长真的吆喝大家布置宴席场地了。刚经历过轰炸，船员们眼里失神，由船长赶过来，赶过去，哄哄一团。他们一个个好像是空心的人，随时都会散架倒下去，只是因为船长强硬的声音支撑着。他们也不相信几个小时后会有一场宴席。但是，那个中国人厨子还真做出了一桌菜。

“这是这个中国人愚弄日本人的闹剧。”森达矢写道，“日本人一直被中国料理所糊弄。作为对中国料理也算了解的人，我认为中国料理是具有糊弄性质的。日本料理靠的是真食材，而中国料理靠的是烹调技术，食材退居次要，甚至不重要。技术是可以造假的，技术造起假来，让假的更像真的。正是在那个煞有介事的伪宴上，我第一次窥视到了这个中国厨子的内心。”

森达矢记录了一段他和U在那个宴席之后的对话：

森：“你不觉得在助纣为虐吗？”

U：“我是在救命。”

森：“这些人是干什么的，你难道不清楚？你的祖国正在遭受侵略，你每向大本营运输一船物资，帝国就多了一船侵略资本。”

U：“我救自己总可以了吧？”

森：“你真的不在乎他们在干什么？”

U：“我不关心这。”

但是，在正义与邪恶激战的关头，一个有良知的人，怎能心安理得于对世界的不关心？但这是我的愚蠢，因为我也是日本人，我再怎么反战，也毕竟是日本人，他怎么可能跟我交心？

森：“你真的不知道你在做什么？”

U：“我只是一个干活吃饭的。干活，拿钱，吃饭。”

U竟然把自己说得很势利。就这么暴露出来。日本人才不会这么说的。他竟然对我这个日本人这么说，就不怕我去告发他？要知道，那时候我们并不是朋友。

“我不干活，你们给我饭吃吗？”他又说。

“他说‘你们’，说明他很清楚他跟我们不一样。”森达矢写道，“后来我明白了，正因为他知道不一样，他才自立起一颗坚实的心。那些日本人的东西对他都不重要。归根结底，他所以强大，是因为他不是日本人，他本来就不属于这个集体。日本只不过是他一个跳板，一个暂时栖身之地。反正不是自己的国家，好坏跟他没关系。栖身不了，再换个地方。所以就放大胆干，干砸了，拍拍屁股走人。他尽可以无所顾忌。所做的一切事，到头来都可以当作排泄物一样排泄掉。”

“无家，就是自由。”森达矢写道，“‘无’的自由，或者说，是双向自由。就说战争吧，日本败了，在他，却是胜了。相比之下，我却是以失败之国国民接受战败。虽然我是反战人士，我可以庆祝我的胜利，但我的国家败了，我虽胜犹败。与祖国为敌，输是输，赢也是输。包括我在内的厌恶战争、反对战争的日本人，其实内心都或多或少有所纠结。我为了正义而让自己国家失败，真的应该吗？只有那个中国人没有这种矛盾。他在日本人的‘义理’之外，他自有中国人的‘义理’。日中战争，中国人的“义理”就是抗日。一个人应该义无反顾地维护自己的祖国，一个被侵略者可以理直气壮地拿起武器，一个侨民也可以破釜沉舟，把不义的所侨居国当作战场。他没有矛盾，他的价值观很统一，所以他的心坚实。”

我吃惊，森达矢笔下的U竟是这样。

但是，U不是确实为侵略战争做了事了吗？“光”号可是为“给帝国输送润滑油”的，坂本胜三不就这么夸耀吗？哪怕U只是做饭，他可是“帝国精良武器”。

好像知道我会这么发问，森达矢写了U曾经破坏食物的事情。这事发生在贺宴之前，被他发现时，他只是以为是U笨拙无能。在贺宴上，他看出了U在无关心瞎搞，再回想起这事，他明白了。

战争期间，食材紧张。珍惜食物，保证温饱，厨子只能做到这样。“巧妇难为无米之炊”，但这个U却是“无米”还要出“好炊”。有一阵，船上的伙食新菜迭出。但很难吃，作为也曾在中国料理店干过的人，森达矢判断，这根本不是什么发明新菜，而是U把菜做砸了。从刀法看，完全没有章法。有时错得简直太低级了，比如火候的把握上。就连从没下过厨的人都不会犯这样的错误。森达矢很奇怪，这个中国厨子怎么会这样？森达矢开始观察他，有一次，他竟然看到他拿着刀对着食材乱剁。简直像剁着猪菜。他又把菜抓着揉，他眼睛发狠瞪着，嘴巴歪扭，发出“咦咦”的尖厉声。突然，他把它们“哗”地扫到地上。但他好像又担心被人看到，赶紧把它们从地上捞起来。森达矢起初理解是，他是在玩，不小心玩过头了，又紧张补救。他捞东西的样子笨拙极了，怎么可能补救得了？单是沾着地上的脏，他都没办法洗干净。他才不是笨手笨脚的人。森达矢只能理解，他仍然在玩。但这么玩着，这东西怎么吃？森达矢想冲进去揭露他。但他加紧补救了起来，这下大概是真怕了，动作也利索了。他慌张的背影可怜兮兮的，森达矢说，他是容易同情别人的人。那一餐，他称肚子不舒服，不吃。但大家都没有发现食物有什么不对，这个U聪明，竟然做成了大杂烩。

“即便如此，仍然是猪食。”森达矢写道，“大家竟然吃得很香。日本人总是吃得很香，其实是表示一种虔诚。日本人干什么都要表现得很虔诚。我能想见，U的心在笑得发抖。后来我理解了，作为厨子，他必定要做他的工作，但他的良心怎么可能允许他助纣为虐？这些吃他做的食物的人，都在为侵略战争卖命。当然他自己也得活命，人毕竟得活，干活、挣钱、吃饭，活，可以理解。那么，只有以破坏、捉弄的方式工作，才能让他的工作有了正当理由。”

一九四三年底，“光”号到达苏门答腊Palembang。这个日语叫パレンバンポート的港口，已经在日本人手中了。船员们远远就望见码头黑烟弥漫。“光”号很快得到海港军方的通知：码头正在清查当地游击队，为了安全，轮船先不靠岸。

“八格牙路!”坂本船长在甲板上走来走去，破口大骂，“不识好歹的混账！是谁保住了你们的油田，你们的港口？洋鬼子逃走前要统统炸掉，多亏了我们闪电进攻才保住了。洋鬼子怎样对待你们的？不知感恩的劣种！”

好像历经苦海，好容易挣扎着爬到岸上，又被赶下海去，“光”号船员们也受不了，骂骂咧咧。食物已尽，“光”号获准由船长带着厨子，乘军方的小船上岸采购食料。森达矢发现，U从岸上回来，脸上总是带着安恬的笑意。但当大家围着他打听岸上的情况，他总是一问三不知，他说自己只顾着干活了。

“你是‘丸太’啊!”有人啐他。

“丸太”!我又听到这个词。

这些日本人总是不知不觉流露出对中国人U的歧视。但是这个U并没有反抗,有时甚至难以置信地麻木。森达矢写道,这就像战争时候他在中国看到的,大多数中国人任人宰割。比如在南京,那么多人束手被杀。杀一群羊也没那么容易。但他接着发现,U其实是很敏感的人,只是大家漠视他,没有觉察出来。没有人去留心他,对他大大咧咧,一再扎伤他。脚被人踩了,都要叫痛吧?小爬虫被人踩了,也要吱一声吧?这个中国人不是麻木,而是怯懦。这是一个窝囊的人。森达矢说,后来他咀嚼这个U,才明白这是忍耐。日本人也讲忍耐,但是一味地忍耐,是心悦诚服的忍,但中国人的忍不一样,是揣着复仇心的,卧薪尝胆就是这样,受胯下之辱也是这样。忍耐,甚至装傻,这正是U超人之处,深藏不露,伺机出手。倒是森达矢自己不知策略,当时他还替U抱不平:

“‘丸太’?”他冲大家,“要不要把他砍了?厨舱里就有菜刀!”

“吵什么呢!”坂本船长喝。船长也为U说话,他是船长,单为了船上不至于乱,也要作出主持公道的样子。“工作时候不专心,就关心岸上发生的事,出了差错谁负责?厨师就是要关心伙食,你们愿意饿死啊?职业本分,职业本分哟!每个人都该知道自己的本分!游击队跟你们有屁关系!”

森达矢说,“光”号就是日本国家结构的缩影。船长了解时局,搞政治鼓动,船员被要求当个忠于职守的职人。国家有时就是一艘由少部分聪明人掌握方向,由绝大部分愚民忠心卖命的大轮船。

坂本船长是太聪明的人,骂归骂,他应该也清楚大家的情绪必须有个发泄渠道,于是大多时候,对大家的闹腾睁一只眼闭一只眼。大家像困兽一样互相顶撞,嗷嗷乱咬,就连走起路来都呼呼带着怒气。但是中国人U却出奇地心气平稳,俨然他已经上岸了,解脱了。有时候森达矢猜想,他在岸上是否真的听到了什么?看到了什么?

船员们白天焦躁,晚上闲下来,这情绪又转成了对家人的思念。但日本人外强中干的特性,又使得他们不愿暴露自己的脆弱。他们打趣别人,在互相的嘲弄中,把愁思像足球一样踢过来踢过去。

“瞧呀,这家伙流眼泪了!”一个叫,“哎呀呀,这么多眼泪,像我家刚出生的小孩撒的尿呢……”

说话的人其实是想提自己家的小孩。大家跟着怪声怪气嚷起来。被奚落的人反击:“你说我?你不是也在想你家孩子?”

前面那人被揭发,又不愿意承认了,反击:“谁像你?刚才还对我说:我真懊悔,出发前的晚上还打了孩子他妈。虽然只一巴掌,‘可我不能饶恕自己!’”

他模仿对方的口气。大家大笑起来,发出夸张的“哇哈哈”的笑声。

被说的人“腾”地从床上坐起来,冲下来,向说话人冲过去。两个人很快一个追,一个逃。终于,追赶的人垮掉了一样扑在地上,竟然哭了起来。

“老子打老婆,是老子自家的事!你们管得着吗?”他嚷。

大家慌忙去劝他。劝着劝着,大家眼睛都湿了。

森达矢说,他从不加入他们。他知道大家心里苦,但他不怜悯他们。这些人看似值得同情,但他们是战争机器上的螺丝钉。大家闹,他无聊转去角落,这时候只有U会待在角落。他没有家人,没有孩子,这些话题缠不到他。他的神情,与其是孤单,毋宁是超然。他超然事外,他那身影,好像随时都可以拍拍屁股远走高飞,无牵无挂。

森达矢觉得自己了解U。“但是我错了。”森达矢写道。

五天后的一个晚上，码头方向传来枪声。一会儿，一位驾驶小船的日本港湾官员为“光”号带来消息：码头上枪决了五个嫌疑分子。

“这么说，上岸的日期就不远啦?”“光”号船员们额手称庆。

“那还不一定哪!”官员说，“被枪决的统统是中国人，怀疑破坏事件跟当地中国人游击队有关系呢，这就麻烦啦！这些侨民比当地原住民难对付得多。战争前，荷兰人就很头疼。以前对荷兰做坏事，现在对日本做坏事，中国人坏透了!”

大家把目光投向了U。U就在边上，但他的脸平静得像磨平了的石板一样。他好像根本没有听到那人说的话。森达矢说，这个中国人曾经想淡化他的中国人身份，这可以理解，毕竟日中是交战方。坂本船长还曾经为了安抚他，把南京政府当作中国政府，说日中亲善什么的，他竟然很当真。只要稍微有点脑子，都不会这么认为，何况U是个太明白的人。也许是他毕竟身在日本，他能听到的只能是日本的宣传，所以当真了？也许他只能装傻，用以保护自己。但现在，人家明显指着他鼻子骂中国人，他怎么可能忍受？但他还是忍受下来了。他的忍受力简直超过常人。森达矢寻他眼睛，那眼睛像枯井。也许他真的不当一回事？他既不把日本当一回事，也不把中国当一回事。这是个完全没有良知和尊严的人，森达矢说，他曾经一度这么判断。但接下来发生的事，改变了他的看法。

为了引来游击队，好一网打尽，日本军方决定每天杀一名当地中国人。当天晚上，码头上果然又响起了枪声。森达矢看见U猛跳起来，赤着脚冲到舱外。他好像在用身体去撞舷栏，他的头好像系在柔韧皮绳上的球，一个迸出，又反弹回来。他白天还像枯井的眼睛闪着光亮，盯着灯火明灭的码头方向。他沿着舷栏移动起来，好像要尽量接近码头。他的移动越来越快，变成了疾走，变成了跑。这下他是真的跑，他步子凌乱。他跑到舷栏尽头，又往回跑，最后他脱开舷栏，在甲板上跑起来。他跑着，又猛地向舷栏冲去，好像要冲毁它，冲出去。他个头小小的，让人觉得他好像有可能冲出去。他很结实，好像像一颗子弹。当然他还是被弹了回来。他被弹到了身后的舱壁，但他借力又反弹出去。这简直是折腾。他简直是在自我虐待。

那个晚上起，码头每晚都传来枪声。或是成串的，或是零星的，每次都要刺激着U冲出来，冲向舷栏，好像要冲出船去。一次次这样，也许是他再也无法欺骗自己，他是无论如何不能冲毁栏杆的，更不能抵达码头，于是，他就换成在甲板上奔跑。但这样更不可能让他接近码头。森达矢说，他怀疑这个中国人仍然是为奔跑而奔跑，但不是做戏，他是借奔跑来缓解心焦。也许，平时他干活用跑，也是他用来排解内心苦闷的方式？

大约在码头开杀戒五天后，傍晚，长谷川幸之助社长突然出现在“光”号上。社长怎么到南方来了？森达矢后来才了解到，战争期间，长谷川幸之助一直往返于日本本土和南方之间，那段时间刚好在Palembang。他上“光”号看望大家。大家像孩子依赖父亲一样地拥向社长，向社长吐苦水。但长谷川社长直奔厨舱去了。那里响着刀剁砧板声，不知是不知道社长来了，还是什么原因，U竟然没有出来迎接社长。

大家纷纷尾随着社长拥向厨舱。狭窄的门口被堵住，厨舱的光线霎时暗了下来。U好像被黑暗惊起，猝然转过身来，手里还拿着菜刀。跟在社长身后的坂本船长向U做了个提醒手势，但U没有反应。船长想上前把菜刀拿下来，但他挤不过去，只能恼怒地冲大家戳胳膊肘子。好容易挤到前面去了，社长宽大的身体又挡在他前面，他只能冲U小声喊：“喂!”

社长明白船长意思，显出满不在乎的样子，

摆摆手。

“一瞧见这形象，我就想起当初U君在敝舍勤勤恳恳干活的情景啊！”社长说。

社长也称U“U君”。

U慌忙摆起手来。他手里握着刀，这使得他的动作成了执刀挥舞。他像是在自卫。船长又喝叫，U才意识到，赶紧把刀藏在身后。这下，反把社长逗笑了。社长笑，船长也跟着笑，大家都跟着像泛滥开来的水一样笑了。唯独U没笑。他平时很爱笑的，怎么偏这时候不笑？森达矢也替他担心：你小子哪怕嬉皮笑脸也好啊！

社长仍然宽宏大量，道：“阿U，听说在‘光’号上干得很好啊！你的事迹都传到香织耳朵里了，香织整天‘阿U’‘阿U’的。我这次来，香织还问会不会见到阿U呢，说要是见到了阿U，一定要代她问个好。香织这孩子！”

社长又笑起来。所有的人又跟着笑，笑声哄哄地震荡在厨舱里。U好像被笑声挤压了一样，挣扎了一下身体。

社长又道：“阿U，这次返航，一定要回家里！”

社长说的是“家里”。森达矢写道：多么虚伪，好像那真是U的家一样。U低着头。船长怪异道，“怎么？U君，你都没回家？”

“你不是也没回家嘛！”社长说。

“我是外面有办公室……”船长说。

“谁外面没有办公室？”社长反问。森达矢说，长谷川社长分明瞎说，普通船员哪里有办公室？只有在会社的寮舍里挤着。U就是跟大家一起挤寮舍的。但大家都听出来了，社长把U拎出普通社员之外。

“U和你，”社长又对船长，“都是从长谷川家飞出来的。”社长竟然把U的顺序摆在坂本船长前面，船长也显得有点尴尬，“但是，翅膀硬了！”

坂本船长连忙否认自己翅膀硬了。

“翅膀硬了是好事嘛！”长谷川社长说。

坂本船长又连忙改口称是。

社长又转向U，笑盈盈盯着他，没说话。U也没看社长，但他应该能感觉到社长目光。

“香织总是说阿U，”社长说，对大家，“翅膀硬了。我说，这话可不对！阿U是去干大事业了。男子汉一定是要干大事业的。事实证明，阿U是能够干大事业的人，香织你哪里能关得住？但虽说如此，也得回家看看。”又转向U，“是吗？U君！”

U嘻地一笑，但眼睛仍然没有看社长。这笑是他平时标志性的笑，在不同情形下，这笑含义不同。现在应该只是敷衍。他躲避一样转过身去，又剁起菜来。坂本船长赶紧接过话题：

“U君的确是人才啊！简直是‘帝国精良武器’啊！”

剁砧板声更加急促，像在逃脱魔鬼的追逐。

长谷川社长皱了皱眉头，睨着船长：“船长你说的是什么啊！什么‘武器’？”社长拿手戳了戳码头方向，提高了嗓音。“那些‘武器’只会滥杀无辜！”

社长竟然说出这么大胆的话，大家都吃了一惊。森达矢说，后来他才知道，社长是带着军方任务的。社长顿了顿，眼睛溜着惶恐的大家，最后停在U的脸上，“没有仁义之心！为人，应该有仁义之心。还不如小女，当初无论如何要把U君从绝境里救出来，一再说：‘爸爸，您救救阿U，救救阿U吧！’阿U，还记得吗？”

剁声变得凌乱起来，好像在泥沼上闪跳。

社长船长一走，日本人船员们苍蝇一样缠着U，审问他跟社长女儿的事。

“你小子原来还有这么个背景啊！怎么都没听见提起啊？”

“U君，社长的千金漂亮吧？”

“快坦白吧！”

U的脸埋在阴影里。

“不说话？就是说不漂亮了？”一个故意说。

这下，他被逼得不得不表态：“不是……”

“不是？漂亮？”

他摇头。

“不漂亮？”大家又问。

他又摇头。

“那还是漂亮了？”

U模模糊糊地点了点头。因为是上下点着，他好像有意把抬起的动作做得很明显，所以显得不像是在点头，倒像是在抬头。但他的小伎俩没有起作用，大家惊叹起来了。U也鬼得很，他又做出不明白大家为什么惊叹的样子，用不解的眼神瞅大家。但他脸在阴暗中，大家仍然没有注意到他的眼神。森达矢奇怪，既然没有作用，他为什么要频频使用这些伎俩？也许就因为实在无奈，他必须得做。与其是为大家做的，毋宁是为他自己做。

“好有艳福啊！”一个说，“啊啊啊，妒忌死我了！敝人连社长千金的芳颜都不曾一睹呢！”

“这么漂亮的小姐，又这么疼你！”

“哪里……”U好像被扎了一下，迸出一句。

“什么？不疼你？”

“不……”

“那就是疼你了？”

“不是……”

大家的逻辑像陀螺。但其实只要他不理睬，不反应，这陀螺就转不了。但他好像特别敏感这问题，或者说，特别要闪避，所以他必须得反应，“不……”

“那还是不疼？没关系，社长不在这，”一个压低嗓音说，“船长也不在，偷偷跟我们说！”

“跟社长在不在有什么关系嘛！”蓦地，U好像从深水里凫出来一样，道。他应该终于明白了，必须跳开人家给他设下的陷阱。

“那就说！”大家逼他。

U像一只被逼到夹角的小动物。“当然好了！”他大方起来，亮声道。

他竟然这么坦然。大家就没空子可乘了。U俨然打了个大胜仗，站起来，准备离开。但大家不让他走，拉住他：“怎么个疼法？”

一个家伙淫声淫气道：“肉好白吧？”

空气顿时僵住了。

大家好像也没想到那冒失的家伙会这么说，直到U的手掐到那人的脖子上，那人发出一声呜咽，大家才发觉不妙，扑过来，七手八脚解围。大家恐惧地瞧见U的脸颊在跳，像是突动的火山口。他那双平时掌锅的手青筋暴起，简直像老虎钳一样有力。这个平时温顺得像猫一样的人，刹那间变成了虎。大家的手胡乱刨着虎爪，所有目光都聚焦在那上面。U的目光也转到了他自己手上，直直地盯着，但他好像自己也驯服不了自己的手。他的眼睛里已经少了愤怒，更多的是懊恼，还有担心。他好像在懊恼自己的手毁了他的好形象，担心自己的行为会毁了他的前程。甚至，闹到这分上，他一旦松手，就会被大家围殴至死。他的手可不能松开，但他又渴望它松开。如果不松开，这么多人掰着它，它最终也会被征服。作为旁观者，森达矢也看到了这局势，最终会对这个中国人不利。他想为U解围。他正在想着解围的办法，蓦地，他听到了U笑声。看U，他狰狞的神情瞬间变成了嬉笑，好像在黑暗中绽开出幽微的花来。从激怒到嬉笑，竟然没有任何过渡，就转换过来了，人脸的怒态跟笑态竟然是那么的接近。他嘻笑起来，好像刚才那么凶，只是在开玩笑。

“操你娘！”他用中国话骂。他一直对所有人毕恭毕敬，谨小慎微。他从不骂人，噢，之前只有一次，在遭到轰炸时往天空骂。那不是骂身边的人。他平时甚至还过多地使用敬语，而且还用得不恰当。现在他骂了。他用中国话骂，是否是一种回避？大家可能听不懂，他可以躲在大家听不懂的语言里。但他既然骂，为什么刚才发怒时不骂？而要放在现在骂？也许他现在仍然还在发怒，只是掩藏起来了。而且因为极怒，他必须用大家听不懂的骂来发泄。但他接着说出一句话，那语气，又真是让人觉得他压根儿就没有动过气：

“都想些什么啊！长谷川小姐只是喜欢吃中国饺子……”

大家好像也没能适应他这种变化，傻愣愣地“哦”着，点头。

“……八格牙路！”他又骂了一句。这下用的是日语，大家全听得懂，而且感觉到亲切了。大家也松弛地笑了起来。

“八格牙路！”大家纷纷跟着骂那个找麻烦的家伙。

“原来是这样啊！”又说，“阿U的中国饺子，我们还没吃过啊！”

“蛇”

那晚，在大家吵吵闹闹中，U被长谷川社长召去了。大家又是一阵唏嘘。好像要刻意证明自己并不像大家想的那样，U磨蹭了好一阵，才懒洋洋去了。他一出去，就有人跟着他。但又不敢直跟到社长那里，就在拐弯处张望着。这些鄙俗的人，那样子可笑又可怜。森达矢挖苦：

“去吧，说不定社长会赏识你呢！”

“反正不会赏识你！”对方反击。船上的人都学船长，对森达矢说话不客气。

森达矢说，他自己也没有料到，临睡前也被召到社长那里去。大家惊得合不上嘴。他才懒得去，他道：“要不，换你们去？看你们，口水都流出来了。这可是难得的机会啊！”

“不知感恩为何物的东西！”有人骂他。

“我就不知道！”森达矢应，“你们知道感恩，好大的恩啊！皇恩浩荡！”

森达矢回忆说，他当时内心是揣着不祥的预感的。也说不清是为自己担忧，还是为U。他刚拐到能瞧见社长所在的船舱的地方，舱门就打开了。U的身影在舱里灯光的反衬下，像灯芯一样小，好像要被火光燃尽了。

“U君，努力干吧！”传出长谷川社长的声音。

不见U回应，只有他的身体僵硬地晃着，把光影弄得扫来扫去的。夜很静，空气中好像有他挣动关节的脆响。

“U君……”坂本船长提醒U。

U仍然没有搭腔。

“这小子！”船长尴尬地笑了起来。

“喝醉了啊？”社长说，声音也带着笑。森达矢奇怪，U去之前并没有喝酒。供给紧张，哪里有酒喝？但U出来时，身上确实有酒气。森达矢进舱才明白，社长他们开着酒，原来U是在这里喝的酒。他奇怪U怎么敢喝？还喝醉了。而且社长为什么给他酒喝？还对他的失礼那么隐忍。

社长没有让森达矢喝酒，直接交代工作，让森达矢暂时接替U下厨。

“那U呢？”森达矢问。

“这你不要问！”坂本船长说。

“哎，”社长制止船长，“应当让人有知情权。”

社长说出这么开化的话来，毕竟是社长，比船长懂得收买人心。但社长也只是告诉他，U要上岸协助军方搞治安工作。岸上有很多中国人，U跟他们语言相通。也许还因为中国人了解中国人心理吧！森达矢想，他是去过前线的人，借中国人消灭中国人，是常用的手段。但这样，U岂非成了奸细，成了帮凶？

出来时，U还在甲板上，一副醉醺醺的样子，倚在舷栏上，站都站不住。他刚才出来时还没这么醉，在社长面前，他也不至于喝醉的。这下，也许是风吹了的缘故。

“你干吗去喝嘛！”森达矢道。

森达矢承认，在此之前，他和U并没有深交。但这下，他忽然觉得自己跟U命运绑在了一起。

“我为什么不能喝？”U说，他语气乖张，“你们很霸啊！霸，你霸个把把！你把把啊！”

他突然冲口说出这话。这是什么意思？森达矢听不懂。应该是骂。对方手抄在裆下，森达矢好像明白了他骂的是什么。中国骂比日本骂狠。

他的神情也恶狠狠的。也许是他长期被压制，爆发了。但他很快就收敛了，做出讲道理的样子。

“为什么我就不能喝酒?”他还是咕噜了一个似乎是“八格牙路”的尾音，“就因为我不是日本人?我知道，你们还是忘不了我是中国人。既是这样，我跟你们又有什么关系?”

森达矢知道U的心结，他搂住他，叫：“阿U!”

“啊，还是有关系的!”U继续说，大幅度扫着手臂，“中国跟日本还在打仗，我是你们的敌人!‘中国人坏透啦!’”

虽然船长谈什么“大东亚共荣”，中国政府已经是南京政府，但U的心里果然明亮得像镜子一样。“阿U，他们日本人又懂得什么呢?”森说。他特意用“他们日本人”。

“你是日本人!”U说，“什么‘他们日本人’!是‘你们日本人’!”

“我才不是日本人!”森说。

“那你是哪国人?”U反问。

森达矢说，U不经意道出了一个根本性问题。也许也并非不经意，这是U自己长期纠结的问题。

“我没有国籍!”森说。

“放屁!”U说了一句中文。“放屁，放屁!全是放他妈的狗屁!”

“狗放屁!”森达矢附和，“日本人说话就是放屁!”

“不对!”U却道，“日本人说的话哪里会错呢?说得很对呢!我是中国人，藏不住的，想藏也藏不住，被揪出来了。现在我要‘坏透了’!我要去干坏事了!你知道我上岸去干吗?混进码头民工，将那些‘坏透’的中国人一个一个地揪出来!”

森达矢大吃一惊。所以社长才突然出现在“光”号上，所以社长才那样的收买U。这也太歹毒了!而你，U，竟然答应了?他正要开口指责，U又说下去。他今晚话变得很多，他变得大胆起来，也许是喝了酒的缘故。

“船长不是说敝人是‘帝国精良武器’吗?敝人可是很能干的啊!你们不行!日本人全都不行!谁叫敝人是中国人呢?”

这是什么意思!难道他觉得这是展示自己能力的机会?不以为耻，反以为荣。森达矢发觉，这个人的心思是飘忽不定的。也许是因为身份复杂的缘故。

“你们不行!只有我行!只有我有用!有用!”他絮叨着。他俨然是在不停地说话中，把问题归结到“行”还是“不行”上，努力把理由说顺了。他好像真的理顺了道理，语气越来越蛮横起来了，身体也摇晃得更加厉害。他蛮横地挺着身体。忽然他的身子向背后折，要跌倒，森扶住他。

“U君，社长他要你做这样的事吗?”他问，“我们不能做!”

“我们?”U道，“你是你，我是我!你是日本人，我是……中国人!”

他又是这话。森达矢想，现在跟他纠缠这些没意义。森向他承认，自己口误，说错了。U不纠缠这问题了，安静了下来。但他的样子也变得羸弱了。他虚弱地望了望森达矢。“阿达你教我不听话吗?我阿U，U君，可是从来很听话的啊!听社长的话，心里就踏实了，做个好人，心里就亮堂了……”

“可是……”

“不要可是!”U猛然甩掉森的手，“难道社长的话错了吗?难道阿达你不希望码头上少死人?天天都在杀人!为了挖出游击队，一天杀一个人。死的都是中国人!”他手戳着自己。“中国人!你们当然没感觉。我有感觉，所以我要去救他们。但他们就知道游击队的事吗?中国人就知道中国人的事吗?中国人跟中国人还满是仇怨呢!他们要知道，还不说?就是不知道嘛!不知道就是不知道，杀死了也不知道。但你们还要杀下去。在你们日本人眼里，中国人的命就不是命!”

U猝然一笑，这笑亮得像一道闪电，让森达矢猛然一惊。他从这笑中捕捉到一种特殊的东西，他以前没有感觉到的。但他也不清楚这东西是什么。这让他更加担心U，不只是担心他的行为道义，还担心他的命运。“阿U……”森叫了他一声。

“你小子想教训我吗？”U道。

“不是……”

U暴躁起来，“你小子有什么资格教训我？八格牙路！”

U没有再用中国骂。森达矢本以为他会用中国骂大骂一通，发泄。也许是他担心森听得懂，他对森还不是很交心。用母语骂是发自五脏六腑发自心田的，会把自己全裸露出来。

第二天晚上，一艘小艇靠上了“光”号。船员们挤在下船口围观，船长吆喝着给U打开一条通路，一边又故作风趣地叫：

“送出征者啊！诸位，请让出征者出征！”

然后他手臂在空中一挥，率先唱起了那首妇孺皆知的《出征士兵送别歌》。大家的歌声像散落的金属棒，被他一拢而起，齐唱起来：

> 啊，恩蒙永世大君
> 水浸草蒸的陶熏。
> 誓效忠烈者，到时候了，
> 多么豪壮，这个远行！
> 出征吧勇士，日本男儿！

U在哄哄的歌声中木然不动。他好像根本没听到歌声。森达矢发现，这个中国人的目光在眉毛丛下歇息。印象中他是没什么眉毛的，这也让大家觉得他羸弱。其实现在他的眉毛仍然只是稀稀拉拉的，但他的脸微微低俯，眉骨凸出来了，出现阴影地带。他俨然已身处局外。

船长对U没有表现出应有的庄严姿态，也没有不满，他只是更用劲地挥了挥手。这下U好像被船长的手牵了一下，像牵线木偶一动。但他的动其实只是嘻嘻一笑。这更糟糕，消解了士气，歌声的金属棒七零八落了下去。船长又向U做一个齐唱的表情，撮撮嘴。其实U作为出征者，不需要开口唱的，他只接受大家送行，船长是急了。U的嘴张开了，但他哼哼哈哈的，反而显得不庄严。船长咬牙切齿，喝令冲着他，自己示范地高唱。U好像被搡出去，终于发出了一个石破天惊的声音。大家零落下去的歌声又拢起来了。但很快，大家发现U那加入的歌声总是“呼啦啦”跑在节拍前头。大家追上去，但那声音更快地奔跑了起来。大家追得气喘吁吁，好像全副武装的士兵，顾不着笨重的装备，盔甲丢弃一路。所有的人好像进入了U的圈套，欲罢不能。就连船长也跟不上，他索性振臂拍起掌来。

森达矢写道：法西斯政治总喜欢大合唱，人人唯恐被排除在合唱团之外。不知战后“光”号船员们是否还记得那次合唱？是否在回忆当年U的唱相中，咀嚼到他的疏离与戏谑？

但森达矢承认，他当时对U仍然没多大把握，他担心U真的会去当奸细。前一个晚上，他缠了U一个晚上，想从U嘴里确切得到他的打算。但这个U就是不说。他虽然喝醉了，但他守口如瓶。有一阵，森达矢怀疑他是真醉还是假醉。也是，他怎么可能告诉人家？自己跟U并没有深交。但也许U也确实无可奉告。他能怎样？在这么强大的威压之下，他有什么办法？他还是中国人，身份本来就是问题。那么，他在大合唱时的表现，就只不过是消极逃避。他不能容许自己加入合唱，但也不敢不唱。如果他坚决抵制，犯了众怒，可能会被丢到海里去。这可不行！

许多年后，森达矢在他的书中写道：

> 要求人去当烈士，太苛刻了。就是我，也没有当烈士，苟活到现在。生命是最重要的，对日本人、中国人都一样，我们毕竟不是教徒，没有此岸之后的彼岸世界。而在此岸，世俗的光芒在召唤，谁能抵挡得住诱惑？
>
> 我甚至能在最人性化上理解U，体味U：

谁愿意当烈士？他连英雄也不想当的吧？但是他被逼迫了，只能走上英雄路。

U走后，“光”号像被掏空了。接下去的每一天，U几乎成了大家唯一的话题。大家都知道U干什么去了，大家都觉得这是一个极好的主意，没有人怀疑U的能力。还因为U肯接受这个任务，大家不再介意他的中国人身份了，觉得他是跟大家同心同德的。大家不住地念叨U的好，还把他当救星。

“等阿U回来，我们长谷川船运就会被授予国民援战爱国奖了！”

“到时候，阿U就要被提拔到总社去啦！作为会社的光荣，只要有客人来，就介绍：这就是功臣阿U……”

“什么‘阿U’！功臣能这么叫吗？”

“那叫什么？”

大家才想到，这个中国人U没有正式姓名。

“你们这些混蛋懂些什么啊！”有人说，“功臣，固然，是的，但等着阿U最好的事情，是被社长千金收回去呢！有这关系不抓住，阿U才不这么傻呢！你们听到社长的话了吗？‘整天“阿U”“阿U”的’，‘见到了阿U，可一定要问个好！’”

“哈哈哈哈……”大家笑了起来。但这个笑并没有揶揄的意思。

码头上的枪声平息下来了。港口睡在热带特有的绒布一样黑暗的天空下，只有几个星光在狡黠地一眨一眨。岸上到底发生了什么？U真的按照社长，不，是军方的部署去做了吗？握着U握过的厨具，森达矢感觉跟U产生了一种感应。这些厨具很沉重，像武器。能掌握这么沉重器具的人，一定不会是无力的人。他记起，虽然U个头小，但手好像很大。难道就因为他手大才有力？才对这么重的器具使弄自如？单凭有力是不行的，我还拿过枪呢，但操弄起这些却用不上力。得靠智慧。他想起中国有句话：“治大国若烹小鲜。”中国人有着中国智慧。

“但是这些，日本人是不懂的。”森达矢写道，“他们自以为懂得‘道’，什么‘武士道’，不过是走向精神幻想。当然还有其他‘道’，‘茶道’‘花道’‘书道’等等，但也无法洞悉中国人的智慧。”

船长坂本胜三不满意森达矢干的活。“阿达！森达矢！你小子这是做什么啊？这是猪食！要是U在就好了！人家U的手艺，可是从多少挨打中硬练出来的。一个人有能耐，就干什么都有能耐，窝囊废，干什么都是窝囊废！”

好像船长也没有参透U的智慧。也许是为了给自己和大家打气才这么说的。但据说，他到岸上去，都没能探听到U的消息。

有一天，船长从码头回来，显得很兴奋，“果然社长好眼力啊！U君，哦，现在他叫‘林光’……”

船长专门用中文发音。

“叫‘林光’啊！”大家叫，“阿U有名字了！”

我想起坂本胜三说过，U“战后”曾取名叫“长谷川光”。这个名字是否源自这个“林光”？坂本胜三没有对我说这个名字，也许是他要隐去U在苏门答腊这段事。

“……这小子盯上一个游击队了！还是女游击队。”船长说。

大家哇哇乱叫起来。

“还女扮男装，企图骗过皇军。皇军什么不知道？一调查就知道了。就让她装，看她能装到什么时候！”

“U怎么知道的？”大家对男女话语非常感兴趣。

“总得洗澡嘛！”船长说。

“这么说，阿U去偷看人家洗澡了？”一个说。

船长拍了那人一脑瓜子，“什么叫偷看？你们洗澡，我要偷看？”

大家笑了。

“也是偶然撞到的啦！”船长又说。“只可惜啊，没看一会儿，就被美国人告发了！”

“怎么?”

“一个美国俘虏。他也在偷看。”船长说，“狗畜英美!狗畜嘛，这种事肯定是很上瘾的嘛!”

大家嘲讽地大笑起来，有人还做着交媾的样子。

森达矢感觉不妙，难道U真的当了军方的奸细?他失望。也许U真是个没有操守的人，无耻之徒。都够无耻的，社长女儿不是喜欢U吗?社长他还把U送到别的女人那里去。这个U也够可以的，他偷看那女游击队洗澡时，就没觉得对不起社长千金?偷看女人洗澡这种事都让人知道了，他就不觉得羞耻?你一个中国人，数典忘宗，你祖宗在天上，你就不怕被诅咒吗?

好像U真的受到了诅咒。接下来没有U工作进展的消息了。也许他收敛了。森在心里默默祈祷，人毕竟是有良知的，U也应该是有良知的。森达矢不信神灵，但他现在呼唤神灵来唤醒人的良知，让人迷途知返。他相信U是有慧根的。那些船员们当然缺乏慧根，他们只是两只脚的动物，他们只知道生存，只期待船长给他们带来好消息。一天，船长终于带来消息：U要假装投奔游击队，让那女游击队带路，摸到老巢，来个“包饺子”。“‘包饺子’，”船长道，“是U的看家本领嘛!”

我愣。森达矢是这么白纸黑字写着的：

包饺子

我想起照子奶奶的回忆。难道坂本胜三也知道长谷川小姐要U做的丑事?应该知道，整个长谷川宅都知道了嘛。

但好像森达矢并不知道这“包饺子”的意思。大家欢呼起来。他简直绝望了，原来在没有消息的这段时间里，U并没有停下罪恶的步伐，阴谋还在进展着。这世界上还有良知吗?

一九四三年最后的一天，日本除夕。“光”号上的人都不去睡觉，大家一起守岁。下着雨，大家就待在舱里，思念着家乡的亲人。快快消灭了游击队，让船靠岸，装载返航。就又念叨起U来了，他什么时候摸进游击队老巢?想想这么恶劣的天气，U还在风里来雨里去的，实在难为U了。忽然狂风大作，“光”号剧烈摇晃。大家慌慌张张推了杯子，跑到甲板上，一双双祈求的眼睛像搭钩一样钩紧海岸。海岸好像消失了。

U小小的个子，能担当得起这么重要的任务吗?大家又觉得把希望托付给这么一个人，简直冒险。

“让我们上岸!让我们上岸!”大家叫。

“杀了游击队!”

“U怎样了啊?”

“U是好样的!还用得着怀疑吗?你这个混蛋!”

猝然，黑沉沉的天空中闪出一条蛇形的光，狞笑一样。大家的眼睛好像被灼伤了，眨巴起来。再瞧那闪电，竟然不见踪影了。骤然一声轰响，就像砸在头顶上。大家逃回舱内，缩着，连叫声都没有发出。大家痴痴地你瞧我，我瞧你，像是灵魂被闪电摄了去一样，张着嘴，谁也没有说出话来。好半天，缓过神来了，但还是不敢说话。

不知过了多长时间，才有人说那闪电是野槌蛇。那人是岐阜来的，说他家乡就有人亲眼见过野槌蛇，孤独猎食，怀揣剧毒，身体像一把没有握柄的槌子，动作快，一跳就两公尺高，一下子就不见。岐阜是内陆，但这是在海上。大家嘲笑他少见多怪，海上的闪电就是这样的。但另一个秋田来的也说，他认出确实是野槌蛇。

野槌蛇的传说在《古事记》里就有记载，也有不少地方的人声称目击过，但一直没有谁抓到实物。从它的名称就知道它是抓不到的，野槌，“のづち”，就是“野つ霊”，“山野精灵”的意思。

在书中，森达矢专门做了注脚。

也许是大家心虚吧，大家渐渐相信自己刚才见到的就是野槌蛇了。森达矢写道：

> 这些日本人哪里想到，这与其是蛇，毋宁是龙；不是日本龙，而是中国龙。战后，这个中国人U，果然把名字取作“龙”。可见他是信仰龙的。

我推算了一下，森达矢写这本书时，U确实已经把“长谷川光”改名为“长谷川龙”了。

森达矢写道：

> 他是否对那晚“光”号上大家谈论的话题有感应？受了启发？不，是他的本性使然，他才做出了那么漂亮的事情来。这中国龙，日本人是理解不了的。不错，日本人思维诡谲，但中国人思维深邃。我读过中国著名小说《三国演义》，曹操说：‘龙能大能小，能升能隐；大则兴云吐雾，小则隐介藏形；升则飞腾于宇宙之间，隐则潜伏于波涛之内。方今春深，龙乘时变。’这个中国人愚弄了日本人。

第二天早晨，军用小艇荡着平静得涣散的波涛，向“光”号驶来。

没有U的身影，艇上的军人个个神色阴郁。他们一上船，就钻进了船长舱。没有欢庆，一切静悄悄的。究竟发生了什么？U怎样了？一直被成功预言所蛊惑的船员们，好像突然被丢在半途中，不知如何是好了。森达矢说，只有他截然不同，他感觉自己是立在荒原上，感受着孤傲独立的欣喜。他承认，欣喜，同时也意味着灾难到来了。他所期待的情形也许真的成为事实，那么他的返程就遥遥无期了。他要返回日本，日本是他的国家。但U可以不回，他的家又不在日本，日本没有他任何亲人。所谓社长千金，这下看来，他才不在乎呢！他的心深如深渊。森达矢说，直到此时，他才真正领会到。

军人走时，船长把他们送出来，不停地鞠躬，到小艇开出好远才停止。但他的身板子仍然没有硬气起来，他的身影略显佝偻，脖子微微伸着，瞅着远方岸上的天空。满天是扯得破碎的云朵。

蓦地，他意识到大家在看他，拉抻身体，不自然地打起哈哈来，“啊，U君有消息了！终于有消息了！”

大家惊喜，围了上去。“真的吗？”大家问。

船长“嗯嗯”应着，又啐大家：“还值得怀疑吗？八格牙路！”他忍不住痛骂起来，“八格牙路那些士兵，到了一个叫作太阳桥的吊索桥，游击队老巢眼看就唾手可得了，可是那些混蛋士兵，毛毛糙糙，毛毛糙糙！竟将U君从桥上撞下去了！”

“啊！”大家叫。

“啊什么！”船长又啐，“换你们也一样！”

大家纷纷点头承认。

“后来呢？”又有人问。

“还有什么后来？”船长啐，“惊了游击队，吊桥断了，也过不去了！八格牙路，八格牙路！”船长不知道在骂谁，“八格牙路！社长早就看透啦！”

香草

坂本胜三没有说这些。当然，他想告诉我的是符合他价值观的林修身。

人都按自己的价值观说话。也许真可以用上福柯的“话语构型”。那时候我开始读福柯。福柯在中国热起来了。但似乎中国知识分子喜欢的是学术的福柯，而不是，或者有意无意忽略了政治的福柯。世界已不泾渭分明，我寻求理解复杂的中国，复杂的世界，理解各种观点。实际上，我是取消观点。批判是需要观点的，当观点像太阳一样咄咄逼人，并要求接着去践行时，那么躲进学术就阴凉多了。

无论是坂本胜三，还是林北方、佐伯照子、

坂本胜三，还有林太郎，当然也可以包括森达矢，他们的陈述，也就是énoncé，都只是他们个体性的陈述。个体性，这在福柯理论中是个非常重要的认识基石。而且，陈述作为一种功能，它的意义存在于运动中。反过来说，是在特定的关系网络或空间中才得以界定的。但这些人都是林修身、也就是U的关系人，某种程度上说，他们跟林修身的关系还相当密切。但仍不能忽视陈述主体性问题，陈述主体的最大特点是，陈述者是一个“位置”。

我承认，森达矢的陈述符合我的“位置”。虽然我也意识到，在这么多个陈述者中，森达矢的陈述是最外在的，他跟林修身的关系最疏远。他们的关系有个巨大的空白，林修身在战后为什么没有回应森达矢呢？

而且，作为最值得大书特书的林修身在太阳吊索桥的壮举，具体是怎样的？森达矢没有记录。

他只说他曾经一再探问U，但U没有说。森达矢只记录当时U因为摔伤，在军方医疗所做了包扎。并不严重，很快就被送回“光”号来。他胳膊吊着绷带，照样要干活。他动作不利索，船长就骂他。船长变得很会骂他了。他被骂，就嬉笑着。还是那种简直是坚不可摧的笑。但森达矢感觉到他变了，真变得没有荣誉感了。他原来是很爱惜自己的荣誉的，做好工作就是他获得荣誉的途径。虽然森达矢感觉到他在荣誉与正义、所服务的敌国与自己被侵略的祖国之间纠结，但看得出，他是在努力寻找出路，也就是最恰如其分的行为方式。把菜做糟，就是这种努力之一。这下，他完全放弃了努力。他甚至还公开承认自己就是没有能力的人。他多了一句口头禅，是中国话，“窝囊废”。问他什么意思，他竟然解释给大家听。

“我就是‘窝囊废’。”他戳自己。

他还真去证明自己是“窝囊废”。他把饭做煳。以前，他这样做之后会害怕，竭力补救，但现在他不补救了。船长骂他，他就接受，嘴里还嘟囔：

“我就是‘窝囊废’嘛……”

“什么？”船长问，“你说什么？”

后来船长也从其他人那里知道了这个词的意思，有一次他又说时，船长啐：

“你‘窝囊废’，就给我滚！‘光’号不需要‘窝囊废’！”

森达矢发现，U低着头，埋在阴影里的脸在笑着。

有一次U也生气起来。就这次，森达矢趁机刺探他。他还真的说了岸上那个女孩的名字。森达矢发现，说起那个女孩子，U的眼睛发亮，那是之前他在无论怎样受到船长跟大家赞扬都没有出现的光亮。他好像看到了阳光。他否认她是游击队员，她说她只是一个普通的女孩。她叫香草。

“香草？姓什么？香？”森达矢问。

“哪有姓香的！”U说，“你以为是日本人啊？”

U这么说时，简直是恶狠狠的。森达矢疑心他这话是指社长千金的，她名叫“香织”，虽然不是姓。

“那姓什么？”

“李。”

“李香草？”

“八格！”U啐道，“只叫香草。”

是啊，亲近的人之间，哪里能连名带姓称呼？森达矢看得出来，一说起这个女孩，U就有点失态。他以为是进入他内心的好时机，就问起太阳桥发生的事。但U马上警惕起来，不说了。也许是当时情况下，他不能说，所以森达矢才在战后试图找他。

森达矢也试图寻找那个叫李香草的女游击队员。他去过苏门答腊，没有找到李香草，也没见到那些当年的游击队员。当地人说，这些中国人很多在一九四九年回国了。其中是否也有李香草？当时，作为日本人的森达矢去不了中国。

中日邦交正常化时，森达矢去联系大使馆，是否也是为了这？但这只是我的猜想，森达矢没有写。他也没有跟别人说过是因为这个原因，只是说他作为反战人士，联系当年的受害国。当然，如果说了这个原因，他的书写也就有瑕疵了。

资讯时代到来了。如果森达矢那时代资讯发达，也许他会找到李香草。好在我赶上了这时代。而且，我的英语大有长进。回国后，我有机会进修业务，包括学习英语。这是八十年代难以做到的，当时缺乏进修观念。有时候我会想，当时我英语要是这么好，我可能就不会回来了，就会留在美国。那么留下来是对还是错呢？

我在网上查找。也许是“李香草”这名字奇特，还真的找到了她的信息。果然她当年是回国了，但后来又出国了，去了美国。我继续查找，又有了收获。一九九一年，她接受了美国一家中文报纸的采访。

虽然我基本能够看懂英语，但我还是看重这个中文采访。虽然我信奉话语阐释，但对其一些观点，也感觉可疑。比如一个陈述可以由多种形式的语言来表达，也可以用具有不同语法构成的同一种语言表达。用不同语言来报道同一事件，虽然所用的符号、语法不同，但表达的意思是一样的。真会一样吗？

记者手记把李香草的经历理得比较清晰。这个李香草，太平洋战争结束后跟着兄长回到中国。战争时，她哥哥的游击队是通过洪门接受祖国当局领导的，所以他们回国，受到了高规格的接待。也正因此，他们有机会知道一些内幕：抗战期间，国民政府竟然跟日本人暗中勾搭。他们要把丑闻闹出去，于是都被秘密枪杀了。香草逃跑，被一支共产党游击队收容。到了共产党建政，她兄长的事迹得到新政权的肯定。补偿到她身上，她被送去文化速成班学习。这一读，她读书读上瘾了，一直上了大学。毕业后当了中学教师，但不久就犯了错误。

一九八八年她再次出国，去了美国。在我找到她资料的前三年，她去世了。我算了一下，我在美国时，她也在美国。我们失之交臂。如果当时我知道她在，也许就能采访到她。但当时我采访她，有什么意义呢？

也许我们还会争吵。但现在的我已经不是当时的我；也难说一九八八年的她还是一九九一年的她。世界格局已经大变化了。

“您是不是奇怪我的名字？”她一开口就问记者，“很没文化的名字。不必讳言，我的出身是农民。我最初的文化是速成的。也因此我是很野的哦，喜欢有什么说什么。我说的话你们不要受不了哦！”

很有意思，这家报纸把这些话也登载了出来。还有，在她谈论观点前说的另外一段：

“您不要用这种眼光看着我。您的意思我懂，您是在说：‘你虽然受过高等教育，但那是五十年代的！’我告诉您，我是八十年代接受的高等教育。改革开放，我才真正智力开化了。但你们不要误以为是‘启蒙’，我是反‘启蒙’。实际上，八十年代那些叱咤风云的观点里有两种价值观，它们是相背离的，一种要回到‘文艺复兴’，一种是看到了‘后现代’。不要混为一谈。我属于后者。前一种到头来被掌脸了。”

李香草的话让我惊喜。她反思自己的激进人生，她认为应该走出激进的轮回。我曾读过一本书，作为成熟的过来人，其中观点深合我意。我特别心仪于其中谈到的“圣本乎道”“道本乎心”。中国传统的“圣王”“治心”被一些人利用，把中国人逼上了苛酷的战车，生灵涂炭。至今仍然有这种逼迫，比如我照镜时，就会产生被审判感，我的脸颊就会有被抽掴的感觉。摒弃“圣王”思想，也就承认理想的局限性与真理的相对性，也就不期待一次性解决问题。在这个语境下，李香草回忆了当年的苏门答腊。

她提到了一个来自日本运输轮船上的中国人。从她描述的那中国人的外表特征，以及他所做过的事，我判断应该就是U。

果然，她说那个人叫林光。

在李香草叙述中，林光是个爱上她的人。从

采编者对李香草的介绍中得知，她一生没有结婚。当然，她一直命运坎坷，谁会跟她结婚？估计都没人向她示爱。果然，她也说到了这是唯一爱过她的人。也许正因此，晚年的她产生了去找他的念头。但没有找到。

她是否知道林光后来几经改名？她这么说时，他已经去世六年了。

一九四三年底，苏门答腊的 palembang，中国人叫它巨港，或者旧港。那时李香草才十七岁，就被征去码头为日军奉仕，没有任何报酬。她是在出去玩耍时被日本人抓去的。她平时喜欢女扮男装，头发理得短短的，穿男人的衣服，日本人以为她是男的。被日本人抓了，她就更不能暴露自己性别了。好在她只要稍微弓着身子，胸部显不出来。民工群里有她同村的，为了保护他，没人去揭穿她的性别。大家都叫她“小河南”，她祖籍河南。

一个傍晚，大家拖着疲沓的身体回到寮舍，发现做饭的人换了。是个个头小小的人，好像会说中国话。因为看上去像小孩，还很腼腆，爱笑，香草就对他没大没小的。香草生性活泼，爱说话。她嘴上长着一个很大的痣，说起话来，这颗痣被扯动得一撇一撇的，增强了她嘴型动作，而且总显得在蔑视和嘲讽对方。

她问他从哪里来？他摇头。

“你不是华人？”

他又摇头，马上又点头。

“你到底是不是华人啊！”香草道。

他点头。

“哪里的？”

他摇头。他好像被围猎的小动物，惊慌失措，不知怎么办，只能摇头。

“怎么又摇头了？问你呢！我是问你是中国哪里的？”

“啊，这个啊！”蓦地发出声音来。谢天谢地，香草想。但他发出的嗓音怎么怪怪的？好像几辈子没有说过话一样。但他也并没有回答是中国哪里的，只是说：“很早就出来啦！”

这显得有点油滑。他还抽笑了一下。香草道：“我还在这里出生呢！我是问，老家哪里？”

他又摇头，又恢复了惶惑。“老家哪里都不知道？”香草问，“你爹你妈没告诉你？我是河南的。”

“河南……”

“你知道？”

他又摇头。她有点不耐烦了，自己说了起来：“你是奇怪河南人怎么到这南洋来的吧？我爹碰到一个福建人了。”

他眼睛一亮。“知道了吗？”香草像看白痴一样看着他，问。

他重重点头。

“你叫什么？”香草又问。

“没……”

“怎么会没名字？”

“哦！”那人好像突然记起来，“林……光。”

这个人，最初给人怪异的感觉。但这个人菜做得好，让香草喜欢。一问才知道，他曾经在中餐馆做过。问哪里的中餐馆？却也像他的家乡一样说不清。这个人好像总是在地点方位上弄不清楚，给工地送饭，他老是走错路。日本人就骂他“八格牙路”，香草知道那是骂傻子。她不想学日本人，但他确实傻，于是她就喊他“窝囊废”。她这么侮辱他，他却嘻嘻笑。这个人好像没有一点脾气。

对日本人，他也没有脾气。他竟然干活很认真，好像不是被逼迫干活，倒像是真的在“奉仕”。晚上大家都歇去了，他还在干活。香草叫他别干了，他却好像受了褒奖一样，笑嘻嘻答：

“没事！”

“什么没事！你这是给日本人做事！”香草说，“又不给你钱！”

“没事。”他仍然憨厚笑着。

“你这是支援日本人！”香草说。

她性格直率，口无遮拦。他害怕起来，做出要捂她的嘴的样子。她连忙退步，他也好像意识到什么，刹住了动作，改而竖起食指封在自己嘴上。他那样子，胆怯，猥琐，香草太看不上了。“怕什么？日本人又听不懂！”她说。

他好像才明白过来，放松地笑了。

这让香草觉得憋屈，好像她是因为日本人听不懂才敢说那些话，她又说：

“听得懂我也说！”

她甚至学了几个日本单词。他又慌张了，“日本人在时，你可别乱说！”

“我就说给他们听！这下他们能听懂了吧？”

“我不知道……”

“你当然不知道，你又不是日本人！”

他“嘿嘿”点头，又重重点头。

他们说话，常会涉及日本人话题。香草爱说，她心里有恨，她哥哥参加了游击队，要不是被日本人抓着，她早去找他哥哥去了。有时候她还会有幼稚的念头：让日本人讨厌她，把她赶走。但她也知道这是不可能的。听工友说，除非死了，才能离开这里。那么就死，她想。所以她什么也不怕。

相反，那人跟香草不同，他胆小怕事，总是制止香草说话。但他越害怕，香草越爱说。他只能不去接香草的话茬，埋头干活。他干活，香草就去捣乱。“你这是干什么！你多干，日本人就越高兴！”

他去挪装着淡水的水桶，她就去踢水桶，要把它踢翻。“踢掉！倒了！”

码头淡水宝贵，他就蹲下身来，护住水桶。香草就寻侧面踢。他移动身体，把水桶像宝贝一样抱在怀里。她的脚都踢到他身上了。但她并没有觉得自己不对，他那样子太可气了，一点觉悟也没有，简直是日本人的奴才、帮凶。他不反抗她，这让香草更生气。哪怕他反抗一下也好啊！香草觉得自己碰到了一只癞皮狗。她就跟他抢水桶，抢不过他，她就晃荡，让桶里的水晃出来。水倾泻出来了，他终于开口了，他叫：

“这是吃的水！”

“吃吃吃！就知道吃！”

“倒了就没了！”

“没了就好了！”她叫。

他道：“你以为这样你们就可以回家了？”

“你们？”

“哦，我们。”他改嘴，“你以为他们会放了我们？”

“管他放不放！”

“管他？没吃没喝，照样要干活！他们有的是吃的喝的！”

他理直气壮地说。

第六章

老了的李香草嘴里的他

在接受这个采访三个月后，李香草与一个叫Michael Penn（迈克尔·佩恩）的美国人有过一场对话。

当时，《联合国安理会661号决议》已经实行到第八年，对萨达姆政权严厉经济制裁，伊拉克婴幼儿死亡率上升，平民百姓的贫困加剧。萨达姆集团并没有受到威胁，慈善救济落入他们口袋里。是否继续救济，国际社会议论纷纷。在这个对话中，李香草又说到了当年的 palembang，那个厨子，那个淡水的事。

“现在我认识到了，你再倒，也倒不了日本占领军的淡水。就是你把全码头的淡水都倒掉了，只要有一点补给，还是优先供应日本人。渴死饿死的只能是民工自己。”她说。

迈克尔·佩恩是在纽约八大道遇到李香草的。那是一个夏天的午后，李香草嘴唇上的痣让他记起了炎热的苏门答腊。那时这痣上总是冒着细细的汗珠子，痣下面的嘴唇刺激着他的欲望。他主动跟她搭讪，果然，这就是当年 palembang 的那个女孩。他早知道她是女的了。迈克尔·佩恩一个多月后上媒体谈论对萨达姆政权制裁问题，他提议让李香草也参加。

我通过美国同行，找到了现场录像，是未剪辑的素材。这个李香草的打扮像极了陈香梅，那个著名的陈纳德将军夫人。陈香梅似乎已成海外杰出华人女性的典型形象。但在气质上，李香草每每透露出老干部的本色来。她的话被播出来的不多，好在未剪辑版保存了下来。

把李香草刺激起来的，是主持人说起了汉娜·阿伦特的“平庸之恶”。李香草马上抢过话，问：“您是不是还要引述下面一段话？我很熟悉，我可以背诵给您！”接着，她真的背诵了这么一段话：

> 我们这些当年有罪的人，实际上是坚守岗位以防止更糟的事情发生的人；只有那些身处其中的人才有机会缓解事态并至少帮助一些人；我们与恶人共处但并没有把灵魂出卖给他们，但那些什么都不做的人却逃避了所有责任，只考虑他们自己，只考虑他们珍贵的灵魂的拯救……

她竟然背得一点也不卡壳。虽然她是用中文背诵，但她的流畅已让主持人吃惊。主持人很尴尬。李香草又用英语说：“我还可以告诉您，主持人，我曾经是坚定的阿伦特信奉者，极端的，我比阿伦特还有洁癖，那个汉娜小姑娘。”

李香草把汉娜·阿伦特称为“汉娜小姑娘”。

主持人对这话表现出不相信。李香草说：

“因为我不是停留在纸上谈兵。汉娜小姑娘是在困境之外想象困境，我就在困境之中，危险之中，挣扎之中。在祖国需要之时，汉娜小姑娘流亡了，而我，跟祖国站在一道。”

“我们就问题谈问题。”主持人说，“毕竟恶总是客观存在的，恶就是恶。”

“好！”李香草说，“我可以承认恶是客观存在的，但在面对恶时，各人的责任是不相同的。比如身处恶的威胁之外，那么就要尽更多的反抗恶的义务。原谅我又回到了阿伦特身上了。”

“阿伦特曾经帮助过犹太人，还有共产党。”主持人明显用眼睛挑了一下李香草。

“当年，我还是共产党员呢！”李香草反击道，语带嘲讽。

“她还因此被盖世太保逮捕。”

她瞥了瞥迈克尔·佩恩，想大声说什么，但又忽然泄气了，她并不是为了证明这个而来的。倒是迈克尔·佩恩替她说：

“李香草小姐也曾被抓进了日本人的集中营。我们就是在集中营认识的。”

她显出既解气又无聊的样子，没接话茬，而是回到原题：“那她应该在监狱里好好待着。那个汉娜小姑娘，她大可不必出来。如果按她的洁癖，她应该在里面反抗。她做不到吧？当然您可以说，她出来是为了更好地反抗。对，这是我的逻辑。她身陷囹圄，就没能力，那么她就无法尽义务。另外，她出来了，还可以待在她黑暗的祖国反抗，她为什么又流亡了呢？再说，她是个知识分子。知识分子应该尽更大的义务，因为知识分子比普通人掌握着更多权利，权利与义务必须匹配，但她却反过来指责普通人。”

“等等，”主持人道，“您在这方面被指责了吗？”

"不是我，"她说，"我从不为自己鸣冤叫屈。"

"那是？"

"林光。"她又看迈克尔·佩恩，"那个厨子。"

迈克尔·佩恩愣了一下，猛然点头。

"他只是普通人。普通人有什么力量？这种指责，也是一种压迫，也是一种恶！"

这个李香草的话简直振聋发聩。即使我只是看着视频，也被震撼了。她撇着嘴，尤其因为嘴边有痣，大幅度一撇嘴一撇嘴的，有力地把固有的价值观扯裂，让它们现出支离破碎，让世界凌乱不堪。我猛然有一种被松绑的感觉。松开的绳子在我眼前飞，还抽打在我的身上，但那是我愿意接受的。我的骨骼因为被松绑而疼痛起来，我的皮肉现出了伤痕。我被放在床上，仍然浑身疼痛，同时伴随着困乏，但我感觉到着床了，那种踏实而安逸。我感激这个敢于实话实说的李香草。如果不是意识到自己只是在看着视频，我都会上去跟她交流。她是前辈，是经历过很多的人。她经历过苦难，我也是。但我几乎把自己也给骗了，她是历尽苦难后进行反思，我则纯粹是逃避苦难。我用她的教训，为自己逃避勉力践行寻找理由。她是我的理论家。我只告诉自己，人类的智慧就是认识前车之鉴，为什么要重蹈覆辙？

李香草就是前车之鉴。

李香草承认，palembang 年代，还叫香草的她太幼稚了。那时候世界也太年轻，两次世界大战仍不足以教训人类。她完全不能理解那个叫林光的厨子怎么那么胆小？无非就是死，死就死！年轻时觉得死是简单的事。

她就是要说危险的话，并且当着他的面说。后来她想起来，她所以那么大胆，某种程度上，还不是她料定他会来制止？就像顽皮的小孩敢在父母那里恶作剧。他来制止她，她偏不听，事态常常演变成争论。这并不符合他的性格，他不是那种争强好胜的人，但他在她这里却争强好胜。因为他一旦输了，就会被她看不起。他爱她。但他爱她，为什么还要跟他较真？爱情中讲什么道理？讲什么尊严？

好在最后他总会猛然清醒过来。他投降了。但按香草想法，他应该一步一步地退，一道一道地守，也许还能守个平局，实在不行了再彻底放弃。他是一下子就放弃了。不仅放弃，还道歉。他很爱道歉，道歉时还躬腰。"你怎么搞得跟日本人一样？"香草有一次说他。

"我不是日本人！"他急忙辩护。

"你当然不是。"

香草那时候还不知道他是从日本人船上下来的。

香草理解，他所以一下子就收摊，不跟他争辩，是他毕竟比她大几岁，让她。但她是得理不饶人的性格，每每乘胜追击。她不肯善罢甘休，还要他按她的指令行事。他也都乖乖顺从。

但这不是她希望看到的他。那是没骨气。她于是就更折腾他。这下，在她心里没有丝毫觉得他好了，完全是鄙视。她把他看得低到脚底下，可以任意践踏。有时候她甚至说，她为有他这样的同胞感到耻辱。

"耻辱！"她啐他，"耻辱啊！"她拉长嗓子叫。

"有一次，他跳起来了，怒目圆瞪。这个像猫一样温顺的人，瞬间变成了虎。"老了后的李香草说。

我记起森达矢也这么说过 U。

但也只是瞬间，他马上又温顺了下去，恢复了卑微。"耻辱，耻辱。"他明显是在学说"耻辱"这个词，说得不利索。李香草后来回忆说，当时她判断这个人很少说"耻辱"这个词。他嗫嚅着，说顺了。但他那口气，又不只是卑微，更像是在悲叹。接着，好像因为确认了自己是可悲的，于是也就无所谓可耻不可耻了，这可耻并非无法逾越，他已经逾越过去了。

这样，他又变得高亢起来。他的高亢体现在干活上，好像一个自得的奴才。奴才做得优秀，也有了尊严。这种尊严使得他不再成为任人揉捏的软柿子。

有一次，香草又啐他为日本人卖命，他反应强烈，不给大家做饭了。民工们中午不能回来，是由他送饭去的。大家等不到他。日本人才不管饭是否会送来，反正有饭送来，就给时间吃饭，没饭送来，就一直干下去。大家饿着肚子干到收工，回来，发现灶还是冷的。那个厨子高高跷着腿，躺在地上休息。大家才知道是香草得罪他了。大家肚子饿得咕咕叫，纷纷埋怨香草。香草也饿坏了，辩论的心思也没有了。但她不可能去道歉的，大家就替她道歉，求厨子赶紧做饭。他才去生火。

"那时候，我是不能有一点苟且的脾气。"李香草回忆道，"别人替我道歉，不也等于我道歉了吗？我没有错，为什么要道歉？不行，得说清楚！"

几口落肚，她又不服气了，又开始论是非曲直。他生气起来，夺走她的碗。他从来没有这么大胆。他没说话，就夺走碗。香草没有防备，碗被夺走了，她就去追。他也不跑，只把碗紧紧抓在手里。他的手青筋暴起，看得出他的暴怒。如果再逼他，他会把碗捏碎。

"吃几口就打嗝了？"大家责备香草，"那几口都不要给你吃！饿死你，看你还要不要是非！"

香草跟大家论理。大家说："你干什么嘛！吃个饭搞成这样！'民以食为天'嘛！"

后来李香草说，当时她真恨这些人。后来她被剥夺了口粮，才知道人是经不起饿肚子的。当时还可以，正因为她只被饿了一餐。人可以超越一切，但唯独不能超越肚子。

这个事件让香草被孤立，厨子胜利了。香草再不跟厨子说话了。也不知是可怜她，还是乘胜追击，他对她的行为大胆了些。送饭到工地，他都会另外塞给她一点小食物。香草不接受，他仍然塞给她。她不相信他是真心的，她疑心他是要试探她，看她有多么贪吃。她嘴边有颗"贪吃痣"，从小就因为嘴边这痣被人家说是贪吃鬼。他是存心要羞辱她。她更抗拒了。但他一定要塞给她，她索性尖叫起来，让日本兵听见。日本兵果然注意到了，喝叫过来，厨子才住了手。但他离开前，趁她不注意，仍然把东西塞她衣袋里，然后挑着担迅速逃离。她还是把东西扔给他，扔到地上去，浪费就浪费，反正她不吃。

但这样不管用，下一次他照样塞给她。他的手往她手心里钻，满是汗气，令她嫌恶。为了结束这种状态，她干脆接了，当着日本兵的面公开吃了起来。她嘴边的痣一抻一抻的，会更夸大她吃的动作，显得更加嚣张。这样既能刺激日本兵，又能报复他。他的脸吓绿了，赶紧制止她，挡在她前面，不让日本兵看到。他说这样会把他给害了。她大笑起来，又说他胆小鬼，敢做不敢当。他于是又嘴硬起来：

"我怕什么？大不了一条命！"

他竟然说出这样豪气的话来，令她刮目相看。他确实显出视死如归的样子。但不知是为了说明自己确实可以视死如归，还是对自己强调，你本来就活不了，他又道：

"我的命又不值钱，拿去就拿去！"

想想，确实，他的命不值钱，大家的命都不值钱。香草情绪转成了悲怆。"我的命也不值钱！"她说。

"你值钱！"他却说。

"值什么钱？都像牛马一样关在这里！要杀就杀，要剐就剐！"她挑衅地又咬了一口食物，昂起头来，越过他的肩头，对准日本兵。"就是要给他们看！"她说，宣扬地高声叫起来，"来看啊！来抓啊，杀啊！"

他伸手去捂她，真的捂上了她的嘴，但很快撤手了，以至于香草都没有感觉到他触碰到了自己。他明显对自己这冒失的动作害羞，慌忙用语言来搪塞。"他们杀你容易得很，"他说，"可以再开杀戒……"

"你怎么知道？"

"我……怎么不知道？杀人的事，这么大

的事！”

这也说得通。香草也没去追究，道：“杀吧！刚好把游击队招回来！”

“招回来？”

“回来报仇啊！”

“想什么了啊你！”

“肯定会回来的！我哥就是游击队！”香草说。

他愣，“别乱说……”

“谁乱说了？”香草说，“要不要我带你去？”

“你知道？”

“当然了！过了丛林就是。”香草手指向不远处的丛林。他赶紧把她的手打下。“你干吗打我？”她叫。

“对不起……”

“喂，你是不是很喜欢说‘对不起’啊？”

“对不起……”他仍然说。

“对不起什么？”香草反问，“我说我的，你听你的。我做我的，要不是鬼子看得严，我早投奔游击队去了！”

“越说越来劲了！”他说。

“就是嘛！”

“我不听！”他握着双拳，掩住耳朵。用拳头掩住耳朵，这动作简直可笑，也足见他不知所措。香草说，每当提起游击队，他就很慌张。之前就这样。他这样惊慌失措，把香草逗乐了。她偏要拽着他说，扯着他衣服，咬着他的耳朵，叫嚷。他脸色煞白，一边拿眼睛瞥日本人。香草故意叫：“喂，听我说！”

“我不听，我什么都不知道……”

“胆小鬼！”

“我干活来不及啦！”他说。

李香草后来回忆，当时她真是不要命。她确实不怕死，这点她能确认，她一点也不虚伪。但要是真的刀架脖子上了，难说不会恐惧起来。人总是这样。所谓视死如归，只不过死神还没有出现；所谓真实，只不过追求真实的心还没有被逼到绝境。她可以不负责任。

李香草说，现在想起来，他阻拦她倒是冒着风险的。如果她是游击队家属的事被日本人知道，阻拦她的他，也会被怀疑是同伙，至少是知情人。他所以要冒险跟她搞在一块，是因为他爱上了她。他应该已经察觉到她的性别了，只是她自己全然不觉，直到有一天晚饭后。当时香草又去挑逗他，趁他不备，突然抢过他手中的陶钵。

“听不听我说？”她叫。

他扑过来要夺陶钵，香草一个闪身，陶钵的水泼在胸前了。她愣住了，清凉唤醒了她胸部的感觉。好在对方应该是看不见的。但也难说，对方竟然趁她愣神时从后面抱住了她。也许他是故意的。说这个人胆小，但这个人有一种冒险劲，或者说是冒失吧，他自己也许都无法控制，突然就变了一个人。她慌忙挣脱，但他双臂紧锁着她。他的手臂就像滑溜溜的蛇身，从她的腋下箍住她湿的身体。她左右摆脱，但这样更增加了摩擦。香草从来没有遇到这种情形，她开始感觉恐怖了，觉得自己要死了。她不知该怎么办？她忘了应该撒开抓陶钵的手，这样对方就不会再箍她了。因为慌张，她反而抓得更紧。他呢，理所当然是竭力抻长手臂，企图够得着陶钵，这样她就被他搂得更深了。她终于意识到要撒手，手一松，他就接住了陶钵。但这样，他的手因为必须端着陶钵，陶钵装着水，一只手拿不住，必须两只手，他又不能把水倒掉，于是就更松不开手臂了，他的两只手在她胸前互抓。她害怕被那一双毛手碰到，弓着身体，这样，就成了她自己嵌进他的身体。好在她灵机一动，向下逃脱。不料，乳房在什么地方卡了一下，一滚而过。

她第一次感觉到自己乳房的形态。

他的手臂猝然崩断了。陶钵摔在了地上。

她逃走了。

过后她越想越害怕，接着，又越想越害羞。她去观察他，他倒好像没有发现她是女的，再见到时，脸也不红，说话也不慌。他应该是会慌张的人，他也肯定知道了她是女儿身，竟然面不改色，他该有多么强大的心？难道他曾经沧海？难道这个人早已阅人无数？晚年的李香草笑称自己曾经对他有太多的猜测。“也许你们会说，哪里有这样猜测爱人的，他阅人无数？这不是往脏上猜吗？但到老了，才知道那些都不重要。我们年轻的时候，总想着一生只爱一个人，跟这个人结婚，生子，白头偕老，一生只有一个异性。到老了才知道，这怎么可能呢？洁癖！”

“您自己可能吗？”主持人问。

“我可能。”可是她说，“我只爱他一个。但我可以宽恕他，爱是信仰。”

信仰？她竟然也说信仰。

“爱确实也是一种信仰。”迈克尔·佩恩插嘴，“就像基督信仰。”他看着李香草，我直感他对李香草有特殊的感情。

“色鬼”

李香草接下来说到一个让迈克尔·佩恩心惊肉跳的事。

当时淡水供应紧张，洗澡不易。为了不暴露自己，香草每次都要等大家洗完了，进了寮舍，才做出磨磨蹭蹭的样子，去洗澡。所谓洗澡，只不过是擦身。大家都是在露天大大咧咧脱光，根本没有隐蔽的地方。但她又爱清洁，就打上了伙房的主意。民工队不像战俘营管得那么严。最初，她对U说，一个工友睡觉打呼噜，吵得她好几天没睡。“再不睡我要死了！”她说。她要在伙房好好睡一觉。

发馊的衣裤剥落，香草有一种金蝉脱壳的感觉。洗去污垢，她竟然闻到自己身体散发出来的香气。

“在这之前我没发觉自己身体有香味。”老年的她回忆说，“就那一次。”她害羞地笑了起来。不错，视频中可以清晰看到，她笑得很羞涩。这么老了，竟然还有这种神情。其实她这么大铺大陈地回忆自己的私人感情，在这种场合，明显不适合。但她坚决要谈。

“现在没了！”她甩甩自己手臂，又自嘲地一笑。笑容消失，面色凄凉。

那一次，她在伙房的黑暗中陶醉了。她闭上眼睛，让气味不受干扰地被自己闻到。蓦地，她听到一个奇怪的声音，是又粗又急的吸气声。不是呼吸，只是吸。她慌忙抓过衣服，猫身躲在水桶后，辨别声音方向。声音在篱笆墙那边。也不知过了多久，那边响起脚底蹭地声。但只一下，呼吸声也屏住了。但很快的，那声音又像禁不住痒痒一样地出现了。在这种时候，这种地方，最有可能是谁？香草能猜得出来。她懊悔自己没有防着这个人，以为他很老实。她太幼稚了。这家伙原来是个大色鬼。她又羞又恼，随手抄起一个盘子，要砸过去。正在这时，那呼吸声又消失了。但同时，香草听到了军靴的声音。不像在巡逻，脚步很急，俨然是赶着去执行什么任务。那家伙敏锐，比她先听到了。脚步声越来越大，明显是冲这边来的。她彻底慌了。

她不怕日本人，她可以反抗。但她还光着身子。她想快快穿上衣服，但她只是把衣服往身前更紧地捂住，她都不知道要怎么穿了。好在那军靴声停住了。也许根本不是冲着我的？自己太紧张了。她正侥幸着，那喘息声竟然瞅准时机一样地又一个吸气。这个人，竟然这种时候暴露出声音来！果然，军靴声又响了起来。他好像也意识到，赶紧屏住。但令香草惊骇的是，他很快就再次喘息起来。铁蹄在步步逼近，他像是鬼迷心窍的贼，不知逃跑，能多抢就多抢，多抢一手是一手，完全不顾后果，到头来死就死了。他的脚底好像紧紧粘在地上，不能移开。香草瞧见哨兵的刺刀在篱笆孔中出现了，她简直绝望。

但这时，那个粘住地的脚地板终于一个扭转，大踏步地向哨兵迎去。哨兵用日本话喝了一声什么，他没有发声。响起了拉枪栓的声音，他这才哼哼哈哈起来。哨兵向他逼近，把他逼回竹篱前。他身体摇晃起来。他的身体刚好挡住了香草看哨兵的视线。他摇摇晃晃，把视野晃得凌乱。但日本兵警惕，闪避着他的脑袋，随着他的摇晃，也摇摆着。日本兵好像被他干扰烦了，一枪托砸向他。他倒在竹篱笆上。竹篱笆松松垮垮，眼看就要垮倒。他两个手指头迅捷抠进编条间隙，搭住篱笆。篱笆终于没有倒下来。日本兵骂了一声，又举起了枪，他才慌慌张张嘟哝了一声什么。日本兵叫了一句什么，他的话才清晰起来。他说的竟然是鬼子的话！

虽然日本兵被他支走了，但这个会讲日本话的人令香草更加恐惧。

过后，工友们都知道了这厨子会说鬼子话，都害怕起来，开始躲着他。他明显觉察到了，也不去惹大家。但香草不会放过他。他欺骗了她，更重要的是她已经在他那里暴露了自己的身体。她见他就躲，一在他眼前，她就会觉得自己变得赤裸裸了。这个男人，这个色鬼，这个流氓，这个骗了她的人，这个骗了她她还不知晓的人，这个日本人！以前她只觉得这个人胆小，怕日本人，也许他根本就是日本人。他那么爱鞠躬，不是日本人，谁那么爱鞠躬？越想越觉得他就是混进来的日本人。那么，他为什么要混进来？日本人吃好穿好住好，他为什么要到这里来受苦？

“当时没想明白，”老了后香草说，“当时太年轻。后来才渐渐明白了，他就是奔着我来的，他就是为了接近我来的。”

“怎么说？”主持人问。

“因为他爱我。”她说。

这个解释简直幼稚。李香草这么老了，竟然还这么幼稚。也许正因为她老了才幼稚。倚老卖老，还包括老了有权幼稚，返老还童。主持人没去反驳她，装出相信的样子，只是眉毛明显挑得有点做作，是一种哄小孩的神情。

李香草满足了，继续回忆。

要命的是他虽然躲着大家，却偏偏不躲她。就好像他看到了她的身体，她就是他的人了。他甚至偏偏要接近香草。他要跟香草说明那晚上的事，但香草哪里肯听？一见他，就像见鬼一样逃。他就追赶。工友们就来保护香草，拦他，赶他，他才灰溜溜地走开了。

不能接近他，他就用喊，喊她的名字，好像要借助空气接近她一样。

“香草！”他喊。但他喊的时候，虽然对着她，又把眼睛转别的地方去，好像他是在喊别人。但他的目光又瞟向这边，观察着香草的反应。香草起初装作没听见，但被他一再喊，被人指着，心里慌张，眼睛不由得有了反应。她管不住自己。于是就索性叫：

“不要你叫！”

“就叫！香草！”他更叫了。这个人怎么这么赖皮？简直猖狂。

“不要你叫！不要你叫！啊——”她把耳朵掩起来，尖声叫起来。

大家更担心的是，香草在那个人那里暴露了性别，日本人会知道了。但奇怪，并没有日本人来骚扰香草。也许是这个厨子为了自己霸占，没有跟别人说。总之大家对他很警惕，他被孤立。终于有一天，他好像被逼得愤怒起来，要用食物来刺激大家，收买大家。大家发现伙食简直丰盛，这是想都不敢想的。不知这厨子从哪里弄来这么多食物。但想想，他都可能是日本人，这有何难？但一想这是日本人的鸿门宴，大家又不敢吃了。

“吃吧！没毒！”他索性把大家心思戳穿。他自己先吃一口。大家想，都被抓来了，日本人要杀要剐，哪里躲得过？死也不能当饿鬼，于是就吃了起来。

没有毒。第二天仍然吃得好。大家问他哪里搞来这么多食物？他得意地反问：

“先说爱不爱吃？”

他那厚颜无耻的样子，当时香草简直想抽他的脸。天底下哪有这么不要脸的人。但大家一直是饿过来的，“好吃是好吃……”大家说。

“那你们只管吃！”他说，“我好歹也是厨子，别的能耐没有，让咱中国人吃饱的能耐总还有！”

他这话简直刻意，是要告诉大家，他是中国人。但民工里不只有中国人，还有菲律宾人，还有几个不知怎么被抓到这里来的马来人。他这是要表明他就是偏心自己同胞。

“老子会说他们日本话，对付他们，轻松！”他又说。

在这之前，他会说日本话的事，没有人去跟他当场捅破。大家只是躲着他，忌讳他。他竟然自己捅破了。他是个聪明而果敢的人，他用这种不经意的方式自己说出来，显得他坦率，心中无鬼。大家倒惊得张大嘴巴，不知所措了。

他好像才想到，问：“我会日本话，你们不知道？”

大家竟摇头起来，表示并不知道。这样，又给了他更多解释的机会了。他讲起了自己的身世。没有人审问他，他是自己讲起来的，用的是叹息的语气。他说他原是日本货轮上的厨子，被日本人赶下船来。轮船停靠岸，日本人可以游手好闲，他却不能闲着，被赶到工地上劳动。他说着，手指向海的方向。大家跟着他抻长脖子，向海上张望。那里确实停泊着多艘轮船。“光”号。他甚至说得这么具体。但即使如此，谁也不知道哪艘是“光”号，甚或那里有没有一艘叫“光”号的日本人船。但毕竟他指出了方位，说出了船名，给了大家确凿感觉。

他说他十岁时跟着父母和两个哥哥乘船到琉球。途中船翻了，父母和两个哥哥都淹死在海里，他抱着一块船板，在海上漂了三天三夜，眼看要撑不住了，被一艘路过的船救了起来。那艘船是中国人的，只有中国人才会救中国人。他的话说得大家心暖暖的。他被那艘船带到了日本横滨港，先是在一家中国料理店当伙计，后来被征用到“光”号上当厨子。

大家才想起，这个人总是把“华人”说成“中国人”，不像在东南亚当地的华人。

“福州，你们去过吗？”他问大家。

“什么？”

“我老家。”他说。跟之前说起哪里来时不同，这下他说出了明确的地方。而且是主动的。“福建，福州。”

有人说没去过，有人说听说过，一个人说，他也是福州人。这人还特地跟他说了几句福州话，大家听不懂，他自如应答。大家叫：“老乡啊！”

“我是‘曲蹄’！”他说。他用的是福州音“Kuóh-dà”。也许是为了显得真切？但他那神情，毋宁是在撕开自己。

“‘Kuóh-dà’？”那个福州人叫起来。大家不明白什么意思，问那个福州人。福州人发觉他的神情，不肯说。

“就是不是人！”他竟然自己说。

“也不能这么说……”那老乡说。

“就是嘛！”他说，“怪物！”

他怎么能这么自己作践自己？好像为了证明他是怪物，他把胳膊一折。那胳膊竟然是反向折的，看着要被折断了，又反弹回来。大家惊叫起来。那胳膊又向腰后折去，伸过背，伸到后脑勺去。那胳膊好像不是他的胳膊，弹过来弹过去。香草想起曾经在街上看到过断臂残疾人这么卖艺。但他不是残疾人。香草看了都难受，叫他不要做了。但他没有停下来，一边做，一边睨着香草。香草知道他要什么，他要她表现出原谅他。

“简直就是用‘苦肉计’嘛！让我原谅他，爱他！”李香草回忆说。

李香草后来回到国内，专门去查了资料，才知道了“曲蹄”的含义。“曲蹄”是对“疍民”的蔑称，只有动物才用“蹄”。在中国东南沿海有一群特殊的中国人。他们不能上岸居住，只能以船为家。他们的船叫“连家船”。因为终生以舟为家，船舱低矮狭小，腿长期弯曲，久而久之变形了，像动物的腿。他们并非少数民族，是汉人，但他们是汉人的异类，中国的“等外之民”。

这么难堪的身份，他为什么要自己暴露出来？当然当时大家都不知道这身份如此难堪。但他却不肯罢休，继续道：

"'曲蹄想做官，中原变北番'。"

"什么意思？"大家问。

"就是，"他认真解释，脸上毫无表情，好像不是在说他自己的事，而是在践踏别人。他语气恶毒。"'曲蹄'怎么可能做官？做梦吧！"他的手夸张地大幅度在自己脸前一扫而过。"书都不许读，还做官？"他骂了一句自己，但却好像不是骂自己，他显出快意来了。又道，"想做官？除非中原变北番！"

"中原。"他一指香草，香草一跳。"就是你老家。"他说。

不错，她叫"小河南"，河南来的。但她才不想理他，尴尬了一阵。"北番是什么？"大家问。

"就是，"他好像在竭力寻找词，"胡人！对，就是胡人，成胡人地方了！"

其实大家对胡人什么的也不了解。这个人怎么知道这么多？李香草后来回忆起来，他一直在身份的纠结之中。

他好像感觉还不够，又吐了一口唾沫。这个人，在大家眼里还是挺爱干净的。现在，他竭力把自己变得粗野不堪。也许对他这个弱势人，只有粗野才有力量，无论是攻击别人的力量，还是践踏自己的力量。只有有力践踏自己，才能有力抵御别人，践踏别人。

"捅墙洞去！"他又说道，戳着中指。香草才发现这个人手指很长，神经质地翘着，像昂扬而起的眼睛蛇头。她感觉怪异，恐怖。这个人整个手都很大。他的另一只手用拇指和食指圈个圈圈，那中指企图往圈里捅。但中指将进圈圈时，圈子猛地变成了手掌，中指捅到了手掌上。"捅墙洞！"他挑着眉毛，让大家意会。

"这是我们福州的说法。"那个老乡解释说，"意思就是：没门。"

男人们当然是明白的，笑了起来。

"捅墙洞去！"他又叫了一声，把中指指向自己下身。

这个人竟然这么恶心，香草完全没想到。她本来已经开始可怜他了，他为什么又要这么恶心表演？难道他天生就是下流坯？色鬼！

也许是他想博取大家同情，表现过火了。

也许只有污秽，才能洗污？

"可以了吧？我自己都说了。"他最后说，"我没有骗你们啊！"

他呼出一口气，好像卸下了重负，涣散地蹲了下去。

那以后，大家跟他更随便了，大家更接纳他了。他也给大家回报，给大家做一些好吃的。食物就那么简陋，但他用他高超的烹饪手艺。他确实手艺了得。大家大口大口地吃时，他在一旁满足地瞧着，好像他本身就是美食，荣幸地被大家吃下肚里去。他的话变得多了起来，常常跟大家凑成一群，扯天扯地。他说自己的家乡福州，说得非常具体。同样来自福州的那个人奇怪，他怎么知道那么多？他的记忆那么清晰，老乡甚至怀疑他在制造记忆。但不管怎样，大家喜欢听他聊，因为家乡、祖国，对大家绝大多数人来说，只是长辈嘴里的只言片语。香草也是。

他还骂日本人。有一次他送午饭到工地，和大家坐一起时，一个日本军官带着一个日本女人从边上走过，他叫：

"哇，一只狐狸精！"

大家一愣，再瞧那日本婆，脸涂得白白的，脚穿日本式拖鞋，身体摇摇晃晃的，扭扭捏捏，不阴不阳。大家忍不住大笑起来。

"小子，在日本被狐狸精魅过吧？"一个年长的华工道。

"鬼才被魅了呢！咱中国人闻那臊味，跑都来不及！"他说。

大家笑。他受了鼓舞，又说："咱中国人就是喜欢中国人！单是这身子发出的味就正呀，清清的，干干净净的。”

他说着，用眼睛瞟香草。

“他做的所有所有的一切，都是瞄着我的。”老了后，李香草下结论。

但当时她觉得他太露骨。大家也在起哄。她想起他偷看她洗澡的事，拉下了脸。她霍地站起来，要走开。本来，他应该收敛才是，胆子大点，会来求她不要走。可是这个人反其道而行之，因为她要走，他更要抓紧机会表现一下。他也站了起来，向那日本婆喊了一句日本话。喊完，他朝大家一扬眉，好像在说：我会日本人的话，这下派用场了！他完全没有发现，那日本军官已经几步冲到他后面，给他脑袋一拳。“八格牙路！”

他霎时就现出胆怯本相了。

老年李香草说：“这个人总是要强，但往往强不起来，到头来更出丑了。这是他的根本悲剧。‘心似天高，身比地贱。’谁叫他身比地贱呢！命哪！他甚至连拿手护头的动作都没有，一副逆来顺受的样子。反抗，死得更惨；让人家惩罚你的意志落空了，会遭到更严厉的惩罚。他好像已经很明白这一点了。我直到后来，自己也在暴力之下，才明白了这一点。当时我太不理解他了！”

慌忙中，他推诿地指了指边上装食物的木桶。那军官毫不理会，又抬起了手。华工们喊着，冲过去，在他身后筑成墙。他回头瞅了瞅大家，再审视自己的位置，却显得更加慌张，好像他被大家推到前线，他不能承受。工地上响起了日本人哨子声，他开始往后退。但后面有大家堵着，他索性返身过来。“我们不做无谓牺牲！”他说。

他竟然说出这么有水准的话。这话不像厨子说的，倒像是军师说的。

他马上又说：“不划算！”

“不怕！”华工们说。

“没有人想到，你们不怕，被推在最前线的却是他。”老年李香草评论道，“这就是我对所谓绝对道义、理想主义的反思。你可以当烈士，你没权利绑架别人跟你一样当烈士！是吧？人类经过了这么多教训，应该明白过来了吧？反正我是明白过来了！”

李香草回忆，当时那种状况就是鸡蛋碰石头。日本人很快围过来。华工们也开始胆怯了。一声枪响，大家乱了，撇下他自顾逃命。他在最前沿，被抓住了。当然，这时又有人觉得应该去救他，但被日本兵用枪挡住了。李香草承认，她也在逃，不过看到他被抓住，也回来救。她猫身从枪下钻了过去，但被另一个日本兵抓住。

“快跑啊！快……”香草朝他喊。

他愣在那里。

后来他对香草说，他没料到香草会去救他。确实，这是偷窥事件后香草第一次对他开口。香草也不知道自己为什么要去救他？也许只是出于逆反心理。与其说她去救他，毋宁是她自己要冒头，当英雄。但她之前为什么又要逃呢？也许是大家去救，照见了她胆怯。也许还因为有那么多人，她胆子又大了。人心是很复杂的。但她此事确实希望他逃，只要他能逃脱，她死也值了。她这时确实很勇敢。但他没有逃。这下他很勇敢，冲过来把那个抓住香草的日本兵抱住，叫香草跑。这下香草更不能跑了，她叫他跑，自己跟那日本兵拼着劲。她觉得自己的命跟他拧在一起了。但这时，他做了个让她愤怒的举动。他冲那个日本兵跪了下去。起初她以为是因为拖拽才跪下来，但当拖拽停止，她瞧见他确实是跪着，姿势标准。

他又向日本人哀求起来，用日本话。香草简直气晕了。你也太窝囊了！人活一口气，不能求生还不能求死？他们抓我，关你屁事？我就是要被抓，就是要被抓！但日本兵放开香草，把他逮住了。他就像一只要被人抓的温顺的母鸡，在人的手底下驯服地一个缩身，等着被捂住。那样子，好像在说：瞧，我可是老老实实的啊！

后来李香草明白过来，他是在用自己的屈辱保护她。她跟别人不一样，她是女的，一旦被抓走，性别很可能就暴露了。日本人对女人会怎么做，谁都知道。何况又是他爱的女人。只是她过后没机会去向他证实，虽然她知道自己性别已在他那里暴露，他偷窥了她，但尚未面对面直接捅破。

当天傍晚大家收工时，他被放回来。他脸上有被打的伤。大家问怎么打的？他不说，只是发着狠地骂日本人。他好像是在用破口大骂抵挡着大家的问话。大家也被他传染，跟着骂。但渐渐的，大家发现他把骂的范围扩大了。他骂日本人，也骂洋人。他骂洋人无能，一打就投降了。他又骂洋人之前怎么压榨当地人。“养狗还不如！”他说。作为中国人，他拿狗做最恶毒的比喻。他的骂形成旋涡效应，大家都跟着旋了进去。他还指着几个马来人，说起新加坡守卫战，帕西瓦尔的八万五千英国精兵无心抵抗，把新加坡人推给日本兵。他怎么懂得这么多？超出了一个厨子的见识。

“都是狗！日本人是狗，洋人也是狗！”他叫。大家刹住了，大家不愿骂日本人的敌人。这是原则，这是近乎本能的自觉。大敌当前，谁都应该有这样的自觉。只有他好像没有，大家骂日本人，他连盟军也骂；人家说法西斯邪恶，他说的却是民族跟民族之间的仇恨。李香草后来回忆起来，他的话语空间是巨大的，有很大的涵盖力。几十年后，李香草反思，那个厨子所表达的，恰恰是世界基本原理。而她自己当时满脑子却是意识形态。大时代的意识形态，让人误入歧途。

“就因为咱们弱啊！”李香草回忆，当时那厨子叫喊。他的声音像海浪，盖住了大家。

“这话没有错！是真理！”她说，“但在多大意义上是真理？或者说，角度不同：民族的角度？人的角度？宇宙的角度？”

“我没有明白您的意思……”主持人说。

“中国人被弱肉强食至少一百多年了，当然要反抗，就像中东之于美国，哦，以色列。弱者自有弱者的价值观。”

“您是民族主义者？”主持人问。

“曾经是。应该说，是‘弱族主义者’。”她用中文说‘弱族主义者’，主持人明显没听懂。迈克尔·佩恩试图翻译，但没有成功，他也没听懂李香草说的。“所有被侵犯者都是弱族，不是吗？珍珠港时期的美国不也是？因为我是弱者，所以获得了天然正义。这话语曾经畅行无阻，几十年，无论做什么，无论做得对还是错，只要拯救民族，振兴民族，就都会被认可。谁游离在正义之外，就是‘政治不正确’。”

“政治不正确！”这下主持人和迈克尔·佩恩都听明白了。

“当时我是多么的‘政治正确’啊！而且这种‘政治正确’多么地支持我们的处境。哪怕是遭受奴役，哪怕是我们束手无策，我们也‘政治正确’地值得怜悯。大家不再说话，但觉得真理在我手中，或者，正义在我身后。当时的我更是，我比大家更激进。我感觉要窒息，我不喜欢这种气氛，站起来，唱起了歌。”

视频里，李香草真的站起来，唱起了歌。

这是一首一九三七年欢送南洋志愿归国服务团时唱的歌，香草当时跟着哥哥去欢送，目睹了难忘一幕：人山人海，码头上人头攒动。法国邮轮上，服务团员们密密麻麻挤在舷栏，手绢、旗子、横幅标语交织在一起。香草随着人潮往前拥去，接近高耸的船壁时，她才发现哥哥不见了。想回头找，但人们像波浪一样推着她。她只能继续向前。她个头矮小，几乎被淹没在人群里。她的眼睛看不见，耳朵里只有嗡嗡声。她觉得自己要被淹死了。蓦地，邮船一个鸣笛，这声音使她恢复了听力，叫喊声、哭闹声、咒骂声灌进耳鼓。渐渐的，好像有了旋律。她蹬脚一跃，前面，一个巨大横幅下有一群人在唱歌。歌声迅速整齐了，像太阳破开一片混沌，层层向外闪光。

歌声从外扩展，码头上的人全都亮出了歌喉。歌声冲向轮船，越过巍峨的船壁，船上的归国团员也唱了起来。在一片壮阔的合唱中，那些挤来挤去的人们辨认出了亲朋好友的声音，香草也辨认出了哥哥的声音，所有的声音像巨大的缆绳，把所有的心攥在一起。

同胞们，细听我来讲：
我们的东邻舍有一个小东洋，
几十年来练兵马东亚逞霸强，
一心要把中国亡咿呀嗨！

最后只有爱这个舍利子

让我吃惊的是，号称已抛弃大时代的老年李香草，唱这首歌时，并没有带着揶揄。她是真诚唱着的。当然，如果她不认可，她何必在这种场合唱？她是站起来唱的，这让摄像机不得不调整了机位。按理摄像师是没必要去调整的，这内容跟节目主题离得太远了。也许摄像师看到了她眼里噙着眼泪？

她还念着大合唱，这点跟坂本胜三倒很相似。森达矢都不相信“大合唱”，但他也提到了它，而且他还引用了歌词。当然可以理解为是提供笑料，或是树立靶子。但他怎么把歌词记得那么清楚？即使是去查找的，难道他就没有一点对它怀念的情绪？这些歌曲，毕竟承载着他青春记忆。

U 多次处在这类场阈中。这下，还是意识形态对立的合唱。

根据李香草回忆，U 最初是不会唱这歌的。因为不会唱，他自惭形秽。毕竟这是歌，所有的人都喜欢歌，所有有荣誉感的人都以会唱歌为光荣。华工们都唱了起来了，可是 U 却孤独地待在一旁，好像被大家抛弃了一样，蜷着身体。

或者他渐渐认识到自己是没有资格唱的，他的样子也释然了，反正事不关己，心安理得起来，他的眼睛张望着茅寮外的天。那里遥远，那里空旷，给了他存活的空间了。他逍遥地飘到了远远的天上。但香草主要就是为了激发他才去带头唱歌的，他却把她撂下了。她更加不满，大叫一声：

“是中国人的都来唱啊！”

这个语式无敌。谁敢说自己不是中国人？他被喝叫回来。但他不会唱。他局促不安起来。他动了动身体，好像想引起别人的注意，让别人等他一下。但没有人等他，大家只顾自己唱着。他的嘴巴动着，剧烈起来了，好像跑步前的小跑。他好像是在追爬火车，但就是攀不上大家的火车。“我不会……”他嘟囔。他不是对谁说的，他没有对象地嘟囔了一声。

“不会唱？就不会学吗？我来教你！”香草说。

这并不表示她对他示好，而是她要将他的军。她的语气里还带着讨厌。但这在他，无疑是她向他伸出橄榄枝。第一次是他们被日本人控制住的时候，那是在紧急状态下。过后自己都觉得不可思议。那可以理解成是一种应急行为。但现在不一样，是在日常之中。他就渴望这样状况下的和好。他等得太久，但真的到来时，他又畏惧了。他搓着手，不敢去接受。他本觉得自己应该伸出手去的，尽管他没必要实际去向她伸手，但这是一种回应，一种感激涕零。香草又冲着他，点头，示范，挑眉，她挑眉的神情真妩媚，引着他。但他仍然唱不出来。到一个小节结束，新的小节开始，她打住了，不让大家唱了。他慌张，以为她生气了，彻底放弃他了。

但她却是重新开始。如果说之前的唱只是临时乌合，现在，是真的演唱了。她领唱：

“‘同胞们，细听我来讲，’预备——唱！”

香草一个拍手，空气一下子庄严了。她严厉地盯他。大家恍然明白过来，要等一个声音。没有任何声音，只有他嘴巴在颤抖。大家热忱又宽容地期待着，有的还撮着嘴，启发他。终于，听到一个咽喉挣扎的响声。蓦然，歌声像生锈的锥子从嗓子眼冲刺而出。大家呼出一口气，鼓起掌来。香草发现他的眼里有两颗晶莹的光，它们在流转。香草禁不住可怜他了。她又示范了一句，他嗓门的锈迹像是被磨掉了些，响亮了一些。大家又鼓掌。好像他自己也有些得意了，发出几个很清亮的整嗓门声，羞涩然而用嘻哈的表情瞅了香草一眼。香草给他一个笑，他顿时轻松下来，轻松得垮了。他的歌声也好像锥子抹上了油，脱颖而出。

大家喝彩，围上来把他推过来搡过去，爆栗他的脑袋。他的脑袋理得光光的，像好玩的球。香草说，开始他还一副很荣幸的表情，但不知什么时候起，他的脸沉了，绷紧了，像死了一样。忽然，他号啕起来。大家不知所措，慌忙围着劝他。大家越是劝，他越是撒了泼地大哭。大家去拥抱他，他挣扎着，把口水鼻涕蹭在大家的臂上和肩上。在大家的拥抱中，他像一个任性的孩子，尽情发泄自己的情绪。

那以后，这个逆来顺受的中国厨子变得爱较真了，甚至受不了半点委屈，不能忍受一点点冤枉。香草理解，这是长期被歧视的他突然被宠了，得寸进尺了。但那时候香草想不到这，她也是被宠坏的孩子，她才不吃他那一套。他们争吵，她又不理他。他于是又后悔，有一次竟至于打自己耳光，乞求香草不要不理他。

她没见过自己打自己耳光的。李香草说，这个人不仅在她面前打过，也在别人面前打过。有一次，他还冲着日本人打自己。香草理解，这是他表示抗议发泄愤怒的最强烈方式。

一天，他突然对香草说："我们投奔游击队吧!"

看到这里，我心头一响。这就跟森达矢的回忆对上了！

李香草说，当时她简直怀疑自己的耳朵。之前他从来没有说要投奔游击队，相反，一听到"游击队"这三个字就怕得发抖。但想想，这段时间跟她争吵时，他也不忌讳游击队话题了。但他真的会去投奔游击队？

"我受不了了！"他说，"要死在这里了！我豁出去了！"

想想，与其在这里等死，真的不如豁出命去，拼出一条活路。他说得真诚，香草信了。她日夜都想着去找哥哥，去找游击队，她也受够了。但日本人看得这么严，怎么跑？

"我有办法。"他说。

"什么办法？"

"你忘了我会讲鬼子话？"

"会讲鬼子话又怎样？"

"反正我有办法。"他说。

"什么办法嘛？"

他逃不脱香草纠缠，想了想，说："我有办法避开哨兵。"

"什么办法？"

"……鬼怕雨……"他说。

这明显靠不住。确实是有鬼怕雨这个说法，日本兵就被叫作"鬼子"。但那只是比喻。但香草竟然相信了。他的说法，甚至还让她更有兴趣了，她觉得好玩，一定要做。

那一夜风雨大作，日本人好像真是鬼子，躲在哨岗里。他拉着她逃出码头，钻进丛林里。整个过程是那么顺利，香草不禁佩服起他来了。但他并没有向她邀功的心思，他只顾埋头走。他走得极快，丛林漆黑，香草只听见他飞快的脚步声。他一直在跑，但已经没有必要再跑了。香草叫了他一声，他好像被惊吓了，脚下一蹭，凝住了。但香草还没有追上，那脚步声又离她而去，倒好像她在追他一样。香草再也跑不动了，不走了，跺着脚发脾气。这下他返回来，小心翼翼凑近她。忽然，他扛起她走。她慌忙挣扎，想从他肩上逃下来。她想起他知道她是女的。她终于从他肩上滑下来，却又被他的手从身后接住，兜住她屁股。她害臊地拿拳头擂他，但手反而被他抓住。这下她上面被牵着，底下被兜着，完全跑不了了。她拿另一只手打。本来她还可以依靠另一只手的力量，让自己不至于完全被他兜着，现在，倒成了全把自己交给了他。那边，他低着头，任她打，还是不顾一切往前奔。树影被成捆成捆地向后抛去。也不知甩了多长时间，她也乏了，树干间隐约有了亮色。他一个踉跄，垮了一样扑倒了。

香草埋怨地又开始打他。他却像从深水凫出来一样，叫：

“鬼子再也抓不到我们啦！”

“你怎么知道！”香草没好气啐他，“你又不知道游击队在哪！”

他没有应，没有问游击队在哪里。他只像瘫了一样躺在地上。但他面色柔和，好像只消这样享受就够了，他也不想再去哪里。

“鬼子要追上来了！”香草逗他一句。

他猛地从地上滚爬起来。他看见香草在笑，安心了，又躺下。他后悔自己反应那么激烈，但又好像他慌张，是故意跟她开玩笑的。你跟我开玩笑，我才跟你开玩笑呢！

“刀架在脖子上也不走啦！”他躺着，说。

“义冢！”香草叫。

他又一个惊吓。也许是因为香草这下真的是惊叫。香草朝着一片坟地跑去，前方阔树叶的交叠间，露出一个中国式的凉亭飞檐。

“坟墓有什么好看的？”

“这是中国义冢！”香草说。

“哦。”他赶紧收敛起轻慢的态度。

“这地方，大明时还是中国的呢！”香草说。

“你知道？”

“以前跟我爸来过，我爸说的。”

他也显出感兴趣的样子。来到一个墓前，香草拜，他也跟着拜。但他拜得敷衍。香草发现了，不高兴了。他赶紧认真起来。拜着，拜着，他竟然神情越来越凝重了，最后，他竟然在一个坟墓前哭了起来。

香草不知道他怎么了，“你认识这墓的主人？”

他摇头。香草想，应该是对同胞感情太深了吧？她去劝慰他，让他坐下。他竟然没骨一样瘫倒了下来。香草想让他歇一会儿，但他竟然一直不起来。香草提醒，还要找游击队呢！

他说，不找了，不去了，他走不动了！

香草说：“就在这不远了！”

他翻身起来：“这么说，游击队就在这里？”

“对啊！过了太阳吊索桥就是了。”香草指前面。

他顺着香草的手指方向看，“这么说，还有一段路？”

“也很快了！”香草说。她拉着他要走。他向后斜着身子，跟她拉力着，“不走了吧……”

“没多远了！”

“我不想走。”

“前面就有游击队了！”

“我不想找游击队。”

“你说什么啊！”

“我就在这。”他把脑袋摇成拨浪鼓，“不走了，不走了，永远不走……”

“你是怕了！”香草放开他，啐道。

“我怕什么？”

“你就是怕了！”

“都到游击队地盘了，我怕什么？”

“还没到！”

“过了那个吊索桥不就到了？”

“所以还没到！”香草道。她听出了这人在狡辩，他明明害怕了，还不肯承认。她把他看错了。她撇下他，自己往前走。他却拦住了她。他自己不走，又拦她不让她走，香草更生气了，把他推开。让香草奇怪的是，这人被她一推，竟然倒在地上了。虽然他个头小，但她是个女的，个头也不大，哪里有他力气大？分明是身体已经吓软了。他窝在地上求她不要走。这有什么好求的？香草想，你不走就不走。你走你的阳关道，我过我的独木桥。她就要自己走。但他哀求她。

香草知道他是怕失去她。她不理睬他。她一走，他就爬起来跟着她。但香草仍没有理睬他，你要跟就跟。她在前面走，他在后面跟。他越走越慢，香草只能也放慢脚步。对这个胆小鬼，她实在是没办法，只能带着他。他的腿在无力地扭来扭去，歪歪趔趔。大雨过后，阳光斜射在地上，地上的枯叶被晒干了，蓬松起来，他的脚就羁绊其中，好像在艰难地翻山越岭。香草又可怜起他来了，冲他鼓劲。他就嘻嘻笑了起来，那样子，活像幼稚可爱的孩子。每当他这么嬉笑时，香草心就会软了。她想，也许他是太累了，一晚上他都在跑。她答应歇一会儿。

他坐下来，她也在他边上坐下。林子里有风。他忽然爬起来，挪到另一个方向去。香草没明白他为什么要这么折腾？他不是累坏了吗？蓦地，她听到一个很粗的吸气声，这声音她曾经听过。她猛然意识到什么，扭头瞧他，他正陶醉地吸着空气，风从她这边吹向他的方向。

她跳起来。“干什么！”

他被吓醒，屏住。也许因为屏住呼吸，他马上脸涨红了。

“干什么！”香草又啐一声。其实多少有点掩饰自己的害羞。

她这一声倒让他沉静下来了，嘻嘻笑了。好像因为嘻笑，他稳住了勇气，说：“好香啊！怪不得叫‘香草’！”

香草涨红了脸。确实有人说她身体里有一种香气。

“你害羞了，你害羞了！”他叫起来，简直猖狂。他从来没有这么轻浮。这倒让香草不知怎么抵挡，“什么嘛……”

“你会害羞！”他欣慰地叫起来，“会害羞的女孩，喜欢！”

他那神态，简直恬不知耻。香草又想起他偷看的事，羞耻难当。他不羞耻，她还羞耻。他以为他悔改了，不料他没有，骨子里是个色鬼，竟还当着她的面。“下流！”她啐他。

这个人，简直就跟日本人一样下流。当时香草还太小，把男女之事看成下流的事。再看那个人，仍然嬉笑着。

“无耻！”她又骂。

他还真是无耻，骂他时，他仍然贪婪地吸着气。他甚至还有心在调整着鼻孔方向，好正面迎着风向。哪怕他辩解一下，我是在吸空气，又不是吸你，也好啊！他竟都不说。她感觉他的鼻息搭住了她的身体，简直恶心。她躲开，不让他得逞。他跟着她。他简直就是一坨甩不掉的屎。她抽腿跑，他竟然还跟着。突然，远处一群鸟惊飞起来。他像被猛然抽了一下，恐惧地站住。他的耳朵支得好像都能发出拉裂的脆响。他这样子，让人又可怜他，又笑他。她冲他叫：

“日本人追来了！”

他竟然冲过来，去抱她，把她掀倒。他竟然动了手，侵犯她，她完全没有料到。这个胆小如鼠的人，原来只是猥琐，现在竟然这么凶残，香草像被鬼攫住一样，尖叫起来。

他把她的嘴捂住。他的手掌直接触到了她的脸肉。她毛孔竖起。她闻到了他手掌的咸味。她屏住呼吸，一呼吸，就等于接受他的味道。但她又不能不呼吸。这个人，怎么敢这样！他真的动手了！他蓄谋已久。但即使蓄谋，他有贼心，哪里有贼胆？他好像是突然下了贼心的。他在铤而走险，孤注一掷，好像再不下手，就没有机会了。他不想和她一起走，所以这是最后的机会。要抢着这机会，即使后果严重。因为是在抢，目的性太明确，他的动作生硬，粗暴。

“他简直是强暴！”几十年后，李香草笑着回忆说。被强暴，俨然成了她值得怀念的事情。

他甚至都没有温度。她要死了。

也不知过了多久，她才活了过来。她挣脱，但挣脱不掉。这个人，色胆包天，死死控制住她。他绝不听她的，好像把脸面撕下了，就干脆一干到底。他喘着粗气。香草惊骇地发现有个汗涔涔的东西在她的腋窝蹭着，她才意识到要躲闪的是自己的腋下。她一扭身，也许还因为他身体歪斜着，他就被甩到一边去了。他立刻用胳膊压住她，又爬了上来。这下她看到了，他在用鼻子蹭她的腋窝，像狗一样，狗一样湿湿的鼻子。湿湿的鼻子蹭得她腋下发烫，她觉得那里好像打翻了一碗面汤，他的声音好像在汤中瓮响：

“真香啊！真香……”

他这么哼着。他可以不需要这么哼的，嗅就嗅了，他竟还哼出声来。这让她更加难堪。“流氓！臭流氓！”她骂。他好像才发现自己已经松开了对方的嘴，赶紧又去捂。他又控制住了她的嘴。但他并没有觉得自己是胜利者，他道歉起来。但他道歉着，却并不停止侵犯。他一边侵犯着，一边道歉着。

“对不起！见笑了！让你见笑了！对不起……”

他的嘟囔像潮水一浪浪推涌，他的声音在不断升高。很快的，竟变成了委屈的哀鸣。他好像因为委屈，理直气壮了。他整个人压到她身上，他的脸就在她的脸上。她闭紧眼睛，但她发觉错了，他在冲击她的嘴，于是赶紧闭嘴。但他的巴掌捂在她嘴上，他攻击不到。他的手在往边上移，空出一个洞，亮出她的嘴。在移动时，她的嘴唇还被拉扯得翕开了。她想到他就要对着这个空洞压下来了，然后像蛇一样伸进来，不知是恐惧还是怎样，她想吐。但她错了，他的嘴没有进来，却压在她嘴边的痣上。

他像蛇一样的舌头在痣上舔着，蛇信子，这令她更加恐怖，她本来不怕蛇的，许多女的都怕蛇，她都能抓着蛇玩。所以大家说，从这点上看她也是个“假小子”。但她这一次怕了，觉得要被它咬死了。但她也不怕死，她怕的是痣被盯上。她从小就觉得这是她的污点。她曾经无数次想抹掉它，她曾经还想通过一个来村里的游医，把它点掉。她后悔当初没有点掉。

李香草后来说，她一生经历了许多可怕的事，最可怕的就是这一次，而且仅此一次。她再没有接触过男人身体。“他太年轻了，太急，太粗鲁，太粗暴，他还不懂得女人。”她这么说，主持人也不好意思起来了，迈克尔·佩恩装作没听见，在专心挠腮上的痒痒。年纪这么老的女人，竟然像少女一样脸色羞红。在她，似乎什么都是黯淡的，只有曾经的爱才熠熠生辉。

她说，当时她就这样被那个人的爱拽着走。她害怕蛇信子，但又无可奈何地被它舔着。她希望蛇把痣咬掉，希望他再凶残一点，索性再凶残、凶残……他果然得寸进尺，进攻她的嘴。她听到了他发狠的声音在她嘴边哼哼，但他在说什么？

“×你！×你！×……”

她感觉被冒犯，受到侮辱。她产生了抗拒之心，要推开他。但不知怎么了，她的手脚就是没有一点力气。她的嘴也没有拒绝他。这本是不需力气的，只消把头摇开。她任由他践踏自己。他要把我杀了！杀就杀了吧！她把自己交给了他。她浑浑噩噩，像被施了魔法。小时候她听大人说，拐卖小孩的人会用一种特殊的迷魂药，让小孩跟着他走。明明知道不可以，但还是跟着。现在她就是这样。她脑子一片空白，都不知道自己手、脚、身体在哪里了。但她分明还是知道的，她知道它们都很完美，只是这痣是瑕疵，让她很纠结。好在他已经不再盯住它了，他盯住了她的唇，她的舌。她的舌很拿得出手的，从小人家就说她舌头薄，有劲道，所以会说话。但现在被他控制了，好吧，我不说话了，缴械了。

但他突然把她放开。

她一时没有领会他的意思。她瞅着他，还没有从梦中醒过来。

但他清醒过来了，他懊悔了，他放了她。

那也好。她转过身体，整理自己的衣服。这动作让他记起前一刻的羞辱。现在他放开她，她好像正在黑暗中苟且，突然亮起了灯，她的羞耻被照亮。周围亮晃晃的，不知什么时候太阳出来了。她的羞耻无以藏掖。自己刚才竟然那样，身体还湿着。风吹过，湿漉漉的地方被唤醒。

她赶紧埋头走掉。

他没有跟着她。这让她安心。她也没有疑虑，反正这种流氓，就是他想跟她走，她也不会带他走的。就是他跟她到她哥哥那里，她也叫她哥哥赶他走。但她怎么敢跟哥哥说？这样，她就得自己一个人吞下这羞耻。这个侵犯了她的人，现在成了抛弃她的人。他对她做过那种事，竟撂下了她。

她怨恨他。她又返过身去，去揍他。

他让她揍着。这让她感觉一丝满足。甚至，打着打着，她觉得刚才他只不过是在跟她开玩笑。但是他突然把她一推：

“你走吧！”

他确实是这么说的。她简直不相信。她瞅着他，好像之前未曾被他骗过。看他，竟好像什么事都没有发生一样。一再被欺骗的屈辱排山倒海地一道打在她脸上。他对她做了那种事，她给了他，他玩完了，一脚把她踢开。他用投奔游击队引诱她，目的是要骗她到这荒地上来。一切都是他预谋的。从一开始，他都在看她笑话，逗她，玩她，饶有趣味地观察着她可耻地动情。她觉得自己被他撕开衣服，被他脱个精光。她又羞又恨。

“骗子！”

“我没有！我真的想找……”

“还骗！”

“我没有！”他总是这话。

“那你去啊！”她激他。她这么说时很害怕他真的跟她去了，那怎么办？那就，让我哥杀了他！她想。

但他不去。

这个人就会抵赖，从来如此。在视频里，李香草还这么说。可是，您误解他了！我真想冲进屏幕里，对她说，您完全误解人家了！他是为了破坏日本人的计划，您真应该读读森达矢的《正义之光》，他是见证人，他清楚。但我不能冲进屏幕里，我只能由李香草继续说下去。虽然她的立意是爱，虽然她在说他爱她，但是他才不是她想的那么浅薄之人。虽然他不是英雄，您也说了，不能逼人当烈士，但他在尽量让事态往好的方向发展。高蹈的人啊，不知道脚踏实地的艰难。您到了这种年龄，经历了这么多，难道还不明白吗？当然，她也在检讨自己。是啊，您当初实在是没有善待人家。甚至，简直是在践踏他。

“胆小鬼！”她骂他。

“我不是！”他辩。

“就是胆小鬼！”

被她坚持骂，他倒心定了。“是，我是胆小鬼！”他说。

他自己都承认了，她感觉攻击就有了落点。“窝囊废！”她又叫。

“是，窝囊废！”

这个人有作践自己的嗜好。那是他抵御的武器。“我就是个废物！”

他好像意犹未尽，又举起手来，抽了自己一巴掌。他的皮真厚！哪有这么恬不知耻的人。只要无耻，就坚不可摧了？她无话可说。她扭头就走。

蓦地，她听到后面他在说：“我跟你不能比！”

“什么不能比！”她不觉地回头。

“我是‘曲蹄’。”

他把他的胳膊关节反向折了一下。他又来这一套！之前她替他疼，现在不了，她只看着他像是在耍着三截棍，那么花里胡哨。

“‘曲蹄’也是中国人！”

“不是。”他竟然说。

“你去祖坟上磕死算了！”她戳义冢方向。

“那不是我祖宗。”他说，“我们连上岸资格都没有，怎会有坟？”

“那你刚才还拜？”她反击。

“我拜的多了！”他赖皮地笑了起来。虽然以前她觉得她多少有点赖皮，但这么恶心地表现出来，她还没见过。好像他是刻意做给她看的，好让她对他彻底绝望，快快离开他，不要再纠缠。她彻底绝望了，她蓦地想起那句侮辱他的话：

"'曲蹄想做官，中原变北番！'"

她把这谚语说出口时，自己也觉得使用得不对。但对方好像被打中了要害。

"我知道，你们就是这么看我们！"他抓住她的话，道，"你们是不会容我的。我爹就只看了岸上女的一眼，就被告官……"

她才不管他爹。他已经让她怒不可遏。"'曲蹄想做官，中原变北番！'"她叫。

"对，就是这样！"

她的攻击倒增强了他的斗志。她忽然明白了自己说的这话为什么不对了。眼下日本人占了中国，"中原"真是变"北番"了，这个可恶的人有翻身机会了。她又冲他吐一口口水。

"认日本人做你再生爹娘去吧！汉奸！"

这个词，她是听来的，她也不知道这是多重的词。他被猛搡了一下。这下，他满脸羞怒了。香草还为自己的话有强杀伤力而得意。她甚至期待对方冲过来打她。但对方很快就平静了。这个人，没有耻辱感，怎么也刺激不起来。当然从另一方面，他具有多么强悍的忍耐力。这是她后来才意识到的。

"你走吧！"他催促她。

“当然要走！”香草应，扭头就走。委屈、失败、羞耻让她哭了起来。她一边哭，一边走。她发现他跟在后面，难道这家伙反悔了？是啊，他已经回不去了。日本人一定发现他跑走了。他这么聪明的脑袋，一定会想到。他不投奔游击队，他就无处可去。但游击队不要他！这种人，不配参加游击队，让日本人杀死算了。我不能让他跟着！香草想着，挣脱地跑了起来。

他并没有跟着跑起来，只是加快了脚步。他没有追上她，只是跟在她后面。他始终跟她保持着一段距离。这不能消除香草的担心，他什么时候会突然赶上来的，只能跟他拉开更大距离，让他赶不上。她就更快地跑。不知不觉，已经到了太阳吊索桥前。过了吊索桥，就是游击队地盘了，不能让他过来。她站住，他也站住了。虽然仍跟她保持着一大段距离，但难说他不会一下子冲过来。她斜视着他，叫：

“滚！”

眼尾余光中，他竟然顺从地点了点头。

她凛然扭过头去，踏上了吊索桥。吊索桥老朽得好像随时都可能断掉，摇摇欲坠。对岸林丛深不可测，静如鬼域。她这才发现自己其实并不很清楚通往游击队地盘的路。但她没了退路，不管怎么样，都要往前走。不管前方有没有路，她都要把后边那个人，那个自己确实曾经动过情的人，抛弃掉。

“等我有本钱了，我会为中国做很多事的。”

蓦地，她听到身后的他说。

看到这里，我大吃一惊。这个林修身，竟然在当时就有这志向。人很难看出历史的走向的，在他回国捐资的四十多年前，他竟然看到了。

也许吧，人类毕竟有核心价值，被他把握住了。

李香草好像并不知道他回国捐资的事。她还在反思自己当时的反应。当时她嘲笑他：这是扯什么嘛！游击队都不当，祖国在遭受侵略，你什么都不做。“国家兴亡，匹夫有责”，你却借口有本钱了才会尽责。她啐了一口唾沫。

“我要把钱全捐出去！”他又说。

他应该是被激将了，说得更极端了。

她觉得一盆脏水泼在身上，“谁要你臭钱！”

“我就是要捐！”

“不要！不要！不要！”香草又跑起来。吊索桥的缆索被踏得颤抖，踏板也在飘荡。投在溪流中的阳光反射上来，穿透踏板间隙，托住了她的身体，她觉得自己要化蛹成蝶了，要飞起来了。她进入了音形全无的世界。不知什么时候，她发觉自己已经到了岸上，只是自己的脚还在蹦蹦跳跳着。她欢呼，忍不住回头瞥一眼，那个人，不知什么时候也已经上桥了。他果然跟上来了。但这个窝囊废走得很吃力。他也学着她蹦蹦跳跳。吊索桥剧烈晃动，这个笨蛋不知道她的蹦跳是在借力，让自己起飞，迅速飞过桥。必须用脚尖点踏板，并且点的时候往后推，人就前进了。而在他，跳成了砸。他一直没有前进，这样就等于在一个地方一再砸着。他又摇摇晃晃，慌张地抓住缆索，成了拽缆索。缆绳歪了，桥身失去平衡了。

她不禁又替他担心起来。她想救他，但她不可能回到桥上。她只能教他。她教他，在他，好像就成了对他的原谅，他感激地对他点头。她不要他感激，她只教他，并不原谅他。她又骂他，一边教一边斥责。他接受着，竟然有了幸福的表情。但同时，他的动作更笨拙了。他并没有因为她教，技术好起来。他好像压根儿就没用心，他压根儿就没有想摆脱困境。他只是在玩。

她发现他只是拽着缆索晃荡，脚下拼命踩着，他在干什么啊？

蓦地，她发现他后面的岸上“哄”地出现了日本兵。她大为惊慌。她不知道这些鬼子从哪里来的？鬼子肯定发现他们逃跑了，是来捉他们的。难道刚才鬼子一直跟着？

鬼子们冲上了桥，但被他挡住了去路。他样子笨拙，鬼子们“叽里哇啦”骂着他。他看上去好像在竭力踩稳，却变成更重的踩脚。桥身更大幅度地晃荡起来。鬼子们也站不稳，也身不由己地用力踏住。大家全在踩脚，踏板终于跟缆索崩离了。

他叫起来。他还抓着缆索，但他的手顺着缆索下滑。但很快地，缆索脱出了他的手。缆索飞了起来。整座吊索桥往下崩。鬼子们也惨叫着，乱划着手脚，掉了下去。别看他们是军人，但毫无军人的矫健。倒是这个厨子动作轻盈，香草看到他竟然是飞了起来。那一刻，她好像明白了什么。

“是这个人急中生智救了我。”李香草说，“其实这是个绝顶聪明的人！”

“绝顶聪明？”记者问，“在知识分子批判话语中，应该是贬义词吧？”

“我不是知识分子！”她说。

“噢！”主持人道。这与其是意识到对方确实不是知识分子，毋宁是，他意识到她曾经生活在那样的国度。在那里，知识分子曾经长期是贬义词。

其实，在我的血液里也有否定知识分子的因子，尽管我是知识分子出身，但我不认可知识分子的“迂”，不合时宜。

“我们的问题是关于绝顶聪明……”主持人回到原来的问题上来。

“是的。如果在当年，不，直到八十年代，是的，它是个贬义词。但现在我不这么认为了。到我这年纪，已经不是欣赏英雄的年纪了。但他是英雄。他为了救我，故意弄断了吊索桥，鬼子过不来了，他自己被日本人抓了。”

“这是否意味着您转向了？”主持人问，“我知道，很多八十年代从中国大陆到西方的人，后来都转向了，转成了‘左派’，这也是现在被中国自由主义者所猛烈批判的。”

“你确定那些自由主义者不是‘左’？”她反问。

主持人没有明白。她没有加以解释，又说：“你确定你所说的‘左’就是‘左’？”

“您的意思是？”

“与其是‘转向’，毋宁是‘无向’。”

“‘无向’？”

“一切都混乱了！”她说。

主持人似懂非懂，“那么换一个问题说，您为什么不待在中国？”

“中国有他吗？”她应，诡异地笑了。

“您是个爱情至上主义者。”主持人说。

“您这定义下得对！”她说，难得她这么肯定别人。“我的人生总结就是：万事皆空，唯爱永在。”她用一个历经沧桑的老年女性特有的刚毅，甚至可以称之为顽固，大声说道，手握拳头，举起来，像喊口号。她这一生应该没有少喊过口号，只是这口号跟以往的不一样，她的声音好像穿过漫长的历史隧道，长途跋涉过来，显得有点苍凉。

“可惜我用了一生才修出来，”她又说，“这个舍利子。”

“舍利子？”主持人没明白。

“最后只有这舍利子了。”

“您信仰佛教？”

“我什么也不信，只信爱。不是吗？”她指主持人，“爱情至上。”

主持人笑了。她也笑了。

“您后来有没有再见到他？”迈克尔·佩恩问。

“怎么可能？不然我会是现在这样子？”她自嘲道。

“您找过吗？”

她没回答，好像沉到了怅惘的情绪里。迈克尔·佩恩叫了一下她，她一吓。

“抱歉！我只是想，也许媒体可以帮到您，也许这世界上真有奇迹。”

我真想冲进屏幕，对她说：当年那个林光，也就是U，后来叫林修身，他已经在六年前去世了。但这也虚妄，我想告诉她时，她也已经去世多年。

另一个人，迈克尔·佩恩，他还在吗？

迈克尔·佩恩嘴里的他

李香草惊异，迈克尔·佩恩竟然也记得那个厨子。

这个厨子最初给他的印象像个小孩，很会笑，一副和善的样子，还有些羞怯。这个人曾对饿得皮包骨的盟军俘虏表示过善意，他会在送饭到工地时，装作玩耍地把食物像投石子一样投到战俘这边来。“我没想到他那么坏……”佩恩说。

“给你吃还坏？”李香草反击。

迈克尔意识到冒犯了李香草，赶紧说明：“不是，是指……”

但他已经冒犯她了，她继续道：“你不也吃了吗？你，你们！”

“确实……当时……我们被饥饿……”

“这就是理想主义的洁癖与虚伪！”李香草说。

“我有个疑问，”主持人打断她，“当时民工队食物富足吗？你们中国民工那边，还能有剩余给盟军战俘的？这个记忆是否有误？”

“不可能有误！”李香草断然道，“要知道，巧妇可为无米之炊！”

“但据我所知，”主持人道，“中国这话是‘巧妇难为无米之炊’……”

“您是中国人，还是我是中国人？”她问。简直强词夺理。一旦涉及那个厨师，这个李香草情绪就会出现波动。她继续向迈克尔发难，“您不觉得那是在吃‘嗟来之食’吗？‘嗟、来、之、食’！”她一字一个音，“你们个个人高马大。老实说，我们当年就看不上你们这些盟军俘虏，竟那么轻易就缴械，当了俘虏！换成我们，如果有武器，就要拼到死，死也不会投降！”

“宁可死？”迈克尔·佩恩道，“为什么？难道还有比生命更重要的吗？”

“这就是上帝教导你的？我很感兴趣，作为天主教徒，你，你们如何说圆这个逻辑的？”

看来之前迈克尔·佩恩告诉过她，他是天主教徒。

迈克尔·佩恩脸憋红了。主持人打圆场，“我们谈的是有没有比生命更重要的……”

“当然有，尊严！”她答。她的价值观似乎走到了她之前的反面。

“这让我想起日本人，他们不投降，剖腹自杀。还有‘神风特攻队’……”

“别拿日本人比中国人！”

“在勇敢上，是没有区别的。”迈克尔·佩恩说。这下他似乎走到了她之前的观点上。这辩论有点乱。“你们很勇敢，比如朝鲜战争，人海战术。当然这可以解读为‘士兵困境’。但某种意义上，我们投降，也是在‘士兵困境’的问题里。但我们保存了最基本的，也就是人。人，对我们来说是最基本的，最重要的。当然，你们中国人也许不这么想，你们打到没子弹了，就抱着美军咬，把耳朵都咬下来了。你们喜欢《孙子兵法》，老实说，我不喜欢。什么手段都用，兵不厌诈，这是有尊严的战斗吗？你们号称尊严……”

“也比投降的好！”

“您现在还这么认为吗？”

“当然！”

“那么，我能不能认为您还在坚守着某些价值？除爱之外。”主持人尖锐地问道。

李香草无言以对。

“无论如何，保存生命总是应该的。”迈克尔·佩恩来救她，企图跟她站在一起，“生命是第一位的。对了，中国不是有句话：‘留得青山在，不怕没柴烧。’还有一句：‘好死不如赖活。’还有，‘受胯下之辱’……”

“您说什么啊！”李香草像被扒了底裤，奋力逃脱，“我们‘受胯下之辱’，是为了最后雪耻，是怀着宏大志向的。”

“好一个宏大志向！”迈克尔有点恼了，“所以大而化之。具体的人，该被追究的人，就没有了，困境也没有了。这就是东方人哲学的奇妙之处？”

“您接触过几个东方人？”李香草反问。

“我还真接触过不少东方人，应该说东亚人。士兵不算，战争时期嘛！是在战后，在东京。”

“那是日本人，不要跟中国人混为一谈！”

“我话还没说完嘛！我还真的接触过中国人。您也认识的。”

“谁？”

“我们刚才谈到了谁？”

“哈，您那算什么接触？”

“不是战时，我说的是战后。”迈克尔·佩恩说。

她愣。

“不过，我得从战时说起，苏门答腊，palembang。”迈克尔·佩恩说，“那是你绝对不知道的。”

她不相信他说的。她叉起两臂，侧着脑袋，做出洗耳恭听的样子。

苏门答腊的 palembang，迈克尔·佩恩无论如何没有想到，他在审讯室见到的，会是那个中国厨子。那厨子竟然开口对他说日本话。日本话让佩恩害怕。

英语翻译把佩恩带进审讯室，就出去了，什么也没说。也许这日本翻译觉得这是外国人又是苦力之间发生的事吧，他没什么兴趣，直接丢给那个中国人了事。这倒让佩恩有点安心，对方再怎么的也是中国人。这中国人仍是一副和善的样子。他脸上带着一贯的微笑，甚至还有点不好意思，好像他自己是客人，贸然来到佩恩的领地。他甚至还对他鞠了个躬。

他突然冲来，冲他的胸口就是一拳。

佩恩大吃一惊。

佩恩紧张分析形势。他身材高大，对方只到他胸脯高度。虽然他骨瘦如柴，但对方对他还是不能构成威胁。应该是对方知道自己的劣势，给他“下马威”。但他惊愕的是，这“下马威”好像是突然决定的，就在几秒钟前，还没有任何征兆。也许是他麻痹了，太无视对方了。其实过于和善就已潜藏着危险。过于和善的人一旦发怒起来，就会异常残暴。从心理学上说，这是一种对长期压抑的发泄。越是好好先生，他可能越受压抑；胆小怕事的人，更会产生冒天下之大不韪的念头。没有排泄渠道，一旦爆发就是致命性的。

他甚至比日本人还凶。也许因为对方动手能力强，打击部位很准。开头一拳，就着实砸在佩恩的心脏。但这并不能重创佩恩，对方个头太矮，他拳头是举着抡过来的，没有力度。佩恩甚至连踉跄一下都没有。对方反而被反弹了回去，差点摔倒。佩恩还冲过去要扶他。他没有搞清楚对方为什么要这样对他，这个人曾经给他食物的。应该有什么误会了。他伸手去扶对方，想问他怎么回事？才意识到自己和对方语言不相通。他试着用英语问对方，对方果然听不懂。

对方猛地挣脱开他的搀扶，一脸屈辱。

佩恩摊了摊手。他向审讯室外面张望，希望叫来那个翻译。他这个动作好像刺激了那中国人，他又扑过来。这下不是打，而是抓住佩恩的脑袋，准确说是揪住耳朵。他的动作仍然那么准确。佩恩战后偶然有机会读到中国“庖丁解牛”的故事，想到，如果当时不是对方实在太矮了，或者自己是坐着或躺倒，对方是否会用中国人的功夫，把自己身体分解了？这么想着，他奇怪，对方当时为什么就没有命令他坐下？而要跟他平站着。他想，这是为了公平格斗。但对方是先动手的，这又是哪门子的公平？

尽管如此，对方两只手同时搭住了佩恩的耳朵，那样子无非像个顽皮的小孩。但那是有武功的小孩，佩恩听得太多中国人还有日本人以弱胜强的传说，以弱胜强，是他们的强项。对方像武功大师，脚搭住他的胸口。但好像滑了一下，佩恩过后才发现，自己军服口袋被撕得挂下来。但这一滑并没有让他摔下来，他已经腾飞而起，整个人凌驾在佩恩的头上了。这下他的力量发挥出来了。佩恩看过中餐馆里厨师掂锅，那锅又大又厚，刀也重，他们的力气就这么练出来的。现在迈克尔领教到了，对方的拳头像拳击手一样有力，捣在他脑袋上，一下，又一下。

佩恩恍然记起对方的胳膊短而粗，一疙瘩一疙瘩的肌肉，对方的手也很大。他赶紧认真应战，伸手去抱对方身体，刚好拦腰抱住了对方。对方挣脱，扭着腰，对方的腰也一样有力。他同时开脚踢，佩恩觉得很痛。

对方打着，踢着，佩恩蓦地听到他发出了声音。他在喊着什么。佩恩听不懂。后来回忆起来，对方是喊中国骂人的话：

“×！×你娘！”

佩恩知道这个字就是“Fuck”。这是中国人最恶毒的骂。但对方与其是在喊，毋宁是在吱响。也许是太气急败坏了，发出的是尖厉的“咦——”的声音。他竟然被气哭了，发出哭声。

迈克尔分析战况，对方虽然攀在他头上，但其实是被架空了，那么他就顶着对方去门口叫人，叫日本翻译进来。他开始挪步。对方没有注意，直到挪到了门边，对方的一个拳头撞在了门上。这声音挺大，日本人被吵来了，他才停止。

严格说，他是被吓停了。毕竟他只是中国人，还是怕日本人的。

很长一段时间，佩恩都没有明白对方为什么对他这样。俘虏们常遇到被逼迫的新兵，看着还是稚嫩的孩子，在上司或老兵的逼迫下对俘虏动刑。战争把人性往兽性上训练。但那中国人厨子不是士兵，也不像有日本人逼他这么做。他应该是自愿的。他甚至违反日本人规定，所以日本人后来喝止了他。他为什么要这样？

直到盟军解放了战俘营，佩恩才抓住机会问当初的那个日本翻译。翻译说，当时那个中国人说佩恩窥探了军事机密，他要审问。翻译说，那中国人还说他懂英语，不要翻译在场，所以才造成当时那局面。

佩恩不明白自己窥探了什么军事机密？

翻译说，你是不是曾偷窥过女孩洗澡？

是有。佩恩承认，当时他确实偷窥过中国劳工那边那个女孩洗澡。

“我？”视频里，李香草叫了起来，“偷窥我？你也偷窥我？”

佩恩脸红了。

“你怎么知道我是女的？”

“可以观察嘛！”佩恩说。

“啧啧啧！你们这些男人哪！”李香草撇着嘴，扯着嘴边的痣，那痣因为皮肤发皱，已没有那么明显。她整张脸都是花的。这使得她的表情复杂。她与其是害羞，毋宁是得意。她摇着头，睨着佩恩，但她的神情是责备顽皮男孩的。

“该不会你们一起偷窥吧？”她忽然叫，手指戳向佩恩。

佩恩承认。

“就是那个晚上？”李香草活跃地回忆道。

“对。”

“那晚上吓死我了！”李香草拉长调叫，抚摸胸口，“为了救我，他被日本人抓走了。”

“不是被抓，他就是给日本人做事的……”

李香草一愣。“某种意义上，我们都在给日本人做事……”她强词。

“不是这意思！”迈克尔·佩恩说，“他是在执行日本人一个计划。”

李香草愣。“你怎么知道？”好半天，她才缓过来，反问。

“那个翻译告诉我的。”迈克尔·佩恩说，“利用你找游击队。”

“不，不是……你搞错了！”她否认。

“是那翻译。他亲口告诉我的！”

她好像被逼得无路可走。但她坚持道：“那他是骗日本人的！这我清楚！还有谁比我更清楚他呢？那是战争时期，都是骗来骗去……”她忽然找到了理由，“对，骗来骗去！就说老蒋吧，也在跟日本人勾勾搭搭。再说，盟国，哪个是正义的？全是假的！还记得丘吉尔‘二战’后的那声嘀咕吗？‘也许我们杀错对象了！’他想对付的是苏联，而不是德国。他用手段把美国拉进战争……”

这些话会引起大麻烦，主持人制止。但主持人好像又清楚，自己制止不了这个激情昂扬的女人，反而会争到更大原则上去。于是就把话题转到小原则上去，“但他毕竟打了人了，打人总是不对的。当然，这是为了爱。”

可以谈谈爱。主持人这话，让李香草像被捋顺了毛的宠物一样，安静了。

“就像迈克尔·佩恩先生您，您也爱李女士。”

“还老不正经！”李香草笑道。

她说了一句中国话。主持人听不懂，迈克尔·佩恩也问：“什么意思？‘老……’”

“这么老了，还在八大道追我！”李香草哈哈大笑起来。

“我已经向上帝忏悔了！”迈克尔·佩恩也笑了。他说这话的语气有点油。

无耻的人

要是李香草知道了后面的事会怎样？

虽然我寻找李香草时她已去世，但迈克尔·佩恩还健在。在美国同行牵线下，我拜访了他。感谢上帝，老人虽然九十多岁了，思维还很清楚。也许是知道自己生命即将走到终点，他什么都说。

他和李香草没有交往下去，他们很快分道扬镳了。其实他们的世界观并没有本质冲突，是性格原因。她声称告别了革命，却用比革命更激进的方式来告别革命。她更像末世论者。在跟她分手后的时间里，迈克尔·佩恩渐渐理解了李香草的激进的绝望。她反思左翼思想，但又看不上自由主义。

我们谈话一开始，他就说了萨特那句著名的话：

> 在黑暗的时代不反抗，就意味着同谋。

“这句话在当年，熠熠闪光。”他说，“不仅在左翼阵营，右翼阵营也接受。毕竟战争刚结束，刚过去的战争让人记忆犹新。当我再见到那个中国厨子时，我就想起这句话……”

“您战后又见过他？”我问。

“是的。”他说，“一九四六年，他曾去了东京，在军队总部广播科工作。不过我可没有用苛刻的标准看他。刚结束的战争是人类巨大的灾难，上帝是慈悲的。”

从飞机上看东京，一片废墟。不过迈克尔·佩恩并没有报了仇的心理。这个国家太惨了。报纸上经常出现“饥饿地狱”一词。街头发放食物，他和同事去拍摄，破碗破盆子顶在摄像机镜头前，他们不得不攀爬在电线杆上拍摄。那些抢食的日本人，无视自己丢人形象被拍到，只顾着争抢食物。抢到了，在镜头前迫不及待地又抓又嚼起来。

迈克尔·佩恩也曾在苏门答腊战俘营挨饿，当时日本人会用食物诱惑和奚落战俘，证明西方人下贱得像牲口一样，显示大和民族高贵。也是这些日本人，没有死在战场的，战后被遣散回来，一下子收拾起原来模样了。在战争期间，他们穷凶极恶，战争后期还殊死反抗，喊着要“玉碎”。但突然间，他们就投降了，驯服了，为活命奔忙了。他们点头哈腰，让干什么就干什么，脸上完全没有不驯与傲慢，甚至都看不到怨恨。起初占领军还担心会遭到暗杀式抵抗，但没有发生这样的事件。这民族，好像变成了另一个民族。

战时，美英被他们骂为“鬼畜”。但现在，占领军收到了大量的表示感谢表示臣服的书信。还有赠送传家宝的，还有送土地、物产的。麦克阿瑟就收到不少。按说他们应该最恨麦克阿瑟。

更有甚者，还有数百名女性给他写信，还说："请让我生您的孩子吧！"

迈克尔·佩恩从同事嘴里听到关于日本女人的神奇之处：她们的肉摸上去是软的，完全没有僵硬的形态，这说明她们完全放弃了抵抗；多摸几下，她们的身体就化成了春水，说明她们已经完全认同了你，完全交给了你。

就是普通女人，东京街头随处可见擦皮鞋的女人，她们也非常忠诚。她们干活卖力，围着围兜，把客人皮鞋抱在怀里，像抱着宝贝孩子一样，一丝不苟地侍弄。有时候佩恩都觉得把鞋伸进她们洁白的围兜实在太罪过。有的士兵还会欺负她们，把鞋伸到她们胸口上，或者故意用力往下压，压进她们大腿之间。但她们并不抗拒，也没有怏怏敷衍，打发走这些男人。她们的动作像机器一样有板有眼。最后给钱时，有的美国人会把钱丢在地上，让她们去捡。她们真的爬着去捡，那样子像母性牲畜。她们也没觉得难堪，还一面道谢着。

美军最初登陆日本，被吓了一跳。这个战败国家竟然在大森，开设慰安所。

"慰安所！"我耳熟的词。

"不是你们中国韩国所说的慰安所，"迈克尔·佩恩提醒，"是日本人自己办的，慰安妇是日本女人。"

这我也有所风闻。

最早的慰安所叫"小町园"，用日本传统的秋田美女小野小町的名字命名。随着占领军大批到来，特殊慰安设施协会在东京都内的银座、赤羽、小岩和立川、调布、福生、青梅等地方陆陆续续开张了三十三家慰安所，还通过报纸广告招募战前的妓女重操旧业，先后募集到数万慰安妇。

更令人吃惊的是，这些慰安所是日本政府组织的，而且公开招募。最初，特殊慰安设施协会PAA，还在皇宫广场举行成立大会。PAA通过报纸广告召募战前妓女重操旧业，在银座这么繁华的地区，还竖立了《告新日本女性》的大广告牌。不是说日本文化是"耻感文化"吗？迈克尔·佩恩那时读过一些关于日本文化的著作，远东小委员会的工作卓有成效，其中成果之一就是鲁思·本尼迪克特的《菊与刀》。在这本书里，鲁思·本尼迪克特使用文化类型学方法，分析日本人的文化心理。本尼迪克特期待美国国民和政府客观认识日本，改变对日本的占领方式。实际上，迈克尔·佩恩之所以去日本，就是奔着这个目的的。

说到日本人的人格类型，本尼迪克特提出一个相对于欧美"罪感文化"的"耻感文化"的概念。"耻感文化"在乎的不是"内在约束力"，而是"外在约束力"。简单说，在"罪感文化"里，人们相信上帝无处不在，罪恶无法藏匿，所以讲究"自律"。相反，"耻感文化"里的人们心中并没有无所不在的上帝，他们以他人的眼光来确定荣辱。换言之，如果罪恶不被看到，就不会感到羞耻，就不会有忏悔的必要。但一旦被发现，甚至可以以死雪耻。迈克尔·佩恩说，这观点对他影响很大。但眼前的景象却让他诧异。

当然，也许办慰安所也可以看作是一种向死，就像在大庭广众切腹雪耻。雪耻雪的是耻，但办慰安所也是耻。脏水能够洗净身体？当然他们还有一种说辞：将妓女投饲如狼似虎的占领军，是为了良家妇女免于遭受污辱。既然耻辱必不可免，尊严必不可保，那么就干脆放弃绝对尊严，选择相对尊严，接受相对耻辱。"日本人就有这么一种相对主义的力量。"迈克尔·佩恩说，"嗯，可以说是力量！"

"相对了，"我笑道，"还有力量吗？"

"难说。每个民族都有其生存秘籍。一个民族能够生存下来，能够在极端恶劣条件下生存下来，并且发展，是有其秘密的。东方的秘密，是大东亚的秘密。"

"应该说是日本人。"我企图撇清。

"你们不也是这样？"他反问，"比如食物，比如空气污染。东亚人的厉害就是可以不停地打破极限，把生存极限打破，再打破……”

“不，不。”我打断他，“我们谈的是日本，不是中国……”

“你们不也是属于‘耻感文化圈’吗?”他说。

“拿文化说事……”我反驳，“就说‘罪感’，‘内在约束力’，西方人就真是这样吗？希特勒又是怎么产生的?”

“这个……确实是……”他承认，“当时日本学界也不认可‘罪感文化’‘耻感文化’的说法。但是日本人还是把《菊与刀》列到国民教养丛书里了。”

“我们不谈日本人吧!”我矫正谈话方向，“我们谈的是中国人，那个你认识的厨子。”

“噢!”他恍然，“但是还得从慰安所说起。”他说，竖着食指。

“慰安所搞得声名狼藉，性病流行，媒体上刊载美军在慰安所排队的照片，传到美国，舆论一片哗然。麦克阿瑟坐不住了，下令禁止美军涉足慰安所。当然，麦克阿瑟之前也未必就不知道这些事。占领当局还向日本政府提供青霉素，为服务美军的慰安妇治病。只不过后来性病控制不住了。所谓道德的‘内在约束力’是没有的，是的，你说得对!”

禁止占领军涉足慰安所后，那些慰安妇成了PANPAN，也就是暗娼。占领当局也得查啊，采取定期查抄的办法。有一次，竟然查出了S/M服务。

对S/M，西方人当然并不陌生。但日本人也提供这样的活动，起初占领军当局还是吓了一跳。迈克尔·佩恩说，后来他才意识到这是西方人对日本的无知。

谢天谢地，这下他没有把日本跟中国混为一谈。

迈克尔·佩恩说，他曾经做过研究，日本在这方面是有传统的，好像出现得比欧洲更早。形态也不太一样，喜欢用“绳缚”。“绳缚”的纹理比欧洲的紧身衣要华丽得多，难以想象那是怎么打出来的，他们有一套专业技术。看那些“绳缚”照片，迈克尔·佩恩总是想起断臂维纳斯，那种残缺之美。这种残缺给人一种委屈感，但占领军是不会去享受这种委屈感的，大兵们大多只是去猎奇，尝尝“日本风”的S/M，那有一种诡异的感觉。

但有一次，抓到了日本人客人。

现场有绳子、鞭子，还有蜡烛，地上洒着烛油，绳子跨过屋梁悬下来。当时美国人对日本的S/M了解甚少，非常好奇日本人跟日本人玩这种东西，就带回来审问。

“这使得我看到了他们。”迈克尔·佩恩说，“没料到，那个男客我认识。他根本就不是日本人，是中国人，他就是palembang那个中国人厨子。”

我大吃一惊。

“那人被放走时，我尾随他到了他的家。”佩恩说，“我承认，我当时有个奇想，也许在他那里可以见到那个女孩，就是我后来遇到的李香草。在palembang时，他们是一起在一夜间消失的，后来是在一起？或者他知道她的消息?”

他的家简直是豪宅。这本也没什么，在西方，玩S/M的也基本非富即贵。但问题在于，这个厨子怎么在这短短的几年就飞黄腾达了？

但门口挂的表札上写的还是日本人姓氏：长谷川。

迈克尔·佩恩回去查，这豪宅的主人是长谷川香织。她有个丈夫，叫长谷川光。我再查那个被我们抓到的人，他就叫长谷川光。应该是他通过结婚进入了这个有钱的日本人家族的。这个长谷川光现在已是长谷川实业的代理社长了。长谷川会社什么生意都做，它有个卖得十分抢手的产品：绞肉机。据说这绞肉机就是长谷川光发明的。想想他本来就是一个厨子，发明这种东西也理所当然。但他不只是个厨子，战争期间他是有问题的。但他竟然没有得到清算，超然脱身，并且拥有着企业，住着这么大的房子。算他走运。他经过这次被抓，应该收敛了吧？如果能自省，可以放他一马。但迈克尔·佩恩没有料到，两天后这个人再次被抓住。

这个人简直猖狂，这种事，在迈克尔·佩恩看来，无非就是猎奇，就是消遣。那一阵查得很严，他至少应该避避风头吧？“但我想错了，我太善良了！”佩恩说，他这么说时笑了一下，意味深长的，这使得他说自己善良显得不那么扎人，显得未必是对自己赤裸裸的吹捧。现在谁相信善良啊！“这个叫长谷川光的男人，他照去不误！”

迈克尔·佩恩敲开了那豪宅的门。

那男人看到迈克尔·佩恩，一愣。他明显也认出了对方，返身逃进屋里。迈克尔·佩恩跟进屋。屋里不见人影，只有壁橱能藏人。佩恩冲过去，拉开壁橱门。果然，那人缩在壁橱里。

这时，一个女人像一颗绒球滚了过来。她不知从哪里过来的，一边说着什么。“我听不懂她的话。”佩恩说。

“等等！”我打断迈克尔·佩恩。“您没带翻译吗？”

“忘了。走时匆忙……”

这解释有点牵强。难道他不知道自己是去做什么吗？难道他不知道自己不懂日本话，还有中国话吗？该不会是故意的吧？这样就可以躲在语言后面了。

“这样啊！”我说，“这样您就可以听不懂那女人的话了。”

“什么意思？”迈克尔·佩恩问。

“没什么，”我还想听下去，赶紧敷衍，“我是说，您听不懂那女人的话。”

他点头。也许是我之前那话，根本没有表达到意思，他是真的没听懂。我的蹩脚的英语反而救了我。这也是神奇，我忽然好有一比：言说就是戳破糊着格子门的日本纸。日本纸有韧性，有时以为戳过去了，却没有破，过后发现反而是侥幸。有时不想戳破它，只是一碰，它毕竟是纸，却破了。

看迈克尔·佩恩的谈话兴致，我的话没有戳破他。

“但我还是听得出来的，她是在求我。”迈克尔·佩恩说，“那声音不大，但很恳切。不，她简直是在哀求我，那声音是凄绝的。这是我近距离看到的第一个日本女人。也许是因为她一直在动，我闻到了她身上的味道，她有狐臭。平时见到的日本女人，都像假人，令人捉摸不透。现在这个日本女人就跪在我脚前，伏着脸，这使得我可以正面审视她。她身材娇小，好像整个身体是无骨的。她的肩膀像蝴蝶翅膀一样抖着，和服的大领子后部，好像不是因为趴下来而拉后，而是被抖落。我能看到她的脖颈，还可以延伸到背。我承认，她皮肤很白，比西方女人还白，也许是细腻的缘故。或者还因为光线，晦暗光线下，那白嫩的肉在暧昧地沉浮着。我承认，这真是性感。但我告诫自己，这个女人该不会是故意这样的吧？这个国家可以办慰安所，什么事干不出来？但这样猜测人家，毫无证据。我又觉得自己对不起这个女人。这个可怜的女人，她的丈夫干出了那种事。这么好的女人，那男人，那个中国男人竟不珍惜！”

“您为什么要突出说‘中国男人’？”我忍不住纠正，“世上男人都一样。”

“是吧！”他坦承。

“对嘛！”我缓和地笑了，他也笑了。在他，这是男人跟男人之间的笑。我发现了我的愚蠢，我说世上男人都一样，岂非也包括我？但我没办法向他说明了。

“这么想着，”他继续说，“我就猫身去搀她。我是想让她起来，要知道，我跟她语言不通，只能用动作。”他说明道，“但是我怎么也拉不动她。我没弄明白，这么个身体小小的女人，怎么会那么重？她并没有表现出抗拒。我才发现，她在巧妙地跟我的力气周旋。我使劲去拉她时，她确实被拉动了。我觉得她动了，稍微松懈了，她就开始使劲，稳住，让我觉得她沉得拉不动。经过几个回合，我明白了这女人的意思：她就是要跪求，让我放过她丈夫。日本女人表面上看柔弱，其实坚硬。我想起战争后期日本本土，女人承担起男人的工作。

"这个女人岂止柔弱，还简直大胆。我要绕开跪着的她，直接去面对她的丈夫。她却跪着移动，对准我，挡在我脚前。我干脆从她身上跨过去。我个子高，腿长。我抬起了腿，她立刻意识到了，竟然抓住我的腿。她当然抓住的是我的靴子。我索性把腿从靴子里抽出来，这样，她失去了着力点，抓着靴子倒下了。我趁机跨过去。但这时，不可思议的情形发生了，这个女人猛地立起来，高高举起我的靴子，母兽一样大嚎一声。我被吓住了。这当儿，她已经迅捷跳到壁橱前了。她仍然像举着日本刀一样举着我的靴子。这是一个果敢的女武士。在这个个子只到我腰部的日本女人面前，我感到无力，甚至是恐惧，天知道她会干出什么来。相反，她的丈夫，那个中国男人却缩在壁橱里，一动不动。"

迈克尔·佩恩竟然又说"中国男人"。

"是男人。"我纠正他。

"不，是中国男人。"他却明确说，"到壁橱的门已经被拉开了，他明显藏不住了，但他仍然自欺欺人地藏在角落，脸朝里面，背向着外。我承认，当时我确实想到了他是中国人。虽然中国是盟国，但在整个战争过程中，中国军队表现得确实差强人意。"

"不是全部的军队。"我纠正，"这是偏见！西方人对中国人的偏见！再说，你们军人不是很会投降吗？"

"这是嘛……理念不同。"他说。

我早在视频里听过他对李香草说过。本来李香草就是这个立场，但她忽然走到他对立面去了。我这下也一样。我承认我其实价值观挺混乱的。那与其是表明自己的价值观，毋宁只是为自己辩解，把价值当为我一用的草纸。"难道有以投降为光荣的理念吗？"我反问他。

他被我问住了。我乘胜追击："中国人可不会这样。中国人不受'嗟来之食'。"我有意提起李香草曾经指责他的话。这个我懂得用英语表达，李香草说过的。"老子说：'民不畏死，奈何以死惧之？'"这话我不会用英语说，我直接说中文。但这样，就好像是对着我自己说的。下面也是。"大道不行，揭竿而起。或者，以死相谏，自己用绳索倒吊于城门之上，一手执谏章，一手仗剑，口称如谏不从，自割断其绳索，撞死于此地……"我一边正义凛然说着，一边自忖，这确实做得到吗？我能做到吗？我不过是在理顺自己的逻辑。我差点要说"坚持真理"了。好在"真理"这词实在太威慑人了，我不敢正视。

好在这老外没有这么质疑。也许是因为他根本听不懂，他只听懂最初的那句话，他说："确实没有。但总没有以耻辱为光荣的吧？"

我愣了。"投降不就是耻辱吗？"

迈克尔·佩恩粗粗地呼吸了一下，换了一种身体姿势，耐心分析道："耻辱有程度不同。我们可以把它分层次：一种是迫不得已接受耻辱，一种是并非迫不得已，自愿选择的，比如他为日本军队寻找游击队……"

"这您怎么知道他是自愿的？"我反问。

"日本人透露的。"

"您又怎么知道日本人说的是真的？"

"这个……就算他是迫不得已。即使是迫不得已，也有区别：一种是生命受威胁时的迫不得已接受，一种只是为了保全其他。同样是其他，还有重要跟不重要的，还有最重要的。"

"比生命更重要？"

"某种意义上，是的。"

"那是什么呢？"

"伦理。"他说，"人之所以为人，就因为伦理。这是'底线'。"

他要说什么？

“你听我说。”迈克尔·佩恩简直是炫耀地神秘一笑，道，“刚才说到那人躲在壁橱里，明白已经暴露在我眼前了。我冲壁橱里的他喊了一声：‘そと!’这是我学到的有限的日语单词之一，中国话，我完全不会。他终于转过头来，我把手指向大门外。”

让他到大门口说话，这是个好方式。不仅避免了跟女主人的冲突，而且，要谈的内容，即使是迈克尔·佩恩，也难以在他妻子面前说出口。怎么能当着妻子的面说她丈夫去S/M店？迈克尔·佩恩说，他也该给那个男人一点尊严。

那男人领会到了迈克尔·佩恩的意思，缩着肩膀出来了，一脸感激。他表示自己一定不再去S/M店。尽管他说的是日语，迈克尔·佩恩听不懂，但通过他的手势，还有他的神情可以猜到。那个男人一再这么说，发誓，擂自己的脑袋，捶自己的胸。他的动作剧烈程度，让佩恩想起当年在苏门答腊时，他的攻击。现在他是对自己，他那么小的身子，几次好像都要被自己打飞了。迈克尔·佩恩制止了他。他听话地停了下来，抬起脸，明显在期盼着迈克尔·佩恩原谅他，然后过关。这也是人之常情，但迈克尔·佩恩却还想着跟他叙叙palembang。但对方好像并没有认出他来，好像他们只是刚刚打了照面，要解决的只是他去S/M店的事。难道是我认错人了？迈克尔·佩恩想。也许是我变得太厉害了，他没有认出来。自己当时太瘦了，又一身邋遢。

迈克尔·佩恩问他：“战争时期，你去过苏门答腊吧？”

他只能说英语。他把“sumatra”这个词强调出来，并且又说了一遍。

“sumatra?”他学了一声，好像没听明白。但这可是地名，应该无论是日文还是中文，都是用音译的吧？他分明在抵赖。迈克尔·佩恩又注意到了对方的目光，深邃，闪着幽幽的光。对方明显并没有对他报以真诚。

“你打过的人也忘了吗？”迈克尔·佩恩索性说。

“打？”他仍然装不明白。

无需翻译，佩恩做出打的动作。对方慌忙一缩，好像怕佩恩打他。佩恩就改而往自己身上打，又指对方，又打了自己一下。但对方仍然缩了一下身子，好像仍然是害怕自己被打。这个人在装傻。这个人赖皮，迈克尔·佩恩意识到了。他恨得真要去打对方，他刚抬起拳头，不料对方把身体顶了上来，让他打。他赶紧缩住手，拳头没有落在对方身上。但对方却抓住他的拳头，往自己头上砸去。这是佩恩始料未及的，他收缩不及，拳头还真的落在了对方头上。

对方被打，好像已经受过惩罚了，这下，只等着佩恩放他过关。

“是你，你打了我!”佩恩竭力搜罗日语单词，向对方喊，“你，我!”

对方仍然装傻。

“我不会原谅你的!”佩恩道，他无法用更多的日语表达，只能用英语。“你等着!”

对方突然开口说出一句。佩恩没有听错，对方讲的是英语。原来这家伙会英语!

迈克尔·佩恩说，他大吃一惊。后来他想想，战后日本人有不少在学英语。这个人看上去相当聪明，会说几句没什么大惊小怪。懂得语言，就懂得交流。但之前佩恩一直在说，这个人却装作听不懂。这个人一定一直在观察他，甚至笑话他，这么想着，他觉得自己被对方下了圈套。也许对方并不会英语？因为佩恩并不知道对方讲了什么？

其实，迈克尔·佩恩说，他是不敢相信他听到的是那样的内容。

“他究竟说了什么？”我问。

“Japanese women, very good!”

“Women?”迈克尔·佩恩说，他能想到的只能是那个S/M店的妓女。难道这个男人是在为自己嫖娼行为辩解？

“Japanese women, very good!”对方又说了一遍。

迈克尔·佩恩实在听不懂。他不想跟这个人搞在一块了，扭头要走。

“My wife, very good!”他又说了一句。

这是什么意思？他的妻子？他要干什么？迈克尔·佩恩意识到了，但他实在不愿意相信对方是这个意思。他面前的家伙身材矮小，像只猴子，但毕竟还是人哪，他怎么可能有那么无耻的想法？佩恩探究着，毋宁说是祈祷着，祈祷对方不要说得再明白。你闭嘴！他在心里喊。但那只猴子的嘴巴又张开了，露出了牙齿。那牙齿简直是龅牙，东方人，本来鼻子就塌，这使得嘴巴凸出来。不，简直就是猿猴的脸。这是一只没有进化到人类的猿猴。那龅牙狰狞，好像要咬佩恩。但并没有咬，但比咬更可怕，它翕开了，发出声音，是人声。佩恩听得懂，这是他万怕听到的词：

“Sex!”

他不仅发出这词，还做着动作。他比画着自己下身，这使得他就像没有穿衣服的畜生，裸露着他的性部位。但他又不是畜生，他那动作几乎全人类通晓。哪怕佩恩装作没有听懂他的发音，那动作也赫然展现在他眼前。他自己也做过这样的动作。他猛觉得被掴了一个耳光。

你把我当什么了！

是否刚才对方缩在壁橱里时，窥视到了我什么？可我并没有做什么，说什么。他误会了！他卑鄙下流的人看别人也是卑鄙下流的。对，这是一个卑鄙下流的人！一个不知廉耻的人！一个无可救药的人！一个不是人的人！不是人！动物！这么想着，佩恩才释然。那么，他要站在人的立场鞭挞之。追究对方是否打过他，是远远不够的，迈克尔·佩恩要追究他支持日本邪恶战争。在苏门答腊，你替日本人做事。

对方竟又装听不懂。可见这个人赖皮到什么程度，能赖就赖，硬赖。

“你懂英语！”佩恩指着他鼻尖。

“We are allies!”他用英语说。

这句说得如此标准。他不是说Friend，而是allies，他是否在指战争期间中国和美国是盟国？这简直又是对同盟国的玷污。佩恩叫：

“你还好意思说！”

“我是中国人！”他理直气壮道。迈克尔·佩恩简直不知道这个人说自己是中国人的底气从哪里来？

“你是……‘汉奸’！”

迈克尔·佩恩脱口而出。他承认，他其实并不知道这个词有多重，他只是在日本工作中接触过这个词，大概就是中国人中败类的意思。情急之下，在脑子里冒出来了，他实在太气了。

对方“扑通”跪下了。

这动作，迈克尔·佩恩最初都没有觉察到。他当时实在太愤怒了。他向他跪下来，他的愤怒都没有平息。他不齿这家伙，他不愿再跟这个脏兮兮的人纠缠。他拔腿离开了。

几天后，具体几天他也记不得了，他得知，那人自残了。

“自残？怎么自残？”我问。

“把器官……”

“怎么会？”我叫起来。

怎么会有这种事？怪不得林修身在中国猝死后，他的家人要求不要给他换衣服。

“也许是难以摆脱罪恶感吧！”迈克尔·佩恩说，“惩罚自己。男人最害怕的就是被阉割，所以赎罪也最彻底。早期基督教里就有这种自惩。耶稣肯定阉人，说他们是为天国这么做的。但奥古斯丁可不这么看，他认为耶稣话里的阉割，只是寓言，只是在指教士是孑然一身，而不是说他们要去做这种手术。但不管怎么说，那个中国人不是教士，也没资料说他信教。”

老外真是想多了。“跟这无关。”我说，“这种行为，您知道在中国叫什么吗？自宫。”

“我知道，自宫。”他说，“‘自宫’‘阉割’

‘宦官’‘太监’……”

“‘宦官’就是‘太监’。”我矫正。

“总之他们是底层的人，这也符合《马太福音》里‘在后的将要在前’的说法。”

“不不!”我摇头，跟西方人交流总是不能到位，“正相反，自宫，也叫‘去势’。知道什么叫‘势’吗？‘势力’的‘势’。”我又直接用中文了，我真恨我英语不够好。但这种东西，跟西方人说本身就是白瞎，“但它最初不是指‘势力’，而是男性生殖器，他阉掉，也就是割除了那个东西，就没有‘势’了。这‘势’是生命之本。一个男人没了它，一切都没了。他是自己把它割除的，所以表示的是自我臣服，对你臣服，求您放过他。”我终于又可以用英语表达了。

“我放过他?”他说，“我对他做了什么吗?”

“‘汉奸’这个词就够可怕的了。”我说。

“是吗?”迈克尔·佩恩显得很吃惊。

“想想Benedict Arnold。”我说，“Benedict Arnold是‘美奸’，‘美奸’的鼻祖。对中国人来说，还更严重。汉奸是要处决的，而且身败名裂。”

他愣了半晌，辩解道：“即使是被我说‘汉奸’，即使送上法庭，他也还可以申辩嘛！他应该也并没有做什么的，他这么一个小人物……”

“您现在觉得他是小人物了?”我挖苦道。

“他不就是小人物嘛!”

“正因为是小人物，才没有申辩的权利。”我说，“小人物才不信法庭会听他的申辩。所以他才被逼无奈，试图私了。‘私——了’!”我说中文，“知道什么是‘私了’吗？当事人之间私下解决。也许您会说没有法制观念，但中国人不信法庭，怕官，凡事爱用‘私了’。所以连献出妻子这样的招都使出来了。”

“这是在我说他‘汉奸’之前。”

“您穿着制服吧?”

“是。”

“穿着那身制服的人，美国人，占领军，说出‘汉奸’这词就已经足以吓死人了！当然他也未必是真要那么做，要知道，他是聪明人。这只是权宜之计，先把您稳住，然后慢慢想办法。没办法了，还可以抵赖，过河拆桥。他就是这种人，您也许不知道，他从小就是这样……”

我差点要拿出林北方说的事情作为证据了，我怎么这样？难道我相信林北方的话？不，只是权宜，我的权宜之计，转移斗争方向。我急于为林修身辩护。我甚至要说出这个话来：长谷川香织说不定也愿意呢！她本来就在这方面很开放的，何况您又是美国人？好在我没说，我也觉得这么说太过分了。何况，权宜就是权宜，适宜为好，否则反会搞砸。

但即使按我现在这样说的，把林修身说成是过河拆桥之人，不也是给他抹黑吗？但抹的是小黑，跟性贿赂比起来，只是小问题，一点阴暗面。谁没有一点阴暗面？人嘛，立体的人都有阴暗面。何况这是为了生存，要知道，那时如果真被指控“汉奸”，是要被枪毙的。那么就是过后平反了，命也捡不回来了。活命第一！这才是“底线”。其他都次要，其他都是“高线”。当然这“底线”仍然可以再下降：像狗一样活着，哪怕像狗一样活着，也是活，挨到翻身的那一天。他们什么都不信，但还信着翻身、翻盘。“卧薪尝胆”“受胯下之辱”，不是就为了那一天的到来？并且将以十倍百倍的凶狠报复之。所以要先蒙混过关。“因为他的生存处境由不得他不这样。中国人，中国底层人，没有稳定生存环境，活得仓皇，背井离乡讨生活，又被卷入战争。您知道战争期间在日本的中国人多么不容易吗？虽然可能没有守住道义，但道义这东西，存在吗？即使犯了一点错，难道不能理解吗？哪怕是罪，谁没有罪？‘谁没有罪就可以拿石头砸她’!”

我有意引了耶稣这话。迈克尔·佩恩显出了羞愧神情。“我当时是决定放过他的。”他说，“我说的是真的！当然我也知道，人是没资格原谅人的，必须交给上帝……”

“上帝在天上，还是在您心里？”

这是“罪感文化”理论的核心。他明显没听明白我的话，但他应该从我语气中听出了揶揄。他愣着。

“还是在别人看不到的地方？像‘耻感文化圈’里的那样。”我又说。

这下他应该明白了我在讽刺，涨红了脸。

“也许我应该承认，我有罪！”他说。

我摆了摆手。我不愿意去苛责一个行将就木的老人。追究他有没有罪，归根结底，有什么意义？死者已逝，面前这个可怜的老人也将逝去。

我只想知道真相。但我真的想知道真相吗？

“您是怎么知道他出事的呢？”我问他。

“广播科一个作废的新闻稿里。这事没有报道出去。据说是家属疏通了各个新闻社，应该花了不少的钱。稿子写得很详尽，记者应该是买通了医院进入抢救室的。细节都写到了，那地方惨不忍睹。不是平削的，是扯断的，像拔掉的树根，根部一部分还留在身体上，还呲拉起来。身体也有一部分被揪掉了，空着洞。稿子里这么写，我还记得。”

“怎么会这样？”我叫，“他究竟用的是什么工具？”

“绞肉机。”

第七章

绞肉机

绞肉机在转。这杂乱的伙房独立得像流放地行刑房。你骑上了自己设计的绞肉机，就像骑上自己的爱马。那么亲啊，你把我带走吧！你从来没有骑过马，你甚至都没有见过真马。你想象这是一匹战马，它背着你浪迹天涯。你胯下满是马的骨骼运动的声音。因为马在运动，你的胯底不停撞击马背，你的胯底跟马背之间时而亮出空隙，你胯下生风。这感觉有点恍惚。你头脑空白，只觉着自己一往直前，直到粉身碎骨。你已经把自己献出去了。

但你又纠正自己的感觉：我并不是战士，而是牺牲品。你不是去征服的，你是去毁灭的。这样，胯下的就不是一匹骁勇的战马，而是一匹怪兽。它被确证是刑具。就当我是“丸木”吧，一根圆圆的木棍，“七三一”部队里的试验人体。

不，不仅如此，这身是有罪之身，必须被惩罚。你罪不可赦，必须死。但你整个人太大了，装不进绞肉机。所以你挑选最致命的部位。你的器官是祸根，没有了它，就没有人能控制住你了。有人说没有生殖器，人会死的，死就死吧！

你为什么要选择绞肉机？因为世界就是一台绞肉机。你被旋进螺旋叶片，晕头转向，你根本不可能掌控自己的命运。你被送到绞刀口，被绞过来，绞过去。你现在用绞肉机，是要表明自己是怎么死的。世界绞杀我，我也用绞杀自己来回应世界。至少，跟世界扯平了。

这样，你平静地瞥了一下绞肉机，就像临终的人视察自己墓穴。但从上面的漏斗口往下面看，什么也看不见。你只能弯下腰，侧着头，去瞧出口的筛板。但也看不到绞刀，只有从筛板的小孔里不时泛出微弱的刀光。泛起的光间隔很有规律，就像均匀的机器运行声，让人知道机器在作业。均匀的动静给人安稳感，以至于慵懒，甚至缱绻。好像这眼前的机器并不是绞杀肉体的野兽，它甚至有点慢条斯理。人生死在天地间，整个人生事件不过尔尔。到明天那个美国人知道了，一切已尘埃落定。

天地如此静穆。

你把器官向漏斗口垂去。根据你的经验，只会看到肉被投到不可测的深渊里。漏斗状给人通往无限的感觉。究竟在哪个阶段会痛一下，不知道。绞刀很锋利，肉几下就快脆地碎了，以至于你平时投放肉时，可以不去想这是肉进去后会怎样？肉是不会叫的。那出口的肉泥，难以想象就是投进去的那块肉。它们好像全然没有联系。只有在肉堆得多的时候，需要稍微使些劲，把新放进的肉压一压。这时候，你才微略觉得前面发生了交通状况。但很快就又通畅了，又可以继续放肉。这机器设计得很贴心，是你得意的作品。

早在“佛跳墙”时，烦琐的剁肉工作，就让你萌发过发明一种机器的想法。但当时条件不允许。单是制造材料就没法弄到，战争时期钢铁非常紧缺，家用铁器都要献出来。撇开这一点，那时候你也只是个伙计，做不了主。即使到了长谷川家，你仍然是用人。当然可以利用小姐的力量，但小姐根本不在乎你的工作。后来去了“光”号，你成了名副其实的厨子了，但也不可能实现这愿望。那时一切为了战争，或者，对你来说，一切为了生存，所有的空想都简直是犯罪。坂本胜三船长有一张急躁的脸，连说都不要说。当然，战后把你的发明变成实物的也是坂本，他是具体实施的人，但那时你已是老板了，他对你唯命是从。

战争后期，美军飞机狂轰滥炸。长谷川宅也不能幸免，长谷川先生夫妇都被炸死了。长谷川夫人死时，长谷川先生还有一口气。他把女儿香织叫到跟前，香织拉来了你。战争败局已定，“光”号已不再出航，你又住回长谷川宅里。你在门口恭候，长谷川香织在父亲卧室里哭成了泪人。长谷川先生烦躁地呵斥女儿不要哭，但她还是哭。长谷川先生已经气若游丝，等不得了，就把你也叫进去。他攥着你的手，笑道：

“你小子脑袋好啊！”

这时候了他竟然还能笑。这是太阳吊索桥事件后，长谷川先生第一次对你笑。但他的笑令你胆战心惊。果然，他的脸一变。

“以后，家里、会社就交给香织了，你小子来帮她！”他说。

“不……”你推。你没想到长谷川先生会这么安排。你不想被这么托付，你宁可当无用的人。

“你小子，瞧着我不行了，要撒手不管吗？”长谷川先生威慑地吼道。

“不是……”

“就这么定了！”临死的长谷川先生依然那么霸道。更霸道了，他很急，他的时间所剩无多。“你们这就结婚！”他又说。

这更让你害怕。你拼命摇头，推说自己承受不起。

“我没叫你娶她！”长谷川先生道，“她娶你！长谷川家的家业，还是长谷川家的！”

你是长谷川家的人，必须听从主人调遣。你没退路了。这不是给予，是安排你工作。其实会社里，比你有地位有能力的人有的是。长谷川先生所以选中了你，是因为家业要落在亲生女儿手里。你一个中国人，难以进入日本家族。而且你又有能力，适合辅佐小姐。当然长谷川先生也看到了，他女儿只要你。他清楚女儿的任性脾气，强行让她跟别人结婚，女儿是不会答应的。这样，他撒手人世后，后果不堪设想。

“你们给我喝三百三十九杯！”长谷川先生又说。

这是神前婚礼仪式，必须喝三百三十九杯交杯酒。都到了这分上了，长谷川先生还惦记着日本人这个婚礼仪式。他也不考虑你是中国人。但你只是用人，你没有选择。先生把其他用人喊来，要酒。好在酒窖虽然被炸，还可以汇集一些残留的酒。但还没喝几杯，长谷川先生就断气了。这场婚礼简直就像开玩笑，就跟小姐对你一样，是过家家。

小姐确实什么都不懂，什么事都要依赖你。渐渐的，你也有了主动性。重要的是你一旦主动起来，就可以少被她纠缠。但你仍然逃不脱她的纠缠，她天天叫你“包饺子”。当然你不再像过去那样服从她了。绞肉机就是你不服从的成果。你为她“包饺子”，嘴里却说着真的包饺子，显得你的心真的只在包饺子上。起初她会说：

“哎呀，你别老说话嘛！”

但你还是说。她就不管了，只管自己快活。完事，你仍然说着饺子话题。你说剁馅太麻烦，太累。她就说要去买一台绞肉机。当时市面上已有绞肉机，但设计粗糙，你说，那些机器不安全。

“这也怕？胆小鬼！”她说。

她总是对你口无遮拦，肆意践踏，你已经习惯了。特别是，战争后期你回到长谷川宅里，大家都在说你在东南亚不但没抓到游击队、自己还踏断吊索桥掉到河里的事，大家都在笑话你，认定你是胆小鬼。你是很要体面的，你总是要展现自己的能力，但你心里清楚自己是怎么掉下吊索桥的。那是不能说的。这样，你也就失去了申辩的机会。你只能揣在心里，自我肯定，自我咀嚼，自我欣赏，自我陶醉。经过这么多，那个很在乎面子的人，已经确立了另外的价值观。你另有价值观，你心中暗暗揣着一个爱的人。别人全不知道，这是你的秘密。你是有秘密的人，有秘密的人可以静谧自处，有秘密的人有着一颗不让别人窥视的世界，一颗黑心，黑心人自有黑幸福。

香织骂你胆小，于你，倒可以保护自己。“我就是胆小。对不起！”你说。

“实在没办法啊！”香织叹息道。

你清楚，她还真不敢让你去冒险，她不愿意失去你。你意识到这是一个机会，可以显示你的能力。你提出要对市面上的机器进行改进。“我可以的！”你说。

“我当然知道你脑子好用！”香织说，“你脑子好用，身体也好用，就是心不好用！”

“也好用，也好用！”你说。为了表示自己对她忠心，你那段时间表现得非常殷勤，就像当初你争取去“光”号一样。她高兴了，答应了，于是新的绞肉机诞生了。确实比市面上那些机器好。你有市场意识，于是投放市场，大受好评。这是长谷川先生离世后，长谷川会社获得的最大商机。你请求香织干脆趁此机遇，让会社转型。她同意了，会社一下子发达起来。

这时候，你趁机做了个一直想做的事，把名字改成了“龙”。“龙”是中国的，当然日语中也有龙，有两种写法：“竜”“龙”，你写作“龙”。在发音上，不念“かみ”“きみ”，也不念“しげみ”“たつ”“とお”“とおる”。

这些全是日本人名字的读音，你告诉人家，就念“りゅう”，跟中文读音相近。

当然，表面上你还得有个说辞：绞龙。绞龙是螺旋供料器，这是绞肉机的关键部位。当初你设计时，在这方面下了最多功夫，竭尽残忍之能事，要绞多少圈？叶片间隔该有多密？齿轮该多有力？转速该多快？越狠越好。不承想到头来狠在自己身上了。

绞肉机运行正常，供电正常。一段时间来，停电少了，战后形势开始好转。至少从会社经营上，你看到了好转的势头。但是香织对你的玩弄一如既往。她越来越缠你，也许是因为她已经没有了父母，当然，也许是因为你现在已经不是原来的你了，你显示出自己的才干了。当初那个林北方曾说你是“内务社员”，吃软饭的。现在，你是会社的顶梁柱。那么征服一个这样的人，一定更过瘾。

你受不了，不再逆来顺受了。你也有了逃避的理由，你要去会社上班。这样，至少白天你可以逃脱她。但晚上还得回来。当然你还可以装作加班。日本人喜欢加班，实际上很多时候是磨时间。但你还给他们加班费，这样，大家一起加班，你可以理直气壮躲在会社，迟迟不回去了。

这样，你每天晚饭都是在会社吃。但饭得从家里带，香织就有理由给你做了。

起初她说给你包饺子。你一听，就浑身起鸡皮疙瘩。她说她已经学会包饺子了，做得很好。她确实做得很上手了，但你恶心饺子了。一见饺子，就想起她包着你的一身肉，特别是胯下滑溜溜的肉，从上面套下来，说这样她就包着你了。这种姿势，你就是不愿意，就是没感觉，她也能高潮。甚至，你就是软塌塌的，她也能套进去。

你推说讨厌吃饺子，原因是我本来是做饺子的，见它都恶心了。

更重要的是，你连她身上的味道都忌讳。她的狐臭会留在食物上。那种狐狸的荤味，是一种肉味。你喜欢清纯的味道，草的味道，所以你喜欢香草。你讨厌荤味。在别人，那是一种富足，在你却是肉麻。

但战后家里经济状况不如从前了，只留下两个用人，一个男佣干粗活，一个女佣，可惜不是照子。如果照子还在，你可以让照子做。你能接受照子做的。现在那个女佣笨手笨脚的。最后达成妥协，香织指挥女佣做，做便当。

便当好，简单，简陋。但香织竟说起江户时代的大名进城办公也是带便当。那是豪华便当。她不是爱摆谱的人，就是当年她父亲把会社干得名声大噪时，她也只关心实在的快乐。但她却把你视为大名。你说："我才不是大名。"

她说，也对，你不是大名，大名不过是主管，你是社长。

"代理社长！"你纠正。

"以后会是社长的。"她说。她又说："以后我们会有专职厨师的。"

这让你不舒服。你本就是她家雇的厨子。她的话让你看到自己是爬到高位了，就像爬在竹竿上的猴子。竹竿是她扶着的，她不高兴就可以撤手，让你摔下来。

虽然不说什么"大名便当"，但她有奢侈的习惯，把便当设计得花里胡哨的。什么"赏花便当""游船便当""郊游便当"。你道：

"我是去工作！我也不要便当了，只要握饭团。"

于是就只做握饭团。但她又在饭团里加上一些东西，外层也多包了一层海苔，饭团里还塞进梅干、肉沫之类，她简直就像一个贤惠的对丈夫关怀备至的妻子。你也忌讳。你说加上那些七七八八东西会硌牙，吃得艰难。我要工作，我很忙，这是妨碍我工作，糟蹋我时间。你只能斥女佣，女佣委屈说是女主人要她这样做的。终于什么也不放了，连海苔都不用。你啃着它们，它们很难吃，但你吃得很舒坦。甚至因为它们难以下咽，你感受到是在被漠视，被虐待，你产生了解脱的感觉。

但你在会社躲得再晚，最后毕竟还得回家。"我要加班到很迟。"你说。"我等你！"她总是这么说，俨然是个体贴的、善解人意的妻子。她温顺得就像一只绵羊，一个任人摆布的日本女人。她面前这个人是她的丈夫，养家的人，干事业的人。你们的关系颠倒了，你才是主人，她随你。但你深知，这是表象。日本女人实际上强悍得很。这只不过是她另有所求：只要得到她所要的，她就放弃其他。按她的性格，她可以放弃一切。这是有放弃余裕的掌权者才有的权利，有威慑力的人，才有柔弱的资本。

你于是采取回家倒头就睡的策略，连澡都不洗。但她把你拉起来，要你洗澡。你说你不爱洗澡，你这么说，是想诱她说：

"你这个中国人不讲卫生！"

你宁可她这么认为。其实你生来就爱洗身子，你特别清洁。她果然说你是中国人了，她说日本人睡觉前必须洗澡。但我是中国人啊！你最好她因为鄙视你，受不了你，把你踢下床去。但她没有，她说我也没洗，就等着跟你一起洗。洗就洗，也没什么。但洗完，她还要你给她“包饺子”。这是无法推给绞肉机完成的活。

“累坏啦！”你说，“忙了一天，会社那么多事，在这种艰难时期，会社发展的关键时期，稍有懈怠，爸爸留给咱们的基业就完蛋了！”

“你还知道爸给你留下基业啊？”她说，“你还记得这一切是谁给你的啊？”

“不是给我，是给你，你才是社长……”

“你还知道我是社长啊？”她又说。

你怎么都是理屈词穷。这女人总是倚强凌弱，胡搅蛮缠。“你干脆解雇我好了！”有一次，你干脆说。

“解雇你？你还是不是我丈夫？”

你逃避的就是当她的丈夫。她就是解雇了你，你还是她丈夫。当着她丈夫，被她解雇，就更糟了，你更成了一只被她死死套住的宠物狗。没有了工作机会，没有了施展才能的机会，你更不可能洗刷耻辱了。

你畏缩了，迁就她了。但你实在受不了。你是一个男子汉。但你哪里像男子汉？你的生活是难以启齿的耻辱。你终于下决心了，趁一次吵嘴，你叫：

“你把我离了吧！”

你还是说得很得体，不是说离婚，也不是你把她离了，而是让她把你离了。你记得当年是她把你拉进这个宅里来的。你还记住，是她父亲要你跟她结婚的，你都是被动的。要解套，也要她来解。

但她说：“你要离开我？”

“不是！”但总不能说她要跟你离吧？分明是你要跟她离，“是求你离开……”

“你说的是真的？”她问。

你委实犹豫。你当然清楚，你的一切全建立在长谷川家所提供的条件之上。要是离开了长谷川家，你又要回到一无所有中去。岂止，在这世界上你还无立锥之地。外面仍然是“饥饿地狱”，你一个外国人，怎么生存下去？但那再说了。人应该有“底线”的。那个美国人迈克尔·佩恩还是说得有道理的。你鼓起勇气，点头。

你想，你愿意付出这么大代价，她应该无话可说了吧？但她却说：

“你现在知道逃了？”

“不是逃……”

“你现在知道逃了？”她仍然说，语气加重在“现在”。你明白了，她是在对比当初，“知道什么叫忘恩负义吗？”

你最怕人家这么说你，忘恩负义，可耻。但你要推开这样的活法，不就是为了摆脱可耻吗？但这是两种可耻，两种反向的耻辱标准。你夹在中间。“我没有！”你叫。

“你没有？”

“我会报答的！”你只能说。

“你会吗？”

“会！肯定会！”

“肯定会？就这样？当初来时是怎么说的？‘叫我干什么都行。’哦，我忘了，你对‘佛跳墙’也是这么说的吧？人家把你养大，你一脚把人家踢开了！”

“不是这样！”你辩，“虽然确实如此，但又并非只是如此……”

她盈盈瞅着你，那样子，好像在说：“我看你怎么狡辩！”

是的，你确实是受过“佛跳墙”的恩，受过她的恩。但我也有付出。难道受人之恩，就一点也没有申辩权利了吗？早知道这样，我当初绝对不会去接受。但我已经接受了，不可能退回去了，吃进去的，即使吐出来，也只是呕吐物，不可能还是原来的食物。再说，已经不是物质，恩是精神的东西。精神的东西有这么简单吗？把恩退回去就是背叛。你要永远背着这个债。它是债，它还是高利贷，是“驴打滚”，你永远无法偿还。

人间恩怨，人情孽债。为什么我会到了受人恩的地步？我又不差。在能力方面，我比很多人都强。要是没有我，你长谷川企业能起死回生吗？在我所见的人里，我能力是最强的。就因为我出身低贱！为什么我天生就是这么低贱？生我的人为什么要把我生出来？但这样，又显得你完全不讲理。你负的是父母之恩、造化之恩……

你无法说。

她就当你理屈了。"我也不是跟你计较。"她说，"我是计较的人吗？"

你应该承认，她不是。她不小气，她大大咧咧也说明她大气。但这是哪跟哪啊？她原谅了你。但掰道理成了和稀泥。你最怕泥，你要清爽，但你清爽不了。一切成了糊涂账。以前就是这样，算不清。现在又要继续。你又要说，她说："好啦，好啦！我又没说你什么。"

她分明刚才说了。

"我错了好不好？"她说，"好不好嘛？"她寻着你的脸问。她从你身后转到前面来，她包上了你。

一切恢复了原样。每晚再迟，她也会等你回家，脱得光溜溜的等你。她很有耐心，她简直是娴静的。甚至你在庭院里磨蹭，她都不着急。她本来可以跑下来催你的，哪怕是赤身裸体，她又不是没有赤身裸体到处跑过。她甚至可以直接把你按在庭院，就地做她想做的。或者，她可以用喊声催你进屋。但她全没有，她一声不响，一点动静也没有。

你甚至怀疑，她这是熬自己，为了更汹涌的泛滥。

你进屋，总是被她的狐气熏得半晕，满眼白光，但又很昏暗。她仰在被褥上，下身幽幽泛着光。那部位就像被细水缓缓洗过的水晶大理石，白得不真实。她的身体虽然白，但有体毛，就像很多日本女人一样，体毛茂盛。你曾听"佛跳墙"老板跟客人闲聊，说毛发旺盛是吃刺身的缘故。第一次看香织的身体，你简直不敢看。你曾经长期不敢看，现在敢看了，是因为对那身体麻木了。因为体毛，她的身体不那么白皙，但那地方却显得格外白起来。那是因为那里没有毛。不，有毛，只是只有跟整个身体一样密度的体毛。你后来去找妓女，S/M店吧？发现人家那里是茂密的森林。回头再看香织的，好像那是在唱着《空城计》。你想起小时候听大人窃窃私语的"白虎"，当时你太小，不明白。这就是"白虎"！它淌着口水。你觉得有点恐怖。但她的神情却是微笑着。

"来，我给你包饺子！"她说，张开身体。

那哪里是饺子皮？是活的皮。那活皮摊开着，简直瘫软、无骨。日本女人看上去都像无骨一样，圆溜溜的。但那是假象。你一靠近它，它就撑大了，卷起来了，剩下一个口子，把你吞噬。

你要死了！

我不能死！你挣扎着要起来。但你挣不起来。她像白虎凌驾在你的上面。她是那么驾轻就熟。因为你一直懒惰，她索性一开始就用上位的姿势。你不能任她摆布，你只能反守为攻。你掀翻她，但你被她紧紧裹着。你的进攻反而令她兴奋，她大声叫了起来。

这毋宁是你跟她沆瀣一气，是更大的羞耻。但你无法放弃了。这下，是你在进攻她了。不仅，不仅是你进攻了她，而且你让她得到了快活。

这是怎样的可耻呢？是怎样的罪恶？被她绑架，又确实是得到了快乐，你流连着这种快乐。这就是被强奸者所以倍觉羞耻的原因吧？

床边有个镜子。你不知道自己为什么要去瞧它？也许是你照镜子成习惯了。但你此时应该忍住不照的。但你偏要去看。你要说明：我不是没有自省之心的。越是在这时候，越是要看自己成什么样了。镜子里的自己简直是光溜溜的畜类，还涎笑着。也许那是因为在敷衍这羞耻的行为，但反正可憎。你感觉自己腾出一只手，摔自己一记耳光。事实上你经常摔自己耳光，对着镜子，长谷川宅里她的化妆镜，会社里给员工准备的仪容镜，电车上的窗户玻璃。趁没人注意时，你会摔自己一个耳光。

我不能让自己再可耻下去！我要用自己的意志！你中止了。她像一只撒了一半尿的母狗，悬着屁股，巴望着你。

她开始求你。你无动于衷，你的器官软下去了。

她揪它，但没有用。她踢你，你逃开。她就抓起东西砸你。你不逃避了，让她砸，这样你就有被惩罚的感觉。不是被她惩罚，是你被自己惩罚。她就冲过来，打你，抓你，掐你，喊着要把你剁成肉末，做饺子馅。这你更愿意了，只可惜她的手不是刀。

有一次她真的拿出刀来，但哪里剁得下去？毕竟是明晃晃的刀，你毕竟是活生生的人，她的丈夫，打理她家族企业的人，还有，按她说的，她爱你。

这样一次又一次，每次都搞得下不了手。她哭着求你。不知怎么了，你有时竟然也可怜起她来了，答应她了。

这样，最好的办法就是快快完成，过后不去想这种事。所以才有了完事后的絮叨，好像你只是一直在想着工作，所以说到了绞肉机。

在“佛跳墙”时，你就寻思着做出这么一种机器。这是一个遥远的愿望，那时候还没见到香织呢，跟香织毫不相干。当然现在相干了，但也只是跟她的会社相干。当然，你承认自己是利用了她的会社，她的资本，她给你的权力，你有权制定企业的发展方针了。但最初也只是想省事，但越发明，你越是投入。你发明出的机器，可以不露刀锋地把肉绞了，绞得烂碎都不见刀光。但这仍然只是发明创造，不是杀戮。这是无论魔鬼还是上帝都认可的。对于魔鬼，是杀戮不见血；对于上帝，是教化。

她也对这机器很感兴趣，她本来就是一个残忍的女人。还在样品阶段，她就要弄一台在家里。一个晚上你进屋，发现这机器竟然被摆在卧房里。大概是她让男佣搬的。她拉你的手往进肉口伸，你竟然害怕了。你缩着，但在理智上你是想进去的。有一刻，你差点让自己进去了，但伸到稍深的地方，又抽出来了。你确实有点担心，寻思：她可是任性的女人，她可是一个什么都敢干的女人，她可是一个常失去理智的人。她是我的主人。她要是不在半途停住，做真的，把我的手送进去怎么办？

果然是。她真是要把你的手按进去。她狠命抓你，往洞里按，把整个身体都压上去了。她叫着，她好像产生了快感，就像她跟你做那事一样。好像你的手就是阴茎，绞肉机就是她的阴道。

但百无聊赖之时，你也想索性随她怎么惩办。你的手缩回，但接着又松垮了，随她拉去，甚至自己还往那入口戳，但到口上，又缩回来。你和她的用劲方向错位，她摁，你抽；她放弃了，你又自己伸去；但到她再摁，你又抽出来。

你恨自己怯懦。怯懦让你一次次堕入罪恶。既然断不了，就得接着给她干活。你于是在顺从她时骂，用中国话骂。只有用自己的母语，才能骂得解气。“操！”你骂，于是进入她。虽然仍然是跟她做这事，但是你骂了，你操她，却不是在跟她交媾。但这骗不了自己。有一次，你挣开她，凌驾她身上，把你的生殖器架在她肩膀上：

“老子把把架你肩！”

她起初没明白。猜出来后，哈哈大笑起来。“好啊好啊！”她叫，配合你。她把这当作新鲜游戏了。

你的罪恶越积越多，必须用一种方式予以清除，一种抽筋拔骨的方式，逃离温柔乡。起初你抓她的手抽你的脸，但她不肯。“你干什么！”

“你打我吧！”你说。

“你说什么啊！你变态！”

变态！我就是变态！我就是变态！

听说中野有一家暗店，是S/M店，你摸去了。那里的女人，你要喊她“女王”。神圣，权威，像上帝一样铁面无私。你喜欢称她“圣母玛丽亚”。她抽一鞭，你呼号：

“圣母玛丽亚！”

这简直是亵渎。她就是做这种生意的，客户要她扮演什么，她就扮演什么。你让她应你，她应了，然后，再给你一鞭。

血酣畅地奔流。

所以你才会不可遏制地去那里。你是去获得救赎的。但却让你陷入了新的罪恶，又扯出了旧罪。你被那个美国人迈克尔·佩恩逮住了。迈克尔·佩恩有一张巨大的手，怎么逃也逃不脱它。逃到天涯海角，世界尽头，一抬头，那手还在。那手还长着毛。那手向我劈头盖来，我大叫。“干什么！干什么！”是我妻子的声音。她怎么会在这？我坐起来，她已经坐着了。“总是这样！你怎么回事啊？”她抱怨。

原来是个梦。

中国式“心”探索

我越来越会做噩梦，醒来，妻子总是已经坐着了。心脏像撞钟一样，我只能坐起。我的心脏也出了毛病。

一天，我也感觉心要被撞碎了。我上医院看医生，医生哈哈大笑：“心哪可能碎？”

“不是有一种叫‘心碎综合征’的？”我说。

“那个啊？不是你们想象的那样。专业之外的人，望文生义。再说，国内也没出现这种病例。”

我想起了当初接诊林修身的司空医生。他仍然在北京。

五十多年来，司空医生的研究几乎没有进展，主要是没有病例。外国病例不少，但没有中国人的。他认为人种因素在研究疾病上至关重要，比如用维生素D预防心脏病，根据美国华盛顿大学兰·德·波尔博士领导的小组的研究，血液中低维生素D水平使得白人与华裔患心脏病风险增加，但对黑人与西班牙裔的人却没有影响。

起初司空医生还信心十足。中国改革开放，社会转型，各种矛盾纠缠，人心一定会受冲击。从一九八〇年代的趋势看，确实如此。不料进入九十年代，中国人一门心思赚钱去了，没闲暇管心的问题了。久而久之，也就不成问题了。应该说，中国人的心理消化能力是人类中罕见的，正因此，这个民族才成为唯一把文化延续至今的古民族。自我消化，虽然每每效果不确定，容易反复，但频繁发作，也就麻木了。就像胃病。

但问题仍然客观存在。《南方周末》就做过专题报道《中国式“心”探索》：

> 各种现象表明，过去几年，中国人的内在心灵需求正在以喷薄之势增长，来自西方的心理学、来自中国的传统文化和世界各地的宗教体系在安顿国人心灵上正呈现出多元繁荣的景象。
>
> ### 多少人活在痛苦中
>
> 时间是周日上午8点30分，一间三十平方米的房间里，阳光从东面的窗户照进来，二十五个人穿着宽松的衣裤沿着房间的四壁围成一圈，前面的空地上放着五六个纸巾桶，随时等待被人抽取。
>
> 房间里的人各诉心事。有大学老师因竞争压力焦虑躁狂，有在美国长大的ABC男孩因父母的冷落而抑郁低沉……总之，“心像匹野马一样狂奔，却就是得不到安宁”。
>
> 这是广东省中医院开展的团体心理治疗的场景。作为国内最早从事团体治疗的心理医生，心理睡眠科主任李艳记得2005年时，科里每年的门诊量只有七千人次，2014年，这一数字已经上升到了五万。
>
> “无论是抑郁症、焦虑症还是精神分裂的发病率，中国都远高于世界平均水平。”她说。

一组数字可以大致窥探出国人心灵世界的秘密。2007年，中国抑郁症人数的官方数字为三千万，2009年国际著名医学杂志《柳叶刀》的估算则是九千万，并在不断上升；而2009年中国疾控中心的数据则更甚，我国各类精神疾病患者人数已经在一亿人以上。

需求是因焦虑而起。不仅是传统医疗机构，互联网上专注心理服务的平台的用户数量也在飙升。在国外，这被称为“自励自助产业”（self-help industry）。

互联网心理服务平台壹心理创始人黄伟强就曾被快速增长的用户数量吓到了，过去四年壹心理的注册用户从零飙升至九百三十一万，旗下的心理电台，一年播放量高达三点二亿次，“到底有多少人活在痛苦之中?”连他自己也心生疑问。

另一家专注于内心探索和成长的互联网平台“心探索”也感受到了用户数和范围的变化。“2008年创立时，我们还是非常小众的。但现在每期电子杂志的阅读量总计超过五千五百万。”创始人乌实告诉《南方周末》记者，其用户群也不再以北京、上海等大城市为主，来自湖北、湖南、河南、四川等地的用户群正在崛起。

各种现象表明，过去几年，中国人的内在心灵需求正在以喷薄之势增长，来自西方的心理学、来自中国的传统文化和世界各地的宗教体系在安顿国人心灵上正呈现出多元繁荣的景象。

幸福停滞困局

“无论如何，很多人都活得并不幸福。”2015年3月13日，上海市精神卫生中心院长、国际精神分析协会中国联合中心主席肖泽萍在第十届应用心理学大会上说。

“过去的时代和教育给中国人内心留下了痕迹，让原本应该葆有活力的心灵失去了弹性。”台湾心理学家陈一德见证了大陆人直面心灵问题的过程，2007年他到大陆首次演讲，谈到“心灵和灵性”，很多人认为是玄学，但最近几年，陈发现越来越多的人开始追问：“Who am I ?”（我是谁?）

当过去三十年中国GDP不断创下新高，并一跃成为全球第二大经济体时，幸福的话题被密集关注。

众多受访的学者都会引用1974年美国经济学家伊斯特林（Easterlin）的“幸福—收入悖论”来解释当下社会。伊斯特林说，短期内经济增长有助于幸福感的提升，但当经济发展到一定程度时，幸福感可能出现停滞甚至下降的趋势。

这种现象又被称为中国社会的“幸福停滞困局”，尤以北京、上海等一线城市为甚，大城市可能成了“幸福感低谷”。

心理学家和经济学家都试图破解“幸福—收入悖论”。武汉大学黄永明的研究发现，近年来的环境污染和食品安全是让城市居民感到不幸福的重要原因，“每平方公里的地域内多排放一千克烟尘，居民的主观幸福感下降零点零一二分；每多排放一千克二氧化硫，居民主观幸福感下降零点零零二分。”另外，西南政法大学研究人员陈刚和李树发现腐败显著降低了国民的幸福感。“如果样本城市的腐败水平上升一个标准差，国民幸福感将会因此下降百分之四点零五，这需要GDP增长率上升六个百分点才能弥补。”

而牛津大学心理学系著名教授马克·威廉姆斯（Mark Williams）在接受《南方周末》记者采访时提醒，不能忽视中国城市化进程带来的一系列问题。他说，“中国人急切地希望在快速变化和普遍焦虑的时代，获得一种保持内心宁静的方式”。

《南方周末》记者采访中，社会发展阶段的“三十年论”也被多次提及。学者们看来，新中国第一个三十年，人们忙于政治争论，过去这三十年，人们忙于经济发展；今后三十年，精神信仰的需求则会越来越大。

我看到这个报道时，也曾产生策划念头。但自己就属于有心理问题的人群，我难以指认自己，就拖下来了。后来又鼓起勇气，选题都上报了，上头也否决了，觉得这问题很难说清楚。

确实难以说清。司空医生就认为心理治疗缺乏实证性，还是应该在器质上进行治疗。他是典型的科学主义者。这是我们总谈不到一块的原因。但回头想想，是因为他是科学主义者而我是搞人文的原因吗？抑或是，我内心不愿面对我危机四伏的真相？

“早在十七世纪，英国生理学家、医生William Harvey就证明了心是一种生理器质。”我们的争论时，他总要申明这个常识，“心脏的功能就是血泵，血液受了心脏推动，沿着动脉血管流向全身各个部位，再沿着静脉血管返回心脏，就这么环流不息。心脏，连同血管构成的血液循环系统，它们的功能就是输送养料和氧气的。”

“但根据我的了解，”我反驳，“心脏的功能远不只是血泵，它还是内分泌系统和血液循环系统耦合。”说到这词，我心虚地瞥了他一眼。我一个文科毕业的，怎么懂这个？这只是我在科技读物中学来的。我应该说得更加肯定，“是的，耦合，再没有比这个描述电路的词更恰当的了。耦合成人体化学信息系统的输送中心，从而成为欲望和情感的中心。”

“不错。”他说，“还是器质引起的。”

我确实是班门弄斧，但他的思维也太死板了。这就是搞科学技术的人的问题。相比之下，我的思维活跃，敏锐，我直觉到物质世界之外的世界，那个捉摸不透，但确实存在的世界。“无论如何，”我说，“心理对器质会产生影响，比如肿瘤……”

“我知道您要说什么，”司空医生说，“作为专业医生，我们认为关键点是肿瘤细胞，而不是什么心理。你们这些搞人文的人，就知道把医学、科学隐喻化！”

又来了！这是我和司空医生熟悉了之后的谈话，我们聊得很坦率。

“就像那个叫什么……”

“苏珊·桑塔格。”我替他回答。我知道他要讲的是她。对人文学科，他知道得很少。苏珊·桑塔格还是我告诉他的，他只记住桑塔格有一本书叫《疾病的隐喻》。我估摸他并没有细读内文，他对这书名，比对书内容感兴趣。对作者名他也很感兴趣，他说这是美女的名字。

“对，就是她！苏珊·桑塔格！《疾病的隐喻》。”司空医生说。

我烦他老用概念来套具体问题。这跟他作为医学研究者似乎不相称。“我们还是来谈别的吧！进化论。”我说，我自视武器甚多，“需求改变人的身体功能……”

“您之前已经说过。”司空医生说。

其实我们已无数次争论了，司空医生对我的例证很了解。他抢着说道：

“食物对身体的改变，我认为是对身体有损害的。当然您可以认为不是损害，只是改变。您还可以说是进化，使人进化得坚韧强大。那天我们医院就接诊了一个病人，一个‘老外’，一吃东西就拉肚子。但化验他的食物，并没问题。他就说是我们的指标出了问题。但指标也没有大的区别。请注意，不是化验出问题，不然您可以说是不卫生造成的。也不是指标不同，至多，只是针对中国人身体的指标跟外国人的有差别。这就是我为什么要找中国人心碎病例的原因。”

这我理解。司空医生继续说：

“回到那‘老外’病例。在中国，这些食物大家都在吃，为什么中国人不会生病，你外国人生病了呢？有心理医生就来掺和，说是心理问题。我觉得还是应该在身体器质上，在中国人体质的耐受力上找原因。在‘老外’那里是不耐受的，但在中国人这里可以。当然耐受力是否也可以被锻炼？中国人的耐受力已经被锻炼出来了。”

“那么，耐受力是纯物质性的吗？”我反问，“何况，人不是动物。人有尊严诉求，有羞耻感，有罪恶感。人类进化是向着伦理方向进化的。这身体不只是肉体的身体，还是伦理的身体。如果不是，那么在一艘触礁的、处在绝境的轮船上，人吃人有什么问题？反正能活下去就行。在饥荒年代，连易子相食都没必要了，直接吃自已儿子得了。还有，乱伦也不成问题了，反正是异性身体，准确说是肉体。反正，我身体需要，我就拿，就抢。能抢就抢，不抢白不抢，抢到手就不放弃。那么世界上就没有放弃这种事了。”

“您的意思是：放弃可以通过精神来做到的？”他说，“那么疾病呢？既然人可以通过精神来取舍利弊，那么人类早已经进化成神仙了。要知道，人是趋利避害的动物。”

“但人也不是动物，也可能趋害避利。”我说。

“那是精神出问题了！”

“比如对疼痛的追求。”

“唔。这倒是有。医学上有这个发现，疼痛能够产生快感。十六世纪末，一个德国医生就发现疼痛会产生性亢奋。他举了鞭打屁股现象，臀部会因为被打，受刺激，发热，血液大量流入，这热量会使精液活泼起来。一个比较新的脑科学研究成果表明，在人的中枢神经系统深处有一组叫安多酚和安克菲林的化学物质，是一种麻醉剂类的化学物质。疼痛可以使大脑释放出这种物质，产生安多酚快感。安多酚就是将疼痛和快乐联系在一起的物质。”

还是物质！

“安多酚是大脑释放出的物质，”我说，“大脑，难道就没有精神因素存在吗？思想、情绪，这些心理的因素……”

“心理学缺乏实证。”他说。

“这我承认，但您作为心脑血管疾病医生……”

“我要纠正您，心是心，脑是脑。心理是大脑的反应，‘心想’，应该是‘脑想’。”

“好，就算是‘脑想’，大脑反应，大脑受到刺激对心脏也会有影响的吧？比如男人失去了男人性征，心就不会受到戕害，至于心碎？”我脱口而出。

司空医生愣，“您说的是？”

“没……”我赶忙支吾。

“您一定有所指。”他肯定道，“您担心自己心脏有问题，会导致心碎综合征，所以您找到了我。您为什么会来找我？就因为全北京，不，全国，心血管疾病领域就我在研究心碎综合征。我为什么研究？因为我年轻时，二十世纪八十年代，接诊过一个病人。您是知道这个的吧？”

我承认。

“您是说他吗？那个从日本回国的。我记得他名字叫……林修身？‘修身养性’的‘修身’？对，那事件发生后，我曾想过，他名字叫‘修身养性’，怎么就不懂得‘修身养性’的道理？性子那么急。”

“您这么说，我是否可以认为，人的精神状态跟心脏疾病是有关系的？”我抓住了他的把柄。

他笑了，“但从医学角度，我必须首先把心脏疾病看作器质性疾病。这是立场。告诉我，他的性征有问题？”

我不置可否。

“对了，我忘了，您是新闻工作者。”他说，“对啊！当时我就觉得奇怪，他的家属为什么别的条件都不提，就要求不要动遗体。要是我早想到这，我的研究就有新思路了。”

“还是器官问题？”

“对。不过也许我应该更多地考虑精神问题了。”

他终于这么说。“那就把我当病例。”我说。

但直到司空医生离世，他的研究仍然没有进展。其中部分原因也在我。他并没有找到好的合作者。我说服他从精神角度进入心碎综合征研究，但我对他却并不坦诚。我对自己也不坦诚。我精神状况越来越不好，但我又竭力让自己去认知我生活中好的方面。也许不只是我，每个人，只要他还有理智，就会进行这种自救。何况我的生活从某种意义上说，确实不错。我的职务与收入越来越高，我获得不少荣誉，我的家庭很幸福，妻子贤惠，儿子有好工作，孙子聪明可爱。有时候我也会想：老天想给你时，你不要也不行；人到运气旺时，拦也拦不住。我个人的运势越来越好，国家也越来越发达。想想我应该知足了，但我就觉得这样的生活哪里不对。

我仍然不由自主地照镜子。镜子里的脸，从年轻光滑到满是褶皱与赘肉。我总觉得这是一张为老不尊的乃至可耻的脸。有时候还会冷不丁抽一下。其实尽管如此，也并无大碍，抽了过后，心就平静了。我已经付出代价了。“船过水无痕”，父亲在我小时候说我赖皮，经常用这俗语。这样想着，我又不安了。我其实并没有长大。有时候我会问自己，我还会做出什么更剧烈的行为来吗？比如当着人的面抽自己。不会。但这样，就觉得自己是把羞耻和罪恶掩藏起来了。掩藏得越深，就越难以清算。那么最后可能就要作出终极抉择，彻底清除，比如扒掉这张脸皮，比如摘除这个头颅，比如，清除自己最重要的器官，就像林修身。

我显然跟林修身处在不同的时代，在当今这个不峻急的时代，有必要非得作出抉择吗？只有在你死我活的环境下，人们才时刻必须作出选择。特别是引领时代的知识分子，他们的决定可能影响到成千上万人的命运，影响到一个族群、一个国家的精神。而这些决定又必须孤独地作出，所谓“绝对独立下的绝对责任”，那个声称“在黑暗的时代不反抗，就意味着同谋”的萨特，就是这么定义“自由”。而我们现在完全可以享受并不如此苛责的自由，我们面对的只是鸡零狗碎，我们的世界并非黑暗，至多是晦暗明灭。

这么想着，我又放过了自己。

但真是如此吗？如果不是闭上眼睛，我们会发现，我们同样处在峻急处境之中，我们仍然必须作出抉择；如果不是把这时代的鸡零狗碎只是当作茶余饭后的谈资，而是用来反视自己，哪怕只是希望转化为自我劝勉的资源，哪怕只是“志于道，据于德，依于仁，游于艺”，那么，就必须经历内心的自我辩难。

实际上，在二十世纪九十年代初，就是许多知识分子声称“告别革命”的那些年，我就企图寻找除了革命与反革命之外的心灵的“第三条道路”。那些年，“人文精神”与“世俗精神”正面交锋，八十年代的“启蒙”随着一场失败戛然而止，聪明的知识分子倒戈于“人文精神”。这当然很理性化、学术化，但不可否认有策略性因素。转向后的知识分子总得为自己的行为找到理论根据，他们开始为“世俗精神”正名。“世俗精神”这名词冠冕堂皇，在西方，它解构神圣，因此在中国，它好像也有了同样的“政治正确”。但中国的“世俗主义”跟西方的“世俗主义”其实是南辕北辙的。西方“世俗主义”是把人从神权中解放出来的反抗，而中国，则是把尚未立起来的人丢进“世俗主义”的被窝。中国的世俗化在前现代、现代与后现代的三重语境中混世，它是价值观乱伦的“怪胎”。

但我仍依稀留恋着旧梦。或者说，当我瞧着镜子里那个人脸时，我的心里总会亮起一盏灯，打在那张脸上。在浑浑噩噩中，那盏灯亮着，我既欣慰它亮着，它是我的希望，但又被它亮着所困扰。光吊在我眼皮上，我不能睁眼，又不能闭下。在这种半睁半闭中，我做着噩梦。在噩梦里，我仍然半睁半闭着，这使我的灵魂被拉裂。

我终于听到他自己说

一天我梦见，有一游魂，化为长蛇，自带绞肉机，不以绞人，只把自己身体伸进去。我大声叫它，它没听见。我眼睁睁地见它进去了。我跑过去，从漏斗口找它，不见它。我只能去张望出肉口，徐徐出来一条肉泥。

我试着再朝它叫，它竟然还会反应，并且最先出来的部分开始鼓胀，竟然鼓出一个脑袋一样的东西。我冲着这鼓出的东西问："是林修身先生吗？"

那脑袋点着。因为身体细长，脑袋显得找不到有力支点，像安装了轴承一样滑来滑去。这使得它像个羸弱无助的孩子。

"您何必这样！"我说。

那脑袋裂开一道口子，竟然会发出声音。我仔细听，它在说：

"我应该接受惩罚……"

庆幸它还会说话，我也许可以听它，也就是他，林修身自己说了，明白说，听他自己为自己辩护。我劝："您的事情我已经听了很多了，我清楚。"

"您清楚？"他也称呼我"您"。

"怎么不清楚？"我说，"您很难。这完全可以理解，只是您对自己太苛刻了，对自己太狠了！您看，您把自己绞成这样。多少人在虚与委蛇呢！别人怎么说，管他们呢！就是有罪又怎么样？谁没有罪？就您不放过自己。我已经看到您绞自己的全过程了，我已经知道了您心里有多苦。其实您很无辜，您是一步步，身不由己地被推到后来的境地的。如果说您有错，只是错在您的命运。最重要的是，在不该撞见美国人迈克尔·佩恩的时候，被他撞见了。这也是命运。"

"不是命！"他却说，"要是什么都归结为命运，那就什么也无须说了。"

"但事实上就是这样。他本来不会撞到您的。"我说，"要不是在 S/M 店查抄，不，即使查抄，要是没有把您带回……"

"带了又怎样？又不是带到他广播科。"

我愣。

"查抄有广播科什么事？"

这倒是。"这么说……"

"他是听到抓了个中国人，专门赶过来的。"他说。

"那他怎么知道抓到的是您？"

"是啊，不知道。日本人和中国人一样，在他们洋人眼里，都不值得重视。但他还是跑来了，可见他慌张到什么程度。"

"慌张？"

"他跟你说的是，他想从我这里找到香草，因为在 palembang 时，我们是一同消失的。是的，我后来也再没有回到 palembang。但他不是在战争结束后从翻译嘴里知道我是什么身份吗？他怎么可能还会认为我跟香草在一起？撒谎！谁都不说真话，因为谁都有不可告人的地方，谁都藏藏掖掖。"

"可这是他生命要结束时说的。"

"是被结束。"他说，"他会自己选择结束吗？他会吗？"

他这么说时，俨然占领了道义制高点。也确实，自残生殖器确实会导致生命的死亡。不可否认，他当初是抱着必死决心的。

但我又有点忌讳他这种姿态。

"无可奈何地失去了，就想能留一点是一点，就像面临着被人夺走手里的豆，能少被夺走一粒，就少被夺走一粒，能多留到天堂一粒，就多争取一粒。当然他是天主教徒，主在迎接他呢！但他是上天堂还是地狱都不知道呢！"

"为什么？"

"他有罪！是大罪。他是告密者！"

我吃惊。

"他喜欢香草。所以他偷窥香草。当然，他可以说这是爱。爱是可以大声说、可以向全世界宣扬的。偷窥虽然不能，但时过境迁，也并不是什么难为情的事。他为了这个爱去告密。当然，这也可以理解。但他是向日本人告密的。他本来可以直接来打断我的窥视，比如丢个石头过来。但这样，哨兵也会发现了。哨兵一过来查看，他的好事也结束了。所以他采取告密的方式，偷偷跑去哨兵那里告密有人在偷看女人洗澡。”

“他就不怕日本人知道了香草是女的，对香草不利？”我说。

“对啊！可见他哪里真是爱？”

“有个问题，”我又问，“他会日语？”

“不需要，只要手势。”

“您怎么知道这么清楚？”

“我不是日本人派的吗？我已经承认了，我有罪。”他说。

“我不是这个意思。”我说，“我们不说这个。”

“但他是在双方开战时期向日本人告密。还可以按他们美国人的话说，是正义向邪恶开战之时，他利用了邪恶力量。战争虽然结束了，但正义于邪恶这种言说还在。我是‘汉奸’，那么他是什么？告密者。美国人虽然占领了日本，但我还在。我还是中国人，所以他要把我打成‘汉奸’，我就没有话语权了。当然他最初不是这么想的，他来找我，是想封住我的嘴。他对我说，我们互相不说当年在 palembang 的事，我们不认识。”

“他不会日语啊！”

“手势，还是手势。”

我大点头。我怎么这都想不出来了？真是糊涂了。

“我理解他的意思，我们都是屁股有屎的人。但他之前的表现让我不舒服。他企图猥亵我老婆！”他称呼香织为“老婆”。

“什么？”我吃惊。

“他说的是我企图把老婆送给他。怎么可能？这是我老婆！我是中国人。我们中国人，老婆是不可侵犯的，老婆就是我的，侵犯我老婆就是侵犯我。我在壁橱里看得清清楚楚，他那色眯眯的眼睛啊，虽然光线很暗，但他的眼睛发亮。也是他的弱点吧，遇到女人就把持不住了。在他们看来，日本女人不是很好吗？在我，唯恐逃不脱，在他却很好，也许是他强大吧，可以把日本女人当玩物。他以为我躲着不敢出来，他就可以为所欲为了。他故意给我老婆施压，让她慌张，好让她顺从。但香织怎么可能听从他？她一定知道我在壁橱里看着，怎么可能在丈夫眼睛下跟别的男人干那种事？日本人是讲‘耻’的，‘耻’是发生在别人目光之下的，香织毕竟是日本人。所以他就来威胁我。他把我叫到门外，说了那个意思：我们不认识。我看出来，他心里是惦记 palembang 他告密的事的。这本来应该是平等互助，但他好像是在赦免我，对我施舍。我应该感激他，报答他。当然，他最初说的不是我 palembang 给日本人做事的事，而是说我在 S/M 店被抓，他不会告诉我老婆的。但告诉我老婆又怎样？我都想跟她离婚了。当然即使这样也不能让他染指，因为还没离，香织还是我老婆。他那无论如何都是他占上风的姿态让我倍感耻辱。我要反击。我在自己脸上做了羞耻的动作，指着他。他就做了捆绑的动作，也学着我做个羞耻动作。我又做女人洗澡动作，偷窥动作，指他。我们这么做，彼此心领神会，那是我们的共同经历。他也同样指我偷窥。这样，我就做了个告密的动作。这动作很难设计，但他看懂了，所以他要反击。但他明显不知道怎样用动作设计他要表达的意思。因为他自己做过这种事，这是他的心病，他应该很清楚这是一种怎样严重的指控。可惜我不能表达得完整，我想说，我是被逼才为日本人做事的，你却是主动去告密的。但他如果有良知，他应该自己想到这个吧？但良知是没有的！他突然发出了那个词。”

“‘汉奸’？”我问。

“对。”他说，“这是太可怕的罪名，你应该知道。”

“我知道。”我说。

“在苏门答腊时，我怎么会去打他呢?”愣了很久，他说，“我不是凶恶的人。虽然我知道很多人怨恨我，‘佛跳墙’一家，特别是少东家，还有香织也是吧。还有长谷川先生吧，他心里并不喜欢我，他看不起我，后来他又忌讳我。他去世前让我辅佐他女儿管理家业，我看出来他是很不放心的，他只是无人可托付了。还有坂本船长，palembang后，他好像看破了我，对我冷淡、警惕，虽然后来我主持会社时没有亏待他，我总是竭力做得好一些，他也感恩，但他心里怎么想，天知道。日本人的心理是看不透的。还有照子，我没能娶她，她一定也恨我了吧?虽然‘战后’我对她不薄，但她终生不嫁，她是在用不嫁要挟我，是毁了自己给我看。但我有什么办法?人的一生要结多少恩怨啊!但我没有想结怨，我只想与人为善。还有香草，在她眼里，我简直是软骨头、背叛者。我在任何人那里都是背叛者，是的，我软弱，软弱导致背叛，一次次背叛，最终成了那个美国人所说的‘汉奸’。

“其实要不是我该死的拧巴性格，我真应该跟他沆瀣一气。只有他有话语权，美国人已经占领了日本，你好好服侍他们也没有用。为他们开设的最早的小町园，原本是在九月二日开业，但是，八月二十八日，一批美国兵就冲进去痛打服务员，强奸了在那里的全部慰安妇。全世界已经都是他们的天下，同盟国?正义方?会社里有个从欧洲回来的社员，他说在欧洲，当初被德国人侵害的人们在杀德国人。苏联人在强奸德国女人。布拉格人杀人，可以仅仅因为对方会讲德语。在捷克斯洛伐克，他们把德国人排在公路上，让卡车从他们身上碾压过去。他们也把人皮做成灯罩，把人体器官装在玻璃箱里观赏，把人头劈成两半，看里面的大脑。‘以血还血，以牙还牙。’历来如此，我们中国人也是懂的啊!在苏台德，他们成立‘人民的法庭’，判决二十分钟就可以推上绞刑架。绞杀!我在黑市上看到过一张图片，里面绞杀德国原军官的画面让我忘不掉。

“也怪我气太盛了。其实我哪里有权力跟他讨价还价?再说，香织又不真是我的，我可以告诉他，我搞不定她，我是个窝囊废。我应该承认自己是窝囊废，就不齿于别人了，就能逢凶化吉。但我偏偏在女人问题上不，在香草的事上更是，她是我喜欢的女人，我更不能忍受别人染指。那个美国人动了我最重要的了。那是我的女人!只能我看，别人不能看。我可以被践踏，但我爱的人不能被侵犯。我从来没有尊严，但爱使人有了尊严。而且，那个男人是和我一起看，就像一起吃一个碗里的饭。不，是共奸她，还不是轮奸，是同时同刻。这太脏了!我是有洁癖的。也许你会说，他只是看，又没有触到香草的身体，又没有拿走什么，但这也不行，他用他的目光拿走了香草的身体，玷污了她。这个仇一定要报!结果反被他报复了。”

如果生在好世道

“如果我不是爱上了香草，我就不会去打他，他也不会去打听我当时的身份。打他，纯粹是因为香草。我喜欢她身上的味道，我都不知道这世界上有这么好闻的体香，像太阳光一样。你也许会笑我，香气是看不见的，太阳光是看得见的。但其实香气也是看得见的，它实实在在围绕在你身边，附着在你身上。污浊的空气是灰暗的，干净的空气是明亮的。不仅看得见，还摸得着。空气干燥还是潮湿不就可以摸一下就知道吗?比如衣服，被阳光晒干后是有阳光香味的。你穿着这样的衣服走到人前，坦坦荡荡，清清爽爽，体面做人，前程似锦。我多么想就停留在这样的空气中啊!就像梦见自己的前世。我多少次梦见自己从今生回到了前世。如果我生在好世道，我一定会是个好人，我会好好工作，好好生活，好好爱，生儿育女，子孙满堂。

“如果我没有遇见香草，那也罢了。我就待在‘光’号上。我是被逼着上岸的。那天长谷川社长突然来到‘光’号，我就感觉不妙了。不知为什么，也许就是直觉。他开口夸我，我知道我被盯上了。社长可是从来没有夸过我，他甚至都没有用正眼瞧过我，不管我做得多好都没有。但他那次夸我了，令我害怕。

“您是不是会觉得这里逻辑出了问题？我原作为长谷川家的用人，当时作为长谷川会社的社员，被老板夸奖，我理应高兴才是。确实，我最初心里有点热乎，说受宠若惊都不为过。我竟然有点难为情，我用嬉笑来表达谦逊及感谢。当时我正切着菜，我继续切菜。我不敢夸口说我这是在抵制。我哪里敢？他是我的老板，我是个卑微的人，我压根就不是敢反抗的人。我也不想香织欣赏我。我只是在继续干我的活。

“如果事态停留在社长站在厨舱里的那一刻就好了。但世界是一台绞肉机。世界本就是绞肉机，所以最终结局在绞肉机，其实是早已定下了。时光啊，你刹住脚！但不可能。当然可以拉下电闸。拉下电闸就是仁慈，哪怕肉已经被绞上了，但停住，拉下电闸，就有得救。但这样绞肉机是不成其为绞肉机了。绞肉机就必须连续不断地绞下去，才能把肉绞碎。所以，紧接着事态不可阻止地滑下去了。当我被叫到社长那里，我知道我之前在受宠若惊之下为什么那么不安了。社长搓着手，其实天气热得很，他这动作是让他显得跟我亲络。他不停地说：‘真好啊！’这不是居高临下的人该有的样子。他甚至显出幸运的神情，像个得到奖赏的小孩。‘真好！’他又说。他又开始夸我，夸我能干，说我是一个可以托付重任的人。他话里的逻辑是顺畅的，他的价值观跟我是一致的，都是‘好’，我也想‘好’。但说着说着，这个‘好’走向了反面。这让我醒过来。但他仍然向着‘好’的方向走下去，是啊，‘好’，人心所向。在这世界上，只要你端着‘好’，就所向披靡，没有人会反对你，会抵制你，否则你就是不知好歹。特别是日本人，看他们不管怎样都彬彬有礼，善解人意，与人为善，将心比心，你还真不能去想他们揣着什么恶意。所以，当社长说出了让我去协助军方，我还只能从他们对我委以重任上去理解。

“当然，我才不是心大之人，什么‘好’都接着。我很清楚自己的本职定位。我安身立命的是做厨。也许你会说，我在‘光’号上的工作不也是在为侵略战争服务？但那毕竟不是上战场杀人，我只是在做饭。但这下不同了。所以我向社长表明，我只会做饭，我厨艺高超，我甚至可以做‘无米之炊’，‘船长您可以为我证明的！’我请求坂本为我说话。社长说：

“‘不用证明。那些，我换一个人也可以做！’

“社长这话，让我感觉有被解雇的危险。我身体冷了下去。

“‘你要做大事！’社长又说。这又让我有重新被召回来的感觉。但我不想做大事，我只想做饭。我只能做这个，我保证，我一定能做得非常非常好！我还没说出，社长又说了：‘你没听到岸上天天都在开枪吗？他们天天在杀人，没找到游击队一天杀一个。那些人就知道杀人！’

“这话使得他跟军方拉开了距离。他不站在军方立场。

“‘杀的是你们中国人！’他特地点明，戳着我。

“我摆手，简直是下意识的。我承认，我不愿意人家说我是中国人。他们这么说时，多少带着歧视，至少是把我看成跟他们不一样的人。就是‘佛跳墙’的人，他们也觉得自己是台湾人，不认为是中国人，他们也叫我中国人，少东家叫我‘小中国’。但长谷川先生现在这么说，因为有了前面的态度，显示出的是对中国人命运的关切与怜惜。

“‘我一个日本人都看不下去了！’他又说。

“他是在晓我以大义。我当然不会无动于衷，我害怕有人被杀，我也没有忘记自己是中国人。当然我承认我心里有个小九九：岸上杀中国人，日本人对中国人的仇恨会被煽动得更大，更不用说中国人游击队也会来报复。其实因为上不了岸，大家就已有怨恨，那么到时候火就会烧到我的身上。那么我也许应该承担起灭火的任务。但这是什么任务啊？要我利用中国人身份，混在中国人群中，探听游击队所在地，然后顺藤摸瓜，把游击队一网打尽。那些游击队不也是中国人吗？

“长谷川先生好像看透了我的心思，他对指责的方向渐渐转变了。最初他是指责军方滥杀无辜，不知不觉的，他只针对滥杀这种事，中国人也在杀人。他把中国人加以区分，说游击队是害群之马。然后，他又说他们不识好歹，‘大东亚共荣圈’是对全体亚洲人有利的，把洋鬼子从亚洲赶走，让亚洲回到亚洲人自己手里。他说这伟大的使命落在日本和中国两个大国肩上，其他亚洲国家都是小国，是无力承担的。战争期间都是这么宣传的，我一个普通人，哪里能看得清楚？作为一个在日中国人，中日并肩，我没有理由不欣慰。更重要的是，我也恨那些丢中国人脸的同胞，让我也跟着被抹黑了。这么一想，让我干的事就没那么可怕了，倒有点理所当然。我的任务只是去清除坏人，保护好人。‘好’不只是一味地行善，还包括惩恶。惩恶就是行善。我小时做了坏事，父亲就揍我，这看上去是行恶，但是为了我好。对社会也是这样，那些作奸犯科的人，孔子这么个好人，也说要诛杀之。当然你会质问：这不一样。首先行恶的是日本人，游击队只是被迫反击，要把恶人赶走。我知道，很多人都会这么问，战后我也一直在这么问自己。但不要说当时我看不清，即使看清了，在当时那情况下，日本人赶不走，那怎么办？绝对理想达不到时，为什么不取相对理想？人还得活，为什么不在有限范围内，努力过得好一点？好，总是没错的，建设总好过破坏，做点有益的事总是对的吧？对吧？”

我一惊。

“当然，尽管是这样，我仍然最好不接受那个任务。用惩恶来行善，我觉得很可怕。那太黑暗，对我来说，黑暗是绝对可怕的。必须有强壮的心，但我的心只配在光亮的世界里喘息。我爱阳光，爱一切美好的东西。你可以说我的思想很平庸，但我就是思想平庸之人。但我又不能拒绝社长，我于是找种种理由来逃脱，想方设法让社长找别人去完成这个任务。但长谷川先生一个理由就把我摁死了：只有你一个是中国人。

“如果我不是中国人，就不会被盯上，那么我就可以优哉游哉。不止，我还可以吊儿郎当，就像那个森达矢，战后还可以说自己战时是反战的。我也不至于他来联络我时都不敢回他的信。”

“您收到他的信了？”我问。

“也许我不该不理睬一个对我有好意的人。但我都当了奸细了，我不是没有自知自明的人，只是我太怯懦。怯懦，是的，这是我的缺陷，但不至于有罪。我怯懦，软弱，平庸，干脆，我自私，这够卑劣的了。但自私又有什么错？对，当时我灵机一动，我可以用自私来让自己卑劣地逃脱，让社长觉得我不堪托付，我人品不行，我用自私来保住自己。甚至自私到不认同胞，只要能逃脱都行啊！岸上那些被杀的人跟我什么关系？他们是中国人，不错，但中国人多了，都跟我有关系？我就要去救他们？我又不是菩萨不是佛。过去在‘佛跳墙’，老板总说：‘你要普度众生，你自己先得是佛。’我不是菩萨不是佛。

“但社长说：不需要你是菩萨，只需要你的身份！

“我干脆说：我中国话都忘光啦！

“这分明是蠢话、谎话，理由都编不好。但我实在没理由了。社长不再说话了。我看到他腮边一暴一暴着牙龈痕，但他没有说话。他的沉默令人害怕。也不知过了多久，他才又开腔：‘那你也没用了。’

“他这话说得有气无力，夹着微微的叹息。他好像一个被我打败的人。这怎么行？社长他被我打败了？我打败了社长？这可是了不得的事，我的大罪。这么想着，他那话是什么意思？什么叫我也没用了？他脸上毫无表情，这无表情的脸简直恐怖。我觉得死期到来，身体一节节冷下去。一旁的船长跳起来，抓住我衣领，就往社长脚下摁，让我跪下，还不快求饶！我‘扑通’就跪下了，磕头。我说过，我是个软弱的人。也不知磕了多久，才隐约听到社长的笑声。他的笑声像太阳一样冉冉升起，先是现出一点点，然后喷薄，然后普照，我感觉到了温暖。他把我扶起来，安抚我，我的身体暖和过来了。我知道，他重新接纳我了。我渴望被接纳，哪怕是被要挟之后的接纳。我只求这么一点点的抚慰。像我这种人，随时都可能被剥夺生存权利，能保住的只能是底线。我就这点出息。

“也许你会说，社长这么说，也不一定就是要剥夺我的生存权。把人丢到海里去，这话之前也是船长说的，社长并没有说。你最多只是被边缘化。但那是在船上，船还没进港，被边缘化是什么意思？就是已经被赶到舷栏边，随时都可能掉下海去。只有融入群体才能安心。我只希望融入，不期待什么荣誉，那对我太奢侈了。所以最初上船时，船长一命令我把头剃光，我立刻就剃光了。虽然我爱漂亮，我一直留着长发，在‘佛跳墙’时，老板娘也曾要我把头发剃光，做起事来方便，也不会有头发掉在菜里，但我巧妙地敷衍过去了。但这是在‘光’号上，我是这个集体的一员，剃光头发有着特殊的意义。‘光’号启航前举行出航仪式，全体船员列队在甲板上，我站在队尾，齐刷刷的光头溜溜延续到我的头顶上，这一道光没有因为我而断灭。船长宣读征用船员服务《十条战阵训》的声音，就是顺着这光道传过来的。船长的声音在头顶上回荡，像阳光，我沐浴其中。那些‘齐心协力’啊，‘献身奉公’啊，‘爱护物资’啊，这些报纸上经常出现的词，社长的那些有身份的朋友也经常说，以前‘佛跳墙’少东家也老是挂在嘴上，我一说，他就寒碜我，说我不配，现在，它们不再是可望而不可即的东西了。甚至，它们就像光环，我和大家没有区别地被戴上了。你可以说我没原则，可以说我平庸，但我就是这么一只井底之蛙，一只可怜虫。我就需要被接纳。只要是正常的人，正常的平常人，都会有这种需要。

“如果我不上‘光’号，我就不在乎被不被他们接纳，我只在大场家里，跟这个社会、这个国家没有关系。但是我上船了，船到了茫茫大海上，可不能被赶下去，没有退路，只能好好工作。但工作条件却不具备，食料单调匮乏。我能做的所有菜谱，都成了纸上谈兵。第一餐，我不知道自己手忙脚乱干些什么，乱搭配着豆腐干、鹿尾菜藻、大豆，还有红生姜杂七杂八的作料。有一刻，我还感觉到‘佛跳墙”师傅在骂我胡作非为。师傅骂我败坏了他的声誉，抓起刀板向我当头劈来。厨舱外静悄悄的，没有人理我，哪怕打骂我。这世界上没有人肯打骂我，师傅打骂我，他就是我的亲人。师傅的打骂，反使我有一种窝在师傅羽翼下的感觉。我有了底气，得到了怂恿，我跑去找船长。

“船长反问：‘这是我的工作？’

“日本人讲各司其职，自己的工作，自己负责。但问题在于食料并不是我备的。也怪我太客套了，我不敢提出来要我来备料，我怕他们觉得我麻烦，所以让二副为我做这件事。这是我的错，我在日本那么多年，仍然没有学会日本人的做事方式。但即使让我备料，战争期间，能有什么食料？那么也不是我的责任吧？咱中国人脾气就是得理不让人。但船长根本不跟你掰这个理。再说，战争就是不讲道理的。他接着又一句：

“‘干不了？’

“我赶忙摇头。我逃回厨舱，船长的声音在后面响着：‘干不了就回去！我找别人干。做不出好料理，是料理师的耻辱……’

“我关上舱门，但船长的声音仍然穿透进来。我打着转，好像这么一打转，就会缓解船长的斥责声对我的冲击。我后悔自己莽撞，竟然去找船长。要是没有去找，做出什么菜就什么菜，也许还不会引起船长注意。现在他盯上我了，我敷衍不得了。我急得像一只被关在笼里的狮子。我又开始翻食料，不管三七二十一，先把能用上的翻出来用。至于以后，再说了。

“至于悬在头顶上的师傅，师傅，您也看到徒弟的难处的。我朝上头一拜，念道：师傅，徒弟可是打死也不敢造次的，但这是战争！

“要说我有没有机巧之心，确实是有。师傅尽管威严，但毕竟并没有在船上，他在遥远的岸上，而船长和大家毕竟实实在在就在船上。咱们中国人虽然敬神明，怕报应，但到无可奈何时，还是先讲实用。我按自己搭配乱做，终于做出了第一餐饭。我战战兢兢把东西端出来，船长他们已经坐着等了。我估计船长会挑剔，我放下菜，就缩到厨舱门口。也不敢看船长，但我能够感觉到船长拿起筷子来了。他夹起了某道菜，这不是我做得好的菜，恰恰相反，是我心里最没底的菜，这下更完蛋了。要是他先夹我做得还不错的菜，情形就会好一些。但我实在太心虚了，我没有觉得哪道菜我做得不错，他夹哪道菜都不行。我能听到船长咀嚼的声音。蓦地，一个声音穿过食物发了出来：

“‘不错嘛！你小子，八格牙路！’

“我赶忙回头，看船长。船长的鼻翼在‘呼啦啦’扇着，嘴角竭力往下摁。他在强压着笑。船长在笑，我过关了！我化险为夷了！

“得到船长的肯定，就也得到了所有人的肯定。日本人就是这样。但我的神经仍然绷得紧紧的，船长是不讲道理的人，他可以肯定你，也可以翻脸不认账。我甚至觉得他夸我也是不讲道理的，我自己都没觉得做得好。我每天都提心吊胆，一听到船长喊‘U’我都会跳起来，像被针扎了一样。不，心像撞钟一样。不管在哪里，不管在干什么，都立刻撒下手上的活，连滚带爬寻船长声音奔去，好像去接受末日审判。每时每刻末日都可能降临。我常常捧着饭碗，想：这可能会是我最后一顿饭了，‘吃尾顿’，这是我家乡的话。

“但那以后船长再没有斥责我。我渐渐感受到了他的好意。他是个凶神恶煞的人，如此凶神恶煞的人，竟然对我好，这种被阎王搂在怀里的感觉，在香织那里曾经有过。不过这不一样，香织给我羞耻，坂本船长给我展示我才干的机会。这是我要的勋章。被阎王授予的奖章沉重又有含金量，我戴着它，辛苦又光荣。我也有荣誉感，哪怕再卑微的人也有荣誉感吧？何况，我是重体面的人。体面跟身份无关，是生活态度。下层人有下层人的体面。你也听说了我爱照镜子，在‘光’号上没有镜子，但我仍然可以找到镜子的替代品，比如让阳光照出投影，观察自己。转动，就有了各个侧面的轮廓，合在一起就是全部的我了。还可以对着锅盖照，还可以对着水面照……人活着就要体面地活。活人还怕被尿憋死？我有的是办法，但唯一没有办法的是我的身份。

“大家常谈起自己家里。通信不便，家里的消息是通过带话到船长那里的，船长就对某人说：你家让我带话了，好好干吧！有时候船长会说得具体一些，大家一起听着，也会热泪盈眶。每在这种时候，我就特别孤独，不会有人惦记我。船长一定是看出来了，他其实是个细腻的人。有一次，他也朝我喊：

“‘U君，也有你的呢！’

“这简直不可能。会是谁呢？只能是香织。我又生出另外的紧张，生怕她说了什么，让我被大家取笑。我一直回避长谷川家的经历，那是我的耻辱。船长真是体贴人，他说的是‘佛跳墙’。这又让我紧张。但船长说的是会社一个人去了‘佛跳墙’中国料理。

“‘据说真好吃啊！’船长说，‘U君，你不是

从那里出来的吗？'

"我点头。

"'怪不得啊！'船长朝大家叫，'怪不得U君料理做得这么好！原来是从"佛跳墙"出来的。那可是有名的店啊！'

"我的心底升腾起一种自豪感。有一种出征的徒弟干出了成绩、回头告慰师傅的感觉。我于是用一种很有资格的语气念叨：'不知师傅他现在怎么样了啊！身体可好啊？店里客人还那么多吗？'其实我离开时，店里就生意萧条了。'这时候该是横滨的黄昏时候了吧？正是最忙的时候啊，店里客人一批又一批拥进来，师傅他一个人可忙得过来吗？'

"还别说，这样我还真有找到家的感觉了。我呢喃着，缠绵着，眼泪盈眶了。我让自己沉迷在家的感觉里。但我又分明清醒着，像从梦里刚醒过来的时刻，我感觉到自己真实的身体，感觉得到真实的世界。我很清楚'佛跳墙'也是我的耻辱之地。我可以在心里尊供着'佛跳墙'师傅，用来鞭策自己，作为励志工具，但是不会拿出来示人的。一旦在众目睽睽之下暴露出来，就有被揭发的危险。但现在，我却在众目睽睽之下说出来了，我没法面对无耻的自己。是的，可以称为无耻。不管'佛跳墙'怎么冤枉我，我最终不是也成了他们说我的那样的吗？虽然我是被逼的，但事实已经这样了。虽然我已经摆脱了，但我能说我现在的一切不是建立在原来耻辱之上的吗？永远的癞疮疤了。解决的方式也许只能是自揭，但我没有勇气。

"'好久没得到师傅的训示了！'我鬼使神差地说下去，'现在还时时记起师傅说的话：一个人，自己无论如何要有本钱，这是立世之本。师傅他要让敝人有真本领，学艺，学得不到位，师傅他就要严加教训。'

"受磨难，更是我显耀的资本。但我的意图似乎不只是为了这。这时船长说：'说起横滨的"佛跳墙"嘛，本船长也曾去过一次。'

"'真的吗？船长，您看到我挨揍了吗？'我兀自说道，这简直是往自己身上扎刀。

"'我怎么能看到？'船长啐，'不过被师傅揍是很正常的。'

"'抓起饭勺锅瓢什么的，见什么抓什么，当头敲下去，炒路、刀路，什么没过关就用什么工具，敲出血来了也毫不怜惜。"给我再做！"再不满意，再打。瞧，这块疤就是。'

"我把头上的伤疤赫然展览出来。'永远不会好了！'我说。我这么说时，想的是自己的冤屈永远不会被平反了。'再不行，滚出去！'我悲愤起来。但同时又有把事情摊出来评理的愿望：你们看，我就是这样被赶出去的！但这这简直是在玩火。我能说得清吗？也许我真是愚蠢，应该顾及生存，什么尊严啊，雪耻啊，对我来说是太奢侈了。好在大家没有注意到，只是说：'啊，这很正常啊！'

"'这就是严师出高徒啊！'船长总结说。我又有被他戳穿的感觉。船长说那个会社的人去'佛跳墙'，是真的吗？应该不是，他只是想安慰我，但我却顺着他伸出的杆子爬。他说他也去过'佛跳墙'，怎么可能这么刚好？分明是在配合我造假，而我却假戏真做了。他一定会从长谷川家那里知道我和'佛跳墙'的真实关系的，他也在心里鄙视我吧？我自己都鄙视自己。于是我说：

"'我哪里是高徒？贼徒罢了！'

"我简直残忍。我这么说，是有意呼应'佛跳墙'骂我'家贼'。只有这么指认，这么往自己最敏感处戳一刀，我才能得到痛，然后安宁下来。但大家都并没有领会到，也许是不愿意理会吧，毕竟是中国人跟中国人之间的事。虽然'佛跳墙'一家自认为已是日本人了，但在日本人眼里仍然只是台湾人。我是连台湾人都不是，我工作干得再好也没用。你不要以为我忘了自己是中国人，忘了我的国家正在被日本侵略。我才没有这么傻，但我也承认，我是竭力装作没有意识到。所以那个森达矢也够讨厌的，他老提醒我是中国人。这样，只能让我去撇清，表现得更卖力。你是日本人，你可以吊儿郎当，我不行，我稍有懈怠就被怀疑是跟大家不一条心，不止，就被认为是敌人。我很难做人的。什么‘反战’，什么英雄，还不是因为你有资本？富人吃饱了，所以只吃‘七分饱’，如此而已。你理解我的处境吗？你为什么要来捣乱？对，你地位也低，但你为什么要为难跟你地位一样低、更低的人？你这不是欺负我吗？他也许不是有意的，他只是不想好好干。但你不好好干，大不了被赶下船，回家去。我呢？往哪里赶呢？只能丢海里。战争中在日的中国人就是这样的处境。

“大家动不动就谈论前线战事，我总是装作没听见。有时候我就在边上，撞上了，我也装作在专心干活。我用不停地干活，来隐藏自己的存在，就像那均匀响着的、大家习以为常的机器声。但这并不等于我没有听进去，我又不聋，怎么可能听不见？我又不是死人，我的心也会被刺激。有一次，一个说：‘要是现在让我上前线，我一定能一个撂倒两个中国人！’那人把袖子高高挽起，现出隆起的三角肌。这也就罢了，又说：‘吃了U君又香又可口的饭，健壮得恨不得就到战场比一比！’

“我猛地像被针扎了一下。我把脸藏在阴影里，但其他人也叫了起来：

“‘这是确实的！U君，感谢啊！’

“把我毫不留情地提溜出来了。我连连摆手。他们又叫：

“‘用不着谦虚嘛！’

“‘真不是谦虚！’我正色道。‘哈，我会做什么？’又说，‘我只会做猪食！’

“我开始糟蹋自己做的菜。这时候船长还没说我是‘帝国精良武器’，我就已经受不了了。但糟蹋自己的菜，简直就像艺术家在忍痛破坏自己珍爱的作品。我让自己的心发狠。我不是能够发狠的人，我从来都与人为善，但现在我要让自己变成恶人。大概那时候如果有人进厨舱看到我，一定会看到这样的我：歪扭嘴巴，目光像死目一样，嗓门发出尖细的嘶杀声，全身发抖。但我仍然下不了手。这在我简直是犯罪。我又怕被人发现，赶紧去关舱门。关上舱门，我的心踏实下来，继续破坏。终于破坏成了，我又心虚了，手忙脚乱补救，将弄糟了的东西变换花样，变成一道新菜。终于整出来了，打开舱门，跑到甲板上透气。我摇摇晃晃站在日光下，就像从地狱爬出来一样。我多么怀念自己曾经有过的心胸坦荡的日子啊！带着自信而谦和的微笑埋头干活的日子，多么坦荡，多么体面，多么幸福！

“如果我不怕被丢海里，我就可以无所顾忌了吗？仍然不行。如果能那样，那就太好了。我承认我怕死，谁不怕死？但如果一定要死，也没办法。最好能活，但实在活不了了，死就死呗，也是解脱。我虽然气弱，但也不一味地贪生怕死。如果为了更大的原则，我也不是不能慷慨赴死的。我可以把这些日本人毒死！我还想把整个‘光’号弄沉！别以为我没这能耐，我有能耐，我奸细都可以做，不是吗？我会学习，我还不算笨。我还有耐心，我会伪装……也许你会觉得我这么说，是窝囊人在强要面子。不是的，我都已经死了，还要什么面子？绝对不是。你会问：那么你为什么没有做？我所以没有做，是因为‘光’号上的人对我委实还不错，至少还没有到了要杀他们的地步吧？他们都是生命，他们身后都有家人。他们为战争服务，不错，但他们也是人。这世界上有许多原则，有大原则，有小原则，不错。但还有近原则，远原则；有切身原则，宏观原则。同样是杀人，亲手杀人，杀死一个眼前的人，杀一个对你不错的人，熟人，是很难下手的。

“当然，我仍然可以想想：他们是杀人的人。虽然不是直接杀人，也是间接杀人。那个说要是上前线一定杀中国人的人，不是已经在心里杀人了吗？但毕竟还有别人不是这样的。当然我也可以不管他们，他们之前对我不错，也可以一笔勾销。但如果人家对我有恩，就不能了。我是欠着债的，欠着恩债。坂本船长对我个人是有恩的，如果没有他收容我，我不可能摆脱香织控制。没有经历过无论什么屈辱的人，怎么能理解我是多么心甘情愿为新主人服务的心理？我是多么的感激涕零。‘滴水之恩当涌泉相报。’咱们中国人都知道，日本也有这样的话：‘一滴の水のような恩にも、涌き出る泉のような大きさでこれに报いるべし’。报恩是人的义理。恩是个什么东西？就好像咱中国人的老公老婆，有时候没有爱，起初只是你养家我持家的功利东西，但久而久之，也有了感情，所以即使两口子吵到死，也难以分开，一方死了，另一方也会痛哭。一种依恋，一种责任吧。人家器重了我，我本应该干得更好，证明他器重我没有错，让他脸上有光，我怎么能够辜负他？他对我有恩，更不能恩将仇报，背叛他。”

谁天生愿意“吃软饭”？

“如果我不是已经背叛过了，我可以背叛一次。仅此一次，以后再不会了。但我已经背叛过长谷川香织了。

“我为什么要逃离香织？我实在受不了她那味道。我这么说，你又会鄙视我吧？你难道就不是因为羞耻吗？你难道不觉得你那样的生活是罪恶的生活吗？你难道就没有作为男人的尊严吗？我当然有。这其实都是我在前面自己说过的，大道理谁不知道？但首先是本能上受不了。那味道你闻过吗？如果那味道好闻，我也许还会继续待下去。这没什么好否认的，别都提那么高调子。我承认我是个庸人，庸人是无法战胜本能的。但屈从于本能就有罪吗？人毕竟喜欢香味讨厌臭味。那味道确实叫人忍受不了，无孔不入，在空气里，熏着你。一个人能够逃避得了任何东西，无论如何逃避不了空气。那是说不清道不明的臭味。那个散发着这味道的女人就躺在我身边。睡觉本是舒服的事，跟女人睡觉本是快活的事，但这却相反。我的鼻孔里充斥着她的味道。我无法逃脱，除非我屏住不呼吸。但怎么可能？有时候我也想憋死就算了，我屏住呼吸，让自己憋死过去。但不行了吗，坚持住，再憋！但实在不行了！再坚持！马上就好了，马上就会过去的，死，了，好就是了，了就是好。我就要死了！再坚持一会儿，一切就解决了！我紧憋住，脑子发黑、发昏。我觉得自己要溺下水去了。不，是飞起来了。好了，就好了……但功亏一篑，扑哧，气漏了。爆发性一泄，紧接着报复性一抽，大抽起来，大喘起来。脚不由自主地跑到室外，寻找救命的空气，就好像寻找救命的阳光。渐渐稳定下来，腿在抽搐，像濒死的鸡。

“人怎么可能自己憋死自己？我心脏不好，所以我认识不少心脑血管医生。有一次跟一个医生聊，他说人要脑死需要大约五分钟，但人自憋不可能超过三分钟。超过三分钟就失去了知觉，也就憋不了了。人的能力是有限度的。我是没办法啊！我真恨自己！我只能逃。我向往香味，就是得不到，能不吸污浊的味道也好啊！或者吸别的臭味，屎味、尿味，哪怕纳豆味，还有奶酪味也够难闻的，那是跟她身上一类的难以形容的味道。

“当然，我也不一定就非要这么娇贵。我并不是没有闻过臭味。当初在‘佛跳墙’，店里屎尿这种东西不都是我清洗？虽然做的是中国料理，但老板有时也会用奶酪熬油。料理店后厨是什么味道都有，食客只知道吃起来好吃，到后厨闻闻，那个臭啊！更不要说每天都要熬的高汤了，每天起来，第一件事就是下高汤料，到晚上打烊了，汤才倒掉。也是我倒的，那味道臭得都要呕了。但这是工作，工作哪里能挑三拣四的？工作哪里有舒服的？但工作让人有尊严。

“现在我要说了，我也是要尊严的。人是在两个线内取舍的动物：一个是人格线，一个是欲望线。我可以迁就你，放弃我的欲望，抑制我的本能，但你得尊重我。也许不该说什么尊重不尊重的，‘尊重’这个词，对我太奢侈。我是奴仆，是奴隶，我是被她收容的猫狗。我应该心甘情愿当她的宠物，我应该报恩。我不是不懂得知恩图报的人。虽然我见了她就反胃，但我还是努力服侍她，她叫怎么做就怎么做。她叫我把她整个地抱起来，她说这叫作包饺子。抱就抱吧。为什么要抱起来呢？她说不然饺子会黏在案板上。我只能听命。她虽然是女的，个子小，但我个子也小，抱着她还是有点吃力的。她把整个身子吊在我身上，脚跷得高高的。她舒服了，但我受罪了。而且她一舒服就不下来，我累得喘气，她却享受地哼哼着，脚一荡一荡的。她说她整个人都没有力气了，整个人都交给了我。这是什么话？我只是她的用人，或者说，玩偶。我有时恨起来，想一把将她撂下，那样她会摔得很惨的。那么，我不仅没有好果子吃，还成了恩将仇报的小人了。你也知道，我已经被‘佛跳墙’的人说成恩将仇报了。如按他们的说法，那么这是我第二次背叛了，之前已被他们算上一次。我冤！

“所以，我只能忍耐着，也包括身体上的忍耐。你也听过照子说的，我被香织缠住，但你是否奇怪，为什么香织就偏要缠住我？照子她不可能知道，我怎么可能跟照子说？我怎么说得出口？香织她也不可能嚷嚷出来的。至于少东家林北方，他即使有所猜想，但仍然太浪漫，太精神化了。实际上，身体才是第一位的。明白说，就是因为我生殖器官大。她看上的就是我这个。但让她最初知道这个，也不是我的错，是林北方他说的。他不是也向你承认了吗？是他自己嘴贱，让香织听到的。他是在奚落我，不料适得其反，怪谁？

“香织是在后来才对我说她喜欢我这个的。其实我也没觉得自己大，她说：因为我身子小，就显得特别大。‘像长柄钥匙！’她说，‘身子小小的一寸法师，又法力巨大。’日本人就喜欢小而力量大。她就这么幻想，一直要我。我羞耻的，偏是她喜欢的。我身体吃不消了。她没日没夜地要，我站着腿都是抖抖的，没有力气。身体不行起来就是不行。我只能躺着，她更喜欢，这样她更能为所欲为，想怎么做就怎么做了。她说就由她来疼我，她来包我。她架在我身上，用她的器官包住我的。她在我身上纵情，也不管我死活。一次又一次，她简直是吸血鬼。我感觉总有一天要被她吸干了，死掉。更严重的是，死掉的我算什么？用人？连用人都不是，她的玩偶而已。哪里这么简单？用中国话说是‘面首’，是‘吃软饭’的。这太可怕了。人不人鬼不鬼。谁天生愿意‘吃软饭’？树活皮，人活脸。活着没脸面，死后也没脸面，这才彻底完了。

“该死！我又纠结这个了。我要不停地告诫自己：你不配想这些！你不配顾及脸面顾及荣誉！我不是能够放过自己的人。但我又是人，这点上我照样也不放过自己。对自己，我也是很累的。所以容我再说一次：我根本不是营蝇狗苟的人！但我身份低贱，人家这么看我也有道理。不仅是香织，还有少东家。他一直认为我和香织做那种事是在享受着，真是站着说话不腰疼。当然，应该说是他没机会弯腰过，他还垂涎着香织，他喜欢她这种菜，他喜欢她那狐臭的体味。他喜欢是他的事，他变态是他的事，我可是正常人，那么，我怎么可能喜欢她？我宁可把自己整废了，也不接受她。我对味道特别敏感，从我喜欢香草就可以证明。少东家你自己喜欢狐臭，不等于我就喜欢。我地位卑下，但我有正常的嗅觉。他以为我下贱，就饥不择食了？他没有想到，人再饥饿也不可能去抓大便吃。

“如果不是被‘佛跳墙’逼得走投无路，我怎么会去长谷川家？即使我成了长谷川家的用人，我也是该干的干，不该干的就不干。你能拿我怎么样？我本来就是无可指责的人，我是一张清白的纸。我完全不需要去证明自己不是个背叛者，不需要用眼下的忠诚来证明原来的忠诚，没必要用加倍忠诚去洗刷原来的背叛。

“但我原来背叛了吗？少东家真是误解了我。我对长谷川小姐好，是为了帮他。他喜欢长谷川小姐，我想为他多做点事。更重要的是，少东家当时是把我当成知心人了，什么都对我说，我是个知恩图报的人，人家对我这么掏心肺，那我有什么理由不为他赴汤蹈火？说赴汤蹈火也许说重了，但说当马前卒总不过分吧？其实在长谷川香织那里，我也忍受了许多，我也心甘情愿。少东家喜欢的女人会使唤我，折腾我，冒犯我，说明她也把我当自己人了。退一步说，人家还是‘佛跳墙’的客户，我是‘佛跳墙’的人，能为店里做贡献，这也是我的光荣。急东家之所急，想东家之所想，东家没想到的，我也要替东家想到。为东家受委屈是应该的，不该推辞，也不要诉苦，自己内心知道自己忠诚就行了。默默地承受着委屈，后来我才明白，我恰在这一点上铸成大错了。到后来手绢的事，我再怎么也说不清楚了。

“不过关于手绢事件，坂本对你说的一个细节不是那样。我确实是穿着那双木屐的，不过只是到小姐面前才穿上，我是想让小姐看出效果来，就像时装，不是都要模特儿穿上才能现出效果吗？我嘴里有说这是少东家的奖品。也许是坂本没听到，他当时离得太远。香织她听到了没有我不知道，反正她是没有理会我，只顾把手绢塞给我。回到少东家那里时，我其实还想对少东家说的，尽管会扯出之前的那些他不知道的事情来，但我问心无愧。但我仍然害怕，就连手绢也不敢亮出来了，于是就成了藏了。到少东家发现，再也来不及了。

“于是我的好心就成了企图，我干得越好，就越是有企图。我陷入了怪圈。我就想索性不管他们的事了，逃避。但问题在于我还得干活，我仍然要去长谷川家送餐，去了回来，又被怀疑去勾引长谷川小姐，骂我，打我，后来不仅打骂，还不让吃饭，但活要照干。我虽然个子小，但我是干活的人，怎么能够经得起饿？起初我以为只是饿一餐，但第二天早上还是不让我吃。但我照样干活卖力，没有因为卖力干活会消耗体能而偷懒。即使你冤枉我，我也不会撒气。

“我承认我性格中有一种过于克己的倾向。但这是冲着得到报偿的。我让自己谦卑，我这样了，你总得肯定我吧？那么我还会让自己更谦卑。但一旦不是这样，你还不领情，那么我就干脆翻了：我做得这么好了，你还要怎样？不甘，心冷，心硬，比以前更冷更硬，走向反面，要讨回我之前被你欺诈失去的。

“但在‘佛跳墙’，我仍然不敢放肆。于是我就用抢着干活来撒气。我干活总没话说了吧？我饭都没吃还这么干，你没话说了吧？我干死你就没话说了吧？于是我又成了抢学技术。关于我抢学技术的指控，就是从这时候开始的。反正就因为我下贱，做什么都被人往坏里想。到了中午，还是不让吃。我受不了了，我算是明白了，我必须自己救自己，尽量省点能量消耗。这样，我又被指控偷懒，又被打，再罚继续饿。这要饿到什么时候？后来我想到，他们是想饿跑我。虽说难找到我这样廉价的伙计，但战时经济越来越糟糕，店里越来越没生意，他们想省去我这口嘴。

“如果不是被逼到活不下去，我是无论如何不会跟香织走的。说什么我是蓄谋已久，肚子能等吗？我肚子知道什么时候炸珍珠港吗？又不是山本五十六的肚子。又有说什么撞上了机遇的，那之前我已经知道香织是多么折磨人。要不是实在无路可走，我是万不会去的。在这个世界上，我没有亲人。你也许会问，我的亲人呢？他们都死了，爹，妈，哥哥，姐姐，他们都葬身海里了。我是侥幸活下来的。我被救到一艘船上，但他们见我话都听不懂，没有用，最后在横滨把我赶下船。我流浪了好几天，才遇到了‘佛跳墙’老板。我很感恩他，当然我也感恩把我从海里救上来的人。我是有感恩之心的人，虽然他们都把我赶走了。

“按说我们不会死在水里。我们是疍民，你

也知道，水上人家，我们水性好，我们对水太熟悉了。当然这也是被逼的，我们不能上岸居住，只能住船上。你听过这个谣曲吗？

上无片瓦，

下无寸土。

一条破船挂破网，

祖宗三代共一床。

捕来鱼虾换糠菜，

上漏下漏度时光。

“你问我们是不是少数民族？不，我们也是汉族。我们和岸上人一样都是中国人，但没有我们立锥之地。没有一块土地是属于我们的，我们只能在卖鱼虾时上岸，岸上人可以随便打我们。他们赌钱输了，窝了火，见到我们，可以拿我们出气，可以把我们杀死。爹只不过多看了岸上女人一眼，就被他们绑起来了。当时一家岸上人家买了爹的虾，进去拿钱，爹在门口等，屋里厅堂有个女人在洗脚，脚从洗脚桶里提起来，淌着水，一道光影，爹的眼睛被引过去了。那是小脚，跟我们疍民的脚不一样，我们是要立在船板上的，脚特别大。我们脚趾是叉开来的，那脚趾是缩拢的。爹刚入神，就被人一拳揍在脸上，大祸临头了。

“但他们干脆把我爹送官也好，该当何罪就该当何罪嘛！但王法是不会用在我们疍民身上的。岸上人可以随便对我们动私刑。他们要把我爹绑在北岭的山上，在他身上涂上猪血，让血腥引来老虎，叫老虎把他活活吃掉。妈去求他们，他们说至少要阉割。岸上人传说我们这族类性器官长得跟他们不一样，特别大，像狗一样有倒叉钩的，必须像阉狗阉猪一样阉掉才能除害。妈去央求看押的人，他答应故意装作睡着觉，让爹逃走。他哪有那么好心？我们家贫如洗，妈拿什么做交换我就不说了，反正在岸上人看来，我们疍民都是牲口。爹一出来，我们就驶着家船跑了。

“我们的家船只能到闽江口，再往外，就吃不了风浪了。我们勉强划着，眼看要翻船，好在这时候遇到一艘货船，船主好心让我们上去。船是开去日本长崎的。我们发誓，再也不回来了。”

“就这样，你们到了日本。”我为他补充。

“我们家葬身海里了。”他说。

这之前他说过。“那艘货船出事了？”

“是另一艘。”

“另一艘？”

“怎么可能只靠一艘船？”他说。

我想，也对，漂泊路上，怎么可能只乘一艘船？而且他最终到达的不是横滨吗？林北方也说自己父亲是在横滨捡到他的。

他没有具体说，我也不追问。漂泊在外的苦难甚至难以言说，我自己就经历过。我也很少跟人说我在美国那段经历，我愿意讲的是后来去国外采访的事。流亡跟出国工作及旅游是不一样的，跟自愿移民出去的人也不一样。流亡的人有双向“原罪”：对祖国，你是背弃者；对所抵达国，你又是异邦人。不堪回首。所以他才会最终回国。但这并不等于他当初不该走，当初走的跟后来回来的不是同一个人。这个林修身当时走时是个贱民，回来时是个企业家了。我想起当初他在太阳吊索桥上说的话：“等我有钱了……”

即使香草要找的游击队，那里不也是中国人的地方吗？

我终于明白了，是因为这个，他才不跟着香草去的，并不是为了日本人的任务。事实上，他也让那个行动失败了。

我脑补着他在太阳吊索桥上的情景。他仰着头，闭着眼，灿烂的阳光在眼皮上迷走。疏松的泥土蒸腾着香气，那是香草的香气。他吸着。所有的植物都在格格拔节，那声音，那香气，跟阳光组成一片亮丽的大合唱。有一种被万物拥抱的疲乏在全身扩散，就像将要高潮的做爱，他呻吟着。但这高潮已经中止，早在上桥前就已经中止。只不过他仍然慵懒地赖在那种感觉中，苟延残喘。现在，他身后方向响起了窸窸窣窣的声音。香草听不到，他听得到。也许是他臆想出来的？但哪怕是臆想，那样的声音终究要出现。他猛然紧张起来，留给他的时间不多了。他凶猛地吸起来，能多吸一口是一口。但他也清楚，自已每多纠缠香草一分钟，香草就多一分钟危险。当然，他可以拖延到日本兵逼近那最后一步，用自己的死来阻挡日本兵逮住香草，让香草跑。但他能吗？他这么弱小，日本人都比他高大，他们还荷枪实弹。而且，日本人一旦出现，香草就明白了是他带来的了。至少是怀疑，但即使是怀疑，他也没有机会去释疑了。他永不可能见她了。见不到还是小事，让她鄙视更糟糕。那是万劫不复。他现在唯一的愿望就是在她心中保持好形象。这愿望从来没有这么强烈。但怎么可能有好形象？她已经把他看成窝囊废。但就是这样，也不能被看成是奸细。这非常要紧！非常要紧！比命还要紧！因为他爱她。

他爱她，却要离开她，他千方百计要留住跟她的距离，却又要远离她。他离开她，是为了爱她。

他仰天喟叹，那声音就像失声很久的虎啸。

他蓦然感觉脚下晃荡，也许是他发出太大的能量，让铺板震荡起来了。铺板稀少又破烂，好像脚下是通透的一样，阳光从下面反射上来，下面是虚的，好像他根本没有踩着板。风吹过，吊桥飘了起来。他灵机一动，他要踏掉铺板。板已经很少了，能踩掉几块是几块。至少，日本人必须吃力地过桥，香草就有逃跑的时间了。更重要的是，香草看到他拆除铺板，就不会怀疑我和日本人是一伙了，反会觉得我是在救她。当然，踏掉铺板，我就会掉下去。下面深不可测，粉身碎骨。死就死吧，这样她就完全不会怀疑我了。我要活命，但我可以为她死去。我现在也只能用死来洗污。在她面前死，为救她而死，洗污后死了，她会后悔她骂了我的，她会为我哭。她为我哭已经够了，死无憾了。

“我理解，我理解！”我对他说，“虽然您后来活了下来，但您已经有死的决心了，已足够了！也许您不是英雄，这世上有无可挑剔的英雄？只有刹那间的英雄。您应该欣慰了，香草，她全名叫李香草，当然您应该比我知道她，后来我也见到了她，哦，是视频，她做节目的视频。她在节目中说，她已经知道您是故意把吊索桥弄断的……”

“不是……”他说。

“您不要谦虚。您不要对自己要求太高。”我说，“谁能对谁高要求呢？谁有资格对别人高要求呢？我们不是大人物，我们不可能创造历史，我们不可能把控事件大方向，既然这样，那我们做些力所能及的事，已经很够了。让事态尽量朝着不那么坏的方向发展……”

“我不是。”

“那您至少在客观上做了，客观，不知不觉地，不经意地，意外，您意外救了她！”

“我没有救她！”他说。

我愣。我的热血被凝固，“不，您……”

“失误。”

“什么？”

“失误！”

“失误？”

“我也不知道那桥会垮。”

“当然，您当然不能保证，谁能保证它就会垮了？但您努力跺它了……”

“是它晃荡。”

“但您不是在跺吗？”

“我只是想跑开，想着一脚踩稳，踩住，就用力踩下去，结果反而让铺板震动，把吊索震断掉了。”

“不可能！”我叫，“根本不可能！您就是舍身救她的！她，香草，她在后来的节目里说她爱您。她后悔当初没听您的话，没跟着您。”

在视频里，李香草这么说了吗？至少没有明确这么说。我在杜撰李香草的话。反正李香草已经不在人世了。但我没有意识到，这个U也早已不在人世。我这是在杜撰一个死去的人的话，欺骗另一个死魂灵。我是在企图镇住一个几十年的鬼魂，简直幼稚可笑。他没有被关于爱的话所迷惑，倒是紧紧揪住了问题实质，反问：

“跟着我？回到日本人这边来？然后知道我是奸细？然后爱我？然后她再被投去当苦力？就比当游击队好？或者她还是爱我，然后跟我一起被当作‘汉奸’？”

我愣。这简直是一个恶毒的老蛇精。“您不要这样！历史怎么能假设呢？历史走向怎么能看清楚呢？您这是在钻牛角尖！您这是给自己出难题，自己跟自己过不去。您怎么能这样啊！打住！打住！您不要再说了，我不听！我不听！我只知道您已经够不容易了，已经很强大了。一个人的强大不在于他做了什么，而在于他能承受什么。您承受了太多。在这个世界上，我们都承受太多。我也知道您有负罪感，但在当时那种情况下，您能那样做，已经够了不起了。您无可指责，您只能做到那样，我们每个人都只能做到这样，只能，只能……”我絮絮叨叨地说着，毋宁是用言说来抵御他。我进入漫长的“只能”的隧道，没有空间边际，没有时间终点，永远“只能”着。“只能……只能……”这是一个异常混沌的梦，“只能”，表明我不满意。但也最终顺从了。我当然感到惭愧，我没有做好，但我没有办法，现实如此，我“只能”如此。等这现实改变吧！我企盼着，畅想着，憧憬着，寄托着，决心着，同时也慵懒着，磨蹭着……

第八章

我消化了自己

二〇三七年，我寿终正寝。

我是一路做到厅级退休的。我自己也没有想到我会升到这个位置。

就在我即将离任时，发生了一起轰动全国的毒空气事件，影响极大。我一如既往巧妙平息了这个事件，安抚了人心。上级领导，还有同事们都认为我给自己的职业生涯画上了圆满的句号。

但我的心并没有安宁下来。我安慰了别人的心，我的心却更加彷徨。那天晚上，我又在照镜子时，蓦然抽了自己一个耳光。我一直都有抽自己耳光的习惯，就像果戈理一生没有戒掉自慰一样。

自掴就是一种自慰。或者说，企图让问题明晰化。几乎所有问题都复杂得无以下手。我们处在最复杂的时代，各种价值观纠缠，我常有双手互搏的困顿与痛苦。我常想起特里林所描述的“文化英雄”，他认为，“对于一等智力的检验是看他有没有能力同时在头脑中持有两种相反的观念，而同时依然能够保持行动的能力。”这是太难做到了。有时候，我简直感觉到深入内心，心瓣互撕。可别闹到心碎的地步，但我实在无法作出选择，只能无限延宕行动能力。

延宕也好，就在延宕过程中努力把心跟脑分别出来。司空医生说得对，心是心，脑是脑，“心想”实际上是“脑想”，跟心没有关系。

但我仍然感觉心在遭受折磨。也许我还真应

该认同司空医生的观点，这个心不过是一种器质，就从这个思路着手治疗，别把精神因素搅在其中。即使讲精神因素的宗教，佛教，不也把这心叫作“肉团心”吗？它只是“身”的一部分。

但佛教不是也讲“起心动念”吗？心动了，然后传达到大脑，让大脑产生想法。这不又说明心对思想是有作用的吗？管子也说：“耳目者，视听之官也。”“心处其道，九窍循理。”“心以藏心，心之中又有心焉。彼心之心，音以先言。音然后形，形然后言，言然后使，使然后治。”孟子也说：“心之官则思。”“尽其心者，知其性；知其性，则知天也。”张载直接对“心”下定义：“心”由“性”与“情”合成。

但我是信佛说的，还是信这些中国圣贤说的？我承认自己很混乱，也许还是佛学更调和一些，但我又不甘心。我愿意接受王阳明，年轻时曾经读过一些王阳明，那时候喜欢叫他王守仁，他的画像就像他的名“守仁”一样迂腐。那时候，所有传统的东西在我心里都是迂腐的，曾几何时我亲近传统了？这个问题，曾经跟我大学时代的一个同学聊过，他说是我保守了，所以保守，是因为我是既得利益者了。他总这么说我，他明显不知道即使是既得利益者，内心也充满了危机。也许正因为危机感，我才一头钻进了传统。传统不能给我答案，这我还是知道的，否则八十年代“启蒙”就白启了。但传统可以成为逃避的港湾。

王阳明也说“人者，天地万物之心也；心者，天地万物之主也。心即天，言心则天地万物皆举之矣。”但他的妙处，或者说是让我喜欢之处，是他干脆以“心”取消了“天地”。

> 《答李明德》：先生曰：你看这个天地中间，什么是天地的心？对曰：尝闻人是天地的心。曰：人又什么叫作心？对曰：只是一个灵明。曰：可知充天塞地，中间只有这个灵明。

这比“二程”将“心”分为人心和道心简单多了，也不像朱熹陆九渊那样老是把“理”作为羁绊。只消对这心，养心。养心就是知天地，养心就是养世界。

“吾日三省吾身”，自我反省又自我调适、自我保存，克服现实世界所带来的种种困难，避免冲突，让一切既在或潜在的对立因素都消融在主观心理的平静安宁中。这是一种智慧，也是一种操持，独立于客观现实之外而刚健有为。

但客观现实还在。无妨，作为知识人，我有不少可以搬弄的武器。知识人往往有太多为自己辩护的武艺，有时简直就是背叛知识的犹大。

客观世界是什么？佛学上说：“过去已灭，未来未至，现在不住。”唯有虚无。当然佛学也讲真实，这时可以搬出尼采来，尼采认为唯神不虚无，所谓虚无，是以神为真实。但神存在吗？那么此真实岂非虚无？这似乎又接通了“后现代”了。知识是相通的，历史是轮回的，世界是周圆的。

关于神的存在，还可以很学术地搬出拉康的“大他者”来。上帝不过是人自己制造出来凝视自己的幻象。在迷上“心学”之前，我曾经心仪过拉康。但拉康太思辨，他让我被思辨所引领。思辨是可怕的，还是整体地把握来得安妥。

这整体就是心。它没有嘴，没有牙，但它可以捂化任何东西。用心来消化世界，就像用胃来消化食物，混沌的，缓缓的，耐心的。

终于，我消化了自己。

我不再纠结。我叹息，但我不思考。我的心在浩渺的宇宙里飘游，但就是不及物。我心悲悯。我成了名副其实的好人了。中国知识人活老了，往往会变成光溜溜的好老人。

我理解了这个世界。二十世纪八十年代号召“理解万岁”，我很抗拒，认为是对历史的不负责任。现在我理解了。我于是也理解了我追寻一生的那个叫林修身的可怜的人。我理解了他的心，哪怕他苟且，哪怕他无耻，甚至有罪。扪心自问，只需要扪着自己的心，不要说话，就听着自己的心跳，在那种情境下，谁能够做得好？

有一天，我看见孙子做物理作业，拿着U形磁铁。“这叫‘马蹄形磁铁’！”孙子跟我在名称上较劲。

“也叫‘U形’！”我说，“我就称‘U形磁铁’！”

“为什么一定要叫‘U形’？”孙子反问。

我想到了林修身被叫作“U”。

“别跟我扯没用的！”我喝他，“你就告诉我这磁铁是做什么用的？”

“磁场实验。”

“我当然知道。”我说。其实我并不知道。当初我物理并没有学好，现在仅存微弱印象。现在的孩子，仗着受到完整教育，就刁难长辈了，“你就告诉我实验原理。”

“磁感线从北极出发，到达南极，两极之间磁性是最强的。”孙子说，“做成……U形，”这鬼精灵也顺从我的意志说‘U形’了，“是为了让两极更接近，好看到效果。两极之间的距离接近，磁通量损失就比较小，造成磁通量密度就比较大，磁铁的吸力就会比较大。”

这不就是林修身吗？他有两极。在他少年时代就显示出来了，最初为林修身取“U”这称呼的林北方，当时是否受了U形磁铁的启发？当然他不会说，他只要呈现他家伙计“坏”的一面。他是否用心去体会一下，他家伙计“坏”的一极，也在被“好”的一极吸引之中？当然“好”的一极也是如此。但人是复杂的。

人是复杂的，这是我通过一生探索的结论。当我们这么说时，我们已经对人理解了。当然还有一句：世界是复杂的。我也已经跟世界和解了。但“人是复杂的”“世界是复杂的”这种貌似历尽沧桑得出的结论，实际上是没有结论，“放之四海而皆准”的真理是“真理之无”。但还别说，“无”，还真是抵达了世界本相。于是以“无”的面貌最可以言说真理。佛家不是说物理学绕了一大圈，最终回到了佛学真理吗？

在我生命最后三年，我以“无”的价值观，为林修身写了一本事实确凿的传记。我完成了一生的愿望，也是为我自己。

你还要怎样啊？

我没料到在三生石前遇到了他。

这个林修身竟然还卡在这里。他捧着他的心。我看到了这个叫作“心”的实物。它就这么裸露在我面前。它还活着，血淋淋的。它支离破碎，它的主人必须用两个巴掌捧着。它太碎了，主人要不停地转战手指拢着它。但仍然总是顾此失彼，一次次险些让它从指间滑下去。手指赶紧夹紧，兜住，化险为夷。但很快，类似情形再度发生。真难以想象这么长时间他是怎么过来的。

据说早些时候无常也被那心折腾苦了。白无常收了林修身的魂，黑无常负责收魄，但收了身体，独独这颗心收不走。林修身自己也表示无奈，他也拿这心没办法。它都已经不成形了，碎得七零八落，难以收拾。它像小石堆，零碎而坚硬，坚持不让自己拢成一个整体。它简直不成样子，但它不要体面，就像豁出去的无赖。

无常曾经疑心，这个人不归他们来收。从葬仪看，好像不能肯定是中国人的仪式。但他说自己是中国人。他确实也有路引，确是阎罗大帝所发。无常就接手了这工作，但干到一半却干不下去，想撒手，偏偏阳世不收退货。这是众所周知的阳世办事风格，能推就推，快快甩手。扛在黑无常手上了。

说来应该归咎于阎罗大帝，是他签发的路引。但哪个敢批评阎罗大帝？只能迁怒于同事。白无常已经完成了任务，一副事不关己高高挂起的姿态，黑无常心里就很恨，觉得不公平。再一想，凭什么成了我的事？这心本应该由白无常你来收。管子有言：“心也者，智之舍也。”阳明先生说得更是明明白白："所谓汝心也不专是那团血肉，若是那一团血肉，如今已死的人那一团血肉还在，缘何不能视听言动？"可见这心应属于魂。

但白无常却也有理由：你不看那心，实实在在可以看得见，破成几瓣都看得分明，得用手兜，还流着血。要让我来收，我用什么器皿来收？只有你收魄的才有工具。

黑无常道：你没有工具，不等于就不是你的职责。只是以往心都包在身体里，我顺便收走罢了，偏偏这个心跑到外面来了。

白无常道：谁叫它主人把它抉出来？

林修身道：岂是我抉的？是它自己破腔而出的，像炸药包爆炸出来了一样。

黑无常道：你明明知道自己心碎得这么厉害，还不看管得严一些？

林修身道：原来没这么碎，是它自己咬这么碎的。

黑无常道：笑话，它哪有嘴？

白无常也道：自己咬自己？谁会这么做？

不料声音竟从那心的一个裂口发出来：怎么没嘴？我就是自己咬自己！

白无常对黑无常道：不管怎样，既出来了，明明白白看见它就是血肉，还有嘴。圣贤的话也不是全有道理，都这时代了，谁信谁的理呢！

黑无常道：我一直替你做，你倒不知理了！

白无常道：就是说理，也有阳世之理，阴世之理。

有一次，又争到这个，黑无常出口道：那阳世之理阴世之理，是否也男女有别？

白无常没明白。黑无常在跟那身体打交道时，发现了那身体里没有阳具。收男性阳魄是黑无常的工作，但如果是女性，那就应该白无常去干了。这下白无常无话了，于是黑白合作，党同伐异，把那心用绳子扎了，塞进它主人体内，快快送到牛头马面手上。牛头马面不知情，按正常手续办了。黑白无常就要开溜，这边那心又破腔而出。牛头马面惊叫，喊无常，黑白无常都装作没听见，只紧着走。

好在鬼门关有十六大鬼，个个凶恶异常，不怕搞不定这颗心。这心已经扎得实实的，只消再把它塞回林修身体内。又怕林修身不从，又把他绑得像粽子。拽进黄泉路，黄泉路上一路孤魂野鬼哭号。这些鬼魂还不能去阴间，只能在这里游荡，你是寿终正寝，还有什么不满意的？恶鬼说。恶鬼也不是一味凶恶，也知道收买人心。林修身觉得有理，他毕竟是好人，善解人意，但他那心却不管，仍在他身体里困兽犹斗。林修身也够苦的，外面自己身体被绑着，里面又被心撞击，内外受敌。到了奈何桥，那心又突围出来了。绑那心的绳子不仅被挣断，林修身身上的捆绑也被冲垮。它原来就碎了，这下碎得更加厉害。手被解放，这也使得林修身有办法去兜住他的心。恶鬼想，这样也无妨，就随他这种姿势，快快过桥，但那心看到三生石上的文字，就不走了。它并没有脚，应该是它让它的主人不走的。它的主人这下也屈从它。

恶鬼催促，诱惑说再往前走，就是望乡台了。你不是不愿意离开人世吗？你不是舍不得阳世吗？那里可以望见阳世。但林修身却执着于三生石上的文字记载。这又有什么关系？不过是档案。而且，你经历过人世，应该知道档案这东西是靠不住的。阎罗大帝也知道，你们过来的人都不容易。但林修身仍然不走。是因为这里毕竟写了你不好的事吗？到时阎罗不宽大怎么办？恶鬼问。但林修身不说是，却也没说不是。那你这是要怎样嘛？恶鬼急了，你简直就像"上访户""医闹""钉子户""刺头"！要动暴力。

我赶紧上前为他说话。我承认我为他说话，多少出于私心。如果让它乱说，我那些白纸黑字怎么办？我真怪这个林修身不懂事，我那么帮你，为你树碑立传，我已经为你做这么多了，现在却让我为难。

"你知道他？"恶鬼问。

我点头。“我采访过他。我为他写过传记，他是好人。”

“何以见得?”恶鬼问。

“他身体里没有生殖器就是证明。”我证据确凿道，“那是他自我惩罚的证明。在人间，能自省已经难得了，还自己惩罚自己，惩罚的还是如此重要的器官，要知道这器官对男人是命根儿……”

“命根儿在这里!”不料那心很不配合地叫起来。那心活像脱了毛的鸡仔，几乎已被大卸八块了，还挣动着，心尖部分就是它的嘴。它竟然有嘴，会说话。

“我知道……”我说。

“那个东西算什么?”那心问。

“什么东西?”

“生殖器官啊!”它说。按说它这么粗鲁，可以直接说出“生殖器官”这词。它这么说，明显表现出对那器官的轻蔑。

“噢，对。”我说。

“那东西是我耻辱的证明!”它说。

“也不能这么说。人人都有这个器官。人毕竟是肉身的人嘛!”

“那不过是肉!”它说。

我觉得好笑，就你，不也是肉吗?佛教里说“肉团心”。当然心毕竟不全是肉，（其实生殖器官就只是肉吗?）为了安抚它，我附和它：“我知道您是主情感的。我知道您的心情。我们中国人最了解‘心’了，中国文化简直就是‘心’的文化。中国语言说得深入往往要用到‘心’字，只有说到‘心’才到深处。心情，就是从最深处发出的情。这情来自深处的理，外在的理不重要，心的理才重要，所谓‘心理’。心理就是心的纹理，也就是心走过的路，心路。我理解您的心路。我知道您很难，这世界倾轧您，撕扯您，对您不公平……”

“没不公平!”它竟然说。

“别这样，”我说，就像在梦里我说的那样，“我知道您历经苦难……”

“难吗?”它说。

这是什么意思?你否认，我的理解与宽赦，倒成了我塞给你的了。其实梦里也是这样。也许是一直被贬低，自己对自己的认知也产生了偏差。甚至，就像长期遭受寒冷，忽然被盖上棉被，竟会暖得不适应，甚至感觉肉麻。或者，干脆就是觉得这个世界本就是一团黑，它索性乐在其中，而看破，而绝望，而玩世，而颓废，而反叛，而堕落，而行恶。但其实每一颗看破红尘的心都有一个大得无法实现的理想，每一颗绝望的心都充满着极度的希望，每一颗玩世的心都把认真作为准则，每一颗颓废的心都有着挣扎与不甘；每一颗反叛的心都立志牺牲，每一颗堕落的心都是从高点堕下的。我觉得我堕落，是因为我心在高处，我是撒旦，因为我以上帝为参照。当然这不是我的话，我现在怎么会说出这么煽情的话?印象中是我年轻时读过的哪个文学作品里的，八十年代的，现在早已被反思，乃至嘲笑。我们已经成熟，我已老，已经圆满，已经从人世过往。当然我也怀念那个时代，怀念，但坚决不回去。我也不能对这颗桀骜不驯的心说这种话语，那样它就更加纠缠不休了。我已瓜熟蒂落，我知道怎样利索地处理问题。这是我的强项。我面对这颗心，跟他讲“未发”，您现在已经到了这个境界，什么都放下，回到“未发”状态，现出您的本心，人心本是无善无恶的。

“谁说无善无恶?”它反问。这心真是好斗。那嘴一下一下啄来，我见过许许多多的嘴，从没有见过这么狰狞的嘴。

“阳明先生说‘无善无恶心之体’……”

“谁说……”

“我知道，我知道，”我说，“您不能理解。其实您也不必理解，这本应该是我这种知识分子来告诉的。”

“对啦!”边上恶鬼插嘴道，“人家是知识分子，懂得比你多!你就听人家的吧!”

我发现恶鬼在向我使眼色。我感觉我在跟它沆瀣一气。我的愿望就是恶鬼的愿望。多少年了，知识分子跟恶鬼就是这么共谋的，心照不宣，你就是我，我就是你，你中有我，我中有你，就像浮士德博士跟魔鬼梅菲斯特。我的心一跳。

“我承认知识分子没有做好。”我说，“但其实也不能怪知识分子。知识分子也是人，不是吗？世界那么复杂，知识分子不过是人……”我不知道自己为什么要扯出这些？虽然可以为知识分子的犬儒辩解，但这岂非让问题复杂化了？但这是我纠结的问题。糟糕的是我自己以带着问题之心，企图去诱导对方的心。“唉，唉！只有知识分子才想这么多！您不必要，您只要顺从本心，只凭本心，‘知善知恶是良知’……”

“嗯，就良知！”它说，“并不是只有你们知识分子才懂。”

它终于不再反驳了。

“再说，文人算知识分子吗？”它又说。

随它怎么说吧，只要入港就好。我说：“好吧，就算文人，是文人的良知。阳明先生摸索致良知的道路，用他自己的话说，也是‘从百死千难中得来’，是‘千古圣贤相传的一点真骨血’……”

那心一震，又一茬血汹涌冒出。我后悔我为什么要去说这些？什么“血”，什么“百死千难”，这不是又刺激了那心？“别这样！您别这样……”

“找不到良知是肯定要裂的！”它说，念叨着，“就像当初在桥上。”

“桥上？”

“太阳吊索桥。”它说。

我又懊悔我为什么要去提醒它说这个！

“两不去，就裂了……”

我想阻止它。“在我的梦里，您说过……”

“我说过？”它反问。

“哦哦，不是您，是您的主人林修身先生……”

我寻林修身，竟然找不到。不错，仍然有两只手兜着那颗心，但就是看不到手腕延伸出去的部分，更看不到他的脸，甚至都不能肯定这手是他的。

“他说就是我说！”那心说。这逻辑上也说得通，但让我直接单独面对这样一颗心，我心里还是有点发怵，而且因为它血淋淋的，有一种无可辩驳的力量，“是你说的！”

“应该是我记错了。”我说，“那只是在梦里。哈，我怎么会把梦当真？我真是愚蠢可笑！”

“我承认在你梦里说过那些话。”但是那心说。

“不，您没说！”我说，“怎么可能？您怎么可能会进我的梦里嘛！这不符合科学！”

“科学？”它哈哈笑了起来，口子裂得简直不可补救。

是啊，都进了鬼门关了。在鬼域谈科学，真是太可笑了。都是我的知识分子思维在牵制着我。即使论科学，人类对宇宙才了解多少？“所以嘛！”我说，“一切都是虚妄的。您怎么可能说那些话？”

“那些话，我还真的一直在说。”它说，“说着说着，我自已都信以为真了。但说着说着，自己也会说不下去。因为是心在说，心是知道的。”

他的心说

“那太阳吊索桥上的情形，简直就是我一生的象征。我一生困难的象征。”

它还真说得像知识分子。也许每颗心都是知识分子。

严格说，我听到的不是声音。那个狰狞的嘴已经不再动，整颗心也沉静下来，我感受到的是一股波。那波是从它的另一端发出的，这是原来连接身体的部位。那里因为断掉了，反形成一个凹陷的坑，好像漏斗口。尽管这颗心到处是裂口，但它的主人的手仍然一直把它竖扶着，好像担心这口子倾泻出什么来，以至于现在它自己可以单独立着。口子在迅速张大，使得那心呈试管形态。波就是从这大口子汩汩出来的。有一刻我眯眼瞅这心，蓦地一惊：它是 U 形的！敞开的心，难道不都是“U”形的吗？

我听着。

“一边的岸上是香草背影，一边是埋伏的日本人。好在日本人还没有暴露出来，在等我暗号。他们很快就会出来的，只要我没有跟香草走，我就是日本人的人，就得给日本人发暗号。但我实在不能跟香草去。当然我也可以不发暗号，日本人是死脑筋。但他们也不会死板到看见猎物跑掉还不动手。他们一冲出来，我就完了。虽然我不管自己是不是中国人，但我爱香草。虽然我不愿意跟她走，虽然她恨我，但我就是爱她。我要阻止计划实行，我于是又开始踏步，走向日本人所在的一端。我要去阻挡日本人。我这时竟然产生了从来没有过的勇敢。但问题在于，向着我要去的方向的那块踏板离得太远，我脚踏上去，它像水上的漂浮物一样反而荡远了，这使得我的脚失控地重重踏上去，于是把它踏得反弹起来，吊索也剧烈晃荡了起来。我的脚下深不见底，一旦掉下去就会粉身碎骨的吧？好在我未踏出的一只脚还支着这边的板。我让自己稳定，保持姿势。但我的腿那么大跨度劈叉着，很快没了力气。必须把一只脚收回，随便哪只，让两脚踩一块板上。但板是腐朽的，固定在吊索上的部位更腐朽，好像一动它就会崩了。我只能抓紧当围栏的缆绳，竭力将自己身体重量牵在上面，好减轻桥板的负担。但总不能一直这样吧？我又把脚缩上去，这样重力就全部压在缆绳上了，缆绳晃荡了起来。我的脚只能又在踏板上找支点，这样，刚才的情形又出现了，踏板荡起。我抽起脚，但又只能再踏下，仍然踏不稳。我完全没有意识到是我踏得太用力了，冲击得太猛了。我的脑子里一片空白。

“蓦地脑子里有了声音，是香草骂我的声音。她还在那里。这可不行！我喊她走，但我没有喊出声音来，我该怎么对她说呢？我开始后悔我为什么要跟着她上这个该死的桥了。当时她走得利索，当然，她是当地人，她走惯了这样的桥，我以为我也可以，就稀里糊涂上来了。如果我没有上来，我就可以在岸上阻挡日本人。但问题在于我上桥时就没想过阻止日本人，我只是跟着她，想多闻她身上的香气，还有，跟她解释。好在日本人还没有冒出来，她还没有识破我。更让我感激的是，她开始教我怎么解困。她甚至都没有看到我已经在往回去的方向踏脚，也许是阳光眩了她的眼了。她骂我，但只是骂我笨。她还是骂我‘窝囊废！’我感到侥幸。我要回报这种侥幸，于是我产生了就是自己掉下去也心甘情愿的心理。这样好，她就不会发现我是奸细了。但这时候，她尖叫了起来。

“对岸上冒出了一群枯黄色的日本军服，在翠绿的环境里，死亡一样扎眼。死亡向桥上冲来，死亡在向我逼近，我简直绝望，我彻底完了，香草全知道了。但香草并没有骂我，她只是目瞪口呆。我想喝她走，但我仍然没有发出声音。而且整群咄咄逼人的日本人让我畏惧。但我也可以死，我可以以死来救香草，或者说是赎罪。确实，我闪出过这个念头。我于是装得更笨，堵住日本人的路。他们喊我闪开，我也装作闪身，但毕竟桥面太窄，不能通过两个人。他们喊我侧身，我侧过身去，身体失去了平衡，是真的失去了平衡。我站到我脚下那块铺板的左头，右一头就翘了起来。我赶忙又去踏右一头，左边又翘起来。我在两头踏来踏去，就像踩跷跷板。日本人在我身前左一下右一下地企图钻过去。我左，他们就右；我右，他们就左。他们急了，我左他们也左，我右他们也右，像没头苍蝇，差点把踏板踏翻。日本人笨我是早领教过的。这很好，就这么拖延下去。但领头的有脑子，喝令士兵停，让他们静观我的动向。一个士兵机灵，在我踏到踏板左边时迅速踏上右边，这样就平衡了。但他毕竟不是我，我们分别踏一头，无法协调，晃荡一直持续。我们都慌，都竭力用力踩，再踩。这样我们的脚在起落中又不平衡了，因为慌张，越来越不平衡。铺板腐朽，承受着两个人的重量。我感觉脚底有要垮的感觉，我听到了吊索跟板眼摩擦的声音。我叫：‘危险……’但领头的没有领会，他应该是太急了，求成心切，起了冒险之心，喝令另外一个士兵伸脚去稳定住踏板。那士兵伸出脚踏，但因为距离太远，他的脚成了去推踏板。本来吊绳跟板眼共同在一个方向使力撑着，现在被转移了力向，崩了。一崩全崩，我们都掉了下去。

“我真希望自己有轻功，像会武术的人一样飞起来。我不想死，死了一切都完了。我们中国人讲‘好死不如赖活’，不是吗？好在下面并没有我想的那么深，我们都摔在灌木丛里，只是受了小伤，爬上来很难。上面的香草应该懂得跑了吧？这时候我才又想起她。日本人这下无法再去追踪香草和她哥哥的游击队了。我也保住了命，虽然让肉体受苦，也因此他们不好追究我。只有受苦才能保存，我早知道这道理。”

“但您毕竟是受了苦。”我说，“至少在客观上救了香草。客观，已经很不错了……”

“不错？”它反驳我。

“好吧！”我不想跟它辩。但它不想结束这问题，又说：

“对爱的人，这怎么够？爱是有洁癖的，连瑕疵都不能有！”

“我知道您有洁癖，”我说，“但您不能这么想……”

“我一直没有跟人说起香草……”

“您说了。”我说，“跟森达矢说了。”

“也许……我忘了。也许在某个时刻，控制不住自己，冒出来了。人有时都不知道自己做了什么。但我确实是不想提她的。但我不提她，还在想着她。她像一抹冷光，照着我。不是阳光，已经不是阳光了。也不是灯光，灯光是模仿阳光用来照亮的，但冷光不是，它没有什么亮度，但又是光，像梦魇一样晃着你。但有被光晃着总比在一片黑暗中强，有关于香草的噩梦做，总比没有的好。我觉得有个寄托了。尽管她唾弃我，但被她唾沫星溅着，我也有了价值。我揣着她高贵的唾沫，也有了精神贵族的感觉了。当然，这对我来说是不够的，我要的是爱。有时候我真懊悔，我当时为什么不跟她走？但已经来不及了，没机会了。船在返程，那是‘光’号最后一次到苏门答腊，后来航运停止了。日本要败了。

“战争末期，美国人的飞机狂轰滥炸，寮舍被炸毁了。香织要我回长谷川宅里住，我没地方去，只能顺从。也许我可以作回中国的打算？盟军肯定要赢，日本战败无疑。别人不知道，我在长谷川家还是听得一些消息的。将来中国会是战胜国，日本是战败国，我为什么不回我的国家？但我很犹豫，在这个战胜国里我是什么？我是怎样的一个战胜者？

“这时候，长谷川先生被炸死了，把家业交给了香织，又把香织托付给了我。当时我真不愿意。我说这话，并不是在说明我清高，不稀罕长谷川家的资产。不，我要钱，我坚信自己从出生以来所有的不幸都是因为没有资本。只是我实在不愿意再被香织纠缠。战败，秩序重建，对我这种什么也没有的人也许还是新生。但我想错了，所谓覆巢之下无完卵，软壳的卵也是先完的。果然，战时为战争服务的企业并没有被清算，长谷川也是。我承认，过后我很庆幸自己当时没有拒绝长谷川先生。我确实在偷着乐。

“但我的人生进入了黑暗隧道。我可耻，我有罪，我万劫不复了。但人怎么可能听凭自己万劫不复？人有本能。本能一定要出来抢救，就像濒临死亡时跟死神搏斗，调动起全部能量。每次本能出动，都是殊死的战斗。我为自己的行为寻找各种理由，这些理由是如此有力，就像回光返照。不，回光返照是向着必死的，能量用完了，就彻底完了。为自己辩护永远不会死，它还会真的活起来。你会发现在论证过程中，这理由的逻辑变得越来越强大，无法质疑。论证下来，你简直不但无可指责，简直就是太冤枉了。你简直就是完人、圣人。但这世界上哪有圣人？怎么没有？你反驳。于是论题变成了论证有没有圣人，在这种高蹈之下，作为人的你得到赦免了。

“但是，扯什么‘圣人’！没有要求你当‘圣人’，只要求你当个好人啊！其实对这种戳穿你早已有防备，所以一扯完圣人，你就会及时谦虚下来：我只不过是个普通人。不是谦逊，是策略，你本来就策略性地把自己降格为普通人，再普通不过的普通人。当然，当个圣人多好啊！但那是你能当得了圣人时。如果你当不成圣人，就干脆把自己降为普通人，免除了被架在架子上炙烤，火离你远得很。但仍有火星溅到你：普通人还是人，你做的是普通人该做的吗？但我还有办法，就再自己降格：我是虫豸，好不好？我是小爬虫总可以了吧？我只是一踩就死的小爬虫。这样，你就坚不可摧了。降格到最低，一切责难都无效了，一切罪恶都可以赦免。

“当然我仍然要争取当圣人，至少是好人吧，人性中的向上、向善，我也是有的。我也不是不求进取的人，我也努力。这样，你就连我的态度都无法谴责了。我努力啊，我争取啊，我想伟大，却降格为善，我也守不住善，于是滑向了平庸，以至于可耻，以至于罪恶，‘平庸之恶’。但‘平庸之恶’虽然是‘恶’，毕竟是‘平庸’使然。但‘平庸’有罪吗？我毕竟是普通人，人都有平庸的劣根性。但这‘平庸’毕竟造下了‘恶’。是的，我承认，但这是无辜之‘恶’。我价值杠杆上的秤砣滑来滑去，见势出招，变换话语，寻找立足点，最终立在‘无辜’这个刻度上。

“但你真的无辜吗？不是，我也可以承认，我会说：所有人都不可能完全无辜。但还是会被识破：没人要求你‘完全’！是是，我改口：所有人都不可能无辜。但仍然会被打断：别扯所有人！这是坏孩子的品性，自己有错，总说别人也有错。就说你自己！我仍然会承认，确实，我有错，是错……我放出一些小错，好吧，大错。不是错，是罪恶！好吧，罪恶。在你的梦里我就是这么干的。小心翼翼地放，谨慎选择，该放出哪个罪恶？该放出多少程度？并且随时准备缩住，收回。实在不行了，再放出一点：你看，我都坦白了！像挤牙膏，像小气鬼，实是阴谋家。要知道，这可是让自己坐实罪证，对手会说：看，他自己都招供了！没有谁会对别人发慈悲的。我干嘛要这么诚实？论起来，他们自己不也身藏罪恶？只是他们现在是审判别人。”

“等等！”我插问，“这‘他们’，是谁？”

“其实是我自己。我是自己审判自己。”

“这有点像拉康，”我说，“但拉康说的是‘自以为是主人的奴隶’，您好像正相反，是‘自以为是奴隶的主人’……”

“我不懂什么拉康。”它说。

噢！我误以为它真是知识分子了。其实它再会说话，也不过是一颗心。

“我只知道我自己。”它说，“我自己的事实。我知道你听到了不少关于我的话，你也听过我说的，但你没有听到我这颗心说的。心是赤裸裸的，并且我已经破开，你看到我的内部，它才是无所隐瞒的。我想隐瞒自己都无法隐瞒。你不要理解成我是在诋毁他们的话，不，如果这样，我就没必要顶在这里五十二年了。谁都以为我要为自己辩解，大概所有人都这样吧？谁也没有耐心听我说，至少没有让我说的氛围。谁都很忙，但我需要氛围：掏出来，审视，感受着一瓣一瓣裂开，像玻璃裂了一样。那声音，那感觉，没有沉静下来能听得到、感受得到吗？”

“好，现在我可以。”我做出安静倾听的样子。

“不知你注意到没有？他们都在讲我的故事。”

"故事?"

"也是没有沉静下来，所以只能看到故事，我都干了什么，传奇。"

我好像有点理解。

"只有在日常中才能凝视。"它说，"在黑暗中，凝视才像冰锥的尖尖一样尖锐。天花板是黑暗的，你沉入黑暗的床笫。在黑暗中你无可辩护，也无须辩护。黑暗是最阻挡不住的照亮。卧室里有个梳妆台，那里有个镜子，香织梳妆用的。但她不知道，那也是我摔自己脸用的。"

我心一跳。这个林修身跟我一样，都有摔自己脸的行为。之前我只知道他爱照镜子，他是爱美的。也许正是因为爱美，才严苛。

"照镜子，才确确实实看到自己有多么的丑陋。"他继续说，"您照过镜子吧？照镜子时，总是要端庄起来。人总是这样，就是心再丑恶，在镜子前都会端起来。这是一种条件反射。甚至都不是装，人人都希望自己确实有个好形象，是个好人。但是正因为这种希望，连同自己本来对自己的看破，至少是有疑虑，于是就会心虚起来，就想去整理自己看不到的那一面，掩盖自己的丑陋。而且正因为你不是好人，也以小人之心度人，绝对不会相信别人会善看你。要防止随时被进攻，被看破，被他们放心里嘲笑，所以自己要先藏掖好，武装好。就像日本武士，他们化妆，胭脂时刻揣怀里，时刻补装，化妆也是战斗。

"可惜镜子只能照正面，侧面后面会露出我的破绽。理发店会用另一面镜子照后脑，还有侧面，我也一直想另外弄一面小镜子这样照。但找一个人帮我，我的虚弱岂非昭然若揭？当然我也可以用自己的手端着它，照后面。但这个镜子该藏在哪里？被香织发现了，岂非更成了笑话？直到香织去世，我一个人生活，才用上了这样的镜子。我一直没有再婚，与其是因为我器官缺陷，毋宁是因为害怕她看到我丑陋的一面，这是多么可怕的事！缺陷还可以叫人同情，丑陋是绝对不可能叫人同情的。照镜子时，我就会侧转头睨镜子里的自己。睨着眼就是挤着眼，眼睛一挤，整张脸的神态就怪异了。不能说是贼眼，贼是有主意的；也不能说是媚眼，媚是干脆全放下的；也不能说是慌张，我要一再端详，端详了又端详。道貌岸然，装模作样，搔首弄姿，心怀鬼胎。特别是跟香织干那种事时，我一再睨自己，那淫样啊！你的皮有多厚呢！"

"不，您不能这么说……"

"为什么不能？"

"您说的是您的主人！"

"我主人不就是我吗？"

"皮囊是他的。"我说，"还有躯体。他要吃，要喝，要干活，他这身体要承受很多事，比如挨打，比如去接受S/M，又不是你挨打。"

"但疼在我这里。"

"但还是不一样。你是间接的，他要去直接承受，直接面对！"

"那只是游戏。"它说，"他是主人，鞭打的人是在为他服务。没有生命危险，哪怕是受皮肉之伤都基本不可能。鞭子是女人的手挥舞过来的，烛油是不会烫伤皮肉的，日本的服务者很专业的。就是女人骑在身上，一个女人又有多少重量？虽然他个子小，但有男人的骨骼。何况服务还有标准姿势：必须把屁股悬着，防止压坏客人。当然这样又让客人不满足，感受不到被欺压，得有点强制，有点压力。于是就训练出了最恰当的尺度，既让客人感觉到跟女人亲密无间，又不会压坏客人。你能感受到对方满满的爱意，像母亲那样严厉又温情。母亲怎么可能真伤害孩子？找虐是一种找爱，被打是一种被爱，是甘え的依托。甘え，你懂得日语，知道这词吧？都说日本人心理是'甘えの构造'，其实中国人也是。人在脆弱的时候，就会寻找依托，而最强有力的依托就是责打，特别是妈妈的责打，或者，姐姐的责打，总之是可依靠的女人的责打，所以S/M的女人叫女王，也可以敷衍成圣母玛丽亚。惩罚再严厉，毕竟是她的孩子。虽然很严厉，但出自女人之手。虽然很耻辱，但是在私密空间里的。虽然我罪孽深重，但我在爱我的女人怀里撒欢。这一切并不是肉体的感受，而是我的感受。什么被虐？什么身不由己？哈，也对，这就是身不由己。应该是心不由己。说什么被逼，我再清楚不过啦！”

都说自己是被逼的

“以前我说过‘如果’。‘如果’我生在好世道，我就会做得好。但有‘好世道’这种东西吗？没有！那么为什么还要指望‘好世道’？无非是推诿。

“以前我一再强调‘如果’，现在我要强调‘即使’。即使生在坏世道又怎样？即使在强权之下又怎样？

“在强权之下，人人都强调自己是被逼的。我实在是身不由己啊！我们往往拿身体当挡箭牌：你看，这实实在在是不可超越的，你也有身体，每个人都有身体，肉身之躯，你也不能战胜。那么谁能指责谁呢？互相理解吧！是的，我也有身体，但人还有本能。当鞭子挥在我们头顶上，我们的本能会抵制，就像身体上毛孔会竖起。这是恐惧，也是抵抗。问题是你在多大程度上抵抗？你确实是被逼，但是否在并没有被逼到实在受不了时却投降了？在还有哪怕是一点点力气时就躺倒了？人的承受力是有潜质可挖的，你让自己守到最终极限没有？”

“您这么说有点苛刻了。”我说，“什么是极限？什么叫实在受不了了？能给个数值吗？精确的数值，到什么数值才实在受不了了，一崩。有如此机械吗？就像拉钢索，加一分负荷减一分负荷，有那么精确吗？难道要精确到小数点后面多少位？”

“固然不能。但扪心自问，只能扪心自问，自己问自己，你的承受值在哪里？我们常躲在无法精确衡量的下面游移。这是一种自欺欺人的狡猾。心的准线被调节，本来的‘底线’成了‘高线’。那么这个‘高线’下面还有‘底线’。‘底线’再成‘高线’，‘高线’下面又有‘底线’。回头看看，这‘底线’已经离原来的‘底线’十万八千里了。你好像仍然还在讲‘底线’，这个世界好像仍然有‘底线’，但此‘底线’已经不是原来那个‘底线’了，人与世界已经堕落。所以，重要不是讲‘底线’，而是讲‘高线’。在可以取‘高线’时不取‘底线’。”

“您这样，未免太理想化了！”我说，“‘高线’达不到，不如尽量守住‘底线’，不然最终成了空喊。”

“空喊总比不喊的好！”

“但既然是空喊，又有什么意义？”

“有意义！”它说，“喊不喊是不一样的，挣扎还是不挣扎，挣扎多少，都不一样。即使压力强大，还是可以试着跟它磕碰一下的。试试它的强度，博弈一下，不行再退嘛！即使会因此折腾，还可能，不，肯定是白折腾，也有意义。当然会显得很愚蠢，当一下愚蠢人嘛！当然利益会受损，放弃一些利益嘛！就当作对付良心这个讨命鬼吧，就当作丢一点肉屑喂良心这只狗吧，为了良心的安宁付出一些代价。我努力过了，我尽力了。但我们却往往不为。不是不能，而是不为。”

我们！我一惊。“但您现在做到了！”我敷衍它，“您是有自省的。”

“这样就够了吗？”

“您刚才自己不是说努力一下，尽力。您已经尽力了！”

“但我不是继续下来了吗？”

“这可以理解。”我说，“一再反省，但一再没做到。虽不能至，心向往之。这说明您的心有向往光明的趋向，只要有这个趋向就好，即使最终不能做到……”

“你怎么知道我没有另一个趋向？”

它反问。它简直就是一只掉光毛的癞皮狗。

“说什么不能忍受香织，不是也忍受过来了吗？有什么不能承受的呢？要死要活，但最终还活着。所以能活，正因为还是被滋养着。其实我还是过得不错的。说实话，自到了长谷川家，我的日子过得比在‘佛跳墙’好多了。住的条件不必说，吃的，过去在‘佛跳墙’，我只能吃主人剩下来的，到长谷川家后，能跟小姐一起吃了。香织她坚持要跟我一起吃，把我从用人堆里单独拎出来。虽然吃时还得看主人眼色，但毕竟不是吃残羹剩饭了。饭菜是经过我的手的，我对残羹剩饭有直接的感觉。中国菜还讲究火候，冷菜就是残菜了。我是做厨的，对食物的新鲜度特别敏感。即使不在香织面前放开肚皮吃，更多的也不是不敢，是客气，我已经习惯了假客气，或者还因为厌恶香织，不想吃她的东西。这是我自己不愿意，是我的选择。甚至，还以此抵制她对我的支使，哪怕对我好，也是对我的支使。即使不吃饱，我还可以在厨房里补吃，还可以在烹饪时偷吃，在‘佛跳墙’偷吃是不容易的，在长谷川家，我专门有个厨房。我很快就胖了，渐渐成了一只安逸的猪。

“扪心自问，我真的只是被动忍受吗？我就没有主动？我知道我的价值在哪里，我就没有利用这个价值？吃‘软饭’总比吃‘硬饭’轻松，我就那么爱工作？我就那么喜欢埋在厨房里？我有优势为什么不用？‘长柄钥匙’，我就用它打发她。

“再说，只是打发吗？身边这女人我真就那么讨厌吗？每一次，我不是也勃起了吗？要不我能够进入她吗？实际上我也想了，要不，她怎么可能迷上我？就是我非常受不了她了，我仍然有欲望。这欲望，并不全是要换取她给我生存权利，单纯的性欲也不能说没有，只是我自己不承认。这性欲绕过我这个心，暗度陈仓。我还自己骗自己：我是讨厌她的，我是被逼无奈的，我无路可走。我身陷黑暗，但我的欲望在黑暗中满足了。还因为小心翼翼地暗度，逃避道德的审查，一旦到达目的地，欲求更反弹性地强烈了。那简直就是漆黑里的狂欢，但自己却告诉自己，我是掉进泥水了。有时候自己也瞒不住，知道自己也在狂欢，但那是既然掉进泥水里的索性狂欢一下，如此而已。性本身就是一种从肮脏不道德中才寻求得来快乐的，这也没什么。何况我又是男的，我的器官，与其是一根被她要挟的把柄，毋宁是一把戳进她的刀，男人在姿势和动作上就是进攻者，尽管她常常爬到我身上来，体位颠倒。人是多么会欺骗自己。

“当然，无论她下位，还是上位，我仍可以视为被强奸。男人也会被女人强奸的，被强奸也会有快感的，是不？就是这样。有一种说法，被强奸的可耻很大程度上来自竟然产生了快感，这让被强奸者倍感可耻。但这边感觉可耻，那边又继续接受着屈辱，奉迎着屈辱。虽然愤怒，虽然也会有懊丧，甚至会自责，但事情都完成了，甚至都没有半途中止，直奔高潮，心满意足地结束。反而是她有点担心了，开始让我用‘突击一号’。你知道这避孕套吧？那时这东西很贵，可能是长谷川夫人担心了吧，让长谷川先生弄来的。这样，我就有一种被操纵感。注意，不是我的生存被操纵，而是我的欲望被操纵，我的快感被打折了，乃至尊严被侵犯。你会奇怪我把自己说得这么丑陋，还谈何尊严？不，有尊严。所有的生命都有尊严的诉求。她想要精子就要精子，不要就不要，弃之如吐口水，我是她的使用工具，这完全坐实了。还不如自慰，自己当自己的操纵者。战后很多男人没有女人，就自慰。但这是失败者的选择，选择了，更坐实了你是失败者。所以自慰之后，没有不产生失败感的。至少香织是个有温度的、会动的、会叫唤的女体。手一触摸她，她就像春水一样融化了。那么，这岂非也是我在操纵她？我什么时候摸她，我可以做主。好歹也算是做主了吧，好歹也有主动权了，好歹也有尊严了。弱者只能顺势赚到尊严，只能偷着乐。这就是弱者的生存与发展哲学。弱者也是个生命，不仅有向内缩的生存诉求，还有向外扩的发展诉求。我姑且也算达到了。

“明白说，确实，我就是‘吃软饭’的。最初就有这个居心。第一次见到长谷川小姐，我就被她迷得神魂颠倒。是爱，还是利益考量？要被长谷川小姐看上了，跟她进入长谷川家，那前途就不是在‘佛跳墙’能比的。但我没有一点吸引她的本钱，我必须引起她注意，我这种没有资本的人只能不择手段。少东家请客那天，我表现得傻傻的，他跟他的同学捉弄我，长谷川小姐也在笑话我。但我无所谓，我本来就卑贱，没有再可失去的了。卑贱成了我柔韧的钝器。卑贱的人能引起人家注意，就是迈向胜利的第一步。长谷川小姐取笑我，也比对我视而不见的好。我巴望她嘲笑我，践踏我。身边有个女人的影子，要比没有好得多，哪怕是被她的狐臭熏着。

“我一再说她身上的味道是臭的，就在刚才我还这么说，现在我要坦白，其实那是荤味。就像肉味，臭就是荤，荤就是富有。我要有！我要长谷川小姐！我为自己这念头吓一跳。这简直是野心，简直不可能。我一无所有，无论哪个方面，我在她那里都一钱不值。但越是这样，我越不甘，越要冒天下之大不韪。蛮试试嘛！我们这种人有的是赖劲，好汉怕赖汉。你发现没有，这也是一种勉力而行。我刚才说人在坚持操守时好歹试一试嘛，现在是在索取利益时。人在坚持操守时的赖劲，远远不如在索取利益时的赖劲。不抱希望地去试一试，说不定能得到呢！大不了砸了，拍拍屁股走掉。

“你也许会奇怪，走？往哪里走？你不是一直害怕无家可归吗？你不是无立锥之地吗？但人会完全落到无立锥之地的境地吗？大马路上也有立脚的。只不过是不舍得已经得到的，只是不甘，收敛着，蛰伏着，四处张望，一旦更好机会来，就像猛虎下山。这时，原先那个千方百计寻求保住的立锥之地，简直不值钱，简直就是画地为牢。当然这也是赌，但老子本来就是流浪来的，本来就赤条条，用我爹常说的话：‘老子把把架你肩上！’

“把把，就是屌。我老家话。‘老子把把架你肩上！’老子把屌都亮出来了，还羞什么？老子光棍一条，还怕什么？我爹还有一句话：‘混出样子给他们看，把他们眼睛抠出来！’在‘佛跳墙’时，我就时刻想着混出个样子。人不能一辈子当下人。如果只是暂时的，哪怕十年或者再长，就当坐牢，只要是有期徒刑我都可以忍受。只要有盼头，再苦也有希望，再黑暗仍然有光。我的光出现了，那就是长谷川小姐。

“让我高兴的是，长谷川小姐喜欢吃饺子。这是我的拿手好活。更高兴的是我可以去送饺子。我可以在送去时告诉长谷川小姐，这是我包的饺子，皮是我擀的，馅也是我做的。我可以向她炫耀做的方法，我的秘籍。我承认我很重视技艺的掌握，这是我立世资本。一个人有技术就不怕没饭吃，就不怕没前途。现在我的人生出现了曙光。我还留意到，是长谷川小姐要我去送饺子的。后来她拒绝少东家去送，我就更明白她的心意了。后来她几乎拒绝见少东家了，我就更加大胆了，把少东家的木屐谎称是自己的木屐，就是一例。虽然我没有说这是我的，我也不可能有奖品，但这是一双新木屐，穿在我脚上，也可以给我长脸。不错，我是少东家骂的‘野贼’，我是贼！但凭什么我就不配拥有这木屐？就因为我没有上学？就因为我天生下贱？天生下贱，就要抢。但现在我要反问自己：你的天生下贱又不是‘佛跳墙’造成的，相反人家还是收留你的人。我当然知道，但当时我不能这么想，这么想，就找不到抢夺对象了。所有有钱人都是我争夺的目标，他们是整体的，阶级？革命？你应该很熟悉这个词。不错，对我们来说，只有革命才能改变命运。但老实说，我并不知道什么叫革命，我只想爬到比我混得好的人头上。

“但‘人为刀俎，我为鱼肉。’我也要为刀俎。在‘佛跳墙’干活，我剁肉做饺子馅。我喜欢做饺子其实只是因为喜欢剁饺子馅。我用两把刀，但两把刀不过瘾，我就想象着有一种机器，有好多把刀。用刀剁，刀被砧板顶着，对下层的肉是没有力度的，所以要去翻，把下层肉翻到上面来剁。如果能有把刀从下面上来，不止，从左从右，从四面八方切进肉里，那么就好了。但还不够，肉有纤维，还得把纤维拉断……只有绞肉机才可以做到。

“当时我还只是伙计，不可能左右老板去买绞肉机。市面上已有了绞肉机，但很贵。再说也不好用，不够狠。我在心里悄悄想着改进的方法，我知道我的方案也许一辈子都不会用上，我不管，我只是想，只是好玩。剁肉的时候，我模拟着操作绞肉机，但这样就会走神，就会被老板打。被老板打后，我自己也打自己。继续剁肉，我就想象自己被绞肉机绞。我并不是生气，不是愤怒，挨打已是家常便饭了，被打后，尤其是被自己打后，我倒变得分外沉静。老板常骂我：‘贱骨头，不打不轱辘！’一打，我就轱辘轱辘转了，沉浸地转，一直顺势转下去。我在绞肉机的绞龙中转。有时，也会拿老板一家作为模拟对象。拿他们一家作为模拟对象时，我特别专注，就像纯粹客观地在做技术研究。

“其实当时，即使我争取长谷川小姐的事被少东家知道，即使老板一家忌讳上我了，我仍然未必会被赶走，只要我松手，老实下来。店里毕竟还需要我，我会干活，没有了我，我的工作就要分在老板和老板娘肩膀上了，少东家是拎不起来的。也许因为我知道这吧，当然更主要的是我好容易得到接近长谷川小姐的机会了，就像老虎咬到了带血的肉，怎么可能松牙？当然，对‘佛跳墙’，我也会求饶，在‘佛跳墙’干，我才能接近长谷川小姐。我甚至会承认自己有错，他们冤枉我的，我也认。因为我压根儿就没有把这当一回事，先认再说，先混过关再说，积蓄力量，等待时机再干。我阳奉阴违，虚心接受，坚决不改。改了我就傻了，老老实实听话我就傻了。我是什么？一钱不值的东西，怎么能听他们的？道义是他们的道义，我还没有这个余裕。我老家有句话：‘鸭子混着凤凰飞’。我是鸭子，不是凤凰！等我成了凤凰再说吧！到我飞黄腾达时，我一定会是好人的，比他们都更好，比他们更高贵。现在我只是贱人。因为贱，我什么都可以做，贱自有贱的自由。我还可以保证悔改，对天发誓，发誓就发誓，我又不信天，老天要有眼，我怎么会沦落到这种境地？我给他们下跪，我知道中国人最受用下跪了。跪，在我只是膝盖一弯而已，我本来就是‘曲蹄’，我的膝盖本来就是弯的，弯一弯何妨？无非就是一个动作而已。我磕头，只是磕头会痛，但为了蒙混过关，为了我的大目标，也值得！哪里有不付出就能得到的？重要的是付出多还是得到多，只要能得到长谷川小姐，什么代价都愿意出。

“少东家想尽法子整我，我都认了。但他却叫他父亲不让我干活。你之前听的是我被饿还要干活，我就争志气干得更欢，给他们看，那是撒谎。我是个很会撒谎的人。实际上正如少东家所看到的，我是在抢学技术。没有技术，一旦被他们扫地出门，我凭什么生存？还谈得上什么飞黄腾达？对了，我之前还对你说我为了避嫌不肯去长谷川家送货，怎么可能？说回抢学手艺，老板这不让我干，那不让我干了，这触犯了我的底线。哪怕我得不到长谷川小姐，我也要谋生。谁挡我的道，我就干掉谁。我会不知不觉冒出‘杀’这个词来。想什么问题，想着想着，‘杀！’就迸出来。我剁着肉，觉得是在千刀万剐老板，不，老板一家，我一次又一次把他们一家绞成肉泥。要报复，总有一天我要出头。一旦我出头了，你们这些王八蛋，统统把你们杀掉！你们现在尽管这样对我。

“有时候也没有想着要杀谁，好像只是一句口头禅。长期的弱势使得我成了老好人，但其实我不是，我自己知道不是，只是不得不当好人。外表表现得多善良，这心里就有多恨。好人当得越久，这心里就越毒。我这心里关着老虎，它随时会冲出来。杀！

“说的是‘随时’，毋宁是‘伺机’。像我这种人是输不起的，不可轻举妄动，不可有半点闪失。所以我一直没对老板家动手。也因为我感觉到有改变的希望。我总是强调我是被命运推着走的，哪是听天由命的人？不如用一句耳熟能详的话：机遇是给有准备的人的。去长谷川家送货，有时我也听到长谷川先生和他的朋友们在说话，运输船够不够什么的。我虽然听不懂，但我感觉形势会有什么大变化。我打探香织，她不知。我就告诉她我在‘佛跳墙’待不下了，暗示她，如果她家需要添人手，我希望来。果然，珍珠港被炸。只是我没想到香织那么快就来拉我，她是没理解我的用意，她把我当她的私奴了。

“我发现自己丢进了陷阱。而且，即使是长谷川先生，他的事业又有多大前途？不过是搞运输的。少东家打到长谷川家这事，就让我怀疑长谷川先生的地位。”

“等等！”我叫住它，“你是指林北方出征前到长谷川家闹事的事？”

“他还有别的机会来吗？”

“机会？”

“他要出征了啊！他才有了机会。”

“当时，”我试探性问，“真的躲在壁橱里？”

“隔着纸门，外面的话听得清清楚楚。少东家放肆，我可以忍受，但没想到长谷川家也对他的无礼那么忍让，就是申辩也是顺着人家的道理。不，那是帝国的道理，他头上有天皇的光环。就因为他是帝国军人，他掌握着无可辩驳的话语。甚至可以杀人了，他可以拿破坏帝国军人的婚姻来治对方的罪。虽然长谷川家跟他并没有婚约，但他可以揪出我来。我只不过是一只他可以随意踩死的蚂蚁，不，不是他，是时代主流。时代洪流滚滚，谁都害怕被搁浅在沙滩上。我也要参军！你会吃惊吧？我当时确实想参军，要不是我是个黑户，还怕因此公开了我是中国人，我一定会去报名的。那年代，没有比参军更风光的了，对底层人来说，只有参军才能一步走到高端。你指责我吧，我就是这么没有是非原则。社会是一个大转盘，谁都害怕被甩出来，而我根本就不在这个转盘中。我惶惑，我要去至少蹭蹭这个转盘。我跑去少东家出征仪式现场了。

“外面阳光异常灿烂，连空气都在躁动。到处都是‘太平洋海战’‘空的神兵’‘五族协和’之类的大海报，还有早先在日比谷公园庆祝新加坡战捷万人大会的海报。走在街上，不是被军需工厂工人的跑步通勤队伍阻挡了去路，就是被挥动着小太阳旗的妇女小孩蹭着身体。我躲躲闪闪，只觉得自己是个妨碍，迟早要被时代车轮碾成土粉。蓦地一个横幅标语从身后兜了过来，不由分说兜着我走。我趺趺撞撞，还没迈几步，从侧面又横切过来一溜人。我于是被裹挟在人流中，踉踉跄跄，浑浑噩噩向前走。突然，前头像被墙壁挡住了一样，猛地一退。我的鼻子撞在前面那人的后脑上，‘轰’地一下，我几乎要昏过去。到清醒过来，一个警察拦在眼前，他后面是隆重的红色，那是神社门柱。我刚有个预感，一队穿戴耀眼的人就出现了。

“‘武运长久，万岁！’一个神社神职人员振臂高呼。

“‘万岁！’群众一齐呼喊。

“我一眼瞧见了一个既陌生又熟悉的身影。我几乎叫了一声，但被人搡了一下。那人挤到了我的前面。我个头矮，看不到前面了，我竭力踮起脚尖。又有一个女人擦着我的左肩，挤了上来，我没站稳，趔趄一下，紧接着，我的右肘也被谁顶了一下。我把手臂叉在腰上，顽强抵挡。一边再找那个熟悉而陌生的身影，那穿军装的队伍已经像河流一样流过去了。我相信我本来可以做什么的，是被身边这些人打岔了。我怨恨地左右开弓，挣动手臂，肘尖向他们击去。但我虽然在情绪上凶狠，却控制着动作的幅度，小心不要真的击中谁。我是外国人、中国人，我的肘尖只撞击着空气。很快的，人群也追赶那队伍去了，这边解除了戒严。我被撂下了，我赶紧跟上。

“人群在分流，每个出征者都回到了自己的家，继续出征仪式。我很自然地选择自己应该去的方向。‘佛跳墙’前旗帜‘呼啦啦’飘扬，像竖起来的波涛。少东家林北方还没走到店门口，前来欢送的人们就鼓起掌来了。人们的脸好像向日葵，齐唰唰跟着他转，直跟着他登上店前临时搭起的小台。町内会会长也站到了台上，就是曾经因为林北方摔奖品木屐而对他上纲上线的那个人，现在完全忘记了那事，满口赞美。说到‘圣战’，那庄重声调，我平时只能在广播里听到。林北方一副当之无愧的神态，神一样矗立着，这使得我怀疑起自己真的曾跟这个人朝夕相处过？我竭力追忆着，当初哪怕是被骂都是温馨的了，哪怕是被打，都传递着令人怀念的光和热。这时大家唱起了《出征士兵送别歌》：

> 受召于大君天皇，
> 生命辉煌如朝阳，
> 激情洋溢来相送，
> 一亿欢呼震九天。
> 出征吧勇士，日本男儿！

“歌声就像宣传画上常见到的战斗机，从航空母舰上呼啸飞起。一个短暂迟疑之后，我猛然追赶，也开始哼。我终于搭上了一句，恍然觉得自己攀住了战斗机的机翼，直噌噌腾空起飞了，但并不是坐机舱里，整个身体悬在空中，稍一松懈就会坠落下去，必须使劲攀住。我没进过学校，也没机会参加集会，只是从有线广播里听过这些流行歌曲。平时虽然听得耳熟，但现在一张嘴却唱错了。前面有个老人转过头来，向我示范地动着口型。我觉得妨碍大家了，躲到角落去。

“在角落，我的心又开始萌动。这下我把声音缩在嗓子眼上，囫囫囵囵，哼哼呵呵，配合着歌声。好像配合上了，大声点，却又在利落干净的休止符后面拖出个尾音。边上一个女人向我点头打节拍。我知道自己没有节奏感，我抱歉地向她嬉笑着。但她仍然对我打节拍，好像就是要敦促我唱：你别用笑敷衍我。但我并不是节奏问题，而是根本不会唱。她尖尖的下巴像镢头，好像要把滥竽充数的我刨出来。我很快会被发现不是日本人。我觉得周围的人都在用异样的眼光看着我。所有的人都会很快转过头来的，最后少东家会发现我。‘他是中国人！’他一定会大声叫，‘他是‘野贼’！把他轰出去！把这个中国人赶回中国去！’我赶紧逃走。

“但我没有逃远，我还留恋着这种场景。我还能听到别人的歌声，像阳光。在阳光一样的歌声中，我像瘟鸡一样缩在路边，一种令人难耐的闷湿从体内蒸腾而起。

“那天天黑了我才回到长谷川家。我的耳朵里还在回荡着歌声，但那些旋律中的壮烈成分消散了，剩下悲壮。一进长谷川家门，只剩下了悲。恍然间听到类似的曲调，那是长谷川小姐在唱歌谣。日本歌都有悲的调子，随着听的唱的人的心境改变，或成悲壮，乃至壮烈；或成超然，沉迷于美；或者直接是感伤。她唱得有点走调，更有了悲感。我就抓住这个悲，在这个悲的怂恿下向小姐提出要求。我追寻歌声而去。歌声在长长廊道尽头飘失了。一会儿，又在后花园响了起来。我追得疲惫不堪，身子骨要散架了，真想就地躺下去。但同时，我的灵魂却像严格的朝圣者提醒着我，不能躺倒。我继续追寻。那歌声又在二楼响起，我追了上去。

“‘阿U，你跑哪里去了？’小姐说，“来，我要包饺子！”

“我对准她，‘扑通’跪了下去。

“‘小姐，我会做中国料理！’我说。

“‘我知道。’她应。

“‘我会给您做好多好多中国料理！’

“‘我知道。’

“‘非常多非常多，非常好吃的，我有手

艺……’

“‘你这是怎么了？怎么说起这话来了？不是一直这样的吗？’

“‘小姐，我有手艺，我会让您非常满意，非常非常满意的……’

“‘我知道阿U的心意。只要阿U有心，你不做中国料理都……’

“‘不不，我会做，我有手艺……’

“她恼了。‘阿U，我不要你手艺！’

“‘小姐，求求您，求求您……’

“‘阿U！你要回‘佛跳墙’去吗！’

“我不敢作声了。好在她没有说要把我赶回中国。这是她跟‘佛跳墙’少东家的区别，是她的善良。但其实我就是被长谷川家赶走了，又何至于一定要回‘佛跳墙’？我也可以去别的店，我有技术，即使在横滨我名声坏了，我还可以去别的地方，东京、名古屋、大阪、长崎……凭我的聪明，不会没饭吃的。你见过中国人在外面饿死的吗？只有懒死。我们中国人又不懒。”

我点头。中国人的勤劳是举世闻名的。

“其实，”它说，“就是走投无路，回中国去，也何至于饿死。”

“当时国内情况……”我说。

“战乱，贫穷，还有我是疍民。我一直强调我这个身份，向香草也强调过。其实，疍民就活不了了？不过是活得差。我这么强调，不过是以此来抵御别人对我的指责。同时，我也对自己这么强调，制造恐怖，给自己设置一个过不去的坎，让自己断了回国的念头，让我更卖力地在国外待下去，心安理得继续没脸没皮的人生。什么祖国和所去的国家两不被接受？难道不是两边利用资源吗？说是为了活命，活命有那么难吗？一口饭也可以活命。”

“不不，我觉得您是说得太轻巧了……”

“你怎么知道？”

“那时代……”

“你经历过那时代还是我经历过？”它说，“猫狗也生存着。没听说猫狗被饿死的。只是你不愿意像猫狗一样。别找借口了！实际上我害怕被赶出去，是看上了长谷川家的地位。虽然没有军队背景，但毕竟也不错。这资源对我足够用了，我可以借此鲤鱼跳龙门，改变命运。因为担心失去，我变得更卖力了。但我在心里诅咒她。骂得越狠，我就越觉得自己不是在逢迎她。‘内务社员’？少东家曾经这么挖苦我，也就是吃软饭的。我只能躲在这个女人卧房的壁橱里。‘你霸？你霸个把把！’这也是我老家话，意思就是你了不起，你了不起个屌啊！再说，你有把把，我也有把把，比一下看！这么一来，我倒认可了我用把把作为武器了，没障碍了。我以无耻为光荣，在黑暗中进取。人就像榕树，越是要往高处生长，根就越是要往地下深探。树冠有多大，根就有多广。越是向往明亮，越是要伸向黑暗，伸向恶。

“小姐把这误读了，她表扬我，同时对我也体贴了。这让我觉得不妙，这样岂非再也逃不出她的手掌心？我于是又挣脱，有时候甚至故意把工作做错了，让她生气。然后我再道歉。但又不敢太过分。我就像在走钢丝，好在我足够聪明。

“另一边，我关心起时势来了。一九四二年五月，日本大本营作出了运输南方资源的决定。当时全日本仅有一百一十三艘油轮，不能满足需求，许多货轮被改装成油轮。长谷川远洋船运所有货轮，在两个月内全部被改装，还增添了一艘新货轮，就是‘光’号。来找长谷川先生的人多了起来，那气氛，跟我当初被香织领进长谷川家时十分相似。不同的是没有高谈阔论，也不再拍手唱歌，来客神态紧张而又庄重。长谷川先生送客出客间，一拖人把榻榻米草席带出粉尘，灰尘在他们脚边扑闪着凌乱的光影。我悄悄尾随着他们，竭力接收着从扑闪闪的粉尘中传达出来的只言片语。我意识到机会来了。

“但我跟长谷川先生完全说不上话，小姐是唯一可以帮我传达的人。那么就必须哄好小姐。

于是我就表现得更好了，对小姐百依百顺，满足小姐的任何要求。有时候还表现得很主动。‘我没想到的，阿U都想到了！’她称赞说。甚至，她都觉得我烦了，‘不要了，阿U，麻烦！’

“‘我不怕麻烦！’我说。

“‘我怕！’反把她惹恼了。

“待我向她提出要求，她明白了，‘原来你不是真的对我好啊！’

“‘不是……’我辩。

“‘那你就别离开我！’她说。

“果然，更陷进去了。

“有一次，我一边擀着饺子皮，一边又求她。她说：‘你到底是不是真的对我好？’

“‘当然是！’我发誓。我发誓起来，面不改色心不跳，我天生有这素质。

“‘对我好，为什么要离开我？’

“‘我不是“一寸法师”嘛！”我灵机一动，说，笑嘻嘻起来。

“她也觉得有趣了，说：‘是啊！你就是我的“一寸法师”！’

“‘但“一寸法师”也会长大的嘛！’我又说。童话里，一寸法师后来确实长大了。我抓到了理由。我拿起擀面棍，递给她，学着童话里情节，说，‘请公主挥挥这小槌子，帮我许个愿，我想要变得高大一些！’

“按童话故事，公主应该照着一寸法师的话，挥动着槌子，口中念着：‘请把一寸法师的身体变大吧！变大吧！’然后真的灵验了，一寸法师的身体就变大了。但是她不进我设下的套，反拿棍子敲我。我被敲，很疼。她的手总是不知轻重。这是真的疼，不是我后来去S/M店那样是假疼。但我还是要假装，做出更疼的样子，增强效果，激发她打我的欲望。我让她敲，让她尽情地敲，只要她敲高兴了，我就有希望了。”

“真难以想象您当时挨了那么多打。”我感叹，毋宁在讨好它。

“我皮厚。”它说。

它怎么这么说自己。“再怎么……”

“当然，我也有受不了的时候。”它又说。

“就是嘛！”我说。它把我的心弄得七上八下的，捧它也不是。这简直就是一颗恶心。真想抽它。

“受不了时，我也会不顾一切放弃。我走！这一切老子都不要了！”

“是嘛！当时照子就走了。当然您有客观原因。”我说。

“什么客观？”它真是暴戾得可以，“我怎么能走？怎么可能跟她女的一样？”

确实，林修身最终没有离开长谷川家。

沉吟一会儿，它说：“跟女不女的也没关系，我压根儿就没想要她。”

我吃惊。

“我压根儿就没有喜欢她。她身上满是下贱味道，寒酸的味道，汗味，怎么洗也洗不净。我鼻子很厉害的。一接近那味道，我就闻到自己身上同样的味道。那种永远洗不掉的馊味和汗味。我很忌讳汗味，流汗的事能避免就避免，那是下贱的人的分泌物。照子让我联想到自己的身份，她是日本的疍民。”

“日本也有疍民？”我稀奇。

“就是‘部落民’。”它说，“闲聊时她告诉过我，她的祖上是‘秽多’。从那以后她身上的味道就让我忌讳了。也许她真不该告诉我这些，她太信任我了。或者说，是我伪装得太好了，我从来没有表露出对她的厌恶。也许是见到我情绪激动吧，内分泌加速，那体味就会更凶猛冒出来。我忍着口水。我是有洁癖的，闻到臭味，口水就要吐出来，无论如何不能咽下。但我是个照顾别人感受的人，于是我就找个借口，转到她看不到的地方吐口水，不让她知道。我一直是挺顾及别人感受的人，克服自己。”

这是克服自己吗？我不禁在心里想。你挺可怕的。

“何况，‘破尿壶可以救急’嘛！”

"'破尿壶可以救急'?"我不明白。

"她有口啊!"

真是下流!我想。

"但我心里明白,我要跟她弄在一起,这一辈子岂不完了?所以,就是战后再遇到她,我也没有想娶她。要娶她,就必须跟长谷川小姐离婚。而且那时候我已经进入长谷川家了,已经得到一些好处了。但我为什么还要跟她往来?"

"不是'破尿壶'吗?"我说。

"到那时了,我还缺'尿壶'吗?"

"那是为什么?"

"警醒自己。"

"什么意思?"

"让自己受不了她,于是就回到了长谷川家。每当我在香织那里受不了时,我就去找照子,去感受她的恶心,然后就会老老实实回到我固有的生活中去了。再闻到香织的味道,会觉得是殷实的富有。"

怎么这样?这家伙太可怕了,简直是把我往深水里溺。我简直受不了。为了自救,我替他开脱:"其实从利益上考量,也没错,人不能不考虑利益得失,人性使然,完全可以理解。人不仅要生存,也要发展。发展是硬道理!您当时没有物质基础……"

"那有了以后呢?会社到我手上之后呢?香织死了之后呢?"它反问,简直穷凶极恶,"告诉你吧,不仅要得到利益,还得改变自己。我自己出生那么低贱,怎么可能再被她拖累?当然我也会打点得好的,不然闹到香织那里,我也完了。也得让照子觉得我有难处,她不是爱我吗?那就为我想想吧!当然也得好好安置她。我确实是各方面都打点得很好的人,哈,好人,智慧的人,还有:苦了自己的人。他们告诉你的也没错。拉了屎,捏着鼻子,劳动一下身体去收拾一下,确实也挺苦的。"

它大裂开嘴,大笑起来。那样子简直邪恶。

"也挺愉悦的。"它又说,"看着她被我当作屎还感激涕零的样子,我又有一种种植者的乐趣。人并不只是为自己干过的错事后悔,还会咀嚼,咀嚼着苦味,那是她的苦,也是我的苦,我咀嚼着,这个女人被我熬成老太婆了,一年又一年,我用每年更新的眼光来欣赏一朵一直枯萎在枝头的花。当然我自己也在枯萎,那么这朵花就是我预定好的陪葬品。"

"这种感情上的事情,"我说,"是说不清楚的。不管怎么说,您也是受苦的。至少,您拥有的企业,也是经过千辛万苦得到的。"

"一切受苦,只要得到利益的回报了,都不能叫作受苦了。"它停下笑,又说,"哪里有不要付出的获取?世界残酷。人家能让你受苦,就是给你机会。受苦像弹簧,让人在被压下之后,猛烈反弹,弹到高点,更高点。中国不是有句话吗?'天将降大任于斯人也,必先苦其心志,劳其筋骨,饿其体肤,空乏其身,行拂乱其所为也。'"

我没想到孟子这话被它放在这地方用。

"所以,回到香织打我,她打我,我知道我就有机会了。她打得自己急了,咬着牙发出'咿咿'声,好像要把我杀了。我趴着让她杀,我知道她杀不了我。我知道那'咿咿'声拉不长的,难以为继,终究要结束。我只需等着这声音结束。果然,她'咿'不出来了,精疲力竭,坐在地上哭了起来。'你太坏了!你坏!你这个坏人!坏人!'只有她知道我是坏人。其实,她与其是因为失败而哭,毋宁是因为太爽了。"

比太阳更不可直视的是人心

"这样换来的机遇,我怎么可能不珍惜?'光'号就是我人生的光。我唯恐这光收回去,我得努力干。特别是船长,他的声音直击我神经,我甚至在睡觉时,都会因为他的声音跳起来。他就是掌控这光的开关,他一个哼哼,就让我担心他要把光收走,那么我的末日就到了。我只能努力干，拼命干，一生悬命！所谓荣誉感，都是什么东西？

“但是，末日还是降临了。‘战时配给’已施行多年，非但副食品缺乏，就连吃得上本土大米都成了奢侈。给我的是没有黏性而且有着怪味道的外国米。我想起在‘佛跳墙’时，师傅曾用碱消除米的怪味。我好容易找到碱的替代品，但没有达到效果。惶恐中，我觉得满鼻子都是臭味了。越是嗅，越是臭不可闻。

“但其实，也并没有谁知道我有这种消除米饭怪味的办法，用的碱也只是替代品，不能达到效果很正常。而且，外国米有怪味谁都知道，也不会怪罪到我。是我自己对自己苛刻了，认定自己本来是能做到的，却没能做到。我钻在牛角尖里了。好像所有人都坚决要求我把饭做得又黏又香，他们就等着吃日本米饭。

“‘我怎么这么笨！我怎么这么笨！我是笨蛋！’我骂自己，再没有比发现自己原来是笨蛋更能将我打倒的了。我一直很强悍的，别人骂我，打我，污辱我，排挤我，都没什么，只要自己有真本事。咱们中国圣贤不也这么教导吗？‘不患人之不己知，患其不能也。’甚至，你越锻击我，越能见出我是好钢。但现在却被证明我是笨蛋，无可辩驳，以往的自信统统成了笑柄。自己太不知天高地厚了！我甚至开始后悔自己斩断退路了，这下要被赶下船，再回到长谷川家，小姐会要我吗？如果她能要我，我再受怎样的奚落都愿意。我本来就一钱不值嘛！我这个人就是这样，有时候把自己看得很高，有时候又把自己看得一钱不值；有时候太要尊严，有时候完全放弃。我跑出厨舱，慌慌张张寻找出发的码头。海岸在雾中不断退隐而去。天地残酷。我用尽全部的心力勾着海岸，但‘光’号无情拽着我越离越远。波涛一浪一浪地向远方推去，海岸越离越远，我再也无所傍依了。

“还是认清现实，回去解决问题。开饭的时间眼看要到了，我改变策略，把自己看成一个连厨艺的门都没摸到的人，那么还奢谈什么呢？那么就可以放手干了。一而再再而三地自我贬低，我心如死灰，于是也做成饭了。开饭时，我可怜巴巴避在门边，给每个进来的人鞠躬。我在讨饶，求大家对我网开一面。大家入座，我又企图将大家的注意力从食物上引开，去整桌椅，跟人磕磕碰碰，让坐好的人起来，希望惹大家在这方面厌烦我，对我发火。我满嘴挂着‘对不起’，但照做不误。船长来时，我甚至紧张得提着一桶水大冲洗起厨舱门口来了。我冲洗得异常卖力，异常专注，好像冲洗地板才是我的本职工作。我一边大幅度动作着，一边眼尾偷觑着迈进门的船长。我不敢直接看他，让命运来安排吧！我能做到的就是索性先把后果想得一团黑。但越是这样，我就越是必须看船长，他的表情和动作，成了我唯一的救命稻草。我瞥见船长挑起一口饭，就那么不由分说送进嘴里了。船长的鼻翼紧压出两个深刻的阴影，丰厚的嘴角一个下撇。

“我的命冷了。

“‘怎么这么好吃？混蛋！’蓦地，我却听到这个声音。这简直不可能！再审视船长，他下按的嘴唇实际上在忍不住‘呼啦呼啦’向上扬。这是船长习惯性表情，后来我发现，他要表扬人时都是先凶巴巴骂的。我顿觉被他从冰窟里捞了出来，体温从冰点迅速上升到沸点。这让我迷狂，丢下水桶，恍恍惚惚走出去，疯疯癫癫跑了起来。外面灿烂的阳光晃得我视野花花，不知什么时候眼里已噙满了泪水。我任凭泪水泛滥，又一头钻进船舱间的过道。阳光斜斜投在舱壁上，我的身影在光中忽高忽低地跳跃，时长时短，好像被什么拖着拽着。我的手抚摸着我的影子，摸着舱壁，每一块舱壁都跟我有关。我还不时轻轻敲打两下。我在舱道纵横穿梭，路线很快乱了。忽然发现面前有一个舷梯，我攀登了上去，大声叫喊起来。我平生从没有这么张扬过，现在我觉得自己也有张狂的权利了。我的喊声惊动了大家，他们跑出来，船长也出来了。

"'喂，你小子要掉海里去吗？八格牙路！'船长喝，呛了一样笑了起来，'你要死，我们还不舍得呢！你是属于"光"号的！你小子哟！'

"我经常看到船长挥舞着拳头，把阳光拽得一闪一闪的，好像是在把一切打散，打乱，重新洗牌。战争就是重新洗牌。作为等外之民，能有这样的汇入时代洪流的机会，怎么会不愿意？想想，这世界原来跟你没关系，就是你努力听广播，那也是别人的事。现在有我的事了。我很能理解那些底层人为什么在国内政治运动中那么积极。我告诉你，当时我总是拿一支铅笔夹在耳朵后，本来想用钢笔，但哪里弄得到？只有船长有，插在胸口袋里。见我干活时笔经常掉下来，船长骂我：

"'你小子要什么笔嘛！你又不会写字！'

"我就收起来，但到船长不注意，又把笔夹耳朵后。这是文化的感觉，是高级的感觉！那些人几辈子没文化，运动了，家里也有书了，还可以发言了，这哪里只是成了读书人？简直就是干部一样了。你是这国家的主人公。当然那时没有日本人会认为我是他们国家的主人公，但我渴望。你看明白了吧？我是认贼作父。因为要这个'认'字，我一生悬命。至少对这个集体，干活是我进入它的资本，只有干活才能让大家欢迎我。

"'船长，还有什么要干的？'我常这么说。

"'这是什么？让我试一试！我一定会干得非常好的！'

"挑战与机遇并存。越是难做的我越是要挑战。在不可能中做成，才有成就感。我这人是很疯狂的，简直有强迫症。

"所以对那个森达矢，我是避之唯恐不及的。首先是他玩世不恭的样子，我不能受他影响。我也害怕人家把我看成他的同类。当然，他说的日本军队滥杀无辜的事，我听了也很不满。但我不敢作声。我暗暗同意他说的话，但就是不敢说出来。我的正义感仅此而已。当然，正义感甚至让我憋得郁闷，像长满了虱子。有一次，我还真冲动起来，要跑去对他说：

"'你说的我都赞成，只是我不能说！'

"还好这只是一闪念。这世界如此邪恶，我甚至恨不得把世界毁灭掉。可惜我是弱者。那么，我不敢表达也是情有可原的，不然只能做无谓的牺牲。

"如果我不是处在劣势，我一定会站出来。我对自己说。我是有正义感的，谁天生良知就被狗吃了？久而久之，我满足于内心正义。内心正义，明白吗？正义不付诸言行，渐渐形成了纯粹的'正义'这样的东西，把它供着，内心还会产生这样的自得：我揣着光明，我藐视一切，甚至，唯我独醒。我这种所谓的正义感直拖到不义战争灭亡，不，是一路伴随着不义战争。货轮'光'号不是军舰，但它受着军舰护航。表面上它不属于战争序列，实际上它在为战争输送资源。揣着正义之心，伴随着不义战争，就像妃子陪睡暴君到天明，是不是很滑稽？这样的正义心是什么东西？虽然我也怀疑过我的工作性质，我毁坏过食物，但终究还是要完成每一餐伙食。我可以承认我自己本意上是讨厌战争的，也讨厌政治，但渐渐地我的思想空白了。空白是可怕的，空白的脑子比装满恶念的脑子还要可怕，它是空房间，是谁都可以进去的。我固然也有苦闷惶惑的时候，但我让自己活得像行尸走肉，这个没有思想的尸体是很轻易被操纵的。

"其实，不用被操纵，我自己已经暗度陈仓了。我告诉自己，在这样的乱世我努力做个好人。大家也都说我是个好人，天生是个好孩子的坯。哈，'好'！'好'是个什么东西？是空洞的太阳，无须去分辨它里面有什么，也无法分辨，反正就是'好'，就是'好'，就是'好'！世界上最不可直视的东西就是太阳了。还有，就是人心。不，人心比太阳更不可直视。你瞧我，这么一颗'好'的心，从善如流。遇到坏人坏事，从不参与，至多只是旁观，嘻嘻笑着，至多只是看热闹。但，你笑就是支持坏人坏事！于是我赶紧严肃下脸来，这样，就是跟坏人划清界限了。

“不仅如此，对‘坏’我还会害怕。就像小姑娘遇到坏人，怕怕！躲得远远的，咬着嘴唇，‘呀！呀！’但你是小姑娘？你是男的，成年男人。世上哪有如此胆小的男人？装什么胆小？装什么纯真？装什么善良？装什么中性？只要瞅一眼你鼓鼓囊囊的胯下。所以男人一举手一投足都必须用劲，操着家伙啊！武器库怎么藏得住？我不知道男人们在意识到自己无论怎样体面都带着武器时，是怎样克服或者抹杀对荷尔蒙的感知的。

“也许，唯一能够做到的是把荷尔蒙加以崇高修辞：男子汉。国家是男人的（虽然我不是这国家人，但我在为这个国家供职，我要以国民标准要求自己），战争是男人的（虽然我不是士兵，但我是‘精良武器’），男人应该有力量（虽然我个头小，比日本人还小）。民族危亡，国家振兴，男子汉责无旁贷，不容许玩世不恭。再看看那个森达矢，我就看不惯他那吊儿郎当的样子。森达矢说了我那么多好话，但很抱歉啊，他不知道我当时是多么讨厌他。我好几次都想冲过去教训他。大家都在为圣战出力，你却在吊儿郎当！

“‘干吗呢！’我冲他吼，‘好好干一下嘛！’

“他不急，我急。我一身正气，满脑原则性。好好干活多么好啊！做个好人多么幸福啊！自己欣慰，人家欣赏，世界满是阳光，人生都是阳光。你为什么就不能领会到这种幸福呢？偏要做个坏人，害人害己。我简直就像船长，是管人的人，屌屌的。我真想冲过去揍他一顿。

“但实际上，我连‘干吗呢’这话都从来不敢说出口。我只是模拟着口型。因为我是个好人啊，总是与人为善。老好人，不仅‘老好’地为不义战争服务，也‘老好’地对不给不义战争服务的人，口不臧否。这是怎样的境界啊！简直是佛啊！

“但是，我哪里能够成佛呢！我又会谦虚。记住，千万别让人把你放在烤架上烤。要适当承认自己有缺点，自己是人。毕竟是人嘛！所以，我也是会生气的，我也是小气的。最招我恨的是森达矢你挑衅我，冒犯我，特别是在我的身份和能力上冒犯我，是绝对不允许的。我也是人，是人都有尊严，不容侵犯。你揭我的短，为难我，寒碜我，我该出手，我也会很狠的。不是不咬，是忍不了。你以为我是猫？激怒我，猫也会变成虎的。我也可以承认我是小肚鸡肠吧，记仇，很不光彩，没有男子汉胸怀。我知道我不对，但不可遏制。尽管我知道这不好，甚至确实我有千般不对，但我就是改不了。我承认我性格有缺陷好吧？甚至，我可以承认我有小恶。我以承认自己小恶，掩盖了自己大恶的实质。当然，我仍会反省。再怎么着，我也要控制住自己的情绪。那么我用软办法，软嘴说硬话，谦卑说硬理，总可以吧？我这么顶他，船长喝彩。船长挺我，这让我满足。我是个容易满足的人，我本是个谦卑的人，我就不追究你森达矢了。我还是善解人意的，其实你也是可理解的，你也挺可怜的。我原谅了他，宽恕了他，这时候我成了耶稣了。基督教跟佛教的区别就是承认人内心是有冲突的，人是会犯罪的。宽恕吧，宽恕吧，宽恕他人，也宽恕了自己。毕竟我不是日本人，他是日本人。至少得忍吧，‘小不忍则乱大谋’，‘男子汉大丈夫能屈能伸’。我只管凭技术吃饭，凭本事立世。

“看明白了吧？胆小怕事的小姑娘、与人为善的好人、有责任感的男子汉、忍辱负重的大丈夫、靠技术立世的能人……还有，原先说到的正义感。我在‘好’中滑来滑去，变换着评价系统。一个不行了，换一个上；这个不行了，再换一个上，总之总会被一种价值观托住。日本人算什么？只知道‘相对主义’，模棱两可，首鼠两端，暧昧，哪里有我们中式‘千手观音’来得管用？我曾经读过《增广贤文》，‘儒’‘释’‘道’杂陈，各种话语轮番上阵，换频道时毫无违和感。你当然知道《孙子兵法》吧？为了赢，什么手段都用上。这就是所谓的智慧，骨子里是什么都不信。

“事实证明我是对的。历史的路径是诡异的。日本战败了，但那些战争期间为战争服务的企业并没有得到惩罚，照样生产经营。长谷川会社自然也这样。倒是森达矢很快显示出了好斗公鸡的模样，没人理他了。他成了大家心目中的坏人。但他没有办法改变大家对他的这个印象。他的立场太单一了，也该说是他自己那么鲜明地举了一面旗帜，把自己搞得没有回旋余地。他没有什么手艺，凭实说，他的烹调技术真是不行，只能当个帮手。没有人雇佣他。他穷困潦倒。好险！实际上当时收到他的信，我也动心过，好在我的恒定价值观提醒了我，就是凡事都要想想有没有好处。我说的是‘好处’，不是‘好’。当然世间所谓的‘好’也是得到了‘好处’才叫作‘好’。还有，这‘好处’不仅仅从我个人来考量，只盯着自己肚皮上的一点点利益是做不大的，而是整个人间正道。我这么说，又好像我相信有‘正’的这种东西了？‘正’是建立在‘好’的基础上的，能得到好处才是正确的，这个世界上有一种隐秘的、恒定的价值，老天都是势利的。表面上，我是掌握着通行的价值观，实际上通行的价值观所以显得放之四海而皆准，是因为其暗合人性中的卑劣。表面上，我是理性主义者，实际上我是功利主义者。我这颗心鸡贼得很。我甚至几乎把自己也给骗了。在浑浑噩噩、半推半就的被骗中，又在刚健有为的价值观中，我勤勉地又歪打正着地刚好站对了队伍，走上了康庄大道。我做对了，森达矢错了。

“但是，我能够傲视他吗？在所有人噤声时，他发出声音；在所有人说假话时，他说了真话；在所有人趴下时，他特立独行；在所有人投机时，他忠实于自己的心。因此他付出了代价。世界是无良的，在这样的世界，失败往往就是操守的指标。即使我有千种苟且的理由，也没有傲视他的资本。在黑暗中活得滋润的人，本身就是黑暗。即使森达矢极端，我仍然无法指责他。即使历史证明他错了，后来被揭发出来那场战争中同盟国也在与轴心国勾勾搭搭，所谓正义，不过是无根之木，但也不能证明我就正确。我只是在不知晓正义不存在的情况下就倒向了邪恶的一方，我根本就没想把脚伸向正义一侧。在太阳吊索桥上，我就是这样。我前面跟你说我当时慌乱，实际上在慌乱中，有一个意念绝对坚定，就是我绝对不跟日本人作对。我前面只强调我不跟香草去，我是在敷衍。我是投机者，投机即使投正确了也是可耻的。再回想起坂本对森的论断，都会害臊。当时我拿着森的信，坂本，他已经不是船长了，已经成了我的下属。我对他说森来信了，他说：没出息的人，什么时代什么国家都不会欢迎的。”

“坂本先生当时他知道森过得不好？”我问。

“森那时还没有过得不好。只是推断的。坂本是多精的人哪！”它说。

“其实，对坂本我是有看法的。”它忽然说。

我倒抽一口气。

“当然，他那些口号嘛……”我说。

“不是，是他人品。”它说，“也许我不该说一个有恩于我的人的坏话。人家对我有恩哪！他接纳了我，他照顾我，他给我一定的尊严，他给我希望。我把他看成光。现在我坦白，当时我其实是有意把人品偷换成人情的。但是有一次，那是第三次出航时，我有点受不了了。当时我发现鸡少了一只。出发前，我们会准备两三只杀好的鸡，数量有限，少了就容易发现。我寻着滴在地上的疑似痕迹找，竟然找到了船长舱。门关着，我忽然想到是怎么回事了。但我马上打消了这念头，船长对我不错，我不该污蔑他，这是忘恩负义。但我的手还是试着推一下门，居然开了。我瞧见他的右侧身体。果然。他的手掌固定着鸡身，大拇指翘着，其他手指扇动着，频率很快，与他的抽插同步。我简直不相信自己看到的是真的。我把门掩上，退回来，躲在拐弯角，希望证实我是错的。门一会儿打开了，船长鬼头鬼脑出现了，他手里果然提着鸡。

“我一阵恶心。亏他想得出做得出！固然，我也不是童男，跟香织做这种事我也很恶心，但这是跟鸡，而且是死鸡。我难以想象。我承认我是有洁癖的，一方面龌龊，一方面也有洁癖。其实后来我老油条了，想想航行中的条件，人有生理需求也可以理解。但当时非常受不了。我还会去联系他平时的言论，那高声调，那高蹈的、宣传标语一样的语言，满嘴‘大东亚共荣’‘圣战’‘天皇陛下’‘大日本帝国’，煞有介事，好像他是那么光辉。但其实我这样去联想没有必要，那时代嘛，身不由己，或即使认识有误，也很正常。谁能够超越时代？我当时不是都这么开脱自己吗？但我就是要揪住他不放，不去理解他。但这可是你的恩人哪！但就因为我受了他的恩，我就不能反对他吗？他丑陋，我也得拥戴他？这恩成了什么东西？成了压迫，成了绑架。我好像一下子变成了一腔正义之人。但只有我这心的根部静脉的微小抽动，暴露了我的激动。是的，我是在幸灾乐祸。我终于抓到别人了！原来也有跟我一样肮脏的。这多么慰藉我。我被赦免了。我这颗心像警察一样要冲出来，逮住他。

“但我躲在厨舱外，让他把鸡送回去，以为没有被发现，得逞地在舱门口搓搓油腻的手。我怎么可能去逮他？作出这么愚蠢的事来？他可是船长啊！是决定我命运的人。为什么要自绝于前途？再说，他的肮脏不是慰藉了我吗？我为什么要找不自在？我何苦来？再说他虚伪投机，不是对我也有利吗？不错，像他这样的一个人，一个人满嘴宣扬他自己都不相信的东西，他就是做好了干任何坏事的准备了。但他干坏事不是对我有利吗？我也准备干任何坏事。所以我也表现出相信自己都不相信的东西的样子。当然，这样对他也有利，我干得好，我工作好，他于是赞扬我。他利用我，我也利用他。虽然我处在卑下地位，他是我上司，我可以像小动物一样捡大动物嘴上掉出来的食物。战后我成了他的上司，他成了我部下，地位完全颠倒过来了，他完全没有违和感，在羊面前是狼，在狼面前是羊，从狼变成羊，一下子就角色转换了。我们都不像人。

“其实，在‘光’号时，他也知道我在利用他的，只是他默不声张。日本人的沉默是可怕的，那没有说出来的部分，也许就是地狱图景。但他又是说的，他公然制造一些对我有利的谎言，什么南京成立新政府了，什么去‘佛跳墙’吃过饭，全是谎言。这比什么也不说更可怕，谎言面不改色说出来，才是真正的地狱图景。当然我也假装讶然，装相信，‘八纮一宇’？哈！但心里却看穿他了，鄙视他。跟鄙视的人打得热火，是怎样的卑鄙呢？还感恩。我的心也是地狱。我们就这么搭手，心照不宣，沆瀣一气，就好像男人跟男人互通裤裆。我们完成了一次次航程。哪怕我对‘圣战’完全不信了，厌恶了，感觉罪恶了，我已经判断出来当初被吹得神乎其神的袭击珍珠港其实是日本犯下的极大的错误，是杀人，所以人家才反过来杀你。天上的美军飞机就是复仇来的，我罪有应得，相反，日本击落飞机是继续犯罪，即使这样，我仍然跟坂本他配合得天衣无缝。大家都是聪明人，谁也不是傻瓜。对这世界的丑恶我不是不明白，我是太明白了。可鄙的就是我们心里都明白得像镜子一样。可鄙的是我天天照镜子，把水什么的当镜子，抽自己耳光，却就是不改变。人家都不干，我为什么要去干？人家都不说，我为什么去说？至少从为人之道上，不能去妨碍人家嘛！一个人要让人家舒服。我是个精致的人。

“其实整个‘光’号，除了森达矢，谁都是聪明人。谁都明白自己被欺骗，什么圣战？只是理性地不说。当理性成为常识，猥琐就成了常态，良知就出卖给了精明，魔鬼就畅行无阻。魔鬼机器所以能运作，因为每个人都出了力。最后到了不知这机器是魔鬼操控的，还是人操纵的。也正因此，魔鬼可以将其责任推卸得一干二净。

但人也可以推卸，聪明人，清醒地对自己说，我是被操纵的，我是受害者。甚至，我们被道义欺骗了，我们被玩弄，于是对道义厌倦。每天体验着冠冕堂皇词句之下的苍白事实，采取阳奉阴违态度，心里什么也不相信。很快的，对一切熟视无睹了，陷入了深度麻木状态中。甚至，对良心还会跳动的人严加嘲弄，乃至攻击，乃至怨恨：你害了我们了！都是因为你不懂事，搞得我们受牵连，被连坐。专制体制是善于用连坐来掌控的。于是你成了众矢之的，大家群起攻之。

"当然，也有好心来帮你的，来劝架的，来救你的。于是，你不能再让人家为你付出的人为难了。这样，你真是太不通人情了。

"但是，这个人只是为他自己吗？但大家全然不做这样想。有道是，不知这样想，也做不起这样想。甚至协助体制对这样的家伙进行严厉制裁，维护稳定。我不是为鸡奸中的船长把门掩好吗？如果那时候恰好森达矢出现，我会不会去阻挠他过来？他如果看到了，要声张出去，我是否会去扼住他的喉咙？

"甚至，从积极镇压反对者中获得好处。但前提是我必须让船长知道我知道他干的事。但要说明，只是撞上的，并非我跟踪他，有意去搜集他的丑事。这很重要。于是，相当长的时间里，我都在琢磨怎么让他知道。但这很难，不小心会下场很惨。

"有时候我想，如果船长发现了我知道他弄鸡屁股，我是否会干脆为他提供鸡？还有，我会为他把持着鸡身，让他方便干吗？甚至，我干脆自己去充当那鸡？上下级同流合污，最好状态就是我献给他污。有一次，我对他有重大要求时，我真的准备他要我干什么我都干的。这种准备里，是否也包括接受他鸡奸？当然，这种情形没有出现，因为他一直不知道我发现了他。"

我听不下去，太赤裸了！我岔开话题，"您说您对他有重大要求，是什么呢？"

"让他举荐我。"

"举荐？"我没明白。

"上岸抓游击队。"

"什么？哦，您是说船长举荐了您吧？这我知道……"

"不，是我让他举荐我。"

"怎么可能？那任务让您差点摔得命都没了……"

"那是一回事，但去时又不知道会这样。"

"还有香草……"我又急忙搬出香草，"您爱她，您跟她生离死别了……"

"那也是以后的事。我上岸前怎么知道有她？当时我只知道我可以把这任务完成得好。"

"您想完成那任务？您不是被逼的吗？"

"我不能再狡辩了。我之前跟你说的，仍然还在为自己狡辩。"

"不，您已经反省了！"

"真的反省了吗？"

"是的！您说，所谓被逼是没有的，是因为自己怯弱，自己糊涂……不是，也有自己追逐私利的原因……"

"那仅剥了一层皮。"

"皮？"我瞅它，它作为一颗心，没有皮。但从破裂处可以看到，心的外层是有一层膜的。我紧张，它不会把这层膜也剥掉吧？实际上，因为破成几瓣，那膜早已破碎，起不到包裹作用了。现在，我惊慌地发现那些破碎的膜在翘起，跟心瓣的肉分离。那些肉因为几乎失去了妥帖的膜，卷炸起来，显得非常狰狞。

"主动作恶！"它说。

"那天跟船长上岸采购，遇到长谷川社长，说起岸上游击队的情况，是中国人游击队，只能用中国人去瓦解中国人。我就马上反应：我立大功受大奖的机会来了。我表现出感兴趣。当然，我不可能在社长面前表现，那里哪里有我说话的份？我只能去做船长的工作。当然也必须小心翼翼，谦卑地，他毕竟是我的上司。我去牵他的胳膊，在他耳边嘀嘀咕咕。船长明白了我的意思，去向社长提出，并且拿我在船上的表现，说明我是值得信任的。

"'对啊！这里不是就有中国人吗？'社长叫起来，'这叫作骑驴找驴！'他还用中国话说了这词。凡他去过的国家，他都会说几句那国家的话。

"那天社长到'光'号来，是向我传达岸上军方部署的。但我忽然有些慌张了，感觉自己承受不住。我甚至后悔自己没事找事，这下事情真的摊在我头上了。但仅仅是慌张而已，这事太大。但最终我还是接了任务。

"如果说之前，我没有意识到我是在协助战争，战争就是杀人，还说得过去。但现在我分明知道有人被杀，日本人杀了人了。虽然我不能阻止杀人，我能不能自己不杀人？如果说，之前日本人没有在我面前暴露出杀人面目，现在暴露了，我却还要加入这个组织，这怎么说得过去？

"当然，我仍然有理由：那些岸上的游击队是害群之马，祸害同胞，几颗老鼠屎坏了一锅粥！我们不是常这么指责同胞吗？我们这么说时，好像是在为被连累的同胞抱不平，实际上，是在讨厌所有的中国人。我也是这种德性，所谓拯救同胞不过是托词。

"再说，还有个香草呢！你把人家当利用工具，顺藤摸瓜，到头来游击队被清剿了，她不是也要一块完蛋？这么一来，我究竟有没有爱她都是可疑的了。我难道不是爱她身体的香味吗？这虽然不是荤味，但是花味。花味是清的还是荤的？我觉得是荤的。那跟草味不一样。我被荤味迷住了，我想吃她。我把她视为肉。爱太不具体，对我这种饥饿动物来说，谈爱太奢侈，肉体才是实的。我要啃她的肉，吸她的髓，连骨头都不吐。这么一来，我去报复那个美国人，也不过是动物跟动物之间的夺食了，不过是'螳螂捕蝉，黄雀在后'。但我还是要说，虽然我知道我不是东西，我不是自己说出来了吗？我是奸细，不，是汉奸，确实是，但我对香草是有爱的。唯一对她有爱。我对她不仅只有身体需求，而且确确实实是上升到精神高度的。不然，那美国人又没有抢走她身体，我们不可以一起看吗？但爱是有洁癖的，不能共享。也许你会说，这洁癖只不过是肉体上的，只是不允许肉体被玷污。但不是这样的！我对她确确实实是有爱的。我一生只有这么一份爱。我什么都没有了，你相信我！对了，也正因此我在太阳吊索桥才会奋不顾身。是的，某种程度上也是奋不顾身。我要修正我前面的话，我是为了她踏断吊索桥的。现在这是一颗心在跟你说话，我拿我的心担保！我用我的忏悔之心来保证！"

心混蛋到强大

"我应当继续忏悔。"它说，"我承认，最初我仍然企图推诿。虽然是为了爱香草，但我毕竟借用了日本人。军方正在利用我，我就也利用这个机会。我说那个美国人窥视了我的计划，我要审他。当然最后是不可能审出结果的，我当时也顾不着了，我只想教训那个美国人。奇怪的是军方也让我这么做，也没有要我的审问结果。其实军方也知道我是在公报私仇，他们纵容我，只要我能完成他们交给的任务就行。你听说耶德瓦布内大屠杀吧？在这场屠杀中，德国军人没有杀人。他们只是站在一旁拍照，都是波兰人在杀犹太人。借刀杀人，更加卑劣。所以我被那个美国人指控，没有什么冤枉的，罪有应得。

"但即使我被美国人认出来，被指控，其实也并不需要那么恐惧。不就是'汉奸'吗？大不了把我关进去，大不了枪毙。有什么了不起？虽然我奉行'活命哲学'，但其实我也有'末世心态'；虽然我精心经营自己，但在同时，也会把事情想到最坏，大不了放弃。于是就没有包袱了，反正我没有再可失去了的，干砸了，大不了死！在绝望中求发展，得到就是赚的了。大胆乱搞，不择手段。我在街头常见到残疾军人，断胳膊断腿，有的整个人都瘫了。因为这样，他们的动作幅度更大，甩开手脚，挣动身体，要摆脱一切羁绊，一切干扰，一意孤行，向死而生。当然，不到万不得已不要死，上有政策，下有对策，我办法有的是。活人还怕被尿憋死？大不了身败名裂，大不了再死。总比一开始就坐以待毙的好吧？肯赖就有搏得的希望。要没有这种能力和赖劲，还出去混什么？所以我先用乞求。我要跪在那美国人面前，求他。他不答应饶我，我就不起来。抱住他的腿，他踢我也抱，你把我踢死吧！看你真的会踢？

“但没有用。我于是瞄上了香织。男人都好色。之前，我瞧见了他看香织的眼光。虽然我感觉耻辱，但想想，我又不喜欢香织。香织你既然喜欢我，那么为我付出总可以吧？再说，你不是喜欢异国男人吗？这可是洋人。你不是很上瘾吗？美国人器官可是很大的。也许你早就想着要找个洋人了吧？只是没有机会。现在机会来了。”

我直抽冷气。

“那美国人这点上没有冤枉我。”它说，“但当时，他应该是怀疑这是我的陷阱吧，我们既已经撕毁了信任，他逃了。但当时我没有想到他是逃，我只是恐惧，想着他会去告发我。当一个人感觉性命要冷了，会调动一切能量殊死挽留。他的能量会全部被逼出来，这时候他会变得极端冷静，感觉极其敏锐。我甚至都不知道自己怎么会想到他是信教的，也许纯粹是凭直觉。当然，他是洋人，信教可能性极大。但我也得有耐力去证明。当然，这已不是问题，濒死之人什么都付出去了，耐力还是问题吗？

“一连几天我都没去会社，我就跟踪他。他到哪里我就跟到哪里，他干什么，我就等着。洋人的生活真是多事哪，工作不是只工作，一会儿聊天，一会儿吃吃喝喝，玩的时间比工作时间还要多，拖拖拉拉，偷懒，这能干什么事？要是在我会社，绝对把他赶走。但我现在不是他上司，我只是个乞求他的人，像狗一样跟踪着他。狗还可以在他脚下趴着，我还不能被他发现。他泡吧泡到半夜三更，腻烦哪！我都要睡到人行道上去了。而且我还不能坐在街边，怕被熟人看到。我可是长谷川会社的管理者。有时候也想，索性随他去了，大不了全没了，放弃算了。但我怎么可能放弃？我一步步积攒着人生资本，容易吗？再说，汉奸，这可是掉脑袋的罪。在中国，汉奸是会被处死的！

“我的跟踪有了结果。我看到他有一天去了日比谷天主教堂。你也许会说，你只要星期天跟踪他，看看他有没有去做礼拜就行了。但实际上，他没有去做礼拜。他是平时去的。他是去忏悔的吧？他一定有做了什么罪恶事需要忏悔的吧？当然，我不是想去抓他，连他是告密者这个我都不想去抓他。我已经后悔跟他顶牛了。我想上去跟他讲和，我还可以表现得可怜。只要我表现得足够可怜，应该会打动他的。看看我这像乞丐一样的人吧，都是被你吓的。我已经悔罪了，您就可怜可怜我吧！有一次，我鼓起勇气向他走近。他看到我了，但是他拔腿就跑。

“他是不信任我。人和人是很难产生信任的。我可以通过神父。这是个好办法。第二天，我走进了那个教堂。虽然我有乞求宽恕的愿望，但我走进教堂时，这心是澄明的。也许是因为我身处灾难，这下是弱者，狼在期待南郭先生救命时，除了放下武器束手无策，也没有别的办法。甚至我并不需要有成果，我只是去接近光明。人心毕竟还是向往光明的，就像小草都需要阳光。在面对神父时，我还生出一种感觉：我是去告解的。神父是日本人，姓远藤。他说他接纳一切迷途的羔羊，我就是，但我没有勇气向他告解，我说不出口。或者说，我心里毕竟还打着算盘，不能把自己暴露得太丑恶。在他一再劝慰下，我说了我曾经打过那个美国人。为什么打？我实在藏掖不住，就说因为个人纠纷。什么纠纷？我说是因为女人。我没有说战争背景，我说这是我嫉妒。我知道这在基督教里是一个罪，我愿意因此受谴责。我甚至愿意把香草说成本来是他的女人，是我嫉妒了。

“但不能解决问题，因为这样无论如何不能指向‘汉奸’。对方去跟那个美国人说情，那美国人一定会说出‘汉奸’这罪名的。但如果我现在就说，神父很可能就不会帮我了。那么，就撑到最后吧！大不了美国人说了，到时才暴露，也比现在就自我暴露的好。我总是这么侥幸、赖皮地作选择的。但这次不灵，神父沉默着，好像在等着我把来龙去脉完全说清楚。他完全不被我咋咋呼呼扯七扯八的言说方法所影响。沉默是最可怕的凝视。也许他其实已经是知道的，只是看我的诚意。我只能说了，然后战战兢兢等着他审判。他仍然沉默着。我等待着。我等不了了。是啊，我得提出我的要求啊！既然我把一切都交给你了，那么我就可以要我所要的了。我说出了我的要求，求他去跟那个美国人调解，让美国人放过我。但是那神父说，做不到。这下他回答得倒十分干脆，简直粗暴。为什么啊？这不过是你动动嘴的事。我把什么都坦白了，你听了，竟把我丢下不管。你这不是耍我吗？

“他说，告解是向上帝告解，是人与上帝之间的事，不是人与人发生关系。我说，你不就代表上帝吗？他说不是，他只是服务圣道。这我知道。那你不是可以赦免罪吗？我说。他问，你是教徒吗？”

“你是教徒吗？”我也问。

它明显一跳，“怎么可能？我们不要扯那么多，就说当时。”它的语速加快，给我感觉好像是在逃离。“当时我老大不高兴。我不理解他说的是什么意思？我理解的是，他在问我是不是他们的人。什么是不是？我给你赞助不就是你们的人了吗？我暗示我拥有企业，我可以给他，不，我差点要说他了，赶紧改说给教会。他呢，装作没听懂。我意识到自己还是鲁莽了，我应该说给教会捐献。我又改口。他竟然恼了，说：你这是在贿赂神！”

“真是好心被当作驴肝肺了！”它几乎是叫着说的，它一抖一抖，气咻咻的，还真像驴肝肺。“我完全是一片好心，好意，这个远藤竟然这样！太不通人情了！人之常情。你为什么就不能理解人？可怜人？你就真那么高尚？你身上就真的没有沾罪恶？你们，远藤你跟那个美国人在一起时，就谈上帝？信上帝的会这么炸人家？把东京夷为废墟，还投放原子弹。上帝是美国人的。你作为日本人，你怎么听从美国人的上帝？不要跟我讲战争结束，民主主义，在战时，你们也这么信？你们屁股就很干净？

“我这么说时，其实并不知道日本教会在战争期间做了什么，至多只是推测。我的指控完全只是戾气下的信口开河。当善意或者应该说是侥幸不能凑效了，身体里的兽性就会冲出牢笼。所有的兽性都被激发出来了。但这时候又会分外冷静，判断，闪避，逮住对方弱点，突然袭击，以期一步到位把对方击倒。即使自己力量尚弱，不能击倒对方，也要虚张声势喝住对方。我得意地瞧见对方果然愣住了，脸色苍白。这给我启发：也许我真的歪打正着地击中了对方要害。难说。

“我有个根深蒂固的思维判断：我不好，别人又好到哪里去？谁都不好，那么就扯平了。这让我被指责时容易去归咎别人的原因，像个坏小孩一样抵赖：别人也这样！我不相信这世界上有好人，有独善其身的人。‘你们中间谁没罪，就可以拿石头砸她！’我喜欢引用耶稣这句话，不是为了找自己的罪，而是拿谁都有罪来为自己开脱。我真的去查了，跑去图书馆。我从来没有去过图书馆，这种地方跟我从来没有关系，我也识字不多，但我埋头在旧资料里，用我认识的有限的几个字，还有查字典，以图片为搜索目标，寻找日本教会在战时的罪行。我一个罪恶缠身的人，却以极大热情查找别人的罪恶，是不是很滑稽？我要用他的罪来抵消我的罪，以罪来扯平罪，让我们沆瀣一气，我要要挟他来拯救我。我的勤奋让我自己都吃惊，之前我勤奋是在干粗活上，体力劳动，现在是在学习上。也就是说，我在高层次上来跟这世界战斗。我毕生读书不断，那时是起点。

“还真被我查到了。战争期间，一九四一年，日本基督教根据教宗团体法成立了个日本基督教团。在教团名义下，不仅支持了政府的对外战争，而且为战争的胜利祈祷。我看到祈祷的照片，十字架与为战争祈祷的标语一样明显。照片后面还有人双手高举，做出喊‘万岁’的样子。这动作我太熟悉了。我花钱翻拍了这些照片，又去那教堂。当然，我可以理解他们这么做是为了生存。基督教在日本长时间生存艰难，很多时候被打压，所以必须迎合日本统治者。这个基督教团也是在《宗教团体法》要求之下被逼成立的，《宗教团体法》规定，只有具备教会数五十个、信徒数五千人的教会才享有法人的资格，否则予以取缔。为了生存，一九四〇年十月在青山学院召开的‘皇纪二千六百年奉祝全国基督教信徒大会’上，新教各派在日本基督教联盟的联络协调下，同意教派合并。一九四一年，三十多个宗派组建日本基督教团。这是身不由己，他们是被逼的。那我不也是吗？既然都是，那我们为什么不能互相谅解？

“但我不能肯定那个神父会屈从，照片上的人是别人，你如何指认其中就有我？他会这么说。如果是我，就会这么说。如果他这么说，我还真没有办法。远藤神父看了照片，只是潦草地看了一下，我以为他压根儿就不当一回事。他接着一定说出我预想的意思来：不承认。什么基督徒，他们也是要在实实在在的证据面前才无话可说的。我以我很会推诿之心揣测别人也会推诿，以小人之心度小人之腹。这时候我成了抓别人小偷的警察，不，是小偷抓小偷，我们在贼喊捉贼，我们黑吃黑，然后我们一起在泥土里打滚。他不肯就范？无妨，我已经准备好了，我就要用他们的教义来照亮他们，以其人之道还治其人之身，看看他们怎么面对。我问：

“‘你内心就不疼痛吗？’

“他没有应，脸色漠然，已经不是苍白了。我简直愤怒。‘我的内心都会疼痛。我只是一个俗人，你们是基督徒，不是吗？我只是个小人物，我只是一个个体，你们是有组织的，你们，是你们，基督教里，你们都是兄弟姐妹。你们的根基在西方，我只是个漂浮物。我都会疼痛呢！哦，正因为你们有群心，就有群胆，所以才不疼痛！’

“我说疼痛时，还真感觉到自己痛了一下。我是真的感觉到自己命苦了，孤立无援。但也许出于天性，人毕竟不愿意站在罪恶一边。但这痛又是酸酸的，是一种酸爽的感觉，就像劳累后睡了一觉，身上那种感觉。战后一度闲下来，我常有这样的感觉。这酸痛几乎成了一种瘾，是一种残忍的过瘾，有着一种洗心革面的欣慰。现在我以过瘾的、我自己几乎要冲出去自忏心态，残忍，也对自己残忍地盯着他，等待他反应。他仍然没有反应。我的自忏感渐渐退去，看吧，人都是这样的！好吧，那我们就来战斗一下。他一定会辩解，那么就掉进我的窠臼了。我像是拿手铐拷罪犯，对方越挣扎，越被我拷得紧。他低着头，没有辩解。那么，就是供认了！这更是我希望的。只要他从他自制的枷锁里解放出来，一切都自由了。这样我又生出了怜悯。我准备一旦他答应帮助我，我就回过去安抚他。当然，他还需要说辞，不然怎么下得了台？他会说这是日本基督教乃至东亚基督教的困境，无可奈何，是东亚语境下的本色化。这是很冠冕堂皇的台阶。对，东亚语境，日本语境，中国语境，我很同意。他一旦这么说，我就也承认中国语境也在困境中。然后，我也忏悔自己。我揣度着，期待着，幻想着，他开腔了：

“‘在国家犯罪之时，我们确实没有去执行警戒的使命，反而助纣为虐。我无可推卸，请求主惩罚我！’

“他竟然这么说！

“他说的还是‘我’，不是‘我们’。他竟然明确把责任揽到自己身上。

“简直是掴来一记耳光。我好半天才清醒过来。绝望中，有一个声音在细细响：让主来惩罚？嗤，主在哪里？就凭你说有主就有主，你在谁也看不到的这房子里，对谁也不知道是否存在的那个主，嘀嘀咕咕，就算忏悔认罪了？然后惩罚了，宽恕了，私了了。别人都不知道，只有你跟主才知道。也太滑头了！你这么滑头，好吧，那就怨不得我了。你不帮我，我也不帮你。我也不想解决了，美国人要怎么处置我就怎么处置我，死就死。我死，你也别想活。我威胁他，我要去媒体告发。

“他没有阻止我。我扬言要走了，他也随我的便。他竟然如此无视我！我也是有尊严的。我真的要去找媒体。但我还没找，第二天，我在下班回去路上抓了一张《朝日新闻》，我简直不相信自己的眼睛，头版头条是日本基督教团在战争中的作为。是那个远藤神父自己找了媒体的，登载着他的照片。

“该死！

“他就不怕后果？也许这就是日本人的自裁，羞耻被发现了，活不了了。但我还没有去告发他，他怎么自己就自首了？是为了讨主动？但他可以先跟我谈谈啊！就因为他是基督徒？我感觉他在用挑衅的眼睛看我：你拿我怎么办？

“更要命的是，在媒体追踪报道中，我发现我犯了个常识性的错误：日本基督教团跟天主教并没有关系。后者属于‘旧教’，前者属于‘新教’，这里的‘新教’，是对在日本除罗马天主教东正教之外的所有带基督教性质的教派的总称。我搞混了。

“我之前责问他会疼痛吗？我自己虽然也有感觉，但只是酸爽。现在，我确凿感觉痛了。我痛，这是以前从来没有的痛，以前是目的达不到的痛，只消得到补偿就会好起来。现在是一种不可救护的痛。我跌跌撞撞摸去了教堂。远藤神父已经不在了。出了这种事，他已经不可能再在教职上。新神父完全不认识我，不知道我就是那个曾经来威胁的人。我装作来做礼拜的，混迹在教徒中间。我听神父在带领大家念《马可福音》：

> 耶稣对他们说：“你们也是这样不明白吗？岂不晓得凡从外面进入的，不能污秽人，因为不是入他的心，乃是入他的肚腹，又落到茅厕里。”这是说，各样的食物都是洁净的。又说：“从人里面出来的，那才能污秽人。因为从里面，就是从人心里发出恶念、苟合、偷盗、凶杀、奸淫、贪婪、邪恶、诡诈、淫荡、嫉妒、谤毁、骄傲、狂妄，这一切的恶都是从里面出来，且能污秽人。”

“我感觉自己在呕吐。这种难受不是痛那么鲜明，是说不出来的难受。好像有一只手在心里掏着。但又不是掏，根本掏不到，那种令人难耐的感觉。

“心的难受只能靠对肉的施虐来缓解。有一天，我又想去S/M店。我想真正受到鞭打。让我痛，只有在痛中我才能安逸。但我不敢。而且S/M太脏，现在我变得特别有洁癖。我只能再去教堂。我一次次去教堂，在那里哭。当然我是心，在身体里，我哭，别人看不到。这样也好让我可以纵情地哭。有一天，我看见一个人哭得肩膀发抖，神父发现了他，对他道：

> 人们常常是不讲道理的，以自我为中心，
>
> 无论如何仍要原谅他们。
>
> 如果你仁慈，人们可能控告你自私、有不可告人的动机，
>
> 无论如何你仍要仁慈。
>
> 如果你诚实且真诚，人们可能会欺骗你，

无论如何你仍要诚实且真诚。

你长年累月所创造的，别人可能一夜就毁坏它，

无论如何你仍要创造。

如果你过得平静而幸福，别人可能会妒忌，

但无论如何你仍要快乐。

你今天所做的善事，常常会被忘记，

无论如何你仍要行善。

因为在最终的审判中，是你和上帝之间的事，

无论如何不会是你和他们之间的事。

“我和上帝的事……”

“您好像老想到上帝，”我问它，“当然，‘上帝’也许只是一个说法，或者称为‘上天’‘神’，它本来就是中文词汇，跟基督教无关。中国古代就有‘上帝’这种说法……”

“上帝显灵了！”它说，“上帝报应来了！”

这话简直可笑。报应，不是佛教的概念吗？普通中国人也这么想。但好像中国的基督教徒也这么说的。“你是基督教徒？”我问。

“我不能再隐瞒了！”它说，“天主教徒。”

还果然是！我想起这个林修身葬礼上那些奇怪的天主教元素。但也没什么。中国人，整个东亚人，说自己信某某教的也有的是。今天信这个，明天信那个，同时信释道，还有把孔子也当做神灵的。过年过节祭个神灵，逢事求个菩萨，走过寺庙随便进去拜拜，多神并存，多轨并进。但似乎不包括西教，西教不在中国人混杂的信仰轨道上，信仰西教是要正式入教的。

“您受洗过？”我问。

“对。我洗名保禄。”

这个林修身又冒出一个名字来了。

保禄，应是保罗吧？保住福禄？很中国思维的嘛！我不小心说出来了，它急了。“我可以起誓！”它叫。

这简直可笑。起誓是建立在确认是教徒的基础上才起作用的，而我压根儿就不信对方是。它突然说起自己是教徒了，那也太随意了。只有在随意这点上，我相信它所说的，不必当真，你说什么就是什么好了。甚至，我急于打压它。这个世界突然冒出一个教徒，太可怕了，简直是突然有一只猴子站起来走路。但它也很决绝，为了让我信它，它又裂开好几条裂罅，顶到我眼前，呈现着惨不忍睹的景象。我慌忙躲闪。但它很快也泄气了，疲软了下来。

“我确实从来没有真信过，虽然洗礼了。我爹出事后我们全家都洗礼了。”

“当时你们是走投无路嘛，”我说，“抓个什么信信，什么能保佑你们就信什么，也是常情，这怨不得你们。再说，你们不是被冤枉了吗？”

“我爹确实对那岸上女人做了什么。”它说。

我愣。

“我一再强调我疍民身份。但其实，有那么多的疍民，千百年来不也生存下去了吗？其实就因为我们自己不安分。可怜之人必有可恨之处。当时我还小，大人瞒着我和哥哥姐姐，但我从妈跟爹的吵架里也知道了一些，并不只是多看了岸上女人几眼。之前我没有说实话。真实是，爹看见人家女人的小脚后，就惦记上了，以后就故意在那一带转来转去卖虾。终于有一天，瞅着那家里没人，爹摸了进去。

“爹他怎么敢这样？简直是色胆包天。爹后来跟妈吵架时说当时他控制不住，也不知自己怎么了。船上人都说我们这种人的性器官特别大，也许我们这种人确实动物性强。我长大后也观察自己这个身体上的性器，悄悄跟‘佛跳墙’少东家做比较，好像确实长很多。像蛇一样。”

“蛇？”我叫起来。我曾经梦见林修身的，就是梦见蛇。森达矢也用蛇比喻他。

“我们本来就是蛇种，蛇的后代。像蛇一样长。都说女人怕长不怕粗。香织曾说我让她很痛。而且我一旦冲动起来，就难以遏制，好像口

上突然伸出了蛇信，不顾一切地捕噬着。我很害怕，但我自己也没有办法。命吧！”

你个教徒，还信命？我在心里笑。

“爹也是这样吧？”它继续说，“爹逃出来后，妈虽然跟爹吵，但逃命要紧。划着家船向闽江口逃去。过了金刚腿，再出海，这时候才意识到我们的小船经不起海浪。如果再回到江里，很可能被抓。硬着头皮到海上，船被颠得眼看就要翻船了。妈对爹说：这样全家陪着你死，不如你自己去死算了。这时海上出现了一艘海船。我们向他们求救，他们救了我们。他们是从福州去长崎的货船。”

“我知道，”我说，“我曾经看过日本作家远藤周作的《沉默》，说到江户时代起就有这么个航线。”

“这是神保佑的航线。”它说，“多少年来，基督徒都是走这条路。也许是因为终点是长崎？东方洋人最多的地方。但这个航线却开启了我们背叛之路。爹谎称是被岸上人陷害的，就像我曾经对你说的那样。货船上的人信以为真，他们也是疍民出身。但他们是规矩的疍民，疍民跟疍民不一样。疍民都被岸上人歧视，但受害者跟受害者不一样。受害不是施害的理由，也不是撒谎的理由，受害者并不天然占有道德优势，也没有道德豁免权。你能理解吗？也许只有我这样作为有罪的受害者，才能想到这一点。

“那些货船上的人都是信天主的，荤教，我们把天主教叫作荤教。佛教吃素，但天主教可以吃荤，所以叫荤教。我们疍民基本都是荤教徒，我们信不起佛。信佛要吃素，我们只能在水上谋生，没有土地，靠江里鱼虾果腹，哪里有素可吃？吃素在我们，是岸上人才能享受到的。佛偏心他们，佛不给我们寸土，佛不拯救我们，我们已经不信了。所以西方传教士一招呼，我们疍民就吸引过去了。但是我家并没有去信，爹不信，爹是什么也不信的，也因此闯大祸了吧？

“那船上的人听说我们也是疍民，就以为我们跟他们一样是信天主的。他们决定收留我们。货船要开往日本长崎，我们就让他们把我们载到长崎。在船上，我们都装作是信天主的。他们饭前祷告，我们也祷告。但我们毕竟不信，特别是我们小孩，眼睛到处乱看，爹也憋不住，动作也不对，经文更不会，装不像，就暴露了。他们很生气，扬言要把我们这一家赶下船。茫茫海上，这是万万不能的。保命第一。爹表示我们愿意信教。‘就当尿壶，能救急就行！’爹跟妈说。说好到了长崎后我们跟他们去教堂受洗，长崎新地有天主教堂。我们本来想上岸伺机逃走，但没有逃成。我们毕竟人生地不熟，只能老老实实跟着他们去了。我至今还记得那个给我受洗的器皿，样子就像煤油灯。我还记得我们先是被拦在教堂门口，神父问我们：

“‘你向教会求什么？’

“神父是日本人，有个人给我们翻译。‘求信德。’爹说。这是之前已经教好的。

“神父又问：‘信德对你有什么好处？’

“‘得永生。’爹答。

“神父说：‘永生就是认识真天主与他所派遣的耶稣基督，愿做他的门徒，听他的圣言，遵守他的诫命，参加教友的团体生活与祈祷。这一切，你都做到了吗？’

“‘肯定都做得到！’爹说得很肯定。我还有点心虚，之前爹还跟妈说只是骗骗他们的，爹怎么就能应得面不改色心不跳？难道是因为神父听不懂中国话，爹就敢胡说？也无妨，反正到时候就说翻译错了。我想。我那时就挺有鬼念头的。

“神父于是为我们祈祷，接着，带我们进入教堂。神父开始做弥撒，念经。好多经，念的是什么经，我全不知道。虽然翻译用的是中国话，但我也没有听懂。我只是觉得无非跟和尚念经一样，我之前也溜进岸上教堂里玩，听到这种念经声。听着听着，有一种神奇的魔力，好像会把人架空起来。之前我只是觉得好玩，但这次，我自己身处其中，我是被施洗者，我竟然真有点感动了。我渐渐听出了一些话：领洗之后就再没有种族之分了，我们都属于基督。我瞧着神父，想：他是岸上人吧？岸上人水上人，这一直是我的心结。当时我还不知道中国人和日本人有什么等级差别，更不知道就是在日本人中，也有等级差别。爹抬了抬头，瞥了一眼神父。他是否早已经知道了这是扯淡。但他又低下头去，做出相信的样子。他的动作被翻译注意到了，翻译特意要向我们强调：我就是中国人，日本人神父教友跟我们也没有区别。我愣了神。我顿时好像跨过了好几重障碍，升上了好几重天。我感觉我是真的在受洗了。如果一切是真的，那该多好！但是，我们却是存着欺骗之心的。爹，妈，我们可以从现在开始改邪归正，真的信天主？不过这也只是一闪念。人有时候就是在一闪念之间成为圣徒或魔鬼的。必须抓住机会，这机会不是利益得失的机会，而是心灵得到拯救的机会。但问题在于，心灵拯救了，肉体会得到拯救吗？

“接下来，神父率领教友们为我们祈祷，求主的光照亮我们的理智，认清我们所犯的一切罪恶，感化我们的心，痛改前非，重新做人，做天主的好儿女。这让我的心情更加迫切起来，我瞧爹，又瞧妈，还瞧哥哥姐姐，他们都比我大，他们可以拿主意，我只能跟着他们，无能为力。我们开始念痛悔经，这是一个契机，我们可以发真心痛悔。神父还说了，如果我们没有痛悔，圣洗只是赦免原罪，不赦免本罪。爹不就是有本罪吗？还不赶快一起发愿，让罪赦免掉。但是爹却只是按部就班地念着，他的身影黑黑的，简直像一个顽固不化的魔鬼。那边，神父又在求天父了，因圣子耶稣的苦难与复活，救拔我们这受洗者脱离黑暗的权势，以基督的恩宠让我们坚强，在人生的旅途中不断保佑我们。这不是很好吗？不就从此好起来了吗？我真的很想好，要是能好起来，该有多么好啊！但是一切没有改变，就连哥哥也没有做出一点出轨的举动，我们就这样沉默着，让欺骗被掩盖住，让罪恶继续发酵。就这么沉默着，眼见着神父去为我们领洗圣油了，并为我们覆手，领我们进入圣洗礼。

“但是还有机会。圣洗之前，神父还问我们：‘为得享天主子女的自由，你弃绝罪恶吗？’

“‘弃绝！’爹应，‘当然弃绝！’他还增加了一句。他怎么就有那么坚强的心呢？妈也这么说，其他人都这么说，也许我们本来就不信那些东西，我们只信活着，我们当务之急就是要活下去，全家齐心协力，谁会去捣乱，置自己于死地？我也跟着这么说，我也不能捣乱，我是个乖孩子。

“神父又问了一句：‘为脱离罪恶的奴役，你弃绝引人犯罪的人、地、事物吗？’

“‘弃绝！当然会弃绝！’爹又说了一句，‘谁那么傻啊！’翻译连忙提醒他只说应该说的话。

“神父又问：‘你弃绝万恶之源的魔鬼吗？’

“‘是啦！’按原来交代好的，爹本来应该应‘弃绝’，但他不耐烦重复这个词了。他应该并不是觉得没有勇气再说这个词，而是不耐烦老说它。他的表现明显扰乱了局势，妈担心了，竟然忘了神父听不懂我们的话，直接向神父解释：‘他这个人就是这样，心是诚的。他是觉得说‘是’更肯定。知道，知道，应该说‘弃绝’！‘弃绝！’妈用胳膊杵着爹，爹才猛然改正，大声补说：‘弃绝！’

“其实当时，我多少有点侥幸心理，希望爹这么一捣蛋，干脆我们被揭穿了，就不会继续下去了，我们不会受洗。当然，那样我们能不能逃得出教堂？那么我们全家的姓名怎么办？于是我又生出了另一种侥幸，侥幸我们蒙混过关了。很多时候，我们并非没有改恶的机会，但我们耽误了，我们明明白白看着机会被耽误，我们还觉得自己聪明，逃过了惩罚。我这一生不也是这样吗？人真是太聪明了，觉得可以瞒天过海，其实坏的事态在继续发展。

“圣水滴在我的额头上，冰凉，像光。神父喊着‘保禄’，我记起原先说好的，这是我的洗名。但它是这么陌生。当然这是我新的名字，我自己都不熟悉。但之前我被告诉我有这个名字时，我还是欣喜的，因为我本来没有名字。我们这些人，名字没有用，我只被叫做‘细细弟’，因为我是家里最小的孩子。我终于有了名字了！跟岸上人家的孩子一样了。但这名字现在听起来，简直就是我假冒的。就像这额头上的圣水只在我皮肤上面滑动，一滑就滑掉了。但是它仍然在我额上，它冰凉地沁入我的皮，到肉里，到心里。完了，完了……我心里想。中国话玄妙，完了，可以是完蛋了，也可以是好了。我也不知道这时候指的是完蛋还是好了。我感觉自己被放置在亮晃晃的案板上，是冷的光，惨淡的光，它晃着我。这感觉，我后来离开香草时又出现过。它与其是照耀着我，毋宁是审判着我。但又不是审判，我如果没有在意，它也形不成威胁，也就是一个光。就是我这心里的感觉吧。

“甚至，这光还可以真的光明起来。施洗后，神父为我们敷圣油、授白衣、授蜡烛。神父说，授蜡烛，表示我们在基督那里已经成为光。爹就很受用。是不是这种说法怂恿了他的胆量？

“我们本来在长崎可以待下去，教会也会帮我们。但在长崎，我们就要继续信教，爹嫌做礼拜太麻烦。而且中国跟日本在打仗，虽然神父说中国人和日本人没有区别，但在现实世界，中国人日子不好过。有人对爹说南洋那地方好，好谋生，气候好，土地肥。‘扁担插土里都会长出米来！’我听见那人对爹这么说。南洋，我们在老家时常听到这地方，不少人去了都发财了。怕被教会发现，爹找了日本人的货轮。更不敢向教会辞行。结果遇到了风浪。

“也是怪事，那也是一条老航线，货轮常年往返这条航线，都没有遇到那么大的风浪。后来‘光’号也走这航线，也没遇到那么大的风浪。我们想到了上帝，是上帝在惩罚我们吧？我们祈祷上帝，求上帝救我们。但没有用，妈说上帝生气了，不理我们了。爹又去求菩萨。其实这更作孽了。我们几乎什么神都求过了，能叫出名字的，不能叫出名字的，都向他们求救，但最终还是葬身海里。

“说起来真有神意，爹妈哥哥姐姐是被倾泻出货轮的，就他们被倾泻出去，别人没有。我也活了下来。也许是我太小，上帝怜悯我？或者上帝把我留着考验我，看看我是不是值得活下来。若不是，再加重惩罚我。这不，我被惩罚了。我身上积淀着家族的罪孽。

“过后我也着实害怕了好一阵。但没过多久就淡忘了。我跟着那日本货轮到了南洋，我不知道是什么地方。他们卸了货，再装上新货去横滨。我家人全死了，只能又跟着船回日本。最初那货船船长想留我当伙计，但在返程中试用，嫌我不会日本话，不好用，所以到横滨后就打发我走了。也是我傻，不懂得加倍肯干，后来我遇到‘佛跳墙’老板就吸取教训了，拼命干，无论如何先干了再说，让人家喜欢我。我成功了，还沾沾自喜了，更不去想上帝这劳什子了。”

“但您当时，确实还是孩子。”我说，“孩子能负责什么呢？”

“是的，我一直觉得我是个孩子，我能负责什么？我们总是这么认为：我是孩子，能负责什么？我是平民百姓，能负责什么？我只是随从，能负责什么？我是受害者，能负责什么？我还要讨公道呢！这是赖皮。当然，所以赖皮，也是清楚自己有罪的，只是不愿面对。最巧妙的办法是让自己显得很健忘。谋生艰难，人生忙碌，顾不过来啊，整天、日复一日年复一年地忙得丢三落四啊，就连愧疚都在记忆的筛眼里走漏掉了。负罪感让人束手束脚，让人畏缩，误事。抛开它，轻装前行。当然有时还会沉渣泛起，都是在具体灾难出现时，觉得是报应了，于是搜肠刮肚寻找自己、祖上究竟做了什么了。这是被迫的、应急的反应。就像小孩，做坏事被逮住了，见到大人把棍棒举起来，赶紧认错。见棍棒放下来，就放松了。做坏事如果没被发现，就偷着乐。发现了没被追究，就乐得偷闲。一次次都混过去，只要能混过去就权且混过去。直到彻底完了。我终于彻底完了，上帝显灵了，上帝要审判我这个背教者与污教者，死不改悔者。末日审判来了，用我爹常骂我们孩子的话：‘做结’。”

自阉之诡

“那天晚上我回到家。香织一听我脚步声就跑了出来，推着我的背，踩着碎步，我被她推到了卧室。其实她并没用什么力，她也没什么力气，是我揣摩出她的意志，自动去卧室的。我知道她要做什么。‘一寸法师，’她这么叫我，我在她的眼里只是供她幻想的小矮人，‘来，包饺子！’按部就班。她除了这种事，好像对任何事情都没兴趣。虽然我一直逃避，但也总是顺从的。总归要做，与其折腾，毋宁快快结束。

“我的身体已经习惯性地顺从了她。但不知为什么，今天我在乎她的叫声。做就做了，不要叫。本来一切都在黑暗中进行，她的呻吟只是汩汩淌过的污流，但她却叫：‘阿U，加把劲……’

“我有一种被强光照亮的感觉。是我刚感受到的上帝的目光吧？但也说不准，也许只是纯粹的羞耻感。这毕竟直接得多，它来自本能，即使我这样长期的异教徒，不止，是叛教者，也常会有羞耻感。我掀翻了她。我从来没有这么放肆。

“听她惊叫一声倒下去，我又慌忙爬了起来，搀她，补救。‘我不行……’我说明着，‘对不起……’

“她怒不可遏，推开我的手，自己起来。我站着，干什么都不行，干什么都无济于事。我害怕。但她也并没有做出多么激烈的动作，她只是去抓衣服。也许是她的平静让我更加害怕。我上去帮她穿衣服，她也让。虽然我作出了冒犯她的举动，但我们毕竟这么久了，而且我一直很听话，她应该会原谅我这么一次例外。但我总得有语言上的表示，于是我嘴上继续说明着：‘对不起，我不行……’

“也许是我说烦她了，她叫：‘废物！’

“但也许她并没有烦，她只是随口说说。但我自己烦了，好像我本来就是要寻找时机爆发，我的说明与道歉只是诱导她激怒我。听到‘废物’，蓦地，一丝寒颤颤的快意好像清风，从脚底掠来。‘我是废物，我就是废物！饶了我吧！’我猖狂大叫起来，好像抢到了一面旗帜。

“她愣了，大哭起来。

“‘真后悔，真后悔，捡了个废物！滚出去！滚出去！’她叫。

“我就往外走。多少次我幻想着一走了之，但都没有走。这下我可以走了。这下我要是不走，我真是罪孽深重。这时候意识到罪，很有力地驱使我离开。她见我真要走，软了，把我拉住。她毕竟要我。她箍住了我，我挣脱不了。我求她放过我。但她不放。我虽然个子小，但力气不小，至少比她大。但她手臂圈住了我，两边手指扣在一起，这样就牢固无比了。好吧，这样抗着，你也做不了什么。如果就这样耗着，事态也不会继续发展。但她这时候竟做了个令我非常反感的举动，伸手捞我的生殖器。她就是这么任性，也不看时机，想做什么就做什么，想一出是一出。但我的心理还没有理顺过来，被她这么刺激，完全受不了。她是真揪，揪得我生疼。之前她也这样，但这次我感觉到的不止是疼，还有被猥亵。这种感觉，最初她对我这样时有过，后来麻木了。人是多么容易麻木的动物。即使在前一刻，我不是也任她蹂躏吗？现在这器官被强烈提醒，我是如此可耻！我挣脱，但我的包皮被她死死扯着。我已经逃脱挺远了，但它仍在她手中，只是像橡皮筋一样拉长了。我为什么要被你摆布？但是我的包皮被她死死揪着，她的力气在这种地方显得异常大，我简直没有办法。我猛烈挣动身体，我决心就是她把我这器官揪断，我也要跑，像金蝉脱壳一样逃之夭夭。我希望她揪断。终于挣脱了她，包皮猛烈反弹到下肚皮，但她又迅速来捞。我跑，她的手脱出我的裤裆。

“‘回来！’她叫。我不理她，向屋外跑去。她跟了出来。她竟然光溜溜就跑了出来，她总是这样，也不怕被人看见，虽然现在是晚上。我当然跑得比她快，但这是她的家，我感觉我怎么跑也跑不过她。明确说，是逃不出她的手掌心。我逃进了专门为我做饺子设置的厨间，反锁上门。这厨间地处偏僻，我感觉可以藏住了。但她很快跟来了。她擂门。家里用人按说可以听见，但他们平时已经习惯了她跟我闹，不会来管，而且还因为她赤身裸体吧。她就在门口拼命擂门，简直就是盯上我的母狼。她太过分了！还不是我这个器官被她盯上！它是我被她掌控的把柄！它是我不幸的根子！从当初我想要她时起，不，我爹犯罪也是因为这个东西，我们被歧视为异类，畜类，蛇类，还真是证据确凿，无话可说。人最可悲的就是被歧视了，又无话可说。这是我可耻的证据。我索性弃了它！人总有愤怒的时候，被逼到一定份上，出离理智。越是精密经营的人，越容易崩溃。什么也不顾了，推翻，拉倒，哪怕功亏一篑，甚至自我了断。”

“理解。”我说，“绞肉机是您发明的，它是您尊严的产物。”

“无关尊严。”它说，显出很不在意的样子，“只是凑巧在边上而已。”

我转念一想，不对啊！“厨房不是有刀吗？”

“对啊！有刀。”它说，“我找刀。找，找，找，不知怎么的，就是找不到。厨房不可能没有刀啊，是啊！而且这是我专用的厨间。也许我是没有认真找，我急躁，我实在太急了。这时听到门外她在叫：‘你在干什么？’

“‘我死给你看！’我应。这表明我的决心。我为什么要告诉她？也因为我决心不定，我还会用言语说，而不是直接行动。这跟我找不到刀出于一个状态，我毛毛躁躁，根本就没有沉静下来。

“令我绝望的是，门外竟然‘哈哈’大笑了起来。我知道她是不相信我会去死的，我从来没有这么勇敢过，我承认，我从来都是胆小鬼，窝囊废。虽然有时候也会抗拒，但两下也就屈从了。患得患失，下不了决心。我这一生的悲剧就在于总是做不到决绝，总是到头来屈从了。我一直是缩头乌龟。这缩头，造成了我一错再错。不能再错下去了！她还在笑。她的笑声太刺激我了，我脑子一片空白。我于是继续找刀，一定要找到，死给她看！让她后悔！但仍然找不到刀。可能是完全气晕了，我竟连瓢勺也看不到了。我的眼睛只是在仓促扫描，扫过来，扫过去，什么也没看清。外面，她的笑声停了，说：‘别闹了！你在干吗呢？在给我做饺子了？’

“她这话提醒了我，做饺子。我注意上了做饺子馅的绞肉机。它就在我眼前，我对它是那么的熟悉，它是我发明的，它是我生出来的，我的秘密武器，它一切听我指挥，在这个家，也只有它绝对绝对服从我，连用人都瞧不起我，他们只听她的发号施令。好，就让你会发号施令。我被她的发号施令推搡着，去打开电闸。它遵命启动，就像我一样听从指令。我们简直是难兄难弟。亲密者可以用来发泄，我平时不敢向任何人发泄，只能对它发泄。我朝它砸了一拳头，要你听话！我的手顿时痛得让我跳起来。再回头看它，它仍然忠诚地工作着。它在对我说：兄弟，主人，来吧！我想起曾在黑市上看到过一张图片，里面有绞杀德国人的情形，绞索绞着脖子，让人想到绞着阴茎。那画面一直留在我脑里，像鬼一样恐怖，但现在却有了诱人的感觉。外面她仍然可恨地笑。也许她并不知道这里要发生什么。让你不知道！让你从来没把我当真！我当真给你看！镇住你，让你后悔！我急煞煞想着她恍然和后悔时的样子，那真是快意。我就这样想着，诅咒着，跨上了绞肉机……

“其实当时一痛我就后悔了。但绞肉机的电源在墙上。虽然伸手可及，但我痛得哪里还能去伸手关电闸？我的手差点也伸进绞肉机漏斗口去抓救，但马上缩回来。人体本能地往后闪逃，于是我的身体就彻底脱开了我的阴茎了。我甚至都没有觉得疼，只是有一种解脱的畅快。不知过了多久，疼痛才排山倒海地向我袭来。我明白发生了什么了。我开始害怕起来，大叫起来。她好像也明白了，也大叫，叫用人来。”

我抽了一口冷气。“可是，”我问，“在我梦里，你描述的情景里并没有别的人在场。我是说，门外也没人在。你是很从容地自裁的。”

“从容自裁？怎么可能？怎么可能那么勇敢？这么愚蠢！它是我欲望之本。欲望不是正当的吗？人类不是把动物欲望当作人的欲望吗？中国不也是这样吗？为欲望正名……”

“但是欲望，”我说，“人的正当欲望应该被尊重的……”

“这是你的价值观！”它说，“也是全人类的价值观。整个人类都理所当然欲望谈利益了，谈身体不知耻。是啊，要不是被刺激，人怎么可能自裁身体？特别是，我这是阉！中国人把这器官视为命根子，我的根本价值就是这个。前面我说过，香织她看上我的就是器官大。我怎么可能自弃价值？我一生追求的就是价值。我以它来满足自己欲望，我以它来换取欲望。但我是教徒呢！”它忽然又说，“我另有价值。主耶稣对阉人可是评价很高的。”

“这我不了解……”我说。

“是的！”它说，“那么，阉就是我的资本了。我可以把我的情况告诉神父。但我还躺着，去不了教堂。再细思，为什么要绕道神父？可以直接去找那个美国人，让他知道我已经自阉了，请求他宽恕我。我仍然不想走正常渠道，我始终不相信程序这种东西，但我怎么去找那个美国人？我还躺着。发生了这种事，媒体本来会像嗅到血腥的饿虎扑来，但竟然没有。向香织打探了才知道，是她紧急处置了。发生了这种事，谁愿意张扬出去？但我情况不一样。而且，只让那个美国人知道，应该可以吧？但必须让香织同意，她同意，也只能她去。如果那美国人对她动手呢？那更好，那美国人也自然会同意我的要求了，他也不会把我被阉的事说出去，一起掩了下来，香织不是也喜欢洋人吗？简直是三全其美。我总是想太多，精于算计，脑子太机灵，像轴承一样转。

“在向她提出去找美国人之前，我采取了取悦她的策略。我已经摸透了她的脾气，她无脑，像小孩。本来我可以等回家以后，但我等不及。这里有恐惧的因素吧。但我现在拿什么取悦她？我已经没有了她需要的东西。作为男人，我的生存根基没了，命没了。我只是行尸走肉活着，空落落的，像个游魂，就连接个杯子都没力气。

“我只能对她表现温柔。我是真柔，柔弱无力。她很惊喜，看到了我主动向她打开，她就开始脱衣服。这又让我慌张，后悔开门放虎进来。但奇怪的是，当她脱光了自己，我竟然也有了感觉了。我竟然仍然有感觉，其实我除掉的只是器官的外部，一个形式。形式毕竟只是形式，就像我一直不重视的敬神仪式。在神面前又怎样？进修道院又怎样？仍然可以在心里犯罪。心谁也看不见，即使诉诸身体行为，但仍然可以推脱。僧人剃发、戒色禁荤，只要心里想着‘酒肉穿肠过，佛祖心中有’，还是可以犯戒的。或者，像一个故事里所说的，两个和尚过河，见一个女人过不去，一个和尚把她抱过去，过后辩解说：我心把她放下了。狡辩！身体是心驱使的，心逃得了干系吗？

“但毕竟已经没了形式，我这心无所附着。我的欲望因为没有阳具这个巢穴成了孤魂野鬼。我放弃了太重要的东西了。之前我总觉得这是她抓我的把柄，但其实它也是我的价值根基。我看她急起来，搓着我仅剩一点的根部。伤口还没有完全痊愈，痛，但我忍着。她怨恨瞪我，我开始心虚起来。我慌忙爬起来，用舌头来代替。我从来没有这么主动，像只她养的哈巴狗。我才知道原来我拥有男人资本时是多么的轻松。我累极了。大概她看着我累极了，抱着我哭了起来。她同意去找那个美国人。

“但她回来说，那美国人回美国去了。

“这简直太荒诞了！就这么不到一个月时间。也许我最初就是太紧张了。其实，指我‘汉奸’，那不过是那个美国人的吓唬，甚至随口一说。我太亏了！我很懊丧，竟然比被他揪住不放还要难受。我一生最大的悲剧就是不沉着，见光就冲，闻鸡起舞不也是不沉着吗？教训啊教训啊！”

它忽然一挣，好像猛然清醒过来，“你看，我又在侥幸了！好像那个美国人不抓我，我就没有罪，就可以心安理得了。这心滑溜溜的，你们抓不住，一不小心它就逃脱了。”

我下意识上前帮着兜住它。

“你看，我即使这样，也还不老实，不小心就把自己给策反了。”

它说。我有一种肝区被抠到的那样深沉的疼感。

“人心是诡异的深海，各种寻找对自己有利的，变幻多端。还记得我之前强调的‘如果’吗？‘如果’我逢到好世道，我就会是好人。跟‘如果’同向价值的是‘既然’。我‘既然’没有逢到好世道，那么做了坏事，我就没办法了。这‘既然’成了‘已然’，大家都这样，成了无可指责。但有时可以演变成意外惊喜，只要稍微不像大家那样坏，就又成了好了。而如果把因果偷换过来，还会成为有意识的坚守，乃至必须受到肯定、崇拜。我斩断自己器官本来与成圣无关，只是无意为之，至多只是有些忏悔之心吧。但这是在被迫情况下的。但歪打正着，过后我发现我已然成了阉人了，并且是自己选择成了阉人，我也是耶稣所称赞的阉人了！这简直是捡来的，不用白不用。这残废的身体就是我崇高的证明。

“然后，还可以附会。我还受过鞭打，不是吗？S/M。这不就像耶稣那样受鞭打吗？罗马四十鞭。我也累计挨过四十鞭了。我发掘自己各种悔罪资源，叠加成圣资本。这就像寻找自己无辜理由一样，会越发掘越多的。人经历过那么多事，怎么会没有可用资源呢？只要执此一面，重新阐释，稍加改造，突出需要突出的。你所听到的关于我的叙述，不都是这样的吗？

“其实就连耶稣称赞阉人，也是我后来才知道的。即使我知道了，也没有搞清楚耶稣是针对夫妻一体而说的。而我的阉恰恰相反，是用来分离我和香织的。但分离也是重新开始。谁说自阉就是自绝欲望？就像革命，革命更是人性的。断根是断念，但也是新生，置之死地而后生，向死而生。我死而复活了，她倒陷入了死地。她身体本来被我填着，现在我抽掉了，她就空了，成了空壳，颓了，倒了。她拼命要我，但我已经没有了。她知道自己闯了多大的祸了。她说是她害了我。原来她飞扬跋扈，现在她知道对我愧疚了，甚至，她知罪了。之前没有预料到的情形出现了：她对我百依百顺，现出了日本女人的样子。不但是我早年在‘佛跳墙’看到的那个温柔矜持的样子，还更谦卑。现在轮到她谦卑了。我回到家，她总要跪在廊前为我脱鞋子，为我脱大衣，替我拎包。出门，她为我递鞋拔子。渐渐的，晚上睡觉，她也不敢烦我了，小心翼翼地陪在我身边，碰也不敢碰我，俨然把我当睡佛供着。有一次，她直接说我是佛。‘佛跳墙’？当时我蓦然想起‘佛跳墙’这个词，虽然没理清逻辑，只觉得一切都在冥冥被安排中，大千世界，实在太诡异了。起初她还折腾，希望我还能用，但怎么可能？我已死心了。不，不是死，应该说是踏实了。反正不可能，我就瞅着她折腾，就像一个高僧藐视凡俗。”

高僧？它应该说“圣徒”才是。我想。但又想，“高僧”也只是中文翻译，基督教的“The Monk”不也可以翻译为“僧侣”吗？我听它继续说下去。

“有时候我会想，”它说。我想起司空医生对我的矫正，是脑想，不是心想。一颗心脏老是说自己“想”，还说了那么多话，多少让人觉得离谱。但如果它不是实实在在出现在我眼前，我是不会觉得说“心想”有什么问题的吧？我们其实都在错误中。它继续说：“这就是我付出代价的回报吧！过去是‘人为刀俎，我为鱼肉’；现在，鱼肉拿掉了，我抽身而去，我听到了刀与俎的碰撞。抛掉了生殖器，我解脱了。以前，胯下总是很妨碍地挂着个东西，我的又大，穿上裤子，只能把它归在裆脊的一侧。我习惯于把它归到裤裆右侧，也许因为是右撇的缘故吧，觉得放右边容易主宰一些。但问题在于我又是个完美主义者，无论歪那一边都让我难受，所以我经常拐到没人的地方调整一下。更糟糕的是走起路来荡来荡去，自己不方便不说，裤子外也会显示出来，让人看见了那个丑态。现在好了，我可以坦坦荡荡出现在人前了。只有小便时不方便，原来有个管子引流出来，现在没有了，四处乱流。于是我用蹲姿，像女人一样。但还是会淌到周边。于是我必须随身带草纸了。但擦了后还是觉得不清爽。你应该承认，我毕竟是有洁癖的，虽然我很龌龊，但我毕竟还是有追求圣洁之心的。于是每一次，我都要水洗，哪怕用抽水马桶桶箱里的水洗也行啊。说起来我还因此差点有了另一个发明：马桶喷水功能。我死后果然有人发明出来了，就是中国人一度抢着到日本买的有冲洗功能的马桶盖。不过是日本人发明的，他们有需求。这在全人类都是绝无仅有的，谁都觉得需要，但就是没有把它当一回事，结果日本人把它当一回事了。日本人有洁癖。谁说只有日本人有洁癖？我也有。我们中国人有着比日本人更强的洁癖。可惜的是我们只能以污秽来追求洁癖。阉了的我，以身体的不清爽逼出对灵魂清爽的更高要求。我给自己取名叫‘修身’。”

“修身”？这是儒家的思想。为什么不用你的洗名“保禄”？你不是教徒吗？我想问，但作罢了。我们的价值系统早已杂成一团乱麻了，谁能剔得清？

“修身，‘吾日三省吾身’。这是多么好的可以当挡箭牌的圣训啊！哈哈，我反省了，和谐了。我有没有反省？天知道。人自己能管得了自己？只能自欺欺人。但即使如此，我这个身是什么？阉人之身。这可太丢人了，又谈何修身立人？当然可以轮换西方武器：忏悔、赎罪。但我毕竟是男人哪！省身省什么都好，赎罪拿什么赎都行，就不能省这个，赎这个。我经常被屈辱感唤醒。有器官是耻辱，没器官更是耻辱。但是且慢，你是否对我说这些很感兴趣？”

它忽然话锋一转。我一跳。

“‘身体叙事’，会有很大受众的。”它说。

“我又不是作家。”我推却。

“跟作家无关，跟人有关。”它说，“想来，大概再没有别的民族比中国更在意身体这种东西的了。中国人的精神世界往往只局限在身体层面，所以所谓‘精神世界’也并不存在的。也许还应该说是肉身，肉身是最基本的生理层面。长期的贫穷、战乱、高压，使得肉身生存成了最强大的理由。所以我之前向你强调肉身之难，你就特别能够谅解吧？所以啊，作家们才那么喜欢写啊，知识人才那么喜欢谈论啊！并且显得很有反叛姿态，革命姿态。对啦！这点上我本来要充分用上的，可惜我没有生活在中国。当然日本也有革命，二十世纪五六十年代，全世界革命风起云涌，可惜我不在知识圈，我在商圈，商人保守。当然到现在，你们也没人拿反叛姿态为自己贴金了。精神沦丧，精神只有在宗教领域才存在，而我不是还认为自己是教徒吗？

“但且慢，仍然且慢！这里有个混淆：当我们处在身体受压制的年代，身体才是革命的武器，我甚至可以把身体进入长谷川小姐当做反叛和革命。当身体已经不再受压制，战后日本已经实用主义了，加民主主义，那么再搞身体叙事，就不过是拿身体做挡箭牌，为自己的怯懦辩护。强调身体，就是肉体之难。当然还可以说：我绝望了，我躺倒了。这也算是有心灵的了，我也争取了，挣扎了，我没有责任了。满足于此。多么堂皇的理由，多么合情合理，堕落是一种向上的下坠，就像斜阳。更不要说，我之身体叙事是反身体的，斩断自己，这是多么决绝的行动。这是斩断身体叙事。

“但我仍然在谈身体，不是吗？我用反身体仍然在昭显身体。对外，我以我的自宫故事吸引人们兴趣，以我最重大的身体残疾获取人们同情。对内，没有了生殖器官，那么就尘埃落定了，那么，还有什么可羞辱我的呢？从世俗上说，我是打不倒的人。当然我是教徒，我惩罚了自己，我永世残疾，那么，‘在后的将要在前’，我几乎可以成圣了。我有了特权。明白说，可以理直气壮地无耻了。首先是对香织，每当她企图跟我理论，我就把下身亮出来，给她看。她就彻底投降了，无条件的。日本人无条件投降时令人惊愕，我呢，一张开裤子，就像天皇一播投降诏书，日本人全成了任宰的羔羊了。她无法制约我了，相反，我用自己永远不能挽回的残废，让她永远不能解脱。我用她要挟我的器官，反过来要挟她。

“我又开始操纵长谷川企业。虽然长谷川先生临终前没有把话说透，日本人总不会把话说透，但他应该可以判断我是极聪明的，我懂。长谷川先生所以选择我辅佐他女儿，其实就是看到了我是中国人，战胜国的人。当然他也没料到我会再撞到那个美国人。但现在毕竟那个美国人回去了，也确实再没有人来追究我战争时期的作为。我在蜷伏一段时间后，试着用自己中国人的身份，没有出问题，于是就大胆用了。‘We are allies!’我学会了这英语，在占领当局那里大声宣扬。如果不是考虑到人脉关系，我都要把‘长谷川’这个会社名改掉。我把自己的人安插进会社，除了坂本这样的百依百顺的元老，会社几乎被换了血。香织她本来就不管，随我怎么做。

“但也不能说我是完全为了索取，恣意妄为。也是为了企业重生。香织她确实无法掌管企业，对形势变化，她从不关心，更缺乏眼光。正逢朝鲜战争爆发，会社转型主营金属制造，接了很多订单。也许你会说，我这又是在帮助美国打中国，岂非重蹈罪恶？但我拿的是中华民国护照。当然我的故乡在大陆。但我当时完全没有去想这些。企业要生存，要发展，这才是最重要的。每当论起我的罪恶，我就会搬出我曾经的自裁，我已经付出这么巨大的代价了，已经解决了。这就类似于求菩萨，事成还个愿，手续办清了，完事了，两清了。”

这下真的忏悔了

“但奇怪，我就是不能安稳。”它继续下去，“我有照镜子癖好，你知道。在社长室也放着一面镜子。别人以为是仪容镜，只有我自己知道它是用来照着摔脸的。只有抽一下自己的脸，我才能继续干活。抽到的是实实在在的身体，会痛，有实实在在的感觉，甚至会抽搐，再感受着那痛感渐渐变成热感，渐渐消退。当然脸颊红着会让我无法面对别人，我要面对很多人的。那么我就把另一边也搓红。这种竭尽全力消除后果的感觉也是实实在在的，正说明我曾经自责过。

“有一个问题我一直不解：人自责时为什么要打自己的脸？或者，别人羞辱你时为什么要打你的脸？当然，打它能直接抽到肉。但别的部位也有露在外面的，到夏天，身体露在外面的多了。也许吧，那些只是露，不是裸露。裸露是露出敏感部位，是把私密撕开、把羞耻昭显。脸是裸露的羞处，是我们身体唯一一个这样的部位：当不在乎时它是普通身体，当在乎时它是羞处。但它还不是普通的羞处，早先抽脸时，闭一下眼，赖着感觉，绷一下皮，就完事了。后来长大了，每当它被抽打，生殖器官就会被唤醒，好像就是抽在那上面。生殖器没有了后，抽打就没有落脚点。有一种落空的感觉。不，是抵达不到，打不到，挠不到，却感觉应该有个打得到、挠得到的地方。具体去寻，没什么问题。或者，有问题也可以进行辩解，通过道理的辨析来使之正当化。现代社会就是有太多元的价值观念，让居心叵测者搅浑水，让所有的追问都抓不到鱼，只能抓到水。但其实鱼还在，它们在浑水里，为自己的行为正名。诸如对这些问题的强调：在强大的历史车轮之下，人只是什么？发展有原罪吗？在发展过程中出现的罪恶难以避免嘛！再个，追求利益最大化就是公平协商嘛，在协商中取得最佳方案，把弊端降到最低，这也没多大问题吧？

“当然，仍然并非没有罪恶感，只不过在宏大主旋律之下变得很淡，就像当年在出征歌唱之时，就像当年运输战争物资之时。即使意识到不对，知道这是行恶，当群体行恶，就会互相窥视，你可以干，我也可以干。而且，还会彼此试探更深的底线。还会彼此遮盖，像在原始森林里，树互相伸出枝丫，你遮盖我，我也遮盖你。或者，以冠冕堂皇的‘互相理解’作为说辞。

“有件事，我没有对你说。我只说长谷川先生临终前把会社交给我，是匆忙之下的，甚至，我是被逼迫的。其实战争后期，我回到长谷川家时，长谷川先生跟我有一个对话。

“‘你的本事大啊！’先生有一次叫住我，‘在巨港，我差点把你看错了，以为你是为帝国出力的人。你不是。’

“‘不……’我一如既往争辩。

“‘现在帝国这样了，你也不须讳言了。是啊，跑向哪一边都不行……’

“‘跑？’

“‘别装不懂了！’长谷川先生厌恶道，‘你这小子就是这一点不好！很不好！装傻当然很好，韬光养晦？中国的智慧。但是装过头了就不好了。当然你也没有装过头，该出手时你是毫不犹豫出手的。但是不要否认！什么都要否认一番，很没意思！你知道我要说什么吗？’

“‘请指教！’我说。

“先生又皱起眉头。‘什么“指教”啊？你早做得那么好了！’

“‘先生我真的不明白……’我仍说。

“‘太阳吊索桥！’他说，‘是啊，向哪一边最后都要输，为游击队，要被这边日本军人射杀，为日本人这边，你就暴露了。所以你干脆把桥踩塌了。好像舍出自己，但只是给这边演一出“苦肉计”，也给游击队留了活路。有手段！不仅狠，还得留后路。人才啊！可惜你的国家不给你施展的机会。’

“‘我没有……’我仍然辩，我也不知道自己辩什么。也许只是长期卑微形成的一种习惯，一种抵赖策略。

“但长谷川先生忽然对我的否认认真起来，‘难道你还真的喜欢上那个女游击队？’

“‘我没有……’

“‘嗯，尽管你否认，否认肯定是要否认的，在香织的父亲面前嘛！父亲会为了自己的女儿杀死背叛者的。但作为男人，我哪会不知道男人的本性呢？用你们中国话说：“吃着碗里想着锅里。”喔，‘佛跳墙’，你小子可是‘佛跳墙’出来的。这个比喻更妙，有诱惑就跳，佛都守不住。再说香织那脾气，哪个男人都不会喜欢的。换成我也不会喜欢。但你能够忍她，这又是你的厚道了。不仅要奸诈，还得讲厚道。’

“‘我是知恩图报的。’我说。

“‘唔，知恩图报！这话我爱听，不管你说的是真的还是假的，好听就好。’

“‘我是真的！’我说，强调，‘您看我是中国人，没地方去。您刚才也说了，可惜我的国家不给我机会……’

“‘这倒是！’先生说，‘所以你得靠我们。就是我们战败了，饿死的骆驼也比马大。而且对你来说，又是另一个机会。你国家现在要赢了，你是战胜国的人了，在战败的日本国土上的战胜国人！长谷川企业，到时候说不定还要你帮着渡过难关呢！’

“长谷川先生没有料到，美国人并没有惩罚日本企业。他更没有想到，朝鲜战争打起来了，日本企业又活了。长谷川企业就是在那场战争中捞了大资本的。但这是什么样的战争呢？是帮助美国人打中国。我讨厌美国人啊！但我却帮着美国人打中国。当然你可以说我是拿着中华民国的护照，但我是大陆人。反正是乱套的。在这种乱中，我挣得钵满盆满，我自知自己的罪恶也随之盈满，我的财富就是我罪恶的证明。但我能够撒手吗？哪怕放弃一些利益。如果放弃，我就完全没有财富了，商人就是一点利益也不能放弃。

"最初我还会辩解，但到了做大做强时，就不再辩解了。上帝对我指手画脚的时代已经过去了。人就是这么霸道的。我已经做大做强了，怎么的？有一次，我听说原来'佛跳墙'的少东家林北方在某个地方议论我，揭我过去的老底，我让坂本去找他。但可惜没有找到。我倒不是想对他怎么样，我是想跟他谈一谈一个人、一个企业(他父亲那最后倒闭的店也算是会社吧)、一个国家以及整个人类要发展的道理。发展就是硬道理。我觉得我有说这个的底气了。但他不来。当然对他，我也无所谓的，他算什么？某种意义上，如果没有他，我还进不了长谷川家。我还应该谢谢他呢！

"倒是那个森达矢，有点让我担心。他把我归入反战类，这没什么不好，但作为还在日本办企业的，这有点不妙。所以我没有回他的信。坂本也知道我的心思，他自告奋勇说如果森达矢再闹出关于我的动静来，他就去警告森。好在森达矢没多久就死了。

"把我害惨的是那个美国人，我也让坂本去探听过他在美国的地址。我可以去美国报复他。我已经有这能力了。我经历过那么多不公，现在我都想讨个说法，不，是变本加厉报复。一个从底层拼上来的人就是这么可怕的，被害得悲惨的人必有复仇之心。所以千万别可怜受害者，可怜之人必有可恨之处，或是终究会有可恨之处。但坂本没有找到那个美国人，我还因此骂他'窝囊废'。这个过去人家戴在我头上的耻辱帽子，现在我要戴到别人头上去。一个长期被欺压的人，还有民族，一旦强大起来，压制在心底的仇怨是要爆发的。日本当年跟西方开战就是出于这个心理，我也是，我要凌驾于一切之上。过去只是因为弱，当不了暴君，所以才显得善良，显得通情达理善解人意，实际上，当我解人意时，我觉得自己很受委屈。我也压根儿不信这世界上有'理'这种东西。不要期求好世道，好世道是没有的。即使有好世道，也有掌权者。掌权者就是要使用权力。有谁使用起权力来会有节制？节制使用权力能成就事业吗？不要谴责世道，不要谴责人性。我们所以谴责掌权者，是因为我们没有坐在他们位置上。坐到他们位置上，他们不这么做，又能怎么做？从他们的立场出发，他们就是要这么搞。不然世界还不乱了？不然做事哪里有效率？作为企业管理者，我非常清楚。上有上的道，下也有下的道；上有上的强权，但下也有下的觊觎。我上台，我也是暴君；我在台下，则是乱民。我有暴君人格，越是胆怯，就越要反弹。

"我不再隐晦，作为长谷川企业管理者，我就是暴君。也正因此，企业才越办越强。搞美国人那一套？拉倒吧。不适合日本人，不，应该说是整个东亚人。所以日本人搞的是'官产学'，这是东亚特色。通商省设立工业技术院，完全财政拨款，推动产业技术发展。另一方面，颁布电子工业振兴临时措置法，限制外资进入日本，保护本国市场。同时，引导企业发展电子行业。当时长谷川企业也想转型电子行业，那是二十世纪五十年代，我还没完全掌管企业，香织不上心，失去了良机。只能看着人家发迹起来。政府毕竟是政府，依附政府发展企业，实际上，战争时期包括长谷川在内的许多企业不就这么做的吗？到七十年代末，日本政府又组织搞了个 VLSI 项目，就是超大规模集成电路的共同组合技术创新行动。日本政府明确搞'重商主义'，引导企业，给优惠政策，摒弃自由市场的买卖原则，把贸易当作国家间的博弈，效果非常好。可惜我已经失去了先行发展的机遇。但我可以在中国找到机遇，八十年代，中国开放了，我要捷足先登。中国的发展优势比日本更明显。坦白说，因为这，我才回中国的。”

原来这样！

“自由发展是不行的。”它继续说，“人就是要被管，必须臣服在权威之下。这是我一直持有的看法。当然，基督徒也这么看，只不过权威是上帝。但我常忘了自己是基督徒。或者，不知不觉地用世俗的理解来替代教义，比如中国人互相不服造成一团糟时，会想到症结是中国人不信教，但想的只是现实问题的解决，所以只能在现实层面上进行思考。如果问题解决了，不存在了，就不会想到宗教了，就会乐于施行现实的、屡试不爽的原则。比如对日本人，日本人和中国人大不相同，他们好管，可以尽管对他们发号施令。对坂本胜三就是如此，过去他对我发号施令，现在我对他发号施令。这下他极为顺从，这就是日本人，让我快意。当然，这里好像也并不完全是因为扳回了权力，其实还有对他的忌讳。我曾经跟他沆瀣一气，那是我可耻的历史。这个人现在还在我身边，最近的人是最忌讳的人。我想抹掉那些可耻的印迹。我有洁癖。

“这么说，我还不至于那么坏，我这颗心还没有完全被昧。当然啰，这心还在嘛！怜惜我者，强调我遭受到很多不公；同情我者，为我的挣扎辩解；维护我者，遮掩我的丑恶历史；当然，诋毁我者，千方百计揭发我。实际上，再没有什么比自己的心更了解自己了，我不需要别人揭露，也不需要别人遮掩，我自己很清楚。我因为清楚，所以才受苦。我所有的痛苦都是因为我看清了我跟欺压我的人一样坏，比别人所揭发的还要坏。与其说我恨别人，不如说更恨自己。这才是永远无法摆脱的。

“最难熬的是夜深人静时。我已经跟香织分屋睡了，但这样使得我毫无遮挡地审视自己。黑暗中，我清清楚楚看到自己的罪，于是必须忏悔。但忏悔最终是不会有结果的，必须有个处分决定的，就像出狱结论，或者是出院结论。身体已经很疲劳了，头脑已经昏沉了，明天还得工作，还有那么多事需要处理。于是就有了对付心理，匆忙做个处理结论，从明天起，再不要犯了！一定！一定！保证！保证！睡去，留着惭愧之心。惭愧是恒续的，到第二天面对重新亮起的天光，只有这惭愧存在了。但惭愧又是似有似无的，人的本能机制往往不愿纠缠亏心的事，就很容易让它们在记忆筛眼里漏掉。于是所有人都有惭愧之心，但又都怀着惭愧之心无碍地继续着人生，乃至继续犯罪，人生就是犯罪。当然仍然会感觉惶惑，从而畏缩。心有惭愧，人就畏缩，哪怕只是迟疑，就会耽误了竞争，导致落伍。所以惭愧是该被淘汰而不该被培养的感情。中国人的策略是把惭愧转换成正面的鼓励，自我修养。我把名字改成修身，表面上看是亲力亲为了，但实际上仍在抵赖。我用身体赎罪了，但实际上是以身体来阻挡对心的审判。即使抵达心，问题在于自己怎么能拯救自己？没有戒律，哪里有标准？心是软的，不定型的，你看，你让它成什么样都行。严格上说，心是没有的，你感觉它有时才有，没有感觉到它时它就没有。所以必须确认它，必须把它钉住，钉在十字架上。

“于是我去了教堂。相当长一段时间里我是去教堂的，而不是满足于自己审视自己。但忏悔过后，仍然继续作恶。作恶了，又忏悔。你见过基督徒犯罪的吗？就是这样，这就是日常。罪的律，一方面在灵的重生中废除了，而另一方面又在必死的肉体中继续存在：说它废除了，是因为罪债藉着叫信徒重生的圣礼而除掉；说它继续存在，是因为它产生了那虽是信徒也必与之斗争的欲望。所以甚至在伟大使徒肢体中存在着的罪的律，藉洗礼废除，也不是根本灭绝。这不是我说的，是奥古斯丁说的。

“我甚至都不敢公开承认自己是信教的。谢天谢地我不是新教徒，不然每天都要面临需要斋戒的食物，比如血。但天主教徒仍然必须受斋，大斋还好，用餐时回避一下就行了，但还有小斋。每个星期五禁食猪牛羊鸡鸭肉等，好在不禁食冷血动物的肉，像鱼虾蟹等，也可以吃鸡蛋。我为什么搞得这么被动这么可怜？为什么不敢告诉人们？无非怕人家觉得你怪异。我虽然暴戾，但我希望活得滋润。我是商人，所有商人都是既凶狠又中和的。竞争不让，又和气生财。何必为信仰这种东西弄得不自在？有的甚至为信仰的饮食习惯刀拳相向。与人为善也就是与己为善，我是个好人。我这心是信仰上帝的。心灵的自我完善？精神信徒？多么讨巧又堂皇的理由，可以不受实际约束，多么好的事！

“当然我也付出实际的代价了。你注意到我尸体上的手的姿势了吧？那是我交代太郎的，作为不把我天主教徒身份外传的交换，我早早就把财产签署给了他。你知道，他不是我亲生的，按我的为人，他应该知道他的养父未必就会把财产留给他，至少是全部财产。为了信仰付出财产的代价，听上去像虔诚的教徒吧？但这简直是对虔诚的反讽。

“当然，我仍然可以说我是虔诚的，我已经牺牲了生殖器。但上帝是会继续追问的，或者说，恰是因为我献祭，诱发了我感觉到了上帝。没有了生殖器，追问之足踏空，直踏心这老巢。之前我其实也很不安，只是心躲在体内，庆幸抓挠不到。其实当时在绞肉机前应放进去的是心，但当时我给自己设计难题：我在里面，怎么拿出来？既然拿不出来，只能拿外器官代受。生殖器，这可是最重要的器官！确实是最重要的，我们中国人禁忌于这个器官，但也只看到这个器官，思想从来没有超越过这个器官。没有了这个器官，就是耻辱，于是也千方百计地隐瞒，就连死了也要隐瞒。我死时，太郎向中国方面提出的唯一要求就是不要翻看我的尸体。我也庆幸儿子作出了这么一个明智的决定。但是人毕竟是赤条条来还要赤条条去的，即使无常当差马虎，但我还有心啊！心是内眼，不剥掉皮囊也能看得到。但可悲的是那么多人都蒙混过关了。心只是个虚拟，就是‘心学’谈了那么多‘心’，也从不曾正视心的确凿存在。”

我不能同意。我欲反驳，想告诉它我了解“心学”，不是这样的。它霸道地阻止我：

“你不要插嘴！我知道你要说什么！你别急，我在说我自己！”

“我……急什么啊！”我辩解。

“那就老老实实听我说！”它说，“心遁形着，拿身体作为挡箭牌。心是最大的阴谋总裁。原来我之前所做的牺牲，不过是螃蟹断螯。很多动物都有这种自救策略。很多人更是精于此道，一个集体出事了，找几个替罪羊开除出去，这集体照样正确，罪责成了一次又一次逃脱。都因为这心不诚实。所谓我的自我惩罚，毋宁是我心机的实在显现；这个光溜溜的肚下，到头来成了我狡猾的证据。

“心意识到不诚实，但人心是多么不可救药的东西！仍然继续不诚实。一个谎言要继续用另一个谎言来圆。我圆谎的手段仍然是身体。起初想装上去，消除证据，但不可能。做了错事是无法弥补的，只能老老实实受惩罚：我再加个惩罚总可以了吧？就像做生意。我献出了生殖器，再献胳膊。我让自己骨折。当然这自残是对自己内心的，对外界只是谎称不小心。我够内在了吧？我够虔诚了吧？我几乎又把自己给骗了。一次次骨折，一次次被送去医院治好。感谢医学。但一再在胳膊上使主意，原地踏步，自己也觉得敷衍。我于是又去献腿。感谢医学，我的腿一直没治好，我很早就瘸着了。人家都以为我老了。但其实我这心年轻得很，它保存得很好。但也正因为心保存得好，感受力不受蒙蔽，看到了自己的阴谋，开始自我诘难。心的一半在诘难另一半，一半中的二分之一在揭发另外的二分之一，二分之一里也在互相绞杀，一刀过来，一刀过去。心如刀绞，就是这种情形吧？”

它把“心如刀绞”这个成语做如此具象的描述，简直惊悚。也只有心自己才能表达得如此具体而清晰。

“倒不如，”它继续说，“倒不如当初放进绞肉机的直接就是我。但我哪里真会去死？于是，我又在痛苦中、决定去死中、发誓不要再活了之中，赖活着。我竟然长寿了。当然，我可以将长寿视为被凌迟，漫长的凌迟，漫长，漫长……终于，我四分五裂了，我崩溃了。但我还躲在躯体里，世人还在膜拜我，知道真相的人还在给我涂脂抹粉。但他们心里全明白我是什么形骸的吧？我是什么东西！这是很难堪的事情。但他们很懂事的，这懂事简直就像教科书，一本正经地嘲笑着我。他们在合拢我，毋宁是在昭示我本来有裂痕。我自己呢，也一直在竭力合拢裂痕，但这毋宁是在证明一直合不拢。”

“您不能这么说，”我打断它。当世界完全处在黑暗中，划亮一根火柴都是纵火。它道是忏悔，实则摆显；道是自贬，实则贬人。“现实是残酷的，人性是复杂的。您对自己太苛刻了！我尊重您是教徒，跟我们没信仰的人不一样，但也不能这样苛刻自己啊！您听听，您都说了什么啊！我都听不懂。那么玄乎。您是在进行抽象的演绎，这属于心理学范畴。现代心理学虽然很精彩，但缺乏实证性。我知道您一生坎坷，您遭受了太多苦难。虽然您最终成了大企业家、富豪，但您有精神需求，您还漂泊异国他乡，而且……”

我这么说着，竟然理由越来越多，可以不停地“而且”下去。理由还真是找出来的。我继续说：

“所以反逼出理想之心来了，都因为我们无力抵御命运。其实我也常常这样，我们归根结底是弱者。按照尼采的说法，弱者没有能力直面现实，为了给自己的心一个安慰，为失落保留一根可以抓住的稻草，就发明了一个纯粹的世界。这里可以倾泄自己的愤恨，寄托自己的希望，在这个世界里，一切美好的都有，一切希望得到的东西都可以得到实现。于是，一切问题的解决、理想的实现，一概寄希望于虔诚地把自己委身在这个世界。”

我庆幸我有那么多理论武器，不仅让我在阳世取之不尽用之不竭，到了阴间照样可以用上。当然同时我也稍微感到可悲：我的知识竟然只能用来为怯懦与苟且辩解。

“更严重的是，”但我仍然激昂说下去，“对这个世界的想象还伴随着对这个世界的道德化改造。因为想象源于自身世界的破碎，源于自己所处世界被击伤，又无力痊愈，只好自我调适，将那些引发自己痛苦的品质，比如冒险，比如战斗，比如个性，不如不合群，乃至进取，通通判为‘恶’，把那些能够减轻自身痛苦的品质，比如同情、谦卑、宽恕、忏悔等等视为‘善’。这就等于把有助于生命力提升的、健康的东西虚无化了，同时也把孱弱的东西高尚化了，在自我臆造的世界里陶醉。所以理想主义实际上就是虚无主义。”

“你才是虚无主义！”它叫。

我一惊。

我意识到鲁莽。我太刺激它了。这颗末世的心简直就是一颗人肉炸弹，随时会不顾后果地掷向我。为了安抚它，我不惜自我指责。我解释道：“我知道，我知道！虚无主义是针对知识分子而言的，我是知识分子，您不是。知识分子要思考，您可以不必，您是企业家……”

我这么说，实际上已经踏入了对自己十分危险的境地。作为知识分子，最受垢病与攻击的就是不思考。我一直在抵赖知识人的责任。现在，我却无异于自我指控。我一边为了安抚面前这颗心而自我指控，一边又找方法开脱自己。这种对顶，这种惊慌，这种难受，简直让我要崩溃。我觉得我的心也在开裂。不料那心却不领情，继续撕我：

“瞧瞧，一说起这些，你们就很热衷，就一群一群地来响应。什么绝望啦，什么虚无啦，理解啦，宽容啦，不要对人太苛刻啦，甚至还生成了‘犬儒’哲学，乃至成了真理，理直气壮起来了。当有人提出‘犬儒’观点时，你们就情不自禁地去拥抱。啊啊，对啊对啊！但你们不想想你们有资格吗？不错，‘犬儒’也是一种观点，但你们这些苟且的人来赞成‘犬儒’，居心不良，不过是在为自己辩护罢了。作为知识分子，基本良知都蒙蔽，还不如我呢！我也读很多书！”

“我知道，我知道！”我说。好吧，你要把自己列为知识分子就列吧，我已不想了，反正那一生，知识人的资源我已享受过了，我已经成功规避了受益就得负起责任的天条。只是，现在如果让对面这颗心成了知识分子，不知该会说出什么可怕的话来。我于是又去阻止它，我要跟它做隔断，我要重新定义“知识分子”。当我们蜕变，最好的办法就是修正概念。这种玩知识的把戏，我们知识人驾轻就熟。“您读很多书，博览群书，好吧？但未必就等于知识分子嘛！知识分子是……知识分子的思考角度跟你们不一样嘛！”

“怎么不一样？”

我当然可以用很多理论来对付它，但这样就会和它纠缠在一起了。“思考的是脑，不是心！”我一激灵，道，“脑才是会思考的，心不会思考，也不必……”

“我就在思考！我们中国人不缺脑，缺的是心。”

“您那不算……您那是信仰。啊，对！心者，信也。您跟我们不一样。”

“有什么不一样？”它应，“你有心吗？”

我心一缩。

“你的心就不发抖？你的心就真可以这么昧着，你就不亏心吗？你就不怕最后的审判吗？抉出你的心来看看！看看是什么样的心！”

这简直是绑架。你说你自己的，你扯我干什么？你觉得自己有罪，你忏悔你的，跟我什么关系？但是它叫着，向我靠来。它没有脚，它是掷过来的，掷在我身上，就在胸口上。我的心被撞得发颤。我慌忙闪避。我一生与其最怕坏人，毋宁最怕不懂事的人。简直不可理喻！简直不通人情！简直恶毒！我伸手逮它，但那心，像脱光毛的鸡仔的心，飞了起来，它像是有翅膀。本来嘛，鸡一出生就带着翅膀。它飞过我的头顶。本来不是应该下坠的吗？是我糊涂了，这里不是人间，不是地球，没有地心引力。它凌驾在我头顶上，天光晃晃，我几乎看不见它了。我的感觉收回到自己身上，我感觉我躯体里好像没有了心，心窝里空荡荡的。当然心仍然还在，只是很虚弱。但它仍然支撑着我应对对方：

“你这是干什么嘛！你，你，你！你说你自己，你忏悔你的，你惹上我干什么？你觉得自己有罪，你就自己有罪好了，你为什么扯上我？”

我觉得气短，说这么几句都没有气力，也许是心力不足的缘故。不是不足，而是我的心根本不认可我说这样的话。它在起义。一个被自己的心起义的人是没有活路了。我后悔死了，自己竟然去惹那个林修身的心。是的，是我先去惹它的，企图跟它说理，结果说成这样了。人家是掏着心的，不跟你说理。但我当时也不至于如此糊涂，就说心，我觉得也可以跟它将心比心。但我还是幼稚了。我活到这么老，怎么还幼稚呢？竟然相信心的交流。但其实我也没那么傻，是因为当时我的心也不舒服。我一直在回避心的感觉。我所以去说服它，也是在安抚我的心。现在，这心反被唤醒了。它里应外合，撞着我的肋骨，要冲出来。我捂着胸口，威吓它：这样会撞碎你丫自己的！它哈哈大笑起来，它简直像无赖，恶毒对我。人家林修身的心还没有这么恶狠狠笑我，还没这么放肆。也许正因为它是我的心？因为它是我的，所以对我的脆弱了如指掌。

“我本来就碎了！”我的心叫，“难道你不知道吗？难道你以为自己的心是完整的吗？难道你以为心跟你的身体是合而一体的吗？难道你不知这个世界都支离破碎了吗？没有共识！”

“胡说！”我喝自己的心。

“那你告诉我，共识是什么？你和世界的共识到头来是什么？你和我的共识又是什么？我和我的共识又是什么？二分之一我和另外二分之一我的共识又是什么？二分之一的二分之一的我，和其他二分之三的我……”

“你别学它饶舌！你以为是在说相声啊？哦，是小品。”我啐，“啊，啊，小品，我知道，小品很好看，是很好的娱乐，我也喜欢看小品……”我扯着。

“别扯什么小品了！你就不能花点时间正视自己的心吗？”我的心叫。

“我怎么看得见自己的心？”我一笑，耸一耸肩。

“那我让你看见！”它在说什么？什么意思？我正寻思，我的心竟然破膛而出。我看到自己的心，也像令人毛骨悚然的光毛小鸡仔。它确实也已裂成几瓣，像剥开的柚子。它没有落在地上，也没有落在任何地方，但它也不是飞着，它确实是落定了，它落在一个我搞不清楚的、什么也不是的地方。

第九章

你有什么可忏悔的？

“吵死了，吵死了！”一个女人的声音。

说的是日语。左边角落有个东西在蠕动。定睛看，是个女人。她从趴的姿势立起，娇小的身子，我还闻到狐味。我判断出她是谁了。奇怪她离开浮世那么久了，怎么还在这里？

“老是这些话！”她一边寻着目标说话。顺着她目光，目标应是林修身。不料却找不到林修身。看她眼神，她也没有看到自己的丈夫。但她好像也不在乎，他们是早已漠视对方存在的老夫妻了。她只顾自己絮叨：“我真是倒霉透了！不仅被卡在这里，连睡觉都不能安逸。你自己抉心就抉心罢了，搞得我的心也得被审查。你是你，我是我；你的心是你的心，我的心是我的心。我走我的道，你不是信上帝吗？我走的可是佛路……”

“长谷川……夫人？”

“是我。”

“您信佛？”

“谁信佛？”

“那您说佛祖……”

“那个啊！我们日本人死了都要取个法号，行个佛仪。不然下葬很麻烦啊！其实是乱搞。中国丧仪不也一样吗？一样一样，最终也都是去黄泉。你们中国人强调的是路上，我们日本人强调的是目的地，——却被卡路上了！”

她确实倒霉，被卡在这里了。而我呢，却是自找麻烦，也让自己卡在这里。我真后悔。她又去寻丈夫。

“就你会忏悔？你是基督徒？我从来都不知道你是基督徒。你是基督徒，无常收你时，你怎么不声明？那我们就可以各走各的道。你被带到这里来了，却又忏悔。你忏什么悔？你忏悔，却还照样作孽。忏悔了作孽，作孽了再忏悔，忏悔了再作孽……”

“不不，这点上我倒是要说一句。这我知道。”我竟然按捺不住道，也许是被我一生当知

识分子的感觉所驱使，我一直没有完全戒掉知识分子气。人一旦知识分子气，就傻气。“信上帝和信佛在忏悔上是不一样的。”我一本正经道，“一个基督教徒只要信仰上帝，原罪就被赦免了。但是本罪并没有消掉，所以要继续忏悔。基督徒允许忏悔后又犯罪，但忏悔后又犯罪的人不能称为‘义人’，得下地狱。所以还得再忏悔。什么时候能够成为义人，不知道，反正你忏悔就是。”

“佛教徒也有忏悔呢！”她说。

“对，佛教徒忏悔是有史以来的贪嗔痴和现世的本罪一起打包忏悔的，解决，就一下子解决了。所以基督教徒忏悔更折腾。”

“您是基督教徒？”她问。

“不是……”

“哦，您是知识分子。”她对我的情况是了解的，“是啊，近代以来，这里的知识分子，无论是日本还是中国，多多少少都有基督教成色吧？科学与基督教不能分开。这我还是懂的，虽然我不是知识分子。”

“我才没有！”我否认。

“那你凭什么成为知识分子？”

“怎么不能？”我干脆声明，“我信我中国自己的'心学'!"

"那您就不是知识分子了。"

"不能截然分开的嘛！无论信基督，还是信心学，都有心灵。"

"是哟，还掏出心来了，给人看!"她又去找她丈夫，"你的心是玻璃心？你一个大男人心比女人还易碎？哦，心碎原来很好听啊！你很享受心碎吗？你忏悔了，我怎么办？就你会忏悔？你不能对我这么不公平……"

"他对您确实不公平。"我说。

"您也知道?"

我点头，"就说他要把您送给那个美国人……"

"什么?"她叫，哈哈大笑了起来，"他支使得了我?"

这点我没想到。"至少，他是有悔悟了，"我为自己找台阶下，"自我惩罚了……"

"您指的是生殖器官?"

"不是。"我说。我没料到她会这么说。她一想就想到这个，身体。"好吧！这不也是对您不公平的例证吗？把您撇下，只顾自己，自作主张，自己用绞肉机把生殖器官……"

"他自己?"她说，"他可真会往自己脸上贴金!"

什么意思？

"你有这勇气吗?"她又去寻她丈夫，冲他说。仍然没有林修身的影子。"绞肉机？很有仪式感吧？但绞肉机能切下那东西?"

这我倒没想到。

"刀才能切下吧?"

"他说没找到刀……"

"厨房怎会没有刀呢?"

"这……"

"刀在我手上。"她说，"是我切下的!"

我倒抽一口冷气。她这么娇小。但我想起照子奶奶说她是"恶女淀君"。这个娇小的女人，拿着刀的样子并不违和了。

"当时门开了，他在里面，喊着要拿刀切掉自己那个东西。这可是需要勇气的，他没有这勇气。他左跳右跳的，就是没去拿刀。刀就明明白白插在刀架上，对厨房他那么熟悉，但他就是没有往那边去。我就过去替他拿。我过去时，他的音调抬高了，倒像是在抵抗，或者掩盖自己即将面临绝境的慌乱。我才不管他，还觉得好玩。当时我还太小。我就是要彻底制服他。但我也没想真的下手。只是他犯了大错误：他本来不应该犯这错误的，他一直很聪明，精明，察言观色。可能他太慌乱了，他竟然骂起我来了。我哪里是能让他骂的？我父母都没骂过我。我就是有服软的时候，也是我自己愿意的。人毕竟都有反省的时候，我自己认识到了，就会软下来。但这是他骂我！你还是个用人呢！虽然成了我丈夫，但也只是我的使用工具。我承认我对他不好。当然当时也是气疯了。他也发疯，还顶出胯下，扶起他那东西对着我，挑衅我。我一个发狠，就像揪住牛皮筋那样，死死揪住，一刀下去。"

"但是，"我疑问，"伤口不是呲呲啦啦的吗?"

"那个美国人说的吧？这是他就要死前的忏悔吧？呲呲啦啦，不是惨不忍睹吗？忏悔就有所附丽了。"

也对。也许所谓的罪，不过是为忏悔而设的？世界上并没有那么多的罪，只是有些人心理需要，比如有基督情结的人。我又不信基督那些东西。我想。什么罪不罪的？至多我做得并不好。"是吧!"我表示认同她的判断。"其实很多时候，我们只是后悔，不是忏悔。"

"忏悔，就是'作'嘛!"她说，"上帝和撒旦合谋来演出一场悲剧。但走出剧场，该怎么做还是怎么做。比如他也补救性地想去抱养个孩子，对外声称是他出事前生的，放在亲戚家里，两岁抱回来。还取名'太郎'，好像后面还会生'次郎''三郎'一样。装了一辈子，累不累？我都替他累!"

"您也受累了!"

她摆摆手。

"他也知道您爱他。"

"谁爱他?"

嗯?

"您的儿子,太郎先生,也说您爱您的丈夫。"

"父母恩爱?"她嘲讽道,"当然罗!或者,孩子可以想到造他时的样子。但是他是抱养的呢!"

她简直粗俗。"那么退一步说,欲望,我们都曾经是俗人,俗人必定有欲望,孩子不是生的,但你们夫妻间……"

"我没欲望。"她说。她怎么连这都否定了?

"我知道当初你们地位悬殊……"

"我对男人根本没兴趣!"

我愣。

"男人真是可笑的动物啊!"她说,"以为挂把刀就像武士那样招摇过市了。"

"但您总是把他带进家了吧?"

"领一个用人回来,很奇怪吗?"

"就为了这?"

"看他色眯眯的,蛮好玩的。"

"玩……当然是玩……"

"你别想歪了。"

"哪有……我知道不是那个……我只是说,玩,也有厌倦的时候吧?"

"当然有。没几个月就厌倦了。"

"那他要上'光'号,您怎么不放?"

"是啊,为什么呢?想想他要脱离开我了,又不愿意了吧!人就是这样。玩具不能扔掉。宁可亲手毁掉!没用了嘛!擦!"

她发出刀切的声音。我想起她切他的器官,打了个冷战。

"但当初您把他从'佛跳墙'带到您家里时,是付出了努力的。"

"那个林北方说的吧?"

"难道不是?"

"他也当真了。"她说,"他还到家里来闹,还满口大话,吓唬谁呢!"

"您当然不会……但对林修身先生,当时还是U,可是冲击很大啊!那样的时代,特别是那样隆重的仪式……"

"什么仪式?"

"出征仪式啊!"

"有吗?"

"没有?"

"哪有搞那种仪式的余裕?"她说,"老是有召集令来,哪个部门应付得过来?如果仪式上哭了,还会被指责为'非国民'。"

"'非国民'?就是像U……"

"他是压根儿就没有当国民的份。"她说,"'非国民'还是国民,只是表现得不好的国民。被这样指责也很麻烦啊,谁都麻烦。不错,起初还搞,走个过场,就像'宫城遥拜'。政府规定经过皇宫必须遥拜,电车上,乘务员高叫:'现在通过宫城前!'车上乘客就得弯腰朝窗外的皇宫鞠躬。但是车挤啊,根本弯不下腰,于是就撅撅屁股了事。出征仪式也是,后来索性就不搞了。"

"都不搞了吗?任何出征仪式,比如运输货轮出征去南方,唱唱歌什么的。"

"是去工作,又不是开演唱会,搞这干吗?"

"但森达矢,"我提出疑议,"那个反战者,您知道他吧?"

"反战者跟好战者一个思维逻辑。"

"那么坂本先生不也回忆……"

"他当然要回忆了!特别是他的后半生混成那样。"

"这我知道,林修身先生说过自己对坂本先生……"

"没说被要挟吗?"

"要挟?谁?"我没明白。

"坂本和照子一起。"

"要挟谁?"

"还有谁?"

我猛然好像明白过来。我脊背发凉。

“照子不是爱他吗？”

“照子爱的是坂本。”

“但这是她自己说的。”

“要挟着人家，得到各种好处，总得说人家好话吧？人之常情嘛！至少那个坂本胜三还结婚生子，曾孙都有了，自然要撇清他跟阿照的关系。”

“就连太郎也不爱他父亲。”蓦地，她又说。

“但至少还有香草！”我企图抓救命稻草。

“谁？”

“李香草。”

“哦，她啊！”这个长谷川香织恍然扬眉。这让我忐忑。她知道不知道香草这个女人存在？“他倒是老说要去找这个女人，威胁我，但我说：你找去啊！却一直没有去。”

“那是他有顾虑吧！”

“怕被扫地出门？但我死后他也没把她迎来啊！”

这倒是。

“根本就没有这么个女人！”她说。

“什么？”我大吃一惊。这太过分了，怎么可能根本没有香草这个人？“他不是去过苏门答腊吗？palembang。”

“那又怎样？”

“不是曾经被派上岸……”

“那又怎样？”

“我看过李香草去美国后的视频，老年的李香草，一个像陈香梅一样的女人。”

“老女人？一定很失落，或是青春无悔？有悔？哦，她是女人，一定还有关于爱的，最好是被爱。反正都需要有个波澜壮阔的回忆用来附丽情感。但您弄清楚她说的是谁啊，爱她的是谁？”

“但森先生、坂本先生，还有美国人迈克尔·佩恩也说，林修身先生在 palembang 有认识过这么一个女性。”

“所有的叙述都在寻找容器，借以装上自己的酒。”她说。“他只是个容器。您看这‘U’的形状……”

我暗惊，之前我从林修身心的形状想到了“U”。

“……多像个容器啊！”她说，“不，说容器都抬举他了，只是尿壶。除了装尿，除了顶个急，毫无价值。一个人到了毫无价值的地步，还能做什么呢？无可如何的感觉是最要命的！那种抵达不到的难受。就像牙疼，干脆拿舌尖去顶，让它确凿地疼。所以他去了 S/M 店受虐，可以在受虐中确证自己是该受惩罚的，强调，夸大。我欠了谁谁谁啊，我做了多少多少多少坏事啊，我积累了数也数不清的罪债啊！但哪里有那么多罪债？就虚构呗。毋宁是炫耀。一个人到了无可炫耀了，就炫耀罪恶。宁可被人记恨，不可被人漠视。成了暴君也好啊！当成暴君，是多么好的啊！无论如何，做大做强！”

这逻辑！

“可是他的心是看到自己卑劣的！”

“心？谁知道心是怎样的？不错，那掏出来了，您看到了，我也看到了。”她的眼睛又寻找起来，应该是去寻找那颗心。但也没找到。“那心裂开了，恶鬼您也见证了，确实是碎了。但天知道为什么碎。不错，那心还有嘴，还会说话，但这硅胶一样的心很确实可靠吗？”

“那您可靠吗？”

“只有自己知道自己的心。我现在是用心在说话。”

“哦，您也有心……”我竟然这么说，挺无礼的。

“每个人都有心。”

“您也知道？”

“每个人的心都在真实说话。但只是在对自己说的时候。我不是对您说，是对自己说。我自己知道我亏待了他，对他不好，所以我把企业给他了。但这远不够补偿他，不够抵我的罪，我有罪！我必须忏悔！我是真诚的，我的心已经抉出来了！”

她竟然也抉心！奇怪的是，她竟然冲向我的心。她的手兜起它。其实我的心并不需要她兜，它一直好好地处在悬浮状态。这下被她的手兜着，倒变成需要她支撑一样。我感觉到自己的心被她挟持。我过去抢。“这是我的心！”我叫。

“我的！”她竟然说。

“您自己的心在……”我才发现她胸膛是张开着的，里面没有心。我只能坚持叫：“这是我的心！”

“我的心在忏悔。这是一颗忏悔之心，是我的！”

“您怎么知道我的心就不在忏悔？”

边上恶鬼笑了起来：“你们这是搞什么嘛！争着忏悔？从来没见过。既然知道忏悔，为什么还要争呢？”

“明明是我的嘛！”我叫。

“明明是我的嘛！”她也叫。

“那还有一个人呢？”恶鬼叫。

“谁？”

“还有谁？”

我和她同时明白过来。“他的又是他的！”我们几乎同时说。

“他的心是破碎的！”她又说。

“你的就是不破碎的？”恶鬼反问。

“我的不一样。”我说。

“怎么不一样？不破碎？”恶鬼问。

“我的也不一样。”她硬说。

“那怎么只见一颗心？”恶鬼道。

我和她同时去找林修身的心，根本找不到。之前他人影都不见，也没有去注意他的心。怎么回事？我们信誓旦旦我们的心跟他的不一样。再回来找自己的心，怎么？我的心也不见了。回头去找她，她也不见了。恐怖袭上心头。不，我已没有了心，根本无心可袭，只有恐怖。不，也没有恐怖，没有了心什么都没法感受到。但这不是很好吗？有心太麻烦，一切麻烦都因为有这个劳什子。他的心就他的心吧！我也不要。本来无一物，至多只是关系参量让人感觉到有心，是他的心。我已经知道了他是怎样的人，他的心是一颗怎样的心了。无论如何，这是一颗受难的心，一颗可怜的心。我知道就行了，然后，放下。放下它也就放下了我自己。我在脑里抹去那些关系参量。但我于是分明地意识着那心的消失过程。它确凿地存在，然后渐渐地化成尘埃。

第十章

但

它成尘时，我竟看见了微笑。

比太阳更不可直视的是人心

——评陈希我《心！》

张 莉

陈希我从不满足于讲一个跌宕起伏的故事。在他那里，那些情节不过是事物的表象。他所感兴趣的是故事的内核。他关注身体与人的关系，探讨灵魂的内面，并且从不会采取温和混沌的态度。某种意义上，他是粗暴的，他热衷拷问人性。他对此深为着迷。

如果你是陈希我小说的长期读者，读到他的最新长篇小说《心！》时会有既熟悉又陌生之感。这当然是属于他的作品，但同时更具冲击力，你会发现他重新调动和运用了他的经历和经验。在我看来，《心！》是陈希我的个人突破之作——他对男性/女性身体及性的“极端”认识，他在日本游学六年的背景，他对日本民族内部关系的深切认知……都在这部小说中获得了充分展现。在这部作品中，陈希我寻找到了最合适的表达路径：从表象的、跌宕的人物命运中提炼出精神意义的疼痛、伤害、丑陋、罪恶，最终使自己的笔力向更深更黑更痛处开掘。阅读这部作品不得不感叹，陈希我是我们时代生活假象的破坏者，也是能让我们感受到刺痛与不安的小说家。

翻开事物的内面

“一天，一个人走进医院，对医生说：‘我的心碎了！’”这是这部小说的开头，这个人是日籍华人林修身，他回国时发病，被发现得了罕见的“心碎综合征”。故事由此开始。许多人交替讲述——林修身少年时代打工时的少东家林北方嘴里的他，用人佐伯照子嘴里的他，光号船长坂本胜三嘴里的他，养子林太郎嘴里的他，反战日本人森达矢嘴里的他，中国女游击队员李香草嘴里的他，美国人迈克尔眼里的他，妻子长谷川香织嘴里的他，以及，林修身的自我忏悔和自我坦白……

不同立场、不同视角的讲述互相缠绕，互相矛盾，但又互相交汇，最终编织了日籍华人林修身的人生故事：林修身出生于福州，家境卑微，随父母偷渡到横滨。父母双亡后被日本料理店长收留，遇到性格乖张的长谷川香织，他看起来更像是这位日本小姐的性玩具。太平洋战争中他进入远洋船运“光”号，主动为日本人卖命，后成为追击中国游击队员的间谍，可是在追击时又放走了游击队员香草……与长谷川香织结婚后进入长谷川家，由此发迹成为富商。20世纪80年代，作为日籍华人代表与中国领导人会面时，他诚恳表达了希望将财产“裸捐”的愿望，但是不幸很快便“心碎”而死。

这是故事的主线，如此简单讲述也已是复杂的、曲折百转的命运轨迹了。但勾勒这样的轨迹并非作者追求。作为小说家，陈希我的独特性在于他致力于了解人心的构造，了解人心的沟壑起伏；他不仅要画出这些沟壑的细微，还要追问为何会有这样的沟壑，为何会有这样的起伏；他要追问一个人的心到底是黑的还是白的，人因何心碎又如何去修补……他有刨根问底的执着和倔强，不惜掘地三尺头破血流。

也因此，事物隐秘的一面被翻开：人心叵测。人心莫测。人心黑暗。人心柔软。人心敏感。人心残忍。人心反复无常。人心无处归依。……与人心有关的一切都被放大，被深描，它们毫无遮拦地全部呈现在文本中。是的，在一些人眼里，林修身不得不苟活，在另一些人眼里，他则是寡廉鲜耻的小人；在一些人眼里，他是投机取巧的市侩，在另一些人眼里，他是一心向好的英雄；在一些人眼里，他是吃软饭的，在另一些人眼里，他则是卧薪尝胆，忍辱偷生……在众人讲述之后，林修身那破碎的、被卡在阴阳二界无法归依的心血淋淋地呈现在我们眼前。这个心是跳动的，是会说话的，他不断坦白，不断抗辩，形成了这部小说独有的多声部叙述。

透过对百孔千疮的心的反复追问，陈希我塑造了一个深具复杂性的人物林修身：他身材矮小，性本领强大，沉默寡言，有重重心机。这个人自私，苟且，分裂，阴暗，无情，处处以实利为重，所有一切都是为了能苟活，毫无廉耻与荣辱心可言……小说家书写了一个在战争、情欲、爱恨、身心之间反复撕扯、无法安宁的人。因此，阅读这部作品对心理也是巨大考验，需要有足够的勇气和这位作家一起面对人的存在，走到人性的深渊。在这部作品中，我们当然看到人的复杂与黑暗，但是，同时，我们似乎也隐隐感受到小说家的遗憾、疼痛与叹息。

对叙述话语的反转与去魅

《心！》中反复书写的场景是吊索桥上，林修身带领日本兵去追击游击队员李香草。在与女扮男装的香草相处中，林修身对她身体的清洁气味很着迷。在老年香草的追忆中，林修身爱上了她。事实上，在许多人眼里，他都爱这个女人。在带领日本兵追击香草的过程中，在香草已到对岸的情况下，桥链突然断掉，林修身掉到桥下。香草认为，他这是在为爱牺牲，在反战者眼里，他是民族英雄。这是事物的这一面，而小说也残忍地写出了事物的另一面。林修身坦白说，他当时只是求生："我不想死，死了一切都完了。我们中国人讲'好死不如赖活'，不是吗？好在下面并没有我想得那么深，我们都摔在灌木丛里，只是受了小伤，爬上来很难。上面的香草应该懂得跑了吧？这时候我才又想起她。日本人这下无法再去追踪香草和她哥哥的游击队了。我也保住了命，虽然让肉体受苦，也因此他们不好追究我。只有受苦才能保存，我早知道这道理。"然而在日本妻子眼里，林修身和香草之间的情感根本不存在，那只是香草在晚年给自己编造的谎言而已。这些叙述戳穿了许多类似故事的光环，使得一切意义都烟消云散。

在许多人的讲述里，面对有狐臭的日本妻子，林修身是被动的，他是弱势者，但事实并非如此。"我一再说她身上的味道是臭的，就在刚才我还这么说，现在我要坦白，其实那是荤味。就像肉味，臭就是荤，荤就是富有。我要有！我要长谷川小姐！"又是一次去魅，在祛除了在民族国家及爱情话语包裹下的种种传奇光环后，残酷的真相水落石出。

小说反复书写的另一意象是绞肉机。在当代作家中，似乎也唯有陈希我可以将绞肉机这样的意象引入男女关系之中并使其与男人生殖器产生联系。而小说最残忍之处则在于，林修身告诉他人，他最终用绞肉机绞掉了自己的男根，以此威胁美国人，使之再不敢指认他为"汉奸"。

如果说吊索桥那一幕的反复讲述有罗生门的意味，那么绞肉机的场景则带有血腥、暴烈、绝决。某种程度上，这一行为得到了几乎所有人的尊重与同情。"对外，我以我的自宫故事吸引人们兴趣，以我最重大的身体残疾获取人们同情。对内，没有了生殖器官，那么就尘埃落定了，那么，还有什么可羞辱我的呢？从世俗上说，我是打不倒的人。当然我是教徒，我惩罚了自己，我永世残疾。"然而，这依然不是真相。这是林修身对自我的又一次美化。他并非自宫，事实是，他的妻子冲动之下剪掉了他的男根。"他在里面，喊着要拿刀切掉自己那个东西。这可是需要勇气的，他没有这勇气。他左跳右跳的，就是没去拿刀。刀就明明白白插在刀架上，对厨房他那么熟悉，但他就是没有往那边去。……我一个发狠，就像揪住牛皮筋那样，死死揪住，一刀下去。"——事后，去势的男人无奈之下只能将自己打扮成自宫的勇士。

林修身的心在叙述中修正他的一生，躲在阴影之下的妻子则以闺中叙事搅动他的修正。这位性格诡异的日本女人最终说出了她眼里的历史真相：晚年的香草"需要有个波澜壮阔的回忆用来附丽情感"，所以才将林修身作为了她的男主角，"'所有的叙述都在寻找容器，借以装上自己的酒。'她说。'他只是个容器……"甚至在她看来，林修身所有的回忆都是为了确认自我存在。"所以他去了S/M店受虐，可以在受虐中确证自己是该受惩罚的，强调，夸大。我欠了谁谁谁啊，我做了多少多少多少坏事啊，我积累了数也数不清的罪债啊！但哪里有那么多罪债？就虚构呗。勿宁是炫耀。一个人到了无可炫耀了，就炫耀罪恶。宁可被人记恨，不可被人漠视。"

人物一次次讲述，读者一次次信以为真，真相一次次被推翻。阅读这部小说的过程是考验心理的过程，原本以为故事的层次到此为止，原本以为已经抵达人心的黑暗和莫测，但是，没有想到还有逆转——原来，还有比黑暗更黑暗的所在，还有比残酷更残酷的所在，还有比深渊更深渊的所在。

身与心的分离

陈希我是对身体有非同一般热情的小说家。几乎他所有的作品都与身体有关，正是这种执着和着迷，最终成就了他的写作。身体叙事在他的笔下呈现了多种可能，又或者说，这位作家推动了中国当代身体叙事的发展。

正如笔者在《看吧，这非常态书写》中所说，许多时候，陈希我小说人物与其身体的关系处于“紧张”状态。“尤其男人们，他们几乎全都在性生活中遭遇生理障碍。在《带刀的男人》中，本来有强烈性能力的批评家面对女诗人越来越主动的进攻时阳萎了，最后对自己的器官产生厌恶，以至于自宫。在《晒月亮》中，志得意满的男人面对初恋情人时最终‘无能为力’。对身体最令人瞠目结舌的书写是《抓痒》中。这对互相或许还爱着对方的夫妻以网络视频的方式进行性生活，他们对着镜头暴露下半身，用虚拟的、残暴的、超出常人想象力的方式施虐与享虐，达到犹如下地狱般的快感。”①

“在陈希我那里，身体产生的一切感觉，脆弱、麻木、疼痛、痒、饥饿、恶心、松驰、恐惧、亢奋、紧张都以物质形式对自我做着清晰的注解。换言之，他书写了我们身体中某种不为人知的、隐密的、带有污点的快感和欢乐，比如对疼痛的享受与追逐，对暴力的渴望和释放。所以，这不是通常意义上的身体书写，不是后现代时代小青年们在纸上的性生活表演，这是对传统的、日常的、道德的、约定俗成的生活方式的突围。这种书写，也最终使陈希我具有了某种常态生活的反叛者、革命者和造反者姿态。”②

这一次，身体与心的分离是他所关注的重点。心是重要意象。那颗跳动着的无法完整的、支离破碎的心一直在说话，在与身体分离。这显现了作家奇崛的想象力。破碎的心要多罪恶有多罪恶。照子一直申明爱着林修身，长久以来林修身与她保持性关系，在照子看来，他们是同一阶级同一出身，有着荣辱与共的关系，直至晚年，照子在林修身的葬礼上也是这样讲述的。

可是，在林修身的自白里，这样的关系是什么呢？“我压根儿就没有喜欢她。她身上满是下贱味道，寒酸的味道，汗味，怎么洗也洗不净。……那是下贱的人的分泌物。照子让我联想到自己的身份，她是日本的昼民。”但是，林修身从未表露厌恶，和照子做爱对他而言是为了回到妻子身边：“每当我在香织那里受不了时，我就去找照子，去感受她的恶心，然后就会老老实实回到我固有的生活中去了。再闻到香织的味道，会觉得是殷实的富有。”在林修身这里，照子的存在竟是如此低微，“她不是爱我吗？那就为我想想吧！当然也得好好安置她。这个女人被我熬成老太婆了，一年又一年，我用每年更新的眼光来欣赏一朵一直枯萎在枝头的花。当然我自己也在枯萎，那么这朵花就是我预定好的陪葬品。”在当事男主角这里，同甘共苦的爱情被讲述得如此不堪，作家扯下了爱情话语里的最后一块遮羞布。

死后大言不惭的人，生前在旁人眼里是大好人的人，最终“心”破得七零八落，惨不忍睹，这当然是一种惩罚。“它还活着，血淋淋的。它支离破碎，它的主人必须用两个巴掌捧着。它太碎了，主人要不停地转战手指拢着它。但仍然总是顾此失彼，一次次险些让它从指间滑下去。手指赶紧夹紧，兜住，化险为夷。但很快，这样情形又发生。”当一个人的身体与心灵完全分离时，才是他的至苦时刻。“林修身也够苦的，外面自己身体被绑着，里面又被心撞击，内外受敌。到了奈何桥，那心又突围出来了。绑那心的绳子不仅被挣断，林修身身上的捆绑也被冲垮。”

事实上，在现世中，他也饱受身心分离之困。长谷川香织暴烈，乖张，有令人难以忍受的狐臭，但是，林修身一边厌恶又一边渴望讨好和靠近她，性欲与心的厌恶互相排斥：“这性欲绕过我这个心，暗渡陈仓。我还自己骗自己：我是讨厌她的，我是被逼无奈的，我无路可走。我身陷黑暗，但我的欲望在

① 张莉：《看吧，这非常态书写》，《当代作家评论》，2009 年 4 期。
② 张莉：《看吧，这非常态书写》，《当代作家评论》，2009 年 4 期。

黑暗中满足了。还因为小心翼翼地暗渡，逃避道德的审查，一旦到达目的地，欲求更反弹性地强烈了。那简直就是漆黑里的狂欢，但自己却告诉自己，我是掉进泥水了。有时候自己也瞒不住，知道自己也在狂欢，但那是既然掉进泥水里的索性狂欢一下，如此而已。”做爱时一边享受，一边看着镜子里的自己进行唾骂。心与身，欢乐与耻辱便互相冲突地存在于这个人身上。当代作家中，很少有人把身体与心灵之间的关系分析得如此复杂而透辟。

当然，虐恋或者S/M再一次在他小说中出现。作为富有的男人，林修身去S/M店，要求痛感和折磨。但是，在这样的关系里，痛感不真的是痛感，折磨也不真的是折磨，它只是戏仿和模拟，达到一种性发泄和性安慰。“心意识到不诚实，但人心是多么不可救药的东西！仍然继续不诚实。一个谎言要继续用另一个谎言来圆。我圆谎的手段仍然是身体。”林修身剖心过程中也深刻认识到自己不过是寻找一种解脱。

剖心：拷问、激辩、自白、忏悔

多年前，李敬泽认为陈希我小说有个审判官。“不管你是否喜欢，‘审判官’出现了，而且我相信，它的出现为中国小说提供了新的动力：一种向着我们的经验、生活、灵魂发问的忠直态度，不闪缩，不苟且，如果有深渊那就坚决向着深渊去。”① 多年以来，陈希我的笔下，“审判官”总会在读者阅读时出来打扰，他质疑读者，审问读者，他甚至会直接问这生活它真实吗？它幸福吗？它有意义吗？有意思吗？你们就这样活吗？但是，在《心!》中，这个审问者的调门降下来了，他甚至是隐匿的，冷静的，他在关键的时候会停下来，把最直接的问题抛出来。

关于责任，关于平庸的恶，关于高线与底线，关于正义，关于旁观者与参与者，关于实用主义与鸡贼……这部小说中有多处精彩讨论，由林修身的“破碎的心”说出来的道理锋利而直抵本质。这不再只是单纯的拷问，也不再只是一个人的自白，这是拷问与陈述、审判与忏悔共在。

关于好人遇到好世道，“人心是诡异的深海，各种寻找对自己有利的，变幻多端。还记得我之前强调的‘如果’吗？‘如果’我逢到好世道，我就会是好人。跟‘如果’同向价值的是‘既然’。我‘既然’没有逢到好世道，那么做了坏事，我就没办法了。这‘既然’成了‘已然’，大家都这样，成了无可指责。但有时可以演变成意外惊喜，只要稍微不像大家那样坏，就又成了好了。”

关于平庸的恶，“我毕竟是普通人，人都有平庸的劣根性。但这‘平庸’毕竟造下了‘恶’。是的，我承认，但这是无辜之‘恶’。我价值杠杆上的秤砣滑来滑去，见势出招，变换话语，寻找立住点，最终立在‘无辜’这个刻度上。”

关于做人的高线与底线，“我们常躲在无法精确衡量的下面游移。这是一种自欺欺人的狡猾。心的准线被调节，本来的‘底线’成了‘高线’。那么这个‘高线’下面还有‘底线’。‘底线’再成‘高线’，‘高线’下面又有‘底线’。回头看看，这‘底线’已经离原来的‘底线’十万八千里了。你好像仍然还在讲‘底线’，这个世界好像仍然有‘底线’，但此‘底线’已经不是原来那个‘底线’了，人与世界已经堕落。所以，重要不是讲‘底线’，而是讲‘高线’。在可以取‘高线’时不取‘底线’。”

---

① 李敬泽：《文学：行动与联想》，山东文艺出版社，2004年，23页。

关于坚持操守与索取利益："我刚才说人在坚持操守时好歹试一试嘛，现在是在索取利益时。人在坚持操守时的赖劲，远远不如在索取利益时的赖劲。"

关于内心正义与参与不义："内心正义，明白吗？正义不付诸言行，渐渐形成了纯粹的'正义'这样的东西，把它供着，内心还会产生这样的自得：我揣着光明，我藐视一切，甚至，唯我独醒。我这种所谓的正义感直拖到不义战争灭亡，不，是一路伴随着不义战争。"

关于理性主义与功利主义："能得到好处才是正确的，这个世界上有一种隐秘的、恒定的价值，老天都是势利的。表面上，我是掌握着通行的价值观，实际上通行的价值观所以显得放之四海而皆准，是因为其暗合人性中的卑劣。表面上，我是理性主义者，实际上我是功利主义者。我这颗心鸡贼得很。我甚至几乎把自己也给骗了。在浑浑噩噩、半推半就的被骗中，又在刚健有为的价值观中，我勤勉地又歪打正着地刚好站对了队伍，走上了康庄大道。"

关于说假话的成功与说真话的失败："但是，我能够傲视他吗？在所有人噤声时，他发出声音；在所有人说假话时，他说了真话；在所有人趴下时，他特立独行；在所有人投机时，他忠实于自己的心。因此他付出了代价。世界是无良的，在这样的世界，失败往往就是操守的指标。即使我有千种苟且的理由，也没有傲视他的资本。"

……

这样的拷问与激辩在文本中俯拾皆是，构成了一个有着强大抗辩色彩的独特文本。各种声音和论点互相交织，陈希我以心的高声陈述和坦白忏悔使这部作品充满了奇异的众声喧哗的魅力。阅读这样的作品，作为读者很难不反思，不受到触动，甚至不扪心自问。

当然，在阅读这部作品的时间里，我多次想到鲁迅先生对陀斯妥耶夫斯基的评价："他把小说中的男男女女，放在万难忍受的境遇里，来试炼它们，不但剥去了表面的洁白，拷问出藏在底下的罪恶，而且还要拷问出藏在那罪恶之下的真正的洁白来。而且还不肯爽利地处死，竭力要放它们活得长久。"① 很显然，《心！》也是将小说中的男女放在万难境遇里，去拷问那潜在深渊里的罪恶。

陀斯妥耶夫斯基认为自己是"在高的意义上的写实主义者，即我是将人的灵魂的深，显示于人的。"而在鲁迅看来，"在这'在高的意义上的写实主义者'的实验室里，所处理的乃是人的全灵魂。他又从精神底苦刑，送他们到那反省、矫正、忏悔、苏生的路上去；甚至于又是自杀的路。"② 陈希我对待林修身何尝不是如此？他将林修身的心送到灵魂的实验室里去受精神的苦刑，使他忏悔反省。

事实上，这部作品的题记也直接引用了陀氏语录："这里，魔鬼同上帝在进行斗争，而斗争的战场就是人心。"换言之，这样的题记充分表明，作家在试图将"人心"作为战场，将魔鬼与上帝同时放在一颗破碎之心中去呈现，换言之，作家立意成为陀斯妥耶夫斯基传统的继承者，成为"人的灵魂的拷问者"。

一颗心与无数颗心

这部作品里，还有另一个题记，来自鲁迅："抉心自食，欲知本味。创痛酷烈，本味何能知？"这也

① 鲁迅：《陀斯妥耶夫基的事》，《海燕》1936年第二期。
② 鲁迅：《穷人》，《语丝》周刊一九二六年第八十三期。

意味着，《心!》固然包含了对人的灵魂拷问，同时也包含了作为作者的“我”的忏悔与反省，因此，与陈希我以往写作的不同在于，这部作品不再是一个高高在上的审判官对所有人物进行质询，叙述人不仅仅将他笔下的人物视为要拷问的罪人，也勇敢地将自我视为罪人中的一员。他不仅剖开他们的心，同时，他也剖开了自己的心。

因此，在小说结尾处，2037年，叙述人在另一个世界里遇到了死去的香织。恶鬼问“我”和“香织”的心在哪里，他们各自强调自己的心与林修身的不同，但却发现根本找不到那颗不同的心。

> 我和她同时去找林修身的心，根本找不到。之前他人影都不见，也没有去注意他的心。怎么回事？我们信誓旦旦我们的心跟他的不一样。再回来找自己的心，怎么？我的心也不见了。回头去找她，她也不见了。恐怖袭上心头。不，我已没有了心，根本无心可袭，只有恐怖。不，也没有恐怖，没有了心什么都没法感受到。但这不是很好吗？有心太麻烦，一切麻烦都因为有这个劳什子。他的心就他的心吧！我也不要。本来无一物，至多只是关系参量让人感觉到有心，是他的心。我已经知道了他是怎样的人，他的心是一颗怎样的心了。无论如何，这是一颗受难的心，一颗可怜的心。我知道就行了，然后，放下。放下它也就放下了我自己。我在脑里抹去那些关系参量。但我于是分明地意识着那心的消失过程。它确凿地存在，然后渐渐地化成尘埃。

当人们想各自认取自己的心却发现无从辨认时，以“心”为标题的小说便有了强烈的象征色彩。小说拷问的固然是林修身们的心，但又何尝不是我们或他们的心呢。于是，每一个忏悔，每一个辩白，每一个自我解释便都有了另外的意味。因此，这心便不再是独特的那一个而是普泛意义上的那一个，它是千万颗心中的一个，同时也是千万颗心的汇合。

人心是黑洞。人心是深渊。人心是地狱。人心是万劫不复。有谁敢直视人心呢？不论是他人的心还是自己的心，那都是千难万险之事。这正是这部作品所感叹的。事实上，“比太阳更不可直视的是人心”也是小说第八章某一节的标题。但，恰恰是从不可直视处下手，才会触及读者灵魂，小说家显然深知这一点。因此，他首先选择“剖开”自己的心——哪怕疼痛难耐与不忍直视，也要克服种种迷障，也要跨越所有的自恋和虚饰。

经历过无数次创痛与失败，经历过无数次跌倒后再爬起来，不断遭遇摧毁又不断修复完善，这位多年来艰苦卓绝地与自我进行不屈不挠搏斗的写作者，终于蜕变成为一位临近深渊而不惧的勇者，也终于抵达了那令人惊异、令人震动的《心!》之所在。

祭奠阿里

——寻找一个被遗忘的传奇

卢一萍

上卷　难以想象的远征

歌王我走啊走到了人间，
拜见赞神之王玉玛杰钦；
请求赞王赐我歌的钥匙，
让我打开人间歌库之门。
歌库之门就在路上，
沿着他们的足迹走，
并把他们传唱。

——仿西藏祭祀庆典《颂歌》

一、第十七道刻痕

1951年春节，西藏阿里扎麻芒堡。

雪，已下得疲惫了。苍白的雪原向四面八方延伸着，成为无边无际的死亡之海。千里冰封，万里雪飘，来自极地的大风裹挟着冰雪，饿狼般厉声尖啸着，一阵阵掠过高原。

它狂悍肆虐，却拂不走无处不在的死寂。大风过后，硕大而灿烂的太阳会贴在天上，它显得异常冰冷，没有一丝热量。天空的湛蓝，太阳的灿烂与冰雪覆盖的大地形成强烈的反差。但天地之间的澄明只能使死神的阴影显得格外分明。它笼罩着扎麻芒堡已经好久了。

自巴利祥子牺牲后，不到两个月时间，雪原上就堆起了四十多座坟茔。

雪，覆盖着它们。

那十六座刚垒起的坟茔还可见到新的冻土。

他们都是今天被陆陆续续安埋的。

秃鹫仍然盘旋在扎麻芒堡的上空。西斜的阳光把它们的身影拉扯得很大，再投射到雪地上，显得狰狞而恐怖。

进藏先遣连副连长彭清云走在送葬队伍的前面。这位全国特等战斗英雄和所有幸存的官兵一样，面孔黑黄，营养不良，原本瘦削的脸因为浮肿而显得很胖。他的双眼红肿，脸上留着泪痕。这位无数次出生入死、浴血疆场的勇士，已在无数次战斗中面对死亡。那是拼杀之死，浴血之死，他能够接受，作为一名战士，他也必须接受。而这里的战友们，却牺牲得如此无声无息。

他用那只握着马鞭的手使劲地捂着胸口，像要止住心中刀割似的剧痛；牙齿咬紧的下唇已出了血，但他丝毫没有觉察。

脚下的路是那天送葬时踩出来的。积雪已被踩实了。没有人说一句话，只有风声和送葬队伍踩在雪地上的脚步声。而先前那十六次送葬时被踩出的路则被风雪抹去了。

彭清云的身后紧跟着一队步履踉跄的官兵。他们是连队的骨干和党员。牺牲的官兵太多，连里已不能将实情告诉给病号，怕他们因为悲痛而使病情加重，也怕影响连队的士气。

八名战士用一张野牛皮抬着曹发荣的遗体。八个人抬着他，也显得十分吃力。这是他们在一天时间里的第十七次送葬。

曹发荣是在参加战友葬礼的途中倒下的，他眼角还有因为悲伤涌出后凝结成冰的泪珠。在整理他的遗容时，谁也不忍心把它拂去。

彭清云忍不住回过头去，看了一眼自己的队伍。这送葬的战友中，有好几个是被人扶着的。张万才则被战士用担架抬着。

彭清云用颤抖的手摸到马鞭上的一道刻痕，心像被谁狠狠地捅了一刀。

秃鹫的阴影遮住了送葬的队伍。

彭清云狠命地挖掘着墓坑。大地被冻得异常坚硬。一镐下去，只有一个白点。他就那样一点一点地挖掘着，他的手被震裂了，冒出很多小血珠。他没有觉察，没感到丝毫的痛。

彭清云看了一眼曹发荣，希望他只是在沉睡，摇一摇他，他就会打一个哈欠，坐起来。

彭清云挖开一点冻土，又填上；填上，又挖开。他早已不能承受自己的战友再被冻土所掩埋。所以，当曹发荣被战友用野牛皮裹好，要往墓坑里放时，彭清云使劲地抱住了他。

早已干涸的泪，无声地涌出来，落在他早已破烂不堪的衣襟上，立即结成了冰。

曹发荣慢慢地融入了大地之中，被风扬起的雪纷纷落在那崭新的坟冢上。如血的夕阳把雪原染红，也把飞扬起来的雪染红。

大家肃立着，没有一个人愿意走开。

良久，彭清云用沙哑的声音说："天晚了，回去吧，同志们!"说完，他吃力地转过身，朝驻地走去。

大家跟着他，没有任何言语，仍只有脚踩着雪路的声音和呜咽的风声。

彭清云在腰间摸着刺刀，迟缓地把它拔出来。刺刀那透彻骨髓的寒意顿时传遍他的全身。他用刺刀哆哆嗦嗦地在马鞭上刻了一条深深的刀痕。这条刀痕代表的是曹发荣——一个刚刚逝去的生命。他想说“但愿这是最后一道刻痕”，但他说不出来。

他从不去数那上面已有多少道刻痕，只希望每次都是最后的一道。

但是，刀痕每天都在增加。

当彭清云披着一身霜雪回到连部时，他浑身笼罩着哀伤。他突然觉得自己已心碎神散，支撑不住，一头栽在了地上。

他不知自己是多久后才醒过来的。连长曹海林和保卫股长李狄三正焦急地守候着他。见他醒来，曹海林站起身来，迟疑了片刻，缓缓地走向彭清云。彭清云也支撑着站立起来。但两人似乎都已站不住，像要彼此寻找依靠似的扑到了对方的怀中。“哇”的一声，两条铁打的汉子几乎同时哭出了声。

李狄三的身体也快垮了，他挣扎着挪动身体，要过彭清云的马鞭，靠着墙，痛苦地闭上了眼睛。他细心地抚摸着鞭竿上的刀痕，手指每划过一条刀痕，他周身都会一阵痉挛。

他知道这每一道刻痕代表的是谁，每抚摸一道刻痕，他就会轻声地呼唤一声这个战士的名字。

作为先遣连总指挥兼党代表的李狄三心如刀割，人员的不断死亡，使他深感愧对上级，愧对战友。但没人知道夺走这么多人性命的究竟是什么病。他看着曹海林，张了好几次嘴，也没说出话来。过了好久，他才用颤抖、低沉、沙哑的声音说：“他们……能战胜任何强大的敌人……可没能战胜饥饿、严寒和疾病。眼前的情况更加危险，关键是盐，解决不了盐的问题，咱们就可能全军覆没！”

李狄三在最后加重语气时，几乎是用尽了所有的气力，他捂着胸，喘息了半天。

彭清云和曹海林点了点头。彭清云说：“明天，我继续去找盐。”

李狄三说：“一定要把盐找到。师里还没有电报来吗？”

曹海林摇了摇头：“电台中断一个月了，可能上级还不知道我们的情况。我们牺牲了没有什么，就怕耽误了解放阿里的大事。要不是该死的电台作乱，也许上级早派人支援我们来了。真他妈的邪门儿，电池没了，白天晒的电池到联络时间装上，听不到声音就完了，到现在我都怀疑咱们的求援电报发出去了没有。”

“就是发不出去，估计上级也早就想到了我们的处境。这是昆仑和阿里，千里险途冰封雪冻，支援的人一时也上不来。我们不能只坐等救援。我同意彭副连长明天再带几个人去革吉本找盐。同时找日加木马本，为朱友臣的运粮队借几头牦牛，打通到两水泉的路，把那点马料运来，给重病号吃。这没有盐、没有任何调料的兽肉，没病的人都咽不下去，重病号就更难下咽。没盐是关键啊！”李狄三说。

“对，当务之急是解决断盐的问题。”曹海林说，“只要有了盐，病号就有望了，吃点盐身体就有了抵抗力，再用盐水洗洗还可能治好病，不能……再死人了！”

二、盐之歌

阿里高原是不缺盐的，因其众多的湖泊中有不少咸水湖。很久以前，阿里的食盐就作为重要商品运往印度、尼泊尔等邻近国家。

在藏北高原上也有关于盐的传说。说是很早的时候，草原上到处是盐，像沙子一样，随处可以找到。牧人的祖先驮上盐，到农区换来粮食和各种必需品。后来有一天，草原上忽然来了一个魔女，她用自己宽大的袍子把盐都带走了，从此牧人们再难找到盐巴了。

没有盐巴，就等于没了阳光、没了水、没了粮食。人们四处寻找盐巴。第一年骑着马四处寻找，未见盐的影子；第二年念着经文祈祷着去找也没有找到；到了第三年，男人们愤怒起来，口骂脏话出门去找，就发现了盐湖，人们终于又找到了宝贵的盐。

盐湖是位母神，是一个对众生十分慷慨的女性。那些骂人的话，可以取悦盐湖母神。此后，人们定下了取盐的规矩：只许男人们去取盐，一出家门就必须说隐语，直说到回家之前。隐语的内容，全是暗示男女私情的。

除此之外，高原上还流传着许多或优美、或悲怆的驮盐歌，其中有一首《途中歌》唱出了驮盐途中的艰辛：

首先要越过的是无边的“钢戈”草原，
像这样辽阔无边的草原要走三个；
无数的小草坝比石头还多，
愿母神安详的眼睛注视着我。

“尖丹”大山算是群山的开头，
要翻过这样出名高峻的山峰整三座；
数不清的小山比星星还密集，
愿母神亲切的眼睛安抚我。

大河“嘎曲”只是第一道水，
要过如此宽阔著名的大河三条整；
蛇行的小溪比羊毛还纷繁，
愿母神慈祥的目光庇护我。

遥想当年，在荒凉无比的高原上，一支支驮盐队，赶着几百只羊，或几十头牦牛，行进在风雪交加的空旷高原上，他们的脚步声和吆喝声打破了高原的沉寂。日出而行，日落而息，既留下了悲怆的长歌，也有轻松的吟唱，《驮盐歌·驮盐人赞歌》这样唱道：

怯懦者害怕来盐湖，
有志者才敢上征途。
岩石峭壁我当梯子，
小山坡我当门槛儿。
走平原轻松如念经，
北风飘飘我当舞姿，
狂风呼叫我当歌声。

至今，人们从那充满激情的、高亢的歌声里，仍可看见古老的驮盐队仿佛就在眼前。每只羊驮着十到十五斤食盐，长年累月地奔走，最后有不少羊背部磨烂，溃腐、发臭，即使宰杀也无法食用。

但先遣连的官兵们还不知道这《驮盐歌》，也不知道这里的湖泊产盐。他们希望找到的是某座山里的一处盐矿。

彭清云带着寻盐队，早早地出发了。漫天风雪的高原留下了他们深浅不一的脚印。他们多么希望地上的积雪能突然变成盐，以解除断盐带给他们的威胁啊。但除了寒冷，除了泛着死亡的光，雪没有任何味道。他们一次次充满希望地出发，回来时却只有失望。

当时，因为担心被敌人利用，连队缺粮、缺盐和官兵患病、牺牲的情况都是作为机密，不对外公布的。

但就在连队对找盐绝望之际，哨兵在驻地附近发现了一个布包。布包里有重约一斤的食盐。

大家惊喜万分。捧着那个布包，如捧着世上最稀有的珍宝。

但李狄三担心盐包是老乡丢失的，就让战士放回了原处，等老乡回来拿。

三天过去了，那盐包仍躺在雪地上。

五天之后，仍没人回来取走盐包。

李狄三分析，可能是哪位好心的老乡觉察到

连队缺盐后，偷偷送给连队的。他这才让战士把那个盐包取回来。

大家非常感动。因为早在先遣连进藏之初，噶本政府就颁布了三条禁令，即噶本政府所辖区域内，任何属民不准与共军接触，不准为共军带路，不准卖给共军任何可食之物；违者一律按藏规严惩。老乡这样做，是冒了生命危险的。根据当时的藏规，这种行为如被头人发现，就会被挖眼、剁手脚，甚至被剥皮。那一斤多盐对于一个连队而言，无疑是杯水车薪。官兵们更多地把它看作是一份珍贵的情义。但有了盐，哪怕每人每顿就沾上那么几粒，兽肉也变得香了，大家的饭量一下子增加了。

这更增加了彭青云寻找食盐的紧迫感。

那天，彭清云拖着疲惫的身子来到了巴干。他们想顺路拜访一位叫仁冬的喇嘛。

仁冬从甘南随父母到阿里朝山拜海后，就留了下来。他早年在甘南时得了疟疾，生命垂危，曾被红军救过命，他一直记着这份恩情。到了阿里后，他再没见过红军。有一天，彭清云到牧区去做群众工作，遇到仁冬。仁冬老盯着他的帽徽胸章看，然后用汉话悄声问他："你们是不是当年的红军？"

彭清云说："我们是红军的后代。"

仁冬听了很高兴，就讲了他当年遇到红军的经历。

得知先遣连是红军的后代，仁冬命令全寺僧人不再念经诅咒解放军，这使他受到了当地反动头人的恐吓和严密监视。因为全藏僧人念经诅咒解放军是代理摄政鲁康娃和洛桑扎西的命令。

仁冬见了彭清云，一见他和其他几位战士浑身浮肿，就知道先遣连的官兵好久没有吃盐了。

但他因为受到监视，无法与彭清云面谈，无法告诉他盐源所在，更不可能去给先遣连送盐，因此十分着急。

后来，他经过再三谋划，在一天夜里，驮一袋盐策马而去。他没敢把盐直接送到先遣连营区，而是来到先遣连驻地附近后，故意把盐袋戳漏，用盐作路标，指出了一条通向盐湖的路。第二天，彭清云在外出寻盐时，刚出营区不远就发现了盐的痕迹。

马蹄印和那盐的痕迹还是新的。彭清云顺着盐迹指引的方向，来到了一个面积不到一平方公里的小海子边。海子叫马蹄措。盐迹在海子边消失了。

当时大家不知道水里会产盐，就在海子边仔细寻找，找了半天，也没找到。正当大家失望时，鄂鲁新口渴了。他用刺刀凿了一块海子里的冰，想用它解渴。不想放在嘴里，才发现那冰是咸的！他高兴地对彭清云大叫起来："副连长，冰是咸的，冰是咸的，这湖里有盐，这湖里有盐！"

彭清云一听，激动得扑下了身子，趴在海子边，也用刺刀凿了一块冰，放进嘴里。冰果然是咸的。他让大家每人砸下一块冰，扛回连里。

回返时，他才明白这盐源是有人有意指引给他的。这人无疑是连队的救命恩人，他必须找到他。他让其他战士扛着冰块回去，自己沿着那还没有被风雪抹去的马蹄印，走到了巴干。他终于知道，是仁冬在暗中帮助他。

先遣连断盐的历史终于结束了。

有了盐，兽肉不再难吃。后来，又发明了治病的偏方，就是用盐和干牛粪一起炒热后，用袋子装好，封在身上，并用盐水洗伤口，使许多人的病情有了好转。

但是，死亡的阴影并没有散去。

三、大救援

远在昆仑山下的各级指挥机关，早在进藏先遣连告急的一个多月前，就开始了援救先遣连的"救援行动"。

环境的艰苦，道路的艰险，气候的变幻莫测，人烟的稀少，超出了先遣连每一个人的想象。回想起来，他们也不清楚自己是怎么一步步走到这里来的。

南疆与藏北之间，被世界屋脊昆仑山脉隔断，它白雪皑皑，耸入天际，自古少有行人来往。在出兵之际，不要说那里的军事、政治、经济情况，就是来往途径、自然状况、生活条件这样一些最基本的问题，除了千奇百怪的神话和传说之外，也很难找到稍微可信的答案。

军事行动当然不能依靠神话和传说，但又没有任何可依靠的情报，仅能依靠人的意志和一具指北针。当全连用了近一个月时间抵达扎麻芒堡后，从兵团司令员王震、二军军长郭鹏、政委王恩茂、参谋长左齐到骑兵师师长何家产，无不喜出望外。但刚进藏北不久，一场大雪就填平了所有的峡谷，通向阿里的运输线彻底断绝了。不要说先遣连的粮食、被服、电池、药品等物资不足以维持到明春，万一发生战斗，就连弹药也无法送达他们手中。

元旦前夕，王震司令员根据骑兵师关于大雪提前封山、先遣连过冬物资缺额太大、急需救援的报告，指示驻扎在南疆的喀什军区要“尽最大努力，恢复补给线”。左齐当即奔赴和田，指挥救援工作。依靠和田人民的支援，指挥部很快筹集了一千七百多头毛驴和牦牛，半个月内分三批先后进藏，试图接上被冰雪阻隔的供给线。

从先遣连进藏之日起，于阗县就组织了七十人的驮运大队。和田各族群众先后捐献、支援了四万多头毛驴、三百多峰骆驼、二百多头牦牛和近四百匹好马，不停地、艰难地补充着先遣连的给养。有时驮运线首尾相接，长达二十多华里。

亘古荒原第一次因为人畜的喧嚣而充满生机，同时也把一匹匹牲口无情地击毙在荒凉的险途上。

驮运队从于阗出发，一次往返最快也得一个半月。出发时，每头牲口负重四十公斤，因为沿途草场极少，其中要用三分之一的牲口驮运草料。即便这样这些草料也远不够牲口食用，绝大多数牲口累死、饿死在途中，真正到达阿里的牲口不足十分之一，其他的粮食等物资在驮运队的人员消耗后，运到的就更少。驮运队的牙生·尼牙孜说：“如此长的路，如此长的时间，送到先遣连的，往往只是我们的心愿。”

在筹集到这一千七百头牲口之前，已先后有四万多头各类牲口的白骨堆在了进藏路上，以致很久以后，即使坐在直升机上，还可以看见那路上白骨的闪光。

元旦刚过，第一批五百头毛驴组成的驮运队就出发了。那天，于阗的乡亲从四面八方赶来，为驮运队送行。他们祈求“胡大”（真主）保佑他们，把物资平安送抵阿里。但这五百头毛驴还没有抵达界山就已全部倒毙。

第二批五百头毛驴随之出发。一过普鲁卡子，便是冰雪世界。在冰山雪海中，驮运队沿着倒毙的、僵硬的，尚未腐烂的毛驴尸体，艰难地摸索着前进，二十多天后，残存的八十多头毛驴来到了界山脚下。

这架海拔 6730 米的达坂横亘于新藏之间，深不可测的积雪布下了无数的陷阱，等待着这支越来越弱小的驮运队。

毛驴已越来越瘦，它们有些走着走着，倒下了，不再起来；有些则在行进中突然掉进雪谷里，再也爬不出来。

有十六头毛驴翻过了界山。到达先当古时，两位维吾尔族民工含着热泪用自己的面颊去亲它们的面颊。为了抵挡风雪，两人在四面垒起了雪墙，然后和毛驴挤在里面，相互取暖，准备熬过这个寒夜后，次日赶往两水泉。

高原异常安静，月光如水，洒在大地上，照耀着远远近近的冰峰雪岭，使整个高原显现出柔和的气息。

小小的驮队在高原的怀抱里很快入睡了。月色消融了高原的凶悍，他们没有任何防备，像在母亲的怀抱里一样，放心地沉睡了。

就在半夜，从西边来的大风抹去了月光，推

涌着积雪，铺天盖地而来。毛驴先惊醒了，纷乱地嘶叫了几声，大雪就盖了下来。两位民工刚想爬起来，但已经来不及了，两人和十六头毛驴迅即被大雪掩埋了，一层又一层……

此时，距1951年春节还有二十六天。此时，先遣连已离开大本营半年有余，被大雪封阻已四个多月了。这四个多月里，他们没有得到后方的任何供给。

第三批七百零七头毛驴和牦牛组成的驮运队，满载三万公斤粮食、盐巴和年货从于阗出发了。出发前，左齐将军再次亲临于阗为驮运队送行。他紧握着塔里木·伊明的手："祝你们顺利抵达，一切，都拜托给你们了！"

塔里木·伊明表示："将军放心，此次进藏，就是只剩下一个人、一头驴，我们也要把各族人民的心意送到先遣连！"

数百名赶来送行的群众一直把驮运队送过普鲁卡子。临别之际，左齐用他仅存的一只手，向驮运队行了一个庄重的军礼。

左齐目送着驮运队渐渐远去，风把他那只空空的袖子吹起来，向着昆仑的方向飘扬着。

他的这只手臂是1938年9月在抗日战场上失去的。

1938年9月，日军为实现南取广州、中攻武汉、北围五台的作战计划，调集五万人马分兵多路，对以五台山为中心的晋察冀边区实施围攻。为了打破围攻，晋察冀军区在一二〇师的配合下，对日军进行反击作战。

10月27日，一二〇师三五九旅七一七团收复阜平后，参谋长左齐奉王震旅长命令，于11月16日拂晓进至涞蔚公路之间的明铺村设伏，袭击日军一个由蔚县给涞源运送物资的运输大队。

太行山的冬天异常寒冷，八路军官兵卧冰趴雪，静待猎物。17日一早，大家终于听见汽车喇叭声，一股日军正向明铺村驶来。战士们迅速作好了战斗准备。

为确保伏击作战的胜利，左齐看着日军车队进入了雷区，才命令战士引爆地雷。日军的汽车被掀翻了，当即乱作一团。

但日军很快就集中起来，开始反击。

左齐命令机枪手开火。

在猛烈的火力打击下，日军赶紧收缩兵力，依托汽车进行抵抗。

机枪突然卡住，吐不出火舌了。

日军见状，开始向八路军阵地进攻。

左齐一见，一个跃身跳进机枪阵地排除故障。正在这时，日军集中好的火力向机枪阵地开火，弹如飞蝗，打中了左齐的右上臂。

明铺村伏击战胜利结束，全歼日军大队长以下二百余人，烧毁汽车三十五辆，缴获炮三门，枪六十余支。

旅卫生部为保住左齐的右臂，想尽了办法，但终因条件有限，没能成功。

19日深夜12时，为战争奔波了一天的王震，得知白求恩在下石樊村旅前方医院巡诊，赶紧派人送左齐到下石樊村，请白求恩大夫为他做手术。

白求恩为他做了截肢手术。

刚失去右臂的左齐，很是苦恼。时间久了，情绪才慢慢稳定。

他平时喜欢舞文弄墨，兴致一来就写点诗文。失去了右臂，他干什么都不方便，写不了字，打不了枪，他像个孩子似的，一切都得从头开始。

后来，吃了不少苦，练会了左手写字，左手使枪。那天，他格外高兴，不失幽默地写了下面的诗句：

> 小炕上大家挤作一团——
> 写决心……
> 扭扭捏捏的左手哟，
> 又摆架子！
> 我告诉你：

我跟“右哥”做伴，
已二十多年，
今天，“右哥”去了，
你应完全负起责任。
你的主人我姓左，
“左弟”你可别再和小孩一般。

左齐望着远去的驼队，想起过去的岁月，想起这首诗，忍不住笑了。但这位独臂将军的心情并没有轻松起来。他看着正被苍莽的大山吞没的驼队，在心中祈祷着：“老天保佑！”

一路都是倒毙的毛驴，它们的头无一例外地朝着昆仑的方向。这种用生命指引的路标显得不屈不挠，执著坚定。越靠近界山达坂，倒毙的毛驴越多，有些地方摆放着上百头。一路都能看到可怕的秃鹫，它们快活地忙碌着，盘旋着，好些蹲在路边的岩石上，瞪着血红的眼睛，直瞪得人毛骨悚然。

这支驮运队由塔里木·伊明和肉孜·托乎提负责。这两位身强力壮的维吾尔族汉子不愿见到驮运队里有牲口倒毙，所以走得很慢。他们小心地服侍着这些牲口，希望它们都能熬到两水泉。但它们还是在不停地死去。特别是每天早上醒来，总会有成批的毛驴再也站不起来。每有这样的情况，塔里木·伊明就会异常难过，他和肉孜·托乎提一一拍打那些已经倒毙了的牲口，希望它们能够站起来。

二十五天后，当这支驮运队到达界山达坂附近时，毛驴已全部倒毙，只有三十头牦牛还活着。进藏时每头牦牛驮的五十公斤粮食，已被驮运人员一路消耗得差不多了。考虑到再走下去，剩下的物资已不够自己消耗，塔里木·伊明和肉孜·托乎提决心留下三头牦牛和他们继续往前赶路，其余人员赶着剩下的牲口就此返回于阗。

两人翻过界山，到达了塔斯良附近。这里离两水泉已经不远了，两人不由得暗自庆幸。可就在这时，暴风雪来了。牦牛一见那阵势，惊吓得四散逃去。塔里木·伊明在追赶牦牛时，掉进雪谷中，被雪吞没，不幸牺牲。

肉孜·托乎提找回了两头牦牛，继续朝两水泉艰难地前进。

在正月初七那天中午，他终于到达了两水泉，为先遣连送来了——

十五公斤食盐；

七个馕饼；

半马褡子书信。

这就是和田军民用三条维吾尔族青年的生命和一千七百零七头牲口，前后历时近百天，在大雪封山后为先遣连送到的第一批给养。

而肉孜·托乎提把这些东西清点完后，就一头栽在了地上。他因为饥饿和劳累，昏迷过去了。

肉孜·托乎提已经三天多没吃一口东西了。那七个馕饼，是他从牙缝里挤出来的。

肉孜·托乎提苏醒以后，向驻守两水泉的先遣连指导员李子祥讲述了前后三次组织救援先遣连的经过。肉孜·托乎提在返回于阗之际，李子祥把留驻两水泉的十七名官兵组织起来，郑重地请他检阅。

肉孜·托乎提九死一生，才回到于阗。

他是数月来，唯一一个目睹了先遣连生活境况的人。

1951 年 2 月底，毛泽东主席收到了西北军区关于请求中央救援先遣连的报告。

工作人员查清先遣连所在的位置后，毛泽东主席当即致电改则本，向改则本通报了解放军进藏先遣部队所处位置及所面临的困难，请改则本政府帮助解决。

此后，十世班禅大师、西北军政委员会、青海省人民政府主席廖汉生也相继致电改则本和噶本政府，希望他们以祖国统一大业为重，积极协助进藏先遣部队，和平进军阿里。

改则本政府收到毛泽东主席的慰问电后，态度有所改变，即派仁江木村马本前往先遣连慰问。

李狄三向仁江木村马本反映了先遣连马匹、药品、粮食等困难。但改则本政府的慰问只是走走过场而已，他们并没有向先遣连提供任何帮助。直到1951年4月下旬，西藏地方政府接受中央和谈建议，并派代表赴京谈判时，改则本才象征性地给先遣连送来了几头牦牛和百余公斤青稞。

四、特殊商队

早在1949年12月，毛泽东主席在出访莫斯科的专列上，经过深思熟虑，急电中央："进军西藏宜早不宜迟！"

中央建议王震将军，新疆部队的进藏任务可由驻扎南疆地区的郭鹏、王恩茂所率二军迅速组成一支精干的骑兵部队担负。组建独立骑兵师的任务落到了左齐肩上。当时王震交给他的全部家当就是师长兼政委何家产和他的坐骑"黑流星"。如今，一夜之间装备起一支世界上数一数二的现代化部队也不在话下，但在当时，左齐凭着"一人一骑"，用一个月时间拉出一个骑兵师，已算是十分神速了。

部队组建好半月，即开赴于阗，修筑新藏公路，试图在喀喇昆仑山脉西段的亘古荒原上打通一条可供大部队进藏的道路。但这条路即使能够开通，也需要三四年时间。王震怕影响进军计划，致电西北野战军，建议先派一支侦察分队进藏。

1950年5月17日，原五师侦察参谋彭清云被调到骑兵师，奉郭鹏军长之命，率一侦察小组深入昆仑山腹地，为进藏先遣部队探路。

三天前，5月14日下午，翻译贡布被叫到团部，团长芦亚楼问他："你叫贡布，是藏族人对吗？"

"是的，首长！"贡布用刚学会不久的汉语回答道。

"你敢到阿里吗？"

"敢，首长，怎么不敢！"

不一会儿，又陆陆续续来了十来个人，他们大多是少数民族战士。

芦亚楼待大家到齐后，看了一眼精干的彭清云，宣布道："为了部队顺利进军阿里，先抽调你们十七名战士组成侦察排。由全国特等战斗英雄彭清云带领，先行探路，立下路标，初步了解阿里路上的地形和气候。你们以商人的身份走，不能暴露我军进军阿里的意图。给你们三天准备时间，然后出发。"

彭清云1929年出生在四川遂宁蓬莱一个贫苦的农民家庭。从九岁开始，他的人生就充满了传奇色彩。他清楚地记得那是1938年的冬天。日本打进了中国，远离前线的川中也被屈辱和不安笼罩着。国家破碎，百姓的生活更加艰难。

彭清云的父亲去世得早，母亲拉扯着五个孩子，缺衣少食。他七岁开始为别人放牛，九岁时，他就想到外面去。正好，乡里有位姓郭的私塾老师是位地下党员，得知他想往外地跑，就叫他到延安去。

"延安？那是啥地方？"彭清云当时只知道蓬莱附近的几个乡场。

"那是个好地方，只要能到那里去，就有吃有穿，什么也不会缺。"

"那太好了，可是，怎么才能去呢？"

"我给你写一封信，装在你要饭的竹竿里，你到了后再拿出来。"

"可咋走呢？"

"只要往北走，就能走到，先到宝鸡，再到铜川，到铜川后就不远了。"那老师也仅仅知道个大致方向。

彭清云要上路了，母亲含泪送他。她知道，把孩子留在身边也是挨饿，还不如让他自己去找活路。

但年幼的彭清云对世界知道得很少，他一边要饭，一边往北走，到第三年，才到了宝鸡。

到处兵荒马乱。他到宝鸡后，恰逢川军往抗日前线开，被抓了壮丁。他迷迷糊糊地跟着队伍，扛着一杆大枪，在陕西转来转去，一转就是六七年。他原以为能去打日本的，可日本投降了，他连抗日的边儿也没沾上，就开了小差，往回跑。没想两个月后，又叫国民党的九十二军抓了壮丁，没几天，就被拉到瓦子街打共产党部队。就在那场战斗中，他被俘，成了解放战士。

他想起当年出门时就是要到这支队伍中来的，现在正好遂了心愿，自然十分高兴。解放过来后，没下战场，就调转枪口，参加了战斗。

从那以后，他参加了解放西北的所有战斗。因为作战勇敢，多次立功，他很快就成了四野有名的英雄。他的年龄还不大，加之个子不高，又生着一张娃娃脸，显得更是年轻。所以他当参谋时，大家都叫他“尕参谋”，后来在先遣连当副连长，大家又叫他“尕连长”。

但他完成任务的坚决，上至王震，下至普通士兵，都是知道的。因此，上级才把他从五师抽调到骑兵师，担负这一异常艰巨的任务。他按时完成了准备工作，三天后，侦察排化装成普通商队，身藏短枪，赶着马匹、骆驼，驮着新疆特产，踏进了万古荒原。

小小的“商队”行进在世界最高大的群山中，像几只蚂蚁。

这里大多是自古就少有人踪的无人区。对于侦察排而言，一切都是未知的。那只老旧的指北针指引着他们的方向。它是彭清云打宝鸡时缴获后作为奖品奖给他的。

6月的新疆，天气炎热，大家穿着单衣，汗水还湿透了衣裤。一进昆仑山，日头耀人眼目，让人不敢抬头，可身上却冷得发抖，山风带着刺骨的寒意，冻得人直打哆嗦。大家穿上棉衣，不久又套上了皮衣、皮裤，才抵御了昆仑山这没有边际的寒意。

山愈爬愈高，本来就没有道路，要开辟道路前行就更加困难了。衣服显得异常沉重，压在身上，行动极不方便。加之空气稀薄，每个人都感到呼吸急促，胸口发闷。即使适应性很强的骆驼，也是鼻孔大张，直喘粗气。

吃饭时一般是化点雪，咽几把炒面；宿营是走到哪里就在哪里找一块避风的地方，卸下货物，有柴火就烧一堆篝火；有时太累了，就在路边找个平点的地方，把牲口赶到一起，围个圈，人就在里面和衣而卧。

二十多天后，大家已被折腾得脸色青紫，皮包骨头。高山反应使人吃不下饭，睡不着觉，每时每刻都头痛欲裂，呕吐不止。行军时只有扶着马背一步一步往前挪，一点一点往前爬。

谁也不知道这是高山反应，只以为这些大山间有什么“瘴疠”，大家都被染上了病。贡布因为曾随母亲翻越唐古拉山口，到拉萨去朝拜过，知道越往高的地方去，就会出现这种情况，但他也不明白这是为什么。他只知道民间的说法，越接近神灵的地方，凡俗的人就得经受越多的磨难和痛苦。

一次，大家在一个靠近达坂顶的地方扎营，呼啸的狂风吹得人站立不稳，沙石抽打得马匹跳来跳去，骆驼不安地转着圈子。搭好的帐篷被风卷起来后，像一张纸，被大风刮上天，然后没了踪影。大家用尽全身力气抱来一块块石头，垒了一截挡风墙。天黑了，但生不成火，烧不成水，地上的积雪全被刮走了，大家只有干吃几把炒面充饥。

天气越来越寒冷，隐隐可以听见石头被冻裂的声音。在冷如刀子般的寒风中，大家和骆驼紧紧地挤在一起，以获取它们的体温。半夜里，马群躁动起来，过去一看，一匹马已被折磨而死。

第二天爬到达坂顶，天就黑了，风仍然很大，加之山路险要，下山已不可能了。但没人知道那里的海拔已是6000多米，这个危险的高度可以随时把人置于死地。

彭清云把周围的石头集中起来，从三面垒起石墙，把马匹和骆驼集中后，马匹在里，骆驼在外，围成一个圆圈，每个人和马匹挤在一起取暖。

由于海拔太高，在这里呼吸更加困难。躺了一会儿，没人敢再睡了，彭清云怕大家冻伤、冻死，就让大家站起来，跺跺脚，动一动。

不久，就不断有马匹和骆驼突然倒地，动弹两下，猝然而死。熬到天亮，有八匹马和五峰骆驼被高山反应和寒冷折磨而死。有六名战士看起来像在熟睡。大家以为他们真是因为劳累而睡着了。待准备出发要摇醒他们时，他们已声息微弱，脸色已变得黑紫，眼睛已无力睁开。

所有的人一下惊呆了，他们呼喊着："你们要坚持住，我们马上下山。"

大家两人抬着一人，贡布气力大，独自背了一个，跌跌撞撞地、不顾一切地向山下跑去。但没跑多远，他们就相继去世了。他们牺牲得非常平静，没有一点声息。

他们以自己的牺牲告诉了人们，这样高的山不能轻易过，更不能随便停留。

大家怎么也不相信死亡会来得如此突然。他们使劲地摇着、呼喊着战友。

泪水不停地滚落下来，在皮衣上留下了一道道白痕。热泪成冰。

大家用手刨着那千年的积雪，为牺牲的战友挖掘着坟墓。

六座白色的坟茔静静地卧在那里，成为一排，高原的血色朝阳抹在上面。风，止息了，世界一片静穆。时间、空气、阳光都似乎凝固了。

他们是人民解放军第一批安息在莽莽昆仑山上的战士。

贡布当时刚满十七岁，他入伍后第一次面对战友的牺牲。所以，他永远忘不了他们平静的神情，忘不了他们最后说的每一句话。很遗憾的是，他当时汉语水平不高，又是新兵，很少直呼战友们的名字，除了最后牺牲的王怀远，他没有记住其他牺牲者的名字。

阿里高高地矗立在西藏西部。由喜马拉雅山、冈底斯山、喀喇昆仑山、昆仑山托举的阿里是"世界屋脊"的屋脊，号称世界第三极，生存条件之恶劣仅次于南极、北极，其平均海拔在4500米以上，藏北无人区则高达5000米左右。

四十天后，侦察排进入藏北无人区，马和骆驼已死了多半。

他们第一次见到藏民是在天公湖，距现在的改则县城约二百公里。这片与世隔绝的荒原第一次见到装束陌生的外来客，引起了不小的惊慌。尤其是看到骆驼无不大吃一惊。这种动物弯曲的脖子长长的，身架高大，头却很小，背上还长着两个大肉包。他们以为是什么怪物，远远地看着，不敢走近。

改则的头人心中大犯疑惑，很快就和当时的形势联系起来：这帮人说不定就是上面说的要解放西藏的汉人。于是马上组织骑兵，由日加玛带领，把商队包围起来。日加玛提着英式手枪，大声问道："你们是从哪里来的，干什么来了?"

贡布向彭清云作了翻译后，用藏语回答说："我们是青海、新疆的商人，从新疆来，做生意来了。"

说着，就从马背上拿下驮包，掏出杏干、葡萄干、茶叶等商品。

藏兵下了马。仔细地检查了驮包，没有发现什么。当时侦察排的手枪、子弹、手榴弹都藏在驼鞍里，藏兵不敢接近骆驼，也就没有检查。

最后，藏兵把货物没收了。贡布说："我们是做生意的，我们没有了这些东西，就亏本了，怎么回去呀。"

日加玛说："这是头人老爷的领地，谁让你们来的？不杀你们就够好了，赶快离开这里，以后再来，就杀你们的头?"

彭清云一看任务已圆满完成，也不和日加玛计较，决定返回于阗。到达于阗时，马匹和骆驼只剩下三分之一，幸存的十一个人也早就累得变了人形。但这次历时六十余天，深入昆仑一千多公里的艰苦侦察，为先遣连进军阿里探明了道路。

五、誓师出征

在彭清云深入阿里侦察道路的同时，独立骑兵师正积极组建进藏先遣连。

彭德怀元帅在西安听了何家产的汇报后说：“从新疆进军阿里的任务很重，困难很大，搞不好会影响整个进军计划，先派一个连进去投石问路。这个连的担子很重，孤军深入，困难是可以想见的。因此，这个连队必须是最好、最过硬、最能吃苦、最善恶战的连队，否则是完不成任务的。”

根据彭清云侦察的情况看，他们用了六十多天，也只是刚刚进入了藏北，从人员牺牲和马匹、骆驼死亡的情况来看，其自然环境的险恶远远超出了人们的想象。哪个连能担此重任，何家产心里没有足够的把握，只有对彭总说：“这个连队我们一定挑好，一旦确定，立即报告野司和兵团首长。”

彭总默许了，他说：“野司已从西宁给先遣连调来了一百五十顶皮帽子。地图倒是个大难题，我的手里也没有。最近陈毅同志托人从香港买了一张英文版的分省图，是东印度公司的产物，整个阿里只标注了首府所在地噶大克和几个没有名字的湖泊，打仗是用不成的，只能做个参考。”

这幅四百万分之一的地图比巴掌大不了多少。彭总用铅笔在地图上一个标着英文字母的地方画了一个红圈说：“这儿就是噶大克，阿里首府所在地，你们的任务就是在这里插上一面五星红旗。”停了一会儿，他又记起了地图的事，“地图的事中央也没有，估计老蒋会留下的，找到了马上给你们，回迪化后找王震同志请陶峙岳找找。要是老蒋有，他那里也许能找到。”

何家产回到新疆后，找了王震和陶峙岳，但国民党的地图比东印度公司的还要简单，藏北许多地方被标注为无人区。藏北许多地名、地形的绘制，是从先遣连进藏后才开始的。

从1960年开始，解放军驻疆某测绘大队先后牺牲了二十二名官兵，历时二十余年，在80年代才完成了藏北高原的测绘任务，填补了世界第三极的测图空白。彭清云后来说，当年他们就是拿着彭总交给他的唯一的一幅相当于空白的地图，翻越界山，进入阿里的。“我们行军一天，就在那空白上画一段实线，整整一年，这条线才从于阗画到噶大克。”

何家产坐着彭总派给他的那辆军用卡车，从西安出发，风尘仆仆地颠簸了近一个月，才回到了迪化。他一直小心翼翼地怀揣着彭总交给他的那张地图。

回到迪化后，王震和他进行了长达半天的长谈，经一再权衡，决定以独立骑兵师第一团第一连为基础，抽调骨干，组建“进藏先遣连”。这是因为一团虽为起义部队，但团长芦亚楼早就有共产主义倾向，加之原本为骑兵团，战士骑术很高，又多为民族战士，身体素质好。并决定由原一连连长曹海林担任先遣连连长，原一连指导员李子祥担任先遣连指导员，第五师侦察参谋彭清云担任副连长；同时决定任命原一团保卫股长李狄三任该连总指挥兼党代表，并同参谋周奎祺、干事陈信之三人组成进藏前线指挥部，随先遣连进军阿里。

临别时，王震紧紧地握着何家产的手，他的目光往西边望了良久，像要看到昆仑山。然后，他拿出几针盘尼西林，说：“这几针盘尼西林是我进疆时，毛主席托人带给我的，一直没舍得用，你带给连队。”

何家产不忍心要，就推辞说：“司令员，你还是留下吧，我们可以准备些别的药品。”

“连队孤军深入几千里，困难重重，几针盘尼西林不一定有什么用，算是我的一点心意吧。”

盘尼西林就是今天常见的青霉素，当时这药品是从苏联进口的，非常珍贵，一般很难见到。

1950年7月中旬，王震正式批准进藏先遣连于8月1日向阿里开进。

南疆的8月骄阳似火。塔克拉玛干沙漠的热浪如汹涌的海水，一次次漫向于阗普鲁。在一块麦场上，进藏先遣连七个民族的一百三十六名官兵和三百多匹骡马组成了一个整齐的方队，整装待发。远处，出征门高高耸立，红旗飘扬。

8月1日上午10时，进藏先遣连出征誓师大会开始。师长何家产骑着他的“黑流星”，飞奔入场，到了主席台前，飞身下马，代表王震司令员举行授旗仪式。

这一百三十六名官兵是骑兵师最骁勇的一部分，个个身强力壮，很多曾出生入死。部分新疆“9·25”起义的官兵已完全成了人民解放军中的一部分。虽说是西南、西北四路进藏，但现在还仅仅是一个态势，都还按兵未动，这个连队因此成了整个进藏大军中最先深入藏区的。彭清云虽已带领侦察排对进藏路线进行了侦察，但好多路线得做改动。加之对藏北的敌情、民情一无所知，这个连队的官兵即使人人能以一当十，真有不测，后续部队上去至少要二十多天，境况异常危险。想到这里，何家产跨上“黑流星”，跟在队伍后面，一直把先遣连送到普鲁卡子。

他当时没有想到，这个连队的六十余名官兵的牺牲都不是在战斗中；他也没有想到，这个英雄的连队最终会含冤受屈。

临别之际，何家产感到自己有千言万语要向这支队伍说，但又不知从何说起，只好从头至尾将一百三十六双手一一握过，才挥泪扬鞭，转身离去。

慈不掌兵，但何家产却以爱兵而闻名。这没有影响他掌好兵，也没有影响他成为一代名将。

他驰马跑出几百米，又勒住战马，望着褐色的、逶迤奔腾的群山，望着已在向那山中隐去的队伍，觉得这些大山正在将自己的队伍带走。他催马越过前进中的队伍，在山道上横马立住，默默地望了一眼队伍，然后盯着彭清云，半天没说一句话。

“师长，别送了，快回去吧。”彭清云哽咽着说。

何家产跃下马背走到彭清云面前，将马缰递给他，说：“我们换马。”

彭清云一听，也跳下马来，说：“师长，这是您心爱的坐骑，全师都知道，您和它是形影不离的，我可不能跟您换。”

“黑流星”为骑兵师师长的坐骑，是骑兵师最好的战马。骑手爱良马，能得到它，是任何一个骑兵的梦想。这马若天马降世，乌龙出水，疾如流星，快若闪电，且不颠不惊。曾经有识马者提出用三匹纯种伊犁马交换，何家产说，除非再加一台汽车。其爱马之情可见一斑。全师都知道，这“黑流星”是在西进途中攻打山丹时，马步芳“送”给何家产的留念，是这匹马把他从山丹一直驮到了和田。

何家产见彭清云死命推让，故作生气地说：“你以为这‘黑流星’我是白送你吗？我是要让它替我分担一份进藏的任务，让它与你们一道在这亘古大荒中踏出一条高原通道来。另外，你刚完成侦察任务，体力还没完全恢复，又要行军，骑着它，你可以少受一点累。”

彭清云听何家产这么一说，不好再推辞，只得从师长手中接过马缰。

何家产用自己的脸亲了亲马的脸颊，说：“去吧，老伙计，完成任务后，我给你立功。”说着，又把自己的二十响盒子枪交给彭清云，“好马配英雄，英雄配好枪。带好队伍，我等着你们凯旋。”

彭清云重重地点了一下头，说：“师长，您放心吧！”说完，跨上“黑流星”，向前飞奔而去。

发源于昆仑山的克里雅河从身边缓缓流过，唱着河流之歌，奔向塔克拉玛干沙漠，然后无声无息地消失。

队伍溯克里雅河而上，只留下不绝的马蹄

声，在山谷间回响。

六、天路

当年进藏先遣连所走的道路至今也极少有人通行，当年所修的公路也仅仅延伸到了昆仑山下。今天的新藏公路是从叶城开始，翻越阿卡子、库地、麻扎、黑卡达坂，经三十里营房后，再翻越康西瓦、奇台达坂，穿越死人沟后，还有界山、苦倒恩布、拉梅三架达坂在等着。这一千多公里路程，车队一般要五天时间，才能到达阿里现在的首府狮泉河镇。

1998 年 8 月中旬，我希望沿着先遣连进藏的道路，踏着他们的足迹，一直走到阿里。但由于条件的限制和那条道路的过于艰险，没能成功。

我只有走现在的新藏公路。

单车走阿里，即使身为军人，也难免心存畏惧。9 月下旬闯阿里，已很晚了。但想起当年先遣连的先辈们，仅靠着骑马和徒步深入阿里，我已非常满足。有车，还带了氧气袋，单机、脚扣、“四皮（皮帽、皮大衣、皮手套、大头皮鞋）”等急救用品，可谓装备精良了。

但阿里自古以来就不只是一块悬于高空、神奇诡异的高原，它还是一片辽阔沉雄的梦境，几千年来，没人能够惊醒它。

当我跨过零公里，也就跨进了一个陌生的世界。一切，也许只有靠那高原无处不在的神灵的引导和长留在那高原上的先烈们的灵魂的护佑了。因为早有人试过，在那里，仅有勇敢的精神、万丈的雄心和强健的体魄是不够的。

在那里，需要战胜和敬畏的东西实在太多。

那些遍布喀喇昆仑和阿里的积雪覆盖的群山、飓风横扫的原野、奔腾汹涌的河流和险恶卓绝的山谷的妖魔鬼怪，虽然来自人类的信仰，但它们以信仰的方式存在于天地之中，传播于时空之间，告诉我们，凭我们弱小的肉体，是不得不敬畏的。

其实，真正的妖魔鬼怪只有一个，就是高山缺氧。而我则宁愿相信确有一个看得见却不甚清晰的世界，或有一个超越宇宙现实的纯净领域。只有用信仰者的目光才能看得分明；只有用静穆、庄重的准则和繁复的宗教仪式才能控制；只有将自己的身心融入其中、成为其虔诚的部分才能理解。

人类所有有目的的、沾带神圣性的行为，无不与信仰有关。

进藏先遣连更是如此——解放阿里这块最高远的地方，并守住那里的疆界，守住属于一个国家的利益。

但神山圣域，不属于普通的生存者。

这些带着愤怒的表情屹立于中亚心脏地区的世界最高的群山，蜿蜒起伏，直冲云霄，惊人的高度曾使维多利亚时代的旅行家惊叹不已，从那时起，就被称为“世界屋脊”。横空出世的雄姿，千百年来与世隔绝的状态，流传广远的神话传说，使其显得更加幽秘，以至于被传说为神居之地。但我想，没有什么傻神会居于那样的苦寒之地。

大概很少有一个地区像锁闭在中亚心脏——也可能是世界的隐秘心脏——的这个神秘地区那样引起人们的种种猜测。它始终是旅行家和探险家梦寐以求的地方。在一个已经昭然若揭的、不存在多少自然隐秘的世界上，这里的一切看上去都十分神奇。

西方世界第一次获得有关这“屋脊”的描述，是在十四世纪，有一位名叫弗雷尔·奥德里克的方济会的旅行家声称自己步履艰难地到过那里，西方世界才首次获得了对这片高原真实与虚构的可怕描述。这里成了他们传说中的普列基特·约翰的基督教的王国，诱惑了众多男女历尽危险和艰辛，力图抵达。一些外国人把能抵达西藏视为人生莫大的荣誉。

在英国和俄国开始力图把他们的帝国扩展到西藏时，西藏为了自己的宗教和生活方式以及自己的采金地，对所有人关闭了大门。但各种各样怀着不同目的的人们——秘密间谍和士兵；探险家和传教士；秘术士和登山者，还是冒着生命危险闯了进来。

有些人返回了，带回了为他们的帝国绘制的地图，或是讲述了一些令人称道的故事；还有一些人再也没有返回，他们的尸体或埋葬在荒凉的高原，或留在了冰山雪岭的陡坡，或沉到了奔腾汹涌的河流里……

真正穿越喀喇昆仑、进入西藏的是瑞典探险家斯文·赫定。他于1896年7月、1901年3月、1905年8月三次从这里穿过。其中一次他走了五十五天才见到人烟，另一次走了八十四天才见到帐篷。

英国探险家奥里尔·斯坦因在翻越海拔5568米的喀喇昆仑山口时，则冻坏了双脚，右脚中间的两个脚指头全部切除，其余的三个指头也从前面的关节处切除了。昆仑对任何人都是不留情的，即使斯坦因那双脚曾闯过中亚大地名山大川、荒漠古城。

如果说这些金发鼻眼的外国人是为了探险、寻秘，那么进藏先遣连则是在完成自己使命的同时，把自己的英雄行为延伸到了《格萨尔王传》的篇章之中。对我而言，我只是希望揭示这个被封尘近七十年的英雄创举。

我现在所走的这条路，已比当年先遣连从于阗古道进藏的路好多了。但它仍是世界最高、路况最差的公路：所翻越的那些达坂路窄、坡陡、弯急，夏有水毁、塌方，冬有积雪、冰坎。一夜之间，有些达坂的积雪可厚达两米。据不完全统计，自这条路开通以来，已有两千多辆汽车摔烂在这条路上，死伤的司机也不会低于这个数字。

即使到了现在，“天路”也无疑仍是一条死亡之路。

路基下的土地里，浸过死者的鲜血，那些石头上，曾附过亡者的残魂。因为少雨，汽车的残骸还未锈蚀，还在阴郁的天光里闪着金属的光泽。悬崖上，亡者的残衣还挂着，如经幡郁郁飘动，像在召唤亡者的灵魂。

我坐的吉普车常从云端里飘然而下，像从某株无形的大树上坠下的一片叶子。

可以说，我希望重走先遣连当时的进藏路，这个希望破灭后，我又执意要上阿里，到他们当年战斗过的地方去，就是要让自己有所体验，以便真实地反映他们所经历的一切。

如果我连高山反应都没经历过，我对他们是不配写一个字、说一句话的。

自从爬上昆仑的门户——库地达坂，我就知道了什么是昆仑之险。许多欲进入昆仑的人，一腔豪情而来，至此骇然止步，不敢再往前行。只见它山势壁立，危崖突兀，峭壁千仞，鹰翔于脚下，云浮于车旁，伸手可摸蓝天，低头不见谷底。公路是在峭壁危崖间硬凿出来的。隐约可见一个巨大的“之”字，像一柄巨剑，横蛮地刺向远处，又横蛮地劈回来。好多地方，只刚好容一车通过，稍有疏忽，就有可能车毁人亡。

而后面的达坂则一架比一架险要。我不能忘记那路边的护栏，像是神灵伸出的手臂，要护住我，却又显得力不从心。

自进入库地，我就开始被高山反应折磨，它犹如一根粗糙的闷棍，被一只野蛮的大手抡起来，一记记狠狠地打在我的头上。我脸色苍白，嘴唇发乌，双眼晦涩，头痛欲裂，胸闷气短。阵阵恶心使我不停地呕吐，直吐得肠胃痉挛，其苦非一言可以道尽。

可先遣连的前辈们当年却连什么是高山反应、什么是高原病都不知道，他们就是忍着比我还要大好几倍的痛苦，一步步走向阿里的。

我第二天才到达野马滩，这个地名就是当年先遣连的英雄们给取的，一直沿用到了现在。

从这里，我开始接上了他们当年所走的道路。

我停下吉普车，默默地坐在干燥的大地上，任高原强烈的紫外线照射着我，任高原的风一阵阵从我身边刮过。当我微合了双眼，我隐隐听到了他们的脚步声，听到了他们的喘息，然后，他们的身影如梦一般在我的眼前浮现。

七、赛虎拉姆大石峡

出征后第二天的日出前，先遣连来到了有“昆仑第一虎口”之称的赛虎拉姆大石峡。要进入苍莽昆仑的腹地，这是避不过的险径。

石峡两边的褐黑色峭壁如同鬼劈神凿，几乎望不到石峡的顶峰。进入石峡后，天地突然变得异常狭小，原本无际的天空只剩下了宽不过丈的青色缎带。叠垒的乱石横七竖八地塞在峡底，使本难行进的道路险上加险。

无边的荒凉滚滚而来。峡底一片阴暗，冷气逼人的山风在逼仄得只能容下一条羊肠小道的谷底冲撞着，发出困兽般的尖厉嗥叫，震荡得岩石不停地从山上滚落下来。

当先遣连扎入莽莽昆仑，才意识到了自己的无助。从没有感受过的巨大的自然的力量把大家推到了孤立的境地。它让一支队伍静默，不敢言语。

由于山顶积雪融化，山洪常会猛然间暴发。洪水卷着沙石，发出轰隆隆的巨响，以迅雷不及掩耳之势汹涌而来，如果人马避闪不及，就会被冲得无踪无影。加之头上乱石横飞，更是惊险万端。有时，遇到大的山洪，先遣连就只好找石岩过夜。到石峡的最中间，最窄处只能容一人一骑通过，简直成了石缝。这道大石峡大家整整走了三天，才终于走了出来。

走出石峡，也就进入了千里昆仑的腹地。

昆仑分东昆仑和西昆仑，它们和兴都库什山、天山一样，都发源于帕米尔高原，使帕米尔成为一条巨山大峦的“扣结”。东昆仑即昆仑山，它经过新疆，一直延伸到西藏、青海，直达四川。西昆仑即喀喇昆仑，它沿着中国和克什米尔地区一直向南，在新藏交界处，突然来了个“大江歌罢调头东”，汇入东昆仑。

进藏先遣连在翻越昆仑山后，还得翻越喀喇昆仑，才能进入阿里。

地势越来越高，气候越来越恶劣。万里晴空瞬时雨，昆仑八月偏飞雪。当先遣连进到海拔5517米的库克阿达坂脚下，李狄三决定让部队就地宿营，待大家第二天休息好后，再向它冲刺。这也是吸取彭清云他们用生命换取的经验——山高的地方，决不能作太久的停留。

即使是现在，每个上高原的人都知道，在高原上，高处即是地狱。一到高处，就会赶紧往低处逃。

天刚发白，部队就出发了。没有路，只有一线黄羊踩出的灰白色痕迹。偶尔可见一具黄羊的惨白色骨架。

马队小心翼翼地择路而行，缺氧使骡马口吐白沫，张着大嘴，直喘粗气。

部队行进的速度越来越慢。每个人的头都剧痛起来。战士们搞不清这是为什么，就问彭清云。彭清云也答不上来，只说到了高处就是这样的，像有什么妖怪在施巫术。不久，大家的手和脸上的青筋也暴了起来，皮肤发紫，反应严重的很快昏迷过去。

曹海林建议李狄三，让部队停下来休息休息。彭清云马上制止：“即使是往前挪，也要挪过去。这样的地方一停下来，立马就要死人，侦察排的六名同志就是这样牺牲的。”

李狄三一听，命令连队无论如何不能停下。

队伍艰难地向前蠕动。大家或相互搀扶，或拉着马尾，或绑在马上，向达坂顶攀去。

李狄三在开始爬山时，还走在队伍的最前面，慢慢地就不行了。他在战争中曾多次负伤，身体较弱，加之年龄较大，因此他一边走，一边呕吐，最后一头栽倒在地，休克了过去。

通信员乔巴克赶紧冲过去，把他扶起来。乔巴克想背着李狄三走。但让这个锡伯族汉子感到奇怪的是，平时能轻易背起一百八九十斤东西的他，现在背李狄三都非常吃力。他觉得自己的力气突然变小了。却不知道在高海拔地区，人即使坐在那里，也相当于负重四十多斤。他走了几步，就走不动了。参谋周奎祺忙过来帮他，两人抬着李狄三，爬过了达坂。

翻过达坂后，许多人吃不下饭，喝不进水，吃饭吐饭，喝水吐水。四顿饭全连只吃了八十多斤粮食。

吃不进东西，一个连队顿时显得有气无力，再也没有力气行军。李狄三只得命令部队停下来。他把干部召集起来，商量对策。

干部也同样难受。李狄三苏醒之后，仍觉得有人在用一把很钝的斧子不停地劈着他的头。他看了大家变得很难看的脸，吃力地说："首先，我们干部得带头吃饭，不吃饭就行不了军，就到不了阿里。长征的时候是想吃东西没有东西吃，而现在是有东西吃吃不进去。每个人下去都要做战士的工作。我现在在此下一道命令，每个人每顿必须吃一碗饭，吐了不算，吐了再吃，每个人必须执行！"

炊事班老战士张长福是名四十四岁的老兵，李狄三把他找来，让他想办法弄顿大家都能吃进去的饭。张长福说他也正在想法子。

"你现在相当于一个指导员呢，这个连队现在就交给你了。你也看到了，吃不进东西，已行不了军啦。"李狄三说。

"俺一定想办法，股长你放心吧。"张长福用一口山东话应道。

当晚，炊事班烧了一顿姜片花椒稀饭，每个人都执行了李狄三的命令，硬往肚子里灌了一碗。

部队艰难地行进到乱海子。这里海拔仍在5000米以上，风云变幻，气候莫测，冰雪、风霜、严寒轮番进攻，再加之缺氧，全连人马早已疲惫不堪，生病的人员越来越多，马匹成批倒毙。尽管连里采取了措施，减轻人员负荷，并将马匹集中串赶，但好多人仍然走不了几步就倒下去，趴在地上，再也起不来了。

一周后，部队才到达阿塔木夏附近，这里的海拔已低了些，只有5000米左右了。大家感到好受了一些。不想半夜里下起了一场大雪，只半夜工夫，积雪就把帐篷埋掉了半截。千里高原，一片银白，不知道道路的高低深浅，也辨不出东南西北，人马在齐膝深的积雪里蹚着，寸步难行。但行进的队伍中没有一个人知道噶大克还有多远，不知道它是在天的边际，还是在地的尽头。

大家只好沿着山坡上雪浅的地方行进。而在高原上，每爬高一米，就难受一分。记得我在去阿里采访，抵达多玛兵站时，为了降低一点海拔高度，甚至把毡子和褥子铺在地上，搭了地铺睡觉。而那里的海拔才4700米。

队伍在山道上行进，稀稀落落的，前后拉开了好几里的距离。

到达一个无名达坂前，原本晴朗的天空，突然横空里出现一片阴云，翻卷着，涌动着，黑压压地积在头顶。

曹海林一见不妙，大声对身后的通信员王万明说："立即往身后传话，让大家加快速度，缩短距离，抓紧时间翻越达坂！"

谁知他话音刚落，一声闷雷便在头上炸响，闪电撕裂天空，扯碎云团，冰雹霎时间倾泻而下。队伍被打得七零八落，人仰马翻。走在队伍中间的李狄三抱着头，大叫道："往两头传话，让所有人拉紧马匹，找地方躲避！"

几分钟后，冰雹停了，地上明晃晃一片。

队伍重新集合时，竟有三十多人被冰雹砸伤，其中重伤七人。有两匹战马倒在地上，再也没有起来。

到了达坂顶，李狄三算是松了一口气。放眼望去，千里昆仑呈现出亘古以来的荒凉和悲重，沉寂千载的冰川雪岭显得圣洁而冷漠，叠嶂重缀的群山纵横骄狂，云雾相近，天地结合，宇宙混沌，成为一体。他感到这里的每一片落雪、每一星尘埃、每一粒沙石、每一缕微风、每一棵小草，都在显示着它的力量。

李狄三觉得事情还没结束，天公和昆仑似已串通一气，要惩罚这群胆大的闯入者。

队伍刚从达坂顶下到陡峭的山腰附近，暴风雪又来了。尖啸的狂风裹着雪团，挟着沙石，给任何被它卷起的东西以数百上千倍的力量，即使雪粒击在脸上，也像是利箭。大雪铺天盖地而来，顿时天地昏暗，日月无光。

曹海林摸索到李狄三跟前："他奶奶的，没个完了，这样大的风雪，你说咋办？"

"天寒地冻，风雪交加，停下来是等死，但继续前进更加危险。告诉大家，暂时停止前进！"

人马在山路上停下来，等待着暴风雪能够止息。

这时，突然传来"轰隆"一声巨响，一块巨大的石头从山顶滚落下来。陈信之一见那石头朝班长达进才砸来，猛地把他往自己怀里一拉。石头从他俩身边擦过，没有砸着人，却把驮电台的马砸到悬崖下去了。

曹海林听到那声轰响，立即赶了过来。"没事吧？"他顶着风雪大声问道。

"连长，完了，石头把驮电台的马砸到悬崖下去了。"达进才哭叫着说。

他说完，把皮衣脱下来，又解下枪支弹药，要跳到悬崖下去找电台。

"不要莽撞！"曹海林一把拉住他，"你去告诉指导员，让他和李股长先带队伍下山，把通信班留下，等风雪小点，我找到电台后再去追赶他们。"

电台是先遣连与上级联络的唯一工具。没了电台，上级没法指挥，先遣连的情况也报不上去，可以说，它在一定程度上就是先遣连的生命。李狄三让通信员通知曹海林，必须把电台找回来，他会让副连长来接应他们。

风已小了许多，雪还在不停地下，天渐渐暗了。曹海林让通信班的战士把绑腿和马缰绳解下来，接在一起。副班长张万才把绳子绑在腰上，要往悬崖下滑。达进才自己要下去，说电台摔到悬崖下，责任在他。

"这也怪不着你，只怪石头没有长眼睛。我个子小，身体轻，还是我下去吧。"张万才说着，已到了悬崖边上，顺着悬崖滑了下去。

二十多丈绳子放完了，人还没到崖底，大家只好把张万才又拉上来。

"离地还有多高？"曹海林问。

"还没有见底。"张万才一边喘着粗气，一边说。

"好了，大家先休息一会儿，等副连长来了再说。"为了安慰大家，曹海林故意把语气放得十分平和。

天黑后，彭清云气喘吁吁地带着一大捆毛绳赶了上来。张万才顺着绳子下到谷底，在齐腰深的积雪里摸索了半天，用了半个多小时才找到了摔死的战马和驮子上用毛毡裹着的电台。他正高兴，突然感觉不对，就在不远处，几只绿莹莹的眼睛正贪婪地盯着他。

他感到有些恐怖，揉了揉眼睛，才借着雪光看到了谷底堆积的、闪着磷光的白骨。千百年来，已不知有多少动物摔死在这里，成了狼的美餐。现在，它们显然是冲着那匹马来的。张万才抬起头，大声喊道："连长，快打两枪，有狼！"

这狼可能从没见过人，听到喊声，不但不怕，反而向他围拢过来。

有七只狼。

张万才一见，忙拔出腰里的匕首，准备迎战狼群。

这时，枪声响了，清脆的枪声在山谷上空回荡。狼群惊乍了一下，四处奔逃。张万才连忙把电台从驮子上取下来，背在背上。没想狼群逃跑了一阵又向他追来。他握紧了匕首，一边向悬崖底退去，一边大叫："快拉绳子！"

他被拉起来后，狼群也扑到了悬崖下面，那匹跑在最前面的狼跳起来，把他的皮裤扯了个洞。他急得骂出了一句脏话，随后又轻松了，说："狼崽子们，上来吧，上来吧！"

只听几声嗥叫，然后是它们撕扯死马的声音。

把张万才拉上来后，大家给他开了几句玩笑，就开始检查电台。除了有几处磕碰外，电台没有摔坏。

大家高兴得相互拥抱起来。达进才说："等从阿里回来，咱们得给这里烧几炷香，这么高的悬崖，电台还是好的，如果没有神灵护着，根本不可能。"

张万才往黑洞洞的悬崖边望了几眼。这时，他才隐隐有些后怕。

八、整个连队瞎掉了

这座山前不久才有了名字，是彭清云带领的侦察分队给起的。他们走到这里化装，换下军装，换上藏袍，把军装埋藏在这里，因而取名为"埋衣山"。

翻过这座山，先遣队看见了一片比梦境还鲜艳的草甸。草甸间点缀着几潭清水，几匹野马正悠闲地啃食着草皮。见到这支队伍，它们好奇地抬起头来，打量了他们一阵后，仰天长嘶几声，闪电般跑开去了，留下几团轻尘，一串蹄声，转眼就没了踪影。

行军至此，大家已从昆仑山的高山深峡中走出来，天地显得开阔了许多。

现在到了东昆仑和喀喇昆仑之间，虽然还没有走出昆仑山脉，却走出了那寸草不生的大荒之境。庞大的山系在这里闪出一片片宽阔的戈壁荒滩来。这片小小的草甸是大家很多天来看到的真正绿色，又有野马在此生息，大家就给此地起名"野马滩"。

队伍在草甸休整了两天。待他们继续出发，就开始进入到茫茫雪原。

雪不太厚。雪地行军，头顶蓝天艳阳，脚踏积雪冰滩，大家起先还觉得十分浪漫，加之强烈的阳光照在高原上，遍地都闪烁着耀眼的银白，像有无数变幻着的小精灵，每个人都感到新奇。他们不知道，雪光正在伤害着他们。

不久，他们的视力变得模糊，眼睛很快红肿起来，疼痛发痒，泪流不止。第二天就有人看不见东西；第三天，全连有多半人什么也看不见了。就连彭清云带领的，每天都要提前出发为部队探路、设营的侦察小组也只有拉着马尾巴前进。

行军的速度再也快不起来，有很多人因看不见路而被摔伤，加之雪地行军时有人冻伤，前进的代价越来越大。到了第四天，全连已找不出一个能够睁着眼睛带路的人。

整个连队都瞎掉了。

李狄三只好命令大家安营扎寨。

一个连队寸步难行，可不是小事。李狄三立即召集全体干部开会，让每个人想办法对付眼疾。

"这一定是一种流行的眼病。"

"要是这眼病把全连都弄瞎了，那可不是闹着玩的。"

"我还从没遇到过这么厉害的眼病，才三四天，一个连队全看不见了。"

大家议论纷纷，既担心，又害怕。

半天过去了，还没有一个人能想出有效的办法。唯一的法子也就是点眼药水。

卫生员徐金全根据李狄三的吩咐，把眼药水全部拿了出来，给每个人点上。这是连队最好的医治眼疾的药。但是，一点效果也没有。

大家不知道这是雪盲，是一种因眼睛长时间受雪光照射、刺激而形成的眼疾。防治它的方法非常简单，只要避免眼睛被雪光直接刺激就行——有一副墨镜就能做到。

连队有些恐慌。

发生的很多事情看起来太离奇，像是真的进入了神话中的魔境。

不能继续前行，连队的所有活动都只有摸索着进行，连白天黑夜也分不清了。

三十二岁的蒙古族老战士坎曼的眼睛红肿得像要溃烂的桃子，痛痒难忍，急得抓了一把雪捂在眼睛上，想止痛止痒。没想眼睛真的好受了许多。他捂了一会儿，感到眼睛的红肿减轻了。他高兴得用雪捂着眼睛，跌跌撞撞地跑去找李狄三，兴奋地说："雪能治眼病，雪能治眼病。"

连里马上推广了他的方法。每个人都用手抓了雪，捂在眼睛上。但这种方法只能稍做缓解，一旦雪地行军，眼睛很快又看不见了。

部队行军至中午，所有人的眼疾又犯了，大家走一截路，眼睛就看不见了，看不见后，又用雪捂一阵子才能继续前行。整个上午，走了没到十里路。李狄三只好命令大家停下来，继续想办法。

眼药水已用完了。

行不了军，曹海林有些急躁。"再这样耽误下去，就不能按计划抵达阿里。"他对彭清云说。

"我们上次执行侦察任务经过这里是六月份，雪已化了很多，没有如此大面积的积雪，当时眼睛也难受，但没现在这么严重，弄得大家都看不见东西。看来，这高原的确是风雪无常，我侦察返回时经过这里，还没积雪，现在才隔了二十多天，你看这雪原就堆得好几天走不出去。少数民族战士与风雪相处的时候多，不行的话，把他们召集起来，集体想办法。"

曹海林听了彭清云的话，摸着脑袋想了想，说："也只有靠他们了。"

民族战士占了全连近一半，大家分成几个小组，为制服这可怕的眼疾冥思苦想。

但没有任何结果。

阿廷芳的尿早就憋得难受了，但他想在自己的小组有了办法后才去撒，一个多小时过去后，他实在憋不住，就说："我先去撒尿，我看你们也和我一样笨，想不出什么高招。但愿我撒了尿回来，你们中间的某一位会冒出灵光，想出个法子来。"

达进才就开玩笑地对他说："我知道你爱憋尿，一件事情不干完是决不撒尿的，你再坚持坚持，说不定我们的主意就出来了。"

"就凭你那榆木脑瓜子，我这尿再憋三天，你也想不出个眉目来。"阿廷芳说着，就出了帐篷。

他摸到拴马的地方，撒了一泡尿，觉得很痛快。马匹听到尿响，都想挤过来舔食。有匹马就用尾巴毫不客气地在他脸上抽了一下子，抽得他脸皮发麻，忍不住喝了句"死牲口"，用手去抹脸上的马屎沫子。就在那当口，他突然想起小时候他祖父用黑马尾编眼罩遮雪光的事儿。

"真是'挖空心思没法子，得来全不费功夫。'"他高兴地当即扯了几绺马尾，摸索着编了几个眼罩。第二天，他戴着眼罩，在雪地里一试，雪光弱了，眼睛能够睁开了。

达进才高兴地说："阿廷芳那泡尿憋得好，他不憋那泡尿，那灵感怎么也不会有，我来给这先进的东西取个名字，叫'马尾雪镜'，你们认为如何？"

大家赞同。

最后大家戴着它，走出了雪原，逼近了死人沟。

后来，在先遣连走过的地方，留下了许多神话般的故事。人们传说，在苍鹰飞不过的地方，英雄的夏保能踏出一条通道；在别人生存不了的地方，勇敢的夏保能够歌唱着生活。

走出了雪原的队伍，半数以上的人被严重冻伤，所有人都脸上脱皮，嘴唇爆裂，口鼻出血，指甲下陷。这是典型的高山反应导致的症状。

由于马匹不停地倒毙，人员的负重量每天都在增加。但队伍仍在前进，仍在以生命和血性丈量那似乎永无尽头的长路。

没有人，没有帐篷，见不到羊群，也见不到炊烟。偶尔有藏驴飞奔开去，有羚羊跃过积着残雪的山冈。不时可见到野马和野牦牛的白骨，以及盘旋在天空的秃鹫。

越接近死人沟，头顶的秃鹫就会越来越多。它们像是已从这支队伍中闻到了死亡的气息。

大家明显地感到自己的体力越来越弱。没有人敢肯定自己能坚持到下一个宿营地。每往前跨一步，都像是在跨越自己生命的极限。

马匹也很少有能够走动的了，好多强壮的战马已走得皮包骨头，卧倒了就再难站起来。除了伤病员，好多战士宁愿自己走路，也不忍心骑自己的战马。骑兵变成了步兵。

有人摔倒了，再也不愿爬起来。只是用虚弱的声音吃力地骂着："这是……他娘的……什么……鬼路!"

一有人倒下，就会有无数的秃鹫骤然聚拢，骤然飞低，待把摔倒的人扶起来后，它们才失望地鸣叫两声，"哄"地飞开，然后往前面的死人沟飞去，等在那里。

九、死人沟

在阿里和喀喇昆仑的边防军人中流传着这样的顺口溜：

> 死人沟里睡过觉，
> 界山达坂撒过尿，
> 班公湖里洗过澡，
> 神仙湾上站过哨，
> 吼两声，再跳三跳。

据说能做到这几点，男人当是真男人，英雄当是真英雄。但这四件事都是不可贸然去做的。死人沟里睡一觉，可能就永远醒不来了；界山达坂上虽然撒下了一柱"高尿"，可能就再也撒不出第二柱了；班公湖海拔4300多米，在湖里洗澡，则可能魂归湖底；神仙湾是世界最高的军事哨所，海拔5380米，要到那里去站哨，则需要经过一番苦修，有所适应后才能完成。

"死人沟"的得名，据说是20世纪30年代，一个不小的向阿里进发的商队，夜宿此地，次日起床，竟有多数人没有起来。其他人见此情形，吓得赶紧赶了牲口往回返，由于他们对高山反应还没有多少认识，不知道同伴一夜之间猝死的原因，故而给这条沟起了这样一个可怕的名字。

这地方与它的名字是相符的。它是一段近百公里长的峡谷，地势复杂，气候异常恶劣，因为历史上有不少商队以及过往行人葬身于此，沿途白骨连片，成了一种特殊的路标。白天白骨毕露，伴以几声像从冥界传出的鸦啼；夜晚磷火闪烁，伴以几声凄厉的狼嗥，让人毛骨悚然。

可能是因为这里地势很高，又很狭窄，缺氧尤为严重，引发的高山反应也就十分厉害。即使现在，也常有驾驶员因窝车或遭风雪围堵，在此遇难。

先遣连进入死人沟后，却见峡谷两边的山并不险峻，路边还偶尔可见几丛金色的羊胡子草。但这只能让人觉得是大自然的恶作剧，甚至是某种含着阴谋的诱惑，它想使你麻痹，然后冷笑着，无情地置你于死地。

从野马滩开始，我开始沿着先遣连当年的足迹前进。数百余里"搓板路"早颠得我身体散架，魂魄零散，加之在甜水海生不如死的感受——那个地方既无甜水，也无海，只是一块宽阔的翻浆的盐碱地，有"不想活，甜水海边歇歇脚"的说法，我在一个不能歇脚的地方歇了脚，使我经历了生死考验，住到半夜，就起程往前赶。加之对死人沟的传闻了解得比当年的先遣连多，因此感到十分害怕。

当时先遣连并不知道那条沟叫作死人沟，他们走进去以后，看到一路白骨，也就给它起了那样一个名字。

路边的石头上蹲着秃鹫和乌鸦，只有它们显得悠然自得。

虽然死人沟里不能睡觉，但先遣连却不得不停下来，这近百公里路途，他们不能在一两天内走完。

宿营后，每个人都觉得喘不上来气，喉咙里像被什么东西紧紧的堵着。每个人都觉得难受，觉得不对劲，但不知是为什么。

曹海林找到李狄三说："股长，我觉得这地方不能宿营，像是有让人窒息的瘴气。头痛也加剧了，好多人流鼻血。一会儿工夫，就死了好几匹马，都是吐着吐着血，就倒地死了。不行的话，就连夜行军，到个低凹的地方再休息吧！"

李狄三喘不上气，说话都显得吃力，为了减轻头痛，他一边用布条缠着自己的脑袋，一边说："我也感到不适加剧了，可说是出征以来最厉害的。我同意你的意见，让部队做好夜行军的准备，十分钟后出发，等走过了这有瘴气的地方再宿营休息。"

先遣连的每一位官兵都在肉体和意识上承受着最大的痛苦。

夜间气温骤然降低，大家即使穿着皮衣皮裤，不停地走着，也冻得受不了。战马则被冻得不停地嘶鸣。

在喀喇昆仑和阿里，有两大人类无法解决的难题：零下四十多摄氏度的严寒，低于海平面百分之六十的大气含氧。这两者像一把张开的巨型剪刀，闪着锋利的寒光，高悬于每一个前往那里的人的头上。随着海拔的爬升，剪刀口也就渐渐咬紧，准备在任何一个瞬间，"咔嚓"一声，像剪掉一根充满生机的树枝一样，让一个生命在来不及呻吟一声的情况下倒地，成为一具僵尸，成为秃鹫的美餐，成为荒凉高原的一具白骨。

大家感到，在这高原上，一切顽强的生命都会变得像玉一样易碎。

贡布大校是先遣连幸存至今，且一直生活在阿里的老英雄。他告诉我，在新藏线上，即使现在也经常可以见到在雪野里抛锚的汽车，走过去一看，驾驶室里的人看起来好好的，像是正在睡觉，睡得还很安详，待拍拍他们，却没动静，拉一拉，就会从车里直僵僵地倒出来。

他们就是因气温骤降，车又坏了，没法前行而被冻死的。

现在看来，曹海林他们当晚没有宿营是有幸逃脱了死人沟的惩罚。有了昨夜严寒的可怕体验，官兵们更不敢在这条可怕的沟里停留。每个人都想尽快逃离这里。

每个人都像酗了酒的醉汉，摇摇晃晃地走着。突然，走在前面的彭清云听见了一声冰河断裂的声音，他看了一眼身边的雪山，大叫一声："快跟我跑！"

刚打马跑回十几米，挡住后面的队伍，就看见积雪开始崩塌，从山顶轰隆隆狂泻而下，好像整个山体在崩裂。大地颤抖起来，冰雪飞泻而下，击在地上，雪沫冰屑再腾起来，飞出很远，惊得好几匹战马乱叫乱跳。

彭清云和他侦察小组的成员脸色变白后，又变黑了。半天，彭清云才低声骂了句："真他妈悬，都摸到阎王爷的鼻梁子了。"

一句话说得大家都笑了起来。

绕过雪崩塌下来的积雪后，气温又上升到了二十多摄氏度。热得大家脱了皮衣脱棉衣，最后连穿着单衣都觉得热。这样的气温极易发生刚才那样的雪崩，所以不能傍着雪山走。另外还容易让积雪大量融化，融化的雪水四处横溢，使本就坷坎不平的道路更加难行。

冰河的水位也涨高了，测不出深浅，为了保证大家渡河，曹海林决心给大家蹚路，他骑马冲进冰河里，刚到河中间，马的身子就猛地沉了下去，河水一下淹到了他的胸部。马在冰河里受了惊，把他从马鞍上掀下来后，自己冲到对岸去了。

曹海林生长在云南，识些水性，虽然河水把他一直朝下游卷去，但他并不慌乱，一边顺水游着，一边寻找上岸的机会。

无奈河水太急，他好几次想游到岸边，都没有成功，刺骨的河水使他浑身渐渐麻木起来，他觉得手脚越来越不听使唤。

岸上的官兵非常着急，一边策马顺河追赶他，一边设法救他。关键时候，彭清云骑着“黑流星”冲了上去，把马缰绳甩给了曹海林，曹海林接住后，彭清云把他带到了岸边。

曹海林已冻得浑身发乌，大家给他又揉又搓，他则往口里一连甩了好几个辣椒。

从那以后，他的双腿常会痛得没地方搁，而谈起那次体验，他总是笑着说：“从没想到冰河里的水会那么刺骨，落水之后，第一个感觉就是骨头在上冻，‘吱吱啦啦’地直响，然后就是感觉牙疼，那种疼特别难以忍受，别的感觉就体味不到了。桌面大的冰块一次次撞击着我，好几个地方被冰块刀锋样的棱角撞伤了，渗出了血，我觉得是水中的鱼在咬我，并不觉得痛，只觉得有点痒，有点麻。到后来，连牙痛和鱼咬我也感觉不出来了，身体仿佛已离我而去，脚变成了鱼尾巴，似乎可以在水里自如地摆动；头脑里也轻飘飘的，好像里面只有云彩，身体一下很轻，像是得道成仙了似的。”

从一个河面开阔，水势变缓的地方渡过冰河后，队伍又走了一个下午，终于在暮色中看见了界山达坂。

作为一种高度，它冷峻地横亘在那天地之间。

十、夜与血

公路两侧的松木希错和戈木错像高原睁开的眼睛，蓝汪汪地望着这支远征的队伍，带着母亲般怜爱和担忧的神情。

喀喇昆仑山脉的儿子东罗克宗山浑身沾着风尘和落雪，踮着双脚，站在距界山达坂不远的地方，想看看达坂的另一面有些什么，它像一个刚想爬上院墙要看邻居家情景的孩子。

小小的芒错像一滴泪。先遣连在芒错旁停下来。走出了死人沟，他们准备好好休息一下，以迎接界山达坂的挑战。

界山下空旷的山谷里燃起了几堆篝火。大家望着界山在夜色里高耸的剪影，想着爬过这座达坂，就到了阿里。虽然两天一夜连续行军，却没人感到劳累，大家坐在篝火边，或躺在帐篷里，聊起了天。

“班长，解放阿里的任务咋这么难，咱们完得成吗？”

“爬过界山，就是阿里，到了阿里，我想没问题，何况这么大一个中国都打下来了，这一块江山有啥难的？”

“唉，也是，我在华北当兵后，就不停地打仗，打啊打，打日本，打老蒋，从华北打到西北，现在又打到阿里。待解放了阿里，就不会再有仗打了，就可以安稳一些了。”

“那时，就该解甲归田了，种地，孝敬老娘，娶个媳妇，享享太平。”

“你小子不守边了？打下江山来，还得守住才行。这是一直要往边境开进。唉，排长，你学问大，知道阿里边境挨哪个国家吗？”

“叫印度。”

“哦，原来是印度呀，我知道，不就是唐僧去西天取经的地方吗？哦，排长，我们这是在往西走哇。那印度应该比这儿还高，它不是在西天嘛。”

“那是神话。要说高，我觉得我们走的地儿才是最高的。”

“那我们是在往天上走哇，难怪咱这么难受。喂，听说这界山高达一千八百多丈，恐怕孙猴子的筋斗云也难翻过去，凭我们这肉体凡胎，爬得过去吗？”

“这么多大山不都爬过来了嘛，不要说泄气话。”

“排长，我总怕自己爬不过去了，老觉得这口气不够用，人不就活一口气么。”

李狄三听着大家的话，有些感动。他想起了自己远在河北的母亲、妻子和儿子五斗。他有些激动，不知不觉中，不禁滚下两行热泪来。作为进藏先遣连的总指挥，他的这份情感只能在私下里流露。为了让大家，也让自己轻松一下，他拿出短笛，吹起《兄妹开荒》。

山谷一下静了。只有夜风及野牦牛粪和白骨燃烧时的声音。《兄妹开荒》那热情、欢快的旋律荡漾开来，像在沉闷的池水中放入了一群欢乐的鱼儿。

因为氧气不够，这首曲子李狄三吹奏得很吃力，但他坚持把它吹奏完了。吹奏完后，他喘了好久的气，心里的憋闷才舒缓了一些。

大家一齐为他鼓掌。受这首曲子的感染，大家一首接一首地唱起了军歌:《大刀进行曲》《保卫黄河》《游击队队歌》以及从战斗和生活过的地方学会的民歌，直唱得筋疲力尽，才尽兴休息。

东方晨曦初露，把界山从夜幕里剥离出来。它横亘天地的面目显得更为狰狞了。

十一、界山，天地之界，生死之界

界山，既是新藏之界，也是天地之界。

一边是喀喇昆仑的大荒之境，一边是阿里地势开阔的纯净天地，南边的天空湛蓝如湖，北边的天空则灰暗浊黄。

自普鲁卡子到界山达坂，约六百公里，是真正的无人区。这无人区形成的隔离带，成了人种、民族、宗教的天然界限。

一边是至上的真主，一边是慈悲的佛。

现在，“界山达坂”的石柱立在苦倒恩布达坂，即红土达坂上。五彩的经幡在它周围飘扬着，石碑上刻着：界山达坂 6730 米。

字用红漆描过，显得十分醒目。凡经过这里的人，总不相信这样的高度，总要上去仔细看看，而这高度却真真切切。

新藏公路，即国道 219 线就从这里通过。

此处，是世界公路通道的最高点。

从地图上看，界山达坂应在 219 国道六百公里处，它才是真正的新藏交界处的达坂。它与死人沟并无多大的地势差异，所以常不被人留意。而通常所称的“界山达坂”，就是军用地图上的苦倒恩布达坂。因其最高最险，当年先遣连也将界山达坂定位在这里。

把石柱栽在这里的，据说是个汽车兵。这石柱不立在真正的界山而挪到海拔最高处，就是要让它成为只有英雄才能越过的高度，就是要告诉人们，只有战胜这样的海拔高度，才有资格被称为英雄。

这样的高度，对每一个探险家来说，都是一个梦；对每一个军人而言，都是一种骄傲。

因为阿里的苦、险、美、奇、纯、净，盖因其海拔之高。

海拔高度，既是大地的高度，也是一种精神的高度。

不管你是当年的远征官兵，还是猎获风景的旅行者；不管你是大地隐秘的探险者，还是前往神山圣湖的朝圣者；即使是为了生计的游牧者、逐利者，要抵达这块天空中的高原，都无一例外地需要一种勇敢无畏的精神。而当年，先遣连的官兵靠着双脚翻越这样的达坂，光有这种精神还不够，他们还得有随时献出生命的准备。

先遣连已在世界屋脊的“生命禁区”中艰苦跋涉一月有余，早已人困马乏。由于有彭清云在侦察时积累的一些经验，还没有人员死亡的情况发生，但伤病员却已很多，且每天都在增加；战马已倒毙六十余匹。情况不容乐观。李狄三让彭清云在前面探路，李子祥负责收容，要尽可能让每个人平安地翻越达坂。

雪线就在出发的地方。积雪越来越厚，天气晴和，没有一丝风。

世界静默着，睁着眼睛，看着这支队伍。

呼吸声如此粗重，如牛的喘息，每个都大张着嘴，像被抛在旱地上的鱼。战马的喘息声则像有几百架风箱在“呼呼”地拉着，它们也大张着嘴，白沫直往下淌。

一个多月的高原跋涉，已使官兵对高山反应适应了一些。即使是现在，如果直接把人拉到界山达坂底下，又没有任何预防因高山反应带来的高原病的措施，而直接翻越这样高的达坂，都是非常危险的。

离界山达坂不远的红山河机务站曾有一名通信兵，前往界山达坂下查线，他上杆排除线障后，下到离地只有一米左右的距离时，他从杆上跳了下来。这一跳，使他再也没有站起来。在高原上，再顽强的生命也是不堪一击的。

张长福爬着爬着，就一头栽倒在雪地里。大家把他抬到马背上，他又好几次摔下来，自己却不知道。醒过来后，为了让照顾自己的人去帮助其他病号，他就用绳子把自己绑在马背上。

彭清云走在最前面。为了减小后面人员的行进困难，他和侦察小组的成员尽量把齐膝深的积雪踩实。他已不忍心再骑“黑流星”。这匹骏马已十分瘦，没有了良马神骥的风采。彭清云牵着它，它只是低垂着头，力不从心地跟在主人后面。

走着走着，它的身体忽然抽搐了几下，前腿下跌，跪在雪地里。

彭清云忙回过头来，要扶起它。它看了主人一眼，眼里流出泪来，像是在说：“我不行了。”

彭清云用袖子擦去马脸上的泪，说：“伙计，站起来，翻过界山，我们就胜利了。你一定要活着，我把你带进来，还要把你带回去。”

“黑流星”像是听懂了，它支撑着，重新摇摇晃晃地站了起来。但它站了好久，才迈开了步子。

不久，它又口鼻出血，鲜血呼呼地直往外涌，滴落在雪地上，如刚刚绽放的梅花，显得十分夺目。

彭清云知道这靠近达坂顶的地方是最危险的高度，不能轻易停留，一旦坐下，可能就再也起不来。他就用手蘸了马血，在雪上写了几个耀眼的字：决不能停留！停留意味着牺牲！

他以为这马血是“黑流星”对连队的最后贡献了，心中十分难受。他抚摸着马脖子，伤心地说：“再往前走走，马上就要翻过达坂了，翻过了达坂，你就到了阿里。我相信，到达阿里才是你的心愿。”

“黑流星”无力地抖动了几下自己的长鬃，果然迈开了步子。它的血一直没有止住，一直流着，让那梅花一直向前开去。

曹海林架着李风云，如架着一具铁坯子，十分沉重，每往前走一步，都非常吃力。李狄三拄着一根野牦牛的腿子骨，从后面喘着粗气赶上来。他找了一根绳子，捆在李风云腰上，然后再把绳子的一端拴在骆驼的驮子上。这样，只需有人扶着李风云，让骆驼拉着他，他就可以从骆驼身上借些力。曹海林一下轻松了许多。

越靠近达坂，人的痛苦越甚。那些背着重病号的人们再也走不动了。他们就把牛皮放在雪地上，再把病号放上去，让马拖着走，颇有些像简陋的马拉雪橇。

每隔不远，就有倒毙的战马，每有战马倒毙，总会招来成群的秃鹫。

但每个官兵都顽强地支撑着，不让自己倒下，不让自己成为秃鹫的美食。

徐金全腿肿得穿不进裤子，根本就走不动路，他就在骆驼驮子上拴根绳子，拉着绳子往上爬。好几次他都觉得自己不行了，坚持不下去了，就在心里对自己说：“我不能没进阿里就倒下，即使死，也要爬到阿里境内去死。”他就靠着这样的信念，到了达坂顶上。他喘不上气，哪有说话的力气呀，他却准备给大家说段快板鼓鼓劲儿。

李狄三爬上来后，他对李狄三说：“股长，我走到了达坂顶上，我能到阿里了，但我现在实在走不动了，你先下去，我坐这儿歇一会儿，顺便给大家鼓鼓劲儿。”

李狄三说：“我等你一起走。”

“你先走吧，股长，这儿待着难受，你不走，我就不说。”徐金全一边摸着竹板，一面说。

李狄三见他这样，只好往前走去。他觉得天似乎更低了。周围再没有高山，好多峰峦已在脚下。云雾在山腰涌动，降下些雨雪后，又无声无息地散了。

徐金全蓄了蓄力气，因为站不起来了，他就半跪着打起了竹板。搞得每一个经过他身边的人都一边听，一边抹泪，心想，他这是在拿自己的命给大伙鼓劲儿呢。他却一遍又一遍地唱起来：

昆仑山，插上天，
冰达坂，鬼门关，
进军阿里不怕难。
心中自有英雄胆，
迈开大步向上攀。
个个都是真好汉，
界山踩在脚下面。
……

徐金全一直坚持到李子祥带领收容队上来后，才停下来。他已好几次吐血，每次吐后，他就马上用雪掩上。最后，他跪着的腿失去了知觉，裤子和冰冻在了一起。他再也没有力气站起来，队友只好把他绑在骆驼背上，由骆驼驮下达坂。

下达坂就容易多了，好多人把武器一抱，就朝达坂下滑去。

“黑流星”坚持走到了达坂下面。它的血似乎已经流尽了。它倒下去后，没有动弹一下，就死了。彭清云拔出匕首，按照骑兵的规矩，割下了两绺“黑流星”的马鬃，准备一绺留给自己，另一绺有机会的话，带给何家产。

曹海林后来回忆说：“人只要有这口气，就没有什么能难得住的。队伍就那样齐刷刷地过了界山，由于大家相互帮助，相互鼓励，没有牺牲一个人。后来到两水泉搞总结时，我就说，先遣连是咱们连的共产党员背过界山的。我至今也还记得徐金全的快板词。1952年，我被诬为反革命，关在喀什的牢里，我就是背着他的快板词鼓励自己活下去的。”

翻越界山的那天是1950年9月9日，先遣连已进入了阿里的境内。

9月15日，他们到达两水泉，在那里建立了第一个转运留守据点。当天，先遣连将这一消息电报独立骑兵师，何家产收到电报后，喜出望外，当即报告了左齐。左齐高兴地说：“好啦！李狄三他们，到底坚持到了这一天！”

王震于9月17日电勉先遣连全体官兵后，亲拟电文，向中央和彭总报告了这一喜讯：

彭总并党中央：

我一兵团独立骑兵师进藏先遣连136人，经过45天艰苦行军，经越海拔5000米以上的昆仑山区，于本月9日翻过新藏交界处之界山达坂，到达西藏阿里噶本政府所辖改则地区，行程约计1300华里，并于本月15日在改则境内建立第一个据点。该连在两水泉短暂休整后，将留少数人员留守此地，就地转入侦察情况，寻找藏民，发动群众，其余大部将继续向噶大克推进。

王震

1950年9月17日

彭德怀收到王震的电报，当即用湖南话说：“好啊，到底是王胡子带出来的部队，中央可以放心了！”

十二、关于阿里

初入藏北，呈现在大家眼前的是无边胜景：一片片金色的草地像孩子的皮肤一样新鲜干净；一潭潭湛蓝的湖水则像初入人世的眼睛；重重叠叠的山峦像是波涛起伏的沧海；弯曲蜿蜒的冰河则如袅娜缭绕的白色丝绸；一群群黄羊争相追逐，长鬃的野马群梦一样掠过，又梦一样消逝。整个高原都好像在以兴奋的心情欢迎这群陌生的、远道而来的客人。

面对这像是刚刚降生的高原，大家的心情格外激动。

在西藏一百二十多万平方公里的土地面积上，阿里占了四分之一，是我国面积最大的行政专区之一。它北连新疆，东接后藏谷地和羌塘草原，南邻印度、尼泊尔，西濒克什米尔地区。现辖普兰、日土、札达、噶尔、革吉、措勤、改则七县。当时进藏先遣连的使命，不仅是要进军阿里，还包括现在的那曲部分地区，即藏北大部。但那曲是广阔的无人区，所以目标主要在阿里。

藏语称藏北高原为“羌塘”，意为北方平原，有“千里羌塘”之说。其实，它远非千里，其面积总计达六十余万平方公里。

人类开始于16世纪的大探险时代，使我们居住的这颗行星渐渐显露出了完整的面貌。而其后几百年里，地球表面最高、最大的陆地的神秘面纱，却一直没能被揭开。直到20世纪初，它的面目才渐渐变得清晰起来。

世界最高海拔的山群几千年来忠实地环护着它，东面的横断山脉山高谷深，南面的喜马拉雅摩天接地，西面的喀喇昆仑冰峰连绵，北面的昆仑山脉苍莽荒凉。由于它们的四方环护，西藏成为人类对大地认识中最后被攻克的堡垒，为人类保存了一份完整的、没被渗透的、本原的文化、生存和信仰图象，也使我们至今还能看到保存完好的自然界和人文界的原初风景。

藏北高原是青藏高原的主体，也可以说是高原上的高原，相对于邻近地区，它显得更加高拔、寒冷和开阔。

第一个踏上藏北高原的探险家斯文·赫定，是“以死为侣”，穿越那“大片白地”的。当他历经数月，抵达日喀则时，上路时的一百三十头牲口，只剩下了两匹马、一头骡。作为探险家，他收获巨大。他宣称：“每走一步，对于我们关于地球上的知识都是一种发现，每个名字都是一种新的占领。直到1907年1月为止，我们对行星面上的这部分与对月球背面同样一无所知。”

古代有句名言：来了，看见了，就征服了。但对于藏北高原，时至今日，对于任何一个人，也只能说，来了，看见了，就满足了。

翻越昆仑山，进入藏北的人已屈指可数，而作为一支远征的部队，在对这里的了解接近于一无所知的情况下成功抵达，在此之前，未有所闻。抛开军事上的目的，进藏先遣连的行动可以说是一次集体的探险。

当年斯文·赫定数十天后才看见人烟，先遣连也是在10月中旬才找到第一户藏民的，整个连队自出征以来，也有七十多天没见到人烟了。

当时所要进军的噶大克也还只是东印度公司在地图上标上的一个英文名称。

在那一大片空白中，先遣连每行进一天，就在地图上描一段红线。那地图上没有标出山脉、沟谷、河流、冰川，队伍唯一的依凭就是指北针。如果没有它，这支队伍就只有在这广阔高原上乱闯一气。

阿里曾有灿烂的象雄和古格文明。汉史载，象雄有大、小“羊同”之称。后更名阿里，是指疆域和臣民，本意是赞普嫡系后裔之疆域臣民。但自从古格灭亡后，这里的人口就减少了。原来距札达县不远的古格有十万之众，而今天的札达全县也仅有四千人口。

因此，20世纪初或50年代初，在藏北高原难见人烟也就很正常了。

但作为“千山之巅，万水之源”的阿里高原，却是藏民族历史的先河，是象雄文化的发源地，有着悠久的远古文明，灿烂的民族文化。不光是探险家、人类学家、民族学家、考古学家以及作家、艺术家都能在各自的领域中有新的发现。探索者们已在这个古老的土地上发现了三趾马、热带彼型化石，发现了普兰县的巨树化石、日土县的旧石器和散布各地的大量岩画；还发现了古格王朝、多香、香九、达巴等遗址，和普兰的穹窿银城堡、猛虎城堡、门香老鼠城堡、麻邦波磨城堡，以及普兰古商道和贡不日寺等。发现它们并不难，但要研究它们，从各个方面揭示出这个高原的文化、历史、宗教内涵，却不是易事。

时至今日，人们对这片土地的认识更多的是凭着各自的想象，还相当肤浅。即使有一些著述，也只是作了表面的描述，没有多少内在的、本质的理解。这可能只有无数博学者穷其一生，潜心于阿里，才能做到。

阿里的重要象征是古格遗址。它曾存世七百余年。在此之前，这里由象雄雄踞。法国学者杜齐教授认为："象雄与印度喜马拉雅接界，很可能控制到了拉达克，向西延伸到巴提尔斯坦（巴基斯坦）及和阗，并把势力扩展到羌塘高原。总之，包括了西藏西部、北部和东部。"象雄已成为藏学之谜，所以，对于它的疆域自然也有各种说法。才让太则根据朵桑旦贝见参的《世界地理概说》，给象雄的位置和它的四邻勾画出了一个大致的轮廓。他认为象雄最西端是大小勃律，即今克什米尔。从小勃律向东南方向沿着喜马拉雅山脉延伸，包括今印度和尼泊尔的一部分领土，北邻葱岭和田，包括羌塘，但东南的边界还不太清楚。除了所辖地域，还有它的上限时间、宗教文化、语言文字，以及在藏文化中的地位和影响等，都还是未解之谜。

只是古格王朝建立者，当年的落难王孙，末代赞普沃松嫡孙贝考赞之子吉德尼玛衮来到这里时，象雄本土已熄灭了昔日光焰，象雄十八王的遗风荡然无存。席卷藏地的硝烟烽火远未殃及此地，土王们各据一方，相安无事。

吐蕃帝国一度曾威震长安，称雄中亚百余年，到公元9世纪中叶，却已是日薄西山，穷途末路。这时赞普朗达玛发动了禁佛运动，他封闭佛寺、破坏佛像及寺庙设施，大量焚毁佛教经书、迫害佛教僧人。公元842年，他被佛僧拉隆·贝吉多吉刺杀。之后，吐蕃王朝四分五裂，而席卷全藏的奴隶、平民大起义，终于动摇这个王朝的社会基础。贝考赞在后藏娘者香保地区被奴隶义军擒诛，吐蕃从此崩溃。

吉德尼玛衮在苍凉秋日中奔逃了数百余里，来到了切玛雍仲。他乱发纷披，衣冠不整，心境苍凉，一脸风尘，双目茫然。一行数十骑暂且中止了仓皇西逃，聚拢来凄然作别。

雪野残破，寒风肃杀。两位护送王孙西逃的白发老臣该踏上归程了，他们双双向王子施礼后，为王子的平安祈祷。然后，老臣向巴措尼多吉手牵一骡，说："王子，此行千里，其路迢迢，微臣仅有骡一匹奉上，可作乘骑，以备不时之需。"

另一老臣觉绕帕夏拉勒双手捧一狼皮，说："王子，此行千里，其路迢迢，千难万险，微臣仅献狼皮一张，日里可为坐垫，夜间聊御风寒。"

吉德尼玛衮听罢，早已泣不成声，泪流满面。良久，才哽咽着对两位老臣说："吾在上部（指阿里）倘能掌权，汝等二位可有站起之日。"他当时这样说，只是想安慰这两位老臣，意冷心灰的他哪里敢再做帝王之梦？没想到，正是他，揭开了古格王朝的序幕。

他西逃到普兰后，高贵的谱系为当地土王扎西增认可，因此做了扎西增女婿。他从此绝处逢生，柳暗花明，继承了扎西增的基业。他后来有了三个儿子，他封长子贝德衮管理湖泊围绕之地，次子扎西衮掌管雪山围绕之地，三子德祖衮统领古格土林围绕之地。另一种说法是封地的选择以云彩形象为标志：大儿子选择了云彩汇集处的普兰，二儿子选择了云彩弯变处的古格，三儿子选择了云彩最高处的玛隅。这就是普兰、古格和拉达克三个王朝。也是"阿里三围"的由来。藏族历史称其为"三衮占三环"。三衮即三王，所谓三环，即是对这三地的形象化说法：普兰是雪山环绕之地；札达是土林环绕之地；日土是湖泊环绕之地。

古格直至三百多年前还是西藏宗教文化中心之一，有人将它称之为“精神王国”。古格历代国王注重弘扬佛法，追求善和爱，但对善与爱的长期追求也使这个王国早已钝了外向锋芒。在1635年拉达克人入侵时，国王因为不忍军民的牺牲，请降以求和平，结果，国王和臣民的人头尽皆落地。从此以后，阿里开始衰落，时至今日，仍有广阔荒凉无比的无人区。

那天，我从改则来到阿里军分区驻地狮泉河镇。这座荒原小城扑面而来的现代气息，让人感到工业时代的现代气息已无处不在，这对数千年来封闭着的高原来说，自然是一种进步，因为，它听到了现代文明的脚步声。

我原以为这里就是当年先遣连进军的噶大克，一问，却不是。当时的噶大克即噶尔昆沙和噶尔雅沙，其地处噶尔县，分别为噶本政府的冬、夏驻地。它是当时阿里的首府，藏地称其为“堆噶尔本”，后改称“噶大克”。但直到20世纪50年代初，噶尔本留在噶大克的官邸还只有几间夯土的破旧房子。那些低矮的土屋子至今还完好地保留在那里。

西藏和平解放后，阿里分工委、专员公署的所在地均设在噶尔昆沙，1967年经中央人民政府批准，阿里的政治、经济、文化中心才转移到狮泉河。至搬迁之时，噶尔昆沙也只有一个大院落，内套分工委、行署、军分区、贸易公司等若干小院，房间狭小得只能放下一张单人床、一张铁桌及一只铁皮火炉，要放一把椅子都难，只能放一张凳子，但土质墙却厚达一米。

古代阿里最早可查的名称为“羊同”；到吉德尼玛衮开创古格时代后，又称“领域三部”；而在民间传说中，则认为在甘丹才旺之后，才明确地出现“阿里三围”的说法。

如前所述，拉达克王朝和古格王朝的创立者本是亲兄弟。但三弟德祖衮选择了在北方玛隅建立起拉达克王朝后，由于相隔遥远而与两位哥哥交往渐疏，终至后代反目成仇，屡动干戈。17世纪30年代灭古格后，举兵东进，侵犯后藏，达赖政权不得不出兵反击。

当时的甘丹才旺是清朝敕封的西藏地方最高行政长官蒙古汉王的兄弟，也是出家僧人。应召出山时还了俗，亲率三千蒙藏骑兵西征。由于军功，他成为阿里人有口皆碑的最著名的英雄人物，他的传说堪与格萨尔王相媲美。

甘丹才旺骁勇异常，只三场战役就使拉达克人落荒而逃。逃回列城后，侵藏的将领正召集残部，甘丹才旺从噶尔的扎西岗一箭射中了该将的头盔。有人问你是神还是人，甘丹才旺说，我是人，但衣冠穿戴与众不同。于是，拉达克人纷纷模仿其穿戴，直到现在。

甘丹才旺的第一场战役在雪山环绕的普兰，歼敌像“拔一根汗毛一样”容易，所以普兰也就是一根毛之意；第二场战役在岩石环境的札达(札布让)，歼敌则像“拔一根草一样”容易，所以札布让的意思就是一根草；第三场战役在湖泊环绕的日土进行，歼敌较为困难，像“啃骨头”一样，日土的意思就是啃骨头。臣服的拉达克人送来许多杏干，甘丹才旺又转呈藏政府，拉萨人以为是阿里所产，便给此地取名“阿里”，意思就是甜山。

“阿里三围”的另一个解释是“三座佛塔”。据说是阿里百姓与屡屡进犯的拉达克人不共戴天，杀死无数拉达克俘虏。在普兰多油乡，建有三座佛塔，至今残存，名“崩莫切”，意指塔下埋十万人，为亡者超度。

光复阿里之后，当时的西藏地方政府在此设立了正规的行政建制。甘丹才旺是第一任噶尔本。按照西藏政教合一的政权体制，噶尔本是一僧一俗，这些官员品级虽为四品，但在阿里任职也只能住帐篷。

阿里首府从噶尔昆沙迁到狮泉河时，这里荒无人烟，只有沿狮泉河两岸丛生的红柳。当时全镇是按八百人的规模设计的，拥有一口井、一座商店、一间发电房，一台 84 千瓦发电机。整个狮泉河最高的建筑，就是军分区哨楼，两层。所有的房子都是土坯房。狮泉河周围的沙土没有黏性，战士们就把牛屎马粪装在麻袋里，在河水里把粪漂走，留下草渣草末，把它与白灰和在一起抹墙，抹出的白墙引得四面八方的老百姓前来参观，说这真是不得了哇，能住上这样的房子，共产主义就算实现了。

现在，阿里有了漂亮的楼房，有了太阳能、热电站，有了电视台，有了卫星电话，有了出租车，有了其他内地城镇具有的设施和特征。

但对于当年刚刚进入藏北的先遣连，面临的主要困难首先是要找到人。

这是他们从没想象到的一个难题。他们以前也从没遇到过这样的难题。

他们没有想象过世界上竟会有人烟如此稀少的地方。这使他们因抵达藏北而产生的愉快心情一下变得焦虑起来。

十三、无人区

为了寻找藏民，连里组织了两个侦察组，分头出去寻找。彭清云所带的侦察组已在外面奔波了十几天，风餐露宿，找遍了一片片草原，一条条山沟，却连一个藏民的影子也没见到，彭清云最后希望能在天公湖见到他们侦察到此时见过的牧民，哪怕是改则本的官员和藏兵也行，没想到了天公湖后，他们也没了踪影。那里已一片寂寥，空空荡荡，好像数月前他们所见到的人只是一个幻象。

这些长出土地不久即开始变黄的疏浅牧草，仍然顽强地铺展在那里，搭过帐篷的痕迹已经陈旧，牛粪已经枯干，变成粉末。风一阵阵地吹过来，不急不愠，有些幸灾乐祸。天公湖也像在笑着，是嘲笑。九月正午的阳光热乎乎的，蝇虻不停地袭击着彭清云和他胯下的马。他烦躁不安，一边大声喊叫着“人哪——人哪，老乡——老乡”，一边打马飞奔开去。

显然，老乡们已游牧到了别的地方。

他有些沮丧地停下马来，问紧跟身后的翻译乔德录：“上次我们侦察到此，有名年纪较大的牧民唱着一首非常优美的歌，我听你也在哼哼，你现在还能记起那首歌吗?”

“能。”

“那给我唱唱，再说说歌词的意思。”彭清云想用这歌声驱赶心中的烦躁。

乔德录就唱了，然后说：“这可能是阿里的一首民歌，它的意思是说——天地来之不易，就在此地来之。寻找处处曲径，永远吉祥如意。生死轮回，祸福因缘，寻找处处曲径，永远吉祥如意。”

“还挺深奥。既然天地都来之不易，我们的这点困难也就算不了什么，先回去吧，有草原的地方，总会有人的。”

侦察分队就在夕阳里往两水泉返。

夕阳给大片荒山洒上了血色，它们在晚光里颤动着，赤裸裸地，不动声色。

彭清云不死心地再回头看了一眼天公湖。仍旧只有从冈底斯山脉吹过来的风，漫不经心地掠过湖面，消失在远处苍莽的雪山底下。远远地看见湖水波动，像有无数的人隐在水面下喘息，彭清云在心中祈求道：“你们，老乡们，都出来吧。”他吐出只有柔子草和已经变凉的湿土气味的空气，不得不失望地驱马离开。

李狄三等待着彭清云能给他带来好消息。但一见彭清云的神情，他就明白了。他拍了拍彭清云的肩，安慰道：“没事儿，会很快找到老乡的。这里太靠北了，非常荒凉，老乡自然会少，加之现在已是十月初，很多老乡都已转场了。”

连里又组织了三个侦察组，分头出发，多方寻找藏民，结果仍然无功而返。紧接着开始了第三次、第四次搜寻，规模一次比一次大，范围一次比一次广，参加的人数也一次比一次多。最后，除李狄三、陈信之带少数几个伤病员留守两水泉外，其他干部每人带一个小组开始寻找。

急躁的战士已发开了牢骚。巴利祥子在马上对曹海林说："连长，上级叫我们来解放阿里，可出来几十天了，连根人毛也没见着，我们解放谁呀，我们离大部队已有四十多天路程，这样下去，最后恐怕连自己的处境也会非常危险。"

"给你说句实在话吧，连长，因为见不到老乡，我一出大石峡，心里就发慌了，我私下里就直犯嘀咕，咋没人烟呢，啥都缺过，哪缺过人烟呢，人世人世，有人才叫人世呀。这样想，我都觉得自己不是在人世里的。不是荒原，就是雪山，不是雪山，就是荒原，你说叫人多着急。但当时有个信心，就是走到阿里总会有人烟了吧，没想现在，全连都出来找，也没找出一个人来。"达进才情绪更为激动。

曹海林听着他们的牢骚，笑了笑说："这是我们的国土，没人咋了，没人就不解放了？我们自己不是人吗？解放解放，不光是解放人，还要解放这块土地。要是这里一直没人，你们俩以后复员了，我看都可以留下来，巴利祥子办个牧场，达进才开垦个农场，成个家，每人养他十几二十个孩子，一代又一代，以后这里的人不就多了嘛。"

"这主意不错，只是你呢？你到时到哪里去呀？"巴利祥子问曹海林。

"我嘛，回哈密老家，然后把老婆孩子搬过来，给你们当个顾问什么的。"

"嗯，这还行。我以为你把我们留在这里，你自己却回家享福去呢。"达进才说。

"其实呀，你也甭当我们的顾问了，你就任修筑进藏公路的总指挥吧，公路通了通铁路，火车一叫，把我养殖的牛羊、把达进才生产的粮食，'呜呜'地往下拉，那时候，哎呀呀，一火车一火车的人上来参观我的大牧场，参观达进才的大农场。草原上是一大群一大群的牛，一大群一大群的羊，是一望无际的麦田，真个是，美得没法说！但连长你必须得把路修通，不然，我和达进才种养的东西就拉不下去。"巴利祥子说得越来越高兴，越来越激动，最后直说得满面赤红，手舞足蹈。大家听得哈哈大笑，把牢骚全忘了。

彭清云所带的侦察组，翻雪山，越达坂，涉冰河，为寻找藏民又在荒原上走了十来天。马跑得走不动了，他们就徒步；带的干粮吃完了，他们就打猎充饥。彭清云这次志在必得，发誓找不到藏民就决不返回两水泉。

进入10月后，高原就不时下雪，不过不太大，一部分雪在阳光中融化了，一部分积了下来，积得不厚。

走了一天，人马都已困乏不堪，彭清云安排大家宿营。他骑马出去后不久，马鞍上搭了一条被他击毙的黄羊。大家在积雪里扒了些野马和野牦牛的干粪，又扯了些枯草，点燃后，乔德录已剥了羊，把肉割成了条，用刺刀挑着，在牛粪火上烤起来。

"副连长，你打的是头老黄羊。"排长杨富成说，"嚼不动，牙劲用完了也嚼不动。"

"暮色里看不清，也没管老羊嫩羊，我尝尝看。"彭清云也没嚼烂，囫囵着吞下去了，直哽得他把脖子伸得老长，"就是一头老羊，难怪我抬手一枪，就把它干翻了，好好烤一烤，将就着吃吧。老羊肉吃了，经饿，明天可以免去一顿早饭。"

大家也早就饿了，只管把羊肉一块块割下来，在粪火上烤着。每有羊油滴到火里，就有红色的火苗猛地跳起来，又在瞬间熄灭了。

嚼老羊肉的声音格外响。

每张红黑的脸膛上都抹了羊油，在火光里发亮。因为疲惫，也因为没完没了没有成果的寻找，大家都不愿说话。吃了东西，每人在地上铺了块黄羊皮，裹上皮衣，都纷纷睡了。

彭清云睡不着。他让站岗的鄂鲁新先睡，他替他站岗，等他困了再说。

鄂鲁新推让了一番，见副连长的确没有睡意，就倒在了羊皮上。没过多久，就听见了他的鼾声。

没有人，也就没有敌人，在这旷野上，主要是警惕狼群。彭清云注意着顺风的方向，风会把他们的气味传递给狼群，狼群也会顺风而来。阿里的狼高大、凶残。前两天他们曾目睹十五匹狼攻击一头野牦牛。它们轮番进攻、挑衅，待野牦牛疲惫后，才从四面八方一齐进攻，其他狼主要是掩护其中的一匹狼出击，那狼瞅准机会，猛地跳起，咬住牦牛的肛门，一拖，肠子就给拖了出来。然后，牦牛倒地。再过几分钟，几百公斤重的牦牛就只剩下了一副血肉模糊的骨架。它们吃饱后，将剩肉残渣留给秃鹫，自己显示出荒原主人的派头，不慌不忙地隐入了荒原深处。

但这时彭清云希望见到的，是藏军的英式步枪或藏民的杈子枪。他希望他们会突然从四周的埋伏地点站起来，用藏语吆喝着，用比黑夜更黑的枪口对着他。

可是，仍只有死寂，连狼群也没有光顾。

世界好像有意要抛弃他们。

到了半夜，风开始刮起来，星辰隐遁，蓝色的夜空被厚重的铅云侵蚀，不久就落起雪来。

气温降得更低，大家都被冻醒了，没人再能睡着。大家骑在马上，在暗夜里信马由缰，漫无目的地走着。

藏北高原的冷，冷彻骨髓。加之在冻土上僵卧了半夜，大家感到内脏都像是结了冰。骑在马上，更觉寒冷，出发不久，失去知觉的双腿已骑不住马，身体也渐渐麻木，没过多久，就一个个全都滚落马下。这样的天气，为了防止冻伤，爬起来后根本不敢停留，只得拉着马小跑。跑得身体有了一丝暖意，四肢变得灵活一点后，才能翻身上马疾驰一阵。

这样反复折腾，最后每个人都感到筋疲力尽，神经麻木，脑子里什么也没有，浑身轻飘飘的，像浮在淤泥上，人觉不出冻了，四肢和五官都从身体上飘走了。

只要倒不下去，就得不停地往前走。

走，是证明自己生命尚存的方式，也是一种求生的方式。

两水泉方圆两三百里内的每一片原野，每一处水泊，每一条河谷，都留下了侦察员们的足迹。

晨光通过夜色，悄悄来临。每个人都大睁着眼睛，希望能发现一缕与落雪交融着的白烟，希望看见一只蹦跳着的羔羊，希望能发现一片在风中飘扬的经幡，希望能看到一顶黑色的帐篷。

但仍旧只有无边无际的沉寂，仍旧只有无奈的失望和千古的荒凉。一个没有人烟的世界，让侦察员们感到越来越害怕。

十四、藏胞山

彭清云所带的侦察组在风雪弥漫的荒原上又走了两天。

这场雪像是不会停了。这雪使全连官兵更加心意如焚。它有可能阻绝于阗和连队之间那条千余华里的荒凉通道，使给养再也运不上来，而阿里又找不见群众，了解不了任何情况，不要说危难之时寻求群众的物质支援，即使一点心灵的安慰也找不到。

而这一切都在预料之外，彭清云越来越体会到连队处境的艰险。他仰望大雪飞舞的天空，说："西藏的神灵们，佛教讲求普度众生，我们共产党寻求救民众于苦难，造福人民，我们方式不同，目标可是一致的，你们可得保佑我们啊！"

突然，驮帐篷的骆驼倒下了。它痛苦地呻吟着，满地打滚，无论怎样也站不起来。彭清云围着那牲口转了一圈，发现骆驼的四个蹄子血糊糊的，全磨烂了。他又让大家检查各自的坐骑，发现马掌也大多走脱了，有好几匹马的蹄子已经磨伤。

杨富成见此，就说："妈的，骆驼蹄子都磨

烂了，马掌也大多走脱了，可是，我们连一个人也没有找到。”

彭清云对他说：“二排长，你带两个人去弄几头野牛或野马、野羊来。”

“弄那玩意干什么？它们的肉大家都吃不下去了。现在最好吃的东西是稀饭或面糊糊。就是宿营，天也还早呢。”杨富成说。

“你先去弄吧，肯定有大用。记住了，主要要它们的皮。”彭清云叮嘱道。

杨富成拎了枪，带着两个人打马过去了，不一会儿，就听到了几声清脆的枪响。不久，杨富成带着两张野牛皮和两条牛腿回来了。

彭清云吩咐大家把牛皮割成小块，把骆驼和马磨破了的蹄子包了起来。看还有剩余的，就让大家把磨坏的鞋子也包上。

大家断粮已近一周时间，天天吃野畜、野兽的肉，好几个人见了就吐。但他们还是坚持着，前往卧牛岭周围地区侦察。如果这一带还没有老乡，他们就只有返回了。

他们来到了卧牛岭东南方向，这里地势低平，雪也下得小些，还没有盖住牧草。彭清云来到一片草滩上，仔细搜寻着牧民可能留下的任何踪迹。

突然，他的眼睛一亮。草地上像有羊走过的痕迹，还有几粒羊粪——

几粒羊屎蛋儿！

彭清云抑制住自己的激动心情，在心里说：“神灵保佑，但愿这不是黄羊或羚羊留下的……”

他下了马，蹲下去，扒开干枯的草丛，小心得如拾起稀世珠宝一般，拾起一粒羊粪，用手一捻，感觉还没有冻实，还有几份潮。他怕是黄羊或羚羊留下的，就想找到别的踪迹，没想在稍远的地方，找到了人的脚印，他高兴地叫道：“同志们，有情况，你们看这羊粪是新鲜的，地上还有老乡的脚印，肯定有人来这里放过羊。”

大家一听，高兴地围拢来。彭清云又把另几粒羊粪从手心里小心地拿出来，对大家说：“羊粪还没有冻透，人应该还没走远，大家赶紧在这附近再找找。”

杨富成又在不远处发现了一堆牛粪灰，那显然是用过火的痕迹，用手摸摸，尚有余温。彭清云用马鞭扒拉了几下白灰，摸摸土，对杨富成说：“土还有点热，人肯定就在附近，这下子，你小子不愁没解放对象了。”

大家都很高兴，顿时忘了疲劳和饥饿，欢呼着，跳跃着，顺着羊群和牧人留下的踪迹向对面的山头跑去。

爬到山上，夜幕已徐徐拉开。他们发现山下的洼地里有一星火光，模模糊糊的，一动不动。光的形状有点像帐篷顶上的透风窗。

大家情不自禁地拥抱在一起，每个人都没忍住自己眼中的热泪，鄂鲁新和王万明甚至哭出了声。这泪包含了太多的东西，激动和委屈，艰辛和兴奋。那心情，或许不亚于在月球上发现人类。

彭清云为杨富成挑了三匹快马，让他一人三骑，飞马两水泉，向李狄三报信，并让他迅速带礼物和翻译来。

杨富成当晚就往两水泉赶去了。

大家隐蔽接近，赶到沟底后，借着月光，发现了一顶帐篷，一群羊，一对中年男女和四个孩子。

他们是人，真的人，活生生的人。大家把手握在一起，再次表达各自的喜悦心情。彭清云后悔这次没有让翻译同行，没有翻译，他怕语言不通，惊扰了他们，决定不贸然接近，让大家隐蔽守候，今晚任何人不得暴露目标，等天亮后再接近他们。

大家抑制着内心的兴奋，像守护神灵一样守护着那一家人，守护着他们进入梦乡。

寒冷的夜显得格外漫长，大家裹上野牛皮，和衣躺在地沟里，挤在一起，很快就睡着了。

是的，自从开始寻找乡亲以来，他们就很少有过这样酣畅的睡梦了。风从沟顶吹过，不惊扰他们，雪也只零星地飘着，只轻轻地摩挲着他们的梦。

彭清云也终于能够睡着了，他梦见自己和很多藏族乡亲在一起。到处是帐篷，到处是羊群，到处是骑着马，唱着歌的牧羊人。歌声相闻，炊烟相连，白云点缀着蓝天，鲜花开满草原。那一切都让他沉醉，让他直想在空中飞……

梦正美着呢，哨兵王万明推醒了他。

“副连长，老乡要走!”王万明很是着急。

彭清云一听，身体一挺，站了起来：“我们费了这么大劲才找到他们，可不能让他们就这么走了。快，你，王万明，还有鄂鲁新，和我一起去拦住他们。”

但彭清云的手脚冻僵了，站起来刚走了两步，就一头栽倒在地。

“唉，也不要太急，先把自己的形象弄好，不要这样一拐一拐地去，有损解放军的形象。”

王万明忙帮他搓腿。站起来后，他抓了一把雪，把脸搓了搓，才带着两名战士跃上了地沟。谁知他们刚出地沟，就被中年汉子发现了。

汉子在大清早看见这三个突然出现，像从冻土里冒出的、全副武装的陌生人，像发现怪物似的愣住了。那时，在他们世世代代居住的藏北草原，除了偶尔能见到别的游牧的藏族人，常常陪伴他们的就只有阳光、风雪、自己的帐篷、老婆、孩子和羊了。其他所有的一切，对于他们来说，都非常遥远，都是传说和梦。他们不关心那些，只关心羊群和自己心中的神灵。

那汉子愣了半晌，然后大叫了几句什么，冲到自己孩子的身边，抱了最小的孩子，提了杈子枪，推拥着妻子和其他孩子，丢下帐篷和羊群，没命地向一座小山跑去。

彭清云见到他们慌乱的模样，心中深感不安，很是后悔自己对他们的惊扰。

羊群也乱了，它们乱叫着，到处乱跑。

彭清云把战士们全叫出来，帮着老乡收拢羊群后，就让大家对老乡喊话。

“我们是解放军，请老乡不要害怕，我们是来解放你们的!”

老乡听不懂。

彭清云就让大家再用维吾尔语、哈萨克语、蒙古语喊，喊了个遍，也无济于事，老乡仍然听不懂。老乡站在山顶上，提着杈子枪，警惕地望着大家，脸上只有深深的恐惧。

彭清云怕把老乡的羊饿着，就让鄂鲁新去放羊。他想起在准备寻找藏民之际，每个侦察组都带了几条哈达。藏民有互献哈达的礼节，就连忙解下枪，让停在半山腰的汉子看了看，放在地上，然后捧着哈达向山上走去。

但那汉子仍不信任他，他像一只敏捷的豹子，跃到一块石头后面，架好杈子枪，对准了彭清云。

空气异常紧张。

当彭清云继续往前走时，那汉子也就端了枪往后退。你进他就退，你停他也停，他们既不走掉，也不从山上下来，双方始终对峙着。彭清云盼着李狄三赶快赶来，见还没动静，又派出王万明去接应李狄三，把藏民有枪、正在对峙的情况告诉他。

王万明打马飞跑了约三十里路，碰到了李狄三带着翻译正往卧牛岭赶。

李狄三一听藏民带着枪，怕发生误会，造成极其不良的后果，将马打得更快了。赶到卧牛岭，已是傍晚，彭清云和那藏民仍然对峙着。

李狄三分析了情况，对彭清云说：“藏族老乡对我们有疑惧心理，这么久了，又不走，看样子是恋着他的羊群，这是他们的命根子。他们对我们的态度如何，取决于我们如何处理这群羊。主动送回去固然可能使他们放心地走掉，更大的可能性倒是他们解除疑惧，留下来和我们靠拢。即使他们在得到牛羊后仍然不肯和我们交往，甚至走得更远，那也没关系，因为我们到底让牧民看到了我军的政策纪律，给他们留下了良好的印象。两相比较，与其让他们担忧害怕地与我们接近，倒不如让他们放心地走掉。”

因此，李狄三立即决定，请翻译带上哈达，把牛羊给老乡赶回去。

彭清云和他的侦察员们对这一决定表示支持，但他们的内心十分难受。他们不知道这些老乡一旦离开了，他们多久才能再次找到。

翻译贡布赶着牛群，手捧哈达，喊着“夏保”，慢慢地向那中年汉子走去。

那汉子的杈子枪始终对着贡布，直到贡布到了他跟前才收起来。他看着哈达，望了望贡布的帽徽，迟疑了半天，才把哈达接到了手中。

贡布对藏族老乡说：“夏保，我也是藏家子弟，我们是好人，让你受惊了，我们的首长让我向你们道歉，现把羊还给你，请你数一数。”

那汉子点了点头，放下杈子枪，数了自己的羊，说：“夏保，拉索。”

他脸上的恐惧消失了。他把自己的妻子和孩子从山包背后叫出来，他们见了自己的羊，又是笑又是亲，赶着羊群返回了自己的帐篷。

帐篷里的东西丝毫未犯，肉干没人动过，糌粑酥油、青稞都一点没少。女主人放心地哭了。她又摸了摸挂在头羊脖子上的钱袋，数了数钱袋里的银元，对自己的丈夫说：“夏保，牙古都(好)!”

那汉子一听，也对妻子说：“牙古都，牙古都!”

他热情地邀请李狄三、彭清云和翻译到自己的帐篷里做客，给每人献了一条哈达，敬了一碗青稞酒。他的妻子烧酥油茶招待其他战士。李狄三回赠他们一些面粉、茶叶、方糖和白布。

李狄三通过翻译，告诉那汉子说：“我们是从新疆来的解放军，解放军是共产党领导的军队。”

“共产党？菩萨?”

“对，对，共产党就像菩萨一样。”

“解放军?”

彭清云见老乡不知道解放军是什么意思，就让贡布翻译给他。

贡布说：“藏语中没有这个词，我不知道怎么翻译。”

“那就找个意思接近的翻译。”

“金珠玛米是大军的意思，那样翻，体现不出我们和他的关系。翻成朋友行不行?”

“行啊，我们可不就是他们的朋友吗，快告诉老乡。”

贡布就郑重地对那汉子说：“老乡，解放军就是夏保，是藏家的夏保。”

“夏保，夏保牙古都!”那汉子生硬地说。

“拉索，夏保解放军。”贡布连忙说。

从此，在阿里，夏保就成了解放军的代号。还有一个后来的称呼“叔叔”，在一些牧区，无论那里的老人孩子，见了解放军都亲热的叫声“叔叔”，使许多刚到阿里的年轻军人既不好意思，又十分感动。但那的确是一种尊称，它代表了乡亲们对军人的感情。

在返回两水泉的路上，李狄三满怀信心地对彭清云说，今天我们找到了第一家藏族老乡，明天就会有第二家、第三家。几天后，果然又找到了十多户，并有几家搬到了两水泉一带放牧。为了纪念找到第一户藏民的地方，他们把与老乡对峙过的山峰起名为“藏胞山”。

李狄三在多木建立了第二个留守据点后，准备继续向阿里纵深挺进。

他们没有想到，大雪已把这阿里高原变成了星球上的一个孤岛，除了电波和风，谁要再逾越那千重冰峰，万道雪岭，必须要付出巨大的代价。

从那时起，他们就已经陷入了绝境。

中卷　站立与倒下的姿势

太多的人拒绝进入那胜利的
静寂，那焚烧在
果核的小小疼痛

——德里克·沃尔科特《火山》

一、神兵天降

1950年10月7日，当西南主力部队巧渡金沙江，开始向西藏进军之际，进藏先遣连已进入阿里半月之久。

西藏噶厦政府在美国和英国的支持下，积极扩军备战，迅速将藏军原有的十四个代本（相当于军队中团的编制）扩编到十七个，并运进大批军火，装备藏军。

当先遣连在四处寻找藏民时，10月19日，人民解放军打下了前藏重镇昌都，这场历时十二天的战斗歼敌五千七百余人，西藏政府被迫重新开启和谈之门。

先遣连根据命令，除部分人员留驻两水泉和多木两个据点，为后续部队开辟通道、转运给养外，其余一百零三人，在李狄三的率领下，翻越十里达坂，挺进三百余公里，抵达改则本附近的扎麻芒堡，并在红沙山建立了第三个留守据点。正准备继续向普兰宗所辖地区推进时，接到独立骑兵师电令，让他们停止推进，就地做好越冬准备，坚守扎麻芒堡，等待后续部队共同进军噶大克。没想这一等，就是半年之久。

“夏保解放军来到藏北”的消息从两水泉传开，但阿里噶本政府根本没有在意。统治神山圣湖二十余年的赤门色噶尔本认为那只是民间的传说，是谣言。共产党的军队可以从前藏、从青海、从云南进军，但绝不会到藏北来。昆仑山九月飞雪，十月封山，即使不封山，千百重高耸入云的大山也可挡住任何企图进入藏北的人，除非神兵天降。他认为解放军不但无法从新疆进入阿里，即使他们攻下拉萨，占领了日喀则，要想进军藏北也非易事，因为噶大克距拉萨还有七八十马站（一马站相当于三十五公里）的距离，其间还横亘着冈底斯山。他完全可以高枕无忧。

后来，传闻传遍了很多地方，他才将信将疑，让人找来几个声称见到了解放军的牧民询问。牧民说解放军头戴红五星，衣领上有红领章，多是汉人，骑着大马，赤门色这才相信了。他急忙派人四处打听，侦察解放军的行踪。此时，先遣连已到达扎麻芒堡。

赤门色闻讯，大惊失色，立即上报摄政达札。达札惊恐不已，对噶本政府大加训斥，严令其采取一切必要措施，防止共军继续深入，如能驱逐，要将其逐出藏境。

而对于进藏先遣连这支孤军深入、远离后方两千余里的连队，唯一的保障就是昌都战役对西藏地方政府和当地头人造成的威慑。但这对遥远的藏北而言，作用却不是太大。英国、美国以及印度采取了各种手段，阻挠中国人民解放军进军西藏。英、美两国从武器、情报等方面支持西藏地方政府继续对抗。

当时，西藏地方政府表面同意和谈，但仍不甘心失败，采取了不少阳奉阴违的手段。前有藏王严令，后有解放军压境，阿里噶本政府左右为难。当地一些头人更是坐卧不宁，如惊弓之鸟。他们不知道解放军是怎么到达这与世隔绝的藏北高原的。

一位邦保钦布（相当于“千夫长”）竟吓得一连数日不食不饮，连睡觉都睁着眼睛，嘴里不停嘀咕着一句话：“前藏告急，藏北告急，阿里危险了。”他每天都坐在经台前，诅咒解放军，求菩萨驱退他们。

阿里噶本政府一面组织藏军，招募地方武装与先遣连对抗，一面派出喇嘛、头人四处游说。说解放军是魔鬼，他们到藏北来是要杀生灭教，任何人都要诅咒他们。同时，噶本政府颁布了三条禁令：噶本政府所辖区域内，任何属民不准与共军接触，不准为共军带路，不准卖给共军任何可食之物，违者一律按藏规处以割鼻、挖眼、剁手脚、抽筋、剥皮等处罚。并声称其在藏北有两个代本之兵力，完全可以抵御共军的任何进攻，但严寒已至，共军已不用人灭，不出三个月，天自会将其尽数灭之。

此时，保障先遣连的驮运大队正力图冲破大雪的阻隔，将给养送过界山，但他们失败了。大雪这么早就封住了昆仑，的确出乎何家产的预料。但他哪怕还有一线希望，都不会放弃努力；在没有放弃自己的努力之前，这消息还不能告诉先遣连。

但噶本政府比谁都清楚这一切。他们放言三个月困死先遣连不是随便吓唬人的。冬天，这里除了风雪，没有任何东西。而藏北和新疆之间的通道至少要等来年五六月份才能开通。所以，赤门色噶尔本对那位邦保钦布说："这事不用菩萨费心，我们只管放心地做我们的事。只要他们还没有推进到噶大克，我们就可以看他们的下场。现在，只要他们答应不继续向前推进，我们可以尽可能地满足他们的条件。但有一件事必须要做，就是要把他们孤立起来，不要让我们的属民与他们来往。这件事情，你找一位喇嘛就可以办好。"

不久，先遣连附近来了一位喇嘛，自称云游四海，现受菩萨点化，从拉萨来藏北拯救受苦受难的众生。

喇嘛手持转经筒，在驻地周围的藏民家挨家挨户念经讲法。当地的许多小头人也跟前跑后围着他转。十多天后，喇嘛走了。就在喇嘛走后不久，先遣连附近的帐篷没有了，牧民走了，羊群也走了。一夜之间，扎麻芒堡就只孤零零地剩下了先遣连。

李狄三觉得奇怪，让彭清云迅速去了解情况。彭清云到了距驻地五十公里外的地方，才找到了三五户藏民。

但他们什么也不说。顺便送去的米、面、茶、糖之类的礼物，也没人敢收。老乡见了他们，都露出紧张、防备的神情。

"有人挑拨了我们和老乡的关系。"彭清云分析道。

正在这时，有一位汉子深夜偷偷地找到彭清云，向他说了真相。

原来，那位喇嘛是假的，是由一个头人装扮的。他告诉藏民说，先遣连是黑汉人，毛主席、共产党不是菩萨，解放军是藏家的死对头，汉人来了，草原再也不会有安宁的日子了，你们如果不远离他们，菩萨要降灾难到你们身上。许多老乡一听，就被吓走了。

尽管噶本政府采取了明争暗斗的手段，筹划着困死先遣连的措施，但慑于昌都之战的威力，又不能继续装聋作哑。

一天，改则本派出了一名帮本，带着青稞酒，来到了扎麻芒堡。那帮本下了矮小的藏马，给曹海林献了哈达，用流利的汉语说："早就听说贵军到此地，本该及早前来拜会，只是不知道确切地点，加之藏北辽阔，路途遥远，拜访迟了，深表歉意。今日本帮本受改则本之托，专程前来犒劳贵军。"

曹海林说："多谢帮本先生专程前来慰问，我们作为中国人民解放军进藏先遣部队，奉命进驻此地，还请先生和改则本多予协助。"

"这个自然，这个自然，如有需要我们协助之处，我们一定竭尽全力。"帮本说着，突然转了话锋，"改则本受噶本政府管理，长期自成一域，贵军此次贸然进占江索郭（即扎麻芒堡），我本恐引起羌塘之乱；再说此地山高地贫，人少财薄，实在无力协助贵军长久驻扎，故请贵军能为当地众生考虑，尽快退出藏北。"

彭清云在旁边已觉察到了帮办前来"犒劳"的本意，义正词严地说："先生汉语如此流利，一定知道，既然改则本受噶本政府管理，噶本政府受西藏噶厦政府管理，西藏噶厦政府受中央人民政府管理，我军奉中央人民政府之命进驻藏北，不知帮本进占和退出从何说起。"

帮本忙说："这是改则和噶大克的意思，是他们让我转达的。"

彭清云听后，笑了笑说："那也劳帮本先生将我刚才的意思转达给改则和噶大克。"

"拉索，拉拉索。"帮本一个劲地点头。

正在三科儿开展群众工作的李狄三听说改则本派人前往驻地犒劳连队，当即返回，设宴款待了帮本。

席间，李狄三向帮本指出："我们坚信西藏僧俗是热爱和平、盼望统一的，也相信改则和噶大克方面会深明大义，以实际行动迎接西藏和平解放。同时也请帮本放心，我军进军藏北，给养充足，绝不会吃地方的。当然，如果有人不愿意接受和谈，要兵戎相见，对此，我们将奉陪到底！"

"我一定将贵军美意转达我本和改则僧俗，并报告噶本政府。"帮本见先遣连毫无退兵之意，倒有随时推进之势，想探查先遣连的实力，又生一计，试探着说，"阿里地势高拔，辽阔之极，大山纵横，湖泽遍布，不知贵军有多少人马能解放此地？"

李狄三知道他的意思，随即说道："我部是进藏主力的先头部队。听说阿里有两个代本的兵力，与此比较起来，你们倒是人多势众。不过，我主力部队随后即到。"

帮本狡猾地笑了笑，不慌不忙地说："贵军主力部队到达，我本更应前往慰问。可否告知主力现已到达何处？"

李狄三当即表示："欢迎帮本先生前往慰问，我军主力现已抵达新藏交界地区，帮本如要前往，我们可派人给你带路，途中食宿和安全由我们保障。"

帮本说："若由新疆进军藏境，路途有千里昆仑阻隔，现已下好几场大雪，贵军若能进军，真称得上是神勇盖世。"他的语气中不无讥诮，本意是说，现在进军藏北，纯属唬人。

"但帮本先生在第一次听说我军到达藏北，也一定认为不可能吧。对于我们，没有什么不可能的事情。刚才帮本先生要慰劳我军，你告诉起程的日期，我们马上准备。"

"贵军的神威我早已听闻。至于慰劳一事……"帮本改口说，"感谢千保美意，此事还得容我报请我本批准。"

帮本一计不成又生一计，提出参观部队驻地，拜会全体官兵。

"没有问题。"李狄三当即表示同意，吩咐曹海林准备。

不到五分钟时间，通信员王万明向李狄三报告："曹连长已准备好了，请首长和帮本先生前往参观检阅。"

"如此神速啊。"帮本不相信地说。

"我部随时处于战斗状态。"李狄三说完，示意帮本前往营区。他陪帮本参观，只见十余顶绿色军帐排成一线，帐篷虽已陈旧，破损，但整齐洁净，一切物品均放置有序，使帮本大开眼界；然后又陪他检阅了部队，一百人马排成十列，全副武装，一派威严。帮本一走到队伍前面，就赞叹起来："威武，威武！"

他最后指着队列前架起的几门迫击炮和重机枪，问李狄三："这是什么兵器，怎会如此庞大？"

"这是迫击炮，是我军常用的中等武器，可以隔山射击。如果用它打改则本的官邸，只需要一发就能解决问题。"李狄三故意夸大了迫击炮的威力。他见帮本面露畏惧，又拿起一发炮弹，说，"帮本可以掂掂这炮弹的重量。"吓得帮本连连摆手。

这位帮本回到改则本后，回报说："我亲眼所见，解放军的大炮比碗口还粗，并能翻山射击，装备之精良，可见一斑。他们的士兵人高马大，士气高昂，个个跟护法似的，藏军远远不如，如果硬打，必败无疑。"

改则本立即将帮本借"犒劳"之机侦察到的情况上报噶本政府。赤门色噶尔本一听，深感震惊。于是快马传来革吉、普兰等宗本，共同商量对策。

二、廷空谈判

随着古格王朝的灭亡，阿里的文化衰落了。时隔半个世纪之久，卫藏统治者派遣僧人将军甘丹才旺率领的蒙藏骑兵收复了此地。阿里的近代史也就以古格覆灭、阿里被纳入卫藏政权管辖为标志。在这三百年间，有过一些规模不等的、抵御外来入侵的战争，外敌主要来自克什米尔，来自英国扶持下的印度道格拉人。

在 19 世纪二三十年代，靠投靠英人而成为克什米尔统治者的道格拉人在英国东印度公司的默许下，进入拉达克和巴蒂尔斯坦等原藏区。1841 年，又派三千军队从拉达克入侵阿里，袭据日土，攻取札达，强占噶尔雅沙，深入普兰，并打算进一步向前、后藏进军。在清朝驻藏大臣孟保和海朴的敦促下，前、后藏派出三千余藏军，全面反攻。是年冬，藏军在玛旁雍错南岸的大风雪中与入侵者奋战三天，击毙道格拉主将倭色尔，一举全歼敌军主力，后乘胜挺进，一度深入拉达克境内，终因战线过长，军运不济，被拉达克援兵击退，就地停战言和。后虽收复失地，但拉达克为道格拉所控制的事实未能改变。自此，拉达克脱离西藏。

17 世纪末叶，阿里三围正式纳入西藏噶厦政府统辖之下，被划分为四宗六本。首府设在噶尔河南岸的噶尔雅沙和噶尔昆沙。噶厦政府每三年轮换派出一届噶尔本。由于地处边境，噶尔本较之卫藏同级官员品秩高些，为四品官。

赤门色已连续出任了七届噶尔本，是位非常精明的官员。班禅活佛力主和北京和谈，托人传信，让他明了大局，看清形势；而前藏又让他不给解放军以立足之地，使他两边为难。打不得，也让不得。最后左思右想，他决定还是与解放军先头部队达成协议，请他们尽快退出阿里。如果坚持不退，就一定要设法阻止他们继续向前推进。同时，继续严格执行禁令，以期不费一枪一弹将先头部队全部困死阿里或逼回新疆。只有这样，他们才能做到不得罪班禅活佛，也不得罪噶厦政府，并在表面上和解放军和平相处。

各宗本对此表示赞同。

三天后，噶本政府派秘书才旦彭加和管家扎西才仁与先遣连会谈。他们带着全副武装的藏兵，在距连队二十多里外的廷空驻扎下来。

对于藏北究竟有多少藏军主力，先遣连很难搞清楚，向当地老乡打听，他们也各有各的说法。有人说最多不过百十人的，也有人说只有一个代本，还有人说有三四个代本。对此，在谈判之前，李狄三就做了周密部署。他命令曹海林在谈判的头天晚上带一个排的兵力赶到廷空，埋伏在附近山头，以防不测；命令彭清云在驻地做好战斗准备，坚守扎麻芒堡，并接应增援曹海林。李狄三带着翻译乔德录，通信员王万明参加谈判。

天有些阴，下着零星的雪。李狄三三人来到廷空时，只见一排拉了五顶帐篷，十名藏兵持枪肃立在帐篷前面，其余的则站在帐篷周围的高地上，气氛颇为森严。

听到马蹄声响，藏兵老远就吆喝李狄三三人站住。随即，听见了“哗啦啦”一片猛拉枪栓的声音。

王万明一见这阵势，猛地从腰间拔出双枪。李狄三制止住他，让他把枪放回去。

乔德录用藏语大声说：“我们是前来谈判的，请你们马上通报才旦彭加先生。”

一名藏兵钻进了正中的一顶帐篷。

不一会儿，两名穿着清朝官服，斜挎着英式手枪的藏族官员迎了出来。清朝已灭亡了近半个世纪，但那两位官员所穿的清朝官服倒还有七成新。

一位帮本向李狄三指着一位黑瘦的噶本官员说：“这位就是噶本政府秘书才旦彭加。”又指着另一位黑胖的官员说，“这位是管家扎西才仁。”

乔德录也向他们介绍了李狄三。

开始，噶本政府的代表傲气十足，提出要先遣连撤出阿里。

“既然我噶厦政府正与中央政府进行和谈，贵军又为何要重兵压境？我两个代本之兵力就驻扎在阿里，两军接触，难免兵戎相向，到时若发生冲突，我们可不好向中央政府交代。”

“感谢秘书先生向我通报了阿里的驻军情况，我们是和平进军，如果与藏军相遇，我们绝不会挑衅肇事，也会坚持不开第一枪。我们的大部队是还没有抵达，但我们可能会创造一个以少胜多的战例。”

“看来贵军是决计不退出阿里了？”

“决不。我们奉命行事，驻扎阿里、驻扎在阿里的什么地方，都是根据上级的命令。”

“我觉得贵军还是先退出为宜。现在，昆仑大山还有可能通行，还可以给你们一条生路。不管你们的大部队何时到达，这里的冬天都是够长的，我们噶本所属地域人烟稀少，物产菲薄，属民都很贫困。到时，我们自身难保，恐不能给贵军任何帮助。”

“任何道路对我们而言，都是通的。我倒是觉得可供你们选择的道路不是太多。我军物资是充足的，即使有什么困难，我们也会自行解决，决不会给当地群众添加任何麻烦。”

第一天的谈判就在这种针锋相对、唇枪舌剑中过去了，没有任何实质性的进展。第二天，才旦彭加缓和了谈判立场。第三天终于达成了协议。协议的主要内容有五条：

一、噶本政府承认人民解放军进驻江索郭，并尽力协助人民解放军和平进军阿里；

二、人民解放军保证尊重藏族群众风俗习惯，实行宗教信仰自由，实行民族平等；保护喇嘛寺庙，不住喇嘛寺庙；

三、人民解放军保护藏族群众利益，不拿群众一针一线，不买藏族群众一粒粮，一斤盐；

四、人民解放军保证尊重地方政府，不干涉其任何行政管理和内部事务；

五、噶本政府保证以兄弟态度对待人民解放军先头部队，协助开展群众工作。

噶本政府对协议很满意，因为这五条协议中，有三条是针对先遣连的，不让他们买粮买盐，也是困死或逼走他们的先决条件。而针对他们自己的两条，却显得空泛。赤门色噶尔本因此对才旦彭加大大褒奖了一番。

三、力断强弓

独立骑兵师召集了数千头牦牛和毛驴，决心无论如何也要把先遣连的给养送上去。为此，除民工外，还派出了骑兵师的一个排负责押运。然而，尽管决心很大，他们还是被无情的昆仑山给挡了回来。

何家产神色严峻地说：“同志们要受苦了。”

这天，才旦彭加来到了扎麻芒堡，他想试一试先遣连的战斗力，提出要与先遣连比武。他在一阵寒暄后，装作无意地说：“我久闻贵军能征善战，个个骁勇异常。不知能否择取吉日，进行比武，一为切磋技艺，二为加深友谊。”

李狄三将计就计，说：“你们都是格萨尔王的后代，人人能骑善射，个个剽悍骁勇，早就闻名于世，恐怕我们只能献丑了。”

才旦彭加听后，非常高兴，当即对几位陪同的帮本及头人说：“我们藏家历来好客，你们多带些娃子去为金珠玛米助兴，也让他们见识见识金珠玛米的威风。”

大雪后的廷空，银装素裹。李狄三带着先遣连的一彪马队，有序地飞驰到比武场。已有好多藏族群众等在那里看热闹，为了观看比武，他们骑着藏马或牦牛，从几十上百里之外的地方赶到了这里，穿着他们在盛大节日才穿的新衣，点缀得廷空五颜六色。

才旦彭加已布置好了靶场。靶子是用牛粪饼做的，放在一个积雪垒起的台子上，离比武者整整有八十大步的距离。

才旦彭加宣布比武开始。像是要显示一下藏兵的威风，他先让藏兵上场。

他手一挥，三名藏兵应声而出，小跑数步，卧在雪地里，架好英式步枪。随着“叭、叭、叭”三声枪响，牛粪饼应声飞出，博来了一阵喝彩。

三名藏兵得意地从地上爬起来，行了礼，笑着退场。

靶子换好后，一排长王永平带着两名战士正要出列，扎西才仁却急忙对彭清云说：“听说贵军个个神勇，可否让我来挑三个人上前比试？”

还没等彭清云回答，这个管家就在队列里挑了起来。他把整个队列看了个遍，挑了三个正在患病的面黄肌瘦的蒙古族战士。

彭清云轻松地一笑，对扎西才仁说：“管家先生真是好眼力，挑的全是成吉思汗的子孙。”

鄂鲁新带着另外两名战士进入射击位置后，一声令下：“向后转，向前二十大步——走！”三人整齐地走到离主席台两米处，“唰”地立正，敬礼，向后转。

射击距离增加到一百大步。

全场寂然无声。三人同时立姿举枪，随着三声枪响，靶台上的三块牛粪饼顿时没了踪影。

才旦彭加笑着说：“贵军真乃神兵，的确名不虚传，佩服，佩服！”随后说，“李指挥，我们也来打几枪，给属民们助助兴，他们远道而来，定然想多看点东西。”

李狄三当即答应。

才旦彭加挥了一下手，两名藏兵在靶台上竖起了十根挂有羊头骨的杆子。白色的羊头骨在高原的阳光和雪光的照射下，很是晃眼。加之目标较小，没有精湛枪法，很难击中目标。

才旦彭加举起英式手枪，比画了一气后，五发两中。李狄三随之举起驳壳枪，一个速射，五发三中。

还剩下五个羊头靶，彭清云看了看，上前对才旦彭加说：“我也来为大家助助兴。”说话间，他已拔出双枪，挥动双臂。五声枪响后，五个羊头靶纷纷落地。

藏民们高兴得连声欢呼：“神枪，神枪！”

才旦彭加有些尴尬，虽还笑着，但笑得很僵硬，看起来，有些像是在哭。

扎西才仁跑上前对他耳语了几句。他得意地笑了，点点头，对李狄三说：“今天的友好比武，令我们看到了贵军的神勇，我们是真心佩服。接下来何不按我们藏家习俗，比赛一下射箭，不知李指挥意下如何？”

李狄三知道射箭是他们的长处，但自己连队也有好几个民族的战士，其中蒙古、锡伯和哈萨克族战士都是能骑善射的好手，谁输谁赢还难说。他们这是在给自己找退路，想挽回一点面子，真是赢了，也刚好给他们一个台阶下，就随口说：“你们的枪法也很好，算是一个平手吧。至于射箭，我们的确不擅长，但部队中有一部分民族战士，他们也许喜欢，我们也就领教领教。”

扎西才仁一听李狄三这么说，认为这射箭比赛定是必胜无疑，马上领上一位膀大腰圆的汉子，递给他一张大弓后，连给他递了三碗青稞酒。那汉子脸膛本就是红黑发光的，这三碗青稞酒一烧，脸膛更红，更有神采。他把酒碗一扔，脱了袍子，深吸一口气，马步蹲裆，搭箭引弓，只见五支响箭连连飞出，全中靶心，整个赛场一片叫好，全体官兵也一齐为他鼓掌。

才旦彭加一见，高兴得眉飞色舞，连问李狄三：“怎样？怎样？”

李狄三说：“好，好，真可说是有百步穿杨之功。”

彭清云叫巴利祥子出场。他来自新疆巴音布鲁克草原，是蒙古族土尔扈特部的后裔，虽不是虎背熊腰，但臂力过人，是骑兵师有名的大力士。

巴利祥子上场后，对扎西才仁说："请先生把靶子后移五十大步。"

"祥子，你要干啥？"彭清云担心地问。

"副连长，放心！百步穿杨，就要一百步，五十步不行。"说着，他拾起了弓箭，双腿一叉，左手持弓，右手搭箭，猛地一蹲，双臂一张，只见箭未出手，弓已断成两截。全场默然良久，随即欢呼起来。

"管家先生，有比这还大还强的弓吗？"

"有，有，你等着！"扎西才仁颇为气恼地说。

"那就请先生换一张弓吧。"巴利祥子客气地说。

"有张好弓现在已很少有人拉开过，光重量就有三十来斤，你敢使吗？"扎西才仁很小心地问道。

"我可以试试。"

"拿大弓，拿大弓。"扎西才仁高声对一位藏兵叫道。

那藏兵跑着去扛出一张大弓来，交给巴利祥子。巴利祥子在手中掂了掂，说了声："好弓。"拾起五支响箭，对扎西才仁说："还得烦先生把羊皮靶后移二十步。"

靶子移好后，巴利祥子搭箭引弓，五支响箭带着尖厉的啸声，连连射中羊皮上的红色靶心。

场上又是一阵欢呼声，藏民们纷纷拥到靶子跟前，大声欢呼着："英雄，英雄！"

站在一旁的藏族弓箭手也激动地拥抱着巴利祥子，向他表示祝贺。

才旦彭加和扎西才仁惊得半天合不拢嘴。才旦彭加连说："果然人人了得，果然人人了得。"让人抬出青稞酒，给每人敬了一碗。

"巴利祥子力断强弓"的故事风一样在高原上传开了。现在，它仍在高原上流传，它已成为这高原上一个十分动人的传说。

这次比武，使噶本政府对先遣连的战斗力有了了解，深知不可能和他们轻易对抗。只能采取围逼的方式，让扎西才仁和才旦彭加在廷空驻扎下来，表面上是便于同先遣连联系，以落实和监督协议的执行，实则是负责监视与先遣连接触的藏族群众，以更好地实施噶本政府的三条禁令，达到困死或逼走先遣连的目的。

四、驮运线消失

何家产只得发出那份电报。大意是说，前往昆仑之驮运线因大雪阻隔，驮运队虽然多次努力，也未越过，给养保障只能暂时中断，望你们自力更生，多想办法，准备越冬。一旦可能，我们会竭力尽早打通驮运线。

那份电报发出后，何家产在床上辗转反侧，难以入睡。他知道这个连队要吃大苦了。他给军需科打电话，要他们随时备好物资，以便条件可能，随时接济先遣连。这电话是半夜打的，打了这个电话后，他内心觉得好受了些，终于能够迷糊一会儿了，却梦见"黑流星"腾空而来，一身冰雪，神情冷峻，它长嘶一声，在何家产面前立住，像有万般言语要向人说。他要去拉它时，它眼中含泪，留下一绺乌黑的马鬃，腾空而起，又往阿里的方向去了。他追上去，却没有抓住。他心里十分难过，猛地醒了。记起梦里情形，在心里叹息了一声"黑流星"定然走了。它是来向我道别，并引我为阿里的先遣连想办法么？可我又有什么办法可想呢，昆仑太高、阿里太远，谁也拿它没办法呀。

扎麻芒堡一片寂静。阳光早早地洒满了高原，冰雪世界里的淡蓝色炊烟在阳光里显得格外蓝，格外富有生气，像是要与无边的死寂抗争。

译电员早早地来到了李狄三的帐篷里，把何家产发来的电报交给了他。

李狄三看完后，神情严峻起来。他觉得手中的一纸电文十分沉重："真是出乎我的意料，没想到这雪这么早就把路封掉了。"

他把电报又看了三遍，确信连队即将面临艰难处境。想着怎样把这一情况告诉给连队的其他干部。

王万明把全连排以上干部全叫来了。李狄三说："我刚接到师里的电报，大雪已把昆仑山阻死了，驮运队没能冲过来。山封了，路断了，看来，到明年五月之前，新疆不可能再为我们运送什么物资了。首先，粮食是个大问题，即使节约着用，最多也只能维持两个月，况且大部分还存放在两水泉；如果我们继续往前推进，就得赶快转运，不然，到时雪越积越厚，转送就会越来越困难。一百余口人，剩下的几个月靠什么养活，这是个非常严峻的问题。行军所带的帐篷，早已破烂，天寒地冻，听老乡说，最冷时能将石头冻裂，部队再无别的住房，这个问题也很严峻。还有被服，大家的衣服都已破烂。另外这里的敌情非常复杂，藏军不可能会有两三个代本的兵力驻扎此地。因为这里是由措本（相当于乡长）每年派员去哨口守山的，守山的多是牧民，这可能算是他们的基层武装，但藏北究竟驻有多少藏军，一般的老乡是不清楚的，可官员和头人又不可能告诉我们实情，最近又听说由扎麻芒堡向前蹚十二站地，驻有藏军正规军一个营，不管怎么说，这个也是很严峻的，什么情况都可能碰到。"

李狄三说完，大家沉默了好一阵子。

半晌，曹海林说："也许推进到噶大克就好了，那里好歹是阿里的首府，可以买到粮食、布匹，可以借用民宅。"

"噶大克究竟有多大个地方，离这里还有多远，都还不知道，听老乡说，还有三四十马站的距离，也就是说还有一千多里路，何况，其间还有'十三圣湖'无人区和非常艰险的冈底斯山脉，现在进军，恐怕会困难重重，搞不好，那些地方在这样的时节，本身就是一个绝境。"彭清云想了想，又接着分析道，"关于究竟有多少藏军驻扎在藏北，我同意股长的分析，如果他们真有两三个代本的兵力驻防藏北，就不可能不和我们发生接触和摩擦，可以说，他们已经怀疑我后续部队没有跟上，却仍在回避我们，证明驻扎藏北的藏军不会太多，顶多也就一个营，在军事上，我们只要提高警惕，完全可以防备他们。现在主要是怎么才能生存下去，怎么解决衣、食、住这些最根本的问题。"

"估计这几天上级会有下一步行动的具体指示，我们一边做好继续进军的准备，一边想办法解决我们面临的问题——这些问题不管我们进军到什么地方都得解决。"李狄三最后说。

果然，没过两天，上级的命令来了，要先遣连"停止向纵深发展，就地迅速转入过冬备战，自力更生，等待春季会师后，共同进军噶大克。"

藏北的冬天长达七个月有余，平均气温零下四十摄氏度左右，除了一些爬地松、湿矮柳、扎麻之外，再没有比它们稍高的植物。没有木头建房，只有挖地窝子解决住的问题。另外，派彭清云征得才旦彭加的同意，猎取野生动物，补充食物的匮乏。这项工作由参谋周奎祺负责，要求连队的神枪手完成猎获万余斤兽肉的任务。

营地施工开始了，打猎小组出发了，我军高原屯兵和驻守阿里的历史由此开始了。

扎麻芒堡虽然入冬不算太久，但这里属于永冻层，冻土层已厚达一米多，一镐下去。地上只能留下一个白点，工程进度很慢。

镐柄断了，锹把断了，虎口被震裂了，人累垮了，但效率很低，一天下来，一个人一方土石也挖不了。

曹海林最后想出了一个办法，就是用火烤地，把冰烤化一层，挖一层，大家把这称为"层层剥皮法"。

所带的铁镐和铁锹在进军途中挖路时，已有磨损，它们主要是在战时用来修筑工事用的，一共不足百件。二十多天后，铁镐就挖成了铁锤，铁锹只剩下了把头，战士们只好用野牛角代锹，一点一点地挖掘着。

我在阿里军分区的荣誉室里见到了一把当年先遣连战士使用的镐头，全长只剩二十九点四厘米，重一千九百克，如果不是中间有个圆孔，没人会说它是镐头，只会认为是一块铁坯。

连队长期驻扎扎麻芒堡，李狄三和曹海林首先想到的是应付可能的战斗，见工具有限，决定先修工事，待工事修好之后，再继续挖地窝子。二十多天后，挖出了四十多个掩体，二百多米蛇形交通壕，并在驻地东、西和东南角各筑了一座两米五高的碉堡。在挖地窝子时，再使这些相互连通的工事与地窝子结合在一起，使全连可以随时投入战斗。

用牛角代替镐锹之后，官兵们好像回到了原始社会。大家一边干活一边开玩笑，听说人是由猴子变的，猴子在刚变成人时，就是用石头、骨头和牛羊的角作为工具的，你看我们刨的又是地洞，这里又这样荒芜，见不到别的人烟，打猎组又不时扛回些捕获的野牛、野羊，这真像是猴子刚变成人时的情景。

地窝子开始很小，很粗糙，一般是三个或五个人一眼，李狄三让大家先住进去，待以后有时间了，再慢慢抠，慢慢掘，往舒服里琢磨。眼下，只要能避风寒就行。

一座特殊的军营诞生了。这四十一间地窝子，八座半地下马棚与那些掩体、蛇形壕和碉堡，组成了解放军万古荒原上的第一座“兵营”。

当然，在共和国的编年史上，不会有这座兵营的记录。即使是一些规格稍高的军事志上，也难以找到有关这座兵营的文字。但在阿里，这个连队是最先驻扎的，解放军屯扎世界屋脊的历史正是由此开始的。

五、将军与火

左齐和何家产已碰了好几次面，商议运送物资救援先遣连。但他俩都不得不承认，他们遇到了不可战胜的敌人——昆仑山。它狂傲地高耸于天地之间，要把任何一个企图在这个季节靠近它的生灵置于死地。

左齐站在普鲁村的麦场上，麦场上堆着麦秸垛。风把塔克拉玛干的黄沙吹得满天都是，使天空显得一片昏黄。刺骨的寒风一阵阵吹过来，把他右边空荡荡的衣袖一次次刮起来。天空的昏暗使他望不见昆仑，更望不见阿里。但他的心一直没有离开过那里。他只能在心里说，同志们，一切只能靠你们自己了，你们一定要坚持下去，能够坚持到开春，就是胜利。“说实话，我从来没有像那年冬天那样关心过大自然的变化。我甚至学着老百姓的办法画了一张‘九九步寒图’，从冬至进九，每天写一笔，每九成一字，一天一天的，好容易写完‘庭前垂柳珍重待春风’的‘珍’字，六九到了！春打六九头嘛！然而，这里的六九却连开春的影子也找不到。七九应该是解冻的日子，可阿里的冰雪反而更厚了。”左齐后来追忆道。

他希望日子能过得快些。只有时间能战胜昆仑和阿里的冰雪。

他似乎又看到了勇士出征时的情景。

巍巍昆仑山下，百余名热血男儿列着整齐的方队，红旗招展，钢枪在握，瘦硬的西风敲打着钢枪，发出“磔磔”的金属之韵。

左齐从百余名汉子面前一一走过。他们那么年轻，像是刚刚抽穗的红高粱。他抚拍着他们的肩膀，感到每个肩膀都是如此有力，完全可以担负交给他们的一切。

一百三十六双眼睛映出了一幅雄阔的画面：雪山，荒原，盘旋的鹰。左齐想，如果不是为解放阿里，他们本可以投入国家的建设之中，或继续留在部队，或回垄亩间劳作，或到工厂里做工，或到学校里深造；如果不是为解放阿里，此刻，太阳高悬，正午将至，一百三十六位母亲正倚在一百三十六扇门边，等着一百三十六个孩子回家吃午饭……

左齐和何家产除了担心先遣连的粮食弹药不足外，燃料也是他们忧虑的。他们已经得知过昆仑和阿里很多地方寸草不生，柴火更是少见。

没有柴火，他俩不知连队靠什么取暖，怎样过冬。

生活在那里的牧民靠的是牛羊，他们的毡帐是用羊毛做成，穿的是毛线织成的布，羊皮做成的袄，吃牛羊肉，喝牛羊奶，烧牛羊粪。但先遣连没有牛，也没有羊。何家产因为担心，专门去电询问过过冬柴火的事。先遣连的回答是，他们设法自行解决。现在，他还不知道他们是怎样解决的。但无论怎样，也只有他们自己想办法了，既然给养都运不上去，更不可能给他们运送任何燃料。

扎麻芒堡在藏语中指毛刺很多的地方。扎麻是一种伏在地面的多年生小灌木，柴干细而多刺。扎麻丛中伴生着一种叫滨草的杂草，又硬又尖。除了牛粪，这就是先遣连的柴源。

在这寒冷至极的高原，离开了火就意味着死亡，要度过这漫漫长冬，就必须打柴储柴。几十里外的牛粪都拾尽后，官兵们开始对付这些毛刺。冰雪覆盖，加之坚硬的毛刺很容易扎手，打柴非常困难。柴还没打多少，每个人的手扎破了，棉衣扯破了，手和脸冻裂了，全是小血口子和冻疮，那些小血口子一遇见风、一沾水就痛得钻心。

张长福和大家一样，手上脸上是裂口后结的血痂。最近几天，他觉得身体不太舒服，腿有些发肿。不过，还不太厉害。他把身体不舒服和得病区分得非常严格，他很少得病。他认为这跟他小时候的贫苦有关。病是有钱人得的，没钱人可得不起，一旦得了，就意味着死，意味着更加贫穷。腿肿可能是冻的，可能是累的，也可能是他吃的东西不行。作为炊事员，他知道连队的粮食不多了，每顿都尽可能节约，他自己尽量少吃。能省下一把粮就省一把粮吧。他这名老兵走过的路长了，挨的饿也多，知道在关键时候那一把粮的重要。过去没粮了，还可以打打土豪，或从敌人手中夺一些枪弹给养。但这次，像是没有敌人，又觉得敌人无处不在。这是和平进军，没仗可打，也不能轻易打仗。

身体不舒服让他心里难过，每次都是这样。他常常一边打着扎麻，一边想着往事。这种时候他就是爱想往事。他想起了自己参加过的孟良崮战役。这时，他会振奋起来。孟良崮战役之后，一有情绪低落的时候，他就会想那场战役。那可真是个仗呀。枪炮声从没停息过，土地一直因为战火焚燃、鲜血浸染而不停地打抖，一批一批士兵被子弹割麦一样割倒了，一批一批士兵又像突然疯长出来的麦子一样填补上去，整个孟良崮后来就被这种割倒的庄稼铺满了，一切才停息下来，像是在丰收后的欢喜中醉倒了。但这种收割是相互的，你收割着对方，对方也挥着滚烫的镰刀要收割你。当战场沉寂下来，他有些吃惊。抬走受伤的，埋掉牺牲的，这些工作比战斗本身还要艰难……

张长福宁愿经历战斗，而不愿经历那繁琐、沉闷的战后工作。他受不了战后土地的残破景象，不愿呼吸死亡的血腥气息。

而战斗的胜利必须通过这些方式才能获得。

张长福从山东一直打到新疆，现在又到了阿里。他觉得自己是从那残酷战争中走出的幸运者。作为一名老兵，经历了大小数百次战斗，却还活着，他感到侥幸。现在，战争已经结束了。和平进军，离烽火硝烟就远了。“待阿里解放了，我就回山东老家去种地，父母苦了一辈子，现在是新日子了，我要让他们享点福了，还有老婆孩子，这么多年来，我也很少能够照应……”

天刚亮，张长福就起床了。阿里的天亮得晚，而他习惯早起。他准备先打上一捆扎麻后，再回来做早饭。他在打柴时发现，扎麻在太阳出来前，因为枝干受冻发脆，很容易攀折。这个发现令他高兴，从那以后，连里就很早出发，到太阳出来前，已能打很多柴火。

王万明因为在打柴中，能够吃苦耐劳，忍饥负重，赢得了“毛驴子”的誉称。

“我记得他是个有些文静的、机灵的战士，但干起活儿来，却不顾死活。‘毛驴子’通常是用来骂人的词，当时那可不是骂人。因为王万明真像不知苦累的驴那样，拼了命在干。每天他背回的柴火最多，棉衣被扯得挂花吊絮，挡不住风，也御不了寒，毛刺把棉花都给挂掉了，薄得只剩了面子和里子，毛刺一扎就透，背柴时背上扎满了小红眼，血把衣服粘在肉上脱不下来，睡觉时背不能挨床，只能趴着睡。到第二天，刚起血痂的背又得被扎出新的血眼儿，背着扎麻，如背着针毡。但他一直忍着，没停下来一天。”

彭清云追忆他时，眼睛望着远方，像是要看到过去的时光深处去，要看到自己的战友活着时的情形。

扎西老人坐在我们的吉普车上。他骑惯了马，闻惯了马汗的气味，坐在车里觉得很不自在。他忍受不了汽油味，差点呕吐，所以他把自己那颗白发白须的脑袋一直伸在车窗外面。

他的汉话有些生硬，但还可以听懂，他说：“还是骑在马上自在。”

他是带我们去扎麻芒堡的。

“现在扎麻芒堡的扎麻已很少了，就是当年先遣连的英雄们为了自救打光的。马上五十年了，这里的扎麻再也没有长起来。”

稀疏的牧草没能掩盖住大地的荒凉，反而使大地显得更加荒凉。我的目光搜寻到了一丛扎麻，它谦卑地伏地而生，密匝匝的毛刺间点缀着几枚金黄的叶子。

扎西说：“就是它们，当年救了英雄们的命。没有它们，一个连队完全有可能被冻死。冬天的大雪把高原盖得严严的，那时节，要刨出一坨牛粪比刨出一坨金子还要难。”

时至今日，牧民们的燃料还全靠牛粪和羊粪，牧民在赶着牛羊外出放牧时，都带着袋子，把粪便拾起来，带回帐篷，晒干后，用来做饭、取暖。当年，先遣连一百余人，要靠拾牛粪过冬是不可能的。

但当时左齐并不知道扎麻这种植物。

他忧心如焚。在那寒冷至极的高原，柴火和粮食一样重要。

左齐不知道自己在麦场上站了多久。何家产来到他身边时，他一点也没觉察到，因此，何家产拍他的肩膀时，他吓了一跳。

“我赶来告诉你一个好消息。”何家产的声音里充满了喜悦。

“是关于先遣连的么？”左齐迫不及待地问。

“是的。”

“那你快说！”

“刚才收到了他们的电报，说过冬营房及燃料已备好，现在打猎，筹集兽肉，以补充粮食的不足。服装、弹药尚无办法解决。”

“电报在哪里？你带来没有？”左齐像是不相信，他要亲眼看看电报。

何家产把电报递给他：“我把电报带来了。”

左齐认真地看了，舒了一口气，高兴地用左手拍了一下何家产的肩膀说：“住的、烧的、吃的，解决了这三个问题，他们的处境就好多了。继续和他们联系。弹药是没办法解决了，但只要不发生大的战斗，他们带去的弹药还是能支撑一阵子的。现在主要是吃的，穿的，他们若能解决一些，叫他们立即报告。”

六、狩猎神

扎麻芒堡地势险要，便于防守，只是吃水极为不便，要从五里以外的地方去背冰块。现在，大地白茫茫一片，积雪没退，有些地方已厚达一米。

吉春林、巴多木无精打采地围坐在一堆篝火边，把枪搂在怀里，低垂着头，谁也不说话。篝火的火苗越来越小，却没人添一把乱麻。

李狄三走过来，席地坐在他们身边，向火堆里添了一把乱麻。火“呼”地重又燃起来，红色的火苗跳跃着，长长的火舌舔着冰冷的夜色。扎麻发出细碎的噼啪声。火光映着几张清瘦的脸。李狄三开玩笑地问：“草原的雄鹰们，你们咋都成了病鸟啦？”半天没人回话。

这几天，猎手们分头出去打猎，除巴利祥子打回了三只黄羊，其他人都空手而归。

“我知道你们为什么闷闷不乐，我已问了巴利祥子，知道了野兽的过冬习性。他认为有两条，一是冬天的野兽一般到深山避风的地方过冬；二是野兽早晚必须喝水，找到蹄印就能找到它们喝水的地方。有了这两条，我保证你们明天能打到野兽。”

李狄三说完，大家就笑了。第二天，他们按照李狄三的说法，果然打到了猎物。

刚开始狩猎时，野牛、野羊成群，大家跃马横枪，每天都有收获。但几天过后，受惊的野兽都跑到了雪山深处，猎手们常常跑出好远，仍收获甚微。

最后，只好再去找当地的头人，征得他们同意后，扩大狩猎范围。每次往返，常常要百余里路程。

藏北是个神灵遍布的世界。在民间宗教里，宇宙被分成了三个部分：上面是白色的天空，那是天神的世界；下面是蓝色的水域，包括地下，住着龙和龙的家族；中间是广阔的大地，大地是红色的，活跃着赞和其他的神祇们。祭祀这三界神灵的仪式，四季都有。民居的檐帘是由白色、红色、蓝色组成的，这表示有三界的神灵在护佑。在高高的达坂顶上，在险要的山隘口，在宿营地，在牧区，在江河湖畔，随处可见飘扬的经幡，在风雪和阳光中向上天传达着人间的愿望。这些经幡也由三色组成，也是表达对三界诸神的供奉，其中，白色象征天上神——“拉”，红色象征人间神——“赞”，蓝色象征地下神——“鲁”。拉是最高层次的保护神，即藏传佛教最大的两位护法：神班丹拉姆和贡布。稍低层次的，是丹玛久尼——十二丹玛女神，也是藏地护法，有人说她们是班丹拉姆的化身。其次是赞，这是一种最切近的神，是一些乡土神。另外，还有出生神、家神，还有小到属于一己的、各人生命主宰的命神，命神所在的部位为男右女左地附于肩头，形象为灯。所以西藏人干活从不直接用肩膀，背水背筐的绳索也只从肩斜侧过，更忌拍人的肩膀，尤其忌女子拍打男子右肩，因为他们怕冲撞冒犯了命神。各种生灵都是神灵的化身，马是路神的化身，鱼是水神的化身，所以，任何野生动物在藏地都不能随意捕猎。因此，要说服当地的头人并非易事。他们口口声声说要冒犯神灵，一冒犯神灵就会降灾难给藏北的众生。

到最后，曹海林只好到改则本政府，说：“如果不让我们猎取野兽，我们只有请求改则本给我们提供一些青稞，我们愿意用银元购买，哪怕高价购买也行。如真有神灵降灾降难，让他们降给我们好了。”

改则本只得同意先遣连扩大狩猎范围。

狩猎小组一出去，常常好几天才能回来，沟谷雪厚，他们骑着马，赶着驮兽肉的骆驼沿着山坡走。饿了就嚼点肉干，渴了就咽一把冰雪，困了就挖个雪窝子，把野牛皮或野驴皮往身上一裹，迷糊一阵。

巴利祥子不但力气大，还胆大心细，不怕苦，不怕累。每次外出打猎，他都是单枪匹马，一出去就是好几天。他出没于冰山雪野之间，像一位狩猎神，从不空手而归。

藏北高原主要的野生动物有藏野驴、野牦牛、藏羚羊，它们被称为“无人区三大家族”；还有野马、藏原羚（黄羊）、藏狐、岩羊、盘羊、熊、狼、猞猁、鼠兔等。

这些动物都不易猎获，因为它们大都十分警觉，且奔跑速度极快。在这高原上，最多的是野羊和野驴。但野羊一发现人，转眼就没了踪影，野驴凡是被见到的，总是奔驰的姿势。野驴比马还漂亮，大小也与马相同，所以很多时候，人们把它们叫作野马。它们全身灰褐，却有雪白的腹部和四条白色的漂亮小腿，奔跑的速度与现在的丰田越野车大致相等。所以猎取它们时要隐蔽接近，迅速出击。它们一旦跑起来，就只能看到它们留下的一团尘土，只能听到它们闪电样逝去的脚步声了。

巴利祥子已在雪原上走了四天。昨天，他翻过了两架雪山，但连一只野兽的影子也没看见。两峰骆驼用瘦弱的四肢支撑着风车样的骨架，他胯下的马也像唐·吉诃德所骑的坐骑了。

他是个典型的蒙古汉子，头发稍有些卷曲；褐色的眼睛已习惯了高原的雪光，但仍然布满了血丝，它在雪原上搜寻着，像正在搜寻猎物的鹰眼；脸膛红黑，风刀雪剑使他的脸裂了很多口子，旧的血痂还没脱落，新的血又渗了出来；鼻子高挺，鼻尖有些勾，下巴宽大，且长。因为寂寞，他反反复复地哼唱着那首他刚从藏民处学会的传之久远的羌塘古歌：

辽阔的羌塘草原呵，
在你不熟悉它的时候，
它是如此这般的荒凉，
当你熟悉了它的时候，
它就变成了可爱的家乡。

作为为了回归故国家园而历经千难万险、流血死亡的“东归英雄”的后裔，他深知这片土地对于当地牧民的意义，这里既是他们世世代代的生息之地，也是情感和精神的寄托之所。他们舍此可去四面八方，但因为这里是他们的家乡，他们最终无处可去。

天慢慢黑了，他停下来，找了个背风处，挖了个雪窝子，把皮大衣一裹，就躺了进去，一边咽着冰雪，一边嚼着肉干。

为便于保存，先前所猎获的野兽都被做成了肉干。有些是煮过再晾干的，好些是像当地牧民那样直接割成肉条晾制的，很难嚼烂，加之腥味又大，很难下咽。

巴利祥子囫囵吞了一些，就迷迷糊糊地睡着了。他梦见一大群野牛从他的身上踏过，而他却完好无损。没过多久，他就被冻醒了。他想明天不定能打到野牛呢。睁开眼睛，明亮的月亮挂在天上，显得晶莹剔透，像是被这高原上从没沾染过尘埃的冰雪擦拭过千百次。雪原被月光和雪光映照得如同白昼。巴利祥子跺了跺脚，牵上马，又出发了。

走了一阵子，才发现有两匹狼不近不远地跟着他。他不由得一阵高兴：“这可是送上门来的食物，我正愁几天来没有收获呢。”

他想着怎么才能把它们全部干掉。

他把枪端好，随着枪响，一匹狼嗥叫了一声，倒下了。另一匹狼惊了一下，正要逃开，第二声枪响了，那匹狼翻了个跟头，也趴下不动了。他赶紧跑过去，趁着狼血还是热的，把嘴对着一匹狼的伤口，饱吸了一气。热的狼血使他的身体有了一些暖意。他拔出匕首，三下五除二剥了狼皮，掏了肚肠，把狼肉往骆驼背上一捆，继续前行。

不知不觉起了风，雪团被刮起来，完美的夜空突然破碎了，星月隐遁，气温降得更低。巴利祥子赶紧将那两张狼皮裹在身上。

风像一面冰冷的墙，挡在他的面前，迎着风寸步难行。

这就是高原说变就变的天气。

巴利祥子索性躲到骆驼身后，等待风过去，等待天亮。靠着骆驼，他又迷糊了一阵子。

晨曦初露时，大风停息了，不时有一小股风带着倦意从空旷的雪原上掠过。东边的朝霞把天空和远方的雪原及峰岭映成了玫瑰色，显得十分壮丽。然后，硕大的红日冉冉升起，有一种冰凉的圣洁感。

这时，巴利祥子看见了一个巨大的黑色怪物从霞光中走了出来。它就是高原动物中的“巨人”野牦牛。它重达千余斤，走路慢慢腾腾，颇有些闲庭信步的样子。它大多时间生活在山坡上，喜欢吃柔软的邦扎草，夏季里用牙啃，冬天就用舌头舔，它的舌头多刺，十分厉害，是它的自卫武器之一。它在进攻时一般用三种方式，一是用角顶，二是用脚踩，三是用舌舔。如果人躲在低洼处，无法顶、无法踩时，它就用舌舔。第一下，先把你的老羊皮袄舔得粉碎，第二下，你的血肉就会被舔开花。晒干的牛舌头可以当梳子。

巴利祥子是第一次遇到这庞然大物。他听说因为皮太厚，连狼都啃不动这家伙。最厚部位的额头处足有三寸，有藏民把它拿来作菜板，用上几十年也不会坏。

母野牛为了保护牛犊，一般是成群的，这头牦牛独行，可知是头公的。

它目空一切地行走着，俨然大自然的王者。有力的四蹄击打着大地“咚咚”直响，雪沫飞溅得老高。巴利祥子隐蔽好后，把子弹推上了膛。

待野牦牛走到百米开外，他对准牛头就是一枪。野牦牛轰然倒地。他高兴地跑过去，没想那野牦牛并没有被打死。它站立起来，由于受到攻击，凶相毕露。它“哞”地叫一声，直朝巴利祥子冲来。

巴利祥子没有提防，一下慌了手脚，折身向一边跑去，帽子也跑飞了，野牦牛挟着一阵冷风，从他身边冲了过去。可没想野牦牛猛地停住了，看了一眼皮帽子，对着它狂怒地猛踩起来，帽子顿时被踩进了冰雪里。

巴利祥子趁机掉过枪口，正要推子弹上膛，野牦牛又折身冲了过来，情急之中，他连忙把衣服脱下扔掉，野牦牛一见，又狂踩起来。巴利祥子知道打头没用，朝着它的心脏打了一个连发，野牦牛终于倒毙了。

巴利祥子看了看打在野牛额头上的子弹，发现弹头嵌在那厚皮里，根本没打到肉里去，它坚硬锋利的野牛角之间的头顶部位可并排坐两个人。他把牛头砍掉不要，剥了牛皮，掏掉内脏，两峰骆驼，外加他的坐骑，也只能把它的肉驮走一半。这家伙毛重至少有一千五百斤。

巴利祥子只好把余下的肉埋进冰雪里，回到连里后，他和吉春林又返回来，把野牛肉从冰雪里掏出来。用了三峰骆驼才全部运走。

骑兵师来电催问连队过冬食品准备情况，李狄三回电说，我连靠猎取野兽已可补充粮食之不足。

他是希望让上级尽量少担心。此时，虽已备了四千多公斤兽肉，但粮食已吃光了，只剩下了一些马料；病倒的人也越来越多，每天都有马匹倒毙。风传有五个甲本（藏军编制，相当于连）的兵力正在向改则本方向推移，情势正变得越来越严峻。

连里派出的侦察人员没有发现藏军活动的痕迹，但食品显然还不够，至少还差两千来公斤兽肉。打猎小组的任务仍然艰巨。

由于长期在高原上翻山越岭，没命地奔劳，吃不好、睡不好，打猎小组的成员已先后有五个人病倒了。巴利祥子也一天天消瘦下来，脸色变得蜡黄。李狄三和连队其他干部看到这种情况，劝他休息几天，他说：“没事儿，这样的地方，捞上点小病很正常，你们放心吧。”

其实，他的腿已开始发肿，还经常吐。他保守着这个秘密，没让任何人知道。他每次回到连里都显得很乐观，一副没病没痛、身强力壮的样子。

元旦即将来临了。现在，在解放西藏的所有部队中，深入藏境的仍只是先遣队。昌都战役后，为表示中央人民政府的和谈诚意，十八军没有再前进。而西藏噶厦政府则一味地拖延和谈，想方设法获取英、美两国的支持，希望国际形势有所变化，以阻止解放军进藏。但人民解放军在朝鲜战场上歼敌七万余人，迫使美军从“三八”线以北撤军。而拉萨则流传解放军从各处进军西藏的传闻。1950年，藏历11月11日，达赖喇嘛仓促任命大堪布罗桑扎西和孜本鲁康娃·泽旺绕登二人为司曹，代理摄政职务，之后即换上普通衣装，从布达拉宫出走，经江孜抵达亚东。和谈前景顿时变得黯淡。阿里的部分反动头人又暗自行动起来。而此时，进藏先遣连只剩下了四十余匹还能走动的马，但绝大多数已不能骑乘。病倒的人员也已接近一半，打猎组已病倒了八人，只有参谋周奎祺、战士鄂鲁新、巴利祥子和其他三人还能行动。

巴利祥子的病情在不断加重，但他仍然坚持外出打猎。马骑不成了，他就拉着一峰用来驮野牛野羊肉的骆驼，徒步出去，几天才回来一次。

彭清云从两水泉运回来一些马料，连里每天能吃一顿玉米稀饭了。李狄三让维吾尔族兽医吾马尔搞了个馕坑，用石头把玉米砸碎、砸细，给打猎组的战士烤馕。可巴利祥子不带，分给他的，他都留给了重病号，自己全靠肉干充饥。那时连里已经开始缺盐，没有盐，那肉干难吃得要命，一天三顿，过不了几天，一闻到那味儿，人就要呕吐，但吐了还得吃。

一次，巴利祥子和周奎祺等五人出发向革吉方向搜寻猎物。走着走着，巴利祥子一头栽倒在雪地里，大家扶起他时，发现雪地上吐了一摊血。

血在雪地上十分醒目。

周奎祺一见，着急地问："祥子，你怎么啦？"

"没怎么，脚没踩稳，没事儿的。"巴利祥子轻松地笑了笑，但因为他的笑是硬撑出来的，所以显得比哭还难看。

"你吐血了。"

"没那么严重，我不会吐血。"

"你睁着眼睛说瞎话，你看看地上是什么？"

"哦，真有血呀。"他摸了一下嘴，装作没事似的，"把牙磕了一下，磕出血了，没事的。"

没想他正掩饰时，"哇"地又吐出一口血来。

周奎祺忙扶着他往连里走。

巴利祥子死活不走，口口声声只说自己没事，他倒在地上，拉着周奎祺的手，有些吃力地说："周参谋，给你实说了吧，我可能不行了，但我不愿躺着等死，我只要能走一步，我就要和打猎组的同志在一起，我请求你满足我这个愿望，你要保证，也要其他同志保证不告诉连里。"

"不，你这个请求我永远不会答应，你必须马上回连里去！"周奎祺一边拉着他，一边吼叫着说。

"不，你如果不答应我，我就永远不回去！"巴利祥子一边说着，一边解开自己的羊皮筒子，大家吃惊地看到，他的身体已肿到了胸部。

大家愣住了。

巴利祥子用平静的声音说："同志们，我的确不行了，你们也看到了，谁不想活下去呢，但我的身体垮得太早了，你们若想我多活一天，只有一种方法，就是让我多做一天事，这一天，对我而言，也许可抵我生命中的一年，十年啊……"

大家不再说什么，忍着泪，答应了他的请求。

巴利祥子休息了一阵子，和大家继续朝雪原深处走去。

七、"赞"一：巴利祥子

巴利祥子已成了我们的"赞"。巴利祥子护佑着这一带的猎人，猎人们供奉着他，他将猎物赐给狩猎的人。他的手和脸是赤红的，披着一张雪豹皮，头上仍顶着一颗红星，手里拿着一张很大的金弓，腰上的箭筒是野牛皮做的，里面放着五十支银箭。他的左肩上蹲着一只白色的鹰，身后跟着猞猁和豹子各一匹。有人看他常常在这一带的雪山沟谷间游荡。

他是新疆人，众赞之王赞玛热生前也曾是里域（今新疆和田一带）的一位王子，他一心向佛而无意于王位，还有人说他出家做了比丘而广结善缘。一次，一位邻国的公主路过里域时被毒蛇咬伤，王子不顾自己生命的安危，马上为公主吸出了毒汁，使公主幸免于难。这事不久即被一些奸臣得知，他们借题发挥，向国王进谗言说王子不务正业，沉湎女色。国王听后大怒，不听王子和公主的申辩，将王子杀了。公主悲愤不已，也投河自尽。王子发誓死后变成凶神，惩戒进谗言的人和不明是非者。

王子的鬼魂如愿以偿地杀死了那些陷害他的人，并变成南瞻部洲最为凶残暴烈的厉鬼，即赞神中最有名的“巴瓦本堆”——愤怒七兄弟。这七兄弟是他不同形体和不同功能的化身，本领非常高强，没有谁能做他的对手，他在世界上横行无忌。在印度，他终于见到了密宗大师莲花生，即化身为七狼，作七声长嗥。莲花生见状知事出有因，就以金刚法使它们变为骑着骏马的七贤士。大师问明情由，劝他不要再游荡作恶，遂收复并加持了他。其时适逢赤松德赞建桑耶寺，大师就带了赞玛热同赴藏地，委任他为藏地十万赞神之首，并安置他掌管桑耶寺乌康（生命气室），主宰雪域高原众生的生命之气。

有的赞神是由死人灵魂变化来的，藏语称“米西赞恰”，也即人死成赞；有的赞神是具有一定能量的人，如僧，如王，如大勇者。成为赞，人的死因和死前的瞬间意念非常关键，比如大仇未报，死前发念要申冤报仇的；如执着于一件事情，死时心存遗憾要酬壮志的；还有些是怀有各种世俗之念的，如对于生命、亲情及此生各种未尽事宜有依恋、担忧、思念、向往这些情绪的人。

赞这种土著神灵护佑一方百姓和生灵，有些像内地的土地神，如青海湖和鄂尔多斯附近的保护神是成吉思汗，日喀则的保护神是扎嘎杰保，色拉寺的保护神是娘禅杰钦。

巴利祥子属大勇大义之人，又是早年的夏保解放军，从不做恶事，即使不经高僧活佛加持，也是真正的赞，因为他是老百姓认定的，是由一方众生加持的。

你们见过临死之前还能打翻一头野牦牛的人么？

可能连听说也是第一回。

他就是巴利祥子。

扎西老人满怀激情地讲述了传说中的巴利祥子如何像神一样，把一头力大无比的牦牛掀翻在地，用自己沉重的铁拳打死那头牦牛，然后把它扛回连里的故事。这自然过于神奇，与纪实这一文体不符，所以这里略去，只按我采访的情况讲述——

巴利祥子牺牲的那天和鄂鲁新在一起。他们为了寻找猎物，一直深入到了革吉境内。那两天没有风，也没有雪，白天太阳高悬，夜晚明月当空。天地只有三种颜色，白雪铺的大地，湖蓝色的天空，黑色的岩石或黑色的夜。世界如此宁静，以至于有了肃穆的气氛，让人觉得有一种神圣的东西即将降临或诞生。

头一天，巴利祥子就发现了一头野牦牛的蹄印，他和鄂鲁新顺着蹄印走着。这几天他吐血更厉害了，走不了多远，他就要吐血。进了山后，他们在一个山洞里住下来，等那野牛下山。他们已徒步走了好几天，再也走不动了。这里有一眼泉水，巴利祥子断定这里有野牛、野羊来饮水。

巴利祥子已很虚弱，在山洞里躺下不久，就昏昏沉沉地睡着了。鄂鲁新拾了一些野牛粪，又捡了素草，烧了一堆火，然后把肉干在火上烤了一些，等巴利祥子醒来后食用。

“野牛下山了。”天刚亮，巴利祥子就推醒了鄂鲁新。

两人出了山洞后，刚隐蔽好，果然看见一群野牦牛从山脊上下来了。

“你真神，祥子！”鄂鲁新说。

“不要说话，准备好，注意，打它们的心脏。”巴利祥子说。

一共有七头野牦牛。仍是公牛，所以是小群的。它们愈来愈近，直朝他俩走来。他俩一人瞄准了一头，待只有七八十米的距离时，巴利祥子低声说：“瞄准心脏，连发，打！”

一阵枪声响过，牛群顿时乱了，纷纷掉头往回跑去。那两头中弹的牦牛没跑多远就先后倒下了。

鄂鲁新是第一次打到野牦牛，显然异常高兴，一见野牦牛倒地，马上冲了上去，巴利祥子想喊住他，已来不及了。

正在奔逃的一头野牦牛可能发现了他，马上站住了，并迅速掉过头，向他凶猛地冲来，显得抖擞而暴怒。鄂鲁新朝它打了一枪，咚的一声击中了它的躯体，它好像没有感觉，反而更加愤怒，把牛角放低，向鄂鲁新撞来。鄂鲁新转身想逃开，但已迟了。

野牦牛愈追愈近，尾巴在空中乱抖，凶狠地瞪着眼睛，雪和沙土被它的四蹄击打起来，飞溅得老高。巴利祥子眼疾手快，对着它的前胸打了一枪，又在它的腿上打了一枪。它才沉重地倒下了。它的长角距鄂鲁新已不足一米。它倒下时击起的雪沫溅了鄂鲁新一身，他的脸吓得有些白了，站在那里愣了半晌才说："妈的，差点被它报销了。"

他们这次没牵骆驼，放在山里怕狼吃掉，巴利祥子就让鄂鲁新回家牵骆驼，他自己留下来看守。

鄂鲁新走后，巴利祥子怕牛僵硬后不好剥皮，就一个人动手剥起来。然后，又把肉分成块，一块一块地背到山下，两千多斤牛肉，使他一直忙到大半夜。忙完后，他感到累了，身体虚弱，但没有吐血，只感到一阵阵发冷。他把一张牛皮铺好，倒下去，把自己裹住。鄂鲁新带着人牵着骆驼赶来时，牛皮冻在他的身上已扒不下来。

用骆驼把巴利祥子驮回扎麻芒堡，他就再也起不来了。他的手伸着，和每个前去看望他的人握手。每个人都忍不住流泪，只有他微笑着。

他见到曹海林时，问道："连长，我不能再打猎了，不知道兽肉还差多少……"

"祥子，不差了，已够我们度过这冬天了！"曹海林说完，泣不成声。

"我想活，我还没有到达噶大克，只有拜托……"巴利祥子没有说完，就平静地合上了自己的眼睛。谁也没有想到，这位力断强弓、独自捕获过野牛的勇士，成了先遣连第一位献身藏北的战士。那天是1951年1月7日。

悲哀笼罩了扎麻芒堡。

大家解开巴利祥子褴褛的军衣，发现他的身体自胸以下，都已发肿，好几处已经裂口，溃烂，才明白他一直瞒着大家，忍着病痛，坚持狩猎。

周奎祺用冰雪为巴利祥子擦着身体，他那样小心，像在擦一个初生的婴儿。然后，他将自己一套虽已补丁重补丁、但还算干净的军服给他换上，自己穿上巴利祥子那件破烂不堪、汗渍斑斑的衣服。

当时，连里已没有没补丁的衣服。准确地说，连补丁比较少的衣服都没有了。

出征之际，部队的服装就短缺，加之长期艰苦行军，进驻扎麻芒堡后，又打柴，狩猎、训练，修建工事、地窝子，衣服早已破烂，已经到了衣不遮体的地步。卧病在床的战士让出了自己的衣服，也解决不了问题。全连只能挑出二十一件打满补丁的衣服作为礼服，专供负责外出谈判、做群众工作以及接待来访的当地官员、头人、牧民的人员使用。

其他的衣服是用野牦牛毛捻成线，用牛羊骨磨制的骨针，用装粮的麻袋缝补的。麻袋用完了，就用兽皮，没有熟革，就用生皮子补，有些还补上了帐篷布。

周奎祺脱下的那件军衣还没有补兽皮，也算是对祥子的礼遇了。当时，官兵的衣服正是连队迫切需要解决的难题。每个官兵至少要有一套遮得住身体、出得了地窝子的衣服。

没有棺材，彭清云找来了四张野马皮，准备用它来包裹巴利祥子的尸体。

惨白的月亮挂在天上，阴云在它周围堆积

着，越来越厚，压在扎麻芒堡的上空。最后，月光和蓝色的夜空被它一点一点地吞噬了。

送葬那天，晴朗的天空中突然刮起了风，飘起了雪花，风不大，雪也飘得徐缓，阴沉的天地，显得十分悲抑。

李狄三爬出地窝子，为巴利祥子送行。他当时已经病了，也是身体浮肿，为了瞒着大家，他用绑腿布把腿紧紧地裹缠起来。

全连其他病得起不了床的战士，让战友们扶着、抬着，参加了葬礼。

曹海林和彭清云用野马皮把巴利祥子裹好，放下墓坑时，全连官兵一齐脱帽，低头，致哀。

扎西老人对我上面采访到的史实不以为然，他沉默着，过了好久，仍像是要辩解。

他说："就在祥子闭上眼睛的时候，有牧民看见从江索郭的上空飞腾起一匹雪豹，三天之后，大家在雪原上看见了它……"

八、士兵与战马

死亡的阴影从此笼罩了扎麻芒堡。

军马、骆驼大量倒毙，到最后，只有二十多匹马还活着，骆驼则死绝了。

进入元月中旬，风雪就没有停过。元月十八日夜，暴风雪使整个高原惊惧万端，暴风把地上的积雪如揭席一样揭起来，扔到另一个地方，再掀到半空，在空中把它撕碎，让它飘散得无影无踪。

积雪在扎麻芒堡下面堆积着，把一个个地窝子给埋住了大半。夜里，忽听得一声巨响，大风掀掉了马棚，二十多匹幸存的战马受惊后，在黑夜中狂奔而去。

哨兵立即报告了曹海林。

一会儿，阿廷芳也到了连部，他披着一身风雪，要求立即出发，去把马找回来。

"现在不行，这样大的风雪，你现在出去，无疑是送死。"曹海林不同意。

"可连里就那二十多匹马了。"

"等一等吧，待风雪小了一点再出去找。"

天亮时，风雪开始停歇。阿廷芳拉出那匹自己放牧时骑乘的、因拴着而没跑掉的雪青马，消失在茫茫雪原之中。

无边无际的白色，单调而冷漠的风景，如同地狱，如同无边无际的死亡，谁也休想走出去，谁也休想摆脱它。

一人，一马，在齐腰深的雪地里艰难地蠕动着，醒目，孤零，渺小，像茫茫宇宙间的两星黑尘。

铅色的天空，冷漠的雪山，沉默的冰峰。

只有一人、一马是两个活着的生命。

阿廷芳摔倒了，好半天没能爬起来。他感到要在这样的雪原上寻找跑散的马匹，犹如大海捞针。

他喘了几口气，抹去脸上的冰雪，看了看筋疲力尽的雪青马，挣扎着爬起来，继续往前挪动。

他不知道自己走了多久，也不知道自己走了多少路。

死寂的雪原使他感到恐惧。

他还没有看到马的影子。

正当他有些失望之际，他看到前面的雪里有一点红色，像跳动的一苗火。

他急切地跑过去，然后急切地趴下去，疯了似的吼叫一声，扑倒在地，用手扒起积雪来。

那是一绺马鬃。

积雪扒开后，一匹枣红色军马的尸体露出雪面。它的头向前伸着，像要挣扎着爬起来，又像一个溺水的人，要把头伸出水面呼吸，但白色的雪原如海一般，最终无情地淹没了它。

阿廷芳看着军马，呆了好久，才跪下去，拔出一把短刀，按照骑兵的习惯，割下一绺马鬃，放进怀里，向倒下的战马行礼告别后，用雪把它掩埋好。

他感觉天地更加没有边际，白色更加深广，

却不是希望，仍旧是死亡。

它就这样无处不在，任何一个时候，任何一个地方都能触摸到，都能迎面闯进你的怀里。那冰冷的一团使你不能去拥抱，但生命却不得不承受。

阿廷芳已经疲惫不堪。他从雪青马身上取下带的一张野马皮，在紧邻大红马的雪冢边挖了一个雪窝子，把雪青马赶进去，让它卧倒，自己裹上野马皮，准备入睡。

雪青马像个病人似的喘息着，不时啃一口雪，咽进去。

阿廷芳虽然很累，但怎么也睡不着，意识格外清晰，天地间一点点轻微的响动都能听得分明。

各种声音交响在一起，天籁之音萦绕在他的周围，他微笑起来，像听到了仙乐一般幸福而满足。

他从衣兜里摸出一粒炒玉米，放在嘴边，闻了闻，玉米的香气使他陶醉，他张开嘴，但又忍住了。

天籁之音，和着炒玉米的香气，他感到世界富足而又完美。

他又摸出几粒，放在掌心，递到雪青马的嘴边。他自己则嚼起了难闻也难咽的生肉干。第二天，他又找到了三匹倒毙的军马，第三天，他的怀里已揣了七绺马鬃。

他感到这七绺马鬃很沉重，像是七位兄弟留给他的七件遗物。

训练有素的战马，不论是被敌人射杀，还是老死或病死征途，倒下时头都朝着前进的方向，要为自己的骑手留下一个路标。

阿廷芳顺着马头指引的方向继续寻找马群，他坚信失踪的、幸存的马群就在前方。

那天，他的眼睛常出现幻觉，要么是幻化后的七色光环，要么是幻化后的晶莹剔透的雪花，要么是飞腾的马群——那些死亡的马和走失的马从青色的草原上风一样掠过，五色马成为五彩，它们欢乐地嘶鸣着，蹄声嘚嘚，不绝于耳。这时，他会兴奋得驻足停步。但每当他停下步子，眼前却又只剩一个寒冷刺骨的冰雪世界。

跟在他身后的雪青马，自他一到骑兵师就跟定了他。它来自天马之乡伊犁，颇有些天马神韵。这马刚跟他时，才两岁，还很年轻，现在却显得衰老无力，像一匹垂死的老马，骨瘦如柴，他一直没忍心骑它。

阿廷芳回头看了一眼雪青马，雪青马也看着他。他把手伸进口袋，搜寻着可能藏在衣缝里的玉米粒子。

他终于摸到了三颗，看看，金黄金黄的，那光真诱人。眼前却是一片无边无际的金色，有成熟的麦，有稻、高粱、玉米、各种豆……

他攥紧了它们，像是整个世界就只余下了那三粒玉米。

是的，对于驻守扎麻芒堡的官兵来说，这的确是最后的三粒玉米了。除了它们，这个连队再也没有一粒粮食。

阿廷芳取出来一粒，把另外两粒在手中握了握，许久，才慢慢展开手掌，伸向马嘴。

雪青马望了望主人手中的玉米粒，翕动几下鼻孔，抬起头，闻了闻，偏过头去，只望着前方。

“吃吧，伙计。”阿廷芳心里一热，掉下两行泪来，泪在皮大衣上结成了两粒冰珠儿，“伙计，你该吃了它，吃了，也许能陪我多走一截子路。”

他拍了拍雪青马的脖子，雪青马把头伸过来，把自己的脸挨着他的脸。阿廷芳突然觉得有一股暖流流到他的脸上。

马流泪了。

它似乎理解了一切。

阿廷芳再也控制不住自己的情感，抱住马脖子，嚎啕痛哭起来。

哭过之后，他的心里好受了些。他替雪青马揩了脸上的泪。再次把那两粒玉米送到它的嘴边。

那两粒玉米在手里握得久了，被手上的汗浸润过，在白亮的天光里，显现出一种特殊的金色。它们卧着，像两件至美的绝世珍宝。

雪青马又抬头望了望主人，迟缓地张开嘴，用唇慢慢卷进了那两粒玉米。

阿廷芳快活地笑了。

“这本来是你们的粮食，却被我们当口粮了，所以你不必有什么歉意，它本该是你们吃的。”阿廷芳安慰着雪青马。

马料在断粮后成为人的口粮，开头只熬些玉米糌子稀粥，大家每天都能喝上一碗。后来，就只给病号喝了。最后剩下的不多了，就由李狄三亲自管理。他每天用石头把玉米砸碎，用喝水缸子给重病号熬粥喝。

阿廷芳外出找马的那天后半夜，李狄三从麻袋里抖出仅有的半茶缸玉米，用圆锹放在牛粪火上炒，炒好后给他作干粮。

很多人都已二十来天没沾过一粒粮了，玉米在铁锹上打着滚，发出噼噼啪啪的炸响，把诱人的香气散遍了整个扎麻芒堡，撩得大家不时地咽口水，撩得李狄三更是不停地咂嘴，不时感叹着：“啊，真香啊，真香！”

阿廷芳临出发之际，李狄三把炒玉米装进了他的衣袋里。他说什么也不要。他说：“股长，这玉米我不能带，留给生病的同志吧，我带了不少牛肉干，我习惯吃这个，那玉米我带上用不着。”

“我命令你带上，这是大家的心意，这次出去找马，积雪太厚，非常艰苦，任务艰巨，不知几天才能回来，那些马就拜托你了，全连就那几匹好马，要想方设法找到，我们身为骑兵已名不符实，那些马找回来，开春后还能组成两个骑兵班。你要注意安全，早点回来，我们等着你。”李狄三扶着阿廷芳的肩，把雪青马的缰绳递到了他的手中。

阿廷芳行了个军礼，说：“请股长放心，我无论如何也会完成任务！”说着，又掏出一大把玉米来，硬塞进李狄三的口袋里，“连里留一点吧，其余的我全带上。”说完，就转身走了。

李狄三看着阿廷芳的背影，把手伸进口袋，用手指小心地一粒粒捏着，他的手不由得颤抖起来。

那些玉米阿廷芳自己舍不得吃，雪地里没有草，他把玉米喂了雪青马。他口袋里的玉米不多，也就一小把。

骑手把马作为自己的生命。他不知道雪青马还能挺多久，在这空寂的天地之间，他和雪青马相依为命，他希望它能一直陪着他。

腥膻难闻的肉干，使他好几次呕吐，他为了使自己咽下，就用雪和肉干一起嚼，这样好受一些。他就这样支撑着自己，蹒跚地向前走着。

第四天中午，他终于在一条山沟里找到了失踪的马群。当时，他累得扶着雪青马才能挪动脚步了。而这时，雪青马也已支撑不住，它的前腿猛地跪下，然后整个身体栽倒在地。阿廷芳觉得一阵晕眩，然后天地旋转起来，他没能站住，也倒在雪地里，失去了知觉。

不知过了多久，他感到了手上的温热，他恍然回到了温暖的毡帐，手正在牛粪火上烤着。待他慢慢睁开眼睛，发现身边的雪青马正用舌头舔着他的手，用生命残存的一点点热，温暖着他。

眼泪无声地从他的脸上滑落。

先遣连进藏时，二军为连队调选了一大批最好的马匹，其中有不少是军师首长的坐骑。由于辎重多，全连平均每人两匹战马，还有部分骆驼和骡子，共四百多匹。大雪封山后，就不停地死亡。阿廷芳是专管牧马的，死一匹就哭一次，眼睛都哭得看不见东西了。入冬前挖了八个马棚，到春天时连一个也关不满了。有个圈里一夜之间就死掉了十多匹。

为了马，阿廷芳的泪已流干了。后来，一有马死，他想哭都哭不出来。现在，他抚摸着雪青马冰凉的身子，看到雪青马默默地闭上眼睛，忍不住哭出了声。

阿廷芳默哀良久，搬来冰雪，为雪青马砌了一座晶莹的冰雪冢。然后，他把那粒玉米从衣袋里摸出来，放在坟冢的冰雪上。作为祭品，它应是最丰厚的。

他脱帽致哀后，把那粒玉米拾起来，重又放入衣袋里，才去赶马。

作为粮食，那粒玉米是整个先遣连的纪念。

马群里混进了三头牦牛，有一头牦牛的脖子上还系着一只铜铃。“这一定是藏民丢失的。”阿廷芳对自己说。

藏民因为放牧、搬家、骑乘全靠牦牛，所以把牦牛当神，对牦牛特别爱护和珍视。阿廷芳心想藏民丢了牦牛，心里一定非常着急。他要尽快找到丢失牦牛的牧民。他就着雪吃下了最后一块肉干，赶着马群和牦牛出发了。

他一道山沟一道山沟地寻找着，不知翻过了多少道山梁。终于在第五天黄昏，在山谷里发现了一顶黑色的毡帐。

牦牛的主人多拉吉正跪在转经台前祈求菩萨送回他的牦牛。没想“菩萨兵”把牦牛送上了门。他惊喜地站在那里，都不相信自己的眼睛。

阿廷芳也为终于找到了失主长舒了一口气，那缕炊烟却使他倒在了地上——他的牛肉干昨天就吃完了，他饿倒在地，怎么也爬不起来。

多拉吉把阿廷芳扶进帐篷。里面有一股暖烘烘的腥膻味，酸奶味、人的汗味和牛粪烟味混合，这正是人间的气息。多拉吉的女人和孩子在他进帐篷的那个时刻都没有说话，只露出很白的牙齿默默地笑着，牛粪火一闪一闪的，他们的牙齿也一闪一闪发光。然后，他模模糊糊地看清了他们的面孔。

他们坐在老羊皮上，有几只刚生下的羊羔子也在帐篷里，不时发出两声稚嫩而动听的叫声。阿廷芳的眼睛适应了帐篷里的光线后，看清了里面的陈设——罐子、木勺、羹匙、生牛羊皮、羊皮袍、一杆杈子枪、用牦牛肉灌的羊肚、几串风干的生肉，在帐篷后面的一只木箱子上，还放着两个小菩萨像和一些拜神的器物，这也是一个家庭的祭坛。

多拉吉为阿廷芳敬献了哈达，倒了一碗酥油茶，端上了糌粑，然后跪在阿廷芳面前，双手伸开，深深弯着腰，吐着舌头，向他行了藏家大礼。

但根据先遣连所制定的纪律——不准索要或接受当地人民的东西，哪怕是一杯茶都不行。阿廷芳没有吃糌粑，也没有喝酥油茶。双方都语言不通。多拉吉一再比画着让阿廷芳吃东西喝茶，阿廷芳一再摇头拒绝，向多拉吉比画着：我没有带银元，你给我吃的东西，我没有银元付你，所以我不能吃，也不能喝。

当地的老乡只认银元，但先遣连由于最先进藏，并不了解这一点，所带银元不多。十八军进藏时，把全国的旧银元都用完了，花去的不止几百万两，为了保障进藏部队，国家还新建了几个铸币厂，专门制造银元。

多拉吉似乎从阿廷芳的比画中明白了一些东西，最后，他又跪了下去，一手端着酥油茶、一手端着糌粑，不再起来。阿廷芳知道，如果他不吃点东西，多拉吉会这样一直跪下去。他只有把茶喝了，准备回到连队后，再补给他们银元。喝了茶，多拉吉说了声：“夏保，牙古都！夏保，牙古都！”说完，又指了指糌粑。阿廷芳比画说自己已饱了，多拉吉却只是摇头，仍要跪下去。阿廷芳只好又吃了点糌粑。

多拉吉全家见了，都很高兴。他从地上起来，出去了。一会儿，帐篷外面就听见了牲口蹄子死命蹬地的声音。他的女人拿了木碗赶出去了，阿廷芳看见他用一只手紧紧抓住一头牦牛的角，另一只手从腰里拔出刀，对着牛脖子捅了一刀，然后他用木碗把血接住，一会儿就是满满一碗。他把牛放开，牛甩了甩头，回到牛群里去了。他把那碗牛血递给阿廷芳，比画着让他喝下去。

阿廷芳听说过热的牦牛血对身子好，老乡是要他补补身子呢，他知道不喝下它，多拉吉决不会答应，就接过了木碗。

然后，他鞠躬向多拉吉全家表示感谢，赶着马群要返回驻地，多拉吉要留他住下，明天再走，他拒绝了。

九、“赞”二：阿廷芳

“多拉吉巧遇雪山红星，菩萨兵雪中送回牦牛”的故事今天还在高原流传。

扎西老人说：“阿廷芳也是成了赞的，他骑的是一头金丝野牦牛。这牦牛现在很难见到，但在藏北还有，非常珍贵，之所以叫这个名字，是因为这种野牦牛的毛是棕黄色的。而阿廷芳所骑的牦牛很大很凶猛，一切猛兽都不是它的对手，有人看见它的角上天生就有六字真言。现在，谁家的牦牛走失了，只要在转经台前给菩萨兵讲一声，菩萨兵就会把牦牛给他送回去。”

但多拉吉却觉得阿廷芳是在天国。凡信仰藏传佛教的人都把进入天国作为人生最大的修持，所以，多拉吉的说法无疑表达了他对阿廷芳的祝愿。

阿廷芳是来自新疆塔城塔尔巴哈台山区的蒙古汉子。他最初的愿望就是成为一名骑兵。入伍的时候，白发苍苍的奶奶问他：“你是去当骑兵么？”

阿廷芳摇摇头，说：“我还不知道。”

“我们蒙古人可是天生的好骑手。”老奶奶说着，把家中那匹别人要用二十七头肥羊交换的大黑马牵过来，“如果你是骑兵，你就把这匹骏马带上。骑着它，奶奶保你纵横疆场，建立功业。”

“我还不知道自己能不能成为一名骑兵呢，待我成了一名骑兵再说吧。”阿廷芳握着奶奶筋骨毕露、辛劳一生的手说。

老奶奶哀叹一声：“好骑手会越来越少的，骑手会越来越少的。”她预言似的说完，竟然老泪纵横。

“奶奶不要伤心，我如果能成为一名骑兵，我一定做一个优秀的骑手，像我们的英雄江格尔那样，让你自豪。”

阿廷芳一到骑兵师后，就找人帮着写了一封信，把自己成为一名骑兵的事情告诉了家里人。父亲骑着马跑了五十里山路，找识字的人念了他的信，知道信的内容后，全家都很高兴，来信说他如果需要大黑马，他的父亲可以从塔尔巴哈台给他送来。他回信说他要参加对西藏的进军，待那里和平解放后再说。没想到，他最后埋骨阿里。

阿廷芳自多拉吉的帐篷出发，开始往扎麻芒堡走，那里距连队还有二百多里路程，他走了整整三天，除了在多拉吉的帐篷里吃的那点东西，那三天他只咽过一些雪，嚼过一些冰。最后那天，他扶着马背也挪不动脚步了，他才爬到一匹还有些体力的马背上，让它勉强把自己驮回到连里。

他看见扎麻芒堡时，再次失去了知觉，从马背上摔了下来。哨兵发现马群后，把它们赶进马棚，却没有看见阿廷芳的影子，马上向曹海林做了报告。

阿廷芳八天没有消息，连里以为发生了意外，正准备着派人去找他。曹海林听了哨兵的报告，立即跑出地窝子，朝马群回来的方向找去。他把昏迷不醒的阿廷芳背回地窝子，给他喝了点热水，又把肉干在火上烤热了，慢慢地给他喂。

阿廷芳继续牧马。为了找到一点牧草，他常常要赶着马群去很远的地方。一天，他看到了一眼温泉，看到温泉边有些绿绿的野菜芽子。

绿，久违了的绿，碧莹如玉。

他想给病号拔点回去熬汤喝。可又怕这野菜有毒，就用木棍在雪地上用在先遣连学会的汉字写道——

“同志，入（如）果我死了，这菜旧（就）有独（毒），不能吃。”

他写好后，拔了几棵，自己先吃了，过了好久没什么反应，才拔了半马褡子回来，使许多病危的战士吃上了一口绿色的野菜。那野菜汤发出的特殊的香气，至今仍留在不多的幸存者的脑海里。

曹海林后来追忆这件事时，总要咂咂嘴，深吸一口气，又抹一把嘴。

那天，阿廷芳显得特别兴奋，一放马回来，就提着马褡子，兴冲冲地朝连部走来，大声说："连长，我找到了好吃的东西。"

"什么东西?"

"你们猜猜，我相信全连没一个人能猜出来。"

大家猜什么的都有，但没一个人猜和绿色有关的东西。阿廷芳得意地打开马褡子，说："我说了，没一个人能猜出来。"

"啊，野菜！这是什么野菜?"

"不知名儿，不过有清香味儿，我尝过，没毒，可以吃的，给病号们熬点野菜汤吧。"

大家听说阿廷芳采回了野菜，都到连部去看。大家捧着，嗅着，像要把那绿色的香气吸到骨髓里去。

"熬野菜汤时，那香气在扎麻芒堡弥漫了很久。虽然那野菜没有放任何调料，连盐都没有，病号们吃得特别香，好几个病号吃着吃着还哭了，不住地说，得谢谢阿廷芳，得谢谢阿廷芳，现在即使牺牲了，也没什么可遗憾的了。"

可是，阿廷芳自己不久后却倒下了。

他身体垮得那么快，像一把一直拉满的弓，突然绷断了生命的弦。

他逝世的前一天，连里正召开支部大会，通过决议接收他为中共正式党员。第二天上午，彭清云和陈信之去通知他。"阿廷芳同志，你的入党要求已在支部大会上通过了，党组织已吸收你为中共党员。"陈信之握住他枯瘦的手说。

他听后，眼睛一亮，猛地坐起来，微微笑了笑，说："谢谢，非常感谢。"说完，他又叹息一声，"只是，刚入党我就不能工作了，陈干事，副连长，我不甘心啊。"

他在垫在身下的马皮下摸了一阵，说："我在旧军队里领的津贴全在这里，除三个银元给多拉吉付饭钱外——我不能亲自送给他，只有拜托连里了，其余的就当我的党费。"

见彭清云点了头，他又从衣袋里摸出那粒炒玉米，交到彭清云的手中："这是连里唯一的一粒粮食，留下，作个纪念……"

他话还没有说完，就倒在了床上。

彭清云捧着那粒玉米，泪水哗哗流下。他哽咽着说："就让我背着你到另一个世界去吧。"

他把阿廷芳的遗体背在背上，却怎么也不忍心走出地窝子。他感觉阿廷芳的遗体异常沉重，像一座山似的压在他的背上，使他喘不出气，移不动脚步。

阿廷芳是继巴利祥子牺牲后，连队第二个倒下的人。

大家步履沉重地朝墓地走去。

扎麻芒堡再次陷入那少有的死寂。不知何时赶来的秃鹫栖在山顶上。没有阳光。下午的天色显得很白朗，远处有雾，一朵朵雾气融成了一片，飘在白色的积雪上。看不见积雪了，只有越来越浓的雾气在无声无息地扭动，像一个人在呼吸似的起伏着，最后向送葬的队伍尾随过来，仿佛要掩盖这桩死亡，掩盖所有的悲伤。

冰冻的土地异常坚硬，墓坑挖得很慢，人们久久地肃立着。不像是在送葬，而像是在等着裹在野马皮中的阿廷芳从沉睡中醒来……

土坷把他掩埋了，他和巴利祥子躺在一起，像并排躺着的两兄弟。

大家正要离开，却看见几头牦牛驮着几个人朝驻地走来。待走近了，骑在前头牦牛上的汉子翻身滚下来，对彭清云说着什么。

彭清云忙叫贡布翻译。

贡布上前问了他，然后对彭清云说："这汉子说他叫多拉吉，从三个马站外的地方赶来，要感谢一名帮他赶回牦牛的夏保，为了感激那位夏保，他带着全家走了三天，让我们把那名夏保找出来，他有一只羊羔要送给他。"

彭清云沉默了良久，看了一眼刚垒起的新坟，背过脸去，把滚落下来的泪擦掉，从兜里掏出三个银元交给多拉吉，说："你要找的夏保叫阿廷芳，感谢你给他酥油茶喝，感谢你给他糌粑吃，这是他付给你的饭钱。"

贡布翻译后，多拉吉叫嚷着，死活不收。贡布说："副连长，他说他不是来要银元的，他是要感谢阿廷芳的，阿廷芳为他送回了牦牛，他是恩人，吃点东西，不能收钱，他要尽快见到阿廷芳。"

"你说这是我们的纪律，必须要付钱的。把阿廷芳已牺牲的事告……诉他吧！"彭清云哽咽着。

多拉吉听贡布说完，无论如何不能相信。当贡布把他带到阿廷芳的坟前，他才默然了，他跪在阿廷芳的坟前，嚎啕大哭起来，他的女人和孩子也跪下了。

他拿出转经筒，为阿廷芳诵经。然后又杀了羊羔为他祭奠，失声痛哭地一边摇着转经筒，一边说，他是好人，这样的好人不需要求菩萨保佑了，他会进入天堂的。

十、连队突然失踪

巴利祥子病逝，阿廷芳病逝，这消息让何家产觉得一阵阵揪心。进入元月，他已很少入睡，一闭上眼睛就是先遣连，从新疆军区到喀什军区，从王震到郭鹏，一次次电令打通驮运线，左齐也一次次亲临于阗，坐镇指挥，但全都失败了。他去电询问余粮情况，李狄三回电说能够坚持。其实，不用问，他也知道，先遣连早已绝粮了。

他现在唯一的希望就是中央人民政府与西藏地方政府的和谈能尽快开始，以减轻孤军深入，与外界完全隔绝的先遣连在敌情方面的压力。

西藏自13世纪中叶并入元朝的版图。七百余年来，它一直保持了其在宗教、文化等方面的独特性。1840年鸦片战争以后，帝国主义势力侵入包括西藏在内的中国领土。英国于1888年和1903年两次武装入侵西藏，强迫清政府与之签订不平等条约，攫取种种特权，培植亲英势力，策划把西藏从中国分裂出去。美国在第二次世界大战期间也试图插足西藏，并派代表团到拉萨四处活动。1949年1月初，美国驻印度大使向国务院建议，鉴于目前亚洲所出现的特殊情况，有必要反思美国对西藏所采取的政策。尤其值得注意的是，美国驻印度大使提议，如果共产党成功地接管了中国，美国就应当准备把西藏当作独立之邦来对待。

美国国务院远东局在重新检讨了美国对藏政策之后，提出了支持其驻印度大使提议的五条主张。其中第一条说："倘若共产党接管了中国本部，西藏就将成为亚洲大陆仅存的几个非共产主义堡垒之一。共产党在缅甸的影响很强大，并且正往西康和内蒙古渗透。因此，西藏无论在思想意识方面，还是在战略方面都将起重要作用。"这份美国对西藏政策的备忘录还建议，一旦中国落入共产党手中，那么，承认西藏独立比把它看成是共产党中国的一部分对美国更为有利。

而印度于1947年独立后，承袭英国在西藏的殖民利益，继续在江孜和亚东驻军，尼赫鲁更幻想有一个独立的"西藏国"存在，以作为像蒙古那样的中印之间的缓冲区。印度政府分别于1949年12月和1950年1月对西藏所提出的向西藏提供更多武器弹药的要求作出了答复，答应提供西藏方面所需要的迫击炮和配套的炮弹。印度外交部长梅农（K. P. S. Menon）向英国人表达了这样的看法："假如共产党真的决定占领西藏，而又没有什么办法能够阻止他们这样做的话，印度无疑将向西藏提供各方面的直接军事援助。"

西藏噶厦政府有上述几个大国撑腰，积极准备与人民解放军对抗。但当西藏与中央人民政府的冲突日益迫近时，英国和印度勾销了他们对西藏的援助计划和对外政策，从自身利益出发，只在口头上支持西藏自治，只有美国对西藏的兴趣越来越大。在这种情况下，西藏噶厦政府孜本夏格巴组成了一个和中央人民政府谈判的代表团，但他刚一接到任务便称病请假，迟迟不率团动身启程。

毛泽东案头还有一封西藏“外交局”发给他的天真得出奇的信。其内容如下：

> 致北平中央人民政府主席：
>
> 尊敬的毛泽东先生，西藏是一个盛行佛教的独特国家，她预先注定要由观世音的化身（达赖喇嘛）来统治。惟其如此，西藏自古迄今都是一个“独立的国家”，其“政治”统治地位从来没有被任何一个“外国”接管过；西藏还保卫自己的领土，使其免遭“外来的”侵略，西藏一直是一个信仰宗教的民族的乐土。
>
> 鉴于青海和新疆等地毗邻西藏这一事实，我们希望得到中国军队不越过汉藏边界或不对西藏采取任何“军事”行动的保证。因此，请按照上述要求向驻扎在汉藏边境的军政官员颁布严格的命令，恳请尽快给予答复，这样我们才能放心。至于从前被并入中国版图的那些西藏领土，西藏政府希望在中国的“国内战争”结束之后举行协商谈判并加以解决。
>
> ……

西藏的和谈代表团后来到达了印度的噶伦堡，但西藏当局一直采取拖延时间的策略，以谈判为幌子，一边继续寻求英美等国的军事援助，一边调兵遣将，在昌都一线布置重兵。鉴于这种情况，1950年10月5日，人民解放军发动昌都战役，一举解放了昌都。但西藏地方当局仍然采取拖延时间的办法，一方面同意接受中央人民政府提出的三点和谈建议，一方面在美国的操纵下，将西藏问题提交联合国。但联合国认为，西藏问题从本质上说是中国辖区范围内的问题，联合国不能插手。西藏第一次向联合国呼吁求援的活动以失败告终。

这种情况下，在达赖喇嘛带着噶厦政府的少数高官以及金银财宝出逃到亚东前，噶厦任命第二代本桑颇、丹增顿珠和堪穷土登列门前往昌都，协助阿沛到北京去进行谈判。在此期间，西藏当局却派代表前往联合国，于12月21日分别向美国、英国和加拿大的代表递交了新的呼吁书，美国为此又跳上跳下，但他们当时已被朝鲜战争弄得焦头烂额，英国认为，“现在企图在联合国提出西藏问题，可能只会激起中国人民政府的更加愤怒，并且也得不到其他国家应有的支持”。

西藏当局还会使出什么伎俩，谁也不明白。而此时，正值寒冬，其他各路进藏部队显然难以采取行动，何家产认为，进藏先遣连还得靠自己应付一切困境。

没过多久，何家产收到了先遣连一封求援电报，因为电台出了故障，收到的电文残缺不全，只能看到“连队已近一半病倒……流行恶疾……缺药……盐巴……请援……坚持……放心”等字样。

这使何家产更加坐立不安。他连发数封电报，想了解连队的真实情况，都没有回音。

一个连队似乎突然之间失踪了。

何家产指示电台不间断地与先遣连保持联络，一有消息，无论什么时候，立即向他报告。

“连队不到万不得已，是不会发这份电报的。”何家产知道这一点，“他们一定遇到了难以克服的困难。恶疾，缺药，缺盐，如真是这样也许还好点，但万一他们遭到了袭击，缺少弹药，那该怎么办？”

不在阿里，哪怕是对那里的苦难，也只能凭借想象。而那里的苦难，往往是想象不到的。

元旦过后，连队出现了一种怪病，并且发病率很高，全连百分之八十的人卧病在床，起不来了。但谁也不知道这是什么病。一旦染上，起初几天暴食暴饮，胀破肚皮也觉得饿。随后几天却什么也吃不下去，什么也喝不下去。然后身体开始从脚往上肿，一直肿到脸上，亮晃晃的，吓人，用手一按就是一个坑，人身上的肌肉变得像面团一样软，没有一点弹性。要不了几天，全身的皮裂开了一道道口子，不停地流黄水，再过几天眼睛就发红，什么也看不见，到那时，人也就快完了。

连队认为这是一种传染病，采取了严格的隔离措施，但效果不大。这其实并不是什么传染病，据后来研究高原病的专家分析，可能是一种高原综合征。但当时谁也不知道高原病为何物。巴利祥子和阿廷芳之所以最先牺牲，就是因为他们在高海拔地区过度劳累，高原病最先摧垮了他们的身体。

面对这种情况，先遣连不得不向骑兵师发出求援电报，让他们设法支援药品和必需的盐巴。没想到，骑兵师和喀什军区尽了全力，也只收到了维吾尔老乡肉孜·托乎提送来的十五公斤食盐。

十一、十里达坂

鬼哭魔泣的寒风横扫着高原，不可一世的十里达坂在这风中也因为恐惧而颤抖起来。积雪被狂风粗暴地一层层剥下，送上灰暗的天空，然后又落下来，堆积在那些低凹处。

这是一场白色的沙暴，有些雪堆被大风推拥着，往前移动。

这是一个大风口。那宽阔的风带中的积雪全被大风集中到了达坂上。雪是这达坂的一件衣裳，却被很少止息的狂风撕扯着，撕碎，再补上；补上，再撕碎，它蹂躏着达坂，调弄它，侮辱它，像一个暴虐成性的纨绔子弟蹂躏一个衰老的妇人。

彭清云让大家伏在地上，马匹被刮倒了，最能经受大风的骆驼也被大风扳倒在地。

大雪使人不敢睁开眼睛，眼前一片漆黑；大家死死护着自己的脸，以避免风刀雪箭的伤害；听不见彼此的呼唤；雪像冰冷的厚被子，一次次劈头盖脸地盖过来，又一次次被掀掉；全是风的叫声，尖厉的狼嗥，狂暴的狮吼，混合成恐怖的合响。

足足两个多小时，风才小了些。手脚已冻得僵硬，大家搀扶着站起来。为了保障大家的安全，彭清云叫大家把自己捆在骆驼身上。

低凹处的两峰骆驼埋在了雪里，只有头还露在外面，大家只好用手把它们扒出来。

最后清点人数，一行五人唯有杨天仁不见了。只有他的骆驼卧在一面小山坡下，瑟瑟地打着抖。

彭清云和三位战士一边呼喊，一边寻找，在十里达坂整整找了半天，把好多地方的雪翻腾了一遍，也没找到。

大家的心越来越灰，越来越难过，越来越悲伤。

彭清云把大家叫拢来，低沉着声音说："估计杨天仁已被风雪埋掉了。我们脱帽向他致哀吧！"

大家脱帽，低头。

"兄弟，你安息了，我们已没办法找到你了，待雪化后，我们再来接你，我代表全连官兵鸣枪三响，向你送行啦！"彭清云哽咽着说完，拔出驳壳枪，朝天打了三响。

枪声清脆，在黄昏临近的高原上久久回荡。

即使摸黑，他们也必须赶下达坂，待在达坂上面，一夜之间，可能全要了他们的命。

两水泉断绝食物已经四天，连队两次派人运送兽肉，都因闯不过十里达坂，而中途返回。这次，彭清云决心亲自出马，决心不惜一切代价也要把兽肉运到两水泉。

斑驳的达坂，悬在达坂上的铁色天空，黄昏昏暗的天光剪出艰难跋涉的五峰骆驼、四匹马、四个人。他们的脚踏着延伸并消失在远方的参差的山脊，头颅紧抵着天空，好像那显得沉重的天空正是由他们支撑的。更远处，仿佛还有雪山和冰峰的影子。

杨天仁被埋在了达坂下一条填满积雪的深谷里。他当时走在最后面，和大家拉开了七八十米远的距离。大风来临的那一瞬间，他感到天地猛然间变得昏暗起来。瘦骨嶙峋的老马突然被惊，驮着他在大风中狂奔乱窜，竟一气狂奔了七八里地。突然，他感到自己在往下滚，然后下沉，眼前一黑，就没了知觉。

他掉进了雪谷里，和军马躺在被自己身体砸出的雪窝子里。雪马上把他们抹去了。

彭清云没想到杨天仁的马会受惊，没想到马受惊后会把他带出这么远。他想杨天仁一定掉进了骆驼周围的雪沟里。所以，杨天仁被独自抛在了十里达坂上。

夜幕笼罩着大地，大概在凌晨，他醒了过来。"我这是睡在哪里呢？副连长他们呢？"他迷迷糊糊地问道。

他觉得有些憋气。"是谁在跟我开玩笑吧？这家伙至少在我身上盖了十张野牛皮。"他在心里说。

他想动弹，但四肢僵硬，动不了。他这才觉得不对，他记起了白天的事。

"我是在雪里呢，这可不是个好地方。"

他挣扎起来，把头从雪里拱了出来。

外面更冷。雪为他保了暖，使他没有被冻死，也没有盖得太厚，使他还能呼吸。

"多谢老天爷有眼，保佑了我这个好人。"

站在雪里的马把他吓了一跳。待看清是自己的坐骑，他咕哝了一句："你老兄可把我害得够惨，现在，这黑天黑地的，东南西北都辨不清，你叫我咋办？"

战马抱歉似的"咴咴"嘶鸣了一声，声音很低。它把头垂下来，杨天仁看见了它绿色的眼睛。

不知战马是多久从雪里爬起来的。

"你老兄还够意思，没有走开，没有丢下我，还用身体挡着迎风面的风雪。让老天保佑你，下辈子不要做畜生了吧。"

战马用嘴触着他。

"让我再躺躺吧，肚子空了，没一点劲。"他一边说着，一边摸枪，枪还在身上。口袋里有两小块牛肉干，他给战马喂了一小块，战马拒绝了。他放进嘴里，嚼起来，他第一次觉得这食品吃起来很香。

马往前动了两步，站到了他能扶着它的位置上，杨天仁抱着马腿，站了起来。他活动活动手脚，发现手脚已有好几处被冻伤。摸摸脸，脸也被冻伤了。

"得赶快离开这个差点让我丢命的地方。"

但他刚试着走了两步，又倒下了。

他叹了一口气："手脚还是僵硬的，得活动活动再说。"他慢慢地活动了一阵，再次抱住马腿站立起来。

他去摸口袋里那块剩下的肉干，没有摸着，刚才手很僵硬，一定没揣进口袋。他看了一眼雪地，咽了一口唾沫，无望地摇了摇头。

身体还没一点热气，他首先感到的就是饿。他又摸了一遍全身，但除了武器和子弹，没有任何可吃的东西，他的那袋牛肉干挂在骆驼身上。他抓了一把雪，放进嘴里，雪很快化了，他觉得不管用，就在地上摸了一块冰，在嘴里嚼着。

杨天仁扶着马走了几步。马走不动，他也走不动了。人和马一踩进雪里，腿就拔不出来。

"我得尽快离开这个地方。"

他把马牵着，趴在雪上，匍匐着往前爬。

风口上的冰雪里掺着很多沙土，吹得他满口都是。但他没有吐出来，而是"咕咚"一声吞了下去。

"就当是大米饭吧，你肚子反正咕咕叫，好吧，交给你我就不管了，你自己消化吧。"

他一边爬着，一边啃着地上的雪。借着雪光，他终于爬到了有大片黑颜色的地方。那里是裸露的达坂。爬出了雪谷，他舒了一口气，靠在马上。

他觉得自己已摆脱了死神的威胁。

但他也知道自己绝对不能停下来。停下来就

意味着等死。皮筒子很管用，但严寒还是使它显得单薄。

“我还没有活够，至少要活到进军噶大克吧，我要赶到两水泉，现在队伍里就缺我杨天仁一个人呢。”他在心里给自己鼓劲。

凭着远远近近的雪光，他能看到几米远的地方。远处有风在叫，在黑夜的深处叫，像被神痛揍着，发出一阵接一阵的惨叫。

再无别的声响……

死寂让人恐惧。杨天仁觉得自己不是走在生的路上。他起了一身鸡皮疙瘩。

他傍着战马走，有战马陪着他，他的胆子又大起来。

战马走得踉踉跄跄，喘气的声音很大，很急促，使杨天仁不忍心扶着它。

“老兄，你可得把这个晚上陪过去，你知道我独自走夜路胆儿小。”

人和马每走一步都很吃力。

就在这时，传来了狼嗥。很远，像从大地深处发出来的，但还是很瘆人。

杨天仁摸了摸枪，把子弹上了膛。正想把往前走的那一步迈出去时，却被马缰猛地一拉，差点被拉倒。他踉跄着后退了几步，转过身去，看见自己的战马倒下了。

远处，已露出了一丝亮光。他靠着马坐下。他的兄弟终于走了，他看见战马睁着的眼睛已经无光。他颤抖着手把战马的眼睛合上，轻轻地用手梳理了结着霜雪的马鬃，拔了一绺马鬃系在自己的扣子上。

“兄弟，原谅我没有力气掩埋你了……让那些秃鹫们带着你到天国去吧……”说完，他忍着悲伤，继续朝前走去。

但他实在没有力气了。他想到了马肉，即使生吃也可填填肚子呀，他又回到死马的身边。咕咕的饥肠特别响。他拔出刺刀，但又把刺刀放下了。

“这是兄弟的肉呀，我总不能吃兄弟的肉吧，何况，它刚刚倒下，尸骨未寒呢。”

他离开了战马。在地上砸了几块冰，放进口里，嚼着，嚼得满嘴是血，牙龈也被冻得发痛，但为了抵御饥饿，他仍然“乒乒乓乓”地嚼着。

他先是拄着枪往前走，支撑不住了，又向前爬，一寸一寸地向前爬……

高原显得如此广阔，显得如此冷漠。

而杨天仁的生命已非常脆弱，比初冬时水面上的薄冰还要脆弱。

他与死神抗争着，即使能往前挪动一寸，他也不愿停止，不愿屈服。

但他终于趴在那里不动了。像一块石头，一块土坷，组成了高原一个极小的部分。

秃鹫随即从远处赶来，早晨的光亮镀着它们阴冷的身影，镀亮它们永远朝着死亡飞翔的翅膀。

十二、秃鹫的阴影

彭清云至今还记得杨天仁的模样，记得他那忠厚的眼神、憨厚的神情，瘦削的脸庞和一副吃苦耐劳的身骨。

杨天仁失踪后，他心里一直不安，李狄三得知，也异常难过。

但十四天后，杨天仁返回了扎麻芒堡。当时，大家都以为看走了眼，以为是他的灵魂在眼前晃动。他从道布冬的牦牛背上滚下来，高兴地嚷道：“股长，我回来了。”

杨天仁醒过来后，天已白亮，日光和雪光交融在一起，给所有的物体都镀上了一层白色的膜。像是这些物体本身能发出白色的荧光。

他把天地看了一遍，确信这是人间的天地。确知自己仍然活着。身后的痕迹已被风抹去。他不想动，闭上眼睛，想就此瞑目算了。

“哎，命贱的人也就命大吧，既然阎王爷不肯收留我，那我就活着吧。”

秃鹫在叫。就在他的身边。它们身上有一种

难闻的腥味儿——死尸的味道，直往杨天仁的鼻孔里钻。他想呕吐。他胃里的东西差点全部涌了出来。但他还是没有睁开眼睛。眼皮异常沉重，像两道久未开启过的、铁锈斑斑的闸门。

是什么啄了一下他的羊皮筒子，只一下，他就感到皮筒子被啄烂了，寒气从那个地方涌了进来。他猛地睁开了眼睛。

“这些家伙以为我死了呢。”

他猛地翻了一下身，秃鹫往旁边跳了跳。然后蹲在他的身边，贪婪地盯着他。远远近近共有七八只，天上还盘旋着一大群。它们刚从某个地方赶来，远处密密麻麻的小黑点是正在往这里赶的秃鹫。不时有一只从天空俯冲下来，在杨天仁躺倒的地方盘旋，然后落在地上，收起翅膀，大摇大摆地向杨天仁逼过来。

“不出三分钟，这些家伙就会干掉我，连一点肉丝儿都不会剩。”杨天仁这么一想，感到很恐怖，他冻僵的身体不由得哆嗦了一下。

他不顾一切地摸起了身边的卡宾枪，朝着天空胡乱地放了一枪，秃鹫发出毛骨悚然的叫声，“轰”的一声，飞走了。

空气顿时好闻起来，没有了那死亡的味道。

“假如我晚一点醒来，它们早已把我撕得粉碎，我杨天仁七尺男子汉，就是倒下了，也不是喂你们的。”他在心里说。

它们飞散开去不久，又飞了回来，围绕着杨天仁盘旋，把死亡的阴影投到雪地上。

“难道它们已从我身上闻到了死亡的气息么？”杨天仁有些绝望。

他想站起来。心有绝望，反而使他充满了活下去的希望。

“我要活着，我要活给这些秃鹫看看，我要让你们知道，我杨天仁的肉可不是喂你们的。”他用尽了所有的力气，用卡宾枪支撑着自己，一点点站起来，但最后又倒下去了。

他的头脑这时异常清醒。生命的衰弱和无为使他潸然泪下。在乞讨为生的时光里，他有过因饥饿使他天旋地转的感受。但那时，一把树叶，一丛青菜，半碗剩饭就能解决，那些东西，在内地，总可以找到。他从一个地方到另一个地方，只要有一点残汤剩羹，他就是快乐的。他没想到，在这里，连草都没得吃。

他翻过身，望着天，天晴得很好，铅云已如尘埃般飘散，只有几朵白色的云飘在天上，天也高远了，虽是很冷的青蓝，但看着已好受了许多。他幻想着能从天空中降下些山珍海味来。他自小就对食物充满了各种各样的幻想。那些他能想象到的食物使他满足。参加解放军后，去想象食物的时候少了。但现在他还是只有去吃雪。想象中的食物只能使他更感饥饿。

他向有积雪的地方爬去。他大口地啃食起来，从那里获取了微薄的力量，支撑着他的身体往前挪动。

他就一边啃着雪、嚼着冰，一边往前爬，第四天，他终于爬到了一个叫琴那措的小海子边。在野马饮水的冰口上喝了几口水。突然，他发现水里有好多鱼，他不由得一阵惊喜，忙脱下帽子，放进水中，果然有条一拃多长的鱼游了进去，他抓住了。是高原上的无鳞鱼。

“我要活生生地把它吞下肚去充饥。”他高兴地想，“这条鱼可以让我站起来，让我往前多走几步。吃完它，我还可以抓，这样，我就可以走到连队了。”

但他把鱼又放进了水中。

他突然记起前些日子，李狄三带着他到廷空去了解民俗，一位喇嘛曾告诉他们，鱼是藏民心中的水神，历来是忌讳食用的，连里一再强调要尊重藏家风俗，他作为一名军人，不能破坏连队规定的纪律。

他用枪托砸了几块冰，正要吃，突然听见了一阵急促的马蹄声。

“是连队派人找我来了！我有救了！”由于兴奋，他猛地用枪撑起半截身子，拼尽全力喊了一声，“我在这里！”

为了保证寻找他的人知道他所在的位置，他朝天放了一枪，但马蹄声却渐渐远去了。原来，那只是一匹野马，它听到枪声后，一溜烟地跑远了。

杨天仁失望地把头埋进雪里，再次失去了知觉。他的生命已走到了边缘。

有幸的是，当天黄昏，道布冬寻找丢失的牦牛来到了海子边，发现了杨天仁。他发现杨天仁的手和脸全部冻伤了，因为嚼冰，嘴角流着血。血已凝固，变黑。他不知道这名夏保是怎么走到这里来的。他以为杨天仁已经死了，没想他用手试试，还有一丝气。

道布冬赶快将他驮回自己的帐篷，一边给他灌酥油茶，一边用雪搓他的脸和手脚。

虽然阿里噶本政府一再对他的属民重申三条禁令，虽然藏规在当时十分严厉，虽然一些头人造了不少谣，说什么“汉人来到藏北，藏北将有大灾难”“汉人要消灭宗教”“汉兵是魔鬼，红眉毛绿眼睛，要派粮派草支乌拉（差事），还抢年轻女人，打人、杀人，吃小孩”。但私下里，谁都在说解放军的好话。甚至把解放军传得越来越神。说他们是天上降下来的神兵，不然，不会一夜之间就出现在藏北草原上，他们又那么和气，武艺又那么高强，不但没向我们要一粒粮，一根草，没支过乌拉，还把他们的东西送给贫穷的人，他们不是魔鬼，而是好心肠的“菩萨兵”。所以，他们一有机会，就置噶本政府的禁令不顾，以各种方式和解放军接触。

杨天仁醒来后，不相信自己还在人世。他的头脑一片混沌，愣了半晌，看清道布冬后，眼里涌出了热泪，嘴里喊了声：“夏保！”

先遣连除了严格遵守《三大纪律八项注意》之外，还根据实际情况制定了如下纪律：尊重当地的风俗习惯，保护所有的寺庙；没有寺院堪布的准许，官兵不得随便进入寺庙，并在其中住宿，不准毁坏寺院建筑，不得破坏寺院中的任何法物；未经群众允许，不得随便进入帐篷和民房；吃喝群众的茶水饭食要付钱；不住帐篷和民房；不准捕猎被群众视为神物的鱼和鸟；保护经幡、经塔、神山、神树和玛尼堆。

为了不违反“不住帐篷和民房”的纪律，当晚，杨天仁执意要住到羊圈里去。道布冬因为语言不通，也没法劝他，只好抱了羊皮，给他在羊圈里铺了地铺。那晚，他与羊同眠，睡了个有生以来最美的觉。

他还梦见了自己已十一年没见过面的母亲，母亲骑着一匹很红的马，跑得很快，她呼喊他的名字，像在找他。可是，当他站起来答应时，母亲又骑着马跑远了，他赶紧去追。自己死在十里达坂的那匹马又活了过来，它飞奔到他身边，让他骑上，然后驮着他去追他的母亲。他追上了。

母亲像不认得他了，一遍遍摸他的脸。“是我的孩子，是我的。”母亲说着，就抱住了他，然后说要领他回家。

这梦让杨天仁觉得幸福，因为他已有好久没梦见母亲了。

他摸了摸自己一直挂在脖子上的两个银元，觉得那银元上还有母亲的体温和母亲身上贫困的气息。

第二天，杨天仁准备归队，但因为手脚冻伤得太严重，好些地方的肌肉已经发黑，道布冬决定送他返回连里，但他害怕白天被头人看见了，要处罚他，所以要等稍晚一些后才敢走。

杨天仁把挂在脖子上的两个银元取下来，放在嘴边吻了几遍后，要道布冬收下。

道布冬一见，就把眉毛横了起来，大声嚷着，无论如何也不收。最后，甚至生气地比画着让杨天仁自己走，他决不送他。

杨天仁假装听从，把银元重又用绳子挂在脖子上，待道布冬没注意时，才悄悄地把那两枚银元扣在一只木碗下。

那两枚银元是杨天仁身上唯一的财富，对他而言，它们价值连城。因为，那是母亲的卖身钱。

想到这里，他的眼睛潮湿了，趁道布冬一家外出收拾牦牛的驮具时，他又把那两枚银元从木碗下取了出来，放在心上捂了半天，才又放进木碗下。

杨天仁七岁时，父亲去世了，他和母亲相依为命。熬了半年，实在活不下去了。这时，刚好有人要买女人做填房，母亲思来想去，最后含着泪答应了别人的条件，以两个银元的价格把自己卖掉了。临别时，母亲和他抱头痛哭了一场，把两个银元给他串上，再用布包藏好，挂在了他的脖子上。

从那以后，杨天仁开始逃荒要饭，好几次差点饿死，但一直没舍得花掉那两个银元。

这两枚银元带着一个母亲对儿子的最后一缕爱，也是所有的爱。

杨天仁一直保存了十八年。

十三、传闻藏军向阿里扑来

西藏的形势依旧变化莫测。

传闻噶本政府正抽调八百名藏兵和色拉、哲蚌及甘丹三大寺的二百名僧兵，分两路从日喀则和那曲向藏北扑来，要将先遣连全部歼灭，报昌都之仇，再固守藏北，抵御解放军从新疆进军阿里。一时间传得玄乎其玄，神乎其神，比真的还真。一些好心的老乡听说了，也替先遣连担心，想方设法把这些消息告诉先遣连。

先遣连自电台坏后，就与山下失去了联系，对局势一无所知，这时，连队正好进入残酷而又艰难的境地，病号越来越多，病情越来越重，不停地有人牺牲，战斗力削减得十分厉害。但连队对于战斗并不怕，全连随时做好了战斗准备。

对于藏军的情况，先遣连在出征前了解得就很少。到了阿里，听到的更多的是虚虚实实的传闻，与藏军仅在廷空比武时谋过面。

过去，西藏兵民不分，有一种组织叫森巴军，就是古代藏王卫队的意思。这些森巴们平时在家耕田、放牧，没有守边戍疆、维护治安等任何军事任务，与普通老百姓无异，但世代享受森巴俸禄，一般属于大差巴户，生活较为富裕，除了每年支一次森巴差，不再承担其他任何差役。在拉萨传大召期间，森巴要在大昭寺门前表演武术；藏历一月二十六日，在拉鲁庄园驱鬼时，他们要把大炮抬出来，架在拉萨河北岸，对着河南岸山上的石靶轰击，这些石靶都用牛毛缠着，轰击完了，就表示驱逐走鬼魔了。噶厦政府还要给他们放茶、招待，进行犒劳。

传大召是在每年藏历的十二月。森巴们从四面八方提前云集拉萨，在历时一月的传召期间，除了武术表演和驱鬼，他们的主要任务是充当仪仗队，他们身穿古代武士服装，腰里斜挎着弓箭和腰刀；再有就是参加达赖喇嘛的出行仪式，或者在一定场合接受检阅，可算是八面威风。但他们所穿的服装、佩带的弓箭腰刀和坐骑都是自备的。

这样的军队战斗力可想而知。廓尔喀两次入侵西藏，藏兵都失败了，最后靠清朝出兵才收复失地。正因如此，乾隆年间，驻藏大臣奏请乾隆皇帝批准，西藏建立了第一支守备军队，叫加玛军。加玛军在藏语中是汉族之意，加玛军也就是汉式军队，它的建制为代本，共分为六个代本，定员为三千三百二十人，其中汉族兵一千四百五十人，藏族兵一千八百七十人。兵员从各宗征调。建军以后，前藏和日喀则各驻两个代本，江孜、定日各一个代本。当时征兵的办法是按耕地面积抽丁，一个马岗抽一个丁，凡服兵役的差巴户，免除其他一切差役。

每年藏军要在拉萨北郊全部集中，比武一次，驻藏大臣和噶伦等各级官员都亲自到场参观检阅。当时的藏军服装与清军差异不大。

1904年抗英失败后，三世达赖倒戈，驱逐了加玛军中的清兵，重组藏军。达赖派人去英国学习军事，并由英国人按英军操典训练藏军，使用英式武器。每一个甲本，配备机枪一挺，甲本以上军官都配备了手枪，并扩充了几个代本。

另外，常驻哲蚌、色拉、甘丹三大寺的喇嘛中，百分之十至十五是僧兵。这些喇嘛的发型和袈裟的装束方式与众不同，以此构成了他们特殊的面貌特征。他们经常按照某项武士法规持枪舞刀进行格斗演习，并且经常充当寺院的卫兵。拉萨城内及四周的寺僧有两万余人，其中有几千人是关心现世、喜斗好战的僧兵，他们一直受三大寺的强制调遣。在很多时候，寺院僧兵使噶厦的藏军相形见绌。

但直到 1949 年，藏军还一直是一支素质很低、战斗力不强的封闭的地方武装，虽然编制由十四个代本扩充到了十七个，但代本以下的各级编制人数大体保持着一百多年前的规模，其一个代本的兵员定额最多一千人，而解放初我军一个团的编制大都在四千人左右。藏军的主要武器大都是第一次世界大战时的英式步枪。他们缺乏正规的军事训练，军心涣散，纪律松弛。这些士兵当中，既有五六十岁的老兵，也有不满十六岁的新兵。他们当中的大多数都拖家带口，不仅要为自己着想，还要为妻子儿女的命运担心。这些代本的指挥官无一例外，都没有接受过军事训练。这是因为西藏政府害怕造成军事将领势力强大的局面，故意不让藏军代本指挥官们有一定的军事素质。当时，任何一名僧俗官员都可以充当藏军代本或其他军官。

按藏族老百姓的说法，别的军队都能像地里长出的青稞麦一样整齐，唯有藏军乱哄哄一团，活像草原上一群不听话的羊。

但对先遣连来说，藏地的一切都是陌生的。

现在，这一切对先遣连来说，已不重要。李狄三一面让通讯班尽力修好电台，一面拟订了作战方案，做好战斗部署。

一到藏北，他们就明白，对于一个孤军深入、远离后方的连队来说，必须随时保持战斗队的作风，以应付可能遭遇的一切。

现在，虽然很多人躺下了，但二十九名没有患病和病情稍轻的战士，始终没有放下手中的武器，坚持练兵。没有训练器材，他们就用石头和野牛蹄子充当手榴弹练投掷；没有靶子，他们就用羊皮充当。那些患病的战士，虽然连里严格要求他们静养，但他们还是纷纷来到雪地里，练习射击。

后来经过彭清云侦察得知，所谓的藏军分两路进兵藏北，仍是当地一些顽固的头人和地方官员散布的谣言，其目的无非是要威慑先遣连的官兵。

先遣连知道，就比武时藏军所带的装备而言，其实远远比不过先遣连；参加比武的藏军一定是他们所挑选的最好的，但军事素质也很低下，所以，只要提高警惕，组织得当，坚守扎麻芒堡是不成问题的。

当然，他们不知道西藏的和谈代表团已经真正启程前往北京，如果他们知道，就明白这个时节对方不可能再挑起大的冲突。

当时唯一想挑起冲突的只有离西藏十万八千里的美国。这些史料是美国著名人类学家梅·戈尔斯坦在 1991 年出版的《西藏现代史（1913—1951）——喇嘛王国的覆灭》一书中披露的：

> （美国驻印度大使 L.韩德逊）决定给达赖喇嘛捎去一封非官方且不署名的信，并附带捎去口信，说明此信是由美国驻印度大使发来的。一旦这封信落入中共政府之手，就会对美国带来不利影响，为了防患于未然，他用的是从印度购买的信笺，其原始笔迹不能够映写，他在信函中没有透露这封信是由韩德逊或美国人发来的。
>
> ……韩德逊的信竭力怂恿达赖喇嘛与中共作对，并设法寻求外国的支持。值得注意的是，信中建议把锡兰作为达赖喇嘛的避难所，并且还第一次提出把美国作为可以考虑的避居所。
>
> ……外交部的一位官员最近访问了亚洲，他对西藏表示同情，并对至尊达赖喇嘛及其臣民的幸福深表关切，兹发去信函，内容如下：

1. 北京的共产党政府决定获得对西藏的全面控制，达赖喇嘛对中共政府作出任何让步都不能改变这一决定。中国共产党宁愿采用计谋而不使用武力来控制西藏。因此，他们亟欲劝说达赖喇嘛达成一项将允许他们向拉萨派驻一名代表的协议。

2. 北京的共产党当局向拉萨派驻代表只会有利于中共加紧对西藏的全面控制。

3. 在世界形势发生变化之前，中共将难以接管西藏，无论如何，达赖喇嘛不应当返回拉萨或者把自己和西藏的财物运回拉萨。（美国国务院删去了一部分）运回拉萨的任何财物最终都可能被中共接管。

4. 在存在着中共可能会以武力或计谋夺取拉萨的危险之际，达赖喇嘛不应当返回拉萨。如果中共企图阻止达赖喇嘛出逃，他就应该离开亚东前往别的国家。

5. 建议达赖喇嘛马上派代表去锡兰，设法同锡兰政府一道为达赖喇嘛的财产直接转运到锡兰做好安排。这些代表还应当设法获准为达赖喇嘛及其家属在锡兰寻找避居地，为达赖喇嘛离开西藏找到落脚点。在锡兰政府准许前来避难之后，达赖喇嘛应当请求印度政府作出担保，一旦他及其家人离开西藏，将为他们途经印度前往锡兰提供方便。

6. 假如达赖喇嘛及其家族不能在锡兰找到安全的避难所，他一定能够在其他任何一个友好国家、如西半球的美国等找到庇护所。

7. 达赖喇嘛派遣一个使团前往美国可能也有益处，在那里，该使团将做好直接向联合国呼吁求援的准备。不用说，达赖喇嘛已经知道由西藏派驻联合国使团所提交的、请求美国准予签证的申请将会得到善意的考虑。

韩德逊的信在1951年4月被美国国务院采纳，但删去了第七点，因为美国国务院通过调查得知，他们在整个国际社会中，几乎没有支持者。

十四、最残酷月份里的欢乐

2月对于先遣连来说，是最残酷的月份。

时光流动得异常缓慢，苦难是时光的美食，它把这些苦难慢慢地咀嚼，细细品味着。

看起来，扎麻芒堡驻扎的不是一支在当时算得上是现代化的军队，而是一群用热兵器武装起来的猿人。

他们住的是地窝子，铺的是野牛皮，盖的是野马皮、藏驴皮，吃的全是兽肉，喝的是冰雪融水，烧的是扎麻和牛粪，穿的是野羊皮。因为很多衣服到后来连补都补不成了，大家为了解决穿的问题，就把剥下的鲜羊皮，毛朝里披在身上，然后用牦牛毛捻成的筷子粗的线缝成皮筒子，看起来难看，但能挡风，很暖和，杨天仁当时若不是靠这皮筒子，几天下来，早给冻死了，所以大多数官兵都穿这个。但那玩艺儿一干就不行，干了后非常硬，使人像打了石膏一样，紧紧绷在身上，把人成天撑着，弯不下腰，行动不便，像个木偶人。那东西很容易长虱子，常常成串成堆，咬得人挠不成，抓不成，慌得直跳。

因为那皮衣紧绷在身上脱不下来，大家只好用刀子把它割开，然后像扒皮一样把它扒下来。后来就有了经验，等皮筒快干时马上脱下来，用刀子把它割成一圈一圈的，再用毛线把它连住，就像串铠甲一样，这样，行动起来就自如、方便了许多。

左齐将军一直记得，也常常说起，他说：

"当时许多人的衣服都是用麻袋和兽皮补的。有的补了好几层。1951 年开山以后，陈信之干事下山汇报工作，他穿的棉袄上是补丁重补丁，麻袋、野牛皮、野羊皮、帐篷布，什么都有。补丁上的毛线小指那么粗。一件棉衣足足有十七八斤重。他告诉我这是连里最好的衣服，是留着外出做群众工作时穿的礼服。原来有二十多件，现在穿得只剩下四件了。连里想他下山汇报工作，是要见首长和其他战友以及老乡的，应该穿得整齐一些，把五件衣服来回比较，挑来挑去，挑了半天，才挑了这件最好的。我问他连里其他人都穿啥。他说穿的是兽皮。他还说，连里其他几件礼服都达到二十斤以上，最重的一件有二十六斤，人穿在身上，喘气都困难。但那毕竟是衣服呀，总比穿着兽皮去见老乡强呀，这些，恐怕想象力最丰富的人也难想象到……"

沉重的日历一页一页地翻着。而 1951 年 2 月 5 日这一页，却让李狄三感到更加沉重。

春节到了，他却拿不出一顿年夜饭。

好在电台奇迹般地通了，连队在与上级失去联系二十多天后，终于再次联系上了。左齐和何家产先后向他们表示慰问，并告诉他们，骑兵师一直在组织驮运队试图打通驮运线。有一批由七百多头牦牛和毛驴组成的驮运队驮着盐巴、年货、药品和其他给养正朝阿里进发，估计不久将抵达两水泉。不久，喀什军区和骑兵师党委又专门发来了慰问电，并向全连官兵拜年。

但就在这天，曾自修不行了，刘守财生命垂危。陈信之来到他们的地窝子，向他们宣读了慰问电。这来自遥远的后方的慰问让两人激动万分。他们在病榻上支撑起已虚弱不堪的身体，举起右手宣誓，但这誓言只有刘守财说完了，曾自修说到一半的时候，手还举着，头已垂下了。誓言在地窝子里回荡了片刻，然后，仿佛一切都凝固了，仿佛天地间一切运行的东西都停止了。

没有哭声。

刘守财显得很平静。陈信之看起来也显得很平静，他走过去，把曾自修的遗体放平，把他没有瞑目的眼睛合上，把他举起的手放下来……

李狄三蹒跚着进来了，后面紧跟着曹海林、彭清云。他们端来一尘不染的雪，把曾自修的遗体擦拭干净，把他的头发用木梳梳理整齐……

曾自修的葬礼结束，大家送葬回来以后，天已黑透。除夕之夜的扎麻芒堡除了偶尔传来一两声重病号的呻吟，没有一点声响。

李狄三的病越来越重，已肿到了腰部，但他还瞒着大家。他去为曾自修送葬以后，回来摔了好几个跟头，现在，他仍然觉得浑身无力，已在溃烂的小腿痛得他直冒虚汗。

但他更感痛苦的是这种死寂。

李狄三扶着土壁，来到雪地上，硬撑着站稳了，叫通信员王万明通知全连除重病号以外的所有人集合。

集合好后，他向大家行了个军礼，军礼行得很久。然后，他用洪亮的声音说："同志们，我们横越莽莽昆仑，远征阿里，古未有之，闻所未闻，因为，这只有真正的英雄才能做到。我们远征至此，经受住了各种考验。但真正的考验现在才开始！昆仑横隔，大雪封山，骑兵师已组织了数次援救行动，王震司令员对我们非常关心，左齐参谋长亲自坐镇于阗，指挥救援，和田人民已经作出了巨大的牺牲。但由于道路漫长、艰险，已有数万头驮运物资的牲口倒毙途中，致使数次援救都没成功。最近一批驮运队已出发一月有余，如果顺利，近日即可到达。上级和父老乡亲一直关心着我们，而我们现在的任务，就是力争活下去！只有活下去，我们才能完成任务。因此，我在此下达两条命令：一是必须坚持吃兽肉，干部和党员必须带头吃，多吃和一直坚持吃的，立功受奖；二是即使倒下了，临死之际也要笑一笑，要笑着离开人世。

"是的，我们的处境十分严峻，的确可称得上是艰苦卓绝，摆在我们面前的路有两条：一是坐以待毙，等待冻死、饿死、病死、困死；二是团结一心，奋起抗争，把困难踩在脚下，在绝境中求生存。同志的死亡，战友的牺牲，让我们悲痛，但我们不能被悲痛压垮。

“当年红军万里长征，现在已基本上解放了全中国，我们挺过了这个冬天，也能解放阿里。

“现在，我们举手宣誓——

“不怕困难，团结一心，奋起抗争，战胜绝境，生命不息，抗争不止，只要还有一个人，就要把红旗插到噶大克！”

整齐、铿锵的声音紧跟着李狄三的声音响起来。

誓词通过电波传到于阗，再传到喀什、迪化，王震拿着电报的手瑟瑟直抖。将军夜不成眠，他坐到办公桌前，忍不住又去读那电文——

骑兵师党委并报喀什、新疆军区：

曾自修同志刚刚牺牲，张长福、西阿林、刘守财、赵玉海、徐金全、曹发荣等二十余人病重或垂危，自巴利祥子牺牲之后，全连已有二十五人先后病故，盐粮早绝，马料早已食尽，军马所剩无几，连队所遇顽疾疑为传染病，无药医治，无病及轻病者仅二十九人，其余卧床难起。现地窝子为房，兽皮当衣被，兽肉是主食。然全体官兵仍保持了良好的战斗作风，不怕艰难困苦，不怕流血牺牲，坚守扎麻芒堡，并宣誓团结一心……

王震推窗遥望昆仑的方向，泪水沾襟，他心情激动而沉重。凝望良久，他举起手来，对着昆仑，向先遣连的官兵们敬了个庄重的军礼。然后疾步走到办公桌前，亲拟电文，向西北军区报告先遣连的决心，为英雄们请功。

李狄三坐在雪地上，让王万明抱来扎麻，烧了一堆篝火，然后，他拿出自己的短笛，吹奏了河北民歌《回娘家》。旋律流畅，欢快，把扎麻芒堡慢慢拉回到欢乐的气氛中。

官兵们陆陆续续坐拢来，火光映着大家的脸，一张张凝重的脸在旋律中慢慢舒展开来，像泉水浸入板结的土地，像和风催开包紧的花蕾。跳跃的火苗呼应着大家眼中珍贵的喜色。

大家注意到李狄三剪了胡须，他瘦削的脸显得稍有些胖了，火光的红色又使他的脸显得年轻而生动。而他额头上渗出的虚汗也被火光掩盖了。一曲吹奏完毕，他宣布春节晚会开始。

大家唱起了《黄河大合唱》《解放区的天》《南泥湾》。

然后，来自不同地方的战士演唱了各自家乡的民歌。最后合唱了李狄三卧在床上创作的《顽强歌》——

嗨，嗨嗨——

进军藏北先遣连，

万里西进到天边；

爬雪峰翻达坂，

昆仑山，甩后面，

不怕艰辛和苦难；

寒冬尽时阳春暖，

雪山阿里尽开颜。

面对绝境也不怕，

多出主意想办法，

鞋袜烂了兽皮扎，

衣服破得开了花，

麻袋兽皮补住它……

十五、黑色的春节

然后是黑色的春节。

就在这一天，先遣连失去了十七位官兵。

没有战火，没有硝烟，十七位铮铮汉子像被飓风摧折的大树，在一天之内先后躺在了阿里这片冰冷的热土上。

贡布说到这里，已经说不下去。他哽咽着，然后哭泣起来，随着身体的抖动，他的白发也颤动起来。

这位头发斑白的大校像一位孩子似的尽情地哭着。

最后，他呜咽着说：“几十年来，哭他们的人越来越少了，我想趁我还活着。还有一掬热泪，就为他们多哭几声吧……”

作为进藏先遣连幸存的英雄，他正是我迫切需要寻访的。

他一直生活在阿里。我们在狮泉河烈士陵园邂逅了他。

先遣连的英雄们从扎麻芒堡迁到了这里。李狄三的墓显得最为高大，居中，其他坟墓则整齐地排在它的周围。这个干旱的小山窝寸草不生，却在李狄三的坟墓周围生长着几丛茂盛的红柳。

红柳如血，似火，正在喷涌，正在燃烧。

一位身材高大的老军人，坐在李狄三的墓碑前。高原的阳光尽情地洒在他的身上，使他斑白的头发更加耀眼，红黑的脸膛更加醒目。他像是在和李狄三说着什么，又像是在倾听烈士们的笑谈。

陵园和大地一样安静，我不由得放轻了脚步，怕惊动了他，也怕惊动了长眠的人。

带我前往陵园的少校告诉我，这位老者就是阿里军分区的贡布副司令员，他当年是先遣连的翻译，也是先遣连幸存无几的老英雄了。他经常到这里来。

一座座水泥碑立着，如队列一般，我从其中穿过，走向老英雄。

我惊动了他，他转过来的脸饱经沧桑。互做介绍后，他取下墨镜，他的眼睛还像鹰隼一样锐利。

“这些都是我的战友，他们解放了阿里，是阿里人民的功臣，也是阿里人民心中的英雄。我常常到这里来会一会他们，快五十年了。因为舍不得离开他们，因为要守护他们，我一直在阿里工作。他们死得很悲壮，死得很惨烈。我一想起他们就流泪。我一有心情不好的时候，只要在他们身边坐一会儿，心情就会好些。特别是老了后，我来这里的时候就更多了。因为，我终究会离开他们。”

他说完这些，又默然了，雕塑般坐在那里，陷入了追忆之中。他一定是在追忆五十多年前那英雄史诗般的进军，追忆那被风雪隔绝后长达七个月的艰苦卓绝的生活，追忆那些已经牺牲了的战友们的音容笑貌……

作为幸存者，他害怕那一切会在时光无情的流逝中渐渐淡远。所以，无论走到哪里，他总爱讲述先遣连的故事。其实，先遣连的故事自诞生之日起就在流传了。

贡布大校对此深感欣慰。但因为五十多年前战友的死至今还锥着他的心，因为五十年的漫长时光还没能平复他心中的大哀大恸，使他在讲述先遣连最艰苦时的境况时，常常讲不下去。

他来到刘守财的墓前，抚摸着那简陋的水泥碑，说：“他是在春节的晚上牺牲的，每年的春节我都会想起他。他是湖北人，当时二十八岁，对我非常关心。他牺牲时的情景就像是在昨天，就像是在眼前——”

时针刚从2月5日晚上0时指向凌晨1时，刘守财就不行了。

他拉着守护他的陈信之的手，微笑着说：“过年了，我过了年，刚过了年，阎王爷就催我上路了。这个时候上路，真对不起大家，我断气后，你先不要告诉战友们，待过两天再说吧，我不想大家大年初一的，为我送葬。陈干事，我，只有这个愿望。”

陈信之听他说话条理清楚，声音清晰，表情平静，还以为他的病情已经好转，在跟他开玩笑，就说：“别的时间可以遵守，到阎王那里的时间怎么着也可以拖延，我听你说话，病情已在好转呢，可以和我们一道进军噶大克的。”

“噶、大、克……”刘守财说出这三个字，就停止了呼吸。

陈信之摇着他，叫他的名字，他不动，也不应答了。陈信之不相信这是真的，他把手放在刘守财的心口上。刘守财的身体还是温热的，心脏却已经停止了跳动。

地窝子外面，晚会还在继续，扎西彭措的歌声传过来，有些沙哑，却充满深情。

天地来之不易，
就在此地来之；
寻找处处曲径，
永远吉祥如意。

生死轮回，
祸福因缘，
寻找处处曲径，
永远吉祥如意。

他的歌像是在无意中为刘守财送行。

陈信之用一块羊皮把刘守财的脸盖上，吹灭了牛油灯。

春节的清晨，太阳献出了它的一片朝霞。朝霞中的世界安谧，平静。慢慢地，那一切都被抹去了。

起先是无声的，然后声音越来越密大，像潮水从极远处慢慢地涌来。

暴风雪来了。

很快，就如沙暴一样，把一切都裹挟了进去，大地像婴儿的摇床一样，摇晃起来。

张长福挣扎起来，为大家做最后一顿饭。

他已不得不承认，自己确实病了，并且病得不轻，也预感到属于自己的时间已经非常有限。

在风暴来临之前，天地还是一片黑暗，他就到了做饭的地窝子里，他是扶着墙，自己摸索着去的。

他深情地呼吸着厨房的气息。

像过去一样，他洗净了手、脸，然后把胡子理干净，开始烧火。

锅里的兽肉昨晚就备好了，他只需烧火去煮。

火光映着他皮包骨头的脸和脸上深而细密的皱纹、深陷的眼窝、高高的颧骨、尖而突出的下巴。火光使他黑而发青的脸有了红亮的色彩，但那已不是属于生命的色彩，而是正在毁灭生命的色彩。

“人，就像一截柴火，燃完了，也就成灰、成烟了。”这个四十七岁的老兵叹息了一声，自言自语地一边说，一边用枯瘦如柴的双手把头发捋平顺。

这时，骆德裕进来了。

“老班长，你回去休息吧。”

“我这也相当于在休息，我就不相信把这肉炖不烂。真是怪了，我原来还没有饭煮不熟、肉炖不烂的经历，可这里就是怪，自从上来，饭是夹生饭，肉无论炖多久，就是炖不烂。”

张长福自上高原以来，就一直想把饭煮熟，但就是不行。大家开头抱怨他，后来，得知这是高原上的“怪现象”，也就不怪他了。但张长福不愿善罢甘休，一直在和这“怪现象”战斗，一直想要制服它。

这兽肉本就难吃，他想把肉煮烂些，减轻大伙儿的难受劲，可不行，每次还得让大家双手抱着兽肉撕咬，白白受那腥膻之难。

他不知道，在这高原上，水不到八十摄氏度就开锅，很多食品必须要高压锅才能煮熟。但那时候哪有高压锅呢。

慢慢地，他觉得自己非常难受，就对骆德裕说：“小骆，我好像不行了，心里难受得很，如果能抽一口就好了。”

骆德裕说：“老班长，你没事的，你要的东西，我这就去给你找。”说着，就跑出去了。

“俺这截柴火要燃尽了。唉，征战了大半个中国，然后到了据说是世界最高的地方，这柴头还是燃得旺的，也该满足了。”

兽肉的腥膻味飘散开来，他已习惯这种气味，觉得非常香；还有柴草的味道，烟火的味道，雪的气息，太阳的气息。“这都是人间的气息呀，我要带走一些。”

“即使外面的暴风雪，也只有人间才会有啦。”

在半个月前，张长福全身就肿得亮晃晃的，头上、脸上都裂开了口子，天天往外流黄水，脸上常常被黄水糊得分不清哪是鼻子哪是眼，那模样让人惨不忍睹。后来，他头上和脸上的肿消了，裂开的口子开始愈合，不再流黄水了，但身子却肿得更加厉害。

当时还有一支王震将军送的盘尼西林，谁也舍不得用。张长福是名老兵，家中又有妻儿老小，可连里几次决定给他打针，都没有做通他的工作。

最后，李狄三又去劝他，他急了，叫嚷道：“谁再让俺打那针盘什么西林，俺就自杀。俺都是四十好几奔五十的人了，死了没有啥。股长，谁劝俺也不行，俺也求求你们别再劝俺了。留着它吧，后面的日子还长啊！”

“他很少向连队提出过要求，要抽口烟，是这位老兵的最后遗愿，我一定要满足他。”骆德裕流着泪迎着暴风雪出了地窝子，“可是，到哪里去找烟呀，全连早就断顿，谁也没烟抽了。”

骆德裕串了几个地窝子，都没有找到。他突然想起了兽医吾马尔。他烟瘾最大，大伙儿私下里给他取了个绰号，叫“大烟囱”。进藏时，他比别人多背了一条干粮袋，装的全是新疆的莫合烟。也许他还有。骆德裕小跑着冲进了他的地窝子。

吾马尔看骆德裕那着急的样子，就连忙问他有啥子事。

“烟！你还有没有烟，张长福老班长不行了，他想抽一口，你赶快装一锅子。”骆德裕急得上气不接下气，把手伸到吾马尔面前。

“可是，我嘛，也早已断顿了。”吾马尔的汉语说得不流畅，他双手一摊，不知怎么办才好。

“你搜一搜，翻一翻，哪怕能吸一口也行。”

“好的。”吾马尔一边说着，一边翻腾起来。没有，一个烟末子也没有，“实话说吧，我都翻过无数遍了。”

“那你前两天抽的什么？”

“那不叫烟，烟叶没有嘛，烟瘾的这个样子一犯，憋不住，就卷草叶子抽。那个玩意嘛，着得快，常烧嘴，就找来野兔子粪烤干，拌上这个样子的扎麻花和连队那个样子喝剩的砖茶沫子，用羊角这个样子做了个烟斗抽。”他比画着，用“维式汉话”说了半天。

“那你也装一锅子。”骆德裕顾不得了，就让吾马尔装上一锅子，拿在怀里护着，赶紧往外跑。

当他跑到张长福跟前，张长福已经停止了呼吸。他摸摸张长福的手，还是热的。

火光映照着他的脸，显得尤为生动。他多像一个在灶台前瞌睡的人呀。

柴还没有燃尽，锅里的肉煮得正欢，白色的蒸气弥漫了整个地窝子。

外面，暴风雪仍在肆虐，冒出地窝子的炊烟被大风送到很远很远的地方。

骆德裕大叫一声老班长，一边嚎啕大哭，一边点上那烟斗，放在张长福的嘴里。烟自己冒着。

他更像一个刚点着烟斗要吸，却因赶了长路劳累过度而睡着的旅者。

大家都纷纷赶到张长福跟前吊唁他。

风雪仍没有平息下来。

这时，陈信之才用低沉的声音说：“刘守财也已牺牲了。让他，跟着老班长，一起走吧……”

积雪很厚，把原有的坟墓填平了。牺牲者像是彻底地融入了大地，没在大地上留下一点影子。

张长福和刘守财埋下去不久，大雪就迅速覆盖了他们，像要掩盖住他俩的死亡。

春节的清晨就这样过去了。刚送走两人回来，维吾尔族战士木沙又走到了生命的边缘。

像所有得这种“怪病”的人一样，这个已四十八岁的维吾尔族战士刚得病时，特别能吃，每顿能吃掉一条没盐没味的野羊腿，随后几天就什么也吃不下去。他抓住彭清云的手说：“副连长，我感到很是过意不去，我不该在这个时候死去，在这个节日里，我真不该死，使战友们难受。但这口气儿要去，就是拉也拉不住。我没办法，请大伙儿原谅!”他刚说完一会儿，也就牺牲了。

然后是刘景辰。

然后是桑必强和阿布力。

然后是曹家喜。

然后是沙吾提。

然后是黄德海、艾沙和霍廷俊。

然后是王培林和马洪福。

然后是刘进吉。

然后是余贵清。

然后是道尔申拉。

……送葬，送葬……

从连队通往墓地的路被暴风雪掩盖后，又踏出来，最后连暴风雪也不能掩盖了。

上苍啊，你也应该含悲啊；

昆仑啊，你也不禁垂泪呵；

阿里啊，你也因哀恸而苍老了。

那无边的雪野变黑了；那暴风雪也是黑色的了……

采访到这里时，贡布哽咽而泣，我和当时在座的所有人也都呜呜痛哭起来。我回到住处，一夜难眠，忍不住提笔写下了如下的诗句，希望以此悼念他们。

当时，月光如水，星河灿烂，感到所住的地方，离月近，离神近，离传说近，离历史也近。

所有的力量都已静止
海啸，雷霆，爆发的火山
大地的沉陷与隆起
只有诞生——
在死掉的血液和火焰里
在圣洁的冰雪和冷酷的严寒里

你们直抵最接近天穹的地方
直抵大地的高度
直抵信仰的核心
在那里，你们使一切重新诞生——
原野和江河
悲苦与伤痛……

十六、历史瞬间的鲁布广场

也许，任何神圣之旅都是充满艰辛的。

在狮泉河，我没有时间和心情屏息感受世界本身的纯净。

我的情绪被历史中那个英雄连队用生命的血性和对信仰的忠诚书写的史诗左右着。

他们的悲壮让我更多的时候欲哭无泪。

我在高原的每一个地方，似乎都可以看到英雄们的身影。然而，更多的时候，人们把那些苦难和悲绝的成分慢慢剥离开去，只留下了他们英雄铁血的品性。

扎西老人肯定是个唯心主义者。他原来住在昌都，是朝神山、拜圣湖来到阿里的，那时他卖掉了自己的羊群，献到寺庙里，然后到冈底斯山朝佛，到神湖里洗掉贪、嗔、痴、怠、嫉五毒。他说，凡在人世间承受了大悲痛、大苦难的人，一定能升入天堂，来世不是大英雄，就是大豪杰。但他否认先遣连的英雄们遭遇的苦难是喇嘛们诅咒的结果。“因为他们都是菩萨兵，喇嘛们能把菩萨咒得动吗?”

噶厦政府策划的诅咒活动又叫错卓卡崩，是一种召集大会、扣翻大锅的活动，用于驱鬼，并表示决心和诅咒。1949年夏季，在拉萨大昭寺前的鲁布广场举行。

早在1949年7月8日，噶厦政府召见了中华民国蒙藏委员会驻藏办事处代理处长陈锡章，告诉他，他们打算把国民党的所有在藏官员，包括在无线电台、学校和医院工作的人，驱逐出西藏，限所有人员在两周之内离开拉萨前往印度。这就是当时的“驱汉事件”。

他们举行错卓卡崩的目的不言而喻，是诅咒

共产党和汉人，企图阻止解放军进军西藏，阻止全国的统一。

在这之前，西藏举行过两次这类活动，一次是在1904年，英军侵略西藏，以十三世达赖喇嘛为首的西藏僧俗群众聚会，诅咒英军并誓死团结抗英；一次是1930年，以龙夏·多吉次仁为首率藏军东征甘孜时，为诅咒川军而举行。

鲁布广场是旧西藏专门用于驱鬼的地方，每年藏历正月二十四日，这里都要举行驱邪活动。

1950年夏天的鲁布广场无疑有些阴森。

各色帐篷和草棚在广场上早早地搭起来了，里面装满了青稞、酥油、糌粑和茶叶，帐篷外，则堆放着一些用干草扎成的“男女汉人”。按照西藏密宗的做法，对所憎恨的对象，他们先要在大昭寺前的佛堂里求神作法、诵经念咒，一切程序做完，由一行喇嘛敲打鼓钹，口念经咒，来到鲁布广场，架起一口直径三米多、深两米多的大铜锅，装满水，倒进很多酥油和香果之类的食物，然后，架起大火烧起来；与此同时，周围的喇嘛一面敲打各种法器，一面念起经咒。

鲁布广场顿时烟雾弥漫，熊熊大火很快就把大铜锅里的水煮沸了。

这次诅咒活动之前，噶厦已命令四品官夏扎·甘登班觉组织了一次转神山、念咒经的活动。

据西藏经书《噶雪森姆》记载，在拉萨河流域和南域山川间，仰卧着一个巨大无比的可怕妖魔，但因为有哲蚌寺后面的培关孜日山、拉萨东北的觉莫西西日山、曲水的加桑曲乌日山、桑耶哈布日山这四大神山和周围二十多座小神山镇着，才一直没有作乱。以前，凡遇天灾人祸，或是达赖喇嘛生病，噶厦都要命令这一带的群众转山、念经。那次，噶厦下令二十多个宗的男女老少，放弃生产劳动及一切活动，全部去转神山、插经幡。并按惯例，给这些神山拨供藏银二百五十两，作为奉银。

然后由乃穷护法神降神，决定在鲁布广场举行错卓卡崩。

跳神开始了，十多名神汉、巫婆赤身裸体，披头散发，扮成妖魔鬼怪，在广场上狂跳乱舞起来。神的灵魂和他们的肉体好像真的合而为一了，他们大哭大喊，念念有词，以示诅咒共产党和汉人乃是神的旨意。

在一片叫嚷喧嚣声中，达赖喇嘛和西藏噶厦政府的首席巫师乃均出场。在当时的西藏政治生活中，巫师们的作用非同寻常，往往人所不能决定的大事，就得请教神的代言人——巫。

昌都解放的消息传到拉萨后，摄政达札立即召开了有噶伦、伦钦、基巧堪布、译仓、孜康和三大寺堪布参加的大会，商量对策，但没有提出切实可行的办法。于是，西藏统治集团请来了乃均和噶东两位主要护法神汉对西藏目前的危局作出预测和判断。当时，让摄政把政教大权交给达赖喇嘛的就是神汉。

在那场占卜凶吉的法事活动中，年长的仲译钦莫觉当首先告诉两位“先知先觉”的护法神汉，噶厦政府希望他们预示西藏应当采取什么行动才能确保其政教合一的统治形式不至于丧失。

乃均神汉不明不白地说：“假如你们不供奉良好的祭品，我们就不可能保卫佛法的昌隆和人民的幸福。”

然后噶东神汉便使神灵附体，充当沟通神与人的媒介。可是他也没有多说。

当他要超脱神灵恢复本体之时，钦莫觉当便急忙走上前去，对噶东神汉说：“这次请求指点的是关系到西藏政教存亡和众生命运的大事，我们肉眼凡胎难以决定，请神张开慧眼，向我们作出适当的预示，以便于我们知道将来应当做什么。”

于是噶东马上开始跳神，并且出其不意地走到达赖喇嘛面前，跪拜三次后，流着眼泪说：“西藏的政教责任和使命应当由通娃顿丹（即达赖喇嘛）来承担，这将有益于西藏佛教和僧俗民众，但是你应当祈求大王（指乃均神汉）相助。”

随后马上召来了乃均神汉并询问他关于达赖喇嘛亲政的问题。

乃均神汉答复说："我要说的话先前已经说过了。"

十天后，达札请从了神谕，提出辞去摄政职务。达札在辞职后说："在这不幸的时代，就像眼中进了沙土一样，辞职让位对我来说是再悲惨不过的事了。但是，由于这两位护法神汉的预言，因此我不得不辞职，让达赖喇嘛来承担西藏的政教使命。"

达赖喇嘛同意亲政，之后，他写信给毛泽东主席。信中说：

> 在我尚未成年之时，发生了汉藏冲突的事情，甚感痛心。如今西藏僧俗人民同声吁请我亲政，实难推卸责任，不得已于藏历十月八日亲政。盼望毛主席关怀，施恩于我本人和全体西藏人民。

后来，达赖喇嘛出走到亚东后，美国极力怂恿他逃往国外，而部分官员说《十七条协议》并不妨害达赖喇嘛的职权和地位及寺院生活，要他返回拉萨。最后也只好举行抽签卜卦仪式来决断。当时，两次掰开用于占卜的糌粑球，说的都是达赖喇嘛应当返回拉萨。达赖喇嘛也遵从了神的旨意，回到了布达拉宫。

可见，神汉的地位是很高的。

噶厦当时有四个降神的，他们是乃均、典玛、噶东、则马拉，都是护法神，乃均神汉是白哈尔神王的代言人，威猛无比，他还能代表北方护法神王和西方护法神王，他发出的神谕不可抗拒。他到了鲁布广场时，戴着高达半米、重达几十斤的纯黄金帽子，黄金铸造的护心镜也闪闪发光，穿着白俄罗斯绸服和饰有大象图案的白俄罗斯产的马甲，手执一杆长矛，被两个红衣喇嘛护到锅前，用长矛在沸腾的大锅里搅动片刻后，即示意扣锅。

众喇嘛得此旨意，蜂拥而上，拿着铁棍、木棒，用力掀翻大铜锅。"哐啷"一声，掺杂了酥油香果的沸水遍地横流。草人、草棚被点燃了，火光冲天，里面的糌粑、酥油也渐渐化为灰烬。

扣锅后，乃穷神汉指挥众喇嘛，用帐篷布把扣翻的大锅，连同横溢的酥油及灰烬遮盖起来，声称七天以后看结果。据说通过验察地上出现的迹印、形象，就可推算出其所咒对象日后所得的报应。

"那么，你说当时先遣连为什么遭了那么多罪，受了那么多难呢？"我故意问扎西。

"为什么？这高原上有瘴气呀，现在说是什么反应，知道什么叫瘴气吗？就是初次从内地上来的人感受到的出不来气、头痛、走路没劲，久了，肚子里的肺和脑袋就水肿，这就是染上瘴气了。那时谁知道呀，也没有药。现在的人都知道了，上来带着药，服了，就没事。"

"你们当时知道先遣连天天在死人吗？"

"咋能知道？连当地的头人都不知道呢。他们也买枪，组织人想和解放军对抗，但他们害怕，所以只不断地放风，一会儿说阿里驻有两个代本的兵力，一会儿说后藏和那曲要派兵来，都是唬人。我们是等到阿里解放了，看到那些圆土包后，才知道瘴气让解放军死了那么多人。除了感染瘴气，还有就是挨饿。我们也是后来才知道他们当时没粮、没盐了，全靠那点兽肉过日子。他们真是信义重于生死，和噶尔本签协定时，说不买地方任何可食之物，他们就宁愿饿死，也真的不买任何可吃的东西。任何一个军队也做不到这一点，别的军队恐怕不只是要买，恐怕早就抢开了。唉，那时候，他们只要讲一声，我们就是按藏规剥了皮、砍了头，也会接济他们的。"

十七、摆脱不掉的，仍旧是死亡

摆脱不掉的，仍旧是死亡。

随后就一天一两个地死，病号之间，为了不影响重病号的情绪，谁一旦牺牲，大家就相互瞒着，不忍心再告诉重病号。2月份，也是正月，是死亡的高峰期，到3月，有七个地窝子里的人都死光了。张海堂的班，原来三个地窝子都住不下，后来死得只剩下了一个人。

连里当时分析这种病症状一样，就把它定为传染病，除采取严格的隔离措施，加强护理，还控制病号活动。

但连里就徐金全一个卫生员，死活忙不过来。当时连里除了红药水、绷带和那支盘尼西林外，再没别的药。作为卫生员，徐金全眼看着战友一个接一个染病，一个接一个病重，一个接一个倒下，自己却无药可治，心如刀割。他对自己的无能为力深感愧疚，只有尽心尽力地加强护理。

没想到，他自己也病倒了。

和很多病重的战士一样，他瞒着自己的病情。那时，多一个没病的人，就是对全连官兵的一种安慰，每躺倒一个人，都是对大家的一次打击。

徐金全性情温和，脸上总挂着憨厚、淳朴的微笑。脸圆、眉浓、眼大，一听别人说粗话就脸红，有些像薄脸皮的姑娘。但因为劳累，他笑的时候比原来少了，脸尖瘦了，眼也凹陷了，那时，他已是强打着精神在忙里忙外。

他的病来得很急，只十二天时间，就肿到了脸上。他再也瞒不住了。

李狄三强制他休息，他说："股长，原谅我对这样的怪病一无所知，使那么多战友失去了生命，如果让我休息，请把我和于洪安排在一起，我也许还能照应照应他。"

"小徐，这病不能怪你。我们以前从没遇过这样厉害的疾病，它硬是把一个个历经过战火洗礼、钢打铁铸的小伙子给扳倒了。你作为卫生员，已尽心尽力，大家都看在眼里、记在心里。我同意你和于洪在一起的请求，我扶你进去。"

徐金全连忙推辞："股长，不，我们得的是传染病，不能传染给你，我自己可以进去。"

徐金全的瘦脸又肿圆了，不时流出一股黄水，眼睛已肿得眯成了一条缝，微笑再也挂不到脸上去了，但那眯着的眼，却总像是在笑着。现在，他更像是一个胖头娃娃。

李狄三执意要扶他："我这么久没得病，可能身体能够抗这些传染病毒，没事儿的。说句真的吧，要能传染上，恐怕我的身体也早就肿圆了。"

徐金全听了，猛地抓住李狄三的手，流着眼泪说："股长啊，都到了这个时候，你就甭瞒我了，你瞒得了别人，可瞒不了我呀，你的身体……你可得保重，你是连队的梁柱，可不能倒！"

李狄三马上制止了他："既然你已看出我病了，就不要再告诉其他人了，我知道我不能倒下，所以，万不得已，我不想让大家知道，你就保密吧。"

"那么，趁我现在还行，我把那针盘尼西林给你打上吧。我教会了两个战士怎样打针，但我觉得我打保险。"

"我至少还活着嘛，还能走动，你们这些重病号不打，我怎么能打呢？"李狄三一边说着，一边把徐金全扶进了于洪的地窝子。

于洪是第一野战军有名的战斗英雄，在壶梯山、金集镇战斗中好几次立功。他多次负伤，身上伤痕累累，但都幸免于难，没想到，现在却让高原病折磨得奄奄一息。

在春节时，他还是好好的；不想没几天，就起不来了。他不相信自己会倒下，但他最后不得不屈服了。他转而又认为自己的生命在那些战斗中已经受了死亡的考验，所以自己一定能挺过去。生命对他而言是顽强的，也有恩赐的成分，让他历经战火硝烟，有生命之痛而生命犹存，享受了功勋和荣誉。

他对自己一直非常自信，但高原病最终毁灭了他的信心。

徐金全进去时，他昏迷过去了。到了晚上，才听见他呻吟了一声。

徐金全点上牛油灯，走到于洪床前。于洪睁

开眼睛，看了他一眼，又疲惫地闭上了。他用衰弱的声音说："金全，你不用来护理我了，你回去休息吧。"

"我留在这里陪陪你。怪我无能，救不了你和其他的战友。"

"不要那么说，你已经非常尽心了。"

两人都不再说话，把灯吹灭了，在黑暗的地窝子里沉默着。野牛皮挡着高原的寒冷，有一缕月光从缝隙里漏进来，然后又缓缓地消失了。

徐金全一直看着那月光。月光消失之后，他有些忧伤。

——因感觉到生命的脆弱而产生的忧伤。

"你在想什么？"于洪问徐金全，像是要打破那可怕的沉默。

"我？没想啥，我在看月光。"

"哪里的月光？"

"从地窝子洞口漏进来的。"

"还在吗？有月亮的晚上，就会有月光漏进来。"

"已走了。你在想些什么？"

"想了很多，都是过去的事。刚才想起了老婆，她过得真苦啊。"

"我还不晓得你已经成家了。"

"我成家才两天就参加解放军了。结婚第二天，国民党军队抓民夫挖煤，那鬼地儿，十去九不回，我们同村儿的九个人就合谋着逃跑。1948年8月13日晚上，停电，我们用铁镐干掉了一个哨兵，钻过了铁丝网，白天躲在青纱帐里，晚上往解放区跑，当时也不知解放区在哪儿，只知道大致的方向。找了半个多月，才找到了。那时什么也没有，但饿不死，饿了可以啃生玉米棒子，吃生豆子。从那以后，我再也没见过媳妇的面。打到于阗后，写了一封信给她，她托人回了封信，说我爹妈都已去世了，她一个人过，没有孩子，在等我回去。我回信说，我最多再用一年时间，阿里解放了，就回去看她。没想到，打那么多仗没有死，现在却被这狗日的怪病弄翻了。唉，总不甘心，但这东西恐怕是难以战胜了。"

"嫂子真好啊，这么多年了，原来恐怕连你的生死都不知道呢，还一直等着你。"

"她不这样，我心里还好受些。她吃的苦太多了。如果我最终能够回去，还好点，现在……"他像是哽咽了，好半天，才接着说，"你代我写一封信，请她另外找一个人。我参加革命六年，积了九个银元，四个交党费，余下的你设法寄给她，或带给她，就当是我的心意吧。她的地址在包银元的红布上。"

于洪把银元从枕头下取出来，要递给徐金全，却不知是什么原因，银元掉在了地上，发出"叮叮当当"的响声。

徐金全忙点了灯，把它们找到，用红布包好，小心地放在身边。

"对，不要忘了在信中告诉她，我是个立过好几次大功的英雄。"他像是在补充。

"你所托付的事情，我一定办到，如果我最终下不了阿里，我会托付其他人去办。你就放心吧。"

"那就多谢你了，好了，你回到你的地窝子里去吧，我这病传染，你待在这里不好。"

"我是卫生员，哪天不和你们在一起？要传染我早就完蛋了，我就住这儿陪陪你。"

徐金全没过多久，就睡着了。

于洪摸出皮筒子，套在手上，爬出了地窝子。雪散发出新鲜的气息，月光和雪光相互映照，明亮而圣洁，他深深地吸了一口气，肺腑间顿时觉得了一股阴凉，他有些陶醉。

他爬到甘玉兆的地窝子里。甘玉兆也病了，躺在床上，没有睡着。于洪和甘玉兆感情很深。

"你咋过来了呢？"

"我过来看看你。你的病情怎样？"

"好像又严重了。你呢？"

于洪沉默了一阵子，说："实话对你说吧，我挺不下去了……"

"你可不能这么说。"甘玉兆一听就急了，声音也带了哭音。

“你老兄可别这么婆婆妈妈的，你要把我们这个班带好，要服从命令，多争些最苦、最难的事做。现在班里也没几个人了，西藏还没解放，大部队肯定会尽快上来，困难快到头了，哪怕最后只剩下一个人，你也要把他们带出去。我要先走了，等西藏解放的时候，在我的坟前烧张纸吧。”

“一……定……”甘玉兆泣不成声。

于洪说完，就爬出去了。第二天清晨，他就闭上了自己的眼睛。当天，徐金全把四个银元交给了李狄三。

过了两天，徐金全拉住前来看望他的陈忠义的手，说：“我想托你以后帮我个忙，于洪牺牲的时候，托我帮着给他媳妇写一封信。告诉他媳妇，说他不能回去了，感谢她照顾了他的爹妈，感谢她这么多年了还等他，为了她好，也为了他心里好过些，请她重新找个好人家，于洪留了五个银元，你也想办法寄给她或带给她。我想写这信，但已写不成了。最后，写上于洪是个英雄，立过很多次大功。这个忙你也一定要帮好，他媳妇的地址写在包银元的红布上。”

“你……还有……”

“我如果牺牲了，师里会通知我父母的。我没有媳妇，就不劳神你了。”

徐金全也躺下去了，永远地躺下去了。

不久，西北军区的记功电报就到了，可惜他没能享受到这用生命换来的荣誉。

十八、荣誉

收到西北军区党委授予进藏先遣连“进藏英雄先遣连”荣誉称号的命名电和为全连同志记大功一次的记功命令以后，连队连续有十五天没有死人，这真是一个奇迹。

早在一月底，左齐在指挥救援先遣连的行动失败后，亲自起草了一份长达数千字的报告，为先遣连请功。他在请功报告中写道：

> ……我骑兵师一连先行进藏后，已付出巨大之牺牲。在弹尽粮绝之情况下，仍严格执行主席“不吃地方”之指示，数月来，靠射猎充饥，以兽皮御寒，坚持开展群众工作，坚持宣传党的政策，决心坚持到最后一人，也要将红旗插到噶大克……全连官兵表现出了大无畏的革命英雄主义气概……

王震司令员在亲拟给西北军区，为先遣连请功的电文中，称先遣连“历尽我军长征以来最大之辛劳，最重之苦难”。

西北军区党委在新年之夜收到王震给先遣连的请功报告后，当即批准授予独立骑兵师一团一连为“进藏英雄先遣连”，并给全连一百三十六名官兵各记大功一次，奖“人民功臣”和“解放西北纪念章”各一枚。

随此电波而来的还有王震将军的贺电：

> ……你们为西藏的解放，祖国的统一，勇敢地通过了荒无人烟的昆仑山区，冒危险艰难进入藏北，饱经了弹尽粮绝、险象环生之困难。全体同志表现出了高度的英雄主义气概，有功于祖国和人民。

授予荣誉称号和记功的命令早就下来了，但先遣连的电台自春节奇迹般地好了以后，又坏掉了，直至1月25日才修好。

电波飞越昆仑的那天，李狄三和曹海林正组织病号出来晒太阳。大家三三两两相互搀扶着，走出了阴冷的地窝子。然后来到一块清除了积雪的土坡前。李狄三和病号在一起，他闭着眼睛，任凭阳光洒在自己的脸上。

阳光的温暖要静下心来，屏住呼吸，用身体慢慢品味，才能体会到。

大家慢慢品味着，感觉阳光从没有风的透明的空间里倾泻下来，很缓，如冬天里就要结冰又没结上时的溪水的流动。它看起来那么慈祥，像一位充满爱心的母亲想帮助自己的孩子，却又在重重严寒面前，显得无能为力。

没人说笑。

这时，译电员王惠芝收到了独立骑兵师发来的电报。当他译出来以后，先就高兴得哭了，抱着电台不停地亲吻："好，好好，你个好兄弟，给我们带来了这么好的消息……"

他跌跌撞撞地跑出地窝子，由于虚弱，他跑了一小截就栽倒了。但他喘了口气，又爬了起来，一边跑，一边大声喊着："同志们，来好消息了，来好消息了！"

到了李狄三跟前，译电员又累得躺在了雪地上，他索性不起来了。

"什么好消息把你激动成这个样子？"李狄三问。

译电员喘着气，把电报递给他，说："股长，你自己看吧！"

病号们搀扶着拥了过来，其他人也从各个地方拥了过来，围在李狄三周围。屏息等着他看完，宣布电报的内容。

"通知全连官兵，除哨兵之外，所有人员到墓地前集合，不能行走的重病号大家搀着或抬着，我要向大家宣布西北军区授予我连'进藏英雄先遣连'和给每人记大功一次的命令！"李狄三兴奋地向大家宣布。

大家顿时欢呼起来。

唯有这次，他们前往墓地不是为了送葬；唯有这次，队伍充满了欢乐的气氛。

队伍在墓地前集合好了，除近二十名特重病号躺在雪地上，其他病号都坚持不让人搀扶，自己立着。

大家向牺牲的战友默哀三分钟后，李狄三宣读了命令。刚刚宣读完，全连早已哭声一片。

这群随时面临死神召唤也不会流泪的汉子，此时面对荣誉却无法克制。

对于军人来说，荣誉便是生命，特别是对当时的先遣连而言，更是如此。

不知道是精神的作用，还是想多享受几天战功的光荣。许多奄奄一息的战士又坚持了好些日子，才含笑而去；有人还奇迹般地活了下来。

六班副班长张万才当时病得很重，脸上已裂开了口子，流黄水了，已一连五天不吃不喝。连里已为他安排了后事，备好了棺材——两张包裹遗体的野牛皮，并在交通壕边挖好了墓坑。作为特重病号，他早已起不来了，一个人隔离在一个地窝子里。彭清云和吾马尔抬他到墓地去，他不知道是干什么，用微弱的声音说："副连长，你快出去，别让我把你传染了。"

"我和吾马尔要抬你出去，来，躺到牛皮上来。"彭清云说。

"抬我出去干什么？我都是马上就要死的人啦，你们不用理我，股长刚才叫人来抬我出去晒太阳，我都没有答应。"

"西北军区给我们记功了，我们要抬你去听李股长宣读命令。"

"真的吗？记的什么功？"张万才的嗓门一下提高了，急切地想知道。

"授予我连'进藏英雄先遣连'称号，还给每人记大功一次。"

他听彭清云说完，竟然猛地睁开眼坐了起来，声音沙哑地叫道："副连长，我张万才死不了啦，我张万才死不了啦？"

吾马尔一见，推了一把彭清云，把他拉到地窝子外面，说："坏了，回光返照了，快准备吧！"

彭清云一想也是。当时张万才浑身肿得衣服都穿不进去了，光着身子，盖着张野牛皮，他怕张万才死个光身子，已给他做了套大号的皮筒子，他赶忙跑出去，拿来后，连忙给他往身上套。

"怎么回事？怎么不抬我出去听股长宣读命令？我一定要去听，你们不抬我，我自己就是爬，也要爬去。”张万才说着，就真要往前爬。

“你看你光溜溜的，怎么出去，来，把皮筒子套上再抬你出去。”彭清云说。

没想张万才真的没死，从墓地回来，他就开始要吃的。他慢慢挺着，最后竟挺过来了。

十九、我们请求取消大功

连队像是在复活。荣誉像开春时的阳光，使一些在严冬摧残下，濒临死亡的植物重新焕发了生机。

大家都陶醉在获得荣誉的欢乐里。只有二排的蒙古族战士道尔吉和维吾尔族战士赛买心中越来越难过。

第二天，道尔吉找到生病的赛买，悄悄商量请求连队取消他们的大功。

道尔吉说：“咱俩不配要这个荣誉，大家都配记大功，全连就咱俩受之有愧。”

“那你背我一下，我们去找李股长。”赛买说。

赛买已起不了床，道尔吉背上他，来到了连部，声泪俱下，说自己不配得到荣誉和功勋。李狄三劝了半天也不顶事，最后只好说：“大功是西北军区党委记的，连里没权取消。”

“那样的话，我们请求股长请示上级。”道尔吉说。

李狄三无奈，只好说：“好吧，我同意你们的请求，我一定向上级请示。”

这样，道尔吉才含着眼泪，背着抽泣的赛买离开了连部。

道尔吉和赛买都是新疆“9·25”起义战士，是曹海林的部下。起义后，两人干得不错。昆仑山修路时两人都先后立过甲等功。但是，在随先遣连进军阿里的途中，越往前走，两人越感到害怕，越感到受不了。翻过界山达坂到达两水泉后不久，两人利用放马的机会，结伴从两水泉离开了连队。

马匹全部回到了连队，唯独不见他俩的影子，连队以为他俩出了意外，到处寻找，第三天才找到他们留在两水泉附近一块石头上的字：我们受不了这苦，我们已下山。

他们没有回家，更没有叛逃，心里只有一个念头，回到不让人难受，不吐、能吃进东西的山下去，回到山下的大部队中去。

两人靠着一袋子炒面和一些肉干，迷迷糊糊地顺着来路往山下赶。距赛虎拉姆大石峡还有三天的路程，吃的东西就没有了。两人饿着走了两天，就饿得晕过去了。醒过来后，两人看着一重重覆满冰雪的大山，开始害怕起来。

“早知道这样，真不该想着下山。”道尔吉后悔地说。

“我们恐怕要饿死在这路上。”赛买想得很可怕，说完，就哭了起来。

“我看到这一带有黄羊，我会套它们，如果有绳子，我们可以试一试。总之，就是吃草，吃土，也不能被饿死。”

赛买听道尔吉这么说，就不哭了，他说：“我们可以把炒面口袋拆了，弄成绳子。”

“就这么办。”道尔吉说着，用手指了指前面一片亮晃晃的地方，“你看，赛买，那里有个小海子，黄羊早上和晚上都会去那里喝水。你放心吧，我保证让你今天晚上就吃上香喷喷的烤羊肉。你在这里拾些柴火，我去下套子。”

赛买自小吃惯了羊肉，听道尔吉说完，当即就咽起口水来，觉得肚子更饿了。他催促道尔吉说：“你快去吧，今晚的美餐就指望你了，我俩能不能活着下山，也就指望你了。”

但大半个下午过去了，连黄羊的影子也没见到，他自己饿得扯了一大把羊胡子草，和赛买分着大嚼起来。

这种草生长期很短，六月底冻土化掉，它苏醒过来，萌芽生长不到两个月，天就开始冷了，它就开始枯黄，那时，它们已干了，两人觉得要嚼烂它们很难，但还是憋着劲儿往肚子里咽。最后，他们就一边嚼着草根，一边等着猎物。

黄羊群出现了，竟然是一大群，它们在陡峭

的山崖上奔跑着，如履平地，两人兴奋地盯着它们向海子边靠近。

这种套很简单，就是在绳子中间打上一个活扣，把绳子两边固定好，放在野兽常常经过的路上，当它们的蹄子不小心踩进了活扣里，稍一用力，活扣即拉紧，动物越挣扎，也就拉得越紧，最终能很轻易地将其擒获。

两人死死地盯着它们，在他们眼里，那是一群奔跑着的、逮着就能大嚼一顿的、黄灿灿的烤全羊。两人的喉咙里不时发出一声巨响，肚子里则“咕咕”响成了一片。

一只羊从套子上过去了，几只羊从套子上过去了，一群羊从套子上过去了……

它们都过去了，没有一只羊被套着。

“操，怪了。”道尔吉失望地骂了一句，赛买则失望得把头磕在了地上。

道尔吉伸出脑袋，看了眼套子，套子是好的，他对赛买说：“不用伤心，还有希望呢，它们喝饱了水，还要往回走。”

赛买又抬起头来，看黄羊们喝水，看一群香喷喷的烤全羊撅着雪白的屁股喝水。看它们喝足水后，悠闲地往回走，准备回到它们在山岩间的家园中去。

一只羊从套子上过去了，五只羊从套子上过去了……

一群羊从套子上过着。这时，羊群有些慌乱。然后没命地奔逃，留下一只被套住的羊在那里绝望地蹦跶。

两人见此，也不知哪来的气力，“噌”的一声，蹿了上去。赛买将自己随身带着的英吉莎刀子抛给道尔吉说：“原来连队的牛羊都是你杀，还是你来吧。”

两人如两只饥饿的老虎，向那只黄羊扑上去。赛买将羊拦腰死死抱住，道尔吉熟练地把刀子插进了羊的脖子。羊起先还奋力挣扎着，但很快就倒地不动了。

道尔吉拔出刀子，用刀捂住刀口，叫赛买喝点羊血：“这东西好，还是热的。”

“你先喝吧，这都是你的功劳。”

“你年纪小，你来。”

两人喝了一气羊血后，道尔吉把那羊开膛剖肚，赛买把拾的柴火抱来，两人迫不及待地在火上烤起羊肉来，没多久，就把一只羊腿干掉了。有了力气，两人也不休息，扛着剩下的羊肉继续赶路。

走到赛虎拉姆大石峡中，那只羊就被吃完了，又饿着走了两天，忽然听见了隆隆的炮声。

“是我们的修路部队，哈哈，有好吃的了。”赛买高兴得很。

道尔吉却突然泄气了，他对赛买说：“我觉得不好意思见他们，我们当了逃兵。”

“下山时你咋不说，要是下山时说了，我死也不往山下跑。”

“我当时也没想那儿多。不管怎么说，既然下山了，还是要回部队。”

两人低着头站在施工部队面前，面黑如漆，军装已经破烂，像两个乞丐。

大家纷纷围过来，问是怎么回事，两人羞得黑脸变红，无言对答。

团长芦亚楼把他们叫到帐篷里。给他们各端上一大碗面条，说：“不管出了啥事，你们俩先吃了饭再说。”

两人一听，放声哭了。

“团长，我们是受不了苦，私自跑下山的，你处分我们吧！”道尔吉一把鼻涕一把泪地说。

“既然下来了，平安地下来了，正好，我们正苦于找不到人了解阿里的情况，你俩就当是送情报下山的吧。先吃饭，吃了饭后，给我详细说说。”

山上的面条一煮就是糊糊，还只能煮个半熟，并且早就吃完了，这顿久违的面条两人擦了泪后，吃得很香。

他们向团里汇报了一路荒无人烟，讲了死人沟的可怕，界山达坂之高，讲了连队在阿里寻找藏民的艰难。

完了，团长给他俩抱来两床厚厚的棉被，出

门时对他们说："你们走后，连里以为出了意外，到处找，后来才发现你们的留言，让团里一有你们的消息，就马上电告他们，对你们的安全非常担心。以后可不能不辞而别，这跟旧军队可不一样。好了，山上很苦，要是受不了就留在这儿吧。先好好休息两天，再参加施工。"

他俩被留在了施工部队，没有休息，第二天就上工了。整整三天谁也没有说一句话，只拼了命似的抡着大锤打炮眼，好像要把一个军人的耻辱深深打进岩石里，再填上炸药，装上雷管和导火索，点上，爆炸，飞散开去。

两人没受到任何人的责备，但仍旧摆脱不了自认的"逃兵"之耻。这使他们感到比界山达坂的高山反应还要难受十倍。

他们找到团长请求处分，团长说："你俩别想那么多，谁也没有把你们当逃兵，因为你们还是独立骑兵师的一员，并且为山下送来了先遣连的具体情况。现在既然回来了，就好好干，山下筑路也需要人。"

但这并没能使他们心安理得。是夜，他俩骑马连夜去了于阗，要找师长何家产给他俩处分。何家产听完他们的诉说和请求处分的要求，没有表态，只是详细询问了先遣连的情况。

最后，何家产说："你们回来也吃了不少苦，留下参加施工吧，等驮运队上去时，再给先遣连补充两个能吃苦的战士。"

"不，师长，让我们重返阿里吧，如果你同意，我们明天就出发，请给我们一次机会。"

"你俩不能再贸然行动，现在，山上的气候已变得恶劣，你俩要上去也要随驮运队一起上去。你俩要再单独上去，我会派骑兵把你俩追回来，严厉处分！"

两人见师长变得如此严厉，忙举手行礼，齐声答道："是！"

他俩从于阗返回普鲁卡子，恰巧有支驮运队进藏运送给养。两人闻讯，决定随驮运队重返阿里。就连忙给团里写了一份检讨，又重新踏上了进藏之路。他俩决心用自己的血肉之躯，洗刷"逃兵"的耻辱。

当时，连队的初还没有离开两水泉，通往两水泉的道路还没有断绝。他们把进藏时的苦又吃了一遍。回到连队那天晚上，先遣连为他俩重返藏北举行了欢迎大会。后来，他俩参加了巴利祥子的打猎小组，为连队的生存自救立下了大功。但那段"开小差"的经历，使他们自觉不配大功的荣誉。

这俩小兵给何家产留下的印象十分深刻。他收到连队的电报后，感到十分为难。他觉得这是两个勇敢、优秀的士兵。作为刚起义不久加入人民军队的起义战士，加之年龄又小，他们所做的一切是可以理解的。更让他感兴趣的是这两个士兵的认真和固执，他们这次要求取消荣誉就像上次要求处分他们一样，都有些锲而不舍了。

得给连队一个合理的说法，让这荣誉属于他俩。

"因为两个士兵不是耻谈功名的将帅，也并非淡泊功名的军人，他们和所有的军人一样，渴望建功疆场，他们这样做，正好体现了一个军人优良的品质，那就是知错知耻，这样的军人常常能成为最优秀的军人。"何家产多年以后，还坚持这样认为。

两天后，他就先遣连表示可否根据道尔吉、赛买两位同志恳请，取消他们大功荣誉的问题复电先遣连——

李狄三并英雄连党支部：

你连战士道尔吉、赛买两同志，去年九、十月间，自两水泉离队，纯属迷途后沿原路返回师部，决非出逃，亦非开小差。光荣同属道、赛两同志。依此命令执行。

师长兼政治委员何家产

1951年2月11日

消息传来，道尔吉和赛买被陈信之请到了连部，李狄三原文向他俩转达了何家产的命令。他俩抱在一起，激动得哭了。

谁都知道，在这份电报里，蕴含了身为一师之长的何家产多么深的爱兵之情，以及多么深刻的带兵之道。

后来，在进军噶大克的途中，道尔吉在巴格附近牺牲了。赛买在阿里解放后，因“叛国集体”冤案复员后不久，即病逝了。1979年，新疆维吾尔自治区巴音郭楞蒙古自治州人民政府给他平反，追认他为“革命烈士”。

二十、以站立之姿倒下

一切都无法阻止死亡的降临。

三月，在中国广阔的大地上，很多地方已是春光明媚，莺歌燕舞，百花盛开，鸟语花香。而阿里，仍旧是一个死寂的冰雪世界。雪像不知疲倦的幽灵，不停地下着；风像没完没了的噩梦，不停地袭来。

世界交织在天的蔚蓝和雪的洁白之中，就如同交织在希望与绝望之间。

五十多名官兵躺倒在冰冷的泥土中，已经没有还未染上高原病的人了，轻病号越来越少，躺下的人越来越多。李狄三也躺下了，他虚弱的身体，再也支撑不了疾病的重压。

连队的战斗力已很难形成一个战斗队，但每个人又都是把一切置之度外的战斗者。

连队已再三下令禁止重病号训练，要求他们静养，但没有人听。

副班长赵玉海去世前三天，还哭着请求参加训练。他爬到连部，对彭清云说：“副连长，让我参加训练吧，万一有情况，我不能冲锋不能投弹，可是，只要我能爬进战壕里，我就可以打枪啊，不让我训练，到时候打不准敌人，不是浪费子弹吗？”

彭清云把赵玉海抱起来，扶在羊皮上坐好。他连坐稳都很吃力了，只能在墙壁上靠着。

彭清云半天没有说话。他不知道该说什么。他不忍心拒绝，只是看着赵玉海，希望赵玉海能理解他的心情。

赵玉海浑身浮肿，眼睛只能眯着，只剩下了一条缝。他倔强地抬着头，望着彭清云，望得他只好点点头。

“我同意你参加训练，我扶你去。”

赵玉海一听，非常高兴，说：“谢谢副连长，我自己能爬到训练场去。”他说完，爬回自己的地窝子，背上卡宾枪，往训练场爬去。

雪光晃着他的眼睛。太阳冷漠地悬在他的背上。雪山像被薄雾罩着，迷迷糊糊的，看不清楚。

天地在慢慢旋转，越来越快，越来越快……然后，他的眼前黑了，他陷入了越来越深的黑暗之中，他什么也看不见，除了黑，一切颜色都消失了。笨重的身体一下变得像云一样轻。他觉得自己已成了云，飘在空中，向远方，向越来越高的地方飘去。“生命就要走了么？我可是自己要求到训练场的，我不能就这么走了……”

白色重新出现，阳光落在雪地上，像可以拾起来。他伸着手，像是要把这些重新拾起来的颜色牢牢地抓住。

通往训练场的那条路就百十来米，但赵玉海却觉得比他一生走过的路还要漫长，他这一生再也走不到了。

彭清云赶过来，要扶他过去。他拒绝了。

“我想自己过去，我相信自己一定能爬过去，如果我爬过去后死了，我也算是胜利了。”

他的身体像一具很钝的犁铧，被脆弱的生命拉扯着，在高原上犁出了一道深浅不一的雪沟。雪粒像飞起的苍蝇，不时叮咬着他的脸。

一天过去了。

又一天过去了。

第三天，天空中扬着生硬的雪粒子。太阳在清晨露了一下脸，就怕冷似的躲起来了。铅云把天空铸得严严实实的，没有一丝缝。大地昏沉着，雪也暗了。天压下来，直逼到头顶，让人呼吸艰难。

赵玉海醒得很早，他把卡宾枪仔细地擦了一遍。这枪是美国产的，是他三年前从国民党士兵手中缴获的。四年来，他和它形影不离，当时那枪很新，现在好些地方已被他握出了铁的亮色。他让枪管紧挨着自己的脸，亲近着它。突然，他心中涌起一股莫名的忧伤，他止不住它，也止不住眼中的泪水。

他索性让泪流着。泪滑下他的脸，没有一点声息。他很少这样痛快地流过泪，他的心情慢慢好转起来。

他把枪背上，朝训练场爬去。他想早早地到那里。他似乎已经意识到他属于那个地方的时间已经不多。

羊皮靶没有收，在风中摇摆着。

他认真地随着靶子的摆动瞄准着。

雪积在他的身上。

其他官兵也来了，他听见扳机的声音，拉动枪栓的声音，他们与风声和在一起的喘息声，赵玉海回头看了看自己的战友。他们都伏倒在雪地里，他只能看见挨着自己的几个人。

他又去瞄那目标，却看不清。它像是一个影子。一会儿，连影子也没有了。身体剧痛起来，他听见了肉体、骨骼、肺腑裂碎的声音。眼前飞舞着无数的小精灵，他对那些飞舞着的小精灵有些迷醉。突然，他听到了成片的枪炮声，看见了火光，硝烟，刺刀的光芒，喷涌和飞溅的鲜血。他看见自己和战友在呐喊，在冲锋，看见不停地有人倒下……

“那是扶眉战役……那是兰州战役……”他自己所参加的战斗一幕幕从脑海里滑过。

“我不行了，我就要死了……”他的手扣紧扳机，把头无力地枕在自己手臂上。

世界一点点消失，然后成块、成片地没有了。他没有呻吟，他不想惊动任何人。他用手指在雪地下留下遗言：“战友们我走了，祝你们胜利!”

他的枪口仍对着靶子所在的方向。他的眼睛已经闭上，身体在慢慢变得冰冷。雪在他身上落下了厚厚的一层，像要仔细、精心地将他掩埋。

卡宾枪活着，只有他怀里的卡宾枪作为他的一部分活着，只是那枪口那么黑，像是蓄满了泪，蓄满了哀伤，马上要溢出来。

彭清云过来拍拍他，说训练结束了。但赵玉海没有动。彭清云觉得不好，他看见了赵玉海留在雪地上的字。

他跪在雪地里，泪水滑进雪中，把雪地蚀了一片小小的孔洞。大家围过来，缓缓地脱下帽子，向赵玉海致哀。

他的手还紧紧扣着扳机。他显得那么平静，满足，嘴角那几丝浅浅的笑异常平和。

彭清云说了声：“好兄弟，你走好!”说着，举起枪，朝着天空放了三枪，枪声清脆，传得很远。

三十二岁的锡伯族战士西阿林也是倒在训练场上的。他自从病重以后，就不愿意休养。到后来，浑身浮肿得连双眼都睁不开了。连里强制他休息，但他软缠硬磨要参加射击训练。他找到彭清云，彭清云不批，他不忍心再见到自己的战士倒在训练场上。西阿林就直接去找李狄三。李狄三劝了他半天，他仍然不听。最后，李狄三只好说：“你不能参加训练是党支部的决议，必须执行。”

西阿林很犟，他说：“党支部的决议我保留意见，不敢执行。如果不让我参加训练，我就绝食，反正你们都把我当成废物，我不连累你们了。”

他气哼哼地说完，转身就往外走。由于看不见东西，刚走了两步，就差点摔倒。李狄三本来已难以下炕，马上爬过去拉住他：“西阿林，你看，你什么也看不见，先休息吧。休息好了，再训练。”

“我不是瞎子，只要把眼皮掰开，我就能看

见东西。”他说着，用手去掰开眼皮。

李狄三感叹了一声，说：“我们马上召开支委会，讨论你继续参加训练的问题，半个小时后给你答复。”

支委会同意了西阿林的请求。当天，他被战友架到了训练场。

他用左手掰开眼睛，右手扶枪瞄准，他就这样艰难地训练着。

西阿林喜欢枪，一旦离开枪，他就会显得手足无措。即使不是训练，他也会随便找个目标，练习瞄准。长期下来，他的左眼就总是眯着，显得比右眼小。他的枪法在二军也是有名的，在骑兵师，则是无人不知、无人不晓。他总有办法把枪擦得锃亮。在阿里，没有枪油，他就用牛油擦枪。他的枪从没有离开过他半步。战友们跟他开玩笑说，卡宾枪就是西阿林的女人。还有的说，如果西阿林像爱卡宾枪一样爱一个女人，那么，这个女人就是世界上最有福分的女人。

半个月后，连里举行射击比赛。西阿林被安排第一个出场。他用左手掰开眼睛，右手单臂举枪，打了五发子弹，仍然五发五中，羊皮靶上打出了一朵梅花。

他又硬撑了十多天，最后永远离开了自己心爱的钢枪。

连里有四个岗哨，什么时候都得有人站岗。陈忠义是名老兵，长着一脸络腮胡子。为了能在自己最后的日子里多替大家站岗，就要求搬到哨楼里去住。

彭清云不忍心，把他搬回地窝子，他自己又搬了进去。他把枪架在哨位上，像一只守护着自己家园的受伤的狮子，睁着警惕的眼睛。大家再次要他回地窝子时，他气得咆哮起来：“你们是嫌老子不行了吗？我还能听，还能看，还能鸣枪报警，我病得站不起来了，但我不能卧在床上等死。老子得的是传染病，你们离我远一点！”

他后来牺牲在先遣连的哨位上。弥留之际，他拉着彭清云的手，断断续续地说：“我……我……是……站着……倒下……倒下去的……这是……战士……倒下的……样子……”然后，他把徐金全让他代于洪写的信和五个银元摸索着拿出来，“请……一定……寄给……于洪的……亲属……”说完，这位三十四岁的老兵永远闭上了自己的眼睛。

刘好学是新疆“9·25”起义战士。在旧军队里混了好几年，多少沾了些兵痞味，平时比较散漫，爱说怪话，发牢骚，患病后却变了个样，工作很积极，护理、照顾其他病号非常尽心，直到站不起来了，还爬着给其他战友倒粪便。

李狄三劝他休息，他说：“股长，我知道自己没有几天了，得做点事。人过留名，雁过留声，我不能留名留声，只希望大伙儿能原谅我，只希望自己不背个落后的名声去见阎王爷。”

“我可以给阎王开个证明，证明你是一个好兵。不要胡思乱想，你离去见阎王的时间还早着呢。”彭清云一边跟他开玩笑，一边安慰他。

“唉，这病害得大家都摸出规律了，一个人还能在这世上待几天，心里都清楚得很，你用不着安慰我。”

最后，他要求去守李忠义守的那个哨位，连里同意了。他去世的那天，问班长：“2月份我犯的误岗错误还算不算？我不行了，我没有机会改正了。”

班长紧握着他的手，哽咽着说：“好兄弟……不……不算了。你已经改正了。”

刘好学听后，脸上挂着一丝笑，离开了他无限眷恋的人世。

坟，一座座排列在积雪下面。雪面上，只能看见轻微的起伏，像几波凝固了的浪。

他们在雪下面无声地守护着生者，他们又无时不在揪着生者的心。

下卷　不朽的英雄残雕

这是事物的结束，
这就是，
道路的终点，
一面让人进入的镜子。

——约瑟夫·布罗茨基《残雕》

一、5月的阳光

时光像一个垂亡的老人，步履蹒跚地走到了5月。积雪在不知不觉中融化，高原上开始显露出一线生机。

5月，已不仅仅是一个月份，它包含着希望的来临，意味着那些沉重的日子已成为过去。

它是新生。

它和大地的新生一起来临。

官兵们感觉到了，也听到了。阳光满怀愧疚地照耀着大家，它不再冷漠，像一个重新有了慈爱之心的母亲，重新把被自己遗弃的孩子拢在自己的怀中。

他们拥出来，或拄着枪，或相互搀扶着，无声地望着天空、望着原野、望着消融的冰山雪岭。

有人“嘤嘤”哭泣起来，而大多数人的泪无声地在脸上流着。

战士们把李狄三抬出来，阳光使他好久没有睁开眼睛。他苍白的脸因为浮肿显得更加虚弱和疲惫。他伸出手，去感觉阳光，他的手在阳光里颤抖起来。

“阳光……变暖和了，高原的……春天来了。我们终于熬过来了。”他吃力地说。

李狄三的身体已失去了知觉，唯有大脑还能思考，唯有心脏还在缓缓地跳动。“我一定要等着大部队会师，一定要把手下的人交给他们。”这成了支撑他生命的唯一信念。

他的手在阳光里伸了很久，像要把它们握住。眼睛睁开了，但因为脸发肿，只能睁开一条细细的缝，看到了天上的太阳，他笑了。他对身边的彭清云说：“战斗结束了，我们胜利了。”

“是的，我们胜利了，这是与最顽固、最强大的敌人进行的一场历时最长、最残酷的战斗。”

“比我们参加过的任何战斗都要残酷。”李狄三赞同彭清云的话。

5月6日，先遣连接到了进藏指挥部的电报。电报是左齐将军亲拟的：“根据王震司令员命令，配合已经开始的和平谈判和西南主力部队进军西藏，我独立骑兵师团副团长安志明，即日率两连三百余骑从于阗普鲁出发，月底可达扎麻芒堡。”

李狄三看完电报，长长地出了口气，放心了，他静静地躺着，静待着大部队的到来，也静待着死神的降临。

山下的进藏指挥部早在四月中旬就已做好了进藏的准备。左齐一直守在普鲁。他知道这份电报对先遣连意味着什么，他一直看着报务员把它发完。他又挑了二军最好的医生，让他随安志明前往，救治先遣连的官兵。

李狄三在那些天里，已吃不下东西，最多能喝点用肉干熬的肉汤。他就这样坚持了二十一天……

其实，李狄三是全连最早患高原病的人之一。为巴利祥子送葬那天，他接连摔了好几跤。为了不让别人发现自己的病情，回到地窝子后，他把自己已经浮肿的腿用绑腿布紧紧地缠住，然后才在裤子外面打了一层裹腿，很长时间里，谁也没有发现。由于他日夜操劳，严重消耗了他的体力。腿被长期裹缠着，不久就开始化脓，但他装得没事儿似的，每天笑呵呵地出现在战士们中间。

后来，连队被死亡所笼罩，也被巨大的悲哀所笼罩，他在干部会上说：“作为干部，我们是连队的支柱，我们要带头同病魔和死亡作斗争。我们干部即使得上这种病，也不能带头躺下，除非是彻底起不来了，否则会影响全连的士气。许多同志牺牲了，我们都很难过，但送葬时，干部一定不能带头哭，再大的悲伤，都要压在心里。”

他每天坚持带着全连的病号出来晒太阳，做游戏。他鼓励战士们说：“我们的病是在战斗中得的，也只有在战斗和欢乐的气氛中医治。”后来，他的病越来越重，仍隐瞒着自己的病情，领着病号唱歌，扭秧歌，千方百计地照顾他们。他每天都端着一只碗蹲在锅台前，把漂在上面的油花收集起来，把羊心、羊肝切成细丝，炒给病号吃。

3月底，李狄三的病情急剧恶化，但他还在为连队操劳。一天中午，李狄三动员四十多个病号出来晒太阳，大家围成一个圈，做“瞎子捉跛子”的游戏。为了提高大家的兴致，他自己上场扮“瞎子”，他没把“跛子”捉住，自己却一头栽倒了。大家赶快去扶他，一名细心的战士发觉他的身体不对劲儿，扒开他的皮筒子，在场的人都惊呆了，他的浮肿已经到了胸部，缠紧的绑腿深深地勒进了肉里，黄水和脓血把绑腿和皮肉连在一起，解都解不开了。

彭清云把他扶进地窝子，和陈信之用小刀子一点一点割开了绑腿布。他的整个腿都已溃烂了，在场的人无不落泪，他却说：“没事儿，没事儿，几天就会好的。”

连队党支部为此作出决定：限制李狄三的行动，强制接受休息。

他说：“让我休息，就是让我死。”

他一刻也闲不住。走路不方便，他就让战士抱来一抱羊毛，再把野马皮割成条，捻成了一根几十米长的毛绳，又把毛绳分成几根拴到各班，他就扶着毛绳到各班去给大家上课，教歌，讲笑话。

据哈萨克族排长斯拉福回忆，李狄三当时每走一步都很困难，那么冷的天，他头上还不停地冒汗水，那是虚汗。有一次，他正讲着课，一头栽在地上，昏迷过去了。他一直坚持给战士们扫盲，没有纸和笔，他就在地上撒上细沙子，用木棍教大家写字、识字。最后，民族战士也学会了五百多个汉字。

到了4月下旬，李狄三扶着毛绳也不能走路了。他就躺在床上整理日记，几乎不分白天黑夜地一个劲儿写，把几个多月来先遣连进藏所经历的一切和收集到的有关藏北方面的情况做了详细的记录。

4月26日上午，改则的一位马本携带着家丁来到先遣连驻地，刺探先遣连的虚实，看看禁令颁布以来的效果。那位马本声称专程拜访李狄三。

已经好多天下不了炕的李狄三听说，马上让通信员把那件补丁最少的礼服拿来，帮他换上。他奇迹般地站起来，向马本迎去。他开门见山地对马本说：“马本先生，据说有人打算把我们置于死地，扬言不费一兵一卒，单靠高原恶劣气候，就能让我们全军覆灭。可是，这个漫长的冬天过去了，冰雪开化了，先生也看见了，我们还坚守在这里。当然，我们是遇到了不少困难，也牺牲了几位同志，但是我们战胜了困难。因此，我奉劝那些想与人民解放军为敌的人，必须明白一点：为解放西藏，纵然有塌天之灾，陷地之难，人民解放军也不会低头。马本先生，你说对不对?”

马本听后忙说：“千保所言极是，拉拉索。”

马本原以为经过这个长冬之后扎麻芒堡不会再有人活着。他搞不明白这支队伍是靠什么活下来的。回去禀报时说，那支队伍不可战胜，他们可能真是神兵降世，可以不吃不喝。很多地方官员和头人也开始感动，觉得这支队伍信守协议，没向当地买一颗粮，没给当地增加任何负担。而当地的老百姓，早把他们当作了菩萨兵。

李狄三当天送走马本，回到地窝子，就因病痛而昏迷了。

曹海林见状，当即建议：“赶快去把那支盘尼西林拿来给股长打上，不能再让他硬挺了，我们不能没有他。”

大家都同意。

那一针药用布和羊皮精心包裹着，当通信员捧着那支盘尼西林小跑着回到地窝子，李狄三醒来了，他警觉地问道：“你们准备干什么?”

“你的身体都这个样子了，我们一定要让你把这针药打上。”彭清云说。

“不，那针药还是留着吧，以后的日子还长

着呢，留下吧，留给最需要的时候用。以后没有我的同意，谁也不许使用它。”

陈信之见李狄三不肯用，说：“这事就由党支部决定，我建议召开支委会，举手表决。”

在场的五名支委对陈信之的建议，都表示同意。

彭清云说：“你是咱们连最老的党员，应该带头执行党的决议。”

李狄三伸了伸手，示意彭清云将他扶起来，他控制不住自己的泪水，哽咽着说：“正因为我是连里的老党员，我才恳求同志们不要形成决议，临死了就别让我李狄三背个不执行党的决议的名声了。我恳求同志们把手放下吧。”

一只只手沉重而又迟疑地放下来，这项决定在五名支委的泪雨中自行解除了。

李狄三把那针盘尼西林小心地包好，交给陈信之，说：“保管好它……”

陈信之双手接过来，重重地点了一下头。

李狄三躺在那方土炕上，有时候，他也被抬到阳光下。他的内心显得很平静，他终于可以休息了。

有如此多的时间属于自己，他觉得满足而幸福。他品味着第一缕阳光的热情，也品味着地窝子里那带着寒意的、阴暗而又潮湿的气息。他想着连队，却没有力气去做任何事了。他终于有了时间想起故乡，想起亲人；终于有了时间回顾自己的经历。

回顾这些事情是真正的幸福时刻。因此，李狄三的脸上常会浮出几丝笑意。

李狄三是河北无极县人，和当时的很多军人一样，他出身贫寒，但酷爱学习，因为家里没有钱，上不起学，他就经常到私塾后面的窗户下偷听先生讲课。他父亲知道后，便用几年织布攒下的一点钱聘请本村一位穷秀才，教李狄三识字。但只学了半年，就再也请不起先生了。

1937年“七七”事变后，抗日烽火遍及整个冀中平原。无极县地下党组织在郭庄镇成立了抗日人民自卫队。李狄三得知这个消息之后，与地下党员李文中取得了联系，从此开始了抗日宣传活动。白天帮助抗日自卫队书写标语，晚上到附近各村张贴布告，散发传单。1938年，他加入了中国共产党。

1939年夏天，贺龙率领一二〇师经过无极县，在县城北面的苏村扩军征兵。李狄三想要参军抗日，但他上有父母、下有妻子儿女，一家人要靠他织布度日糊口。他能走吗？家里的亲人能让他走吗？为此，他狠了狠心，瞒着全家，跑了三十多里路，偷偷地参加了八路军。

李狄三随部队从新乐县穿过平汉铁路，在太行山一带打游击。他不但作战勇敢，还爱唱、爱跳、爱写，不久，即被派到延安抗日军政大学深造。

学习期满后，李狄三被分配到驻扎在南泥湾的三五九旅。当时正值国民党对延安实行经济大封锁，他参加了王震领导的南泥湾大生产运动。从小靠织布为生的李狄三，成了旅里有名的织布能手。1942年，他参加了保卫延安的战斗。此后，他先后担任团民运股长和联络股长。在战斗中，他曾多次负伤，坚持不下火线。

1946年解放战争开始后，李狄三随部队西征，参加了解放大西北的所有战役战斗。

他细细地咀嚼着自己三十八岁的人生，觉得它是平凡而又单薄的。生命的色彩来自十多年的戎马生涯，来自那些硝烟弥漫、出生入死的严酷岁月。

他想起了自己的妻子和孩子，想起了那个破旧而贫寒的家。

“我感到自己是如此爱他们，觉得自己戎马十余年间，连他们的面都没见过，真是过意不去。我不知道妻子是否因为生活的艰辛和过度的操劳而显得苍老；离家之际，孩子尚在襁褓之中，现在，他已经长大，并懂事了，但我不知道儿子现在长得是什么模样。儿子还没有见过自己的父亲呢，所以他不可能想念我，因为他不知道我的样子，我对他也没有付出一点点爱。哎，要是能见见他就好了。我从没有想到过自己会走到这么远的地方来，远得不知道该怎样回家了。不过，革命胜利了，好日子就会来了，王震司令员说，要把噶大克变成‘楼上楼下，电灯电话’的大城市，这样偏僻落后，人烟稀少的地方都能有那样大的发展，都能有那样好的生活，儿子五斗以后也会享福了……”

想到这里，李狄三放心地舒了一口气，好像自己已经过上了那种梦想中的日子。

二、和平谈判

当李狄三生命垂危之际，中央人民政府和西藏地方政府的和平谈判正紧锣密鼓地进行。

中央人民政府方面的全权代表是：首席代表是中共中央统战部部长、中央人民政府民族事务委员会主任李维汉；中央军委办公厅主任张经武，中央西藏工作委员会书记、十八军军长张国华；西南军政委员会秘书长孙志远。

西藏地方政府方面的代表是：首席代表是噶厦噶伦阿沛·阿旺晋美；藏军总司令凯墨·索安旺堆；秘书长士丹旦达；四品官土登列门和桑颇·登增顿珠。

中央人民政府和西藏地方政府前后进行了七次谈判。第一次谈判于1951年4月29日在北京军管会交际处开始，未涉及实质性问题，双方代表仅就谈判的程序、步骤等问题进行协商，听取了阿沛等代表的意见。中央印发了和平解放西藏的十项条件，供代表讨论。最后，谈判的焦点集中在三个问题上。晓浩在《西藏，1951年人民解放军进藏实录》一书中对此做了披露。

解放军能不能进藏，成为首当其冲的问题。5月2日，第二次谈判举行。西藏代表表示，接受和平解放西藏的十项条件，承认西藏是中国领土的一部分，但不同意解放军进驻西藏，这是西藏政府顽固坚持的。李维汉作了长篇发言，他严肃认真地说：“进军西藏是中央的既定方针，西藏边防需要强大的国防军驻守，以防备帝国主义的侵略，保护西藏人民的安全。进藏的人民解放军不要西藏地方供给，不要西藏人民负担。有人担心解放军进入西藏要整藏族，这种顾虑可以理解，但这是不符合实际的。如果要整的话，用战斗这种方式更合情合理。”西藏代表无话可说。但因噶厦政府曾有交代，要代表设法争取人民解放军不要进藏，所以西藏代表没有马上点头，而就进藏人民解放军的人数、时间、入藏路线、驻守地点等提出询问，要求中央明确下来，以便向西藏地方政府报告。正式谈判前，阿沛提出一个原则：“我们能做主的问题就立即定下来，不能解决的，向亚东报告；来不及请示的，我们作为全权代表可以先定下来，再向达赖喇嘛报告。”大家都同意这个办法。

5月7日，第三次谈判举行。中央代表就进军人数、驻地做了明确答复。西藏代表接受了“西藏地方政府积极协助人民解放军进入西藏”这一条款。

第二个问题是围绕西藏实行区域自治和各项改革事宜展开商谈，其实质是西藏代表担心对西藏旧制度进行改革。西藏代表提出，十项条件的第二条，即西藏实行民族区域自治，与第三条西藏现行各种制度不变之间有矛盾。李维汉在第四次谈判中详细阐述了中央的民族政策。他指出，对少数民族地区实行区域自治是一项基本政策，而西藏的政治制度不变，是根据西藏目前的实际情况决定的，假使西藏人民愿意有些变更，那由西藏上层和西藏人民群众自己决定。西藏代表再无异议。他们接着提出，如果达赖决定到境外暂住，看看西藏的变化然后再回来，中央仍应保证他的地位和职权不变。中央代表表示同意。

在第三个问题，即班禅固有地位问题上，双方产生了严重分歧。历史上，十三世达赖和九世班禅严重失和，双方积怨颇深。谈判桌上，班禅问题一经提出，气氛立刻紧张起来。西藏代表表示，现在中央和西藏地方谈判，是解决中央和西藏地方问题，与班禅问题无关，拒绝讨论。李维汉说：这个问题关系到西藏内部的团结问题。李维汉还指出，中华人民共和国成立时，班禅即通电拥护，他们近三十年来没有勾结帝国主义，没有出国，是爱国的，这是一个界限。但西藏代表根本不点头，说西藏地方政府没有授权讨论这个问题。

双方意见不一。中央代表建议休会。

经过小范围的非正式商谈，最后中央代表提出，把达赖、班禅间历史遗留下来的问题放在协议签订之后解决，在协议上只写上这样的内容，即恢复九世班禅和十三世达赖和好时固有的地位和职权。西藏代表经过商量表示：单是这样写可以，那是好多代人形成的历史，没有什么可以指责的。

5 月 21 日，历时二十多天的谈判终于结束，圆满达成了《中央人民政府和西藏地方政府关于和平解放西藏办法的协议》。

三天后，在北京中南海勤政殿，中央政府全权代表和西藏地方政府全权代表对协议举行了签字仪式。签字仪式由中央人民政府副主席朱德、李济深和政务院副总理陈云主持，在协议上签字的分别是李维汉和阿沛·阿旺晋美。5 月 24 日，毛泽东在中南海怀仁堂接见西藏和谈代表团，同代表们进行了亲切谈话。并在当晚设宴庆祝协议签订。班禅和阿沛应邀出席宴会。毛泽东在宴会上致辞——

“几百年来，中国各民族之间是不团结的，特别是汉民族与藏民族之间是不团结的，西藏民族内部也不团结。这是反动的清朝政府和蒋介石政府统治的结果，也是帝国主义挑拨离间的结果。现在，达赖喇嘛所领导的力量与班禅额尔德尼所领导的力量与中央人民政府之间，都团结起来了。这是中国人民打倒帝国主义及国内反动统治才达到的。这种团结是兄弟般的团结，不是一方面压迫另一方面。这种团结是各方面共同努力的结果。今后，在这一团结的基础上，我们各民族之间，将在政治、经济、文化等一切方面，得到进步和发展。”

在《人民日报》全文刊登这一讲话的 5 月 28 日，班禅额尔德尼及班禅堪布厅全体人员发表声明，拥护协议。30 日，班禅致电达赖，表示愿意和达赖精诚团结，为实现协议而努力。

协议的签订，阿沛·阿旺晋美功不可没。作为昌都总管，在昌都解放后，他最先接触到人民解放军，这使他至少可以不轻信谣传。

那时候，拉萨谣言很多，耸人听闻。1989 年 7 月 31 日，身为全国人大常委会副委员长的阿沛在西藏自治区第五届全国人民代表大会第二次会议上谈到了当时的情况：“有人说解放军要吃胖人，见妇女就奸淫，见东西就抢。但昌都解放后，我们与解放军接触了两个多月，耳闻目睹，解放军的行为并不像谣言所说的那样。他们不住民房，不住寺庙，而是不论刮风下雨，都住帐篷，买卖公平，不拿群众一针一线，严格遵守三大纪律八项注意，所作所为完全是为人民服务的。他们为群众治病，建立学校，为人民解除疾苦。我们看到解放军的模范行动，就主动召集了会议。在会议上，我们在昌都的四十个人讨论了当时的局势。听说拉萨谣言很多，人们处于惊慌失措的状况之中，现在毛主席已决定要解放西藏，如果对前、后藏实行武力解决，就必然引起战乱，人民要受战争之苦，以十四世达赖喇嘛为首的地方政府的多数官员和富有的人很可能逃跑到印度。如发生这样的情况是不好的。会上，大家提出，应该向达赖喇嘛提出建议，希望他和中央人民政府谈判。建议的主要内容是：如能和平解放西藏，西藏僧俗免受战争之苦，寺庙、家园不被战火毁坏，大家仍可过上团圆的生活。我们已看到了共产党的政策和解放军的模范行动。请不要听信谣言。我们真心实意提出同中央进行和平谈判的建议，供达赖喇嘛考虑。

“报告写好后，我们四十个人都签了名。由

于不了解拉萨当时的情况，听说拉萨的人都跑光了，连噶厦现在是谁负责都搞不清楚，在报告开头没写具体人名，只写了'在拉萨的政治负责人'几个字，然后派今天在座的金中·坚赞平措和已故的噶准桑林两人把报告送往拉萨。"

达赖喇嘛同意派代表到昌都进行和平谈判。由此可见，阿沛对于整个和谈，都起了关键的作用。

在今天的西藏历史档案馆里，还存放着达赖喇嘛当年给毛泽东发的致敬电，表示完全同意十七条协议，愿尽最大努力支持人民解放军进军西藏，保卫边防。

阿沛后来追忆说："协议签订后，凯墨扎萨和秘书长士丹旦达、桑颇他们从水路回拉萨了，我和土登列门经过昌都回到了拉萨。我们到拉萨时，十四世达赖喇嘛和噶厦从原则上是承认了的。但是协议里面有一条，要在西藏成立军政委员会，两个司曹就借口这一条不行，说不能全部承认这个协议等等，找了许多麻烦。那时中央人民政府代表张经武已经到了拉萨，张国华和谭冠三带着大部队还在后面。当时，张代表向达赖喇嘛提出，协议已经签订了，达赖喇嘛应该在大部队到拉萨前向中央表个态。而两个司曹说，这项问题我们马上决定不了，要召开西藏地方政府的官员代表会议才能决定。这样，他们就决定要召开官员代表会议。按照惯例，官员代表会议和官员代表扩大会议噶伦是不能参加的。我向两个司曹提出，由于此次会议讨论的内容是关于解放昌都和签订协议的问题，请允许我参加这个会议，向官员代表介绍昌都解放和签订协议的情况。我为什么要提出参加这个会议呢？因为当时社会上议论很多，说中央给了我很多钱，说我把西藏出卖了等等。经同意，我参加了这次会议，并和其他四个和谈代表在会上介绍了那些情况。最后我说，中央是否收买了我们？中央给了我们什么呢？当时中央给了我一张毛主席像、黄缎一匹、红茶一箱，就是那么多。其他的官员比我还少。这么点东西是否能把我阿沛收买得了，请你们考虑。情况介绍以后，官员代表说了很多赞扬之词，同意签订十七条协议。"

三、勇士肝胆涂高原

西藏和平解放的协议虽然签订了，但先遣连的官兵，直到安志明率后续部队到达扎麻芒堡后才知道，每个人都在望着昆仑，每个人都在望着那条路，每个人都希望早一点见到那支队伍。

早在5月19日，彭清云就赶到了两水泉，负责迎接安志明率领的后续部队。

5月的昆仑，冰雪初融。安志明的队伍踩着残雪，以尽可能快的速度向阿里逼近。

5月21日，阿里零零落落地飘着雪花。两水泉的哨兵突然看见一点红色，在雪里跳跃着，像一星火。最后，那火像是越燃越旺，火星越来越大，成为一团。然后是"嘚嘚"的马蹄声。

"大部队来了，大部队来了！"哨兵高兴得热泪直流，跌跌撞撞地跑去向彭清云报告。

几个人出来，在风雪中站好。

安志明走在最前面。当距彭清云还有十来米远的距离时，他就飞身下马，伸着双臂向彭清云跑来。待离彭清云还有三四步远的距离时，他停住了。

他打量着他们，打量着仍然以兽皮裹体遮羞、面黄肌瘦的战友，像不认识他们似的，又像要发现什么似的，在那里愣了半天。

他的眼睛潮湿了，泪水涌了出来，声音沙哑地说："你们受苦了！"

他和彭清云久久地拥抱在一起，和每个人久久地拥抱着……

雪慢慢停了。太阳悬在天上，云雾消散，天空晴朗。很蓝的天幕纯得像宝石一样晶莹。

整个高原重又焕发了生机。

安志明在一块石头上坐下来，问彭清云："李狄三同志现在何处？"

彭清云一听，控制不住自己的泪水，他一边抹泪，一边说："他在扎麻芒堡，病情很重，15日就停止饮食了，现在……恐怕……不行了……"

安志明一听，立即叫上医生，牵给彭清云一匹好马，说："我们要尽快赶到扎麻芒堡，随大部队走无疑要延误时间，我们就权当先遣分队，立即出发!"

5月25日晚，当他们到达十里达坂附近时，收到了进藏指挥部的来电：

> 中央人民政府和西藏地方政府和平谈判已经结束，本月23日李维汉和阿沛·阿旺晋美分别代表中央人民政府和西藏地方当局在关于和平解决西藏问题的《十七项协议》上签字。当天下午，毛主席、朱德总司令等会见了西藏地方代表团一行和西南进藏部队及西藏工委负责人。毛主席指示"下一步关键是落实协议"。详细条款，另电发出。望速将此消息转告李狄三及英雄连全体官兵。

译电员刚刚读完电报，彭清云就叫起来："哎呀，太好了，李股长这下有救了，我们早就等着这一天。他听到这个消息，肯定会好起来的。"

"那我们就快马加鞭。"安志明说着，首先催促战马飞跑起来。

一彪人马在高原上腾起一溜烟尘，马蹄声像雨点击打着铁皮层顶一样清脆和急促，并带着生命的湿润气息，滋润着高原的荒凉和死寂。

5月28日12时，安志明赶到了扎麻芒堡，他跳下大汗淋漓的战马后，见到连长曹海林，就嚷着："快，曹连长，带我去见李股长!"

曹海林面带悲伤，声音低哑地说："李股长……他已经……不行了。"

地窝子里比外面冷，李狄三躺在土炕上，地窝子里的阴暗衬得他的脸和手异常苍白。

安志明连叫了几声老李。已经好几天没说过一句话的李狄三轻轻地"嗯"了一声，那声音显得那么远，像从很多座大山后面传过来的。

彭清云伏在李狄三的耳边，哽咽着说："股长，大部队到了，安副团长看你来啦。"

李狄三慢慢地、艰难地睁开了眼睛，朝安副团长点了点下巴，脸上泛起了笑容。嘴巴动了好半天，才用非常微弱的声音说："……辛……苦……啦……"

安志明跪在了炕头前，激动地伏在他耳边，大声说："老李，你们的任务完成了，告诉你一个好消息，西藏和平解放的协议23日在北京签订了。兵团和军首长都很关心你的健康，王恩茂政委把军里最好的医生派来了，你要挺住，你千万不能走啊，你安心休养，我们马上送你回新疆。"

李狄三又点了点下巴，似乎想说什么，可一个字也没有说出来。

安志明问他："老李，你听到了吗，如果听到了，就眨一下眼睛。"

李狄三眨了眨眼睛。

安志明急了，问："军医，有什么好药?"

曹海林抢着说："连里还有一支盘尼西林。"

"那赶快给他用上!"安志明命令道。

李狄三想制止，但他只能动一动自己的手。他已经没有力气制止在他身上浪费这支药了。

他把目光落在彭清云脸上，他的嘴想努力动一动。彭清云像是明白了，把耳朵贴在他的嘴上，听清了两个字：日记。

彭清云赶紧从他的枕头下取出两本日记，交给安志明。安志明双手接过，他捧在手中，手有些颤抖，那日记像是太重，重得他很难捧起它。

李狄三像是放心了，他像是把什么事都忙完了要好好地睡一觉。他慢慢地闭上了自己的眼睛。当时是1951年5月28日12时15分。

噩耗传出，悲声四起。

后续部队在四起的悲声中全部抵达扎麻芒堡。

下午6时，如血的夕阳缓缓地向西边沉去，抹在那些冰峰雪岭上的夕晖让人感到世界正在泣血。会师仪式就在这样悲壮的气氛中开始了。

安志明站在冰台上用沉痛的声音宣布："独立骑兵师进藏部队会师开始！全体官兵和军马肃立默哀！每人鸣枪三响，向李狄三同志致哀！向牺牲在阿里两水泉、多木、扎麻芒堡的六十一名烈士致哀！"

安志明缓缓地拔出手枪，对着天空鸣了三枪，紧接着，三百多名官兵把枪举起来，对着天空，鸣枪三响……

枪立着，像一片落尽了树叶的晚秋的林子，异常肃杀。淡蓝色的硝烟从三百多支枪的枪口中冒出来，缓缓地飘散在凝重的天空里。

当天晚上，安志明、曹海林、彭清云等八名干部集体为李狄三守灵。油烟闪烁着。安志明在闪烁的灯光里捧读着李狄三留下的两本日记。这是一部珍贵的史料。自先遣连进藏以来所经历的一切，包括在西藏了解到的风土人情，丧葬禁忌等各个方面都做了详细的记载。

安志明是流着泪读那些日记的。当他读到李狄三在4月28日留下的文字时，禁不住抽泣起来。

李狄三在那天写下的字显得很吃力。那是一封写给骑兵师党委的信：

> 师党委：
>
> 我率着先遣连到达扎麻芒堡不久，我就病倒了，工作没有做好，牺牲了很多同志，战马也已所剩无几。我希望能挺到会师之日，我已不能亲自在党委会上请求处分，在这生命的最后时刻，我请党宽恕我……

日记最后一页写于1951年5月7日，是他的遗嘱，详细地安排了他仅有的几件遗物：

> 曹海林、彭清云同志：
>
> 我可能很快就不行了，有几件事需请二位同志帮助处理：
>
> 1. 两本日记是我们进藏后积累的全部资料，万望交给党组织。
>
> 2. 几本书和笛子留给陈干事。
>
> 3. 皮大衣留给拉五瓜同志，他的大衣打猎时丢了。茶缸一只留给郝文清。几件衣服留给炊事班的同志，他们的衣服烂得很厉害。
>
> 4. 金星钢笔一支，是南泥湾开荒时王震旅长发给的奖品，如有可能请组织上转交给我的儿子五斗。还有条狐狸尾巴是日加木马本送的，请转给我的母亲。

这就是一个战士的最后清单，这就是一位英雄的全部遗产。

安志明好几次没有读下去，待他读完后，他忍不住抱头痛哭起来。

许久，安志明才站起来，对着李狄三的遗体深深地鞠了一躬，说："李狄三同志，你安息吧，我会尊重你的遗愿，把你留下的东西清理安排好。请你放心，我们会完成你未竟的事业。"他说完这些，当即起草了一份电报，上报李狄三的事迹和牺牲的消息。

左齐和何家产一直在于阗等着安志明与先遣连会师的消息，他们没有想到会等来李狄三牺牲的噩耗。何家产拿着电报的手在发抖，那页电报在他的手中"瑟瑟"地响。

左齐似乎感觉到了什么，一下站起来，问何家产："怎么啦？安志明的部队出事了吗？"

何家产摇摇头，像在自语地说："这怎么可能呢，四月底师里发电报，说如果他的身体有什么不适之处，可以下山治疗，可他回电说他没事，等后续部队上去后再说……没想……没想他竟牺牲了……”

“是李狄三吗?”左齐拿过何家产手中的电报，默默地看完，含着泪拍拍何家产的肩膀，良久才说：“他已经坚持到了最后一刻，不容易呀。按安志明的意见，尽快上报喀什和乌鲁木齐。”

安志明在电报的抬头一连写下了四级党委的名字：独立骑兵师党委并喀什军区党委、新疆军区党委、西北军区党委。他是有感于李狄三这种鞠躬尽瘁，死而后已的精神和品质，特意这样做的。他在电文和结束语中加注了这样一段文字：

> 鉴于进藏部队电台不便直接与各级军区联系，万望师首长尊重进藏部队全体官兵的要求，代为上转此电，以彰烈士功绩。

何家产走后，左齐默默地坐在那里，悲痛把他铸成了一尊雕像。他没想到，李狄三这位打过日本鬼子、参加过解放西北的历次重大战役、先后九次负伤的英雄，会倒在阿里高原。他坐了很久，站起来，挥动独臂，写了一首《悼狄三》的诗以寄托自己的哀思。如今，诗的原文已无处可找，但将军仍记得诗的最后两句：

> 勇士肝胆涂高原，
> 天殉地殇亦平淡。

左齐一直怀念着这位躺在阿里高原的英雄，在李狄三逝世九年之后，他专门撰写了《李狄三》一文，再次沉痛悼念人民解放军这位优秀的军人。文章洋洋万言，全文发表在1960年7月号的《解放军文艺》上，首次公开向世人披露了进藏先遣连挺进阿里那段悲壮的岁月。

5月29日，王震、郭鹏、王恩茂、左齐等将军先后发来唁电，沉重悼念李狄三。两天后，王震再次致电吊唁，并令安志明及英雄连：“为李狄三同志举行隆重追悼会，厚葬烈士，树碑永志。”

但当时的条件不可能厚葬，更不可能树碑。方圆几十里没有成型的石头，也没有树，最后只好在李狄三的墓前插了根帐篷杆子，在杆子上挂了一块白布，周奎祺参谋在白布上写了“李狄三同志之墓”，就算是立碑了。安志明下午给师里汇报了安葬李狄三的情况，并建议等阿里解放后，重新安葬。

但李狄三的葬礼在当时的条件下，已算是隆重了。驻地附近的乡亲们不知怎么知道了李狄三牺牲的消息，纷纷跑来吊唁，有两位活佛还主动为烈士诵经。在营区东北角那数十座坟茔正中的墓穴里，铺着四张牦牛皮，烈士的遗体用马皮裹着，安志明、曹海林、彭清云、陈信之、周奎祺、王永平六人抬着烈士的遗体，缓缓走向墓地。送葬的队伍很长。大家用手，捧着那刚刚解冻的泥土，掩埋了烈士……

四、“赞”三：李狄三

扎西抽着我递给他的烟，烟雾把他正在追忆什么往事的神情弄得有些朦胧。然后，他像是进入某种远古的境界之中，哼起了一首西藏古代战歌《宝刀歌》：

> 我这柄“雅西噶彻”宝刀，
> 是中华皇帝的传家宝；
> 是大自在天的命根铁，
> 是铁匠之神多吉勒巴锻造。
>
> 用魔鬼的黑血淬火，
> 用毒蛇的毒汁打磨；
> 宝刀的刀柄是什么，
> 是蓝天大鹏的犄角……

他唱得那么忘情。银发白须都不停地颤抖起来，脸色也变得更加黑亮，他因为年老而已变得浑浊的眼睛也顿时变得清澈起来。

唱完，他突然说："他现在是我们阿里首府狮泉河的赞呢，他就居住在万岁山旁的向阳坡上，他是驱赶战火的赞。他死那天，阿里就和平解放了，这都赖于他的保佑。

"他是一位身材高大、健壮，胸脯厚实的红脸汉子，全身上下都穿着古代武士的盔铁甲，手里拿着弓箭盾牌，像格萨尔史诗中的英雄。他骑着一匹红、黑、白的三色大马，来去如风，有人常常看见他在边境上巡行。还有人听见他在唱歌，他像是在领唱——

我头上戴的白头盔，
是银光闪闪的雪峰，
能把雪峰顶在头上的，
除了我还能有谁呀？

"他刚唱完，后面像是有成百上千的兵士在齐声高唱：呀，可勒（好呀）！

"他接着又唱——

我身上披的铁铠甲，
是发着亮光的冰川，
能披挂十万块镔铁的，
除了我还能有谁呀？

"众兵士齐声高唱：呀，可勒！

我手中的大砍刀，
是蔚蓝天上的彩虹，
能把彩虹抓在手中的，
除了我还能有谁呀？

"众兵士又齐声高唱：呀，可勒！

"在有风雪的时候，你注意聆听，你就能听到他们雄壮的歌声。"

扎西且说且唱，完全沉浸在那种美好、神秘而又虚幻的想象世界中。

但他对李狄三的情感却是真挚的。

扎西是李狄三牺牲后，第一个赶到扎麻芒堡的藏族乡亲。他说他头天晚上看到有一颗星从扎麻芒堡坠落了。地上有一个人，天上就有一颗星；地上死去一个人，天上就陨落一颗星。而那颗星星那么亮，他就感觉是一个很重要的人走了。他还做了个梦，梦见李指挥骑着马在往天上走，他凭空而行，像是走在一条往天上去的路上。

他当天早上起来，就觉得很伤心。他骑马去通知乡亲们，说："李指挥走了，李指挥走了，我们去送他吧。"

他骑着牦牛，从一个多马站远的地方赶到了扎麻芒堡。

扎麻芒堡果然笼罩在沉痛的气氛之中。

他按照藏家习俗，特意带了一粒被称为"津丹"的药丸，还带了一尊菩萨，叫"冲达"。前者是用名贵的藏药掺拌活佛的"圣物"制成的。他把药丸放在李狄三的嘴里，希望李狄三安详平静。"冲达"则是护送死者转世投胎的神佛，希望他在前往天堂的路上不孤单和迷失方向。

乡亲们向"冲达"敬献了哈达、茶酒和糌粑，还在不远处的小山包上插了一杆经幡，上面写着李狄三的属相，藏语叫"仑达"，意为风马。高原上的风一吹过，经幡像快马一样奔跑，向死者传达祝福。

他们都把李狄三当作了自己的亲人。

西藏的丧事活动七七四十九天才结束。据说，这是唐代金城公主在嫁与吐蕃赞普尺带珠丹时立下的规矩。

到第四十九天，很多乡亲来到喇嘛庙，给门口的乞丐撒一点钱，让他们帮助祈祷："神佛啊，请保佑死者快快投胎为人身吧！投胎为一个男子汉吧！投胎为好人之子吧，投胎为虔诚的佛教徒吧!”

为了表达哀思和使死者有个安宁的环境，在这四十多天里，扎麻芒堡像对待自己的亲人一样对待李狄三，不歌唱、不舞蹈、不洗头、不饮酒、不游戏。

一周年后，他们还举行了盛大的“暖珠”活动，也就是庆祝李狄三的灵魂获得新生的欢宴活动。大家从早到晚饮酒狂欢，歌舞不断，欢庆死者开始了崭新的人生。

扎西当时还不知道西藏已和平解放，也不知道李狄三是在听说了和平解放的消息后安然而逝的。

后来，他们听说了这些事情后，就认定李狄三是带来和平的赞。现在，他们常常祈祷他维护阿里的和平和安宁。

五、越过“十三圣湖”

后续部队和英雄连在扎麻芒堡会师后，立即为进军噶大克做准备。

5月29日，上级电令骑兵师，“新疆进军阿里的先遣部队，要继续担负起侦察到噶大克之任务。”

何家产接到命令后，感到非常为难。鉴于先遣连九死一生的状况，他向上级建议：“过冬之后，先遣连人员伤亡过半，目前战斗力尚未恢复，进军噶大克之任务，建议由安志明部担负，英雄连应继续留驻扎麻芒堡休整为宜。”

王震将军看后，当即同意了何家产的建议，并指示：“尽快组织后送伤病员回新疆治疗。”

5月30日，何家产接到王震的批示，舒了一口气，正式下达了由“安志明之一连兵力接替先遣连，担负侦察进军噶大克道路之任务”的命令。

命令到达扎麻芒堡，曹海林和彭清云立即召集先遣连干部开会，一致要求继续担负先遣任务。6月1日，全体官兵联名致电骑兵师：

> 我英雄连全体官兵坚决要求进军阿里腹地，继续担负先遣任务，哪怕只剩下一个人，也要将红旗插上喜马拉雅山。英雄连全体官兵珍惜荣誉，不当尖兵，有负厚爱，愧对烈士，我们有十个月高原生活经验，已适应这里的气候，懂藏俗、藏语，有群众工作基础……

这份意坚词切、丹心可见的请战报告递到何家产手中时，既令他感动，又让他为难：批准他们的请求吧，于心不忍，九死一生后活下来的人不容易啊；不批准，也于心不忍，这样有负英雄们一片赤胆忠心。

何家产只好请示左齐，左齐也和他一样为难；左齐请示郭鹏，郭鹏同样于心难忍。几经商议，他们还是觉得应该满足英雄连的愿望。但何家产重新签署命令时，好几次提起笔来，又好几次把笔放下了。他的眼里含着泪水，手有些颤抖，觉得没有一点力量。但最后还是像痛下决心似的，在复电命令上签了字。

> 安志明并英雄连全体官兵：
>
> 英雄连全体同志请战报告获悉，经与喀什、新疆军区首长研究，现答复如下：
>
> 一、撤销5月30日命令；
>
> 二、进军噶大克先遣任务仍由英雄连担负，人员、装备由曹、彭二人决定，彭清云负责开进；
>
> 三、英雄连全部病号一律留驻扎麻芒堡，并由安部留足够之护理人员、药品、粮食和武器装备，所留人员由曹海林负责；
>
> 四、危重病号尽快组织后送，所需人员由安部派出，由陈信之负责；
>
> 以上各条决定后，统一由安上报

师司。

何家产

1951年6月2日

先遣连官兵接到电报后，非常高兴。当天，由四十五名官兵组成的进军噶大克先遣分队在扎麻芒堡成立。四天后，先遣分队和安志明部共同誓师出征。先遣分队分两个梯队，分别在彭清云、王永平和斯拉福的带领下，保持半个马站的距离，踏上了进军噶大克的征程。第二天，安志明率部随后开进，和平进军噶大克的序幕拉开了。

离开改则不久，先遣分队就进入了千里羌塘腹地。雪山横空，广阔的无人区无边无际。气候变化无常，时而狂风肆虐，时而大雪纷飞。是凶是吉，无人知晓，向导每天启程前都要祷告神灵保佑。但先遣分队因已经历了人世间少有的苦难，对一切都无所谓了。彭清云后来追忆时说："当时，我们想得很简单，逢山蹚过去，遇水淌过去，摔倒了站起来，走不动了就爬。反正心里只有一个念头，只要还有一口气，就要坚持往前走，就是死，头也要冲着噶大克倒下，哪管什么困难不困难呀。"

先遣分队出发前，除人员外，一切装备都得到了后继部队的补充。四十五人的队伍，配备了七十四马，十三峰骆驼，这是安志明亲自挑选出来的，是后续部队中最好的牲口。在整个先遣连剩下的六十多人中，老弱病残全留在了扎麻芒堡。这四十五人经过十来天的休整，虽还有多半生病未愈，但比较而言，也算是兵强马壮了。

前面是"十三圣湖"无人区，人马一进去，狂风就开始刮起来，像是已在这里隐伏多年，专等着先遣连来，要给他们一点厉害瞧瞧。

风挟着黄沙尘土，裹着积雪冰屑，无情地袭击着先遣分队。它们或迎面扑来，或从背后袭击，行进中的人马，浑身都是黄褐色的沙土，看上去就像是一队行进着的泥塑。

风越来越狂，发出海啸一般的声音，人马像是在惊涛骇浪中颠簸着，寸步难行。骆驼由于太高，纷纷被大风扑倒；战马蹬着四蹄，也站立不稳；人只有伏在地上……

狂风刮了整整三天，这三天里，队伍只行进了十多公里，先遣连用了十七天才走完整个无人区。这时，队伍迅速衰竭，一些原本属于病号的战士病情加重了，不时有人摔倒、昏迷，战马也损失了十九匹。

而前面横亘着高不可攀的冈底斯山。它高耸云天，不可一世。

当向导得知队伍要从冈底斯的主峰冈仁波钦下的东君拉达坂通过，他死活不愿意再带路了，他对彭清云说："夏保，那可是神山，大军通过，若惹着了神灵，我可担当不起。我不能再为你们带路了，你们自己走吧。"

他说完，对着冈仁波钦磕了几个等身长头，说了很多请神灵宽恕的话，向彭清云致歉后，跨上自己的矮小藏马，挎上杈子枪，转身要走。

彭清云想挽留他，走上前说："这条道路我们从来没有走过，没有你带路，我们怎么能到达噶大克呢？"

"这里只有一条路，翻过了神山，离噶大克就不远了，只是道路太险，很难翻过去。按我们藏家人的说法，要走神山的路，全靠菩萨保佑。你们是天将神兵，菩萨会让你们过去的，我是凡俗的人，贪、嗔、痴、怠、嫉'五毒'未除，沾染了神山，菩萨会降罪的。"

"老乡，佛是普度众生，我们共产党是为人民谋幸福，目标一致，你为我们带路，也就是我们中间的一员，菩萨不但不会降罪于你，还会给你福报呢。"彭清云对向导半开玩笑地说。

没想向导真相信了，他说："既是这样，我一定要和你们走到底。"

西藏是个佛教信仰的圣地。时至今日，人们仍然对佛和神灵保持了绝对的信仰。先遣连官兵也知道，在乡亲们的眼里，神无所不在，无时不在。这正如一首藏族民歌所唱的：

东方雪山顶上，
彩云纷纷扬扬，
那是大神小神，
正行走在天上！

在通往东君拉达坂的山隘口，有朝佛者垒起的祭奉神山的宝座，向导见了忙跳下马来，诚惶诚恐地顶礼致敬，口里高呼着："吉吉！索索！神胜利了！吉吉！索索！神胜利了！"

冈仁波钦海拔 7167 米，位于普兰宗境内，山势十分陡峭，冰峰林立，雪山延绵，烟霞蒸腾，云雾缭绕，是雅鲁藏布江的源头。那些堆积千年的冰山雪岭，因为世世代代给人们以灌溉舟楫之利，造生息繁衍之福，历来被虔诚的佛教徒视为"神山"，是境内外佛教徒的朝拜之地，也是当年从改则去普兰的必经之路。

位于冈仁波钦峰下的东君拉达坂全长七十公里，海拔6715米，冰道占四分之三。所以，彭清云感到向导对它的敬畏是有道理的。他命令部队提前宿营，好好休息，明日清晨五时开饭，六时出发，一定要在一天之内翻越达坂。因为他已知道，在那样的高度，停留就意味着死亡。

六、神山无言

佛教中最著名的须弥山即冈底斯山。一本佛学辞典中称："须弥，山名，一小世界之中心也，译作妙高、妙光、安明、善积、善高。凡器世界之最下为风轮，其上为水轮，又其上为金轮即地轮也。其上有九山八海。即持双、持轴、担木、善见、马耳、象鼻、持边、须弥之八山八海为铁围山，其中心之山即须弥山也。入水八万由旬，出水八万由旬。其顶上为帝释天所居。其半腹为四天王所居。其周围有七香海七金山。其第七金山之外有咸海。其外围为铁围山。因之称九山八海。瞻部洲等之四大洲，在此咸海之四方。"

冈底斯山是支撑起青藏高原地貌骨架的巨大山系之一。它自狮泉河起，横贯西藏中南部，绵延达一千五百余公里，直到横断山脉的舒伯拉岭。清朝康熙年间绘制青海西藏时曾称之为"天下之脊，从山之脉皆由此起"。

其主峰冈仁波钦意为"雪山之宝"。在前佛教时代的象雄本教时期，它即为本教的圣地，被称为"九重万字山"，是雪域高原的灵魂。当时有本教的三十六位神灵居住于此。它是本教祖师敦巴辛绕白天而降时的降落之处，也是本教僧人的修行之所。它还是在南亚次大陆与佛教同时兴起的耆那教的信奉之山。在耆那教中，冈仁波钦被称作"阿什塔婆达"，即最高之山。古代印度人认定冈仁波钦为世界中心，众水之源，日月星辰皆以此为轴心往复环绕，并各行其道。所以他们也把自己信仰的诸神安置于冈仁波钦，数千年来，对它顶礼膜拜。公元 4—5 世纪，古印度最伟大的诗人迦梨陀娑曾在他著名的长诗《云使》中，详细描绘了这一圣地。在诗人的想象世界中，那是充满欢乐的福乐之地，充满了艳美香酥、华丽妩媚的风情：

那儿，因走动而从发上落下的曼陀罗花，贝多罗的嫩枝片片，从耳边落下的金色莲，一些珠串，还有碰撞乳房而断了线的花环，都在日出时显示女人夜间赴幽会的路线。

后来，米拉日巴与本教斗法获胜后，冈仁波钦由本教圣地转为佛教圣地。

作为圣地，每年来自印度、尼泊尔、前藏、后藏、甘南、川西、青海等地的佛教徒络绎不绝。据称，转冈仁波钦一圈，可洗清本次轮回中的罪孽；转十圈，可洗清一劫的罪孽；转一百圈，今生可以成佛。

冈仁波钦之所以被人类赋予神性，在于它本身的独特风姿。任何一个人，只需一瞥，便成为无限，成为永恒。

而对当时先遣分队的官兵而言，它所有的神性显得更加虚无，他们面对的只有实实在在的艰难。

6 月 19 日，分队按时出发。临近中午，大家攀上了第一个鞍部，也由雪道进入了冰道。

这道路显然很少有人走过，连路的痕迹都被冰雪抹去了。不知死于哪一年的行路人和他的牲口倒在雪边，被冰冻着，尸体完好如初。这就是路标。

向导一路上从没停止念六字真言。

马匹无法行进，怎么拉也不走，人四肢着地，也无法保证不滑下陡峭的冰崖。

彭清云命令朱友臣带五名战士凿冰开道。但一个多小时过去了，他们才用十字镐挖出四十多米的台阶。

多待一分钟，就多一分生命的危险。照这样下去，大家只有在这里宿营，而这里睡一觉，全体官兵中能再起来的恐怕就没有几个了。由于海拔太高，缺氧严重，许多战士的高山反应十分厉害，已先后有七人昏迷过去了；连马匹也狂躁不安，有五匹战马先蹦跳着，然后悲鸣一声，猝然倒毙，加上失蹄落崖的，不一会儿就损失了十三匹战马，两峰骆驼。

看到这些情况，彭清云非常着急。他对朱友臣说："分队必须在天黑前翻越主峰达坂，不然，我们就有可能在这里全军覆没！"

朱友臣也急，他大口地喘着气，说："还能有啥办法呢，这冰像石头一样硬。而且马匹更难通过，若大部队拥上来，通行会更加拥挤，更加困难。"

王永平愤愤地说："这是他妈的什么鬼路，爬一步，要滑一截子。"

彭清云发动每个人想办法。

通信员王万明的马过冰道时摔到崖下成了肉末，他很伤心，也很仇恨这路，就在心里想着要给这路一点颜色瞧瞧。

他看着那耀眼夺目的冰，忽然乐了。他兴冲冲地把被子和毡子解开，铺在冰上，一块块往前移，很快就走了一大截路。

他在几十米外的地方，高兴地对彭清云喊道："副连长，这法子怎么样？"

"很好！下山后给你记功。"彭清云说完，又对王永平说，"这法子的确不错，让大家把被子和毡子全部解下来，铺路前进。"

那些毡子和被子，一下子就铺出百多米远，大家来回倒腾着，前面铺，后面揭，然后又把这方法写在石头上，以告诉安志明的部队。下午七点多钟，队伍到达了达坂顶。

此时，正是夕阳绚烂的时候，每个人的脸都被夕阳镀得一片赤红，看上去都像是红脸赞神。站在达坂顶上，向北、向东，可远眺昆仑之苍莽；向西、向南，可见喜马拉雅之磅礴；向下则是寂静的原野和波光闪闪的圣湖。蓝天伸手就可触摸，云彩则在脚下涌动，一切都被夕阳镀上了玫瑰色，天地万物显得异常华贵。但大家已没有时间，也没有精力来欣赏这一切。彭清云让王永平迅速带队伍下山，他去接应负责收尾的三排长斯拉福。

在海拔 6000 多米的高度行进，每走一步都要付出巨大的努力。夕阳沉下去了，雪光映着每一张煞白的脸，映着每一张因高山反应而异常痛苦的面孔。步履艰难，脚步声迟缓而沉重。王永平把队伍带到海拔 5000 多米的地方，天就黑透了。到处是冰雪，根本看不清路在哪里，他一见大家早已疲惫不堪，就决定让大家就地宿营。战士们一躺下来，就睡着了。

大风呼啸着掠过山腰，把官兵们粗浊的呼吸声抹去了，战马因为痛苦而不时低声嘶鸣一声。

彭清云和斯拉福等七八个人赶到时，已是下半夜了。彭清云一看冰上横七竖八地躺着的都是人，心想坏了，这样的地方怎么能够睡觉呢？

彭清云把队伍集合起来，已经晚了，有个战士已经起不来了，他浑身冰凉，早停止了呼吸。王永平抱着那名战士的尸体，心里非常难过，对彭清云说："你处分我吧！"

彭清云非常生气。他把战士半睁着的眼睛合上，把战士的尸体放在自己的马背上，点上火把，领着大家继续往下走。走到天亮，才走了几公里路，但毕竟逃离了如狼似虎的高海拔地区。就这样，七十公里的东君拉达坂，大家整整走了四十多个小时。

6月22日，彭清云率先遣分队到达普兰宗境内的巴格海子。海子海拔3700多米，地势平坦开阔，背山向阳，有水有草，彭清云决定在海子边安营休整，等待安志明所率后续部队到达后，共同向普兰及噶大克进军。

事隔多年，彭清云已回忆不起那位牺牲的战士的姓名。王永平一到海子边，就默默地为那位战士挖掘墓坑，准备把他安埋在海子边，还说以后一定会来看望那位战士。没想到第二天，王永平也牺牲了。

王永平那天早上起得特别早，他先去看了看那个战士的坟，然后在坟的周围栽了一圈草，看着像一个花环似的，他像得了安慰似的笑了一下。然后他就回去给大伙儿烧水。

彭清云出来遛马时，看见王永平撅着个屁股正在吹火。牛粪不干，不起火，只冒烟。彭清云遛马回来，锅里的水已冒热气了，他就对王永平说："别吹了，让它慢慢着吧，反正也不急。"

王永平抬起头来，脸被烟熏黑了，脸上扑着灰，他笑笑说："这里海拔高，得多烧一会儿。"

谁知彭清云走了顶多十分钟，王万明一边哭着，一边跌跌撞撞地跑进来，说："副连长，一排长牺牲了……"

"你开什么玩笑，我刚才还看见他在那里烧水呢。"彭清云不相信。

王万明已泣不成声："但他……已经牺牲了，我见他趴在灶火前，就……叫他，但他没吭声，我以为……以为他故意装作没听见呢，就走过去，他的头发……头发被火燎着了，他已经没……没有气了。"

彭清云听王万明这样一说，赶紧跑出去，他看见灶膛里的火呼呼地燃着，很旺，水也滚开着，发出"咕咕"的响声。

太阳刚在东边露出它的第一缕霞光，高原夜里积蓄的寒气刚刚消退。空气纯净得连一点尘埃也没有。几只羚羊正跃过山岗，到一片草地上吃草，风很轻微，像怕惊醒了谁似的，无声无息地从原野上拂过。世界安详而平静。

彭清云抱起王永平余温尚存的身体，就那么抱着，像抱着一位熟睡了的兄弟。他说不出一句话，也流不出一滴泪。他觉得自己的脚下长出了根系，正向大地深处扎去。他一动不动地立在那里，像一尊雕塑，柔和的阳光洒在他身上。所有官兵都出来了，他们围在他的周围，默默地，有人流泪，有人轻轻地抽泣……

其他三名战士也像王永平一样，安静地倒下了。这是因为先遣分队的官兵本身有病未愈，身体虚弱造成的。

6月24日下午，后继部队陆续到达巴格海子，骆驼又驮来了四具尸体，一个东君拉达坂就这样让九位官兵闭上了眼睛。它是那么不动声色，像是早就把一切准备好了似的。

无言的神山静默无言。巴格海子边那隆起的九座坟茔，像九座崭新的峰峦，构成了一条新的山脉。

就这样，在一路悲歌和一路辉煌之中，先遣分队抵达普兰重镇巴噶。普兰宗本索南仁青和噶本政府噶尔本赤门色的全权代表才旦彭加，率部分僧俗二百余人前来迎接。

当天，彭清云会晤才旦彭加，联合签订声明，废止廷空《五项协议》，才旦彭加代表赤门色噶尔本和索南红乾宗本表示坚决拥护《十七条协议》，欢迎人民解放军和平进军普兰和噶大克。

普兰是青藏高原的西南门户，其南有喜马拉

雅，其北有冈底斯山，翻过喜马拉雅的险峻隘口急转直下，就是尼泊尔，就是印度。由于其地理、文化、宗教、历史等方面的因素，使普兰成为阿里的繁华之地。

普兰历史久远，据藏文资料，在公元初始，它就成为象雄国的中心辖区之一。后来，又成为吉德尼玛衮的发迹之地。它是一座真正的可称为城的地方，比阿里噶本政府的驻地要繁华许多。由于其毗邻印、尼两国，很早以前就是传统的贸易市场。有二十四条古商道像一面展开的折扇，伸向喜马拉雅的每个垭口，从那里，延伸到亚洲次大陆。6月24日，安志明、彭清云率领一连兵力进驻普兰，并举行了入城式。

7月9日，安志明率后续部队中留驻巴噶的两个连队，彭清云率领先遣分队，挥师北上，一路高歌，用了近一个月的时间，胜利抵达噶大克。赤门色噶尔本亲率噶本政府全体官员和僧俗群众夹道迎接。当天下午，在赤门色噶尔本官邸举行了升国旗仪式。

至此，三十一万平方公里的阿里全境宣告和平解放。英雄先遣连结束了一年零三天悲壮卓绝的和平进军。

当天晚上，彭清云听着象泉河哗哗的流水声，长长地舒了一口气。他再也止不住自己的泪水，他默默地任那热泪流着。他的手掏出了那根马鞭，他小心地摸着每一道刻痕。

他小心地摸着，如同抚摸一颗颗仍在跳动的心。

他遥望冈底斯山，默默地念叨着烈士们的名字，然后缓缓地举起右手，向着东方，向着北方，向着东南，行了三个庄重的军礼。

然后，他把泪擦干了，点上酥油灯，拿出那张彭总交给何家产、何家产又交给他的东印度公司印制的分省图，仔细地看着他划的那条红线。那条红线从于阗弯弯曲曲地延伸着，一直延伸到噶大克。

他的眼前出现了幻觉，觉得那条线幻化成了一条河，一条流淌着红色热血的河，他看见它波涛汹涌，似乎还有船，还有帆，沿岸还有山野、村庄、园林、荒原……

他愿意沉浸在那幻觉之中，一生沉浸在那幻觉之中。

最后，他找来一支红色铅笔，在彭德怀亲笔在那幅英文地图上画的圆圈中央，小心翼翼地画了一面红旗。

七、藏北剿匪

就在安志明和彭清云率领部队向噶大克挺进不久，留驻扎麻芒堡的曹海林带着四十一名危重病号与二百多名叛匪展开了战斗。

在神山云集、圣水相连的阿里高原，盗匪猖獗，偷盗抢劫已成为一种风气。“羌塘自古多匪患”，那些匪盗与部落头人素有瓜葛，有权有势，有社会地位。对于他们，普通百姓是既敬又怕，惧怕多于敬畏。他们敬的是他们那种浪迹漂泊，以大地为家，山洞为帐，野牛为畜，喝大碗酒，吃大块肉，天不怕，地不怕的生活，有一支《强盗歌》是这样唱的：

> 我虽不是喇嘛和头人，
> 谁的宝座都想去坐坐；
> 我虽不是高飞大鹏鸟，
> 四方高山都想落落脚。
>
> 我强盗从不去找靠山，
> 双角长枪为我壮了胆；
> 我强盗是没有帮手的，
> 快刀快马是我好伙伴。
>
> 我强盗从不愿拜头人，
> 高高蓝天是我的主宰；
> 我强盗从不去占香火，
> 太阳月亮是我的神圣……

当年我强盗远走他乡，
只有单骑单枪独一人；
今天我强盗返回故乡，
赶回牛羊千千万万只。

当年我强盗远走他乡，
单骑单枪一人往北行；
今天我强盗返回故乡，
我主仆已有十八个人……

这些强盗看起来颇似汉民族演义传奇中的绿林好汉，豪侠仗义，所以这歌里满含褒扬之意。但绝大多数土匪是无恶不作的，他们给当地百姓造成了无穷的苦难，改则、革吉一带的贫苦农奴，有的十年十劫。当地的民谣唱道：

美丽的羌塘草原，
菩萨不会降下灾难；
强人裹走了牛羊，
土匪洗劫了家园；
留给藏民的，
只有洁白的雪山。

1950 年，新疆乌斯满、尧乐博斯叛乱被平息之后，部分残匪经新疆军区部队的多次进剿后，流窜于和青海交界的铁木里克地区。1951 年 6 月中旬，在新、青部队的联合进剿下，这股叛匪残部二百多人，在匪首哈力伯克的带领下，裹挟部分群众，沿昆仑山脉蹿至改则地区。叛匪所到之处，烧杀抢掠，无恶不作。还多次冒充进藏部队，公开抢劫，焚烧寺庙，杀害喇嘛，抢劫印巴商人，肆意破坏解放军名声，企图制造事端，挑起矛盾，伺机外逃。

6 月 21 日，叛匪公开冒充解放军，洗劫岗隆附近二十七户藏民，劫帐篷十三顶，杀害藏民三人，奸淫妇女三十多人，抢劫牛羊数百只，裹挟群众二十余人，并声称：是共产党派来共产共妻的。

6 月 25 日，叛匪在通往克什米尔拉达克的途中，再次冒充进藏部队，抢劫印度商人辛格·维尔的骆驼三峰、驴子十三头及全部财产，并声称他们是解放军，奉命没收外国商人在中国境内的全部财产。

他们的谎言被识破后，7 月 4 日，哈力伯克率领一百六十余人，分两路洗劫扎麻芒堡东南地区，抢劫牛羊三千多头，残杀儿童两名，奸淫妇女多人，并扬言要血洗扎麻芒堡。没过十天，他们再次洗劫这一地区，打死藏民四人，裹挟群众三十余人，焚烧寺庙一座。并留二十一帐驻扎此地，公开与曹海林部对峙。

此时，解放军进军阿里的主力部队已进至普兰境内，扎麻芒堡只有四十一名危重病号。早在叛匪刚刚蹿至改则地区时，曹海林就多次带着轻病号侦察匪情，保护群众。自 6 月 20 日，已先后七次向上级报告了匪情，做好了剿匪准备工作。6 月 21 日，叛匪洗劫岗隆后，曹海林把自己和二十名勉强能爬上马背的轻病号绑在马鞍上，进行追击，夺回了部分财产。当天他将匪情详细报告了骑兵师和进藏部队——

叛匪继 19 日洗劫相朗后，今又抢劫岗隆附近地区，我即组织轻病号二十余人追击，夺回部分牛羊，救回两名被裹胁藏民。匪情已基本侦察清楚，叛匪共计二百余人，枪一百三十余支，匪首哈力伯克，现在分数路向中印边界班公措地区集结，估计有外逃之可能。

目前，我留驻扎麻芒堡共四十一人，其中危重病号二十多人，能爬上马背者不足十七人，今日参战二十人中，多半病体难支，许多人用绳子把自己捆于马背参战。现安、彭已进至普兰宗境，凭我力量全歼叛匪困难甚大，故请求：一、安、彭派部返回改则；二、师司加派部队火速进藏，配合进剿……

何家产接到曹海林的报告后，令安志明和彭清云继续向前挺进，由骑兵师二团营长贺景富率九连八十人、一百二十四骑火速进藏。并复电曹海林继续组织侦察，监控匪情；坚守扎麻芒堡，避免正面交锋；设法拖住敌人，等待九连，共同进剿；如敌外逃，可主动出击。

曹海林当即挑选了十名轻病号担负侦察任务，其余人员全力投入加固工事，等待后续部队。

敌我悬殊非常大，为防止敌人的突然袭击，除侦察组外，其余二十多位稍能行动的重病号，勇敢地担负起了坚守扎麻芒堡的任务。许多站不起来的病号也要求战友们把自己背到掩体里，随时准备加入战斗。

于永达已病重两个多月，身体十分虚弱，有好几次昏迷了一两天，才醒过来，却坚决要求参加战斗，每天都让人把他架到工事里。

曹海林发现后，进行了制止，并下令于永达等七名危重病号不得进入工事，说："谁敢再把他们背进工事，我就处分谁。"过了两天，曹海林侦察回来后，发现七个危重病号全在机枪掩体里。他当即就把负责留守的二排副排长阿金叫过来，生气地对他吼叫道："人都病成这个样子了，谁让你把他们背进来的，我处分你！"

"连长，没有任何人背他们，是他们自己爬到工事里的，你看，他们的衣服全都磨烂了。"阿金说，"我要让人把他们抬回去，于永达说谁敢动他们，他们就自杀，他们腰里都绑着手榴弹，我拿他们一点办法也没有。"

曹海林看着他们，忍了半天，才把眼里的泪忍住了。他想说什么，却什么也没有说出来。

于永达流了泪，他哭着恳求道："连长，不怪副排长，我们愿意待在阵地上，你知道，也许我们明天就见阎王去了，请你给我们一次机会，让我们死得光荣些，壮烈些。敌人来了，我们不能冲锋，但还能瞄准，还能射击，实在不行了，也能帮大家拧拧手榴弹盖，压压子弹。我们即使要死了，也是一名战士呀。"

曹海林背过脸去，把涌出眼眶里的泪擦了，然后蹲下身来，擦着于永达脸上的泪，说："别这么说，我是不忍心呀！我是怕万一土匪冲上来，你们又行动不便，被敌人抓走了怎么办？"

于永达掀起衣襟，说："连长放心，我们身上都绑着手榴弹，真遇到那种情况，就跟他们同归于尽，运气好的话，临死还能干掉好几个呢。"

曹海林点了点头："我同意你们进入工事，从明天开始，由其他战士扶你们上阵地。"

不久，扎麻芒堡附近屡次遭叛匪抢劫的僧俗群众，自发地聚集到先遣连留守部队周围，主动要求和部队共同剿匪。

7月8日，才旦、才仁兄弟俩来到了先遣连驻地，请求参加剿匪队伍。曹海林考虑到他们的生命安全，没有同意。没想到第二天，他俩四处联络了几十名汉子，自带武器，来到了扎麻芒堡。

两兄弟下马后，捧着哈达对曹海林说："尊敬的夏保，我们这些在雪山上飞翔的雄鹰想和你们一起消灭豺狼，请你一定要答应。"

曹海林把洁白的哈达双手接过，感激地说："打狼，藏族同胞最有经验，我们愿和你们一起消灭豺狼。"

没过几天，扛着杈子枪，带着弓箭、藏刀，自动武装起来的上百名群众来到了扎麻芒堡。其中，有遭叛匪奸污的妇女，有被叛匪掠去了财产的头人，有被叛匪裹挟走了亲人、抢去了牛羊和帐篷的牧民。曹海林把他们安置在扎麻芒堡附近放牧，留下三十六名剽悍勇敢、能骑善射的青年，组成藏族民兵排——这也是在西藏成立的第一个民兵武装，分编三个班，发给武器，一边坚守扎麻芒堡侦察匪情，一边进行战术训练。并主动实施了三次出击，制止了叛匪的抢劫，迟滞了叛匪的行动。

7月25日，当贺景富率领九连经过二十一天强行军到达扎麻芒堡时，曹海林已与叛匪周旋了一个月又十一天。于永达和另外六名危重病号先后倒在了机枪阵地上。

九连也在行军途中牺牲了三名战士，损失了三十七匹战马。

曹海林在与贺景富会合的当天，即抽出二十名轻病号加强九连，连同藏族民兵排的三十人，组成了剿匪部队，贺景富任总指挥，曹海林任副总指挥。次日，由阿金带着先遣连和九连剩下的三十多名重病号留守扎麻芒堡。剿匪部队从扎麻芒堡出发，开始了剿灭叛匪的战斗。

附近的藏族群众闻讯，纷纷赶来，为剿匪部队送粮献马。三十多位专程赶来的喇嘛也跪在路边为部队诵经，祈求菩萨保佑部队全歼叛匪、胜利而归。部队出扎麻芒堡十多公里后，日加木马本也率着部族的三十多户男女老幼等候在路边，给剿匪官兵送上一碗碗酥油茶、一碗碗青稞酒。

连续三次遭到叛匪洗劫的日加木马本所辖的部落，还特意推选了十三名勇敢、精干、壮实的小伙子，自备马匹武器，恳请随剿匪部队一起出征。

贺景富考虑到剿匪战斗的残酷性，感谢他们的支持后，劝他们回去。

日加木马本和曹海林熟悉，就找到他说："尊敬的夏保，我日加木跟你是朋友，土匪是我们部落的仇人，请您收下这十三个娃子，能和你们一道打狼，是我们最大的心愿。这十三人都已抱定往生的信念。"

听了日加木马本的话，曹海林再也没法说什么，他扶起十三名藏族小伙子，同意了他们的请求。

哈力伯克叛匪大都骑善射，往来如风，加之给养充足，气焰十分嚣张。贺景富所带的人马，初上高原，又加之马不停蹄的行军战斗，已有百分之八十的人因患高原病倒下了。曹海林和他带的二十名病号，则一直是把自己捆在马背上战斗。叛匪一发现解放军，立即逃窜，所以打了两仗，只击毙了四名叛匪，直到最后安志明和彭清云带领援兵赶到，才歼灭了叛匪，抓获了一名女土匪，救回了被裹挟的群众，夺回了被叛匪抢去的牛羊和粮食。

剿匪部队在扎麻芒堡召开群众大会，向改则、革吉、三科儿二十二个部落的一百八十四户遭抢劫的群众发还缴获的全部牲畜、帐篷等物资。

当一位老人认领了自己的二十四只羊和两头牦牛后，他还有些不相信这是真的。他拉着贺景富的手说："久食黄连的人会怀疑蜜糖的甘甜，饱受苦难的人会怀疑突然降临的幸福。我们可没有见过这样的队伍，会把用生命从土匪手中夺来的牛羊送还给别人。"

不到半天时间，藏民就认领完了牛羊、帐篷和财物。天快黑时，革吉的一位帮本陪着遭叛匪抢劫的印度商人辛格·维尔来到了先遣连驻地。帮本告诉贺景富："辛格先生被土匪抢劫后，身无分文，刚借了钱准备返回拉达克，听说贵军发还财物，他想来打听一下，他能不能认领自己的财物。"

贺景富说："当然可以，辛格先生在我国境内合法经商，他的利益理应受到保护，对辛格先生遭叛匪抢劫，我们深表同情！"

辛格认领了自己的三峰骆驼和十三头毛驴。这些东西能够失而复得，他做梦也没有想到，一再向贺景富表示感谢。

八、苦难并没有结束

阿里解放后，西北进藏部队——原来叫中共西北西藏工委，后来番号是十八军独立支队，它主要是由党校团校、文化新闻电影和医疗卫生等各方面的干部组织起来的——共计六百余人，骡马、牦牛、骆驼近万头，在范明、慕生忠两位将军的带领下，于1951年8月28日从青海香日德出发，越过黄河源，翻过唐古拉山口，于同年11月27日抵达拉萨东郊。

西南进藏大军的十八军先遣支队在王其梅将军的率领下，于7月25日从昌都出发后，分三个梯队向拉萨挺进，张国华、谭冠三率领军部和一五四团组成的第一梯队，行进一千六百多公里，翻越大小十六座雪山，越过金沙江、怒江等几十条河流，于10月26日到达拉萨。

独立支队和西南进藏部队在拉萨胜利会师后，于12月1日举行了盛大入城式。而此时的阿里高原，已牢牢控制在新疆进藏部队的手中，先遣连的官兵已经在这里生活和战斗近一年半时间。

在8月底，中央指示新疆军区，"停止骑兵师入藏"。共和国领导人放心地把三十一万平方公里的国土交给了英雄连在内的三百八十名官兵。

10月，在完成剿匪任务后，根据中央的部署，新疆进藏部队分别进驻普兰、日土、噶大克和昆沙边防一线，负责落实《十七条协议》的同时，担负起了设卡戍边任务。

彭清云所带先遣连第一、第二排幸存的三十九人进驻噶尔昆沙。同时，曹海林所带留守扎麻芒堡一部病愈的二十多人，也于10月初，奉命携带扎麻芒堡全部给养物资，翻越东君拉达坂，向噶尔昆沙前进，与彭清云部会合归建。

10月26日，这群大难不死的钢铁汉子，这群出生入死、生死与共的战友，远远地就弃马奔向对方。在冈底斯山荒凉的旷野中，他们哭着，笑着，紧紧地拥抱在一起。

冈仁波钦峰被夕阳笼罩着，显得巍峨而又圣洁。

曹海林集合好队伍，让司号员牙生冲着冈底斯山绵延的雪峰，冲着神圣中最为神圣的冈仁波钦的如血夕阳，吹响了军号。

大地、山原、荒野顿时变得寂然无声。只有嘹亮的军号声在天地间回响。

号声停下来后，曹海林在队列前敬了个庄重的军礼，大声说："同志们，现在我们点名！"

他就像于阗出征时一样，呼喊着每个人的名字。这次，他的声音很大，像呼喊着已走上远路的亲人。

"李怀珍！"

"……"

"傅斌！"

"……"

"张永吉……"

"……"

"沙迪尔……"

"……"

还有张昆、吕永生、陈进福、陈洛元、杨西山、坎曼、吉福祥、曹护周、奴尔甫、王振邦、杨三义、康海荣、买买提、段占山、刘顺成、张保川、张佛威、宋文秀、甘绍华、艾沙、刘录堂、姜尚仁、江生仁、吐宗、沙吾提、汪子康、董秀娃没有回应的声音。

点名完了后，他缓缓地脱下军帽，然后用沉缓的声调说："脱帽，向所有牺牲的同志默哀。"

每个人脸上都有泪。夕阳使泪变红。

悲痛又一次击中了每一个人。

曹海林说："同志们，我们胜利啦，西藏已经和平解放了，你们安息吧！"

说完，他又对进藏时带的战马中仅剩的三匹说："好兄弟，告诉你们的战友，你们也完成任务啦，我代表全体官兵向你们致谢！"

记得李狄三在巴利祥子的追悼会上说过："祥子为了西藏人民的解放事业先走了，如果我们中有谁能看到阿里的解放，请不要忘了我们行列里先走了的同志。"

但很多人没有等到红旗插到噶大克的这一天。这支进藏时一百三十六人的队伍，现在只剩下六十四位勇士了。王震将军在李狄三逝世那天，曾电令要为先遣连的战士树碑立传，可惜，时至今日，英雄连艰苦卓绝进军阿里的历史仍然鲜为人知。

曹海林看着冈底斯山，看着夕阳的红色慢慢消失，看着那红色慢慢融进了神山的灵魂里。

1952年元旦过后，先遣连补充了一个骆驼大队，人员增加到八十余人，全体官兵奉命进驻到中印边境羌叶马西南地区，担负起了达马山至兰批雅山口一线的守防任务。

这一地区以艰险闻名，即使今天的边防部队进去一次也要九死一生。但他们终于安定下来了。只是，苦难和悲剧还没有结束，它像一只无形的猛虎，潜伏在这个连队命运的道路上，等待着突然出现在他们面前，把他们置于难以想象的绝望境地。

每一个讲述的人说到这里，都难以再说下去。是的，人可以承受艰难困苦，可以承受生死离别，但难以承受人为的悲剧。

每一个说到这里，都会说一声“冤啊”，然后小心地希望能绕开这个如刀割般痛苦的结局，而把话题引到其他方面。

彭清云也是这么做的。

早在西藏和平解放协议签订的当天下午，毛泽东就指出：“这是一个胜利，但这只是第一步。下一步落实协议，要靠我们的努力。”那天，他还对张国华说，“各部万勿以和平协议告成而松懈斗志，协议虽已签字，但尚未付诸实施，同时帝国主义必会用各种阴谋手段来破坏我们和平解放西藏的实现，因此应提高警惕，随时都要有应付意外情况的准备。”

事实应验了毛泽东的深谋远虑。和平协议的实施并非一帆风顺。西藏政府中个别上层人物纷纷叫嚣要撕毁《十七条》，并造谣说：“布达拉宫的铜佛流泪了，西藏将面临大灾大难。”

彭清云说：“当时，西藏虽然已宣布和平解放，但由于种种原因，在相当长一段时间里，我们在阿里的处境仍是很复杂、很困难的。当地政府基本不和我们接触。当时整个西藏的情况都是这样。噶厦政府把当时的西南进藏部队的先遣支队就安排在嘎玛沙巴驻扎，那是一片空地，在藏族民俗里，那里是每年驱鬼时把鬼送走的地方。在拉萨人的意识里，人间的种种灾难和疾病都是因为鬼的活动造成的，所以在新年来到之际，一定要把他们送到地狱里去。每当藏历腊月二十九日，人们在吃完陶罐里的面疙瘩后，就开始驱鬼。每家每户都会在院子里摆上一个装满糌粑团的破碗——这是鬼的‘饭碗’。请鬼饱餐一顿后，主人就会端起破碗，朝门外跑去。其他人拿着火把，在后面边追边喊。当到了嘎玛沙巴北面这一片空旷的荒地之后，驱鬼的人就砸碎鬼的饭碗，点燃麦草，唱歌、跳舞、喝酒，算是把鬼驱走了。

“先遣支队的驻地背靠汹涌的拉萨河，其余三面为藏军三个代本的驻地。所以说，噶厦政府让先遣支队驻扎在这里，除了含有恶毒咒骂的意思外，还有其军事目的。现在，嘎玛沙巴是西藏军区所在地。虽然不可能把一支部队咒倒，但可以看出当时的气氛是很紧张的。”

11月中旬，中央在听取西藏工委和各路进藏部队的情况汇报后，毛泽东电令各路进藏部队：

> 必须尽一切努力维护十七条协议，对反动派的挑衅，采取不打第一枪的方针，后发制人，坚持人不犯我、我不犯人的自卫原则，做好充分准备。把协议精神和事实真相告诉人民。

并指示：“进藏人民解放军，在西藏考虑任何问题，要首先想到民族和宗教这两件事，一切工作必须慎重稳定。”

先遣连在守防的同时，先后派出六个工作队奔走在昆沙、扎达、门图和革吉周围数百平方公里的地区，宣传《十七条》。他们自带行李和干粮，风餐露宿，即使风雪交加，断粮断饮，也从不进寺庙，不住民房，不动群众一草一木、一针一线。他们就在这样的环境中，一步步赢得了人心。

但随着冬天的来临，苦难再一次逼向他们。好像这个连队自组建之日起，就注定了他们是一支与苦难为伍、和牺牲做伴的队伍。

九、补给线再次中断

1951年10月底，大雪再次将新藏间的补给线封死了。到11月底，整个新疆进藏部队都面临着断粮的威胁。到1952年元旦前夕，饥饿再次光临了先遣连。元旦那天，先遣连的官兵靠一匹倒毙的战马和三只猎获的野鸽子，度过了新年。

当地许多头人和农奴主宁可囤积的粮食发霉变质，也不肯借给先遣连。远在拉萨的鲁康娃得知这一情况后，非常高兴地说："让他们领教一下吧，我相信饿肚子的滋味比打败仗还难受。"

元旦过后，安志明派彭清云作为进藏部队去向噶本政府交涉借粮的事。一位噶本官员冷冷地说："阿里地处高寒，物产不丰，民众僧俗都是半年没有粮食吃，贵军不是说了，进军西藏，不吃地方嘛。"

彭清云说："《十七条协议》上明明写着西藏地方政府应积极协助人民解放军进军西藏，巩固国防，可是，你们有什么行动呢？"

那位官员说："我不管十七条协议还是十八条协议。我只听说你们已饿死人了，有好几个连队都饿死人了，既然这样，我们给你们每人每天借贷青稞原粮四两。这已算我们仁至义尽了。"

彭清云不再说什么。

整个进驻阿里的部队，就是靠着每天四两青稞，用石头砸碎煮稀饭充饥，度过了一个饥饿的长冬。

普兰宗政府有两个宗本，除了那个叫索南仁青的，还有一个名叫罗布多吉，这两人都视解放军为仇敌，每天早晚都要在菩萨面前诅咒解放军。他俩在解放军刚进驻普兰时，表面上拥护解放军进驻，暗地里造谣惑众，说解放军红头发、蓝眼睛、穿胶鞋，能在走过的路上留下妖魔般的大脚印，他们每天要吃上百的妇女和孩子。这些谣言使不少不明真相的藏族群众携儿带女，背井离乡，逃往印度、尼泊尔。

他们还不准解放军打猎，说杀生会惹怒神灵，给阿里僧俗带来灾难。虽然噶本政府已废除了三条禁令，但普兰宗本却仍然执行。噶本政府已同意借贷的每人每天四两青稞，他们也拖延着。每次去宗政府，不是吃闭门羹，就是说没粮。最后，连队出高价买，但没有人敢卖一颗米、一勺面。官兵们饿得看见了枯草都恨不得拔起来连根吃下去。

有个战士晚上饿得睡不着，就干脆脱下鞋子，塞进腰带里，再喝上一碗凉水，把腰带勒紧，这样，才觉得肚子里有东西了。这个办法被大家纷纷效仿。但这是顶不住饥饿的。大家饿得像猴一样瘦，走路都走不稳了。

那天早上，贡布找到曹海林，说："连长，我明天再去找他们买粮食，他们不借，买总可以吧。"

"跟谁买？"

"找宗本去买。"

曹海林沉默了半晌，说："你去试试吧，你藏语好，跟他们好好讲一讲。"

普兰宗政府建立在西边的一座土山上，大概是为了防御，修得很高。居高临下，像一座堡垒。

贡布骑马来到山下，把马拴好，向土山上爬去，才爬了几步就觉得没劲了，肚子"咕咕"叫着，像擂鼓一样响。他走走停停，爬了三个多小时，才上了山顶的宗政府门前。几个藏兵走出来，用枪指着他喝问道："干什么？"

贡布说："我是解放军，要见宗本。"

他们中间的一个人听后，进去了，一会儿出来说："宗本大人今天有事，明天再说吧！"

第二天还是如此。

贡布拖着沉重的双腿回到连部。曹海林不在，他去看一个病号去了。贡布找了过去，看见那个战士已饿得不行了。曹海林和另外几个战士的眼睛都红红的，无可奈何地看着这揪人的一幕。

“怎么样？”曹海林看见了贡布，问道。

贡布愧疚地低下了头。

贡布当晚一夜没有睡着。他眼前晃动着一张张皮包骨头似的脸，一双双对他充满企盼的眼睛，他心一横，暗下决心：“明天我一定要买到粮，哪怕是牺牲自己也要买到粮。”

有了这样的决心，他身上的热血就涌动起来。此时，他想起了甘南老家，想起了自己入伍前的那些日子。

贡布的父亲去世很早，他八岁的时候，母亲和继父带着他去拉萨朝圣。想以虔诚的朝拜感动佛祖，把幸福降临给他们。一家三口靠一双脚走了四个半月才走进西藏境内，落脚在距拉萨八天路程的林芝贡布江达。他们没有想到，一路讨口饭来到林芝，正碰上饥荒，饥民遍野，到处都能看到饿死的人。每天睡在庙旁土街上的人成百上千。百姓们没吃的，连饭也要不上，一家人只有吃树皮野草充饥。

贡布的母亲有天晚上一直抱着贡布哭，第二天早上，他就被一个有钱人领走了。原来母亲迫于无奈，已把他卖给了那有钱人做工，期限一年。临行前，母亲给了他半袋子炒面，他就哭着跟那有钱人往拉萨走，整整走了十天，才走到了。

他给那家人放牛、放羊，一年期满后，他十分想念母亲，又一个人回到林芝。没想到母亲已离开了林芝，到拉萨去了。

他是靠要饭走到林芝的，在林芝举目无亲，贡布不知怎么办才好。在街上一边走着，一边流泪。他走到一座桥边，因为伤心，也因为饥饿，就蹲在那里大哭起来。

后来，有一个男人路过那里，见他哭得伤心，就问他是怎么回事。贡布就如实讲了。那男人挺和气地说：“你这么小，这样是不行的，先到我家去吧！”

贡布就跟着他去了。

这是个很富裕的人家，两口子没有孩子，所以就收贡布做了他们的儿子，给他吃、穿，还教他学藏文。贡布衣食丰足，生活得挺舒服，也就渐渐地忘了家。谁知一年以后，他继父的弟弟找上门来，说他母亲想他，让他回拉萨去。老两口听说，抱着他哭起来，很是舍不得，贡布也舍不得离开他们，但他最后还是走了。

跑到拉萨一看，继父已去世了，母亲住在一间破旧的小土房子里，每天除了磕长头和转经外，以乞讨为生。贡布为了能为母亲付房钱，为了有口饭吃，又去给别人帮工，放了两年牛。十二岁时，因生活所迫，贡布再次离开了母亲，到哲蚌寺当喇嘛。他到哲蚌寺，天天念经背经。虽然吃穿不用愁了，但因为经师要求背的经书必须按时背记，背记不住就得挨打受骂，所以整天提心吊胆。有一次，贡布没有按时把经书背下来，经师就捆住他，把他吊在井里，然后把井盖一盖就走了。贡布在井里哭啊，喊啊，但哭天天不应，喊地地不灵。他在井里整整被吊了一天一夜。第二天提上来后，嗓子早哑了，话也说不出来，站也站不稳，弄得大病了一场。

后来，庙里香火不济，经济困难，母亲也在饥寒交迫中悲惨地死去了。贡布不想再在哲蚌寺待下去，他和一个甘南老乡偷偷地离开了拉萨，决定回甘南老家去。

他俩身无分文，饿了就要饭，困了就睡野地。走了一个月，鞋全磨烂了，他俩只好光着脚走。走啊走，走了五个多月，终于回到了甘南，寄住在姨妈家。

1949年8月，甘南解放了，他和姨妈家分到了土地和牛羊。但他一个孤零零的孩子，不喜欢什么财产，一心想去当兵。但他当时才十六岁，部队的人嫌他年纪太小，没有收他，他缠了半天，仍然没有答应。他不死心，又跑到兰州，在一支招收去西藏的部队中虚报了年龄，终于成功了。

成为军人的那一天是他最幸福的一天。他上下打量自己，觉得自己十分高大。接着，他在兰州民族学院学习了三个月。当时他的藏语水平比别人高，口语上不但能说家乡藏话，还能说标准的拉萨话，对青海藏语也了解不少，又能听懂汉语，还大体会说，所以是全班的佼佼者。三个月后，他就接到命令，乘飞机到拉萨。但临行之际，命令又改了：到新疆去。于是，他乘着苏联驾驶员驾驶的苏联飞机到了迪化。

不久，贡布来到于阗，加入了独立骑兵师的行列……

贡布想着想着，就迷迷糊糊地睡着了。他做了个梦，梦见自己穿着银光闪烁的甲胄，戴着彩旗纷飘的头盔，腰挂大刀弓箭，手持古老的火枪，但他没有在拉萨街头充当那个叫“松穷哇”的穿古装的兵，也没有唱那叫作《呗》的古老战歌，而是走在金灿灿的青稞地里，和每一粒有灵魂的青稞交谈。在青稞黄熟的季节，这些魂特别活跃，特别兴奋，聚散唱跳，热闹得很。他和母亲一边收割着青稞，一边招着青稞的魂。因为不招回青稞的魂，来年肥料再多，管理再好，也是白搭。一会儿来了很多人，带着香甜的糌粑和酥油茶，他吃了很多，吃饱喝足后，觉得生活很幸福。他大声地领唱着为青稞招魂的歌。他唱一句，他的母亲和其他的人就和一句，声音欢快，气氛热烈。

恰古晓，尖古晓！
祈福气呵，招灵魂！
从天上神域招来青稞魂，
从人间赞域招来青稞魂，
从地下龙域招来青稞魂，
从上部阿里三围招来青稞魂。
从前藏后藏四如招来青稞魂，
从下部多康六岗招来青稞魂，
从甘丹寺旺波山上招来青稞魂，
从哲蚌寺护法神殿招来青稞魂，
从色拉寺马头旺王那里招来青稞魂，
从扎寺山叶巴崖上招来青稞魂，
从桑耶寺德登普招来青稞魂，
从卡拉雪山护法女神那里招来青稞魂，
从财主的仓库里招来青稞魂，
从乞丐要饭的袋子里招来青稞魂，
从尼姑拾麦穗的袋子里招来青稞魂，
从活佛化缘的宝钵里招来青稞魂！
……

唱着唱着，他对他母亲说：“我要走了，我要走了。”

母亲没有听见，他却已上马奔驰了很远，母亲感觉出他的离去后，就哭了。他听见了母亲的哭声。

贡布醒了过来。母亲很久没有在他梦中出现了，这是母亲在保佑他，在向他送行么？

他坐起来，把手枪细细地擦了一次又一次，把三个弹夹压满，下定决心，不买到粮食决不回来。

他走进伙房喝了一碗水，炊事班的老班长见了，就给他舀了一碗稠稠的野菜，对他说：“吃吧，吃饱了好上路，全连战士都等着你呢。”

贡布一下哭了。

老班长说：“别哭，哭不顶事。”

贡布说：“我今天搞不到粮食就不回来了！”

老班长把贡布送出来，扶他上了马。贡布一路上骂着那两个反动宗本，心想：“这次他们要是再不卖粮食，我就枪毙了他们，抢也把粮食抢回来，我们凭什么受这些家伙的气！”

贡布来到宗政府门边，看见一个大水瓮，几名农奴正把背来的水倒进瓮里。为了给自己增加点力气，他就过去大口大口地喝起水来。他喝饱了，整整武装带，打开枪套，手压着枪把走了进去。刚一上楼，从旁边的一间房里闪出两个藏兵。

贡布认识为首的那名藏兵，他叫旺札，个子很高，体壮如牛，性格粗暴。他看见贡布的样子与平常不一样，就从腰里拔出长长的藏刀，大声叫道：“要饭的，你又来干啥？”

“见宗本！”贡布边说边往前跨了一步，站在楼板上。

“不行，滚回去！”那个家伙一边说着，一边拿刀向贡布刺来。

贡布的怒气一下子就爆发了，一侧身躲过刀锋，抓住旺札的头发，抬起腿狠狠地在他肚子上顶了一下。那家伙大叫一声，弯下腰，不等他抬起头，贡布又拉着他的头发把他的头向墙上撞了几下。旺札扔了刀，双手抱头叫了起来，贡布将他使劲往前一拖，扔在地上，又在他脖子上狠狠跺了两脚，踢晕了他。

贡布三下五除二制服了旺札，另一个藏兵吓呆了，转身就跑。贡布大喝一声：“站住！”

那藏兵呆若木鸡，站在那里一动都不敢动。贡布抓住他的衣领，一枪柄打在他的太阳穴上，他哼了一声倒在地上。他把他们拖进路旁的伙房，锁上门，把钥匙扔到房顶上。

上了三楼，贡布一脚踹开宗本的门，两位宗本都在，见贡布满脸杀气，端着手枪，索南仁青惊慌地问：“你……你要干什么？”

贡布把旺札的藏刀扔在桌子上，两位宗本的脸一下苍白了。罗布多吉慌忙站起来，战战兢兢地指着椅子说：“夏保先生，你坐，你坐……”

贡布一脚把桌子踢翻，大喝一声：“我今天来向你买粮，噶本政府已同意借贷粮食给我们，而普兰宗却一颗粮食不借，并百般刁难，居心何在？今天，要命的拿粮食来，不要命的老子把你们全部枪毙了，再把粮食搬走。”

索南仁青挤出笑来，说：“你是藏族人，我们也是藏族人，你何必为那帮汉人……”

贡布一听气得不行了，没等他把后半句话吐出来，就让他脸上挨了一拳，索南仁青痛得捂住了脸。

贡布把两个宗本捆起来，拉着就往外走，几名藏兵拥上来，贡布对他们说：“叫你们的人退下，不然我先毙了你俩！”

两位宗本连忙叫藏兵退下。然后问贡本：“好兄弟，你要把我们弄到哪儿去呀？”

贡布说：“拉下去枪毙。”

他俩一听，扑通一声跪了下来，大声叫道：“好兄弟，饶命吧！好兄弟，饶命吧！解放军从来不杀人啊！”

贡布说：“我们解放军不杀好人，你们造谣生事，还故意不借、不卖粮食给我们，是坏人，我今天非杀了你们不可！”

他俩吓得面如土色，全身发抖，不住地求饶。索南仁青哆哆嗦嗦地说：“你们买多少粮食都行，我们有很多粮食，我们正准备借粮食给你们呢。”

罗布多吉也应和着说：“我们这里离噶本路远，刚接到他们的通知。”

“不要撒谎了，只要你们同意卖粮，我就饶了你们，走，见我们连长去！”

回到驻地，贡布去见曹海林：“报告连长，粮食买回来了。”

“在哪儿？”

贡布把两个宗本拽了进去，说：“这是我们连长，你们自己说吧！”

“解放军连长，我们答应卖粮食……”

曹海林一见两个宗本被绑在那儿，气得浑身直哆嗦，赶快叫两名战士给他们松绑。大声对贡布吼道：“你好大的胆子，谁叫你把宗本绑来的？”

两个宗本看着贡布，心有余悸地说：“连长息怒，连长息怒，我们真的愿意卖粮给贵军。”

曹海林说了声“谢谢”，转身命令贡布：“你好好把两位宗本送回去！”

一出窑洞，贡布就对他们说：“我可不怕杀头，你们不老老实实的话，我还会来找你们算账，这是你们的钥匙，这是买粮的银元，拿着，明天把粮食送来。”

两位宗本说什么也不敢要钱，贡布一瞪眼：“拿着，解放军不是强盗，我们是买粮不是抢粮。”

两位宗本第二天早上就派人送来了青稞面，大家熬青稞糊糊，吃了第一顿真正的饭。后来一段日子，连队虽然不至于没粮食吃，但银元有限，也就不敢放开吃，每人一天三两炒面，早中晚各一两。终于可以维持住生命了。

十、蒙冤

阿里自古无驻军，也没有真正意义上的边防，是很多外国人随意出入的通道。抗美援朝战争开始后，随着朝鲜战争的节节胜利和解放军和平进军西藏的开始，美、英等国利用中印、中尼和中巴边境地区，对中国进行牵制性破坏活动，并干涉中国和平解放西藏。他们派遣特务，偷越国境，发展势力。印度政府在英、美等国的支持下，趁解放军进军之际，公然出兵，非法占领了“麦克马洪线”以南的我国广大地区。并利用广播电台颠倒黑白，造谣生事，进行反动宣传。

这时，远离指挥机关的先遣连电台数度发生故障，失去了和上级机关的联系，加之外国电台屡屡造谣，说“中共驻藏北军队非法越境”，“侵占别国领土”，还说“驻藏北军队军纪松弛”等，恶意中伤，引起了上级的关注。

上级考虑到这是支起义部队，要进行整顿，以巩固这块与世隔绝的土地。

1951年底，曹海林与彭清云同为先遣连连长。两位汉子带着八十多名生死与共的战友，艰难地履行着作为第一代驻守这片冰山热土的共和国军人的职责。

他们是靠着一种勇敢的精神和一种纯朴无华的对国家的情感来履行这种职责的。

外电所说的他们的越界，如果有，也是越过对方所非法划定的边界，比如“麦克马洪线”。而先遣连认定的边界是传统习惯。

12月24日，彭清云作为全军特级战斗英雄，以新疆部队和进藏部队双重代表身份，奉命带三名藏族老乡到北京去参加新民主主义青年团全国第二次代表大会。

临行前，曹海林拿出七条哈达，请他代表英雄连献给毛泽东、朱德等党和国家领导人。这七条哈达是扎达明仁老人托曹海林转交的。

扎达明仁家在杜岗，全家七口人，因被头人盘剥，家里只剩下了一顶空帐篷，两个女儿到头人家当了奴隶，家里穷得连一条羊腿也没有。

剿匪结束后，在缴获的物资中，还剩下四百多只羊和一百多头牦牛和毛驴。这些无人认领的牲畜是叛匪从新疆和青海等地抢劫的。根据上级的指示，无人认领的物资可以自己留用，官兵们却主动提出全部救济贫困的群众。

曹海林和彭清云把这些牲畜赶到了十六户一无所有的藏民家中。他们感动得千声夏保，万声菩萨。

扎达明仁也分到了两头牦牛和二十三只羊。这位七十多岁的藏族老人怎么也不相信这是真的，跪在地上给战士们磕头。曹海林拉起老人，又救济了他十块大洋，说：“老人家，牛羊是共产党和毛主席让我们送给你们的。”

“那他们是大菩萨呀。”他一条说着，一边拿出两条哈达，请曹海林转交给两位大恩人。

翻译告诉扎达明仁共产党不是一个人，是由好多人组织起来的，劝老人把哈达留下。没想老人又把家中的七条哈达全拿了出来，执意要曹海林收下。

曹海林把这些哈达一直珍藏着。现在他交给了彭清云，说："如果能见到毛主席，请告诉他老人家放心，再大的苦难我们也会坚持住，一句话，哪怕先遣连只剩下最后一个人，我们也会坚守在这里。"

彭清云接过哈达，说："我一定设法把阿里乡亲的心意转达到。现在，在连队又面临困难的时候，我却要走了，不过，一开完会，我就会马上赶回来，这一班人马就交给你了。"

"你放心，都是从死亡线上挣扎过来的钢铁汉子，什么都能经受得住。"曹海林说完，紧紧地握了握彭清云的手。

彭清云带着三名牧民，骑着马，沿着冈底斯山和喜马拉雅山之间荒凉的通道，风餐露宿，走了二十多天，到达了拉萨。

到达拉萨后第二天，西藏军区副政委王其梅和副参谋长李觉来到了彭清云的住处，寒暄一番之后，李觉说："你那个连队出问题了。"

彭清云一愣："什么问题？"

"有外逃的现象。"

"外逃？"

"是的，有人揭发说要集体外逃。"

"人呢？"

"全部关押了。"

"绝对不可能，我的连队绝对干不出对不起国家的事来，如果这样，我要马上返回阿里，请两位首长向上级汇报，我不去北京了。"

李觉说："你要相信组织，不要感情用事，你回去也解决不了问题，他们现在已被解除了武装。"

彭清云觉得自己的整个身心都崩溃了，他能承受一切苦难，甚至流血、伤残、牺牲，但他承受不了这个凭空而来的打击。

原来，就在他刚走的第二天，西藏军区政治部所派的联络科科长肖孟就赶到了阿里。

他就是来整顿阿里部队的。他还负有另一项任务，就是调查一些西方电台所说的藏北某部要叛逃一事。那些电台造谣说："中共军队驻藏北一部，因不堪忍受中共之压迫，近日多次派员与某国驻军接触"，"有请求受降之意"。这件事非同小可，上级自然要求严查。但彭清云自离开连队以后，便无法再与连队联系，所以对此一无所知。

在西藏军区几位领导的劝说下，彭清云来到了北京。除了参加会议，他还希望有机会为连队辩解，他不相信自己的战友会叛国。

在开会期间，他决心去找总政治部副主任甘泗淇将军。在壶梯山战斗结束后的庆功大会上，他曾与将军坐在一起。

他把哈达交给甘泗淇，请将军代为转交给党中央和毛主席，并反映了先遣连的冤屈，谈了自己的看法。

过了两天，甘泗淇的妻子李贞将军找到彭清云说："小彭，老甘让我告诉你，晚上去家里吃顿饭，不管你的连队咋样，你还是咱们的英雄嘛，老甘有话跟你说。"

彭清云当天晚上就去了甘泗淇将军家。他的内心忐忑不安。他今晚将面对自己连队的命运。

甘泗淇和李贞不停地劝他多吃菜，可他就是咽不下去。饭后，甘泗淇告诉彭清云说："西藏已把情况报到总政了，他们的意见是要枪毙几个，就地正法，但证据不很充足。人命关天，我们还没批。"

彭清云是个急性子，他一下站起来，说："甘主任，李大姐，我用我的脑袋担保，绝对不会有这种事，我们进藏十个月，生活那么艰苦，天天有人饿死、病死，我们都挺过来了，到了现在，怎么会出现这样的事呢。我了解他们，他们冤枉。如果要枪毙，就连我一起枪毙吧，我是连长，也是个头子，不要难为其他同志！"

李贞让他坐下，说："你先别急，别冲动，事情会搞清楚的，老甘也怀疑是冤案。"

甘泗淇在房间里来回踱着步，见彭清云急得满脸通红，就批评道："你冲动个啥，怎么还是那个样子，炮筒子脾气，改不了吗？”

甘泗淇是了解彭清云这个被彭总誉为“小老虎”的英雄的。在壶梯山战斗中，敌人的三挺机枪像三架收割机，把冲锋的部队一片片割倒了。此时，彭清云已冲到了敌人的机枪掩体下，机枪喷着火舌，就在他头顶啸叫，但他身后的战友不是牺牲了，就是被火力压制住了。他一急，猛地冲到了敌人的阵地上，一把卡住敌机枪手的脖子，一边用膝盖压住机枪。打得通红的枪管立即烫烂了他的军裤，灼伤了他的膝盖。他徒手与敌人搏斗起来，其他人趁此攻占了阵地。他为人耿直，干什么都有一股虎气，说话像倒豆子似的，总像是在吵架。

“你还是那么个样子，我们还没批嘛，根据王震、郭鹏等同志的意见，总政让新疆再调查调查。”甘泗淇缓和了口气，谈了自己的看法，“既然要叛逃，是应该早有迹象，为啥要到大部队到了才跑呢？证据不足啊，不能冤枉任何一个同志，事情总会搞清的，总政在等新疆的结论到了再定性，你就放心吧，你的任务是安心开好会。”

不相信先遣连会叛逃的不止是甘泗淇和李贞。

王震不信，郭鹏不信，左齐也不信。郭鹏相信自己的战士的品格。他听到这件事后当即表示：“鬼话，英雄连就是英雄连，什么叛逃，绝无此事！”

十一、英雄被武装押解

肖孟来到阿里后，看到官兵们在如此艰苦的条件下戍边守防，非常感动。但他没有忘记自己此行的任务。他利用个别战士的牢骚话和外国电台提供的所谓证据，很快提出了一个“打马攻曹”的口号。

“马”就是马占山，新疆进藏部队侦察连的一名班长，在国民党军队已待了二十多年，虽参加了起义部队，但年龄大了，平时难免发些牢骚。在肖孟的连夜突审下，他编造了一个所谓“以曹海林为司令，彭清云和乌马尔为副司令，他为联络官，经常派人与国外联系”的“叛国集团”。

肖孟取得了如此战果，自然十分高兴，当即认定了他们的“叛国罪”。

就在12月25日，也即彭清云离开连队，前往北京开会的第二天，肖孟集合了两个连队，要赶往先遣连。

安志明得知此事，非常吃惊，他虽为新疆进藏部队总指挥，但他因为家庭出身是地主，在以“成分论”为上的当时，他也说不了话，更没资格阻止。

肖孟指挥两连人马包围了先遣连之后，走进了曹海林的帐篷。

先遣连发现其他两个连队来了，还以为有了什么任务，对他们来此的真实意图没有任何觉察，还像往常一样在训练执勤。曹海林见肖孟进来，就说：“听说科长从拉萨到此，一路辛苦了，你先休息一下，然后看看连队有什么不足之处，给我们指出来。两个连赶来了，是不是有什么任务，如果有，可别忘了我们。”

肖孟阴着一张脸，冷冷地说：“多谢你的关心，你通知你的连队集合，不带任何武器。”

曹海林应了声“是”，把队伍集合起来了。到现在，他还什么也不知道。

没想队伍刚集合好，那两个连队就冲了进来，一部分人收缴枪支弹药，另一部分人冲上来把全体官兵捆绑了。

曹海林大叫：“怎么回事？怎么回事，你们要干什么？”

肖孟冷笑了一声：“干什么？不久你自然会知道！”他挥了一下手，全连随即被关押起来了。

先遣连被武装看押。

肖孟立即对先遣连每名官兵进行审讯。马占山因揭发有功，也参与了审讯。他们进行车轮战、搞逼供，但先遣连官兵没一人屈服，没一人承认所谓的罪行。

“主犯”曹海林更是宁死不屈。

肖孟要他招供时，他说：“没有的事，怎么招？”

怎么拷打、施刑，他都只是这一句话。

他们把曹海林的头发一把一把地活生生扯掉了，他还是那句话。最后，肖孟只好让马占山捏造了口供，报往西藏军区，他已不愿放弃这个“打虎”之功。

西藏军区有关部门根据联络科长上报的调查材料和所谓的“证据”，确认了此案，在上报时建议上级批准“就地正法七八个人”。

此事通报到新疆后，王震、郭鹏和左齐十分吃惊，怀疑此案有假，经再三交涉，上级决定将“叛国集团”押解新疆再行调查处理，曹海林和他的战友们被绑上了运送物资给养的驮运大队的驼背。

此时，内地已春光万里，高原也正在复苏。但纯净的天空中掠过了几团阴云，洁白的雪野蒙着黑尘。风，一日接一日地呜咽着；雪，纷乱地、毫无秩序地铺天盖地而来。

进藏先遣连的官兵们即使在做噩梦时，也没有想到，他们凭着勇士的热血和生命所踏出的五千七百余里英雄路，会成为他们的囚途。

天还没有亮，它像是永不想亮了，曹海林等人就被绑在了骆驼背上。雪落在他们身上，停留着，像是要安慰他们。

安志明躲过那位联络科长，来到曹海林面前，他看着曹海林，看着那些官兵们，心如刀割，欲哭无泪。他握了握曹海林的手，说：“老曹，此去山高路险，遥遥五千余里，保重吧！一定要回去！新疆的首长和同志们了解你们，事情本来就没有，是很容易搞清楚的。”

“我咽不下这口气，我要以死抗争，清洗这不白之冤！”曹海林激愤地说。

安志明抬起沉重的手，拍了拍曹海林的肩头：“老曹啊，你不能只想你自己，还有几十名战士，还有一个连队的荣誉，都得靠你去申冤呀！”他说着，握住曹海林被捆绑的双手，塞给他一包烟，沉默了良久，接着说，“你们现在这个样子，我作为总指挥，也有责任，但别人一句话就把我堵住了，没我说话的份。我有什么办法？此去珍重吧，千万珍重！带好你的……部下，就这……几个人了……不容易啊……”

安志明说到最后，再也说不下去了。他转过声，踏着积雪，深一脚，浅一脚地离开了。

尽管囚队出发的时间事先十分保密，但消息还是不胫而走。噶尔昆沙的僧俗群众，一听说是先遣连官兵被押，十分吃惊。他们迅速飞马传报，附近几十里、上百里的僧俗群众都飞马赶来，以藏家最隆重的礼节，为这支被押解的囚队送行。

藏民们急促的马蹄声敲打着冰封雪冻的高原，由远而近，由远而近，汇聚到噶尔昆沙这个点上。

他们流着泪，一一给囚犯们敬酒献茶，然后跪在路边，口念六字真言，手摇转经筒，祈求菩萨保佑这支解放了他们的囚队顺利翻越雪山，洗清冤屈，重返阿里。

曹海林和全体官兵含泪接受他们的祝福。

这也许是阿里高原有史以来最大的囚队。捆在驼背上的几十名汉子面孔黑黄，表情或冷肃，或茫然，或悲愤，或绝望，或痛苦，或坦然，他们的心无不流着血，淌着泪。他们的胸章被揭去了，帽徽被摘掉了，脸上、身上带着不是在战场上，而是在被自己同志的严刑拷打中获得的伤疤，但仍显露着军人的气质和风骨。

骆驼步履艰难地向前走着，它们也似乎感到了自己驼负的沉重。

送行的藏民跪在地上，送囚队远行。待囚队走远之后，他们又骑马追上去，跪在囚队要经过的路边，就这样送了一程又一程，直送出百里开外，他们才在黑夜中返回了。

而白玛单曾父女则早已受噶尔昆沙僧俗之

托，快马直奔改则等地报信去了。

白玛单曾父女由于一直为工作队带路，进驻噶尔昆沙不久，即被当地头人抓住，要按藏规处死。彭清云得知，当即赶了过去，而那头人反而诬陷工作队拐带他的奴隶，声称白玛单曾父女是他家逃跑的奴隶，奴隶是他的私有财产，他可以随意处置，所以按家规应当处死。彭清云几经交涉，仍不见效，最后他只有严正地指出："人民解放军有权保护各族人民的生命财产安全，白玛单曾父女是我军的向导，如若处死，我们将视作杀害我官兵对待。"

实际上，父女两人根本不是那头人的家奴，而是十多年前到阿里朝山拜海的黑河藏民，一直流落在改则地区。部队进军噶大克时，经日加木马本介绍认识了彭清云，几个月来他们一直为先遣连带路，因此引起了噶本政府上层及头人的憎恨，几次有人劫杀父女二人，都没成功。这次抓住父女二人，他们自然不愿轻易放过。但那头人见彭清云提出严正警告后，扬长而去，心里也有些害怕。就派家丁到先遣连谈判，说愿让工作队以二百块大洋为白玛单曾父女赎身。谁知第二天，当彭清云带着二百块大洋去赎回白玛单曾父女时，白玛单曾十四岁的女儿已被头人强奸。

彭清云顿时怒发冲冠，拔枪要严惩那位头人。但当时的政策不允许，在斯拉福和曹海林的劝说下，才强忍了心中的恶气。他召集了附近所有的僧俗群众，让那头人当众向父女二人赔礼道歉后方才作罢。这样的事，在以前是从没有过的。许多群众表示："有解放军撑腰，对那些头人老爷们，我们不怕了。"

父女俩没有想到自己的救命恩人会身陷囹圄，见到被五花大绑的先遣连官兵时，他们痛哭失声。

白玛单曾冲到联络科长面前，大声问道："雄鹰正高飞在天上，你们为什么要把它射下来？英雄们像格萨尔一样，远征万里，死里逃生，你们为什么让他们经受痛苦和不幸？他们砸开了我们这些奴隶的镣铐，你们为什么把这些像雪一样冰冷的绳索捆到英雄的身上？英雄自有配他们的骏马，你们为什么要把他们捆绑在骆驼的驮子之上？"

肖孟不耐烦地一挥手，说："他们叛国。"

"我不相信雪是黑的，不相信雄鹰会变成鸡，不相信他们解放了这无边无际的藏北高原后会做出这样的事，他们的心像这天空一样干净，他们爱这片土地就像孩子爱自己的母亲，我可以用我和女儿的人头为英雄们担保，他们是清白的。"说完，父女二人双双跪下，求联络科长相信他的话，其他僧俗群众也都跪了下来。

然而，他们的乞求是无望的，联络科长挥了挥手，囚队出发了。

当改则、革吉和三科儿的僧俗群众从白玛单曾的口中得知先遣连被押解的消息后，同样没有一个人相信这群像菩萨一样的军人会犯下叛国罪，他们也不肯接受赤胆忠心的英雄会蒙难受冤的事实。

他们早早地从四面八方聚集到了扎麻芒堡。当囚队到达扎麻芒堡后，附近数百僧俗群众以及头人已等候在囚队必经之路上，跪地伏身阻挡囚队通过。坚持要为先遣连所有遭难的官兵敬献哈达。

奉命负责押解的官兵为难了，再三劝说群众不要为罪犯敬酒敬茶，敬献哈达，恳请他们让囚队通过。

群众被激怒了。一位白发老者摇着转经筒，走上前去，声音颤抖地说："你们看看那些坟墓，他们是病死和饿死的，那时，只有他们一个连队在这里，他们为什么没有叛逃？难道你们的眼睛是被乌云遮住了？"正说着，只听见一阵"嘚嘚"的马蹄声从远处传来，在飞扬的雪沫和尘土中。三十多骑如旋风般卷了过来。才旦、才仁带着曾经支援过曹海林剿匪，共同防守扎麻芒堡的民兵排的青年赶到了，他们坚持要押解囚队的士兵为先遣连的英雄们松绑。

双方对峙起来。最后，他们架起杈子枪，把囚队包围起来了。冲突眼看就要发生。

曹海林一直劝阻着，见到这种情况，他在驼背上，举着双手，含着泪说："谢谢乡亲们，请不要为难他们。这些与他们无关，他们只是在执行自己应该执行的任务。乡亲们，冰雪再厚也有开化的日子，阴云再厚也有散开的时候，事情很快就会搞清楚的，我们不久就会回来的，你们放心吧！"

才旦、才仁收起了杈子枪，但群众仍不肯离去，他们担心押解英雄们的战士会亏待自己的英雄，最后经日加木马本等人与押解分队达成协议，由才旦、才仁领着十六名藏族青年护送囚队，直到翻过界山；同时，英雄们必须在扎麻芒堡停留一天，乡亲们要专门为他们送行。押解分队无可奈何，只得答应。

英雄们重新住进了他们曾经住过的地窝子，看到这里的一切，他们再也忍不住自己的泪水。他们没有想到自己九死一生，最后竟还要经受这横空飞来的磨难，他们本是要去获得新的荣誉的，最后却让连队蒙受了耻辱。他们觉得对不起那一个又一个倒在高原上的战友。

乡亲们燃起了篝火，杀了牛羊，搬来了酥油和青稞酒，为英雄们隆重地送行。

没有喧闹，一切都是在静默中进行的。押送的士兵仍全副武装地看守着他们，绳索仍然捆绑着他们的手脚。一碗碗酥油茶送了上来，一碗碗青稞酒敬献到了他们的手中，大块的牛肉端到了他们面前。他们热情地劝着，唱着祝酒歌，他们希望官兵们能心情愉快，忘掉痛苦。

但谁也吃不下东西，他们心里像是被什么东西给堵满了。

那两夜一天，他们像是在狂欢，却又被无处不在、无法避开的悲痛笼罩着。

离开扎麻芒堡那天早上，经曹海林、周奎祺、朱友臣等人的请求，囚犯们被押解着，来到先遣连的墓地。

坟墓被残雪覆盖着，乡亲们插的经幡簌簌飘动，像是在诉说着什么。

曹海林缓缓地举起被捆着的双手，向逝去的战友行了个庄严的军礼。然后，他在李狄三的坟前站定，失声痛哭着说："股长，海林我对不起你。我没能带好咱们的队伍，让你失望了。让同志们跟着我受委屈了。你在天之灵，为我们做证吧，我们是共和国的队伍，决不会叛国的……"

曹海林说完，被绑到骆驼背上，押走了。

囚犯们被押解分队的战士押解着，押解分队又被那十六名藏族青年看押着，走在凄冷的漫漫荒漠上，大风一阵阵地抽打着他们。

囚路似乎显得更加漫长，这本是一条光荣之路，现在却使英雄们蒙受着屈辱，它像一柄刀，他们觉得自己一直行走在刀刃之上。

曹海林一路上紧紧地闭着眼睛，任凭骆驼颠簸着自己。寒冷的高原使他浑身冰凉，绳索早就把他的手脚磨烂了。但他忍着，麻木的肉体好像早已失去了感受痛苦的能力。他不忍心看见这些被五花大绑的战友。

直到到了界山，他才睁开眼睛，深情地望了一眼藏北的土地和天空。它们永远那么干净，不受沾染，他在心里默念道："再见了，阿里！再见了，乡亲们！再见了。牺牲在这里的战友们！"他再也止不住眼里的泪，泪水洒落在积着冰雪的界山上，再凝结为冰雪。

队伍停了下来。才旦和才仁要带着他的十六个人回去了。他们和大家一一握手，说："祝你们此去吉祥如意！我们在这辽阔的藏北高原等着雄鹰们重新展翅，飞回阿里。"

曹海林握住才旦的手说："谢谢你们了，我们会回来的，你们回去吧。"

才旦动情地说："你们先走吧，我们再目送你们一程。"他说完，背过身去，抽泣起来。

曹海林哽咽地道了一声谢，便被押走了。

才旦和才仁等十八条汉子驻马立在高高的界山上，目送着囚队远去。他们一齐唱起了那首古老的民歌——

天地来之不易，

就在此来之；

寻找处处曲径，

永远吉祥如意……

歌声嘹亮、高亢，充满了悲伤，也饱含着祝福和祈愿。那歌声在高原上萦绕，传得很远，很远。

曹海林已看不见他们了，但仍能听见他们的歌声……

大家像麻袋一样被捆绑在骆驼身上，让曹海林感到十分心寒。他多么希望自己的骆驼能够失蹄，把他摔到万丈悬崖下，让自己粉身碎骨，以洗清这“叛国集团头子”的奇耻大辱，溶血于雪野，融肉于昆仑，还一具军人清白的尸骨，还作为军人的尊严。

漫长的押解路上，每个人心里都滴着鲜血，脸上都挂着泪水。即使想以死洗这不白之冤，也被监管着，捆绑着，由不得自己。

过了桑株达坂，天气热了，许多人手脚被磨烂的地方生了蛆，能够站起来的人已没有了。

离于阗越近，大家的心里就越难过，都在想着见了亲人自己该怎么说。不知道昔日的首长、战友，还有送他们出征的各族群众会怎样看待他们。他们会认为我们是被冤屈的吗？想到这些，好多人又哭了。

他们万万没有想到，已由二军军长出任新疆军区副司令员的郭鹏将军早已等在叶城路口。

当囚队离郭鹏还有几十米远时，将军就大步迎了过来。

队伍停下来了，谁也不说话。

将军绕着队伍转了一圈。他看到曹海林、周奎祺等要犯被绑在驮子上，脚上戴着阿里头人锁奴隶的脚镣。手脚已被绳索磨得血肉模糊，蠕动着白蛆，骨头都露出来了。

郭鹏眼里流出了泪，他看了曹海林半天，什么也说不出来，就去给曹海林松绑。

这时，那位联络科长赶紧上前制止：“首长，他是叛国集团的首犯。”

将军看了一眼曹海林，又看了看那位科长，猛地转身，一挥臂重重地给了那科长一个耳光，大声骂了句：“混蛋！”

然后，他一一为大家松绑。他的指挥过千军万马的手没有颤抖过，那时却发抖了，好像这些镣铐和绳索全都戴在自己的手脚上，全都捆绑在自己的身上。他大声而哽咽着说：“让大家受委屈了，听说你们要回来了，兵团和军里的首长让我来迎接大家，王震司令员让我转告大家要相信党组织，党也相信你们大家能安心养病，接受调查，尽快把问题搞清楚。我相信同志们，是对得起党、对得起国家的。”

有好多人原来是怎么也站不起来的。郭鹏讲话时，他们或靠着骆驼、或相互搀扶着站了起来。听到军长的话，他们再也忍不住了，哭喊道：“军长，我们冤枉啊！”

郭鹏强忍着泪水，一一拍打着他们满身的尘土，点了点头……

十二、他们再也没有回来

“我再也没有见到他们回来。几十年间，我和这里的乡亲们一直在等着他们。我们一直相信他们说的话，相信他们的冤会申，相信他们会重返阿里，但我们没有再见到那些英雄。”扎西老人叹息了一声。

那时，每上来一支队伍，阿里的老乡总会去打听：“是那支李指挥和曹连长带的队伍么？”

别人摇头。

“那他们多久回来？”

别人摇头。

他们就想着，他们不久就会回来了。

彭清云重返阿里的那天，受到了最隆重的欢

迎。得知他重返阿里后，人们奔走相告："像格萨尔王一样的英雄们回来了，像格萨尔王一样的英雄们回来了!"

改则、革吉、三科儿、雅沙等地的群众闻讯，从四面八方赶往噶尔昆沙，但他们只看到了彭清云一个人。

"他们呢?"白玛单曾迫不及待地问道。

"他们在新疆。"

"他们的冤申了么?"

彭清云迟疑了半晌，笑着说："申了，他们的问题搞清楚了。"

"那他们为什么没有回来?"

"他们得休整一段时间，休整好了，就会回来的，乡亲们放心吧!"

但乡亲们只能看见彭清云，他像那个连队的英雄的缩影留在了高原之上。他在阿里一直干了近十年，下山不久，又到喀喇昆仑参加了边境自卫反击作战。

然后，他们渐渐地成了传说。

其实，彭清云当时已知道，除了他，再也没有谁能重返阿里了。

他从北京开会回到新疆喀什时，曹海林刚从监狱中放出来。两人见面之后，忍不住抱头痛哭。

彭清云说："老曹，你受苦了。这苦本来也有我一份的，我却因开会躲开了。"

"会没事的，没有你到北京去找总政的首长，我们的骨头在阿里早就发白了，我们的事，没有影响你在北京开会吧?"

"没有，这是冤案，会搞清楚的。现在你不是已获得自由了吗。"

"要彻底搞清楚，还得要一段时间，在这段时间里，我会被闲着。待事情完全搞清楚了，我希望还回阿里去工作，我走的时候，给送行的乡亲们讲过，我会回去的。你如果能重返阿里，就告诉乡亲们，说我们能够回去，就说我们的问题都搞清楚了，我们都很好，说我们很想念阿里，很想念每位乡亲。"

彭清云点点头，说："我一定按你说的去做。我也相信，我们都能够回去。"

他们见面不久，彭清云就回阿里去了。先遣连其他官兵先后进行了一年之久的审查、甄别。直到1954年，这起涉及八十多人的"叛国集团"冤案才被彻底平反。

当年十八军第二参谋长，后曾出任化工部部长的李觉将军在1992年也曾说："先遣连从于阗出发后，征程遥远，战马负荷超量的物资。旌旗所向，直指英雄史诗《格萨尔王传》里那座神圣的阿里高原。历尽艰苦，到达藏北。藏北高原的皑皑大雪封锁了山口、道路。驮运队上不去，部队断粮了，他们就吃马料，马料吃完了，就打野兽，野兽打不到，就吃冰雪。零下三十多度的严寒中，极度缺氧，战士们一个接一个地被冻饿而死。但艰苦的行军仍在继续，一年又三天后才解放了阿里全境，但这支一百三十多人的队伍，因饥饿、严寒牺牲了一半，剩下的也瘦得没了人形。"

李觉又接着回忆道："十八军到达西藏后，吃，也成了首要问题。中央为了解决进藏部队饿肚子的问题，拨款两千万大洋，给进藏部队购买粮食和军用物资。大批的物资和粮食买回来后，我又想起了出兵阿里的先遣英雄连。致电西北军区而后转到先遣连，询问他们部队有什么困难。不久，先遣连回电，称没有困难。我不信。阿里比前藏条件更苦，怎能让兄弟部队只争任务，不计生存条件?于是再电，令其详报存粮物资。军令如山，先遣连回电实报了存粮。我一算，乖乖，竟缺半年口粮。放下电报，我长叹一声，哎!不愧是王震将军的部队，天大的难处，自己兜着，硬是不开口，一连人马饿死大半，还在藏北无人区执行任务。难怪彭老总和王震这么放心地让一个连孤军千里，挺进藏北。当时已5月底了，他们硬是给熬过来了。"

然而，这个英雄的连队在英雄们含冤之际就

被肢解、遣散了。全连人员除曾自修、骆德裕、彭清云在事发之际已调至普兰的贡布保留了军籍，其他人员或复员，或被发配到兵团团场。总之，他们再也没有能够回到高原。

他们当时虽被平了反，但在1957年的“反右”和1966年开始的“文化大革命”中，这些英雄又屡遭揪斗、抄家、入狱甚至被迫害至死的厄运。直到十一届三中全会之后，英雄连当年的冤案才又一次被平反。到此时，先遣连幸存下来的英雄已经不多了。

十三、活着的人总被往事触痛

“死去的人对什么都无所谓了，活着的人却总被往事触痛。不过，活着的人已经不多了。也许，只有两三人了，据我所知，现在肯定还在人世的，就只有我和贡布了。我们都已进入了古稀之年，很多事情都无所谓了。”

在新疆军区总医院老干病房，彭清云神情淡然地一边说，一边捋着他花白的头发。

“我的一生都满怀愧疚，因为我没有能力解决他们的问题。”

彭清云因为是特级战斗英雄，又立过四次大功，所以在那次冤案中幸免于难。但他以后的政治生涯却受到了很大影响，在阿里当连长当了六七年之久，又在偏远的乌尔禾兵站带着三个兵，当了十六年站长。1986年从后勤二十九分部副部长职位上退休后，他的主要精力都用来寻找战友，为他们奔走，也在为一个连队的历史奔走。他并非是要留名青史，他知道青史从来就不是为普通人准备的。他只是想让那些牺牲者的灵魂能得以安息。

新疆军区党史资料征集办公室要他提供进藏先遣英雄连的有关资料时，他的内心稍微得到了一丝安慰，因为这证明先遣连的的确确是被平反了。

此时，他首先想到的是请求上级对幸存者的生活问题进行解决：

军区党委并肖司令、王政委：

军区党史资料征集办公室为撰写“进军藏北”的专题，让我提供一些进藏先遣“英雄连”的有关资料。这是党组织对我的信任和关怀。我为有幸参加这项工作而感到万分高兴。撰写先遣连进军藏北史料本身说明：只要为革命作出稍许贡献，党和人民都不会忘记的，并要在我党我军的历史中予以记载的。为此，我以一个先遣连老战士的身份向组织和首长表示感谢！

在高兴之余，我也想向首长反映一些情况。先遣连当年进藏时共有136人。许多同志为革命事业献出了自己的生命。现在幸存的尚有四十人。由于1951年制造所谓“叛国集团”的冤案，加上十年浩劫，有不少先遣连老战士因此而在政治上受到影响，在生活上也没有得到应有的待遇。

他们之中，有的人的档案中装有所谓“叛国”的“罪行”材料；有的人没有固定职业，生活困难；有的人家居农村，经济拮据……这些情况是极不正常的。这些同志当年在藏北高原那样恶劣的环境和极其艰难的情况下，凭着一颗对党对人民革命事业的赤胆忠心，克服了意想不到的种种困难，完成了统一祖国大业、解放阿里人民的光荣任务，作出了自己应有的贡献。然而他们后来的遭遇却与他们的贡献极不相称。在先遣连活着的人中，我的地位和处境是最好的了。

但看到他们的遭遇和困难，我心里总是觉得不安。为使首长和组织了解此情况，使问题得到解决，他们都希望由我来向领导反映。现就我所知的几个同志的情况反映如下：

1. 孔庆洪，原先遣连机枪排（即第四排）副排长，现在阿克苏农一师供销社工作。在所谓“叛国”案件中，他受到迫害。“文化大革命”期间，有所谓“革命组织”曾多次来人来函向我调查他的“问题”。按理讲，此冤案早在五十年代就由南疆军区甄别平反，并已作结论；而事实上多少年后还有人企图利用这一不成问题的“问题”来迫害孔庆洪同志。当然，孔的遭遇还算是一般的，而所谓“叛国集团的首要分子”曹海林（原先遣连连长，后农二师35团副团长）、周奎祺（原先遣连参谋，现在喀什前进农场）、斯拉福（原先遣连三排长，后在乌市监委工作，已逝）的遭遇比孔还甚。

2. 杨福成，原先遣连二排长，在乌市赶毛驴车。该同志转业时本为干部，但到农六师后却得不到组织信任，遭到歧视，被另眼相待。后沦落为自由职业者。现年近古稀，身体不佳，生活困难。

3. 何成贵，原先遣连战士，现在呼图壁草湖农场。现年老多病，家庭负担重，生活困难。

4. 朱有臣，原先遣连战士，现为甘肃酒泉县宗寨公社双闸大队社员。当时在先遣连拉骆驼运粮食，成年累月在外执行任务，表现极为突出（具体事迹见《进军阿里》史料），身体受到极大摧残。现家庭人口多，本人已六十多岁，生活困难。

还有不少同志，现散居在全国各地，大部分在农村，生活都有困难。

根据党的有关政策规定，凡67年以前退职的职工，现在农村的，每人每月发一二十元生活补贴，直到逝世为止；另外，对于起义人员我党也有具体政策规定（先遣连有不少同志都属起义人员）。据此，我认为，这些人尚能得到一定待遇和照顾，那么，先遣连的同志就更应该如此了。

以上同志曾多次给我来信诉说他们的遭遇和困难，但作为我个人是无法解决的。为此，我才给军区首长和军区党委写这封信，请求组织解决。

以上反映，如有不妥，请党委和首长批评指正。

此致

敬礼！

军区后勤二十九分部顾问：彭清云

一九八四年二月二十九日

这些信都像进入大海中的石子，反应不大。即使上级有所指示，下面也很少落实。他在信中提到的那四位战友，是他当时找到的或联系上了的幸存者。

最让他难过的是与杨福成的见面。1972 年，他经过多方打听，得知杨福成当时就在乌鲁木齐南门一带。他挨家挨户地打听，别人都说不认识，最后，他碰到了一个赶毛驴车的老人。一见，竟有些面熟。他不愿承认那就是他当年的战友，那赶车人又老又脏，佝偻着背，一脸穷愁。

“杨排长。”他试着叫了一声。

那人继续往前赶着驴车。

“杨福成排长。”

那人拉住了驴车，回过头来，打量着叫他的人。

“彭连长，是你呀！”他踉踉跄跄地跑过来，紧紧地握住彭清云的手，“哎呀，你可还记着我呀！”

“怎能不记得呢。你这是拉石头修房子？是不是要娶媳妇了？”

“修啥房子哟，我一直孤身一人，连自己也养不活，还养啥老婆呢。”

杨福成把毛驴拴住，要邀请彭清云到他的住处去坐坐：“那寒舍自修造起来，就我一个人住，从没有外人进过，今天，老战友光临，当是寒舍生辉呢。”

南门自乌鲁木齐诞生之日起，就是繁华之地。杨福成引着彭清云，在巷子里转了半天。又让彭清云停住等他，彭清云问他干什么，他说：“那毛驴是十元零八角钱买的，是我的命根子，可不能丢了，我把它拴在那里不放心，还是把它牵回来。”

彭清云就在小巷里等他。好久，他才牵起毛驴，让毛驴拉着板车回来了。杨福成显得很高兴，说：“让你等久了，我怕连驴带车还有一车石头给人偷光了，所以就把石头卖了才赶过来。”

“你在拉石头卖么？”

“是的，都已干了快二十年了。总得糊口呀。房子嘛，总有人修，石头嘛，不要钱买，出了市区，到处都有，无本生意嘛。”杨福成似乎很满足。

“你一直在拉石头卖吗？”

“是的。”

“一车石头能卖多少钱？”

“不一定，有时一毛，有时几毛，反正，一个人能维持住生计。”

两人一边走，一边聊，十分亲热。不觉就走到了杨福成的家门口。

这是一个十分粗陋的家。一些石头垒成的墙，紧挨着一面公家的墙，垒成了一间低矮的偏厦。偏厦上覆盖着塑料薄膜和烂布等东西，为防着被风刮跑，用石头和土砖压着。

彭清云低着头才进了屋子，里面黑洞洞的，什么也看不见，好像进了他们当年在扎麻芒堡挖的地窝子。

“这家太寒酸了，不过夏能避风，冬能遮霜雪，能赶上当年在阿里的地窝子。你就将就着吧。”

“比地窝子暖和。”

杨福成点亮了煤油灯，彭清云看见了一架石头垒起的床，一眼石头垒起的灶，灶上放着一口黑亮的铁锅，有一小盆面和一棵白菜放在紧挨灶台的土地上。地很潮湿，有一只老鼠飞快地逃进黑暗里。还有两只土瓷碗，放在一块石板上。坐的也是石头，上面垫着他自己编的布垫子。这就是杨福成的家和他的全部家当了。

彭清云感到很辛酸。

“我住在这里面，好像就住在当年的地窝子里，这样也就忘不了当年的生活了。”杨福成像要安慰彭清云似的。

彭清云还是没有止住眼中的泪，他哽咽着说：“你这是……人过的日子吗？”

杨福成也就忍不住哭了：“没有人再能记起我们，我们已被这个世界彻底忘记了。我这样也很好，远远地躲开人世里的荣辱纷争，很好……真的很好……”

从那以后，彭清云就常去看看他。他写给新疆军区党委和首长的信使杨福成不再靠卖石头为生，他被安排到了乌鲁木齐市手工业联社。彭清云终于松了口气。但他没有想到，手工业联社最后却只安排杨福成去烧开水。

彭清云十分生气，但也无可奈何，只得对着老天大骂了一句：“我操你妈的——”

虽然收效甚微，但彭清云还在继续为战友们奔波，并寻找一切机会为战友们呼吁。1987 年初，《进藏英雄先遣连》作为《中国大百科全书·军事卷》条目已经上书，凡是彭清云找到的战友，他都一一禀告。不久，阿里地区把该连作为最先进入阿里的党组织，来找彭清云收集党史资料。在新疆军区首长接见西藏阿里的党史工作者时，彭清云又提及了英雄们境况困难的事情。阿里地委书记普穷当即表示先遣连英雄们的生活待遇问题，阿里要为他们解决。因为他们是为解放阿里蒙难的。但新疆军区的一位首长说，先遣连的事是军内的事，我们可以解决。

彭清云非常高兴，为促使有关部门尽快落实，他又一次上书上级党委——

兰州军区并新疆军区党委：

我是新疆军区后（勤）二十九分部原副部长，现有一件积存在心中多年的事，要向组织反映，希望首长给予关怀并指定有关部（门）予以落实。

一九五〇年八月，我曾任进军西藏阿里先遣连的副连长，后先遣连被西北军区授予“英雄连”称号，在一九五一年随同后续部队完成解放阿里全区的任务后驻昆沙。一九五二年底至一九五三年初部队进行整风，由于种种原因，英雄连被打成“反革命叛国集团”，全连八十多名干部战士，被批斗、审查（当时我已去北京参加全国新民主主义青年团第二次代表大会），到拉萨才听说全连干部、战士的武器被收，连队宣布解散，安置在农垦团场工作，有的回老家。此案件于一九五三年孙德富同志代表南疆军（区）党委在慰问团到阿里时的大会上宣布了平反，但此事仍实际上影响到对他们以后工作生活（的）安排。现在事情已过去三十多年，先遣（连）的老同志有些尚在人间，据我所知，仅存在二三十了，都以（已）年高，有些已退休，工资都很底（低）；有的原在小集体单位，退休金更少；有的在农村，体弱多病。我常常想，他们曾经为了解放西藏阿里的革命事业作出过贡献和牺牲。现在，应对他们的生活给予适当照顾，使他们安度晚年。最近，军区首长们在乌鲁木齐市接见西藏阿里正在这里召开党史工作座谈的一些老同志会上，阿里地委书记普穷同志提起这件事，兰州军区董副司令员和新疆军区唐政委等领导同志都表示，弄清情况，加以研究，给予适当解决。为此，特写信向组织反映上述意见，希望组织上派专人，并阿里地委派人配合，我积极协助组织，共同研究，提出具体意见报上级审批，以便尽快落实。

此致

敬礼！

彭清云

一九八七年八月二十六日于乌市边疆宾馆

这封信使彭清云满怀希望地等了很久，最后却不得不以失望告终。

时光急速地流逝着，彭清云越来越老了，幸存的英雄也越来越少了。他只能去看望离乌鲁木齐不远的几位战友了。后来，他去看望这些战友也吃力了。现在，杨福成已没了消息；杨天仁原在米泉农村种地，他去找了，再也没有找见；哈布利在呼图壁放羊，现在也老死了。

“他们绝大多数已不在人世了，再也不需要为他们解决什么问题了。我想，他们死后一定比活着还好，公平，没有歧视，对他们在人世付出的一切有所补偿……”他满怀愧疚地说完，把满是白发的头埋在宽大的手臂里，失声痛哭起来。

十四、英雄们，安息

我无法忘记彭清云一阵阵痛心疾首的叹息和他纵横的老泪。

彭清云告诉我，也像是在告诉所有的人：高原铭记着他们，铭记着所有的英雄。人们传诵他们的故事如传诵《格萨尔王传》那样的英雄诗篇。他们也许不能在历史中有一行文字，但能长存于神山圣域，长存在辽阔的大地与纯净的天地之间，长存于高原的冬窝子、夏牧场里，也该是永生了。

那么，英雄们安息吧，安息在神山圣域之上，安息在最能接近神的圣洁之处，安息在公正、纯朴、不带任何偏见，对你们充满崇敬和热爱之情的百姓心中。也许，那正是你们的企求。在所谓的历史之中，被忘却的又何止是你们呢。全国各地，到处都有“无名烈士墓”。

无名者即使牺牲，也只能是无名的。无论他们如何英勇，如何悲壮，但作为个体的生命，他们都是被忽略的。

但这份花名册是有名的，这有赖于彭清云精心地把那份花名册保存了六十余年。它是墓碑，更是英雄们用生命铸就的一座意义纷杂的无形之碑。

主要参考文献

手稿

1. 中国人民解放军八一三九部队：《英雄连（初稿）》。
2. 张相仁、王亚泉：《走访先遣连人员座谈记录》。
3. 西藏阿里军分区政治部：《世界屋脊上的英雄战士——记由新疆进军藏北的先遣“英雄连”（讨论稿）》。
4. 郝广福：《1952年前后我在阿里》。
5. 翟全贞：《忆阿里先遣部队“英雄连”连长——李狄三》。
6. 陈炳：《藏军史略》。
7. 土丹旦达：《关于和平解放西藏办法的协议签订前后》。
8. 阴法唐：《关于“老西藏精神”材料合编》。
9. 左齐：《李狄三》。
10. 定甲·次仁多杰：《近代藏军和马基康（藏军司令部）及有关情况略述》。
11. 强俄巴·多吉欧珠：《原西藏地方政府阻止西藏和平解放的事件之一》。
12. 谢法海：《赤诚献祖国，西藏系衷情——我的回忆录》。
13. 张秀年：《艰险青春路，风雨万里程》。

出版物

1.《达赖喇嘛传》，牙含章编著，人民出版社1984年版。
2.《班禅额尔德尼传》，牙含章编著，人民出版社1984年版。
3.《毛泽东与西藏和平解放》，杜玉芳著，中国藏学出版社2011年版。
4.《毛泽东西藏工作文选》，中共中央文献研究室、中共西藏自治区委员会、中国藏学研究中心编，中央文献出版社、中国藏学出版社2001年版。
5.《毛泽东选集》（第四卷），人民出版社1991年版。
6.《邓小平与西藏工作——从和平解放到改革开放》，王茂侠著，中国藏学出版社2011年版。
7.《邓小平西南工作文选》，中央文献出版社、重庆出版社2006年版。
8.《解放西藏史》，《解放西藏史》编委会著，中共党史出版社2008年版。
9.《西藏封建农奴制研究论文选》，吴从众编，中国藏学出版社1991年版。
10.《中共西藏党史大事记（1949—1994）》，西藏自治区党史资料征集委员会编，西藏人民出版社1995年版。

11.《白雪——解放西藏纪实》，吉柚权著，中国物资出版社 1993 年版。
12.《和平解放西藏》，西藏自治区党史资料征集委员会、西藏军区党史资料征集领导小组编，西藏人民出版社 1995 年版。
13.《和平解放西藏五十周年纪念文集》，中国藏学研究中心编（张羽新主编），中国藏学出版社 2001 年版。
14.《世界屋脊风云录——纪念和平解放西藏四十周年》（1），西藏军区政治部编，解放军文艺出版社 1991 年版。
15.《世界屋脊风云录——纪念和平解放西藏四十周年》（2），西藏军区政治部编，解放军文艺出版社 1991 年版。
16.《西藏，1951 年——人民解放军进藏实录》，晓浩著，民族出版社 1999 年版。
17.《李觉传》，降边嘉措著，中国藏学出版社 2005 年版。
18.《张经武与西藏解放事业》，中共西藏自治区委员会党史研究室编著，中国党史出版社 2006 年版。
19.《英雄先遣连——1950 年西北部队进军阿里纪实》，公丕才著，甘肃人民出版社 2006 年版。
20.《西藏文史资料选辑——纪念西藏和平解放三十周年专辑》（第一辑），内部发行，政协西藏自治区委员会文史资料研究委员会编，西藏人民出版社 1981 年版。
21.《西藏文史资料选辑——平息 1959 年西藏武装叛乱纪实》（第 26 辑），杨一真著，西藏自治区文史资料学习委员会编，中国藏学出版社 2010 年 12 月版。
22.《昆仑卫士礼赞》，南疆军区政治部编，新疆人民出版社 1993 年 11 月版。
23.《难忘的历程》，袁国祥著，新疆美术摄影出版社 1991 年 9 月版。
24.《汉藏史集》，达仓宗巴·班觉桑布著，陈庆英译，西藏人民出版社 1986 年 12 月版。
25.《国外藏学研究译文集》（第十一辑），西藏人民出版社 1994 年 4 月版。
26.《雪域西藏风情录》，廖东凡著，北京燕山出版社 1991 年 11 月版。
27.《神秘的阿里文化》，杨年华著，青海人民出版社 1995 年 7 月版。
28.《西北近代军事史》，于建文著，陕西人民教育出版社 1993 年 4 月版。
29.《西藏风土志》，赤列曲扎著，西藏人民出版社 1982 年 10 月版。
30.《青史》，诺·鲁迅白著，郭和卿译，西藏人民出版社 1985 年版。
31.《红史》，蔡巴·贡嘎多吉著，东嘎·洛桑赤烈校注，陈庆英、周润年译，西藏人民出版社 1988 年版。
32.《藏族原始宗教》，周锡银、望潮著，四川人民出版社 1999 年 2 月版。
33.《西藏政教史略》，刘家驹著，中国边疆学会发行 1943 年版。
34.《藏族史要》，王辅仁、索文清编著，四川民族出版社 1988 年版。
35.《西藏志》，陈观浔著，巴蜀书社 1986 年版。

36.《卫藏通志》，商务印书馆 1937 年“万有文库”本。
37.《西藏的文明》，（法）石泰安著，耿昇译，王尧审定，中国藏学出版社 1999 年版。
38.《世界屋脊》，（英）T. E. 戈登著，成斌、王曼译，新疆人民出版社 2013 年版。
39.《现代西藏的诞生》，（加）谭·戈伦夫著，伍昆明、王宝玉译，中国藏学出版社 1990 年版。
40.《西藏：现实与神话》，（加）谭·戈伦夫著，载《新中国》1975 年第 1 卷第 3 期。
41.《喇嘛王国的覆灭》，（美）梅·戈尔斯坦著，杜永彬译，时事出版社 1994 年版。
42.《1728—1959 西藏的贵族和政府》，（意）毕达克著，沈卫荣、宋黎明译，邓锐龄校，中国藏学出版社 2008 年版。
43.《西藏的神灵与鬼怪》，（奥地利）勒内·德·内贝斯基·沃杰科维茨著，谢继胜译，西藏人民出版社 1993 年 5 月版。

一曲庄重的英雄颂歌

阿来

读卢一萍的《祭奠阿里》，仿佛在听一首庄严的颂歌。

开始阅读时正是春节假期，我很愿意一年的阅读从一部庄重诚恳的作品开始。就像我一年的音乐欣赏总是从贝多芬的《第九交响曲》开始一样。当乐曲中鼓声“咚咚”响起，或者低沉，或者高亢，我仿佛听到那个孤悬在阿里荒原上的英雄连队中不同人物的心跳声。

我常在这样的缺氧地带行走，知道缺氧越是严重，心脏会越加有力地撞击胸腔，发出“咚咚”声响。当身体从内部发出这种类似于叩问的声音，人就面临两种选择，退却，或者继续向前，让心脏在胸腔内发出更大的声响。前面是越来越宽阔的无人地带，风驱动草，驱动沙尘与雪霰，地平线寂静无声，却似乎发出了魅惑的召唤。

现在，这道地平线就在卢一萍的文字中晃动，有时是高山，有时是深谷，有时是一望无际的荒原，天地相交处出现了那支行进中的英雄连队，相隔多半个世纪，那些活着的或死去的英雄一个个站立到面前：李狄三、曹海林、彭清云、贡布、杨福成……如果不是限于篇幅，我想带着崇敬之情一一写出他们的名字。

作者在阔大的背景——无论是地理、时代，还是不同的文化——中勾勒群像，为众英雄立传。在写出人肉身脆弱的同时，写出了坚定的信仰与意志，写出了生命的伟大。有了信仰与意志，任何一个平凡的生命都有可能使自己变得伟大。

这不是我第一次接触这个英雄连队的故事，但卢一萍这个文本，让我真正从内心里生起了庄重之感。

这个文本是一曲革命英雄主义的颂歌，但作者没有止步于此，他继续深入寻找更多的细节，从中发现更有意义的历史碎片，拼凑成完整的画图。他的目标是尽力接近人、人类如何超越平凡、成就伟大的秘密。他就是这样形成对同类题材写作的某种超越。

信念不是复杂的存在，至少对这个英雄连队的人来讲是如此。他们面对亘古荒原，一切都无须辩诘，也无从表白，在那里，需要的是纪律、坚守与忍耐。不同之处仅仅在于，面对严酷的大自然，这种坚守需要一个又一个生命的牺牲才能实现。一支无神论的队伍出现在一片神灵众多的荒原。因为坚守，无神论的革命队伍中的牺牲者，在万物有灵的文化中，得以成为他们征服的土地的保护神。由此，我想到林肯在《葛底斯堡演讲》中说过的话："从更广泛的意义上来说，不是我们奉献、圣化或神化了这片土地，而是那些活着的或者已经死去的、曾经在这里战斗过的英雄们使得这片土地成为神圣之地。"

这个文本让人如此感动，既具有通常革命叙事的所有因素，同时，又比单纯的革命叙事更丰富。从技术性的原因上讲，当然是基于作者宽阔的视野，掌握研究那么多书面文献，亲历那些直接考验身体的地理，搜罗那么多口传的材料，更重要的，恐怕是作者内心的英雄情结，是他对于英雄主义的信仰与尊崇。

尊崇什么？我想，就是哈罗德·布鲁姆在《史诗》一书中反复强调的"英雄精神"。

布鲁姆说："史诗——无论是古老或现代的史诗——所定义的特征就是英雄精神。"他还进一步明确地肯定："这种精神凌越反讽。"

凌越反讽，是的，如果对中国文学现状有所反思，就会发现，在很长的时间段中，我们娴熟地反讽、解构，这些手段的采用当然使得当代文学表达变得丰富与生动，但一味地反讽与解构，也使得文学在深刻揭露虚伪与荒谬的同时，日渐失去了进行正面建构的能力，与庄重崇高的美学风格渐行渐远。我们有很强的说不是什么的能力，却也日渐失去肯定正面价值的雄心壮志，缺少在作品中肯定什么为"是"的勇气。而人类的英雄精神正需要文学加以充分肯定并用颂诗般的庄重予以歌唱。卢一萍的这部新作努力向着这样一个目标接近，相较于 2017 年出版的长篇小说《白山》，显然取得了更大的进展。

布鲁姆进一步解释过他对"英雄精神"的理解，那就是"都可以定义为不懈"。

这部作品中的所有英雄也都具有这样的特质，那就是坚持，不计代价与得失而不懈坚持。直到生命之火渐渐黯淡，最终熄灭。剩下的人也依然不放弃希望，依然在坚持。

这部作品的副标题《寻找一个被遗忘的传奇》。

是的，遗忘。

我们很少有能力在这样的题材中挖掘出真正能撼动人内心的东西，使人受到崇高精神的感染。更多的时候，也许是因为这种能力的缺失，我们会选择视而不见，选择遗忘。特别是那些普通而平凡的人物所构建出来的英雄事功，总是被遗忘。在消费主义盛行的社会，英雄榜上已经几乎没有具有献身精神的牺牲者的席位。所以，卢一萍这种执着的寻找就有了特别的意义。还是引述布鲁姆的说法吧。他认为，如果英雄与英雄精神的特质是"不懈"，那么，英雄与英雄精神的书写者自身也需要"不懈的视野"："在这样的视野里，所见的一切都因为一种精神气质而变得更加强烈。"

世界上没有一个国家，没有一个民族会缺少英雄的涌现。而一些国家、一些民族所以会显得更加伟大，其重要的原因是这些英雄会被同时代的人或后继者不断书写，在书写与阅读的过程中不断得到认识与尊崇。在精神领域中不断升起鲜艳的旗帜。这个英雄连队的遭际，却是被冤屈。如果这本书将来再版，我希望作者在这个英雄连队蒙冤处，终至被遗忘处再花些功夫。具体而言，就是导致英雄们悲剧命运的那两个人物。一个是英雄连队也未能改造好的老兵痞，一个是那个直接导演这场悲剧的联络科长。长期以来，我们的文学中对于这种人物，都只有漫画式的简单勾画。颂歌的庄严恰恰是因为充分呈现了邪恶，然后再抹去这些阴影。人类在审美领域就是用这种方式战胜邪恶。我相信，对这类人物的深入挖掘获得成功的时候，也许才可以说，我们真的战胜了遗忘。

风尘里

海飞

明万历二十八年，东宫之位一直悬而未决。皇长子朱常洛与皇三子朱常洵均已成年，按大明律法，当立长子朱常洛为太子，但万历帝却更宠爱自己与郑贵妃所生的皇三子，欲立朱常洵为太子。文武大臣各有心机，分别支持皇长子和皇三子，闹得朝廷上下乌烟瘴气。此时，辽东努尔哈赤已统一女真，对中原大地虎视眈眈。日本方面，已经实现国内统一的太阁丰臣秀吉连年征战朝鲜，试图借路直逼大明。丰臣秀吉死后，德川家康控制了日本大部分势力，为稳固摇摇欲坠的政权，他们派出使团与明朝议和。但丰臣秀吉的残余力量却对此耿耿于怀，他们依旧对明朝虎视眈眈……

第一章

1

在寒冷得如同一片月色的刀光闪现以前，更夫小铜锣打了一个绵长细腻的酒嗝，正好对着一堵生机盎然的城墙撒下一泡泡沫丰富的急尿。事实上，万历年间的春风已经开始激荡，小铜锣感觉四肢灵光通透得不行，好像那是欢乐坊的掌柜——爱笑的无恙姑娘刚刚送给他的。无恙身边有个小妹叫春小九，光脚跳舞总是能跳得令人窒息。春小九一边跳舞一边卖酒，但她从老家运来的海半仙同山烧酒一天只卖一坛。一坛酒卖完了，你给再多的通宝和银子也无济于事。她脆生生的声音在欢乐坊里回荡，不卖。

小铜锣这天显然是被欢乐坊里的同山烧给烧得连骨头都轻了，他还不知道夜色里一把清水一样的刀子正在热烈地等待他。他只看见路旁那些影影绰绰的树，新鲜的桃心和柳尖正在这个季节里蠢蠢欲动，于是觉得内心也豪情万丈地痒了起来。小铜锣突然看到一群从黑夜里飞出来的萤火虫正围着他手提的灯笼没完没了地飞舞。这些午夜的飞虫，仿佛是无恙姑娘存心让它们一路跟踪过来的。

顺天府灯笼里的烛火释放出红得有点儿怪异的光线，它们与看上去很忙碌的萤火虫缠绕在一起。这时候，小铜锣转过头来，猛然看见一个名叫朱棍的酒鬼被两个年轻的飞鱼服一拳砸向了半空，又被变戏法一样地踢来踢去，如同一只刚从酒缸里捞起的散发着酒气的木酒瓢。小铜锣有点不敢相信，他揉了揉眼睛，看见倒霉的朱棍已经被两名锦衣卫塞进了一只黑色的口袋里。望着飞鱼服那把威风凛凛的绣春刀在胯间晃来荡去，小铜锣悲哀地想，估计自己这辈子是再也见不到喜欢吹牛的朱棍了。

身着飞鱼服的锦衣卫扛着口袋里的朱棍，任凭他在袋里面朝着各个方向挣扎。他们看见路边正在撒尿的小铜锣抖成一团的样子，扔下口袋笑了，说，夜里少出来，免得鬼打墙。

小铜锣这回抖得更厉害了。他说大人，小的是在风尘里这一带打更的。

打更的还去欢乐坊？真会凑热闹。

大人是怎么知道我去了欢乐坊的？

是你这龟儿子的尿告诉我的。我闻到了舞娘春小九的脂粉缠住高粱酒的气息。无恙姑娘的生意真不错……但你最好少去。

飞鱼服抽出腰间那把修长的绣春刀，开始非常仔细地削起一只萝卜的鲜皮。然后他嘴巴一张，响亮而生动地咬下了一大口萝卜。他看见小铜锣没有撒完的尿已经滴到了裤裆里。他说龟儿子，酒壮怂人胆，看来你连怂人都不如。

小铜锣在那堵矮墙边毫无主见地站了很久，一直等到飞鱼服手中那截萝卜变得越来越短，空气中粗暴散开来的萝卜气息令他痛苦又反胃。

留不留？小铜锣听见另外一个飞鱼服问询的声音。吃萝卜的锦衣卫翻起萝卜片一样的白眼。他的声音被塞在嘴里的萝卜修改得含糊不清。他说，不留！

刀光一闪，小铜锣直挺挺倒在了地上。无恙姑娘释放出的那群萤火虫全都惊呆了，它们在离去的两名锦衣卫身后围着小铜锣的尸体一连转了好几圈，这才沮丧地飞了回去。

2

进了京城，沿着城市的中轴线一直往北，骑马奔出西侧的德胜门，又过了十五尺宽的护城河，就到了传说中的风尘里。此时你再回首去仰望那三十尺高的城墙，蓦然觉得京城近在眼前，却又远在天边。因为出了城墙就等于出了京城，几乎就是五城兵马司的三不管地带。你尽管可以放开胆去想，李成梁将军那支总是虚报名额吃空饷的辽东镇守军已经离你不远，甚至还可以包括那个窝囊的朝鲜。

可是你要记住一点，风尘里这条街只属于黑夜。每天的三更时分，就在走出打更楼的小铜锣急忙敲出的梆声里，暗夜的最深处就会传来三声清脆的鞭响。伴随着三声叫喊，一敬日月天地，二敬列祖列宗，三敬国运财运齐亨通，静默蛰伏在暗夜里的欢乐坊便准时开张了。那时候，一整片的风尘里就像绽放在夜空中的烟火，在京城的眼皮底下举起了又一个销魂的深夜。

京城有句悄悄话：风尘里中有个欢乐坊，喧闹赛过官营妓院教坊司。

可是欢乐坊只有酒，卖的只是醉。你若识相，就别想动掌柜的无恙姑娘和舞娘春小九一个根指头。否则五更时分，又是三声谁也分不清是来自何处的鞭响，醉哄哄的人群消散后，打烊的欢乐坊门前就会多出一具无名的尸首。

小铜锣不会忘记，每年的春日三月三和秋日九月九，打扮得异常美丽的春小九会准时出现在外城的右安门外。春小九身后，是六六三十六辆满载着海半仙同山烧的锦辔马车。城墙上头彩旗猎猎，而城墙下的舞娘春小九就像一株喜悦的高粱，她总是出现在头一辆马车的前首。城卫举手示意车子停下时，远远的，春小九就脚尖发力。如同一只碧绿色的蚂蚱，她一个凌空翻跃，嘣的一声就落在了城卫眯成一条缝的眼里。

官爷，还记得去年的小九吗？小九给京城的爷们送酒来了。春小九双手抱拳，声音芳香地说，大明王朝千秋万载！

和海半仙同山烧酒一样，春小九红玉玛瑙般的美艳身躯同样产自浙江诸暨。这一路上的千里万里，也让七十二匹宝通快马阅尽了人间的繁华与彩色。马蹄嘚嘚中，江南江北都竞相飘荡起海半仙醉人如初恋般的酒香。所有的酒缸和酒液只有一个去处，那就是欢乐坊宽阔得像城堡一样的地下酒窖。

此后的半年里，欢乐坊里的同山烧便格外珍惜着卖，一天只出一坛。据说欢乐坊有个笑话，哪怕是沉浸在皇家西苑豹房里玩各种动物的万历皇帝移步来到这里，卖酒的规矩也照样还是雷打不动。

春小九浩浩荡荡的马车队伍踩踏在京城的地界上。由外城到内城，过了宣武门便可隐隐听见妙应寺的钟声，绕出了崇国寺的香火就是不远处的积水潭。更夫小铜锣那年亲眼看见，崇国寺的住持早早就站立在寺院鎏金的牌匾下，阳光让他身披一轮深秋的金黄，像一棵长寿的银杏树。小铜锣后来终于想明白，满是心眼的住持这是抢先一步，吸进胸腔的酒香足够他享受一整年。小铜锣那次提着手中刚刚修补好的打更的铜锣，冷不丁敲了一棰，然后他看见住持缓慢地转过身来，满脸幸福地说，北京城打更的声音，就数你的最动听。

难道你没有发现，我今天早打了两个时辰？

小铜锣说完，发现那块鎏金的牌匾下，住持金黄色的身影已经不见了。

小铜锣那天站在夕阳的余晖里冥思苦想了很久，他觉得崇国寺的住持真是轻飘，这家伙怎么就像一片落地无声的银杏叶？他巴不得自己也能提起脚步，顷刻间飞身抓住一枚刚刚离开枝头的银杏叶子。然后他看见春小九的马车上，无恙姑娘胸前挂着一串安静的碧靛子。无恙正露出半张脸，对他妩媚地笑了一下。而且她还说小铜锣，晚上要不要来欢乐坊吃酒？

小铜锣笑呵呵地望着跑出去很远的马车，很长时间里都觉得自己很有面子。

3

小铜锣那天晚上其实并没有被锦衣卫杀死，那把明晃晃的绣春刀不过是吓吓他而已。倒在地上被吓晕过去后，小铜锣是被夜风冻醒的，嘴里溢出一口酒香，他那时恍惚又听见了三声鞭响，然后就有一声苍茫的嗓音像爆炸一般响起：收灯！

时辰已经到了五更。

小铜锣他抹了一把冻成草纸一样粗粝的脸，怅然凝望天边那颗孤独的长庚星，恍惚感觉自己刚刚是被黑夜吐了出来。蒙了很久以后，他开始记起两个时辰以前的事情……

就在那间热气腾腾的欢乐坊里，他记得无恙姑娘的一双赤脚麻利地奔腾在结实的木板楼梯上，她胸前挂着的那串碧靛子，就那样有恃无恐地晃来荡去。无恙怀中抱着一坛海半仙，仿佛山坡上的一只兔子那样蹿过来蹿过去。这天也是小铜锣发工钱的日子，他盯着无恙姑娘那双生动的脚，穿越过拥挤的人群时额头上涨满了汗珠，然后他提着那只永远都用麻线串着挂在胸前的缺口木碗，在柜台上十分骄傲地打了一碗同山烧酒。

小铜锣喝下第一口酒的时候，就有人开始起哄，他们在取笑无恙姑娘，说她终于说出心里钟爱的男人原来是一个名叫田小七的鬼脚遁师。据说田小七来无影去无踪，专门帮人越狱劫狱，收取的佣金高得能吓死一头牛。小铜锣躲在角落里噗嗤一声笑了，浪费掉了这个夜晚的第二口酒。他看见无恙姑娘满脸羞红，张手盖住自己的脸，说老娘说都说了，你们怎么这么讨厌，把人家当笑话。然后那个名叫朱棍的酒鬼就吹了一声响亮的口哨，他挽起袖子，像猴子那样伸长了手臂说，无恙姑娘你等于喜欢护城河早晨里的一团水汽，田小七他根本就不存在。无恙顿时就不开心了，她毫不怜惜刚打起的一碗酒，直接浇在了朱棍的脸上。她说朱棍你给我滚，你欠欢乐坊的酒钱一辈子都还不清，老娘今天不稀罕了。朱棍张开的嘴即刻被冻住了，很久以后才小心翼翼地合上。他不知道该怎么抹去脸上那些发烫的酒。

朱棍的确是一个令人讨厌的恶棍。此前小铜锣看见朱棍的屁股坐落在一把高高的椅子上，他唾沫横飞地一边吹牛一边喝酒。小铜锣不是不知道，朱棍欠了一屁股的赌债以及风流情债，至少有十五个年纪不同的女子带着短刀在京城的各个角落里搜寻他。无恙姑娘的那本牛皮账本里，也记满了朱棍欠下欢乐坊的鳞次栉比的酒钱。但朱棍这天还是喷着借来的酒气在吹着海水一样的牛皮，他说他见过朝鲜名将李舜臣，并且同他吃过三次酒。朱棍跷起拇指说，李舜臣将军知道吧？全罗左道水军节度使。他那铁甲龟船，长，十余丈；宽，一丈余。让那些不识相的矮种倭寇闻风丧胆。鸣梁海战，知道吧？那叫一个稀里哗啦。还有，我朱棍，那天跟李将军吃酒，李将军掏出怀里的《孙子兵法》，佩服地说了五个字。

哪五个字？人群焦急着问。

大明天朝，威武！朱棍跷起拇指说。

朱棍就这样被人群围在中间，得意扬扬的样子像是一提腿就能从欢乐坊里飞了出去。他甚至在小铜锣的屁股上踢了一脚，说姓小的，去替我打一壶酒。不然我让李将军把你抓去，发配到朝鲜打仗。

小铜锣灰溜溜地挤进人群里，去帮朱棍打酒。无恙姑娘很不耐烦地靠在柜台上，她打了一壶酒给小铜锣，斜着眼睛说，除了会打更，你还会打什么呀？

我还会打酒。

劝你少替他打酒，免得找不到北。无恙眼光迷离地望着台上赤脚跳舞的春小九，小铜锣觉得，她会不会是在思念着从未谋面的田小七？

回去给朱棍送酒的路上，小铜锣一眼就瞥见了吊儿郎当的甘左严。甘左严浓密的胡子挂满了酒沫，正在努力地撑起那双醉眼，然后他一拍桌面大喊一声，我请所有人喝酒，账记到我头上。欢乐坊里再次人声鼎沸，所有人都恨不得醉死在这里。他们举起拳头，纷纷跟着甘左严叫喊起：春风激荡，四季无恙。春风激荡，四季无恙。

无恙又笑了，她在柜台里慢吞吞地挺直身子，指着甘左严道，姓甘的，花头精就数你最多。拍再多的马屁，也别想让老娘少收你一文酒钱。我们家小九，还等着办嫁妆呢。

无恙话没说完，欢乐坊的乐曲声毫无征兆地激昂了起来。来自云南的乐师摇头晃脑地拍响了皮鼓，春小九的舞蹈瞬间跳得跟疯了似的。春小九最后摇了一次手上的铃铛，突然就像一只绣球那样从台板上弹跳下来，一下落在了甘左严的怀里。甘左严张开手臂，胡乱地揽住春小九落下来的细腰，他看见热气腾腾的春小九如同两只刚出笼的馒头。春小九仰着一张拧得出水来的脸，夺过甘左严的银酒壶，将它喝得一滴不剩。她听见甘左严说，你就像我老家一只碧绿的蚂蚱。

春小九笑了，躺在甘左严的怀里说，你老家是在哪里？

是在我爹的梦里。

梦又在哪里？

在我娘生前的怀里。

甘左严像背一首诗，他给自己又倒了一壶酒时，听见春小九梦境一样地说，娶我。

我不能娶。甘左严说。

那我们一起住到南麂去，那是一座小岛，岛上有好多石头做的房子。

我不能娶，也不能去。甘左严看见那碗酒照出自己潮湿的眼，然后他扶着桌腿，抱着春小九摇晃着滚落到了地上。他说春小九你听我说，南麂岛的石头缝里挤不出一滴酒，只有欢乐坊能把我每天都灌醉。

在甘左严喷出的酒气里，春小九闻到一个男人携着漫天风雪远去的味道，差点就把她的眼泪给熏了出来。

但是甘左严却是小铜锣最不想见到的男人。所以小铜锣在心里骂了一句，他妈的都是假的。然后他打着沮丧的酒嗝步履蹒跚地离开欢乐坊，望见北斗星正清冷而孤独地镶嵌在天幕上时，觉得欢乐坊里的一切都是梦境一样的虚无缥缈。他摆开架势伸展了一回四肢，顿时感觉所有的手脚都是无恙姑娘刚刚送给他的。他想人这一辈子很短的，必须要把每一天都过得快活无比，胜过那个令人仰慕的田小七。

田小七是朝廷通缉多年的要犯，可是小铜锣知道，负责追捕他的锦衣卫千户程青至今没有机会见过他的脸。连续几个月，程青脱了飞鱼服来到欢乐坊，他知道这里是京城所有隐秘情报的集散地和交易处。来欢乐坊的第三天，无恙在柜台里用手掌撑住下巴，对程青说新来的，你的俸禄够我们欢乐坊的酒钱吗？无恙说完，宽大的袖子及时地滑落下来，这让程青头一回见识了欢乐坊粉嫩又芳香的手臂。但程青的眼里燃起一团火，他想越过被酒打湿的柜台，一把锁住这女人的喉管。可是无恙姑娘还是笑了，她说官爷别急，要想买到情报，你得降降火。又说，我刚给你算过了，你一个正千户，每月的俸薪是八两银子。可是皇上还有个账本，他算计着给你打个七折，外加一些香粉和胡椒来冲抵。

程青顿时无助了，他盯着柜台上的钱箱子，看见又有一把银子被无恙扔了进去，那差不多是他两个月的薪俸。他想不到无恙竟然对自己的身份和来意了如指掌，所以只好扯开嘴皮牵强地笑了，并且说，我来对了地方。

无恙一掌拍落在柜台上，溅起了桌面上的两滴酒，她胸前的那串碧靛子又晃荡起来。无恙指着程青的脸说，有眼光！

程青于是想明白了无恙之前说过的：掌柜的掌柜的，就是敢于一掌拍在柜台上的。

接下去的日子，小铜锣知道程青依旧隔三差五地光临欢乐坊。有那么几次，程青看见一帮客人抓着一摞刚从街面上撕下的通缉令，争抢着羊毫笔要勾画田小七的头像。可是令小铜锣和程青都哭笑不得的是，他们竟然把田小七画得有五匹马那么高。程青摇摇头，他想要果真是这样，田小七帮人越狱时挖的地道还不得能走过一条船？

客人们开始层出不穷的奇思妙想，他们说田小七是在家中排行老七。但很快就有人反对，说田小七不可能是一个人，他们去监狱里捞人，要价这么高，或许总共要供应七张嘴。而那个曾经给程青当过一阵子线人的朱棍却吹大了牛皮说，你们知道的就是一个屁，实话告诉你，田小七就是一个卖田七的，他身上有晒干的田七粉的味。

小铜锣想到这里时，开心地打了一个芳香四溢的酒嗝，然后突然想释放一下自己。对着那堵墙壁，他想起程青最近已经好久不见了，难道他懒得抓捕田小七了？还有，等打完了这一天的更，自己得回去把剩下的工钱交给吉祥院的嬷嬷马候炮。马候炮是一个已经开始迅速苍老的女人，她将小铜锣和他所有的兄弟都给一起拉扯大了。可是奇怪的是，她的嗓音至今还是非常响亮，简直能震下吉祥院屋顶的两片泥瓦。这时候，他一转头见到朱棍被两名锦衣卫装进了口袋里……

4

两天后。礼部郎中郑国仲府。已经很久没有看见京城飘飞细雨的郎中正陷入忧伤。郑国仲有个习惯，喜欢在下坠落入天井的雨点中想所有的事。似乎只有这样，他才能将朝廷内外令人伤神又忧虑的细节给全部串联起来。

就在刚才，那个走路舍不得发出一丁点声响的家丁给他送来了一份刑部快报的密抄件。里头虽然只有三言两语，但郑国仲的目光却无法忽略类似于四川播州杨应龙、福建海通帮以及京城满月教这样的字眼。最近，南方和西域各地都有雪片一样的奏函呈交给内阁，所有的消息都可以总结为几个字：乱匪不绝。看似平静的王朝其实处处布满着暗礁，郑国仲很多时候也实在无法分辨，能够危及桅杆的大风究竟会起于哪一片铜钱一样的青萍。往往是在这样的时候，他会陷入常人无法理解的孤独无援。仿佛是在独自掌舵，漂泊在京城外辽阔的洋面上。

郑国仲随意把玩着手中的一把蒙古短刀，但站起身子时，他忍不住转过刀尖，将它插在那份密件的纸片上。宽厚的桌板忍痛呻吟一声，郑国仲缓缓转头，盯着家丁彷徨的眼。家丁那件宽大的粗布长袍看上去就是胡乱披在身上的麻袋。他说病夫，你的舌头最近好点了吗？

叫作病夫的家丁把腰深深地弯下，他的嗓子有点沙哑，说，小的舌头昨天还像一缕麻布，但今天似乎能尝出淮北橘子的酸味。

那是枳子。郑国仲说。

哦。我记错了，应该是淮南的。病夫有点自作主张地笑了。他说我刚才在心里掐算了一下，程青这回去福建已经九天了，可是至今没有消息。

加上出城的那个夜晚，今天应该是第十天。郑国仲的话音像是在自言自语，他望向窗外那片竹林，低垂的夜色不免让他猜测，难道是南方的一场大雨耽搁了程青的行程？再这么下去，他该怎么跟锦衣卫指挥使骆思恭去交代？这次福建之行，他对谁都给瞒下了，除了幕后那个他必须对其负责的人。那是郑国仲一生最大的秘密。

郑府里那只娇贵的夜莺这时从议事房的窗格前飞了过去，它飞翔的路线忽上忽下，仿佛将它托起的是一片起伏的海浪。夜莺洒下一缕清脆的啼叫，让人想起宫廷乐师调教多年的一把直笛。郑国仲于是抛开那些思虑，猛吸了一口清凉的夜气，他想，京城里没有了程青的这么多天，那个幽灵一样的田小七是不是就可以放开手脚了？

病夫看出了郑国仲的心思，他知道主人在等一个人。更加准确地说，其实是两个人。

此时，皇城的正门也即承天门里，就在千步廊的西侧，毗邻五军都督府的锦衣卫北镇抚司诏狱外，也有着同样宽广的夜色。巡城的官兵可能靠在墙头打了一个瞌睡，他们并没有发现，一辆马车就在这时穿透黑夜，狂奔出十来丈开外后就突然砰的一声爆炸了开来。官兵们猛地醒来，看见那辆马车在巨大的爆裂声中被高高扬起，像是上元节里绽放在空中的一堆烟火，它们七零八落地砸下，顷刻间散成一块块来历不明的碎片。

那显然是一匹从义州大康堡马市上购得的良马，有着辽东女真部落马群的优良血统。但它现在躺在春天的泥土上浑身抽搐，脖子上挂满了黏稠的血。

几乎是在相同的时间里，关在诏狱死囚牢房里的朱棍听见自己的脚下也发生了一次爆炸，显然这声音几乎被外头的巨响给掩盖了。朱棍吓了一跳，他原本正在做一个和十八岁姑娘有关的春梦，但同时发生的两起爆炸却把这场好梦给活生生地掐断了。

牢房的地面被炸出一个酒缸那么大的洞，朱棍看见两个男人从地洞中钻了出来。站在后面的那个拍拍身上的尘土，皱起眉头说，枪枪，这么简单的地方找我鬼脚遁师来捞人，你说这是不是在坏我的名声？

叫作土拔枪枪的男子捏了一把鼻子，声音有点干瘪：管那么多干吗？银子就是名声，钱多不压身。

低矮的土拔枪枪差不多有一只肥胖的白鹅那么高，头上沾满了因爆炸飘飞下的稻草。他提着一把几乎跟他一样高的铁锹，眼睛一动不动地望着朱棍说，兄弟，确定一下，你是不是叫朱棍？恶棍的棍。

朱棍颓丧得像一堆扔在墙角的烂泥，他用虚弱的目光望着土拔枪枪身后的那个男人，吐出一句说，姓小的，怎么会是你？

那人也叹了一口气，转过头去说，我也希望不是我，我巴不得你一直躺在那天夜里的那只口袋里。

这时候，土拔枪枪举起铁锹一把挥落在了朱棍的腰上。他说姓朱的恶棍，记住了，他现在不姓小，姓田。他叫田小七。

土拔枪枪就长那么高，一般情况下，他最多只能敲打到成年人的腰上。

朱棍惨然地笑了，他说小铜锣你身上怎么没有田七味，可是现在你插翅难逃，从来就没有人能从这里逃出去。

小铜锣腼腆地笑了，他说其实我就是先例，走！

朱棍觉得小铜锣是敲响了一面打更的锣，这个冷飕飕的春天好像只有欢乐坊的同山烧才是真实的。要不然，孙子一样的小铜锣怎么会瞬间就成了闻名京城的鬼脚遁师田小七？

朱棍在土拔枪枪的搀扶下走向洞口时，听见牢房外传来一阵脚步声。透过威风凛凛的铁杆子，他看见两个穿着巡检军服的九品武官正摇摇晃晃地向这边走来。他们正在跟一名狱卒聊天，拍着手中的文卷说，我们要带这个姓朱的恶棍去调查。朱棍想，该来的还是要来的，自己之前将到手的情报四处贩卖，给了东家又给了西家，现在人在牢里，买主们就谁都不愿意看见他多活一天。但自己总还是有价值的，比如说小铜锣或者说田小七的买主现在就很是想把他弄出监狱去。

朱棍回头时，发现田小七和土拔枪枪已经消失了，就连之前的那个洞口也已经恢复如初。朱棍恶狠狠地掐了一下大腿，他怀疑梦一般的这段日子一定是见鬼了。

事实上，小铜锣此刻就在朱棍脚下的地洞里。他正在土拔枪枪的帮助下飞快地给自己换上飞鱼服。透过一支筷子那么粗的缝隙，他看见两名巡检走到朱棍面前，和朱棍亲切地交谈起类似于大明朝的税收的话题，以及京城里最近经常会遇见的沙尘暴。朱棍一声不吭地向后退缩，然后他走到墙角，退无可退时，突然就脸色大变，迎着巡检就要伸过去抓他的手大声喊着救命。两名巡检显得很不耐烦，他们收起文卷，一把架起嗷嗷叫唤的朱棍，像拖着一只山猪那样直接向外走去。

地底下的土拔枪枪就是在这时候冲天而出，他举起的铁锹重重地拍落了下去。因为飞跃得很高，所以土拔枪枪这一回砸在了巡检的后脑上。两名巡检转头，趴着腰身和土拔枪枪扭成了一团。田小七把双手盘在胸前，考虑着上蹿下跳的土拔枪枪该如何把两名巡检打翻在地上。在他们终于就要被土拔枪枪的铁锹拍死之前，田小七的笑容慢慢地收了起来，他看见一名巡检纵身跃起，双腿张开，像一把巨大的剪刀那样，直接剪向了土拔枪枪的脖子。可是土拔枪枪矮壮的身子几乎就找不到脖子，所以有那么一刻，巡检显得惊慌失措。他后来落下的双腿猛地用力时，田小七听见土拔枪枪浑圆的脑袋随即发出咯吱咯吱的声音，双眼也翻出死鱼一样的眼白。

这时候另一名巡检抓住机会，正要一脚踹向土拔枪枪那颗怪异的头颅时，土拔枪枪竟然整个人贴着地面倒立了起来。然后他一个回转翻身，将用双腿绞缠着自己的巡检一把给甩了出去。土拔枪枪很恼火，他的铁锹迅速挥了出去，连着拍了十几下。沉闷的声响过后，田小七看见两名巡检就像两条委屈的蛇，一起被拍死在了这一天的泥地上。

忙碌过后的土拔枪枪望着依旧无所事事的田小七，扔下铁锹愤然说，姓小的，为什么不救我？

你能应付得了，田小七仰头说，自己的事情自己解决。

你这话也有道理。土拔枪枪看着地上被自己捶打得扭曲的铁锹，心里觉得有点可惜，所以他想了一下说，买主那边给的银子，你得先刨下一笔给我买铁锹。我决定了，要去风尘里豆腐店隔壁的老王家打铁铺，那里的铁锹货真价实。

这样吧，土拔枪枪又果断地说，先买两把。

田小七没有工夫去听土拔枪枪的那些啰哩啰嗦，他转身问道，姓朱的恶棍，你没死吧？还走不走？

目瞪口呆的朱棍此时如同一只羽毛灰色的鹅。刚才的肉搏厮杀，加上土拔枪枪最后的那几下铁锹，让他想起一个名叫武松的外地人，那人在《水浒传》里打老虎。他张了张嘴，正想问田小七你是要带我去哪里时，田小七却突然朝他嘴里拍进了一颗药丸。朱棍的喉结滚动了一下，那粒药丸便顺着紧张的喉咙滑进他的胃里。他顿时感觉有了使不完的力气，想起了林冲在雪夜横冲直撞的奔突，他挺直身子说，走！

此时，田小七望着窗外的夜色突然有一点无措，他估计自己今天是要错过风尘里三更时辰的打更了，他有点想念无恙姑娘的萤火虫。就在朱棍被装进锦衣卫口袋的第二天，无恙姑娘曾经在欢乐坊的柜台里向小铜锣抱怨，说自己养的萤火虫在前一天夜里死了四只。小铜锣晃荡起胸前那只用麻线串起的木碗，他说你觉得会不会是被风尘里五更时分的鞭响给震死的？听到这话，无恙姑娘就陷入了沉思，好像她又思念起了从未谋面的田小七。

田小七让朱棍将那团臭得令人作呕的衣裳扔进了洞里，他带着土拨枪枪和朱棍重新跳进敞开的洞口后，只是一瞬间，地面便迅速平复了，像是一道自动痊愈的伤口。

地洞是土拨枪枪前天夜里开始挖的，连接了下水道。

土拨枪枪对京城所有的地下都怀有浓厚的兴趣。因为只有在地洞里，他才会显得不那么矮小，身手也能灵活得赛过一只地鼠。

在一片漆黑的地道中奔跑，田小七听见身边两人粗重的呼吸声。无边无际的黑暗里，他的双眼却越来越亮堂，越来越深长，目光几乎穿透了很多年的时光。他仿佛看到福建的一片海滩，一条属于日本丰臣秀吉家族的木制军船就停泊在海边，他和他曾经的水师战友们正同那些贸然闯入的日本侦察兵缠斗在一起。他十分清楚地记得，刚才巡检使用的剪刀腿，和当时日本兵的必杀技——滚龙绞如出一辙。想到这里时，田小七的耳朵里灌满了风声以及翻滚的海浪声，在那场小规模的遭遇战中，他最亲密的战友陈丑牛就是被日本兵的滚龙绞绞翻在地，然后一把鸟枪迅速顶在了陈丑牛的头上。

陈丑牛那时单腿跪地，他可能是一时蒙住了。只是拔出一把刀的工夫，陈丑牛就疯子一样对着束手无策的田小七叫喊：杀啊杀啊，不用管我，小铜锣你杀啊！田小七醒了过来，含着泪突然纵身扑了过去，但就在他手起刀落砍开对方的脖子时，那名日本兵也扣动了手中的扳机。一声汹涌的枪响，盖过了记忆中所有的海浪。田小七看见陈丑牛的脑浆喷溅了出来，像是海底一团怎么也捞不上船的海带。

如果不是因为甘左严的失职，田小七觉得陈丑牛或许现在还在自家的菜地里种植着朝天椒。陈丑牛每次行军时身边都带着三样菜：生辣椒，腌辣椒以及辣椒酱。所有这些辣椒，每次都让田小七和甘左严泪流满面，就连流出的泪也是辣的。

福建海滩一战，在田小七的脑海里一浪高过一浪。现在他在地洞里脚步如飞，狂奔进了由土拨枪枪指定方向的下水道里。他知道此时监狱看守一定已经发现了那两名九品武官的尸体以及朱棍已经越狱，头顶石壁中滴落的水声，使他感觉出锦衣卫在地道上方勇猛的脚步。

在钻出下水道的那一刻，田小七站定，听见最后一滴凝结的水珠从石壁上方坠落的声音。清凉，饱满，而且落地清脆。

田小七在起风的夜色中站立了片刻，他看见一团墨黑的云层正从南边翻滚过来，似乎还夹杂着隐隐的雷声。他晃了晃因为追忆滚龙绞而变得晕乎乎的脑袋，终于分辨出东边是在自己左手的方向，那也是他要带朱棍去的方向。

在朱棍即将变得短暂的记忆里，那天他跟在田小七的身后，忽然就有一辆马车突兀地停在了他们身前，仿佛那是院墙里钻出来的。他看到田小七掀开帘子，抬腿第一个跃上了马车。

帘子在土拨枪枪上车后放了下来，朱棍回头看见车里安稳地坐着一个白净的男人，那人正在给自己认真地编织着一条辫子，头也不抬地说，来了？

朱棍后来知道，前面驾车的那个男人叫刘一刀。而车厢里看上去唇红齿白，把一条辫子织了拆拆了织的男人好像是叫唐胭脂。他还有一个古怪的名字是叫妹妹。

因为所有的要道被封锁，到处都晃荡着锦衣卫举着火把或灯笼的影子，所以那天的马车弯弯曲曲地绕了很远。朱棍后来在车厢里听见刘一刀在向田小七要买马的钱。刘一刀说那匹马已经咽气了，加上炸成碎片的车厢，他总共花了十五两银子，一钱都不能少。然后朱棍又听到土拨枪枪像是在自言自语地说，两把铁锹，明天得早点买。

这是一辆奇怪的马车。朱棍从帘子的缝隙里

看见，车子静悄悄地过了会同南馆也就是乌马驿，然后就拐到了唐神仙胡同上。他冷笑一声，说我明察秋毫，小铜锣你今天的买主姓郑。

唐胭脂依然认真地编织着那只生机勃勃的辫子。他随随便便就能听见，那天朱棍咬着田小七的耳根，神神秘秘地说着一些声音细小的话语。他不由皱起了眉头，觉得朱棍真是恶心，怎么可以同田小七靠得这么近？

朱棍把话都说完，扭开脖子得意地笑了。他像是胸有成竹，轻声说，我就猜到了，救我就是救他自己。

田小七感觉整个肠胃都不舒服了起来，他捧起肚子，有点想吐。

5

病夫拖着他死气沉沉的身体，再次走进郑国仲宽敞明亮的议事房。从案几上的一堆文案中，郑国仲抬起了头，他用一双三角眼盯着病夫看了一会，猛然拔出桌板上的那把蒙古短刀。然后，他阴郁的眼神迅速穿过了天井，说，你想说什么？

两件事向您禀报。刚才有一辆马车走进胡同了。听车轮的声音，我觉得上面应该坐了有四五个人。病夫说完，又自作主张地笑了。他说马车现在走得很慢，我估计他们很快就会停在咱家院子的门口。

郑国仲将那把短刀缓慢地送进刀鞘，他觉得自己等了一个通宵的结果终于还是要来了。就在半个时辰前，他已经听病夫说起，胡同外的街道上跑过一群慌张的飞鱼服，是北镇抚司那边出事了，一匹马被炸得七窍喷血。

另外一件事情是什么？郑国仲问。

主人，外头下雨了，雨点还不小。病夫想了想，又说，我得去把夜莺给叫回来。

6

田小七带着朱棍出现在礼部郎中郑国仲的府前时，那扇打开的朱漆大门仿佛已等候他多时，而唐神仙胡同外三更时分的梆子声则正好敲响在田小七跨进郑府门槛的时候。

郑国仲站在半明半暗的光线里一言不发。他实在没有想到，此时站在自己眼前的竟然会是小铜锣。这么多年过去了，再次遇见这张脸，他多少还是有点无措。

原来你还姓田。郑国仲散淡地说，你隐藏得比墙洞里的壁虎还深。然后他回头看了一眼朱棍，不免有点扫兴，觉得他那副自作聪明的样子根本就是愚蠢透顶。

郑国仲当初派人在京城的民间情报中心欢乐坊发出求助信号，满城寻找擅长劫狱的鬼脚遁师田小七。他知道欢乐坊掌柜无恙姑娘喜欢用飞舞的萤火虫组成的密码传递消息，而春小九也会在跳舞的时候手脚并用告诉买家他想要知道的情报。春小九跳舞跳得那么卖力，弹性很好的木板下撑着一堆酒缸，四周又架了几十个红漆羊皮的大锣鼓，酒缸和锣鼓都标了数字。春小九的密码本是《牡丹亭》的唱本，她脚尖触在哪个酒缸上就代表是哪一页，然后手中扬起的两根木棒捶打在哪两片鼓上就分别对应哪一行和第几个字。

那天在欢乐坊，小铜锣抚摸着那只珍爱的木碗的缺口，很快就译出了有人要买田小七救出诏狱中的朱棍，并且送往唐神仙胡同里的一个院子。走出欢乐坊时，他很奇怪朱棍的命怎么那么好，竟然有人愿意出那么高的价钱，抵得上锦衣卫总旗三年零五个月的俸银。而就在刚才，在一场下注二十两纹银的赌局中，当骰子落定酒碗掀开时，一个名叫郝富贵的赌鬼怎么也不相信自己还是押错了。郝富贵满脸沮丧地对赌局的赢家柳章台说，对不住，我其实没银子了，用手抵债。说完，郝富贵转身向柜台里的无恙借来一把戚家长刀，只见他大吼一声，刀光劈下时，一条手臂就被他利落地卸了下来。那一刻，见多识广的柳章台顿时也愣住了，他看见郝富贵的血从肩头喷了出来，那只手的几个手指还在地上独自发抖。柳章台掏出一片锦帕，擦去溅在脸上的血珠，皱着眉说，郝富贵你太血腥了。应该把手给留着，不然接下去还怎么赌？

现在，郑国仲在田小七面前慢慢拉开桌上托盘中的一块锦绸，一堆璀璨耀眼的金子便显露了出来，足足有一百两。金子的旁边，是一块特制的锦衣卫镏金令牌，加刻了七颗北斗星。郑国仲安静地看着田小七，慢慢露出湖水一样平静的笑容，轻声说，既然你有本事救出朱棍，那就有资格选。两选一，你选！

田小七不由得笑出声来，他缓慢地伸出一只手掌，稳妥地盖住那块闪亮得刺痛他双眼的镏金令牌。他没想到郑国仲竟然如此豪爽，给出的黄金高出了当初约定的佣金，简直能买下郝富贵的二十条手臂。

郑国仲转头望着天井中落下的雨。他愿意相信，此时的福建沿海，打在锦衣卫千户大人程青头顶的雨点，应该像一把胡乱撒下的珍珠。

田小七却也碰巧想起了程青，他觉得自己作为一名长期被程千户缉捕的要犯，此时却突然就要变成他的同事，这听起来简直就是一个笑话。所以他盯着郑国仲说，郑大人，我很想把日子过成一段笑话。

郑国仲依旧望着天井中连成无数条线的雨，听见田小七又说，这么多年了，你不是一直觉得我就是个笑话吗？

田小七把话说完时，却发现朱棍的双眼突然变得无比惊慌，他抓挠着自己的脖子，眼珠狰狞，身子慢慢跪了下去。朱棍最后露出一抹诡异的笑容，口吐白沫说，田小七，你干的好事，你这哪是救人？你这是越救越死。然后朱棍扑倒在地上瞬间死去，挤爆的眼珠如同一只死去的金鱼的眼睛。

田小七望着不动声色的郑国仲，恍然地说，原来救和没救都一样，这个短命鬼必须死。你给的那颗说是补体力的药丸，分明就是毒药。

郑国仲没有看着田小七，只是转头叹了一口气，轻声说，这都是病夫干的好事。

病夫从屏风后悄无声息地漂移了出来。他的手指白净而修长，脸上没有一丝血色。他轻轻翻了翻朱棍的眼皮，认真地对田小七说，走得那么快，算是他的造化。这药丸叫“揪心”，要是换成了“揪肠”，这厮巴不得将自己一头撞死。

病夫的指头和舌尖触碰过世间上千种的毒药，他羞涩地笑了一下，说田小七我知道你，你就是鬼脚遁师，之前一共救出过七个被打入死牢的囚徒，从未失手。

是九个，田小七认真地纠正他。有一个是女囚，她肚里怀着一对双胞胎。

病夫嗤的一声又笑了，他说我顶喜欢有本事的人。哪怕它只是一只安静的猫。

病夫说完，拖着绵软的双腿，和他的长袍一起退回到了屏风里，像是地上一摊被收回去的水。郑国仲对田小七说，他是个有病的人。

病在哪里？

是舌头，病得不轻，没有药。

7

那天郑国仲让病夫温了一壶酒，他觉得细密的倒春寒像行走在夜里的一条满腹心事的蛇。这是他和田小七第一次对饮，仰起脖子将酒喝下的时候，一些锈迹斑斑的往事不免就浮了上来，那是一段属于少年时期的记忆。田小七不会忘记，比自己年长的郑国仲曾经是和万历皇帝朱翊钧关系尤为亲密的少年。据说在紫禁城的御书房里，郑国仲常有机会和朱翊钧一起聆听授课，他们每天都要朗诵《大学》十遍，然后再接着读《尚书》。而负责给他们每日午讲的，则是郑国仲的父亲郑太傅。有那么一次，严厉的首辅张居正对摇头晃脑的郑太傅以及瞌睡不止的朱翊钧很不满意，他命一旁的宦官捧来太祖朱元璋的《皇陵碑》，让朱翊钧好好反思太祖是以怎样的心情回望过去的贫困和艰辛。当着郑家父子的面，朱翊钧那天以泪洗面，对看管他的张居正痛哭流涕。

而在郑国仲的眼里，小铜锣那时尚未发育的身体就像一棵病蔫的豆苗。虽然他知道，自己的义妹郑云锦经常是这棵豆苗在孤寂时分的梦里最期待的相遇。那时的郑云锦还是一个豆蔻年华的少女，在三保老爹胡同，一家赌馆突然发生的一场大火里，她带着小铜锣逃了出来。

田小七也同样记得，那天在涌进赌馆的阳光里，一个丑陋的异乡人使劲咬着手里的萝卜，然后那个比她大了两岁的姐姐就凑到他跟前静悄悄地说，我最讨厌的就是呛味的生萝卜。田小七的耳根愉悦又酥痒，他记得自己快活地笑了，干净的嗓音说出一句，郑姐姐，今天开始，我同你一起讨厌萝卜。可是等他说完，便看见赌馆的伙房里冒出一阵浓烟，蹿出的火苗随后将那个午后燃烧得惊心动魄。田小七后来才知道，恶意纵火的就是那个咬着萝卜的燕城人，他不仅赌光家财还押上了自己的妻女，最终他决定要报复这家在骰子里动了手脚的赌馆。

此后，郑云锦便成了田小七心中梦幻一般的存在。但没过多久，事实上深爱着郑云锦的郑国仲就成了挡在两人之间的一堵会行走的墙，这堵墙总是能准确地将两人给阻隔开来。而到了现在，多少年过去后，郑云锦已经是万历皇帝朱翊钧最为宠爱的郑贵妃，礼部郎中郑国仲也就理所当然地成了国舅爷，并且一如既往地深得万历皇帝的信任。

在和郑国仲漫长的吃酒时光里，田小七终于知道，坐在自己对面的不仅仅是礼部郎中，实际上他是在万历皇帝的默许下，正在组建一支特殊的锦衣卫组织——北斗门。而那个奉命缉捕他许多年的锦衣卫千户程青，另一个隐秘的身份，也正是北斗门的成员之一。

就连锦衣卫指挥使骆思恭都不知道有个秘密的北斗门。郑国仲这天跟田小七讲得最多的一句便是，天可以塌，但皇上不能倒。皇上倒了，国家社稷也就倒了。

郑国仲给田小七讲了一个真实的故事。他说他暗中派遣程青带领着锦衣卫的十人小分队前去福建，迎接来自日本德川幕府的议和使团，但程青却在抵达福建境内后失去了音讯。

郑国仲迟缓地笑了。他望着雨点一滴一滴落下，对着天井说，程青一定是遇到了不测。他需要援手，越早越好。

田小七终于明白，从北镇抚司解救出声名狼藉的三流线人朱棍，其实不过是郑国仲对他的一次召唤和考试。他也得知，自作聪明的朱棍让锦衣卫和东厂双方都无地自容，他们花钱买到的都是同样的情报，所以朱棍面前只有死路一条。

而事实上，当朱棍在马车上说出一句令田小七后背发凉的话时，田小七那时就巴不得他赶紧去死。不然，就会有更多的人相继死去。田小七想到这里时，终于听清了郑国仲的计划。郑国仲说，你得尽早前往福建，查询程青和日本使团的下落，将他们带回京城。

你的福建之行同样也是一个秘密，切忌大张旗鼓。

田小七和郑国仲一直把酒吃到雨过天晴。清晨到来时，田小七望着窗外竹林中一抹跳动的天光，十分清醒地说，郑大人，你好像一点也不急。

因为急并没有用。

郑国仲吃下的最后一口酒已经是冰凉的，他若有所思地说，救出朱棍来这里的路上，他有没有跟你说过什么？

田小七感觉竹林中的天光突然暗了下去，但他还是说，这个短命鬼，他心里想的是第二天夜里要去欢乐坊喝个痛快。他说他在诏狱里梦见舞娘春小九亲了他一口。

郑国仲冷笑了一声，说，我想他是梦见了死

去的杜丽娘。田小七知道，郑国仲之所以这么说，指的是春小九的《牡丹亭》密码本。但他不能确定，眼前的郎中大人是否真就相信了自己信口编织的谎言。

这时候，田小七看见一个血肉模糊的人跌跌撞撞地闯入到门口的空地上，他被两个下人架到了郑国仲的面前。郑国仲望着来人飞鱼服上那层厚厚的风干的血浆，说，果真是遇袭了。快说，在什么地方？

那人扑倒在郑国仲脚边，只说出一句并不完整的话，使团接到，月镇……然后整个身子疲倦地倒下。

许多下人纷纷向这边奔来。郑国仲蹲在死者身边，轻轻合上他的眼皮。他对田小七说，这人名叫关英，是程青的副手。

关英被拖下去的时候，两名下人迅速跪下，擦拭去所有的污垢和痕迹。郑国仲说，田小七你可以准备出发了。这时候，病夫托着一盘银子，无声地出现在了田小七的面前。郑国仲望着天井中那团氤氲的水汽，说，记住了，我们只缺人，不缺钱。银子你不用省。

我可以带多少人？

那辆马车上剩下的所有人，连你一共四个。病夫说。

8

那天上午，刘一刀和土拔枪枪各牵了两匹马，他们站在郑府院子里已经等了很久。唐胭脂看见田小七抱着一袋银子从门廊里走了出来。田小七说，上马！

四匹快马各自长啸一声，顷刻间消失在了唐神仙胡同。

田小七那时并不知道，没有送他出门的郑国仲始终坐在议事房里，他一直聆听着马蹄声走远，然后才起身问病夫，今天还有哪些事？

我想跟主人说说甘左严，从情报上分析，他现在也在月镇。

病夫替郑国仲披上一件棉袍，又说，那里就快要挤成一锅粥了。

9

此刻，马候炮正枯坐在吉祥孤儿院的门框外，屁股下那把歪斜的竹椅子勉强能够支撑起她的身子，她没完没了地抽着手中那根竹烟杆。吉祥就站在她身边，随时准备给嬷嬷点烟。他是马候炮收养的其中一个儿子。

马候炮喷出一口浓烟，拱起腰背咳嗽了两声。吉祥像一棵正在灌浆拔节的青色树苗，他眼看着嬷嬷嘴里吐出的那团烟在头顶慢慢散开，又以一种妖娆的姿态在空中盘旋。他感觉这是一个愉快的上午。但是马候炮却突然对他吼了两声，离我远点，别挡住我的阳光。

吉祥站在那里一动不动，他后来比画起双手，用哑语告诉马候炮，嬷嬷，我听见马蹄声，一共有四匹。

嗯。掉在最后的那匹是妹妹骑的。就他手脚慢，投胎也最慢。马候炮耷拉着眼皮，说话的声音越来越细小。然后她用力一点头，沉重地睡了过去。

马候炮说的妹妹就是唐胭脂。很多日子里，唐胭脂都喜欢在自己开的脂粉铺里歪斜着脑袋编织一条长长的辫子，左边一绕，右边一绕。还有一些时日，他把调磨出的新鲜脂粉涂抹到自己脸上，对着一面崭新的镜子看来看去看上个半天。这时候，突然出现的土拔枪枪会抬腿踢一下柜台，就等着唐胭脂从镜子后面探出身子，趴到柜台上望着台下矮胖的自己说，瓷娃娃，你是什么时候来的？

屠夫要我过来告诉你，春小九装胭脂的蛤蜊壳打碎了，你能不能送他一个？

是送屠夫还是送春小九？

你送给屠夫，屠夫再送给春小九。土拔枪枪

将肉嘟嘟的身板靠在柜台上。唐胭脂看到土拔枪枪的鞋帮上一片潮湿，沾满新鲜的土。一般情况下，他都是刚从哪个新挖的地洞里钻出来的，像一只兴奋的穿山甲。

土拔枪枪嘴里说的屠夫就是刘一刀。刘一刀在东市的菜场里卖牛肉，每次扔给顾客的牛肉他都只切一刀。不用过秤，分量只多不少。每当夕阳来临时，忙碌的刘一刀会收起案板上的最后一片牛肉，对着一群围上来的街坊说，对不住啊，这牛肉我得给自己留一刀。

加上打更的小铜锣，马候炮那年第一批收养的四个儿子就全都齐了。她现在斜躺在竹椅上，对着阳光偶尔狠命地抽动一次嘴角，昏睡的双眼拧成一股绳。在她急促的鼾声里，吉祥闻到嬷嬷吐出一股硝烟的味道，他于是知道，嬷嬷这是再次梦见了那一年的北方战场。那么，她眼里拧成的那股绳，其实是一根明军的火炮拉绳。那时，一身铠甲的嬷嬷和他的四个战友，组成一队被打散的明军鸳鸯阵五人小组，在新修筑的长城外冲锋得天昏地暗。经过马候炮无数次絮絮叨叨的回忆，现在就连小吉祥都知道，嬷嬷那时是鸳鸯阵法中排在最后的短刀手。而作为副队长的小铜锣他爹则手持藤条盾牌和狼筅，和土拔枪枪他爹一起，冲在位于第三排的两名长枪手的前面。所谓的狼筅其实就是一根末梢扎了铁枪头的竹竿，四周都是削短后经烫火弯曲过的竹枝，带刺或者带钩，全都涂满了毒药。鸳鸯阵和狼筅据说是声名浩大的戚继光将军首创并传到北方明军阵营中的，曾经在东南沿海的沼泽地里屡收奇效，令倭寇的长刀和重箭一时风光不再。

在马候炮渐渐悠扬且变得绵软的鼾声里，吉祥安静地掐了掐指头，他终于想起，鸳鸯阵中间的那两名长枪手，就是刘一刀和唐胭脂他们两人的爹。而现在，凭着那阵由远及近的马蹄声，他的两只耳朵灵敏地捕捉到，包括小铜锣在内的四个哥哥就要到家了。他顺着风声就能知道，哥哥们一个个都生龙活虎。

10

春小九这天起得有点晚。无恙在阳光下翻晒被褥的时候，透过爬满青藤的格子窗口，看见春小九正在闺房里懒洋洋地梳头。

昨天欢乐坊的酒卖得不怎么好，听说北镇抚司诏狱门口有突变，客人们便一窝蜂地跑去那边看炸碎在地上的马车。只有安静得像雕塑的柳章台还坐在角落里，一个人独自喝闷酒。没有了赌友郝富贵，柳章台只能让春小九陪他打双陆，他说小九你今天也别跳舞了，场子里现在只剩下我一双眼睛。你再跳舞，那简直就是浪费。

春小九吹了一声口哨，一队萤火虫便星星点点地蜿蜒着飞了回来。春小九张开一只绿色的香囊袋，那些萤火虫就排好队伍全都钻了进去。它们听见春小九说，没事情了，都睡吧。

春小九说完，柳章台看见那只通风透气的香囊口袋里，闪动的荧光纷纷暗了下去，仿佛是春小九刚给它们盖上了一床被子。

那时，柜台里的无恙绕着那把戚家军长刀仔细地转了两圈，好像她突然就会心血来潮地提起它去切开一只金色的哈密瓜。然后她看了一眼空旷的场子以及场子里闲得发慌的柳章台，笑眯眯地说，章台柳章台柳，往日依依今在否?

柳章台顿时笑了，喷出嘴里一口同山烧酒说，无恙姑娘，你又何须单恋一枝柳?说完，他扔出手中的骰子，看准了点数，提起一枚黑马在双陆棋盘上一步一步跳动了起来。他问春小九，咱们今天赌什么?春小九一脚踩到了凳子上，晃着手里的香囊说，你要是赢了，我这就去北镇抚司门口给你切一片新鲜的马肉，炖了吃。

要么再配送一壶海半仙同山烧?

欢乐坊从来就没有送出过一滴酒。春小九抓起一枚白马。

这时候，无恙突然记起了什么，她说章台兄你今天的胡子跟昨天不一样，薄了那么一寸。无恙将那把长刀刷一声抽了出来，说，难道你最近在掉胡子？

柳章台抬起眼，盯着白晃晃的刀光猛地愣了一下，笑着说，你觉得马肉该怎么烧才好？

风尘里五更的鞭声就是在这时穿过漆黑的长夜传过来的。还是那个嘶哑又辽阔的声音：一敬日月天地，二敬列祖列宗，三敬国运财运齐亨通。收灯！

这天的后来，无恙站到了春小九的镜子里，她看着春小九差不多梳了有半个时辰的头。她说你有心事，头皮都快要梳烂了。

我是在想，甘左严那天是不是被我吓住了？春小九打开胭脂盒说，早知道这样，我就不让他陪我去南鹿了。

又说，他干吗不娶我？我不是很美吗？你仔细看镜子。

无恙笑了，她想不通春小九怎么就稀奇古怪地喜欢上了那个胡子拉碴的甘左严。甘左严每次吃酒的时候，胡子上都沾了一些酒星子。然后他时常会将手中的那只银酒壶啪的一声捶在酒桌上，环视整个欢乐坊的酒客赌友们扯开嗓子说，我请大家吃酒。

他很少在暗地里偷看我，所以他是花花肠子最少的男人。春小九说，其实他根本就不怎么看我。

这个寻常的清晨，两个人盯着无恙翻晒在阳光里的被褥看了很久，好像是要等待那里头的棉絮在这个上午苏醒过来。春小九后来将头靠在无恙的肩上，她说姐姐，你好像比我更好笑，难道你还真是喜欢那个田小七？

无恙笑了，什么也没说，但春小九还是觉得她说了。

春小九看见阳光暖洋洋的走在被褥上。她说姐姐，我们要不要让萤火虫也出来晒晒太阳。

无恙依旧安静地笑。她认为春小九的长发总是很干净，她喜欢这样一头长发。然后她说，昨天去北镇抚司劫狱的又是田小七，他是个英雄。

春小九后来听无恙说，她曾经梦见过田小七。她看见田小七背上的一把剑是金色的，穿在身上的长袍是光滑细腻的绸，他说自己要去很远的地方。梦境中田小七说这话的时候，打更的梆子声响了起来，正好撞在田小七的剑身上，声音悦耳得像是飞过了一枚旋转的金币。

11

田小七原以为等候在吉祥院里的马候炮会纵起身子来骂娘，可是等他跳下马时，吉祥却朝他举起一根手指，示意他不要出声。他于是看见，嬷嬷正在这个春天里睡得踏实而香甜。

吉祥院里收养的都是孤儿，除了田小七他们四个，其余的孩子都是马候炮在街上捡来的。捡来第五个孩子的时候，马候炮盯着孩子水光一样的眼，对田小七他们几个说，就叫他吉祥吧，咱们这里以后就叫吉祥院。又说，以后不能再捡了，捡不动了。那天吉祥在马候炮的怀里打了一个细小的喷嚏，他看见马候炮擤了一把鼻涕说，小铜锣，你们几个还不赶紧去捡菜叶！

但是马候炮还是接连不断地捡孩子，捡着捡着，就很快把自己给捡老了。

田小七这天提着一袋银子正要进门时，脑袋上却被敲了一下。等他回转身，看见马候炮那支老气横秋的竹烟杆正停在半空中。马候炮说，你长了几个翅膀了？田小七于是闻到一股呛鼻的烟味。他说嬷嬷，我刚给你买了上好的烟丝，金黄金黄的，刀工精良，切得特别细。

马候炮后来坐在一只挂了一把铜锁的木箱上，她仔细盯着刘一刀搁在砧板上的一刀牛肉，说，屠夫，今天的肉起码有往常的两份，你什么意思？

刘一刀转动起肥胖的脖子，想说的话像一块煮熟的牛肉被他吞了下去。

马候炮用拇指压实了烟锅里新装上的烟丝，吉祥帮她给点上时，她在那股香味里听见小铜锣说，嬷嬷，我们要出门一趟。

死去哪里？马候炮喷出一口烟。

不能说。

哪个王八蛋叫你出去的？

不能说。

田小七一连说了五个不能说。然后马候炮就举起竹烟杆指着供桌上的一堆灵牌说，不能说？那就去跟你爹说。

田小七于是在那堆牌位前跪了下去，他好像看见自己的爹从地底下走了出来。田小七只是从嬷嬷的嘴里听说，爹战死的时候，身上都是血。爹被嬷嬷埋下的时候，黄土上没有一根草。爹那身破烂的征衣被嬷嬷捧着送回家里的时候，娘的身子抖了抖。然后娘托着抹布一样的征衣，像一阵风一样走到院子里。阳光晃来晃去的，推着娘的一只脚踏进了门前的水井里。又过了几个时辰，娘的身体喝饱了井水浮了上来。马候炮蹲在娘的脚跟前，声音湿漉漉地说，小铜锣，你跟我走，以后就叫我嬷嬷。小铜锣那时顶着剧烈的阳光，看见三个傻乎乎的脑袋从自家破朽的门洞里挤了进来，不约而同地挂着清凉的鼻涕。马候炮说，他们跟你一样，都没了爹娘，你娘算是最长寿的。起来收拾收拾，上路吧。

冬天到来的时候，马候炮抱着怀里最小的唐胭脂，牵着小铜锣他们三个鸡爪一样的手，头顶着风雪来到京城郊外一座破旧的寺庙里。马候炮搓了一把土拔枪枪浑圆的脑袋，说嬷嬷这是在替你们四个人的爹一起活下去。你们的爹脾气都不好，所以嬷嬷现在变得很暴躁。马候炮之所以这么忧伤，是因为她终于发现土拔枪枪怎么也长不高。她之前让小铜锣和刘一刀抱着土拔枪枪的头和脚，每天都拼命往外扯，可是土拔枪枪的骨头一声都不吭。唐胭脂望着躺在地上有点惊慌的土拔枪枪，冷冷地说，瓷娃娃，就这样将就一辈子得了，反正人都活不了多长的。

只有唐胭脂才叫土拔枪枪瓷娃娃，因为夏天里的土拔枪枪总是身上洗得油光又亮滑。马候炮那年让人打了一只巨大的木盆，她叼着嘴里的竹烟杆，闭着眼睛，将脱光了的小铜锣他们一个个扔进木盆子里清洗。可是马候炮不知道，小铜锣和刘一刀每次都把土拔枪枪往前推。终于有一天，马候炮突然睁开眼，对着游在水里的土拔枪枪说，怎么还是你？土拔枪枪于是傻乎乎地笑了，他说嬷嬷，我今天已经洗了第三次了。马候炮一把抓起鲤鱼一样光滑的土拔枪枪，将他一腿踢在了泥地上，炸开了声音叫喊，小铜锣，你给我死过来。

但是这位曾经在辽东战场上代兄从军征战的马候炮现在除了抽得动烟丝，已经没有力气踢得动小铜锣和刘一刀他们了。她走起路来的时候，已经带不动身边的一阵风。更多的时候，马候炮只是抱着那根烟杆，对着供桌上的一堆牌位发呆。灵牌总共有五枚，除了战死沙场的四个战友，摆在中间那块最巨大的，是马候炮后来给威震四方的戚继光将军做的。马候炮在十二年前听闻，戚将军后来回到他的山东蓬莱老家，没有死在倭寇手中，最终竟然死在了穷困和潦倒当中。

马候炮坐在这天跑动的风里，她疲倦得一点都不想说话。直到田小七最后一次站到她跟前说，嬷嬷，你能不能帮我去一趟菜场？我想买一袋朝天椒。

12

深夜，内城城北的风尘里街区传出三声关市鞭响时，宵禁中的外城城南永定门外，北斗星正倒映在清凉的护城河中。两扇巨大的朱漆大门吱呀一声缓缓推开，京城里突然就冲出了四匹快马，它们昂头嘶鸣了两声，便在夜色的掩护下朝着遥远的南方一路疾驰而去。

吉祥看见，扬起的沙尘卷起一场风。他长久地站立着，最后用哑语对那场风说，哥哥，保重！

田小七出发了！

13

一个时辰前，翊坤宫内。郑贵妃半躺在花梨木的卧榻上。

最近几天，她的睡眠一直不怎么好，总觉得有什么事情要发生。就在刚才，她让儿子朱常洵陪她到外头去看了一阵子星空，但这兴致很快就被打消了，她最终看见的是一摊鲜红的血，于是不得不让宫女们打着灯笼赶紧回屋。可是在这段短暂的时光里，当宫女们被那摊突然造访的血惊吓得手忙脚乱的时候，就连郑贵妃的贴身侍女阿苏都没察觉，翊坤宫西南角的墙头上，有一个身穿夜行衣的男人一直蹲坐在阴影里。

现在事态已经平息，郑贵妃在卧榻上凝望着四周静止的空气，感觉一团深刻的疲倦从那些雕梁画栋的背后走了出来，正要向她发动一场沉默的袭击。

差不多是朱常洵现在的年纪，十四岁那年，郑云锦坐着一辆四周盖满了帷幔的马车进了紫禁城，身边正是她的义父郑太傅。马车有些颠簸，一路上郑云锦都能听见身边的珠帘碰撞出清凉的声音。身子略微摇晃的时候，她记起刚才上车之前，自己差点就摔了一跤，是她的义兄郑国仲及时将她扶住。郑国仲眼睛望着远处说，进宫以后的路，走慢一点，站要站稳，走要走好。郑云锦于是忍不住多看了一眼这个锦衣少年，他陪伴了自己两年。而就在刚才几乎跌倒的那一刻，她在惊慌间回首，却看见了不远处另外一张少年的脸。小铜锣比她小两岁，有着数不尽的鬼点子，很多日子里都叫她小姐姐。声音很温热，一直叫得让她的耳根酥痒。

那天，郑云锦在珠帘和帷幔的缝隙里捕捉到了小铜锣的身影，她必须做到漫不经心，免得让义父发现。马车终于远去，当她回头时，看到小铜锣久久地站着，之前他用一截木炭在石板路上一笔一画地写下一行字，但是郑云锦是怎么也看不到那些字的。在之前闲散的日子里，是郑云锦教会了小铜锣识字和写字，并且曾经送给小铜锣一只木碗。很长的时间里，他们两个形影不离。小铜锣甚至找来了苎麻线，将那只木碗的边沿钻了个孔，用麻线穿了直接挂在胸前。这一切少年往事都发生在郑云锦被义父郑太傅收养后的不久，也就是那场要命的火灾发生后的半年左右。

在此之前，郑云锦一直出现在百井坊一带。她记不清那个好像是自己父亲的男人到底因为什么将她遗弃，只是恍惚记得那天她独自坐在街头，看着头顶清朗的天空发呆，然后有一天，一个名叫满落的法师围着她的影子走动了两圈。满落看上去一身风尘，他刚从一家馒头铺里讨了一碗水喝。就在他举起碗的一刻，他在热气腾腾的阳光下瞬间发现，郑云锦是如此淡定地坐在一圈常人无法见识到的光晕里。他拨动着手里的佛珠沉思了很久，直到走过百井坊的风将他灰白的胡须给吹拂起的时候，他才终于走到郑云锦面前说，实在难以想象，用不了几年，你将拥有母仪天下的荣华富贵。

又一阵风吹过，满落的声音一字不漏地传进了另一个人的耳里，他就是刚好经过百井坊的郑太傅。郑太傅即刻让车夫停下了马车，掀起布帘说，去看看，那是谁家的孩子。

郑太傅决然地收养了她。岁月像一条河，在郑太傅家里只是度过了短短的几年时间，嫁进宫中的郑云锦就集皇上的万千宠爱于一身。而自打她有了儿子以后，就不由自主地卷入这条河流巨大又隐秘的漩涡中。在一场所谓的“国本之争”中，她感觉心神交瘁。

国本之争就是太子之争。恭妃的儿子朱常洛是皇上的长子，那是皇帝当初年轻气盛时在太后的慈宁宫里一次随意临幸的结果。那时万历皇帝朱翊钧瞟见一个宫女从自己身边经过，一时兴起，便将她推倒在了辽阔的床上。关于这次潦草的行事，朱翊钧后来一直矢口否认，因为他在快活过后立马就后悔了，他甚至没有给王氏留下一个作为临幸凭证的物件。但是春风一度，王氏却暗结珠胎了。无奈之下，太后于是命人取来记载着皇上一应私生活的《内起居注》，厚厚的本子里头，果然就清清楚楚地留有这么一笔。

朱翊钧后来继续后悔，继续抗争，他想把太子之位留给郑贵妃的儿子朱常洵。而对王氏，他从此懒得再多看一眼。于是一场旷日持久的争斗持续到今天已经十年，朝廷中无数个坚持“立长”的文武官员被罢官的罢官，斩杀的斩杀。皇帝甚至龙颜大怒，从此不再上朝。殿堂上整整十年没有他的身影，这似乎是一个天大的笑话。

而就在这剑拔弩张不分胜负的关口，郑贵妃却突然闻听儿子最近一直鼻血不止，好多个太医来了又走了。就在刚才，儿子来看她的时候，她突然心血来潮地想看一眼夜空里的星星。但没过多久，儿子却突然叫了一声，母亲，血！郑贵妃于是看见一摊鲜红的血从儿子的鼻孔中涌了出来，泼洒了一地，像是瘆人的红色月光。整个翊坤宫一下子陷入了手忙脚乱。

如果鼻血仅仅是鼻血，那倒也无妨。郑贵妃担心的是，宫里已经有传言，福王朱常洵鼻孔里那倔强的血是不治之症的前兆，总有一天血会流干。郑贵妃那天听到这句流言时，在回宫的路上突然一脚踩空，整个身子摔了出去，就连紧随在身边的阿苏都没有来得及扶住她。

想到这里时，郑贵妃看见儿子已经浑然没事般地朝自己走来。他看了一眼阿苏，阿苏便即刻退了下去。然后他说，母亲，我刚才碰见一个打更的，他从梆子里抽出一张纸条，要我直接交给你。

郑贵妃满脸疑惑地将那片纸条打开，看见的是四个螃蟹一样的大字，是用炭条写的：处处小心。儿子这时又说了一句，母亲，打更的为何会穿了一件夜行衣？

郑贵妃猛地起身，即刻朝着门外奔去。撞倒一个提着灯笼的宫女后，她停下脚步，凝神想了想，又折了回去。然后她看见一只猫，正睁着一双绿得让人发慌的眼睛，从西南角的墙头处悄无声息地落了下去。

这天夜里，郑贵妃彻底失眠了。她似乎听见一阵急促的马蹄声，在京城里越跑越远，直到变成一阵汹涌的海浪声。

14

田小七奔跑在路上，身边灌满了黑夜以及料峭的风。天空中遥远的北斗七星一直跟随着他，这让他止不住地开始热汗淋漓。

昨晚，就在礼部郎中郑国仲的府上，郎中先生最终给他铺展了一张图。在那张图上，郑国仲的手指缓慢地走了一圈，他说田小七看到没，大明王朝现在都在你的眼里。

那是一张由宫廷内务府刚刚绘制出的明朝疆域图。那些蔓延的红色，形同两只落在枝丫上交头接耳的大鸟。

郑国仲的手指从京城一直往下走，田小七丈量了一下，差不多是一尺的距离，就来到了福建的兴化府。郑国仲指着兴化府东边的一片蓝色说，知道吗？这里是一片海，就是日本使团登陆上岸的地点。从这里往左，也就是西边的方向，用不了一个时辰，你的马就到了月镇。

田小七笑了，说郎中大人难道忘了，我曾经在福建水师当差，那里我比你熟。

郑国仲的指尖戳了戳地图，说，程青就在这里，我相信他还活着。给他看那块令牌后，你就当他的助手。然后他终于笑了，说程青肯定想不到，老天爷这回让他见到了怎么也抓不到，但是现在却送上门来的鬼脚遁师。

田小七依然奔跑在路上，似乎听见海浪翻卷的声音，正好就撞击在海滩遭遇战那年的岛礁崖壁上。他狠狠地抽了一记马鞭，并且回头对着唐胭脂叫道，妹妹，走快点！

月光下的土拔枪枪像一截抖动在马背上的冬瓜，田小七真担心这家伙会一不小心掉了下来。

而刘一刀的喘息声让人可怕，仿佛他正蹲在月光下抓紧时间磨一把切牛肉的刀。

田小七想起另外一个更为寒冷的初春，那是唐胭脂还穿着开裆裤的年龄。也就是在城北，几个孩子在一阵哇哇乱叫的闹腾声里歪歪扭扭地冲出了德胜门，然后他们突然发现，护城河里的冰竟然没有一点要解冻的意思，这不禁让孩子们纷纷恼火了起来。刘一刀首先扔出了一块石头，他说看我砸死你。

刘一刀的石头落在冰块上，只是撞出一团银白的碎屑。

呦，还挺结实。土拔枪枪双手叉着后腰，挺起肚子溅出一口痰。

看我的。唐胭脂捡起一块瓦片，盯着瓦片锋利的边缘说，看我怎么切开它。

唐胭脂蹲下身子，闭上一只眼，举着瓦片的手在空中转了两圈。然后他挺起身子，叫了一声我切，让那枚瓦片笔直飞了出去。瓦片在冰面上一跳一跳地走远了，停下之前还转了几圈，唐胭脂看了一眼小铜锣，羞愧得就要掉出泪来。

接下去，他们找来石块码成厚厚的一堆，只待大哥小铜锣一声令下，就可以像马候炮说过的四眼鸟铳一样，一起发射出去。他们一致决定，必须把这个顽固的冬天砸出一个窟窿，砸它个头破血流。

可是护城河根本就没把他们放在眼里。火冒三丈的时候，跌坐在地上的土拔枪枪突然站起身子一个冲刺，猛地就跳进了那条河里。田小七那时看见，冰层在土拔枪枪愤怒的脚底下终于撕裂开来，它们给土拔枪枪让出了一条道。紧接着涌上来的河水像是刚刚睡醒一样，它们慢吞吞地将土拔枪枪的身子给收了进去，仿佛对此早有准备。

田小七顿时傻了，他看见突然赶过来的一阵风在冰面上走了过去，整个世界无比安静。

很久以后，土拔枪枪才撞破一片坚实的冰层，水淋淋的脑袋猛地从春天的肚皮底下冲了上来。他原来是沉在水底游了很远，捧着一摞厚实的冰块跌跌撞撞地走上河岸时，他非常骄傲地说，我在水底看见好多鱼，它们排成一群，一动不动地盯着我，看上去很傻。

说完，土拔枪枪连着打了三个喷嚏。他说既然我们赢了，那就回家吧。

又说，唐胭脂，这事不许你告诉嬷嬷。

田小七傻了。他没想到，在自己看不见的水底，土拔枪枪竟然有这等本事。

15

三天后的下午，郑国仲的马车停在铁狮子胡同一棵巨大的槐树下。他掀开帘子正要下车时，看见父亲府上的门子区伯正将一个陌生的中年人从门洞里送了出来。那人的肩上扛着一匹布，笑得很含糊，他在跟区伯说，改天再来拜访。说完，他又隐隐地笑了。

驼背的区伯的脊背越来越弯曲，他现在如果不抬头，眼里几乎只能看见自己的一双脚。那天他一直退到大门铁锁把的位置，好让郑国仲回家进门的路尽量显得宽敞一点。他笑嘻嘻地对郑国仲说，刚才那布商是浙江临海的，老爷最近想给自己做几身春衣。

郑太傅举着一把巨大的剪子，正在花园里修剪枝叶。许多阳光从头顶落下时，都被他很干脆地一同给剪碎，他的脚边落满了细碎的阳光以及剪断的枝叶。这时候，弓着身子的区伯便领着郑国仲来到了他跟前。郑太傅丢下那把巨大的剪子，久久地看了儿子一眼，说，进屋！

郑太傅不能久站，更长的时间里只能躺在一张竹榻上，否则他的腿脚就会隐隐作痛。已经很多年了，困扰他的淤滞症如今越来越严重，每次他撩起裤腿时，郑国仲总能看见那些暴突起的青筋，像一条条挤在一起又努力想攀爬出去的蚯蚓。郑国仲这次让太医给父亲开的方子上，罗列着众多的中药：柴胡、忍冬藤、地龙、三棱、莪术以及附子等。

难得你们兄妹还能记得我这两条老腿。郑太傅在竹榻上斜了斜身子，说云锦前两天也回来过一趟，可是她给的方子却跟你的不一样。你说我该相信哪张纸？

又说，我告诉云锦，不要去相信宫里的那些太医，最好离他们远点。他们只懂得滋阴壮阳，朱常洵不就是流鼻血嘛，男人年轻的时候谁还没有过？

郑国仲记起父亲许多年前给万历皇帝讲课时的情景。那次，父亲在台上讲着讲着，年幼的皇帝突然就将头昂了起来，一只手不停地拍打着脑门。郑国仲于是慌张地叫了起来，他知道皇帝又流鼻血了。郑太傅一阵忙乱，扔下书急匆匆地奔将过去，如临大敌地说，皇上，快让我看看。皇帝看见郑太傅趴下来的一张脸，猛地甩开那只盖住鼻梁的手，倒在红木屏风下躺成一个抽搐的大字。他根本就没有流鼻血，嘴里却叫道，国仲弟弟，哈哈哈，好玩吧？

郑国仲没觉得好玩，所以笑不出来。他只是发现，一直欢笑的皇帝看上去如同一个刚刚剥开来的橘子。

而现在，这个多次欺骗过自己眼睛的皇帝是父亲的女婿。

回去的路上，郑国仲靠在马车上闭目养神，他想起父亲抱怨那些太医的话：我不是良相，他们也不是良医。他于是又想起那个已被他取了性命的朱棍，他目前实在无法确定，这个幽魂一样的恶棍，临死前到底有没有跟人炫耀起或是卖出过一个秘密。父亲日渐老去的样子，已经如同头顶那片迟缓的残阳。而那个看上去有点油滑的浙江临海布商，刚才肯定是从父亲手里骗去了不少的银子。也或许，这家伙名义上是卖布做衣裳，实际上是想通过父亲摆平一件棘手的事。

目送郑国仲的马车离开铁狮子胡同后，郑太傅站在府门口，望见槐树上的阳光已经开始昏黄。他让区伯扶着他走回去，又重新捡起那把剪刀。趁着夜色降临之前，他想再修剪一次花草。这时候，一个名叫元规的随从走了过来，说话的声音薄得像一片冬青叶子，他说这次去福建的一共是四个人，马要是跑得快的话，想必中午时分应该是到了杭州。郑太傅想了想，突然说，让阿苏姑娘过来见我，这样的时候，她应该做点事情了。

元规于是提着一只脚尖，踩着夕阳走远了。

这么多年里，元规的右脚只能脚尖着地，他争取想要跑起来的样子，让人觉得他那脑袋是被一根绳子给牵着，就像一只被人牵回家去的瘸腿的山羊。区伯看着元规不停抖动的背影，隐隐地笑了，他说太傅做得很对。

郑太傅说，你能不笑吗？

事实上，如果夜色真的降临，那么元规刚才提起的脚尖即刻就能跃上屋顶。他就像一片凌空盘旋的冬青叶，能将京城所有的高墙轻松地踩在自己脚下。

这一点，很少有人知道。

16

夜色开始饱满，风尘里街区更楼里的更长忍无可忍，他决定要亲自去吉祥孤儿院严厉地质问马候炮。他拖着一条病腿，在胡同里摸着墙壁停一段走一段。见到马候炮时，他擦去一把春天的汗水，劈头盖脸地叫嚷，你就是挖地三尺，也要把小铜锣给我找回来，他刚领走了这个月的工钱。马候炮正在一块拆下来的门板上奋力地搓揉面团，更长看见她整个身子也胖得像一块摇摆的面团，于是觉得一双细小的眼全被这些白花花的面团给占据了。

马候炮连正眼都没有瞧更长一眼，忙活了很久以后，她转过身想了片刻，突然抬腿踢飞了脚边的一只铜盘。铜盘哐当一声落到吉祥面前，吉祥那时蹲在地上，正在玩逗一只这天下午刚刚抓到手的蚂蚱。蚂蚱的一条腿上被吉祥扎了一根细线，它拼了命想要挣脱。哪怕是和刚刚来到吉祥院的更长一样，干脆废了这条腿也在所不惜。

吉祥抬起头的时候，听到马候炮说，你几岁了？

十四。吉祥比画着手指头，他担心脾气暴躁的蚂蚱要趁自己说话的当口逃走。

那你去给你哥哥小铜锣补缺，随更长去打更吧。

索然无味的更长后来离开了，离开之前他深深地看了马候炮一眼。他的一条瘸腿刚踏出门槛，吉祥就用哑语告诉马候炮，更长要死了，因为他闻到了死亡的气息。马候炮愣了一会儿，又用力揉了一把案板上的面团，冷冷地说，生死有命。

吉祥那年被马候炮从一只水缸边捡回来后，很长时间只能比画着双手说哑语，是刘一刀的牛肉让他慢慢学会了开口。但他现在还是喜欢用手语，把藏在心底里无穷的秘密说给能懂他手语的人听，比如说他能闻到生和死的气息。

月亮在云层中穿梭，黯淡的月光下，提着灯笼和梆子的吉祥头一回上班。他沿着墙根走过，肩头停着一只名叫追风的豹猫。追风突然跃起，锋利的爪子转眼就攀爬上了城墙。

这个夜晚，风尘里街区所有的小动物都在慢慢地向吉祥靠拢，甚至包括无恙姑娘的两只萤火虫。风尘里那些没有主人的猫和没有主人的狗，没有入睡的鸡鸭和没有入睡的鹅，有很多娘子的雄蟋蟀，倒挂在屋檐上的蝙蝠，躲在墙洞里磨牙的老鼠，醒过来的麻雀和螳螂，全都聚集到了吉祥的脚跟。追风威风凛凛地围着它们转了一圈，张开嘴轻蔑地低吼了一声。

马候炮一直神鬼不知地跟在吉祥身后，她提着一把菜刀，想要在吉祥上更的第一天暗中保护他。但是吉祥却站定身子，头也不回地说，嬷嬷你出来吧，我闻到了你的气息。马候炮清楚地看见吉祥的眼里就快要滚下两滴泪。她慌了，说吉祥你不要吓我，难道有人活不过今天？

走到更楼下的时候，吉祥用哑语告诉马候炮，说更长已经死了，是在喝茶的时候死的，茶杯滚落在了地上。马候炮登上更楼一脚踹开瘦长的木门，看见更长的背影孤独地靠在窗边，那里可以望见风尘里的半条长街以及热闹的欢乐坊。更长的梆子摔在地上，只有那盏灯笼还发着幽幽的红光，火苗是整个房间里唯一的动静。马候炮拍拍更长的肩膀，看见他像一碗煮熟的面条一样垂了下来，被掏出的两颗眼珠滚落在地上。很久以后，马候炮依然长叹了一声说，生死有命。然后她一把抓起吉祥的手，说你跟我回去，今天不打更了。

更长看了不该看到的，所以他刚才死了。吉祥又用哑语说，更长的两只滚落在地上的眼珠子里，站着一个驼背的身影。

一路上，马候炮不停地说，生死有命。她想起万历十年，张居正死前没多久的那个春天。泰宁部落的酋长速把亥和他的弟弟炒花进犯辽东义州，她和四位弟兄以及更多的战友就在镇夷堡设下了埋伏。那时他们都是刀牌步兵，他们的辽东总兵叫李成梁，而参将李平胡后来一箭射中了速把亥，随即把他斩杀。可是就像他们每天都喊在嘴里的生死有命，马候炮和她的四位兄弟还是在这场获胜的战役中被打散了。又一股敌兵追上时，四个兄弟将马候炮推下了明军新修建的长城。他们说最苦的差事交给你，四个孩子都给养大成人。马候炮从长城上滚下，耳边灌满了虎蹲炮炸响的声音，她知道这是弟兄们剩下的最后一枚火药球了，他们接下去将是弹尽粮绝。那么不用再过多久，泰宁部落登上长城的刀剑就要如同野草般升起，将四个男人纷纷扬扬地砍翻在地。

第二章

1

田小七觉得，世间最漫长的路途莫过于眼下这条通往福建的官道，它们贪婪地吞下所有的马蹄声，又河流一般继续往前野蛮地生长。

自从离了杭州府，马背上燥热的刘一刀和土拔枪枪就不住地骂娘，他们将拧得出水来的衣裳剥了一件又一件，最后只剩下一身光滑的皮。刘一刀实在想不通，挂在天上的日头怎么就跟马候炮煮牛肉的火锅似的。而他记得在离开京城之前，他和土拔枪枪埋头深挖北镇抚司的地道时，两人还是带着一个火笼的。土拔枪枪说他一双手早就冰冻成了铁锹头，田小七要是不加工钱他就决定不干这一票了。

土拔枪枪急着要用钱，是因为他听刘一刀说过，很远的关西那边，有个术士专治矮人症。术士的两枚食指在人家脑门上一弹，跪在地上的矮人就如雨后春笋般一节节长高了。土拔枪枪问刘一刀那到底能够长多高？刘一刀闭上眼睛想了想，确定地说，像吉祥那么高应该没问题。土拔枪枪觉得那也够了。

田小七后来在奔驰的马背上看见一只海鸟。他知道它是属于福建的。于是，他的脑海里又浮现十年前的那场海战，他眼里仿佛见到了一片广袤的沙滩，见到了日本兵的截杀技滚龙绞，见到了战友陈丑牛和鸟枪。陈丑牛单腿跪地，日本人的枪就顶在他头上让他动弹不得。田小七因为陈丑牛受制迟迟不敢上前，陈丑牛于是大叫：杀啊，小铜锣你不用管我，快杀啊！

在陈丑牛遥远的声音里，田小七夹紧了腿下的那匹快马。

此刻，甘左严正坐在一个腥味扑鼻的酒馆里。充斥在耳边的当地方言令他十分头疼，他相信，自己哪怕是在兴化府再住上一辈子，也还是无法理解那些像是海鸟一样叫唤的土语，所以他只能一壶又一壶地喝酒。这样的时候，他心里想起的只有欢乐坊里的舞娘春小九，春小九像田间一片碧绿生长的马兰头。他又想，这么长时间都没有见到那个专门走私的蛇熊，但如果自己这样能坚持着一直喝下去，会不会就有人主动过来找他搭讪？

阿庆果然就在这时候出现了，她身上裹着一卷海风的味道。她说，一个人喝这么多的酒，你好像是要把自己给淹死。

甘左严抬起眼，说你敢不敢尝一尝我的辣椒酱？它火辣得跟女人似的。

阿庆一把抓起桌上的那只罐子，看都没看一眼，掏出一团鲜红的辣椒就塞进了嘴里，然后她突然朝甘左严的怀里倒了下去。

阿庆喝得比甘左严还要醉。

甘左严张开手，胡乱地揽起她的腰。他听见阿庆对自己十分绵软地说，京城来的，你好像很有女人缘。

甘左严皱起了眉头说，女人缘太好的人，麻烦也一定很多。

这时候，春天的黄昏就在福建姗姗来迟了。甘左严看见门前的那片空地上，夕阳缓缓地停了下来，那里堆满了各种吃剩的海螺和贝壳，散发着黯淡的光。甘左严抱着怀里的阿庆，很长时间里，他都有点疲倦地想起了京城，同时想起礼部郎中府上一个清瘦的男人。这个男人不苟言笑，总是望着天井里不停滴落的雨滴，有一搭没一搭地同他讲话。每一句话里，都剑气纵横，仿佛能闻到血的气息。

田小七他们到达月镇时已是深夜。

他发现，这里错落的行道总是在到达一个十字路口后分成左右对称的两半，形同一对卷曲的羊角圈。所有的房子几乎都长着同一张脸：相同的门檐、相同的砖瓦以及相同的结构。更为奇特的是，每一幢相邻的房子都是截然不同的朝向，它们全都背靠背，相互站成一个直角。也正因为这样，深入月镇的人很快就会无从辨别方向，越来越不相信自己的眼睛，越来越心慌。最后发现，一双脚竟然是倒退回来了。

鬼打墙。田小七在马背上披着一身的月光说，月镇不欢迎我们。

等他说完，土拔枪枪就在一个墙角处挥起铁锹头，仿佛一只麻利的地鼠，很快就刨出了一个土坑。然后他抱来一个空坛子，将自己先前脱下的羊皮袄扎在坛口上，又将坛子埋进了土坑里。土拔枪枪趴下，一只耳朵贴上羊皮袄。地底下所有的声音，像奔涌的细流一样，一起向他的耳朵涌过来。没过多久，土拔枪枪抬起一只手说，见鬼了，地底下全是空的。又说，我只听见呼呼走过的风声，下面有数不尽的秘道。

土拔枪枪起身，抡起铁锹就要再次去挖土坑。但田小七却将他拦住，说不能硬闯。

唐胭脂仔细看着月光下那把崭新的铁锹，他

想田小七是对的，为何不等到天亮了再说？总得有人出来吧。人憋在镇子里面终归是待不久的。

甘左严就在这时走出酒馆，他是在白天进入月镇的，此时就站在月镇的正中央。酒馆门口躺着镇上唯一的一个水塘，它像一面清洗过的镜子，托着一轮弯月，散发出幽蓝的光。甘左严走在幽蓝的光里，看见夜色下的月镇是潮湿的。

甘左严肩上背着一把粗犷的苗刀，刀身上缠着松散的麻布。装了辣椒酱的布囊就挂在刀柄上，不停地晃来晃去。甘左严转头对一直挂在自己肩上的软绵绵的阿庆说，带我去见蛇熊。阿庆吹出一口温软的风，轻轻咬了一下甘左严的耳根，说，蛇熊那里没有酒，我想要睡觉。甘左严耸了耸身子，他还是坚定地说，带我去见蛇熊！

事实上，蛇熊离甘左严只有一把短刀飞过的距离。就在那家鱼龙混杂的悬祥客栈里，蛇熊此时正盘腿蹲坐在一截宽厚的树墩上，那几乎是他最近几天包下的专座。他看上去很像是一只饱满的海螺，肚皮滚圆，正心情愉悦地喝着这个夜晚的第三壶铁观音。蛇熊把世间所有的好茶都喝遍了，最终发现自己还是喜爱铁观音。见到甘左严的时候，蛇熊一拍桌板，说好你个甘左严，你在月镇消失了那么久，现在从哪片云层里掉下来了？

甘左严回头看了一眼背上不愿意醒来的阿庆，声音低沉又细小，说我在京城待不下去，走投无路，想想还是回来找熊帮主。甘左严盯着蛇熊举在手里的茶碗，想起帮主以前每次喝茶时，一张麻脸总是幸福成一朵向日葵。这朵向日葵喜欢对他的手下说，每天一笔小买卖，加在一起就是大买卖。

所以蛇熊富得冒油。

但是蛇熊说，海通帮是菜园子吗？你甘左严说来就来，说走就走？

甘左严将阿庆放在一条长凳上，笔直地跪了下去。

蛇熊的眼睛并不去看甘左严，他指着地上一只肮脏的布袋说，这里面躲着一个锦衣卫，他一直在追踪我们。你把他杀了，不然就一起死。

甘左严眼睛都没有眨，一刀就扎进了那只袋子。刀身抽出来的时候，他说熊帮主，里头的人早就死了。

你是怎么知道的？蛇熊吹了一口热茶。

刀刃上的血是冷的。甘左严说。

那你就帮我看看他到底是不是锦衣卫。

甘左严提着刀尖挑开袋子，发现那具尸体的后背已经洞开，死者的肺从后背被挖出。那是只有锦衣卫才采用的酷刑，蛇熊现在也给用上了。

帮主，这人叫驼龙，的确是锦衣卫。我认得他，是因为他曾是我在福建水师服役时的战友。

我差点就忘了你的过去。蛇熊笑了，他端着那碗茶朝着甘左严走来，说，敬你们福建水师一杯。甘左严双手接过茶碗，低头正要喝下的时候，蛇熊藏在身后的榔头就朝他后脑狠狠地敲了下去。他恍惚听见蛇熊说，从现在开始，所有从京城来的人我一个都不会相信。

这时候，门口突然响起一匹快马的嘶鸣声，一个全身紫色的女子瞬间从马鞍上跳了下来。女子卷起手上的马鞭，披着一身夜色走进了客栈，她说蛇熊，连我你也不相信吗？

蛇熊即刻就笑了。他没想到，一直住在京城的悬祥客栈掌柜——来凤姑娘，竟然就在这时赶回来了。来凤的眼光里扎着一根刺，这让蛇熊想起，得赶紧把昏死过去的甘左严扔到大海里去喂鱼。蛇熊叫唤一声，一个店小二便战战兢兢地上来，要收拾了砸碎在地上的茶碗。小二俯身捡拾躺在地上的锋利的碎片时，听见蛇熊说，小二，你把头抬起来，我刚才听你口音，好像不是本地人。

2

田小七在第二天清晨醒来时，月镇便在他眼里如同一个急于呼吸的贝壳那样敞开了。他此时才恍然大悟，白天进入月镇轻易得就像眨一下眼睛。昨晚他就地躺下的地方，原来是某家店铺门口的一只石狮子下，看见三三两两的赤脚正踩踏着细砂走过去，田小七的脑子跟随晶莹的细砂一起清醒了过来，他随即想起月镇一个名叫铁饼的地头蛇。郑国仲那天曾经告诉他，如果找不到程青，你可以去铁饼那里碰碰运气。

这天中午，田小七站在了一家烧烤铺的炭炉前，那个一看便知是本地人的男子正在烧烤架上煎烤一排新鲜肥嫩的生蚝。田小七看见他弓着身子吹了一口炭火，又抓起一把蒜蓉，将它们很不节约地撒进了嗞嗞冒油的生蚝瓣里。土拔枪枪踮起脚尖，狠狠地吸了一口生蚝的香味，然后站到田小七跟前仰头细细地说，你身上有的是钱，别让我们失望。

田小七说，我不会让这家烧烤铺失望。所以他从怀里掏出一块沉沉的银子，很夸张地扔在了桌上。

刘一刀记得，那天他嚼碎了最后一个生蚝时，田小七擦擦油光光的嘴皮说，掌柜的，跟你打听个人。

不用打听了，烧烤男子说，我就是铁饼。

刘一刀猛地抬眼，这才发现，对方的确长着一张铁饼一样宽阔的扁圆脸，而他身边那辆用来运送生蚝和炭炉的马车则是相当豪华。铁饼噘起嘴巴，又对着炭炉吹了一口炭火，他对田小七说，有钱人都有独特的爱好，比如我就是喜欢烤生蚝。味道怎么样？

铁饼说完时，田小七看见两个熊腰阔背的女人提着一个十来岁的黄毛丫头朝这边走来。她们将这个跟黄花菜一样瘦弱的姑娘扔在了铁饼面前，踹了一脚后说，家里都搜遍了，找不出一文钱。

铁饼在炭火的浓烟里仰起头，有点失望地说，早知道这样，这银子当初我就不借给她了。

田小七后来知道，这个姑娘叫青草，她借铁饼的钱给父亲治病。现在父亲死了，银子也花完了。

青草坐在地上，一言不发，只是迎风流着泪。铁饼不高兴了，他说你干吗要流泪？烟又没有熏到你。

田小七的手又一次伸进藏着银子的怀里，他看见刘一刀坐在桌子对面对他挤眉弄眼。刘一刀最后焦急地说，小铜锣，出门在外，你的银子不能这么好骗，他们可能是一伙的。

铁饼笑得很憨厚，他开始收拾起烧烤铺子，说，刚刚说话的这个胖子，这个世界好像就你最聪明。然后又对田小七说，原来你叫小铜锣，这名字有点意思。

甘左严是被一阵涌进耳里的海浪给惊醒的。睁开眼睛后，他发现自己果然漂浮在一片辽阔的洋面上。他想起，在悬祥客栈里，蛇熊要置自己于死地。当他张开双臂开始拼命游水时，一条绳子裹挟着海风朝自己扔了过来。甘左严抓住绳头，看见昨晚喝醉的阿庆正在一片礁石上剥吃着几颗炒花生。阿庆喜悦地笑了，她拍了拍手掌说，我就知道淹不死你，快上来呀。甘左严看见一些花生衣被海风吹起，吹得很远。

这天的后来，甘左严抱腿坐在礁石上，迎着海风晒太阳。阿庆光着一双脚，在凹凸不平的石面上走过来走过去。她其实是蛇熊的堂妹，她反剪着双手说，我就知道我哥错怪了你，他以为你也是暗访的锦衣卫。昨天还让我去监视你，没想到我一不小心把自己喝醉了。阿庆停了一下，又说，信不信，我第一眼就喜欢上了你的胡子。

甘左严说你差点要了我的命。如果不是在月镇，我说不定就杀了你。

你不会。阿庆说。因为你心里住了一个女人，所以你不会杀一个同她一样无邪的女人。

甘左严愣了一下，他想，难道自己昨天也喝醉了？还在阿庆面前口无遮拦地提起了春小九？甘左严望着阿庆的赤脚，那些娇小的脚指头，又让他止不住想起了欢乐坊里的舞娘春小九。春小九曾经热气腾腾地说，甘左严你娶我。我想住到南麂岛，那里有许多会漏风的石头房子。

跟我回去。阿庆说。

跟你回去就是死路一条。

你又错了。阿庆说，真正的锦衣卫已经出现了，他们总共四个人，带队的人名叫田小七。我哥说田小七还有个名字叫小铜锣，他原本以为你就是小铜锣。

甘左严突然就没理由地笑了，他说真是荒唐，怎么突然来了这么多锦衣卫？

阿庆看着他说，这个我暂时不可以告诉你。

事实上，甘左严想起了十年前的另外一片海滩。没有人会知道，除了昨天死去的驼龙，他和小铜锣都曾经出现在福建水师的同一条战船上。那是一艘可以容纳百人的大船，底尖上阔，船尾高耸。和小铜锣一起站在迎风击浪的船首，他手握着刀柄，威风凛凛。甘左严甚至记得，他们的船上装配了六门佛朗机，三门碗口铳，还有二十门迅雷炮。至于弩箭和火药弩更是不计其数。那天，在海滩上和刚刚登陆的丰臣秀吉的一支日军小分队遭遇时，小铜锣让甘左严掩护重伤的陈丑牛撤退，但陈丑牛后来却被滚龙绞击翻在地，他在沙滩上跪着一条腿，叫喊着杀啊，小铜锣不用管我，你快杀啊！然后就被一名日本兵的鸟枪给打爆了头，脑浆四射。

那场战役后，小铜锣和驼龙便对战友甘左严咬牙切齿，他们说，让你保护丑牛，但为什么死的不是你？甘左严什么也没解释，只是看了一眼陈丑牛留下的一堆遗物，默默地离开了那条船。

想到这里时，甘左严又笑了，仿佛要笑出一把泪。

甘左严再次见到蛇熊的时候，蛇熊大笑着从那截树墩凳子上掉了下来。蛇熊拍拍身上的细砂说，我就知道你会回来的，这么久的感情了，就是扔进大海也会被浪头给抛上来。

蛇熊乐此不疲地经营着来来往往的走私生意。他的货物在福建南岸的漳州月港卸船后，每次都需要偷运来月镇。甘左严上一次在月镇，就是负责替蛇熊押运那些林林总总的走私品，然后再送进月镇的地下仓库。蛇熊第一次见到甘左严时，被扛在他肩上的那把长刀给吸引住了。他说，刀不错。他又盯着甘左严的银酒壶看了很久，又说，要不人也留下吧。但是令蛇熊恼火的是，不到一个月的工夫，这个姓甘蔗的甘镖师就在月镇消失了，所以他那时就想，这家伙来无影去无踪，会不会是朝廷派来搜罗他们海通帮走私证据的锦衣卫？当然，他还是想念甘左严的那把长刀。

半个多月前，蛇熊的人员截住了一支来自日本的使团，听说他们是远道而来和皇帝议和的，先前在福州下船后参观了几天。蛇熊懵里懵懂地知道，这应该是双方朝廷的第二次议和，第一次是在八年前的万历二十年。那一次，发动朝鲜战役的日本太阁丰臣秀吉据说被签订议和书的翻译耍了一回，但他再次入侵朝鲜时却运气更差，竟然在将要攻下朝鲜时因病死翘了。那么这一次的议和，肯定是新上任的德川家康，也就是丰臣秀吉的死对头，他一定是觉得仗不能再打下去了。但是蛇熊管不了那么多，他甚至将京城前来迎接日本使团的锦衣卫小分队也一同给绑架了。又过了几天，蛇熊安插在京城里的探子送回来消息，又有一帮锦衣卫从京城一路赶来了，他们要救人。

救人？蛇熊想，来一个灭一个。

蛇熊还想，议和议和，议个鸟和！他巴不得这个操蛋的朝代战事连连，打它一个底朝天。他特别喜欢的是热闹。

3

青草姑娘身上的确有着青草的气息，她穿着绿色的衣裳，走得不紧不慢。她那天带田小七去找一家铁饼说的客栈的时候，听见土拨枪枪抽了抽鼻子说，福建的草闻起来和京城的不怎么一样。

在此之前，田小七掏出银子在替青草赎身的同时，希望铁饼能告诉他镇上一些客栈的消息。

你想要了解什么样的客栈？

田小七想了想说，越邪门的越好。

铁饼于是将一个账本扔在了桌上，那是他记录下的月镇各家客栈详细收支。田小七翻来翻去，最后将目光落在了悬祥客栈上。这是一家连年亏损却又从不肯关闭的客栈，而且坐落在镇子的东出口，来往很是方便。

你很聪明，田小七听见铁饼说，那里住着蛇熊，他就是一个朝廷通缉的走私犯，把良心都给走丢了。

铁饼咬牙切齿地说，他欠了我那么多的赌债，你要是有功夫，帮我一刀宰了他，我请你吃生蚝。然后铁饼一把水浇灭了烧烤架上的炭火。

跟随青草走进悬祥客栈的时候，田小七抬头，很快就笑了。那个抓着一块抹布站立在墙角的店小二，他无论如何都觉得十分眼熟。小二后来给他端上了一锅白煮蛏子，田小七朝他笑了一下，他说我认识你，你叫程青。小二好像什么也没听见，他只是说，客官，这蛏子很新鲜，昨天刚捞的，你们趁热吃。这时候，田小七朝门外望了一眼，他抓着手里刚剥了一半的蛏子说，程青你可能要倒霉了。

等田小七说完，刘一刀和唐胭脂便清楚地看见，几个冲进来的彪形大汉果然将离开酒桌的小二给围在了中间。程青这时发现，自己眼前已经没有了路，他很无奈地拔出腰间藏得很好的短刀，狠狠地盯了一眼田小七。说，小铜锣，你竟然出卖我！

土拔枪枪很开心地从桌子底下钻了出来，他想这个千户大人肯定还不知道更多有趣的事情，但他看见一场厮杀已经展开，一把短得可怜的刀和许多刀碰在了一起。

程青的身手的确了得，一转眼就冲出包围圈纵身到了客栈门口，但他正要飞奔出去时，却看见甘左严像一尊金刚一样堵在了自己面前。甘左严背着一把长刀，什么也没说，瞬间踢出一条腿，将程青踹翻在地。然后他单手挥出长刀，将刀口架在了程青的脖子上。程青觉得，这一切都来得太快。

田小七望着一言不发的甘左严，他实在想不明白，这个令他沮丧的曾经同在福建水师服役的战友，怎么老是鬼魂一样跟随着自己。

甘左严在门前让出一条道，令田小七更加诧异的是，从门口那边慢条斯理走进来的，竟然是铁饼。铁饼朝嘴里扔进了两片铁观音，咬着叶片对地上的程青说，你长着一张官府的脸，吃东西很慢，走路的时候每一步都要踩踏实。还有，你袖口里的皮肤很白，日子过得不错，所以你不会是一个扛活谋生的小二，很可能就是锦衣卫。铁饼吐出嚼烂的叶片，又说，你是在我们绑架日本议和使团的时候漏网的，那么你是接船的锦衣卫的队长。我说的对吗？

田小七从凳子上噌的一声站起，他看见甘左严背对着铁饼，一双眼如刀光一样劈了他一下。然后铁饼笑了，对着田小七说，原来还有这么多的锦衣卫，都快把这个客栈给挤破了。

田小七看了一眼四周，发现身边的青草不知何时已经躲到了柜台边，而刚刚从京城回来的客栈掌柜来凤姑娘此时正在柜台里拨弄着算盘，她在忙着给另外一桌的客人结账。来凤的一口官话很是地道，她说你们动手之前想想清楚，这里的桌椅都是新添的。悬祥客栈没怎么赚过钱，要是靠桌椅赔钱赚了一票，那真成了一个笑话。这时候，刘一刀走到田小七身边，苦笑了一声说，我们真的中计了。

铁饼笑了，他说田小七，我早说过，世界上只有刚刚说话的这个家伙最聪明。铁饼说完，程青想从地上跃起，但甘左严的刀口却严密得像一把铁锁。程青的目光笔直地射向田小七，他咬着牙关嘣出一句：原来你就是鬼脚遁师田小七，你今天别想走，我要抓你回去！

大人，你觉得他还能走到哪里去？铁饼拍了

一声巴掌，土拔枪枪听见脚下的地板嘎吱嘎吱响了一通，然后就忽然塌了下去。田小七在坠落的时候看见，眼前的世界天旋地转。

4

礼部郎中郑国仲一个人走在前往翊坤宫的路上，他几乎能听见自己的心跳声。就在刚才，为了支走前来传话并且随行的太监，他说想独自看一眼宫中萌动的春色。事实上，他心里的事情早比这春色还要拥挤。

皇上为何会传他去翊坤宫里相见？那是郑贵妃也就是自己妹妹的寝宫。难道是为了家事？可是又有点说不通。那么，会不会是自己一直担心的那个消息已经传开？想到这里时，郑国仲觉得自己杀朱棍还是太晚了。这个像八爪鱼一样的恶棍，虽然已经死去多日，却还是时不时出现在他冷飕飕的梦里。如果事实的确是自己所想的那样，那么，他们郑家所有的荣光都将化为灰烬，更不用说父亲盼望多年的赢下那场国本之争，立自己的外孙福王朱常洵为太子。

郑国仲仿佛已经看见，一旦事发，燎原的火势将无法控制。

郑国仲记得，自己上一次见到陪在皇帝身边的妹妹郑云锦还是去年的秋天，但那是在养心殿。自从张居正死后，轰轰烈烈的国本之争让皇帝厌倦了处理政事的乾清宫，他的身影经常出现在内阁成员意想不到的地方。那次见面，皇帝正和郑贵妃一起吃着火焰一样鲜红的石榴。郑国仲站在皇帝不远的地方，看到皇帝嘴唇上沾了一粒石榴暗红色的碎屑，像一颗不经意的肉痣。皇帝说，郑郎中，咱们之前说过的锦衣卫“北斗门”现在可以秘密组建了。但朕想问你的是，假如是你的亲人叛乱，你杀不杀？

郑国仲看了一眼郑贵妃，他说身在朝中，我的眼里就没有亲人。

皇帝有点失望，他叹了一口气，说你真会说话。可是连亲人都不认的人，那你这样的人是不是很可怕？

但比起没有国家，这根本算不了可怕。郑国仲说，国家为重。

你这话说得跟你父亲一样，只是听起来端正得有点无趣。朕其实只是同你开个玩笑，别老是这么正儿八经的，天塌不下来。皇帝仔细看了一眼坐在身边的郑贵妃，随手给郑国仲扔去了一个石榴，说，来，一起吃。

郑国仲差点就没接住。

现在，郑国仲再次站到了皇帝和郑贵妃的面前，他看见皇帝的脸上表情很细碎。而郑贵妃的一双眼也没有去年秋天的石榴那么火红，她一直聚精会神地望着脚下的毡毯，仿佛要在那里寻出一根刚刚掉落的绣花银针。

郑国仲感觉后背已经泛起一些细小的汗珠。

朕等了那么多天的议和使团你给接到哪里去了？皇帝终于说。

郑国仲舒了一口气，又听见皇帝说，听说你让一个打更的去营救了？你说这个程青怎么就这么无能。等他回来让他和更夫互换，朕派他去风尘里那片街区当更长。

郑国仲缓缓抬起双眼，他看见郑贵妃正诧异地望着自己。

这天的后来，万历皇帝朱翊钧被沉沉的睡意所困扰，郑国仲望着伺候皇帝躺下的郑贵妃从暖阁里走出，许多话不知从何说起。

郑贵妃站到他对面，轻声说，我去看过父亲，他的淤滞症好像更严重了。

郑国仲点了点头，但他想和郑贵妃说的并不是这些。

福王的鼻血你不用担心，皇上没把这事情放在心上，他说总会好的。

还有其他的吗？

郑贵妃犹疑着把视线落在了郑国仲的脸上，等他跟随自己一起走到门口时才说，你是让小铜锣去了福建？他一个打更的怎么能行？

他还有你并不知道的另一面，郑国仲目光一转，紧盯着郑贵妃说，可是你又是怎么知道这件事情的？

他走之前来找过我，给我留了一张纸条。

纸条上说了什么？郑国仲的声音陡然阴沉了起来。

郑贵妃凄然地笑了。扭头躲开郑国仲的视线，她让眼光落得很远，说，他要我处处小心。可能是觉得自己从福建回不来了。

郑国仲被冻住了一般。很久以后，他才自言自语地说起，看来我们都要小心。又说，不过你不用担心小铜锣，他不会有事。

5

田小七重重地摔在了地底下的通道里，还没等他回过神来，头顶就有一张巨大的网落下，将他和土拔枪枪他们全都覆盖在了一起。

唐胭脂安之若素，他在整理着刚打了一半又被搅乱的辫子。就在刚才，在脚下的地板裂开之前，他还用手指蘸着煮蛏子的清汤，在桌板上仔细地画了两笔。田小七发现，那是小半个月亮的图案，他在铁饼的手臂上见到过这样的纹身图。

唐胭脂又将那条辫子给拆了，他披着渔网，淡淡地看着田小七，叹了一口气说，人终归是活不长的，我们骑了这么多天的马好像是专门来送死的。

程青从那段台阶上被带了下来，他的一双手被反绑着，身后跟着笑呵呵的铁饼和木头一样的甘左严。程青在渔网前站定，冷冷地看着田小七，他说你也有今天。田小七无奈地摇头，只是叹了一口气。

甘左严抬腿朝程青的腿窝处踢了一脚。程青倒在地上，满嘴是泥。

铁饼笑得更开心了，他又从嘴里吐出两片嚼烂的铁观音，说田小七，看来我们有同样的爱好。

田小七摇了摇头，他说其实我一点都不喜欢烧烤，你那蒜蓉放得太多，吃得我想吐。

我说的肯定不是生蚝，我是说我们都有好多个名字。铁饼说，我还有个名字，是叫蛇熊。说完，他在胸前捧着自己的拳头，差点就笑得窒息。他说你相信吗，我欠了自己一屁股的赌债，我现在恨不得宰了我自己。

整个地道回荡着蛇熊鬼一样的笑声。

几个人最终被捆绑着投入一间地牢，铁门锁上时，程青非要挣扎着过去踢一脚田小七。田小七觉得，这个向来自以为是的锦衣卫千户，很多时候其实是笨得像一头猪。刘一刀狠狠地说，程青你闹够了没有，难道还要小铜锣给你看北斗门的令牌吗？程青顿时像一截霜打的茄子，颓丧地坐了下去，他骂田小七他们就是一群猪，竟然被一个走私犯给骗了。

我们还是一群骑着马远道而来的猪。唐胭脂对着眼前的一堵墙壁说。

这天的后来，田小七翻来覆去地想着甘左严那把杂乱的胡子。而这时间里，程青却用早就准备在手里的刀片切开了自己的绑绳，他揉揉自己的手腕，冲到田小七跟前胡乱地在他身上摸索。最终找到那块鎏金的令牌，在看到令牌上刻着的北斗七星时，程青将自己的脑门朝着墙壁上撞了过去。他说鬼脚遁师田小七，你不是很有本事吗？那你就再来一次劫狱啊。

可是田小七只想知道，那些被绑架的使团人员此时被关在哪里。

在程青的记忆里，锦衣卫小分队那天带着使团人员前往月镇，他是一个人先去寻找客栈。可是等他回去时，所有的人都不见了。程青只是在一棵枯树下发现了满身是血的关英。关英告诉他，所有的人都被绑走了，包括那个名叫中山幸之助的团长以及翻译千田薰。被带走的时候，千田薰哭得泪水涟涟。

程青一个人把月镇的里里外外都寻遍了，最终将目光投向了可疑的悬祥客栈。他隐身观察了好多天，发现这里简直就是一只密不透风的箱子，之前所有的线索都断了。程青后来只能化装成一个流浪者，在客栈里找了店小二的差事，无声地潜伏下来，期待着关英可能会从京城招来的援兵。

6

甘左严背靠池塘边一棵巨大的榕树。月光下，他抓在手里的那只银色酒壶闪闪发光。阿庆坐在他对面，抱着自己的一双腿，她觉得甘左严就像一个落魄又不修边幅的富家公子。她说甘左严你肯定有很多故事。又说我已经认识你两天了，时间过得真快，就要第三天了。

甘左严仰头喝酒，他说是的，你已经监视我两天了。你哥对我还是不放心，我已经厌倦了这里的生活。

你又想去哪里？

去一个官府找不到的地方，没有锦衣卫。

我也想去那样的地方，我可以陪着你。

你会后悔的。甘左严看上去有点凄凉，他说所有陪着我的人都会倒霉。

阿庆看着甘左严把酒一滴一滴地倒进嘴里，他好像一辈子都在喝酒。然后她听甘左严说，那次离开月镇后，他带着蛇熊给的工钱直接回了离京城不远的老家，准备去给小妹置办嫁妆。但踏进县城的那一刻，他才知道妹妹已经投湖自尽，她是被县令给奸污了。于是甘左严在一个深夜潜入县令的宅院，手起刀落时，却发现被自己割去脑袋的是前来视察的府尹，他把人给杀错了。府尹这天借宿在县令家中，他是在半夜起床撒尿的时候碰见了蒙面的甘左严。

阿庆一直看着池塘里的那片月光，她说甘左严你知道吗，这个池塘是叫月塘。

甘左严什么也没说，阿庆看见他已经睡着了。

7

程青没有想到，自己所带的原先锦衣卫小分队的其余人员，就被关在与他们这间地牢相通的另外一个暗室里。但他们一直昏睡不醒，一个个四仰八叉地躺在地上，像是遗忘了整个的世界。

到了三更时分，那些锦衣卫突然睁开眼，他们在空中摸索着，犹犹疑疑地站起身子。还未等程青缓过神来，这群人就张开血盆大口，朝着田小七他们猛扑过去。

他们这是中了毒蛊了，刘一刀大叫一声，神智迷乱，六亲不认。

田小七跃起身子，向后退出一丈来远，站定后冷冷地盯着程青。程青只说了一个字：杀！

唐胭脂不紧不慢地退到墙角，他看见田小七抓起地上一把短刀，猛地刺向一名锦衣卫的心窝，一股墨汁一样黑色的血瞬间喷了出来。锦衣卫倒在地上，挣扎了几下，一群蚂蚁和细小的蚯蚓就连绵不断地从他嘴里和手脚上的血管里挣脱出来。它们纷纷探出黏稠的脑袋，最终在唐胭脂细长娟秀的丹凤眼里爬了一地。

田小七后来在一阵无法抗拒的虚脱中昏昏沉沉地入睡，清晨到来之前，他遇见了一场噩梦。在那个令人窒息的梦里，他看见三只巨大的蚂蚁心怀鬼胎地爬上了郑贵妃的额头。那时，翊坤宫里的郑贵妃正熟睡在窗外一场连绵的阴雨中。三只全身泛着青光的蚂蚁相互碰了碰触角，慢吞吞地朝着郑云锦的耳孔处爬去。这让梦中的田小七陷入异常的绝望和紧张，他踢蹬着双腿，感觉所有的一切都已经回天乏术。而事实的确如此，田小七随即听见，三只蚂蚁在郑云锦的耳朵前窃窃私语，它们咬牙切齿地说，株连九族，杀无赦！郑云锦胆战心惊地从雨中坐起身子时，田小七也终于猛然惊醒，他发现自己全身已经湿透。

那天，地牢里的田小七抱着一个冰冷的秘密瑟瑟发抖。他记起了不久前的那场劫狱，在离开北镇抚司诏狱的马车上，朱棍咬着自己的耳根说，我有一个天大的秘密，郑贵妃是日本人。田小七猛地将头转了过去，望着笑容阴险的朱棍，他恨不得一刀就捅死他。但朱棍却继续说，郑贵妃很小的时候就从海岛那边被送了过来，她坏了大明王朝的汉室血统。居心叵测，杀无赦！

田小七听见一阵狂风从耳边卷过，朱棍依旧在那阵狂风里嬉皮笑脸地说，你不要不信，我手上有证据。郑贵妃左脸的颧骨处有一条狭窄的骨缝，她后背上可能至今还有一块淡青色的胎斑，那全是倭贼的胚种。实话告诉你，郑云锦在街上被郑太傅收养的那年，我刚好就在郑太傅的马车旁，我看见满落法师摸了摸郑云锦的脸颊，又掀开她的后背看了一眼。他很失望地说，虽然是母仪天下，却终究会是人财两空，血光之灾。

田小七还记得，那辆马车在京城的夜色里迅速穿行，拐进唐神仙胡同的时候，朱棍又阴冷地笑了。他说我早猜到了，郑国仲让你来救我就是在救他自己。

8

悬祥客栈掌柜来凤在这个清晨抬腿踢了踢熟睡在大堂里的蛇熊。蛇熊真像一只熊，他就躺在几张合并在一起的长条凳上，打着雷声一样的呼噜。

来凤又踢了一脚蛇熊，蛇熊翻一个身，从凳子上滚了下来。他听见来凤说，你自己看看这些被砸碎的。

蛇熊趴在地上，抓了一把脸说，赔！

地底下那帮人怎么办？

一个不留，都杀了！蛇熊说。

月镇不是你蛇熊一个人的，把他们都给放了，不然官府会把这里给踏平。来凤望着门外说，现在还来得及。

蛇熊扑嗤一声笑了，怎么你们京城来的都是一口官府味。敢问一下来凤姑娘，你现在的官位是几品？是不是每天都要见皇帝好多次？

来凤说蛇熊你是活腻了，做下那么多的事情，你早已经欠下朝廷好多个脑袋。

整个上午，阿庆都拖着甘左严，拼命地想带他去海边。甘左严踩着脚下的一片滩涂，看见那些奇怪的泥鳅张开背上两片蝴蝶一样的花翅膀，不知疲倦地跳来跳去，一转眼又不见了。阿庆说那是花跳鱼，只要甘左严愿意留下，她每天给他烧味道鲜美的跳鱼穿豆腐，日子过得跟神仙一样。甘左严盯着阿庆跑在前头的一双赤脚，想起了春小九说的南麂岛一座会漏风的石头房子。

阿庆要带甘左严去见的是一个石头做的女人，她许多年里一直站在海边，凝望着海水的方向。甘左严看她在阳光下庄严又慈祥，他知道这是天后圣母——妈祖的塑像，阿庆他们渔民的保护神。

阿庆跳起来按下甘左严的肩膀，她要甘左严跪在妈祖的面前。她说你心里有什么话，去跟妈祖好好说，她会保佑你的。剩下没有说完的，我去跟我堂哥说。

甘左严跪在那片滩涂上，望着泥浆中钻进钻出的花跳鱼，海风将一些细小的沙子吹进他眼里，仿佛是掉进去了一些辣椒酱。

9

土拔枪枪解开布囊，抓出里头的两把铁锹。他想，早知道这样，当初老王家的新铁锹就应该买四把。然后他仔细看了一眼众人，最终将另外一把铁锹交到了刘一刀手里。他说别等了，动手。

土拔枪枪蹲下身子挥起铁锹，屁股底下很快就堆起一层新鲜的土。唐胭脂咬着辫子笑了。

刘一刀挥汗如雨的时间里，田小七终于听见墙壁那头传来一些嘤嘤嗡嗡的声音。他指了指那堵潮湿的砂石墙，土拔枪枪举起的铁锹便眼花缭乱地挥舞了过去。

程青果然在挖开的墙壁那头见到了千田薰，千田薰嘴里塞满了抹布。日本议和使团的十多个人员都在，他们都被锁上了琵琶骨，全被一根铁丝缠在一起，如同一串煎熬的蚂蚱。程青扯去众人嘴里的抹布后，千田薰疲倦地整理了一回下巴，对田小七背了一句含糊不清的诗。据说他是本州岛冈山县小有成就的俳句诗人，而且热爱唐诗。程青苦恼地说，千田翻译你不用对暗语了，我认得你，这些都是自己人。千田薰又绝望地上下捏了捏自己的嘴巴，这回大家终于听清，他原来是在说，劳驾帮个忙，剪断烦恼丝。他说的烦恼丝是指穿过他肩膀琵琶骨的那根铁丝。

这时候，唐胭脂发现抓在手里的一缕头发渐渐飘动了起来。那是地道里正吹过一阵细小的风。唐胭脂抬头，一群慌张的蝙蝠飞了过去。田小七站到了地道中间，他让那阵越来越响亮的风声从自己耳边迅速掠过，在风声的尾巴里，他的耳朵终于抓取到了一排整齐有力的脚步声。田小七想起自己在福建水师训练时的地下行兵，他判断出这是一队训练有素的兵勇，正从地道那头列队行进过来。

程青知道，那是蛇熊的精锐截杀团，当初关英他们就是败在截杀团的手中。

田小七即刻带领众人闯入另一条相邻的地道，但他在转了几个弯后发现，土拔枪枪并没有跟上。他这才想起，刚才离开的时候，拼命挖土的土拔枪枪整个人都陷在他新挖出的地洞里，自己竟然把他给忘了。

田小七正想回头叫上土拔枪枪的时候，隐约听见头顶的土层上掉下一个熟悉的声音。他踩上刘一刀的肩膀，将耳朵贴了上去，他听见蛇熊和一个女人争吵。然后有一把算盘珠子拍落在了桌上，那是来凤。来凤说，阿大说了，一意孤行就是玩火。此时，一个清脆的声音像是从草尖上掉了下来：别争了，一个都别想活。他们刚才闯进了死门，就等着收尸吧。田小七瞬间明白，刚才最后一个转弯时，面对的那扇铁门竟然是生死门。而自己并没有进入生门，而是进入了一条不归路：死门。

田小七缓缓坐到地上，看见唐胭脂一个辛酸的眼神。在这段漫长的寂静里，他昏睡了过去，耳朵里仿佛灌满了海水的声音，然后他看见当年的战友陈丑牛正从海的那边踩着浪花向他走来。陈丑牛说，小铜锣，你见到驼龙和甘左严了吗？

田小七后来感觉屁股底下被人推了一下。他站起身子，怔怔地望着脚下的泥层。没过多久，一个闪亮的铁锹头就勇猛地穿插了上来，如同一截新鲜的笋。接着是哗啦啦的一声，土拔枪枪猛地就从土层下跳了上来。土拔枪枪抖抖身上的细砂和泥块，像一只破土而出的穿山甲。他说你们怎么都在这里，难道是我挖回来了？他记得就在刚才，自己还觉得福建月镇的泥层太过松软，容易让他迷失方向。

土拔枪枪斜眼看着众人，从刘一刀手里收回那把铁锹。他说我刚才好像听见海水的声音。

田小七即刻就笑了。他看了一眼身后的那堵墙，提起拳头砸了下去，说，枪枪，挖！

灰头土脸的土拔枪枪又扑了上去，铁锹挥动起来，泥土纷纷落地。土拔枪枪实在是有着使不完的力气。

10

这天深夜的月镇和昨天没什么区别。甘左严还是靠在池塘边的那棵榕树下，一如既往地喝他一个人的酒。他记得阿庆已经来来回回地跑去客栈里帮他打了三次酒。

甘左严望着如水的月光，感觉眼前的池塘仿佛要比昨天宽广，它好像是长大了。风吹皱了水面，甘左严在榕树脚下翻了一个身，一不小心，那只酒壶扑通一声掉进了水里。阿庆顿时笑了，她看着月光下渐渐荡开的波纹说，放心吧，你的酒壶和你一样淹不死，不过你吵醒了水底睡觉的鱼。

阿庆找来一根竹竿，站到水边去打捞那只空酒壶。可是酒壶却慢慢漂走了，它似乎存心离阿庆的竹竿越来越远。

甘左严盯着那只一意孤行的酒壶，感觉它根本就没有停下来的意思。然后他站起身子，望着那片原本静止的水面，发现不远处的那截土堤下，突然就冒出一个越来越大的漩涡，只是一转眼的工夫，就把那只漂浮的酒壶给一口吞了下去。

土拔枪枪的铁锹一直没有停止，地层里涌出氤氲水汽。土拔枪枪又一铁锹挥了下去，铁锹头上传来湿嗒嗒的声音，有一些飞溅出的泥浆洒了他一脸。他回头看了一眼田小七，发现田小七正死死盯着他的一双脚。在他脚下，从土层中渗透出来的细水流渐渐汇聚到一起，很快就盖过了他的脚掌。土拔枪枪管不了那么多了，他挥起转动的铁锹一次又一次地砸落下去，直到最后，他干脆猛地抬腿，一脚就踹了过去。那一刻，田小七看见一股汹涌的山洪像猛兽一样冲了进来，瞬间将目瞪口呆的土拔枪枪凌空推了出去。

11

甘左严有点奇怪，他感觉池塘的水似乎被谁收走了一些，水面正变得狭窄。然后刚才的那个漩涡突然就不见了。只是一瞬间，池塘那边一整片的水猛地塌了下去。

甘左严和阿庆同时看见，那个一直沉落在水底的月亮，此时有点慌张地抖动了一下。

12

我挖到海了，土拔枪枪跌坐在喷涌的水柱里大喊，他正要站起身子时，洪水中飞出的一只银酒壶直接砸中了他的脑门。

田小七那时看见，成群结队的月光将洪水染成一片深蓝色，它们拼命地挤了进来，撞击着土层，将眼前的一切彻底冲垮。

截杀团闻风而动，他们挥舞着刀枪列队扑向田小七时，成排的洪水迎面而来，势不可挡地将他们掩盖了过去。

13

跟我一起游出去，田小七大喊一声。他望着眼底已经漫过腰身的水流，突然觉得这是一场无比新鲜的劫狱。而就在刚才，他尝了一口飞溅到嘴边的水花，味道却不是咸的，他于是笑了。

田小七他们一个个从水底中钻出时，发现气急败坏的蛇熊早已等候在月塘边，身后站着的，却是竹子一样修长的青草。月光下的青草是墨绿色的，她这时的头发一点也不乱，一根一根梳向脑后。她很是威严，一脚踩到蛇熊身前，目光如同一条蛰伏多年的蛇。盯着田小七，青草突然挥了一下手，不容置疑地说，一个都别想活。声音砸到水面上，即刻就有一排弓箭朝着田小七他们飞了过去。

田小七按住千田薰的脑袋，和他一起沉入水底，朝着一片更远的水面游去。所以千田薰并不知道，就在这段时间里，唐胭脂曾经像一条飞龙一样跃出水面，半空中他身上的水珠不停地往水里掉，像是一只刚刚打起水来的竹篮。这时候他甩了一把辫子，藏在其中的七根钢针就盯着青草身边的弓箭手追了过去。钢针迅速扎进弓箭手的眼珠，让他们瞬间发现，这一晚的月亮突然就鲜红得像一摊溅开来的血。

青草夺过身边的一把弓，她看都不看，直接拉成满月，朝着唐胭脂射了过去。唐胭脂的身形急转，妖娆得像一条水蛇，避开了那支呼啸的响箭，直接再次蹿入水中。水面瞬间平静，众人瞠目结舌。

14

一行人匆匆上岸，狂奔到一片潮湿的滩涂时，涨潮的海水像疯子一般朝着岸边奔涌过来。

和刘一刀一样，土拔枪枪从来没有见过海。他之前只是听刘一刀说过，如果找不到西域的那个术士，只要泡在海水里躺他个三天，估计也可以将个子长高。刘一刀说海水能把你的身子托起，你可以在上面洗脸睡觉。等到睡醒了，身子就和吉祥一样高了。土拔枪枪说，刘一刀你吹牛。

一路追赶而来的蛇熊跑得气喘吁吁，他始终跟在青草身边寸步不离。田小七发现，月光下的青草，此时已经换上一身锦衣华服，她安静地坐在一乘典雅的轿子里。给她抬轿的，是四个熊腰阔背的女人。田小七想起，那天，也就是她们将青草踢倒在了铁饼的烧烤摊前。

青草抽出一把短刀，在呛啷一声的铁器鸣响中，用短刀指着天空说，姓田的，明天晚上，拿你们几个来祭月。

田小七盯着青草那张不停摇晃又似乎不再稚嫩的脸，终于想起地道里那个像是从草尖上掉落下来的声音。他说，果然是你！

青草笑得很冷，事实上，她的确并没有那么幼稚年轻，不过是童颜未曾被人识破而已。月光钻进她的脖子，田小七看见那里隐藏着一道道细密的褶皱，犹如一条晾在阳光下等待风干的咸水鱼。这时候的青草愤怒了，她喷出一口鱼腥味，说甘左严，你还不快动手？

程青退后了一步。

甘左严冷冷地盯着田小七，一步步走向青草的轿子跟前，却被蛇熊提起的一把长枪拦住。蛇熊说教主闻不得你的酒味，你离她远点。甘左严这才知道，原来海通帮就是满月教，而青草却是隐藏在幕后的教主。他于是跪了下去，抱着麻布包裹的那把长刀说，请教主看好了。然后他解开线绳，抽出长刀，让月光在刀身上缓慢地走了一回，仿佛是将长刀在月光中清洗了一次。但他走向田小七时，却猛地一个转身，将刀尖死死地插进了蛇熊油光发亮的肚皮中。那一刻，蛇熊诧异地望着甘左严，此时甘左严再一次发力，将整把刀子朝着他的后背推送了过去。蛇熊终于听见自己的许多肠子被切断了，然后他看见甘左严背对着他，手腕一抖，冰凉的长刀在他的肚里略带迟疑地转了一圈，很多滚烫的茶水顺着厚厚的刀背流淌了出来，甚至有一片铁观音的叶子。

蛇熊张大了像铁饼一样宽阔的圆脸，咬着牙关说，这刀真的不错。

又说，甘左严，你真狠。

甘左严将刀拔出，蛇熊肚里喷溅出的血冲到了他堂妹阿庆慌张的脸上。

青草望着地上的蛇熊，不禁一阵失望。掀开铺在身下的毯子，抽出一支箭，手上的那把弓又被拉成了满月状，她异常安静地对准了甘左严。可是箭羽脱手的那一刻，她看到一个赤脚腾空的阿庆飞了起来，箭发出一声脆响，钻进了阿庆的身体。

甘左严不顾一切地冲出，伸手胡乱抓住了朝他飞落下来的阿庆。两人一起倒在地上，甘左严看见涂了毒液的铁箭头正好射中阿庆跳动的胸脯。阿庆的嘴里冒着血泡，她在甘左严的怀里凄惨地笑了，说，我们去一个官府找不到的地方，你娶我。

甘左严的耳里灌满了海水冲上礁石的声音，他说阿庆你为什么不信，陪着我的人都是要倒霉的。

阿庆微睁着双眼，吐出一口血泡，笑得很安静，说，我不后悔。说完，她看见眼里被挤成一枚铜钱一样大小的月亮突然掉落了下去。

青草提着那把短刀，从轿子上猛地站起，又踩到两名轿夫的肩上。她突然笑了，朝着远处飞扬的尘土叫了一声，满月教，一战到底。杀！隆隆的马蹄声就是在这时传来，田小七看见奔跑在马背上的满月教教众持刀挥剑，如同一群武装到牙齿的蝗虫，卷起尘土和泥浆疯狂地压了过来。那时候，青草依旧站在半空中，她盖住身后整片的月光，喝令手下，一个不留！

但是青草没有想到，她那帮疯狂扑上来的教众身后，还紧跟着福建巡抚闻讯派来的一队兵勇。事实上，为了剿灭依靠海通帮的走私发展起来的满月教，巡抚已经在朝廷三番五次的勒令下等候了很多年。这天，在铲平了月镇的地下堡垒后，巡抚率兵追赶着青草的地下截杀团残部，一路疾驰过来。

来凤也出现在巡抚的身前，她看着青草的部下一批批地倒下，血染红了海水，她指着青草说，你罪该万死。青草迎着来凤，再次搭起满月弓，吐出一句说：月镇是我的。来凤抓起一把算盘珠子，远远地朝她飞了过去。弓箭落手，青草的眼眶上嵌进了一枚算盘珠子，血流淌了下来，血污让她的脸变得十分邪恶。她回头看了一眼倒下的部下，像看着萧瑟得不能再萧瑟的秋色或者荒原。大势已去，她终于绝望地瘫坐到地上狂笑起来，最后朝嘴里猛地灌进一瓶酒，又抓起地上的一把火，就那样吞了下去。对着云层中摇晃的月亮，青草引颈长啸了一声，随即喷出一口火。她平稳地坐定，整个身子哔哔唰唰地燃烧了起来。海风凶猛，吹起她长发上的烈焰，吹走她锦衣华服颓败的碎片。田小七和甘左严看见，她最后烧成了一堆四处飞扬的灰。

15

那天，甘左严和田小七就背靠在妈祖神像的脚下，来凤让伙计抬来了整整一缸酒，甘左严喝一勺酒就往嘴里塞一口辣椒酱，他几乎被辣得掉出一行泪来。田小七也不停地喝酒，然后从怀里掏出一把朝天椒，对着海水无比生猛地嚼了起来。

田小七的朝天椒是离开京城前让马候炮去菜市场买的。马候炮那天在吉祥院跑动的春风里听见田小七说，嬷嬷，你能不能帮我去一趟菜市场？我想买一袋朝天椒。

买朝天椒做什么？

带了朝天椒，儿子就能早点回来尽孝了。田小七说，朝天椒能保佑你所有的儿子都平安归来。

甘左严看着田小七的一双眼，感觉他们鲜红得像一片辣椒地。田小七又咬了一口朝天椒，望着那片海说，如果我忘不掉陈丑牛，我就不会原谅你。当初是让你保护好他的，可是你没有！

那天的后来，刘一刀指着两人头顶的妈祖神像轻声问唐胭脂，你觉得这座神像像谁？唐胭脂冷冷地说，还能有谁？我知道你是想说郑云锦。

田小七顿时愣住了，他几乎就要在妈祖像前跪下身去，然后再向她许一个愿。但是他响亮地挥动了一声马鞭，即刻就要启程赶回京城。这时，土拔枪枪急忙扔下手中的铁锹，朝着那片海水冲了过去。他刚才都忘了，按照刘一刀的说法，自己为了长高，应该在这片海水里泡上三天。

刘一刀望着土拔枪枪在海水中扑腾的样子，邪恶地笑了。

月镇里，干涸的月塘似乎成了一片下陷的水田，忙碌的村民正在那里捡拾河蚌和田螺。但来凤却在悬祥客栈里秘密地消失了，好像她从来就没有在月镇出现过。

田小七最后望了一眼月镇，随即带上使团人员赶回京城。不会骑马的千田薰，像一件行李一样，就坐在他的背后。

一路上，热爱俳句的千田薰缠着田小七没完没了，他不停地说着那些浩浩荡荡的唐诗宋词，说他恨不得田小七的快马一脚踏进喧闹而繁华的京城，那样的话他就可以风雅无边地以诗会友。想起记忆中美丽的月塘，千田薰突然就有了诗意，然后他即兴创作了一首俳句：

月镇池塘边，

青蛙跃入水中天，

叮咚一声喧。

田小七挥了一下马鞭，尘土飞扬的官道上，他真希望京城的样子能早些扑进他的视野，哪怕只是让他回去风尘里街区再敲一回三更时分的铜锣和梆子。

第三章

1

京城里头的澄清坊大街，郑国仲略显孤单地长久站立在专供外宾住宿的会同馆门外。作为礼部主客清吏司的郎中，他专门负责接待各国的来宾使节。可是此刻，站在他身边的只有一名品级比他还低的礼部员外郎。一个正五品加上一个从五品，以这样的规格来迎接担当着议和使命的日本国使团，甚至都不用出城，郑国仲觉得万历皇帝多少有点没给日本人面子。他之前也建议自己的顶头上司——礼部尚书余继登大人亲自带队来迎接，可是病床上的余尚书却疲倦地挥挥手，咳嗽了很长时间才说，难道你忘了，当初代表皇上出使日本，去给丰臣秀吉下达封王诏书的只是一个猥琐的商人。

余继登说的商人是那个油嘴滑舌的嘉兴人沈惟敬，那人一度热衷于招摇撞骗和炼金制丹。郑国仲记得，就在八年前的万历二十年，为了拖延已经攻下朝鲜汉城的丰臣秀吉，沈惟敬因为经商而懂得日语，竟然被稀里糊涂地派作明廷使节。他后来和日本代表小西行长一起，两人瞒天过海，将料想必有争议的停战条款私下作了改动，使得不懂对方文字语言的明廷和丰臣秀吉都以为对方已经答应了自己的要求。但是没过多久，得知真相的丰臣秀吉就倍感羞辱，他撕毁了那张封王令，几十万人马再次出兵朝鲜。闻听信息，万历皇帝即刻命人将躲在朝鲜不敢回国的沈惟敬给抓了回来，连同对他失察的兵部尚书石星一起，投入大牢且在一年前处死。这简直是大明帝国闹得最大的一个笑话。

郑国仲十分清楚，余大人此番抑郁成疾不想再问政事，实则和不久前的陕西、山西地震，绍兴府地界涌血以及播州的杨应龙叛乱有关。那时，余继登觉得种种异象是对朝廷苛刻税政的报应，于是请求皇帝罢免了四川的矿税。但万历皇帝冷笑一声说余大人你真好笑，我猜想你是年纪大有点糊涂了。

事实上，皇帝朱翊钧如此不把余继登当回事，根本原因还是这个不懂得退让的尚书，始终固执地留守在立长子为太子的文官势力一边。

澄清坊大街上，郑国仲将这一切在脑子中过了一遍之后，便依稀听见田小七他们一路疾驰过来的马蹄声。他整了整衣冠，发现站在他身边一向不够沉着的员外郎此时两眼闪光，有点兴奋地望着大街上马蹄声传来的方向，嘴里不停地说，来了，来了！

当晚，田小七和程青一同去了郑国仲的府上。程青向郑国仲滔滔不绝地讲述着福建之行的惊心动魄，说自己如何在月镇潜伏，又在暗无天日的地道里最终发现并救出了被用铁丝串在一起的使团。在面对残忍又狡猾的蛇熊时，他浴血奋战力挽狂澜，从而全歼了月镇海通帮的有生势力。程青无比漫长又充满激情的叙述中，田小七一直几乎就是一个局外人，他后来只用一只耳朵留意着对方嘴里的峰回路转。可是即便如此，他还是感觉郑国仲的议事房里到处冲撞着程青勇敢截杀地下行兵的海通帮势力时，猛施展开的拳脚。

郑国仲望着天井里掉落的每一滴雨滴，对程青轻声说，我要为你请功，这是你拿命去换来的，需要功有所值。待他说完，披着麻布的病夫又像一摊无声的水从屏风后流淌了出来，他给了程青和田小七每人一袋金豆子。田小七随意收起那只装金豆的布袋，连正眼也没有瞧一下。郑国仲笑着说，和你当鬼脚遁师收的佣金比，这点金子是不是少得可怜？

田小七沉默了一会，说，我会把这些金豆子分出一半给甘左严。

甘左严是谁？郑国仲问。

我在福建水师服役时，他是我的战友。田小七说。

病夫看见程青的眼睛眨了一下，随即将头扭了过去。病夫又扫了一眼郑国仲，这才说，可是我们在程千户递交的战报里，并没有见到这个名字。你说他是叫什么严？

那天，田小七并没有和程青一同离开。他久久地坐在郑国仲对面，一声不发，好像要把这座宅院坐成属于他自己的家。感觉无趣的程青后来一个人走了，病夫送他到门口时，他草率地在自己头上盖上一顶斗笠，对着门板胡乱扎了一把绳带说，田小七这个打更的通缉犯，不知道天高地厚，他大概以为是可以和我平起平坐了。

郑国仲和田小七聊了很多有关福建的话题，包括那个蛇熊。蛇熊是福建长乐人，因为朝廷的封海，当地有众多的乡民世代从事着走私。他有个乡党叫陈振龙，从吕宋岛上走私进番薯的时候，稽查人员翻遍藤条箱子什么也没发现。事实上，陈振龙的番薯苗子就堂而皇之地绑在那只藤条箱上。在福建巡抚金学曾的默许下，长乐人后来开始种植收获番薯，并且拯救了几万名遭受饥荒的灾民。但朝廷依旧控制着海上贸易，在关税收取上从不松口。蛇熊于是对此恨之入骨，由海通帮发展起的满月教反叛势力甚至渗透进了京城众多的衙门。

田小七就是在这时再次想起了甘左严，他记得甘左严的臂膀上也有一瓣月亮形的纹身。但郑国仲看着天井中落下的雨滴说，我不关心满月教，需要操心的事情有很多。

郑国仲一滴一滴地数着雨滴，他觉得许多事情自己都应该心里有数。然后他突然缓慢地说，我想同你说一件事，郑贵妃最近一直陪着皇上在豹房里斗蟋蟀。她很好。她的蟋蟀也总是赢。

田小七盯着郑国仲看了很久，然后他终于笑了，他说我今天把使团给接回来了，这么大的喜事，郎中大人怎么反而不请我吃酒？郑国仲也笑了，但他陪田小七坐了这么久，不听话的腰好像已经不是他自己的。

伸手将郑国仲扶起的那一刻，田小七不免想起遥远的一幕。他记得多年前就在郑云锦要被送去宫中的那一天，当她撩起长裙踩上马车时，一个刻意的回头让她整个身子差点就摔了出去。然后郑国仲很及时地将她扶住，他搀着郑云锦的手说，进宫以后的路，走慢一点，站要站稳，走要走好。田小七还记得，那天自己就藏在人群中，他抓了一截木炭，蹲在地上泪水涟涟地望着马车的远去，在石板路上划出了几个歪歪斜斜的字，那是郑云锦几天前刚教会他的一句诗：相见时难别亦难。

2

甘左严一个人离开月镇，又一个人回到京城，他总是一个人，随同肩上扛着的一把长刀。这一次，甘左严连挂在腰间的那个银酒壶也不见了。那天，他在月镇被水冲垮的地道里找了很久，最终将那只被砸扁的酒壶和阿庆埋在了一起。他在心里对躺在土中的阿庆说，要是真能淹在水里不再醒来，那也还是不错的。

回京城后，甘左严先去了一趟风尘里的打铁铺，那里的掌柜王老铁不仅打铁，还用烧红过的针头帮人纹身。王老铁一拉风箱，煤洞一样的铺子里除了烧熟冒烟的铁石味，还翻卷着刺青的药水味，他还养了几只红睛白羽的鸽子。甘左严那天将一把铜钱扔在了王老铁的桌板上，说，掌柜的想必也能洗纹身。王老铁从火星四射的铁墩上抬起头，擦了一把汗，笑了。他说纹身之人，生不怕京兆尹，死不畏阎罗王。兄弟既然纹了身，又何必要洗去？

甘左严又扔下一把铜钱，等它们落定后说，到底能不能洗？

能洗。王老铁从金矿一样耀眼的炉膛里抽出一把烧红的铁铲说，只要把这个盖上去，等皮肉烧熟了，就什么纹身也没有了。

甘左严走到火炉前坐定，帮王老铁拉了一把风箱，脱去衣裳挺起硬突突的胳膊，睁着眼说，那就开始吧。

王老铁浑浊的汗即刻冒了出来，他本来是想要吓一吓甘左严的，现在他觉得刚才是不是有什么地方出错了。然后等看清楚甘左严那块淡青色的月亮纹身时，他后退了两步，像是被烫到了似的，扔下抖在手里的铁铲说，你就是送给我一百个胆子，我也还是不敢下手。

这时候，走进来两个年轻人，一进门就扬言说要放王老铁的血。王老铁拉开脸皮笑了，他说两位兄弟，今天有的是血。又对甘左严轻声说，刚才的话当我没说，等下一起吃炖鸽子。

甘左严望着年轻人，看见他们抖开一张纸，里头画了一只仰天尖叫的狼头。他后来离开打铁铺时，走到半路又折了回去，推开王老铁那扇烫焦的木门，看见地上躺了两只被拧断脖子的鸽子，王老铁正蘸着鸽子血在一个年轻人的臂膀上纹那只狼头。另外的年轻人笑了，他示意甘左严别出声，又凑到他耳根前说，你刚才把一堆万通历宝忘在这里了，我就猜到你会回来取。一门心思纹身的王老铁还是将头抬了起来，他看见甘左严愣了一下，然后过去抓起挂在墙上的一个银酒壶，说那些铜钱就买这个新酒壶吧。王老铁挥挥手，什么也没说，又把头低了下去。

甘左严围着纹身的年轻人来回转了一圈时，王老铁已经纹出了狼嘴里的两颗白牙。甘左严说，听口音，这两位兄弟好像不是本地人。

我们是南方的，离这里远呢。年轻人说。

甘左严有点纳闷，他说可是我听你们南方行医的说，鸽子血纹身有毒。

王老铁又将头抬了起来，听见说话的年轻人笑眯眯地说，大夫的话不能不听，但也不能全听。

甘左严仔细望了一眼年轻人，点点头，提起酒壶又走了出去。

3

田小七带着唐胭脂、刘一刀和土拔枪枪回到吉祥孤儿院时，角落里的那盏油灯突然亮了起来。马候炮的声音就是在这时候响起，小铜锣，你们给我死过来。

马候炮坐在那只从来没人敢动的油光发亮的木箱子身上，她原本叼在嘴里的烟杆突然就敲打在了田小七的头上，声音像雷声一样滚动了过来，你们几个，死哪儿去了？田小七很快跪了下去，又慌里慌张地摸出那袋金豆子，将它轻放在马候炮的箱子上说，人无横财不富，马无夜草不肥。嬷嬷，我们去挖金子了。

你们的夜草就是去偷吗？马候炮嘴里的浓烟喷在了田小七的脸上。她记得就在小铜锣他们突然离开京城的当天夜里，自己的床头竟然多出了一把沉甸甸的银子。马候炮那时长长地叹了口气，她看见自己的四个战死辽东战场的战友就恍然站在院子里，在月色下对她惨然地笑。当年她女扮男装代兄参军，一晃十多年过去了。马候炮摸索着走到那排灵位前，点了几炷香，转头看见吉祥张着一双能够穿透暗夜的眼，用哑语对她说，嬷嬷，我听见哥哥他们没有出什么事。他们现在正骑马跑在路上，身上都是汗。

吉祥这天还是带上心爱的豹猫追风去顶小铜锣的班，他去打更。回到孤儿院附近的时候，他抽了抽鼻子，猛地转身，就看到了刚从福建回来的田小七。追风蹿上田小七肩头，用它毛糙的舌头舔了舔田小七的脸。吉祥扑到田小七的怀里，无声地哭了，在擦干眼泪之前，他用哑语说哥哥，我闻到有孩子要出生了。这时候隔壁的一间房子里果然传出一阵新生婴儿的啼哭声，就在夜空中生机盎然地冲撞着。吉祥擦去眼泪，比画起手指说，哥哥，我早知道你就是鬼脚道师田小七，但我没有告诉嬷嬷。

第二天早上，马候炮烧了四碗热气腾腾的面条，她看田小七他们四个生龙活虎地趴在一张小方桌上吃着，一下子觉得自己现在已经老得只剩下回忆。兄弟四人中，马候炮认为自己最对不起的是土拔枪枪。在最初的那间破庙里，土拔枪枪曾经饿得昏死了过去。马候炮那时实在找不出吃的，她真希望自己身上能挤出一碗奶水。可是她这辈子连男人都没有过，怎么能够挤出一滴奶？她后来往土拔枪枪的嘴里塞进了一把土，土拔枪枪咳嗽了两声，堵在喉咙里的土便叫他窒息了过去。马候炮看见土拔枪枪额头上青筋暴起，一张脸肿得跟充水的猪肝似的。从那以后，醒过来的土拔枪枪就再也没有长过个子，他就像一块顽固的石头。

4

欢乐坊里的掌柜无恙目光如电，她整个人就像一只刚刚熟透的青苹果，泛着青光光的植物浆气息。她穿着一件麻布长裙，头上跟了一群萤火虫。一转眼看到好久没有见到的小铜锣时，无恙顺着楼梯扶手滑了下来，脸上笑成一朵刚刚开放的花。无恙斜着眼睛说，会打更会打酒的小铜锣。

田小七认真地说，我最近不打更了。

那你这是来打酒？

田小七又认真地说，其实我最近一直在打人。你知道一个叫李舜臣的人吗？

不知道。他怎么了？

田小七还是十分认真地说，他是朝鲜的战神，我一直很崇拜他。

田小七这天是和程青一起，带着千田薰和他的使团团长中山幸之助来欢乐坊喝酒消遣的。作为日本九州的太宰府太宰少监，走进欢乐坊的那一刻，中山幸之助的眼睛顿时不够用了。他惊奇地看着眼前海水般拥挤的人群，四处张望时竟然一头撞到了千田薰的身上。他被掌柜无恙的美貌惊呆了，指着无恙对千田薰叽哩哇啦地叫喊了一通。无恙开心地笑了，怔怔地对田小七说，怎么，这位说鸟语的不是本地人？

赌徒郝富贵就是在这时大摇大摆地走了进来，他甩着自己仅剩的一只手，抓举着荷包中气十足地大喊一声，富贵在天，输赢靠边。人群于是给这个老赌棍让出一条道。然后他跳起身子，对着一个角落兴奋地喊起，章台兄，是不是等我很久了？

无恙走到田小七身边，看了一眼春小九说，今天我真高兴。又将怀里的酒缸递给了田小七，说，酒是你的，尽管喝，以后什么都是你的。田小七笑了一下，他将那酒缸里的酒倒入了自己胸前挂着的用麻线串着的木碗中，放开喉咙喝了一口。然后他看到无恙一把扯开春小九，身子一提便跃到了弹性十足的舞台上。她甩出袖子里的木棒，将羊皮大锣敲得跟过节一样欢快。田小七发现，跳起舞的无恙比春小九还要疯狂，她舞动四肢，像是要把所有的手脚都给抛了出去。

程青一连喝了五碗海半仙同山烧，但他认为台上跳舞的无恙根本没有停下来的意思，所以他对千田薰说，我突然想吃鱼。

程青一口气跑到风尘里街区附近那条狭窄的溪水里，他知道那里有许多从护城河里游过来的鱼。但是等他把一水桶的鱼送到无恙面前时，无恙说，还不赶紧把你得赏来的金子请大家喝酒？程青觉得无恙简直就是天上地下什么都知道，干脆喷出一口酒气，鼓起勇气说，无恙我最近一直在想你。

无恙看着水桶里那些目瞪口呆的鱼，对田小七说，打酒的，你要不要吃鱼？

田小七笑了。事实上，无恙刚才跳舞时，田小七从她踩出的步点以及敲打出的鼓点里，已经收到一则信息：田小七，总有一天我要你死到我的面前来。那时，无恙的一双眼始终坚定地望着田小七，仿佛已经把他连皮带骨看穿。

那天的后来，欢乐坊决定摆一场盛大的鱼宴。田小七推开程青，捋起袖子对着人群大喊一声，我小铜锣今天请大家吃酒。无恙的脸上又笑出了一朵花，她喊着说，我决定，今晚的海半仙同山烧可以卖两坛。

中山幸之助和千田薰随即望见无恙用半人高的长刀切开那些淡水鱼，它们很快被红烧和清蒸，以及和豆腐烧在了一起。这时候，鱼香满屋的欢乐坊突然传来一声尖叫，是那个倒霉催的郝富贵又赌输了，他举起长刀，就要砍去自己的一条腿。但是柳章台捡起刀鞘，轻轻地挡了过去，他叹了一口气说，郝富贵你要再这样老是在自己身上砍来砍去，咱们以后就做不成朋友了。

千田薰看着这一切，拨弄起筷子吟出了深思熟虑的俳句。他对田小七说，人间春色竞三月，欢乐坊里销万金。

甘左严是在鱼宴行将结束时来到欢乐坊的。他一点都不声张，一个人静静走向角落，好像坐下去的只是谁也不认识的一缕风。直到程青他们扶着喝醉的中山幸之助走出门口时，他才站到了春小九面前。春小九几乎要叫出声来，很久以后，她才喜极而泣，并且张口在甘左严的肩上重重地咬了下去。甘左严给自己新买的银酒壶装满酒，喝下一口说，小九，能不能为我跳一支舞？春小九顿时泪眼滂沱地笑了，她抬手打出一个清脆的响指，云南乐师的蛇皮鼓便噼噼啪啪地响了起来。

还未等乐曲结束，春小九就从舞台上翻跳了下来。甘左严一把将她细得像柳枝的腰揽住，听见她说，我就知道你会抱住我。

这天，春小九没有再嚷嚷着让甘左严娶她。她只是扔出一个骰子说，我们来比大小，我输了就亲你一口，你输了也顺便亲我一口。甘左严不得不笑了，他说小九你这样下去，以后一定会后悔的。

甘左严后来向春小九打听一种纹身，他说那是一匹引颈长啸的狼，露出两颗白牙。春小九很快想起刚才的那个日本人，那人喝多了酒以后，手臂上的红色狼头就一下子浮现了出来。

你说的那是日本使团，他们打仗打怕了，过来找皇帝议和。甘左严说。

找皇帝议和需要跟卖布的商人眉来眼去吗？春小九说，我都看见了。

又说，既然不玩骰子，那就陪我喝酒，我认得那个布商。

甘左严喝了很多的酒。离开欢乐坊的时候，他走得跌跌撞撞的，把一壶酒洒在了两名巡夜的锦衣卫身上。锦衣卫一把抓住甘左严，要他把飞鱼服上的那些酒给舔了。甘左严看见另外一个锦衣卫正在大口大口地咬着生萝卜，他转过头说，小旗大人，把你的手拿开。锦衣卫听言，猛地用力，一把扯破了甘左严的衣裳。他张大了眼睛，盯着甘左严身上那片淡青色的月亮纹身，惊喜地对旁边的锦衣卫叫了一句，总旗大人，我们追查到了朝廷要犯满月教。

甘左严瞬间听到了绣春刀出鞘的声音，抬头看了一眼月光，他才有点无奈地说，叫你们的千户大人程青来见我。可是话没说完，两把绣春刀已经冷冰冰地削了过来。

欢乐坊的乐曲声没有停，喝酒的人也没有停。柳章台扶着哭哭啼啼的郝富贵走出门口时，伤心的郝富贵却突然举起那个空荡荡的荷包，嘴里叫了一声，你看，那边有人打架。

5

郑国仲已经连续好多天没有见到皇帝的踪影，他想皇帝可能是把议和使团的那帮人给忘了。那天，他终于带上田小七去了一趟皇帝的豹房，那时，西华门外的春天已经很完整了，非常饱满的碧绿，就那样奢侈地在他眼里铺展开去。

田小七记得刘一刀曾经跟他说过，西苑豹房的饲养师每天都要采购无数的羊肉和猪肉。他们腰间挂了豹字牌，在市场里非常挑剔地走来走去。据说豹房里养了七只土豹，每天光羊肉就要吃二十一斤。还有三只老虎和三只狐狸，它们需要羊肉三十六斤。另外的五十三只御马监狗，每天各供应连皮带骨的猪肉一斤。此外，那里还有一大群鸽子，它们吃的是绿豆和粟谷。

田小七很快就听到这些动物粗重的呼吸声，作为皇帝驯养的宠物，它们根本就没把他和郑国仲放在眼里。

皇帝斜靠在那张铺着花纹毛皮的龙椅上，他刚刚和郑贵妃在豹房看了一场精彩的斗鸡，打了一个悠长的哈欠，一声汹涌的豹叫远远地传了过来。皇帝朝地上的鸽子撒了一把绿豆，看了一眼跪在地上的田小七说，你肯定就是小铜锣。田小七把头低了下去，有那么一刻，他始终盯着郑贵妃的脚尖，看见她长及拖地的绣锦裙子下面，一只油光发亮的鸽子耸着脑袋钻了出来。

田小七知道，郑云锦那裙子上面，绣着的是一只五彩的凤凰。

郑国仲在寒暄过后提起了中山幸之助，他说那帮日本人几次三番说想一睹皇上的龙颜，可是在福建遇袭的时候，他们把带来的那些奇珍异宝的贡品给弄丢了。

皇帝叹了口气，望着郑贵妃说，这帮人真是扫兴。他并没有去看郑国仲递上的议和折子，只是知道了那是千田薰花了两个晚上用中文写成的。他说反正有的是时间，就让他们先在会同馆里住着吧。

田小七将头抬了起来，看了一眼皇上和郑贵妃，说，使团人员一路上都很安分守己，我想他们热爱大明江山，并没有忘记自己一直是皇上的臣民。

郑国仲深深地看着田小七，听见皇帝开心地笑了。皇帝说，郑郎中你选小铜锣去福建是选对了。你看，他很懂事。懂事很重要。

郑国仲也跟着笑了起来，他说原本就是这么一回事，他们和我们一样，都是皇上和天朝的臣民，没有什么区别。

这时候，田小七看见一群鸽子飞扬了起来，一个锦衣少年随即奔跑过来，对着郑贵妃叫了一声母亲。

郑贵妃牵起儿子的手，望着郑国仲说，还不快叫舅舅。

福王朱常洵作了一个揖，对着郑国仲叫了一声舅舅。然后他看着田小七说，母亲，那这一位我该怎么称呼？

田小七看见郑贵妃的脸有点凌乱，但只是一瞬间。

我是郎中大人府上的家丁。田小七说。

你不像是家丁。朱常洵说。

那你觉得他应该是什么？万历皇帝把身子探了过去。

他是父皇手下的锦衣卫，他身上有腰牌。朱常洵想了想，又说，可是我记得你是个打更的，我好像在哪里见过你。

孩儿不要造次，你怎么可能见过他打更？郑贵妃拉了一把朱常洵，她知道儿子的这句话令郑国仲和田小七都猝不及防。

朱常洵想了想，笑了，他对着朱翊钧说，父皇难道忘了，我们在风尘里见过他打更。

朱翊钧愣了一下，又笑起来说，不许你拿父皇的客人开玩笑，朕又什么时候带你去过风尘里了？

朱常洵把头低了下去，对着郑贵妃做了一个鬼脸。郑国仲和田小七同时看见，郑云锦此时缓缓地舒了一口气。

田小七后来望着走远的朱常洵，他想，福王的身上会不会也有一块胎斑？然后他被自己的这个想法吓了一跳。

这天的后来，皇上意味深长地跟郑国仲说了一句：郎中在百忙之中也不要放松了对满月教的追剿。田小七看着低头应诺的郑国仲，他觉得有些事情自己一时还不能想明白。

6

甘左严其实没想闯祸，但他那天还是把两个锦衣卫收拾得遍体鳞伤满地找牙。

程青看着两个丧门星一样的手下，听见他们说那个胡子拉碴的刀客是刚从福建混进京城来的满月教。程青给了他们每人一个嘴巴。但是他在心里想，福建水师的人怎么一个个都这么嚣张，以为当过海军就十分的了不起？他吩咐身边的一帮总旗，你们一个个都打起精神来，这个姓甘的隐藏得很深，他连我也给骗了。

7

甘左严第二天就盯上了丁山。从位于风尘里街区的丽春院开始，他一路跟随这个浙江临海的布商来到了铁狮子胡同。在此之前，他看见丁山扛着一匹布先去了澄清坊大街的方向，但那个叫千田薰的日本翻译却碰巧从会同馆里走了出来。甘左严只得转身买了一串糖葫芦，他不想跟文绉绉的诗人有什么交往。虽然已经剃光了胡子，但甘左严还是担心千田薰或是丁山认出他来。程青手下的一帮锦衣卫正在四处搜寻他，他们的手上都提着自己的一张画像。

甘左严咬下一颗糖葫芦的时候，听见千田薰向丁山打听去月坛应该怎么走。丁山放下布匹，和他聊了几句。

在铁狮子胡同，甘左严看见丁山在一棵槐树下站定。还没等丁山敲门，一个弓着腰背的老头就吱呀一声打开门将他迎了进去，甘左严没能看清那张开门的脸。

令甘左严困惑的是，那天在打铁铺里，那两个找王老铁纹身的年轻人怎么就把铜钱上直读的万历通宝念成了旋读的万通历宝？这个世界竟然有人如此不怕掉脑袋，皮痒得直接拿皇上的万历年号开玩笑？所以他又问了一句有关医生的话题，但那两个自称是南方人的却将医生叫作了大夫，甘左严就此确定他们是瞎编的，因为南方人向来只管医生叫郎中。甘左严于是对狼头纹身产生了浓厚的兴趣。春小九说得没错，因为中山幸之助那天喝了不少酒，所以原本不易被人察觉的鸽子血纹身就会渐渐浮现出来。

那天，田小七跟郑国仲一同去了议和使团下榻的会同馆，那是他第一次穿上崭新挺括的飞鱼服，手缓缓地按向腰间的绣春刀的时候，田小七想起了自己曾经当兵而且战死的父亲，所以他的步子迈得有点快。

中山幸之助他们都去了月坛，议和使团人员里只留下了一个千田薰。千田薰站在一棵樱花树下，身上还沾留着这个清晨的露水，他看上去像是一棵远渡重洋的植物。

郑国仲是过来向使团通报，皇上邀请他们参加几天后的阅兵庆典。千田薰喜悦得手舞足蹈，他觉得在这新世纪的开启年，皇上是得好好庆祝一番。他告诉郑国仲，中山团长他们去月坛，是为了给日本岛民的祖先祈福。他们这次之所以舍近求远，选择在福州上岸，就是听说那里的先民在出生时，身上都有一块胎斑，而且左脸的颧骨处有一条骨缝，这全是日本人的特征。千田薰还说，看来他们最早的祖先很有可能就是从福州那边漂洋过海，然后去到日本岛上蓬勃生发的。

田小七一直盯着千田薰，他觉得有点透不过气，攥在手里的刀柄被捏出了一团汗水。

千田薰却只顾看着低头沉思的郑国仲，他说郎中大人是不是有点不舒服？要不要进去喝口茶，我们可以多聊一会儿。

郑国仲觉得千田薰似乎还有话要说。果然，他后来睁着迷茫的眼问田小七，这里安全吗？千田薰像是被福建之行给吓坏了，说是在会同馆的门口看见有人监视他，那人的身影甚至有点眼熟，他可能在月镇里见过。

如果没有记错的话，千田薰接着说，田小七，那人是你战友，我就担心他是藏得更深的满月教，他们存心想破坏我们的议和。

郑国仲看着有点惊慌的千田薰，摇摇头笑了。

8

没有人会想到，会同馆的确就在当晚出事了。在与一名深夜闯入的刺客决斗时，中山幸之助被切断了喉管。现场留下的唯一线索就是一个银酒壶，底座上嵌了一个王字。

被窝里的王老铁很快就被锦衣卫揪到了程青的面前。他只穿了一件内褂，抖着身子比画来比画去，最终忽然指着程青桌上的一张画像说，千户大人，就是他。我那里还有他留下的一堆铜钱，我这就回去给你取。

程青拍了一下桌板说，王老铁，你收了一堆杀人犯的钱。王老铁哇的一声叫了出来，两个膝盖顿时跪了下去。

田小七奉郑国仲之命赶到会同馆时，程青正要下令全城追杀甘左严。他说事实已经很明朗，现场的酒壶就是最好的证明。甘左严想在中日之间再次挑发一场战争，只有这样，这些叛乱分子才有可乘之隙。

田小七倒了一杯酒，给程青送了过去。程青的视线从浑浊的酒里抬起，缓缓地移到田小七脸上。田小七说，千户大人，让我来试试，我一定帮你找到甘左严。

你这次又准备将他从哪个地道里给挖出来？程青说，不用我提醒你，他可是满月教，你让我怎么相信你能找到他？

田小七就将端在手里的酒放了下去，眼睛盯着程青一字一顿地说，谁敢在案情查清之前杀他，我就杀谁。但是一旦证据确凿证明甘左严犯下滔天大罪，那么我一定杀了他！

田小七刚刚说完，就听见千田薰在隔壁房间里传来嘤嘤的哭泣声。

9

这天，等少年更夫吉祥敲过了三更的锣声，豹猫追风就从他的肩上笔直蹿了出去。吉祥提着灯笼一直追赶到了西直门外的那片墓地里，他眼看着追风披了一身月色，缓缓走向那块墓碑。

追风是一只记忆超群的豹猫，它不会忘了这里葬着自己最初的主人。

事实上，追风来自遥远的浡泥国。两年前的秋季，它跟随主人——浡泥国祭祀团的队医登上了一艘驶往明朝的大船。很久之前的永乐年间，浡泥国国王麻那惹加那乃率王妃和子女等泛海而来京师朝贡时，却在到达后的一个月忽然病故。此后，浡泥国不时就会有祭祀团前来明朝吊唁。而追风的主人就是在前来祭祀期间不幸染上天花，死在了会同馆里，尸首就葬在了西直门外。

追风在那块墓碑前停下，眼里藏了无数的忧愁。它走了几步，又贴着墓碑躺下，似乎又回到了曾经主人的怀里。

那天，露宿在墓地里的甘左严顺着一盏灯笼烛火的方向，见到了一只疲倦的猫和它年少的主人。吉祥站在一片青草地中，湿润的眼里似乎沾上了两滴露珠，他说，我，闻到，死的，气息。

甘左严转头看了一眼墓地，说这里到处都是死人，当然就是死的气息。

我说的，是刚刚，死去的人。吉祥说，他被，切断了，喉管。

甘左严诧异地望着这个少年和他手里的灯笼，又听见他断断续续地说，我还见到，不久前，被你剪断，的胡子。

10

春小九那天在七棵树胡同第七棵树的树洞里收到一枚金豆子。包金的香囊里藏了一张纸，写着对方想要知道的情报。无疑那枚金豆子就是预付的定金。打开纸条的那一刻，春小九愣住了，一个人在春风里站了很久。

当晚，田小七看见春小九在欢乐坊的木板上跳舞跳得有些三心二意，她一直盯着自己，有点走调的步点里传出的信息是：小铜锣你去找布商丁山，落脚丽春院。田小七想，春小九是已经猜出那是他给出的金豆子。但春小九的脚尖又加了一句，要是找不到甘左严，以后就别再来欢乐坊。春小九将眼里的泪花随同敲鼓的木棒一起甩向了整齐陈列着的锣鼓。鼓声终于越来越激越地响了起来。

无恙后来走到田小七跟前，低头说了一句，田小七你给我记牢了，不管怎样，你得好好的回来。田小七怔怔地看着无恙，又听见她说，敢闯风尘里？没有你想的那么简单。

唐胭脂和刘一刀来到丽春院时，见到的是刚被抬出来的丁山的尸体。穿得跟孔雀一样的老鸨扇着手里的一片丝巾说，这人要是晦气了，喝酒也能把自己给醉死。

唐胭脂在老鸨扇出的那阵浓重而恶俗的香风里闻到了一丝气息，他说你们的八枝姑娘是住在哪里？

老鸨提着掩在嘴角的绿色丝巾，两只眼睛歪

斜地望向唐胭脂，她看上去有点痴呆。

现在是春天，可是这具尸体身上却有石榴味。石榴汁和捣碎的石榴皮做的香粉，我只卖给过你们丽春院的八枝。唐胭脂说。老鸨又愣了一下，最后扯着喉咙叫了一声，八枝。

闺房里，八枝扑簌的眼泪如同她亲手掰落下来的几粒粉红石榴，她对田小七和刘一刀抽抽搭搭地说，丁山这天中午出门见过了一个名叫来凤的姑娘，回来时就着一碗带回来的西施舌连着喝了三壶酒。田小七看着桌上的一堆蛏子脆壳，知道这些蛏子就是八枝说的西施舌。然后他终于想起，那天在月镇的悬祥客栈里，程青给他上了一锅水煮蛏子的时候，来凤正在柜台里拨弄着算盘，她在给另外一桌的小胡子结账。而那个小胡子可以肯定就是丁山，现在他已经死去。

月镇的悬祥客栈，看来是藏了太多的渊源。

田小七剥开一只凉掉的西施舌，拿出一根银针插了进去。西施舌的两只触角似乎疼痛得抖动了一下，然后就有一截墨水一样的黑色顺着银针爬了上来。那一刻，田小七觉得有三个人的名字突然在自己的脑子里碰撞，他们分别是：丁山，来凤以及甘左严，因为他们那天同时出现在悬祥客栈。

八枝后来告诉田小七，丁山每隔一段时间就会来一趟京城。他把丽春院当客栈住，过几天就抱着一捆布匹去铁狮子胡同卖钱，回来以后就富得冒油。

他的布都是卖给谁？田小七问。

官爷，原谅我不敢说。八枝战战兢兢地望着田小七崭新的飞鱼服。田小七看见她脸上的脂粉已经被眼泪打湿，看上去像一朵破败的凤仙花。

田小七弹走飞鱼服上的一粒灰尘，说，要不我带你去北镇抚司的诏狱里说？

11

甘左严靠着那块墓碑，手抚豹猫追风身上细柔的体毛。他看见追风的一双绿眼紧盯着落在头顶松树上的一只乌鸦。乌鸦有点急躁，在树枝间不停地蹿跳，它不能确定是否还要继续刚才的叫唤。

此时，甘左严并不知道丁山已经死去。那天他跟随丁山来到铁狮子胡同后，没过多久，门里就走出了自己非常熟悉的礼部郎中郑国仲。郑国仲回头，对送他出门的人躬身叫了一声父亲。

甘左严记得，那天夜里，丁山又去了一次澄清坊大街。这一次，他直接走进了会同馆里中山幸之助的房间，两人对着油灯摊开一张图纸。等中山幸之助送丁山离开后，甘左严潜入了那间房，但是还没等他看清那张图，他便听见身后房门合上的声音。中山幸之助朝着那盏油灯伸了伸手，说，你还可以多看几眼，不然这辈子就没有时间了。令甘左严惊奇的是，这个日本男人原来根本不需要翻译，他竟然能讲一口流利的汉语。

甘左严，我已等候你多时，看来你知道得太多了。中山幸之助取下挂在墙头的一把长刀，捏住刀柄说，我只是好奇，你怎么就盯上了丁山？

中山幸之助死在自己的狂妄里。被切开喉管前的一刹那，他终于知道，刀术一流的自己并不是甘左严的对手。在这异国他乡，他最后看到的一幕，是甘左严卷走了桌上的那张图，然后像一幅画一样飘了出去。

甘左严在墓地里展开那张图，看见的是一张观礼阅兵仪式的座次表。头顶的月光让他很安静，他几乎没有察觉，有人已经提着灯笼向他走来。

千田薰像一株被大雪压弯的竹子，站在郑国仲的面前泪水涟涟。他没想到此次议和之行竟然如此凶险，在经历了福建的被绑架之后，自己那天在田小七面前的担心又一语成谶：这里安全吗？千田薰向郑国仲哭诉，因为听说能参加大明朝的阅兵观礼，可怜的中山幸之助兴奋得一夜无眠。他还希望能尽早收到万历皇帝的议和回折，那样的话，使团就能圆满地返回日本了。

可是现在，千田薰接着说，团长他回不去了。

郑国仲在千田薰的声音里久久地望着窗外，他觉得有很多事情都藏在那片无尽的夜色里。会同馆里的空气变得有点诡异，几乎要让他打出一连串的喷嚏。

程青就是在这时闯了进来，他看了一眼独自抹泪的千田薰，然后告诉郑国仲，凶手就是田小七说过的甘左严，他曾经找过王老铁想洗去满月教的纹身。郑国仲将头转了过来，眼里似乎在说，还有呢？

千田薰在程青的眼神里退了出去，他后来在窗外依稀听见，程青又对郑国仲提起了一种鸽子血的纹身。

接着往下说。郑国仲的声音压得很低。

程青从怀里摸出一张油黑的纹身图，说就是这样一颗狼头。过了很久，他才又细细地说，最近还有一个人，找王老铁做了同样的纹身。

是谁？

是您父亲郑太傅身边的随从，元规。

程青的声音有点飘，他看见郑国仲猛地将头抬了起来。

12

田小七走得很急，他正在赶往郎中府的路上。有件事情，他必须禀报郑国仲：妓女八枝告诉他，丁山每次都扛着布匹去了郑太傅的家。他看了一眼头顶的北斗七星，那段修长的勺柄清凉地指向东边朝阳门外日坛的方向。他知道，春天还远未结束，所以夜里还会有点冷。这时候，弟弟吉祥猛地冲到了他眼前。

吉祥手里拿着两个朝天椒，送到田小七的眼前后，他用哑语说，他是好人，他在西直门外的墓地里等你。

田小七随即就跟着吉祥的灯笼冲了出去。

13

郑太傅的书房里点了一排青铜座的油灯，他刚用淡墨画了一幅山水图，但只是看了几眼，便没有心情用那些赭石粉调成的颜料去给这幅山水上色。他坐到椅子上，忧心忡忡地望着腿上挤成一团的青筋，感觉听见了陈年的木板在烈火中燃烧的声音。

阿苏就站在他身后，手里拿着一把宽阔的木梳子，她开始梳理起太傅头上那些灰白的长发。

太傅伸出一只手，揽过阿苏的腰，将她按坐到了自己的腿上。

阿苏并没有颤抖。她看着郑太傅将另一只手落到了自己的胸上，然后说，都做干净了吗？

没有绝对的干净，那里还有一窝妓女。不能让她们都死。

知道富贵险中求吗？死有什么可怕？每个人生下来的时候，就注定都有死的一天。

可是阿大，我杀不了那么多的人，也下不去手。

没有什么事情是下不去手的。郑太傅的声音十分坚硬，他的那只老气横秋的手已经找准方向，伸进了阿苏被解开的衣衫里。

阿苏闭上了眼睛。每一次，她都感觉太傅风干的手爪像是要吸走她身上所有的水分。窗外隐隐的火光亮了起来，郑太傅眼看着阿苏被映照通红的脸，忍不住笑了。他说你听到刀子的声音了吗？他们在互相残杀。

阿苏感觉太傅的手还在行走，然后太傅又说，来凤，往后你要好自为之。

阿苏在一片晕眩中咬着牙关想起了许多年前的一幕。她记得那是郑太傅前往福建巡查的时候，将自己从捉拿走私犯的锦衣卫手里救了出来，并且帮她开了一家悬祥客栈。那时候，她还是叫来凤。后来太傅派人将她接进了京城，然后又送她去郑贵妃那里当了贴身侍女。进宫之前，郑太傅说，从今往后，你的名字叫作阿苏。你以后在皇宫里听到的，事无巨细，都要第一时间告诉我。阿苏虔诚地点头，她看见太傅的儿子郑国仲正从窗外的一片阳光下经过。如此优雅的一个男子，她此前在福建从来没有见到过。

门被推了开来，那是区伯。阿苏将敞开来的胸裹紧，感觉太傅的手像一条毛糙的水蛇那样从衣衫里游了出去。区伯闪了闪眼，说，府上的护卫已经死了一大半，他们就快要顶不住了。

郑太傅望向堆在墙角处的那一捆捆布匹。他想，如果不是因为那个可恨的丁山，这里现在怎么可能会成了一片火场，所有的一切都将付之一炬。他还记得丁山第一次跟在区伯身后来到府上的情景。那天，丁山扛了一捆绿色的布匹。从门廊那边走来时，一路上丁山的眼珠东张西望的，他看上去就是牵在区伯手里的一只鹦鹉。

多么荒唐的绿色，郑太傅沮丧地叹了口气。从椅子上站起，撩了一把长发后，他又问区伯，元规在哪里？

区伯说，别再磨蹭了，赶紧吧。

14

田小七赶到墓地时，不小心踩上了一条四脚蛇。月光下，它满是鳞片的身躯油滑得像是一条刚上岸的鱼。田小七将脚松开，四脚蛇回头看了一眼留在草地上被踩断的半截尾巴，甩甩身子钻进一个敞开的墓穴中。

但是田小七没有见到甘左严，他只是听见豹猫追风在那块墓碑前低吼了一声，然后它站起身子抖了抖，回到吉祥的脚下。田小七看见，豹猫刚才蹲坐的泥地上，写了六个字：郑太傅，风尘里。

月光清冷，田小七觉得墓地像死去一般的安静，他能听见身边那片草地的呼吸声。

吉祥对他点了点头。

15

郑国仲站在窗前，摩挲着手里那把蒙古短刀。他就那样一声不吭地站着，病夫觉得，郎中大人几乎把窗外的夜色给引了进来。

就在刚才，郑国仲问了一回病夫，是否有了甘左严的消息？病夫白净的脸摇晃得像一张纸。

到底是哪里出了问题？郑国仲想。程青交出的那张狼头纹身图，当时令他着实吸了一口冷气。他曾经在兵部的情报案牍里见过这图案，那是丰臣秀吉手下一帮死士的身份特征。可是那个战争狂人早就死在了第二次征战朝鲜的路上，那么这远道而来的纹身，为何现在却出现在了京城，而且会在元规的身上？

病夫养的夜莺在竹林中叫了一声，这让郑国仲突然就想起了父亲府上见过的那个油滑的布商，他被自己突然从脑海里冒出的想法惊呆了。

事实上，甘左严也没能想明白问题出在哪里。照常理，他从福建回来后，就该在适当的时间赶往郑国仲处，可是接二连三发生的事情却一再修改着他的计划。为了洗去当初能够靠近蛇熊的纹身，他已经走过了好多个方向不明的路口。每一次，他都觉得有新的情况要向郑国仲禀报。可是当他回想起丁山曾经熟门熟路地进入郑太傅的府上时，他觉得一切都重新变得扑朔迷离，他甚至没有勇气就这样去见郑国仲。

和田小七在福建的相逢，是甘左严第二次奉郑国仲之命去月镇。上次离开月镇回京城的时候，郑国仲告诉他，从出使各地的锦衣卫反馈回来的消息，满月教的源头势力的确就在兴化府那一带。那么，甘左严打探到的海通帮，说明满月教的反叛经费就来自他们的走私。甘左严正要抱拳告退时，却听见郑国仲说，即刻回月镇，一直到满月教剿灭的那天再回来见我。哪里有反叛，哪里就应该有你甘左严。甘左严觉得郑国仲的声音变得很遥远。然后郑国仲又说，我很了解福建巡抚金学曾，这个钱塘人在种植番薯给当地灾民充饥救命方面有一套，至于对付海通帮，他不如你。

甘左严暗自笑了。他一直佩服国舅爷的口才，每次都能把话说得跟一朵花一样，但也只是停留在含苞欲放的状态。他觉得自己就是郑国仲手里的那把蒙古短刀，总是能插在国舅爷最希望出现的地方。郑国仲又说，甘左严你不要怪我，你的命运就是如此。你就是一把孤独的刀，一把谁也猜不出主人是谁的刀。

可是现在，甘左严却感觉，自己的刀尖似乎正要去挑开的，却是郑国仲的父亲郑太傅家的门闩。

16

田小七急着想见郑国仲一面，他认为郑郎中肯定有什么事情隐瞒着，至少他没有理由不知道甘左严的去向。但是敲开门后，病夫却对他细细地说，主人去了他父亲那里，走得很急。

病夫此前刚尝了一口药粉，送田小七到门口的时候，他舔了舔嘴角问田小七，田七粉的头道是不是苦的，然后又慢慢地甜了起来？田小七将迈出去的一只脚收回，转头说，看来你的舌头现在没问题了。

病夫笑着说，我喜欢世上有本事的人。我还记得你救过一对双胞胎。

一切的结果，都远超出了郑国仲的想象。父亲的宅子，已经被熊熊的烈火所淹没。

那是一场真正的洗劫，大火烧得肆无忌惮，四周的空气像是被抽干了。除了颤颤巍巍的区伯，所有的护卫和家丁都被屠杀。血，流成一条河。

区伯像一片快要离开枝头的树叶，他趴在一具尸体旁，不愿相信这就是被烧焦的主人。郑太傅的一张脸几乎被劈烂，两条腿差不多烧成了木炭。

闻讯赶来的郑太傅的义女郑贵妃瞬间晕倒了过去。这让刚刚抵达的田小七异常难过，他突然有一种不祥的预感，生怕他心心念念那么多年的郑云锦就此落下一身大病。这时候，他的整个胃都痛了起来。

田小七后来突然看见一名跑过来陪在郑贵妃身边的侍女。她来不及躲闪，一张脸竟然和来凤长得一模一样。田小七想都没想，就说，我好像认得你，在月镇的悬祥客栈我见过你。

侍女用颤抖的声音说，田百户我听不懂你在说什么。

你应该早就认识丁山。他是一个卖布的，被人用西施舌毒死了。

侍女就没有再去看田小七一眼，她搂着郑贵妃，对走上前来的郑国仲说，谢天谢地，贵妃她总算醒来了。都怪我刚才没在身边。

田小七这才发现，郑云锦睁开的眼此时正凄楚地望着自己。他瞬间忘记了来凤以及丁山，如释重负地笑了。又忍不住说了一句，别来无恙？

郑贵妃的两滴眼泪随即就掉了下来。

令郑国仲惊奇的是，他后来找遍了现场，却怎么也没有发现元规的尸体。而当他走到父亲的尸体旁边时，站在那里的田小七却突然问了一句，郎中能确定这是太傅大人吗？郑国仲死死地盯着田小七，他掰开父亲的一双手，顿时发现手掌上却没有老茧。他记得父亲是那样地热衷于修剪园林，手指间早已被那把粗糙的剪刀磨出一层厚厚的老茧。郑国仲的眼里绽放出一道光，但这丝喜悦又迅速被一团升起的迷雾盖住。这时候，田小七又直截了当地说，郎中大人为何一直隐瞒着甘左严的北斗门身份？

郑国仲将头转了过来，说，你比程青厉害。我问你，这一切你是怎么知道的？

甘左严给我留了一句话，总共六个字。又画了北斗七星。

哪六个字？

郑太傅，风尘里。

你觉得为什么会是风尘里?

王老铁的打铁铺和八枝的丽春院都在风尘里。风尘里就在德胜门外，出了京城的城墙，那片天地鱼龙混杂泥沙俱下，五城兵马司疏于管理也就易于隐藏。

郑国仲无声地望向那片夜空，很久以后才说，接下去该怎么做?

通知锦衣卫指挥使骆思恭，秘密封锁风尘里，不露声色地搜寻元规。还要告知程青，即刻停止缉拿甘左严。田小七说，甘左严现在腹背受敌，我能想象，他很辛苦。

郑国仲目光深刻地望向田小七的飞鱼服，声音安静地说，可以稍微慢一点，先去一趟乾清宫，找皇上。

万历皇帝朱翊钧这回还真的就在乾清宫，他好像突然想念起了久未打理的朝政。田小七的眼里掠过汉白玉石的台基，掠过琉璃瓦铺盖的重檐殿顶，又掠过愁眉苦脸的太监，最终他在宽大的令人惊叹的宫室里，看见万历皇帝正在玩一把纯金打造的短枪。那是由三名顶级军火工匠刚刚呈送上的。皇帝笑呵呵地把枪顶在了郑国仲胸口，说，你怕不怕走火?

不怕。

为何不怕?皇帝有点沮丧。

臣本来就须为君王而死，有什么可怕。

又是你父亲的口气。难怪他们说文章如虎豹，斑斑在儿孙。要朕说，很简单，就是父子都是同一个窑里烧出来的。

田小七紧张地望向郑国仲，他觉得皇帝这是话里有话。但郑国仲却说，朕这里正有父亲郑太傅的事情要向皇上禀报。

皇帝抬了抬手，他说郑贵妃已经告诉我。节哀吧，我们注定会有仇人。

那天，意大利的耶稣会传教士利玛窦刚好又向皇帝进贡了一台西洋自鸣钟，他有一个充满唐诗气息的中国名字叫西江。当自鸣钟被束手无策地抬进殿里的时候，那家伙铛的一声响了一下。皇帝被吓了一跳，他充满好奇地望着这口镀金铁钟，然后问田小七，你觉得这声音怎么样?

田小七想都没想就说，不怎么样，不如敲更的梆子。

真没出息。你们两个不用禀报了，该干吗干吗去。朕困了。万历皇帝回到龙椅上打了一个哈欠，又忽然站起说，你们说，阅兵现场要是先来一场斗鸡表演怎么样?田小七和郑国仲怔怔地站着，看见皇帝一下子变得很兴奋，还说你们都可以下注，到时候看朕的眼色行事。

17

田小七这天直接就去找了郑贵妃，他觉得无论如何，来凤这条线不能断。

阿苏站到贵妃身后，身子有点抖，她望了田小七一眼说，娘娘，我该去给你熬药了。这时候田小七就突然想起来凤甩出的那一把算盘珠子。

阿苏，你给我跪下。郑贵妃说。

阿苏跪了下去，她说娘娘，我最恨阿大。说完，嘴角冒出一摊血。

她咬舌自尽了。

锦衣卫指挥使骆思恭派去风尘里的便衣一个都没回来，这让他很伤脑筋，因为自己还指望他们回来盯着阅兵礼上的安保工作。

两天后，欢乐坊的一个店小二失踪了，无恙带着春小九直接闯进了丽春院。她说要是找到这个私下偷腥的，非扒了他的厚脸皮不可。老鸨这时又开双手从楼梯上挡了过来，说无恙姑娘，都是街坊邻居做生意的，欢乐坊已经够欢乐了，你们家小二怎么就能看得上我们这里的庸脂俗粉。无恙顿时就不开心了，她说你这老孔雀指桑骂槐的，我们欢乐坊从来都是只卖酒不卖身。

卖身怎么了?皇帝有说不让卖身吗?

两个人吵吵嚷嚷对骂起的时候，一个女人就从楼上飞了下来。春小九向后跃出两步，却看见那人是身子着地的，砸在鹅卵石面上缓慢地吐出一口血，就那样死了过去。

是八枝，春小九对着无恙叫了一声。

丽春院顿时乱成一片。春小九看见无恙身子一提，直接落到了楼上那扇敞开的房门前，然后又冲了进去。她随即听见好几把长刀拔出的呛啷声。

老鸨急忙掩上的门被撞开，一群提刀的锦衣卫如洪水一般冲了进来。此时，披头散发的郝富贵推开一扇窗，样子很狼狈地跳了出去。春小九看见郝富贵那截空空的衣袖在窗口飞扬了一阵子，然后像一只蝴蝶一样被人提走了。

18

郑太傅的确没有死，他被人藏在王老铁的打铁铺里，正对着后院两只咕咕叫唤的鸽子发呆。这么多年，他一直坚持吃素，对养生家高濂的《遵生八笺》也颇有心得，可是元规刚才却给他端来了一盘生鱼片。郑太傅淌下两滴老泪，说，我只想喝一碗酸梅汤，他们骗了我太多。

郝富贵这时整理着头发走了进来，他提了一壶酒，说太傅这就是一场赌博，你要是赢了，数不尽的荣华富贵。

郑太傅鄙夷地望着缺了一条胳膊的郝富贵，说我只要郑贵妃母子平安，朱常洵能当太子。

说来说去，还是赌博。一旦下注，哪里能收得住？不听使唤的手就变成不是你自己的。郝富贵晃荡起衣袖，看见元规知趣地退了出去。元规那只硬邦邦的脚，看上去十分好笑。

郑太傅想起，那年郝富贵带着区伯来到自家院子时，也是这么笑眯眯的样子。那时区伯的腰差不多就要弯到尘埃里，他说自己是郑贵妃的亲人，很想在太傅家中找个差事。太傅觉得郝富贵是赌输了想来骗钱，但区伯脸朝着一排春天的冬青，微微地笑了，他说太傅大人还记得那位云游四方的满落大师吗？您那年带走了郑云锦，结果我把整个京城都给找遍了。也多亏了富贵兄弟，是他向我指明了云锦在您的府上。

区伯于是就这么留了下来。

几年后，郑云锦真的就成了皇帝最为宠爱的妃子，连儿子都长大了。那年，万历皇帝初次派兵入朝抗倭。七月的一天，区伯突然耸着歪斜的肩膀走到郑太傅跟前，说，太傅知道援朝的祖承训将军带了多少兵马去收复平壤吗？

郑太傅正在修剪枝叶，提起的剪刀张开在半空中，他以为自己听错了，那是军中何等的机密。可是区伯将那句话重复了一次，又慢条斯理地说，我们在前方的将士很需要这个情报。你要是不说，郑府上下，保不定接下去会有多惨。

区伯说完，将头埋得更低了。仿佛这个驼背的老人不是在同郑太傅说话，而是在对脚下的一只高贵的蚂蚁说话。

那天，阳光压得很低。郑太傅头顶的云层挤在一起，被风推着走。

郑太傅听见区伯的声音像一团扯开来的棉絮。区伯说你可能还不知道，郑云锦是我们日本人。可惜她如今坏了你们大明汉室的血统，别说国本之争，恐怕连自身都难保，而且罪该诛九族。郑太傅听完，感觉瘀结在腿上的青筋突然被人扎了一刀，然后它们像抱成一团的蚯蚓，缓缓蠕动了一下，仿佛要撑破皮层露出可怕的真相。举在手里的剪刀慌张地掉了下去，郑太傅却没有察觉，那刀尖正好扎在了自己的脚背上。

许多个日子以后，郑太傅知道，那一次，辽东副总兵祖承训在平壤城内遭遇了日军的诱敌埋伏。倭寇对军情了如指掌。明军慌不择路，大败，一夜溃退好几十里，阵亡者上千。郑太傅那天提起那把巨大的剪刀，笔直冲到茅房里，想把蹲着身子的区伯给剪成两段。区伯蹲在那里，将脑袋歪斜着，指指自己的脖子说，太傅这是想要剪断外孙的太子之路吗？如果是，来吧！然后他掩上鼻子笑了，说，太傅觉不觉得这里有点臭？

郑太傅最后拖着那把巨大的剪刀，沮丧地往后退了几步。他突然觉得，自己竟然被家里的一个门子牢牢地控制了。

议和使团舍近求远选择去福建登陆，是太傅告诉的区伯，消息是郑贵妃身边的阿苏提供的。使团被绑架时，太傅又让阿苏回了一趟月镇。中山幸之助手里的阅兵观礼座次表，是区伯逼着太傅交出，让丁山藏在布匹里送过去的。区伯跟太傅说，中山幸之助是被逼迫着来议和的，他想在阅兵现场当着众多国家使节的面闹出点花样，让万历皇帝出出丑。而现在丁山被甘左严追踪，中山幸之助死于非命，区伯就说太傅你现在很危险，都得听我的，咱们先灭了丁山，然后再把这里给烧了，你出去避避风头。等你回来，你那宝贝外孙就是太子了。

太傅说，我去避风头，朝廷和锦衣卫就不会找我吗？

区伯冷笑了一声说，你可以假死。

郑太傅就这样被劫持到了王老铁的打铁铺，他现在才知道，连元规也被区伯给收买了。而家里那个烧成焦炭的自己，则是区伯找来的另一具尸体。为了不让人识出脸容，区伯将那张陌生的脸砍得一团模糊。而为了不让人发现郑太傅腿上蚯蚓一样暴突的青筋，照样把两条腿都烧成了木炭。

丽春院里的王老铁从椅子上猛地站起。刚才，他正要一刀砍了坏事的八枝姑娘，可是趁着楼下突如其来的一场吵闹，八枝却撞开房门直接从楼顶跳了下去。一瞬间，欢乐坊的掌柜无恙又冲了进来。王老铁于是拔出刀，抽了抽鼻子说，在风尘里混了这么多年，一直没机会闻到无恙姑娘身上的香。可惜只能闻一次，欢乐坊以后不会再有老板娘了。

王老铁的身后，走出那两个当初找他纹身的年轻人，他们那时刚从日本过来，还没来得及了解一下大明王朝的铜钱，所以连铜钱上的字也读成了万通历宝。年轻人虎着脸，咿里哇啦地用日语叫了一通，无恙笑着说，原来这里还真的有这么多的外地人。

让你认识一下真正的风尘里。王老铁磨着牙根说完，看见春小九又奔了过来，他眯起一双眼，觉得今天真是艳福不浅。但是春小九手上提了两把刀，王老铁于是知道，楼下一定已经有几名弟兄死在了这女人的手里。原来春小九不仅仅会跳舞。

王老铁来风尘里打铁已经十多年，此前他在日本九州岛的海边捕鱼，直到有个叫丰臣秀吉的人找到他，给了他一堆难以想象的银子。丰臣秀吉那天盯着他粗壮的臂膀说，你可以去一个地方打铁。那时候王老铁还不叫王老铁，但他说话的声音始终像一块铁。他说请太阁殿下给我一个理由。丰臣秀吉甩出一只手，像是撒出去了一把渔网，他说用不了多少年，那个国家的海就全是你的。王老铁于是带着一群陌生的孩子上了一条摇摇晃晃的渔船。来到京城时，面对那么宽阔的街道，和他一样远道而来的骆驼，人声鼎沸的酒楼，北海边放风筝以及踢毽子的孩子，跑来跑去的马车以及车厢里谈天说笑的红男绿女，总之是充斥在眼里的各种活色生香，他顿时惊呆了，对着身边那群鼻涕流淌的孩子说，太阁殿下有眼光，我们来对了。那时，王老铁嘴里说的，已经不是日语，而是一口流利的中文。

王老铁后来果真在风尘里开了一间打铁铺，叮叮当当的敲铁声中，那些流鼻涕的孩子长高了，他们开始遍布风尘里的各家店铺，有的甚至在朝廷里谋得了一官半职。可是有一天，王老铁却把铁锤砸在了自己的膝盖上，进来的郝富贵用日语告诉他，丰臣秀吉死了。王老铁那时想，太阁殿下派出的军队其实离自己已经很近了，只要一举拿下朝鲜，辽东收入囊中也是一件并不太难的事了。

现在，王老铁看着自己的手下和无恙、春小九他们打成一片，他想，那个叫德川家康的男人真是吃错药了，怎么一上台就会想到和这帮人议和？他们那么富有，手上的疆域和阳光一样辽阔，要什么有什么，却总是不愿意分一点给日木。照这样下去，自己这么多年花下的心血都要被倒进风尘里的臭水沟了。

楼下的锦衣卫已经被他手下杀得差不多了，无恙和春小九还这么能打。王老铁决定上去给她们最后一击，因为离皇帝的阅兵时间已经越来越近了。此时又有另一帮人冲了上来，他听见无恙欢快地叫了一声，田小七，终于等到你了。不打更，不打酒，赶快打人。

事实上，无恙过来丽春院，就是田小七让她来打探虚实的。欢乐坊根本就没有走失店小二。

王老铁大叫一声，迎着土拔枪枪冲了过去，身上攒满了打铁的力气。刀片砍上土拔枪枪的铁锹时，火星四射，脚底的一块地板被他踩成两段。土拔枪枪擦了一把嘴角，说王老铁，你这手艺没得说，铁锹很管用。王老铁后来使出了滚龙绞，但已经很有经验的土拔枪枪却不慌不忙地举起两片铁锹，将他迎头砸了下去。王老铁盯着自己铁匠铺里卖出的那两把铁锹，正要起身时，看见土拔枪枪举起它们朝着自己的喉管切了过来。这回，他觉得自己已经没有办法躲得过去了。

田小七带着无恙和春小九奔到丽春院的门口，他们看见风尘里的四周已经烧起一场熊熊大火。绵延的火是从欢乐坊的酒窖里冒出来的，它们一片欢腾，似乎决定要烧它个三天三夜。眼前更近的门外，一帮卷起袖子的黑衣人就像奔涌过来的一场洪水，他们肯定是喝足了欢乐坊的海半仙同山烧酒，手臂上爬满了暗红色的狼头，一个个都露出两颗白牙。

无恙走上前，紧紧抓住田小七的手，她说咱们从这里冲出去，以后另外再盖一座欢乐坊。你什么都不用干，只负责吃酒。无恙这么说着的时候，眼里都是喜悦，可是春小九却在这时流出两行泪，她说田小七我同你说过，没有找到甘左严就不要来见我。无恙把手轻轻落在春小九的肩上，春小九靠到无恙的怀里，淌着泪说，田小七你快告诉我，甘左严他到底喜不喜欢我？

田小七望着春小九，说甘左严一直是我战友，我不会丢下他。说完他在对面黑压压的人群中看见一个驼背的身影，那人盯着自己的脚尖，吐出一口浓痰说，一个也别想走，风尘里我说了算。

他就是区伯。

19

身穿红盔青甲的指挥使骆思恭行走在两排金盔锦衣卫的中间，锦衣卫的金盔上缀满了铜甲泡。因为听说福王朱常洵也要来参观阅兵礼，指挥使骆思恭这天索性把儿子骆养性也给带上了，他希望两个少年能有机会成为朋友。不过刚才有件事情令他哭笑不得，手下的程青程千户告诉他，万历皇帝决定在阅兵之前先来一场斗鸡表演，两只红冠公鸡已经在从皇家豹房那边送过来的路上。骆思恭略加掩饰地叹了一口气，他觉得这个昏庸的皇帝做出的事怎么都跟儿戏一样的，然后有点不悦地抬起头说，皇上的事情你怎么比我还清楚？程青笑了笑，送给骆养性一串糖葫芦，他看见那帮锦衣卫百户和总旗此时都在交头接耳，似乎忙着在兜里掏银子，准备在红冠公鸡头上赌一把。程青即刻勒令了一声，都给我打起精神来！但他也发现，有一个陌生的小旗却不为之所动，他一直盯着红毯铺就的路的尽头，那是皇上的马车队伍即将过来的方向。

这时候，满身铠甲的礼仪队首先开了过来，那些侍卫官头上戴了凤翅盔，铠甲的色彩也是异常鲜艳。程青看见他们举在手上的兵器都明亮又锋利，在阳光下闪着金光和银光。

闻风而动的京城百姓早已在栅栏外围得水泄不通，他们庆幸能有这样一次亲眼看见朝廷阅兵的机会。所谓名头响亮的神机营以及虎蹲炮，那是需要多借一双眼睛来一饱眼福的。

甘左严就藏在这拥挤的人海中，他并不知道锦衣卫已经放弃了对他的追捕。此时，他看见连崇国寺的住持也赶过来了，住持一身金黄，频频对身边的百姓说，兵者，不祥之器也。甘左严掏出那张座次表，对着远处的观礼台翘首看了很久，感觉头顶的阳光像潮水一样淹了过来，所以他推开人群以及数着念珠的住持，想要看清田小七他们现在是在哪里。他想，这可能会是一次不简单的阅兵。

20

马候炮正在吉祥孤儿院里给她收养的那些更小的孤儿们洗澡。她手抓一只猪毛刷，在一个个孤儿的身上没有方向地刷来刷去。孤儿们觉得皮肉很痒，一个个欢笑地露出歪歪斜斜的牙齿，他们看见木桶里的热水在春天微凉的空气里频频摇晃，而嬷嬷烟斗里的火星也跟随着一明一灭。

望着风尘里街区那边升腾起的烟雾，马候炮后来开始感到有点不安。终于，她看见吉祥出现在门口的一堆光线里，两只孤单的眼蓄满了泪水。吉祥说，嬷嬷，哥哥。嬷嬷，哥哥。

马候炮丢下猪毛刷，不再理会热气腾腾中那群还没有洗干净的孩子，返身回到屋子里。她猛地拍开那只磨得锃亮的木箱子，嘴里说，生死有命。因为身子发胖，所以她蹲下去的样子有些吃力。她从箱子里拿出一只斗笠盔，又拿出一件硬盔皮布罩甲，然后拿出斜纹布护腰，拿出蓝色制式战袍，拿出铆钉战靴，最后才拿出了一把雁翎刀。马候炮缓慢转过身来，慢慢抽刀出鞘，轻微的金属声响过以后，一缕反光灼伤了吉祥的眼。那时，马候炮感觉自己又成了一名英姿勃发代兄参战的勇士，能听到辽东战场上战马嘶鸣的声音。几乎只是一瞬间，马候炮穿戴齐整，站到吉祥面前像刀牌步兵那样笑了一下说，吉祥，嬷嬷是不是很威风？

吉祥说，嬷嬷，不要去。随即吉祥的眼泪就慢慢地流了下来。

马候炮看着能闻出生死气息的吉祥，从他的眼泪里她便什么都明白了。她的声音变得低沉而且暗淡，说，生死有命。想想我那些兄弟，他们都是壮士，死在战场上又有什么可怕？

又说，吉祥，你给我看好木桶里的那些弟弟。

提着雁翎刀，马候炮猛地踢开一个脚盆，在吉祥眼里威风凛凛地冲了出去。

那天的风尘里，区伯从站成石头堆一样的黑衣人群中走出，手里提了一根油迹斑斑的牛皮鞭子。他说一个也别想走，风尘里我说了算。区伯弓着腰身，听上去气喘得很厉害，好像是已经死去的王老铁又活过来给他拉了一回风箱。

田小七却见到了追赶过来的嬷嬷，以及一路跟随她的吉祥和豹猫追风。烟尘里，嬷嬷一身戎装，如同一座防守严密的塔。而那时停在吉祥肩头的，却是一只绿色的螳螂。螳螂一动不动，顶起的触角蛰伏在光线里，和追风一样，它的神情充满忧伤。

区伯甩了一鞭子，整个上半身便立了起来，指着吉祥说，打更的哑巴，我很早就认得你。说完，这个风尘里谁也没见过的掌鞭人就举起鞭子朝田小七迈近了一步。他甩出鞭子时，嘴里叫道，一敬日月天地，二敬列祖列宗。鞭子声里，石头堆一样的人群也黑压压地向前推进了一步，身后的火苗烧得更猛了。

我看见，海的那边，有你的，一座坟墓。吉祥说话时，豹猫张开爪子往前移动了两步，露出牙齿对着嚣张的区伯凶相毕露地吼了一声。区伯望着那一双绿眼，以及映照在绿色瞳仁里头的火光，觉得它不是一只猫，更有可能是一只豹。他又甩了一鞭，嘴里叫出一声，杀！杀！人群于是像一床一床从天空中掉落下的被子，朝着田小七他们覆盖了过去。

田小七疯了。

无恙和春小九疯了。

一片火海的风尘里全都疯了。

所有的兵器撕咬在一起，铁和铁猛烈地碰撞。马候炮仿佛又看见了当初血光绵延的辽东平叛战场，又听见了久违的厮杀声。然后她却见到无恙被刺了一刀，肩头被扎出一个洞来。无恙靠在田小七的背上，血缓慢地从她的肩窝涌了出来。马候炮大吼一声，连连出刀，即刻放倒两个对手。她提着雁翎刀冲到田小七跟前，说你还不快带她走?!

田小七转身护住无恙，手里的绣春刀挥舞成能够抵挡住四周的铁桶。他看见无恙的脸已经变得有点苍白，但是无恙仍然笑着说，田小七，我没看错，你果真是个英雄！

田小七抱起无恙，想把她送到丽春院中厅里的那把椅子上。他胸前挂着的那只木碗硌痛了无恙，无恙笑着说，你可以抱一抱我，但是不要让我离开你。这时候，空中突然传来三声巨大的礼炮响。田小七转头望去，那正是月坛的方向。此时，人群中的区伯举起刀子，扯开嗓子又叫出几声，杀！杀！田小七猛然想起了皇帝，他记得甘左严跟吉祥说过，中山幸之助曾经带队去过月坛。像是突然醒过来一般，他觉得此时皇帝那边可能有深重的危险，也可能更需要他。冲进丽春院在那把椅子上放下无恙后，田小七如同洪峰中顶起的一截木头，纵身跃起，踩踏过交战的人群，朝着震撼的礼炮声笔直冲射了过去。

无恙望着田小七狂风一样的背影，捂住伤口慢慢地笑了。她记得自己刚才摘下胸前挂着的一串碧靛子，将它交到田小七的手里。她说，田小七，这串碧靛子能保佑平安。田小七紧紧抓住那把碧靛子，看了她一眼后便头也不回地冲了出去。无恙终于流出两行泪，她又对自己说，田小七，你就是死也得死到我的面前来。

远远看到这一幕的马候炮冲出来，右手高举着雁翎刀，上前连连砍倒了两名对手。然后他看到有数名刀客在围攻唐胭脂的时候，又冲上前去砍翻一个，并为唐胭脂挡了一刀。那一刀很深地砍在她的脸上，让她觉得半边脸很凉快，也就是说差不多半边脸就没了。她打雷一样大声地叫着，妹妹，妹妹你快走。从今往后兄弟要齐心。然后她就听到刀片砍在她后背噗噗的声音，砍在她大腿上噗噗的声音。那时，她身边的刘一刀和土拔枪枪瞬间望见了冲天的血光，很像是刚用大嗓门打过雷的嬷嬷转眼泼出去了一层宽广又忧伤的晚霞。

马候炮仰天倒了下去，她眼睛里看到的风尘里一片通红。在优雅地喷出一口鲜血后，无数乱刀又在她身上纷纷扬扬地落了下来，她大喊一声，哈哈大笑，四位哥哥，我终于也死在战场上了，没给你们丢脸！生死有命！

这时候，大批禁卫军的脚步，正在向这边集结而来。

21

突然响起的三声礼炮吓住了皇帝带来的其中一只公鸡，它躲在笼子里把头藏了起来，这让站在一旁的郑国仲和骆思恭脸上有点挂不住。万历皇帝此时坐北朝南，眼上戴了一副叆叇，两块厚重的镜片看上去如同深黑色的云母。他用一段绫绢拴住叆叇的腿脚，一直绑到了脑后。

皇帝挥挥手，推推鼻梁上的叆叇，指着笼里的公鸡对大伙说，不急，咱们先等它一会儿。还没等他说完，观礼席中来自帖木儿国的使臣便带头笑了起来。郑国仲记得，那是一个曾经自称没有叩拜习俗而不愿在永乐帝跟前下跪的国度。皇帝远远地指着笑嘻嘻的帖木儿国使臣说，这位朋友，你敢不敢帮朕给这只公鸡取个名字，等下我们一起下注?

帖木儿国使臣的脸顿时僵住了，他不知道接下去该怎么笑才好，所以皇帝说，看来你不敢，其实你胆子一直很小。说完皇帝叫人取来一块布条，说既然这样，还是我自己来，然后他提笔在布条上龙飞凤舞地写了几个字，又命人将它绑在了那只公鸡的左腿。皇帝蹲下以后拍拍公鸡的屁股，轻声说，去吧。公鸡这才抖了抖身子，朝着中场走去。

千田薰他们几个是最迟入场的，刚才在进口处，他被一名锦衣卫小旗给拦了下来，对方声称要再搜一回他的身。千田薰点头笑笑，双手很配合地平举起来，任凭小旗在他身上摸索了好一阵子，甚至还摸进了他的腰。这样的时间里，千田薰只看着头顶明晃晃的太阳。几天后，他在北镇抚司里跟询问他的骆思恭潦草地回忆了一把，他说自己其实认得这个冒充的锦衣卫小旗，那是郑太傅府上的家丁，叫元规。骆思恭听着听着就让手下一字一句地给记下了，他说接着说，好好说。

但是千田薰不想再说了，他觉得一双眼睛止不住地疼。

现在，当郑国仲望向这边的时候，元规替千田薰整了整敞开的和服，又趁着给千田薰鞠躬的机会，把头低了下去，并且走到他身后。那时郑国仲只是看见千田薰踢踏着木屐，像一只跳动的蚂蚱一样找到自己的位子坐下。身边那个空着的座位，他知道原本是属于中山幸之助的。

皇帝在这时候朝千田薰挥了挥手，他说喂，日本君，你来了这么多天还是迟到了，不过还来得及。

然后，只听见铛的一声小锣敲响，两只怒目圆睁的公鸡便挤到了一起。千田薰觉得，这个乱糟糟的观礼场面，简直是堂堂大明朝的笑话。

郝富贵一到现场便被甘左严给盯上了。但是甘左严剃了胡子，所以郝富贵并没有注意到这个动不动就喜欢请人吃酒的酒鬼。郝富贵的衣袖在春风里晃来晃去，他觉得许多好时光已经在赶来的路上。皇帝那时看到了东张西望的郝富贵，他指着两只头顶在一起的公鸡，侧过身去问了一句坐在右边的郑贵妃，如果让你来押宝，你觉得他们谁能赢？

郑贵妃说，从来都是你赢。

一阵生动的鸡叫传来，斗鸡终于开始了，所有的眼睛都挤到了台上，空中很快飞起一片金黄的羽毛。两只公鸡上上下下地啄了一通，又来来回回地追赶了一通。没过多久，当初那只退缩的公鸡果真就败了下来，它被啄瞎了一只眼，往后退却的时候，几乎只能看见半个太阳。又是铛的一声小锣响，斗鸡结束了。千田薰和在场的许多人似乎在恍惚中还没有看过瘾。

皇帝走下龙椅，抱起那只斗胜的公鸡，将它举到胸前亲了一口。他说你们知道它叫什么名字吗？

全场一片惊愕。皇帝于是走到几个儿子面前，问，你们知道吗？

福王朱常洵举手，从位子上站起说，父皇，儿臣知道。

那就说说看，皇帝笑呵呵地说。

他叫朱翊钧。朱常洵将捏起的拳头举了起来。

全场顿时安静得跟子夜一般，郑贵妃几乎在第一时间将手捂住了嘴巴。郑国仲看见，连头顶的一朵云也停了下来，遮住了半个太阳。然后皇帝的长子朱常洛抬头看了一眼依旧站立的朱常洵，惊讶的眼神里慢慢露出一丝幸灾乐祸。风，细细地吹着。

对，他就叫朱翊钧！皇帝很兴奋地叫了一声，将抱在怀里的那只公鸡朝着空中扔了出去，让它如同一只老鹰一般俯冲到了台前。郑国仲和郑贵妃都同时缓缓地舒了一口气，他们看见皇帝又乐呵呵地抓起朱常洵的手，提起那只尚未放开的拳头再次举了起来。

全场瞬间沸腾了，叫喊声此起彼伏，一浪高过一浪。皇帝威武！皇帝威武！

一场虚惊让郑国仲擦了一把汗，他看见郑贵妃正怔怔地望着自己。

不要急，皇帝抬手对四周的众人说，阅兵还没开始呢。然后他又指着台前的郑国仲说，郑郎中你过来，告诉他们那只斗败的公鸡是叫什么名字。

甘左严看见郝富贵惊奇地伸长了脖子。郝富贵这时候突然觉得，台上的那个身影有点眼熟，但是他想了很久也没想出什么名堂，倒是甘左严趁这当口朝他靠近了两步。甘左严的怀里藏了一把短刀。

侍从官解下公鸡左腿上的布条，将它举到了走上前来的郑国仲手里。郑国仲有点不解，他看了一眼布条，又回头无比诧异地望向皇帝，看见皇帝正朝着他笑。他知道，和台下的众人一样，程青和骆思恭他们此时也正急切地望着自己。

说吧，郑郎中。皇帝抬头，大半张脸都藏在他心爱的叆叇里。

郑国仲面朝南方，缓缓走到台前，展开那片布条，让它被风吹拂得如同一面袖珍的旗。他指着地上那只斗败的公鸡，大喊一声，皇帝说，它叫丰臣秀吉！

元规把头高高地抬了起来，他以为自己听错了，差点就笑了出来，又看见天空中所有的云都迅速往后退了回去。顷刻间，似乎阳光万丈。元规抓住绣春刀的刀柄，急急走向千田薰身边。

那时候的千田薰猛地从座位上站了起来，他傻傻地站着，一张脸似乎被细细的风给吹僵了。然后他看了一眼身后朝自己走来的元规，发现没有明白过来的人群仿佛是在一场尚未清醒的梦里。他即刻推开那把空椅子，扒开座位底下新鲜隆起的一堆土，又在那里气急败坏地掏出一把短枪，嘴里说不能再等了。千田薰站起身子，就要举起枪口瞄向台上的皇帝时，已经纵身跃起的元规迅速飞出一只脚，正好踢在了千田薰的脸上，千田薰扣动出的扳机随即在地上炸响。元规落下身子，在一排日本使团人员跟前站定，拔出的绣春刀在阳光下闪闪发光。

田小七和唐胭脂就是在这时狂风一样地冲进了阅兵现场，他手上抓着一块鎏金的令牌，听见元规对他叫出一声，上台保护皇上。田小七提腿跃起在半空的时候，深深地看了一眼元规，他还见到台下人群已经慌作了一团，有很多双陌生又杀气腾腾的眼。

郝富贵用肩膀撞开人群，从左手的空袖子里摸出一把枪，举到空中声音慌张地大叫一声，杀啊！杀！可是他随即感觉右手的手腕上一阵冰凉，原本举着短枪的手掌却瞬间离开他飞了出去。他诧异地发现，自己眼前竟然站了一个刀光挥舞的甘左严。郝富贵很不相信地举起那只血流如注的手臂，大叫一声，我没有赌输怎么又少了一只手。

郝富贵看见了混进人群中的杀手，他们都是议和团的成员。像一窝被捅开的马蜂，他们撞开奔泻的人群，努力寻找目标。

田小七和唐胭脂紧紧地护着皇帝，以及他身边的皇后和郑贵妃。皇帝却一把推开田小七，说你不用管朕。他提着一把随身携带的金色的短枪，双眼放光，一改往日的疲倦和慵懒。他走到台前，告诉身边的田小七，什么场面朕没见过，都不用慌。等到两个杀手气势汹汹地奔来时，皇帝不紧不慢地举起枪，砰砰两声，即刻就将他们放倒。他又朝着台下叫了一声，不怕死的，过来！

几名使团人员将元规团团围住，这让千田薰得以在混乱的人群中奔跑开来。事实上，千田薰是非常著名的枪手，而使团里的高桥一郎则是他的替补，他们的配合天衣无缝，一人填弹一人击发。千田薰后来终于遇见了赶过来的唐胭脂，唐胭脂对他笑了笑，头发一甩，一把钢针就准确无误地飞了出去。毫无防备的千田薰于是再也无法见到这一天的阳光和云彩，他只记得唐胭脂有点妩媚的笑容，以及突然多出来的均匀分布在脸上的一大把钢针。

此时，和田小七一起赶到的豹猫追风突然高高跃起，它从台下笔直冲向万历皇帝。皇帝盯着这只灵动凶猛的大猫，心想要将它收归到自己的豹房里，那将是多么美好的一件事。指挥锦衣卫迎战的指挥使骆思恭不明就里，急忙扔出一把刀子，扎向豹猫的时候，只听见叮的一声，田小七飞出的一把短刀和骆思恭的刀撞在了一起。几乎就在相同的时间里，豹猫叼走了台上一把椅子下暗藏着的，已经被点燃的一截火药，疯狂地奔跑开来。田小七望着像一道光线一般疾速远去的豹猫，闭上了眼睛。

一声巨响，烟雾散开后，可以看到豹猫从一堆烟雾中弹射着冲出，继续纵身在阅兵场上奔跑。田小七望着矫健的豹猫在纵横奔走，听见身后的皇帝说，这猫是英雄，朕要册封它。这时候郑贵妃深深地看着田小七，她看到田小七胸前挂着一只她当年送他的木碗，而木碗旁边奇怪地晃荡着一串碧靛子。这一刻站在自己面前的青年英雄，让她止不住想起十多年前赌馆里的那场火。

郝富贵不知所措地躺在地上，他被随后赶到的锦衣卫凶狠地砍去了手和脚，然后他挣扎着抬头，发现剩下的自己已经成了一只血淋淋的粽子。他于是看见许多年前的一片海，他和弟弟千田薰在区伯的带领下上了一条摇晃的船。而就在不久前，同样是在这片海里，在区伯的设计下，千田薰带人截住了从东方驶来的德川议和使团的那艘船，他们把船上使团的人都给杀了，甚至是那个真正的团长——中山幸之助。当然，没有人能够想到，上岸的假使团后来却遭遇了海通帮也就是满月教的一场绑架。

郝富贵现在十分想念那片多年未见的海，以及为了成功扮演赌鬼，他那次在柳章台面前忍痛舍弃的胳膊。他想，如果不是因为兄弟千田薰那么容易被激怒，掉进了朱翊钧早就设置好的圈套里，行动的结果应该不至于如此。他们原本的打算，是在阅兵正式开始时，在轰天热闹的鼓乐声里，千田薰静静地抽出那把早已藏好的枪，然后平稳地扣动扳机。中山幸之助那天来月坛的时候，展开阅兵观礼图，踩着脚下的一块泥地对高桥一郎说，记住了，枪就埋在这里，我们的人会在上面盖上正好是写有我的名字的凳子。

郝富贵回想着这一切的时候，一场蓄谋已久的刺杀已经被抹平。皇帝慢吞吞地走到他跟前，摘下两块云母色的镜片，神情有点悲伤。他说郝富贵，朕决定不再和你做朋友了。地上的郝富贵这才发现，像一棵大树一样耸立在自己眼里的的确就是赌徒柳章台。而现在紧跟他身边的元规，那只脚其实方便得令人难以想象。他觉得叫作柳章台的万历皇帝实在太可怕，而一直待在郑太傅身边的元规，身上却藏满了他随时都能打开的眼睛。

郑国仲直到现在才清楚，元规原来也是北斗门的其中一颗星。他想起皇帝那天吃着石榴告诉他，北斗门七颗星，你可以安排五颗，剩下的留给朕自己来安排人员。这样的安排，不能让指挥使骆思恭知道。

这时候，走上前来的传教士利玛窦又给皇帝送上了一座小型的西洋钟，他想把它当作庆贺阅兵的礼物。田小七接过这件礼物，听见它铛的一声响了一下，皇帝转头惊奇地问朱常洵，现在是几点？朱常洵看了一眼抱着西洋钟的田小七，一双眼透过镜面，对着那几根针想了想说，现在是下午三点。皇帝就笑了，摸着朱常洵的头说，你同朕一样聪明。

那天的后来，皇帝一直牵着朱常洵的手，他说你看外面的世界这么凶险，父皇真舍不得你离开京城。听见这席话的郑贵妃将头别转过去，她看着田小七的眼，两滴泪就掉了下来。又听见皇帝跟儿子说，既然这样，咱们是不是可以开始大张旗鼓地阅兵了？

田小七放下那只西洋钟，凝望了一眼郑贵妃，然后他想起了自己的嬷嬷，想起了火光熊熊的风尘里。而当他最后想起无恙时，已经开始跑动的双腿突然奔跑得更加猛烈了。他抓住胸前那把茂盛的碧靛子，在心里说，无恙，我就是死也要死到你的面前来。

22

甘左严再次和田小七并肩战斗。此时驰援的第一梯队禁军，早已和风尘里区伯手下的刀手们混战在一起。田小七脚步匆忙地挥着绣春刀杀向一条小巷时，终于看到了火光中的驼背区伯，现在看上去他像一只被烤熟的乌龟。区伯手中握鞭，双眼暴出了眼眶，所有关节都肿胀变形。他已经跪死在了大街上，面向着日本国的方向。田小七看到刘一刀和土拔枪枪，从他的身边往前弹出去似的蹿到了区伯的身边。刘一刀手起刀落，一刀割下了区伯看上去小得有些滑稽的头颅。这时候病夫穿着一双拖鞋，穿着洁净的麻布衣裳，走到了那具没有头的尸体边上，发出了啧啧啧的声音。他无限忧伤地望着差不多已经烟消云散的风尘里，田小七他们都不知道的是，这一次，是他在区伯临死之前，把一粒“黑无常”拍进了区伯的嘴里。

刘一刀提着区伯的头，和土拔枪枪一起一阵风似的从田小七身边掠过了。他们奔跑的时候，土拔枪枪仍然和刘一刀热烈地讨论着怎么样让他的个子长高的话题。

火势汹涌的风尘里，春小九终于看见甘左严的身影时，忍不住喜极而泣，她擦了一把泪，却感觉后背突然有一把刀刺了进来。刀子从胸口抽回去的时候，春小九想起她一直想拥有的，南麂岛上一座会漏风的石头房子。

春小九顾不了那么多，她朝着欢乐坊一直烧个不停的酒窖奔去，四周依旧是一片燎原的厮杀声。刀一再遇见刀，晚霞中不断地有人倒下，一切似乎才刚刚开始。

掌柜无恙拖着受伤的身体，蹒跚地走出丽春院，和再次赶来的田小七一起冲进了相互绞杀的人群中，她就守护在田小七的背后，替田小七挡下了无数纷乱的刀子。她说田小七，这次我还是要和你在一起。但是无恙已经血肉模糊，田小七听见她说话的声音越来越微弱。

田小七后来越过一名锦衣卫被切碎成布条一样的飞鱼服，看见奔跑的春小九如同一只赤脚的兔子，从酒窖里回来的时候，她手上晃晃荡荡地提了一壶酒。春小九奔到甘左严身边，突然就无力地倒了下去。甘左严提着长刀，猛地飞出身子将她抱住，他发现春小九的身子以及春小九的气息和春小九刚刚流出的泪全是滚烫的。春小九提起那壶酒说，甘左严，这酒是热的。喝下它，再去杀一把。甘左严的眼泪终于涌了出来。他听见春小九说，甘左严你怎么哭了？你是从来不掉眼泪的。还有，你的胡子呢？

甘左严将那些酒全都倒进了嘴里，他说小九，你后悔吗？

春小九躺在甘左严的怀里笑了，说，别说话，把酒香一直含在嘴里。又说，我是不是很美？你抱紧我一点，我不是一般的冷。

田小七看见一抹淡淡的夜色洒了下来，他回过身去，却发现无恙已经不见了。

马候炮躺在风尘里冰冷的土里，她像一匹体温尚存的老马，经历了长途跋涉后彻底把自己给累倒了。她看见吉祥的泪光如同一条清澈的河，河里却倒映着自己鲜红色的血。这么多年，马候炮觉得自己真的太累了，在闭上眼睛之前，她听见了吉祥的哭声。吉祥说，嬷嬷，不要。嬷嬷，不要。马候炮疲倦地笑了一笑，说，愿你们吉祥。

刘一刀和土拔枪枪提着区伯满是血污的人头赶到，看见躺在地上的马候炮时，双腿一屈和田小七一起跪了下去。那时候，他们感觉眼前的嬷嬷是那样地像自己死在辽东战场上的父亲。田小七满含着热泪，将绣春刀刺向空中，大叫一声，荡平风尘里！话音刚落，欢乐坊的酒窖里，又一把大火轰的一声燃烧了起来，火光再次映红有着无数秘密的风尘里。

那时候，远处的月坛，皇帝麾下的步兵、骑兵以及水师部队正踩着整齐的步伐，浩浩荡荡地从阅兵台前经过。龙旗招展，鼓乐齐鸣！皇帝望着眼前的一切，平静地说，我们不能忘了风尘里。站在身后的元规上前一步。元规说，皇上，田小七他们还在战斗。

万历皇帝抬起头来，喃喃地望着天空中一块洁白得像绵羊毛一样的云朵说，你们都是英雄。

接着又说，一切都是朕最好的安排。

万历皇帝是在这天的二更时分带着朱常洵来到风尘里的，但他这次没有听见打更的声音。事实上，在此之前，他曾经无数次改头换面，化装成平民的样子，和朱常洵一起来过这里，也见到了打更的小铜锣。他后来还独自去了欢乐坊，并且记得无恙姑娘在柜台里说的那句话，章台柳章台柳，往日依依今在否？而现在，眼前的欢乐坊已经成了一堆滚烫的废墟。

元规带着万历皇帝一行，走向王老铁的打铁铺，可那里却又突然升腾起一场火，那是郑太傅自己烧起的。郑太傅望着浓烟中走来的皇帝和朱常洵，让那些火苗迅速地攀爬上自己的腿脚，然后在火海里安静地坐了下去，像是在一个曾经的午后，他喝下阿苏端上的一碗酸梅汤后，开始闭上眼睛修身养性。元规记得，这样的午后，郑太傅的一双手会落在阿苏的胸上，熟门熟路地解开她的衣裳。太傅就那样把整张脸埋了进去，虽然他十分清楚，阿苏的心里其实一直住着的是自己的儿子郑国仲，但这又能怎么样呢。元规还想起，那次日本议和使团上岸被绑架后，郑太傅让他去翊坤宫找了一回阿苏，为的就是让阿苏回一趟月镇，确保田小七他们救出中山幸之助和千田薰。当然，元规那时并不知道，中山幸之助已经是假的。他只是在夜里像一片冬青叶子那样离开铁狮子胡同，在豹房里跪身面见皇帝的时候，他才说起很多事情都很蹊跷。皇帝看着他若隐若现的鸽子血纹身，说，记住你是一匹安静的狼，冷静潜伏。一切都不要声张。

最后皇帝又说，天下始终是朕的天下。

郑国仲并没有见到火中挣扎的父亲，他后来对皇帝说，原来皇上早就知道这一切。皇帝于是想起打铁铺的那场大火里，太傅腿上聚集缠绕的青筋被烧成了一大片焦红。他现在觉得很多东西都已经恍如隔世，就比如说许多年前的午后，太傅曾经捧着书本，站在自己眼前一字一句地讲课。

如果不是北斗门，我们不会赢得如此顺畅。郑国仲说完，终于向皇帝问起，北斗门的七名秘密成员，加上我和元规，一共也就只有六名。剩下的还有谁？

皇帝笑了。他说实话告诉你，朕给自己也留了一块令牌。朕喜欢加入北斗门。

那天，欢乐坊的火越烧越亢奋，燎原成整片的火海。田小七则像一头发疯的狮子，在灼热的气浪中，他找遍了整个风尘里，翻遍每一个角落，却再也没有见到无恙的影子。他突然觉得自己的整个心脏像一座空城，空落落的没有边际。这让他觉得心慌。一直等到两天后，大火烧尽，田小七还是在狂乱的风里一次次地叫喊无恙的名字，可是回应他的只有风尘里渐渐冷却的废墟。田小七找来吉祥，他想吉祥应该能够闻到无恙的气息。吉祥在废墟里站了很久，一言不发。他什么话都没有说，也没有用他的哑语，而是向田小七摇了摇头。田小七蓄在眼眶里的泪水，终于在吉祥的摇头中滚滚而下。他紧紧地咬住了自己的嘴唇，几乎在瞬间，他的牙齿把嘴唇给咬穿了。

后来田小七在欢乐坊门口的石板路上，怅然若失地坐掉了很多的光阴。他离开的时候，在石板路上留下了一行孤单而瘦削的炭字：此情可待成追忆。

甘左严始终不愿将春小九在那个修长的土坑中埋下。泥土半湿，泛着新鲜的腥味，这让甘左严觉得这些春天的泥土，像是亲人一样的亲切。那天他用了很久的时间，才将那只酒壶从春小九的手里掰出，他眼前晃动着赤脚的春小九，活脱脱的一只兔子，从舞台上蹦了下来，落到自己的怀里。甘左严抱起不再滚烫的春小九，他说小九你把眼睛睁开，我现在答应带你去南鹿岛，去找一座会漏风的房子。

但是春小九没有理他，她小巧而性感的嘴唇惨白得没有一丝血色。

后来甘左严走到郑国仲跟前，苦笑了一下说郎中大人，你看到了，这就是我甘左严一辈子的命。但郑国仲仿佛没有听到他在说什么，而是说，京城所有的邪教余孽均被清除，满门血洗，今后不会再有满月教。从现在开始，甘左严你恢复身份，你就是堂堂正正的锦衣卫从五品副千户大人。这时候程青看了一眼他仕途上最强劲的对手甘左严，不满地将头转了过去。他刚才看见甘左严又长出了一把胡子，那几乎是一堆更加杂乱的野草。

一直到黄昏，夕阳像潮水一样漫过来的时候，甘左严才将春小九平稳地放在土坑中，并且在春小九的身上撒满了鲜花。甘左严没有来得及填土，他只是觉得需要躺下来，于是他俯卧在了春小九身上，眼泪不停地滴落在春小九的脸上。他紧紧地抱着春小九，仿佛要把春小九按进自己的身体里面去。那个孤独而美妙的土坑，很快就被漆黑的夜色淹没了。夜虫在这时候疯狂地鸣叫了起来，甘左严还听到了黑暗之中的风声，像是有人在哭。

福王朱常洵记得，那天的后来，父皇指着火星冷却的风尘里告诉他以及骆思恭的儿子骆养性：世间很凶险，人心隔肚皮，就比如郝富贵和王老铁。父皇还说，如果真的有传教士利玛窦嘴里说的那个上帝，那上帝他为何不把人心直接装在胸膛外边？只要你手指一弹，人心就当的一声，我们就可以将它叫作当心。

可是朱常洵并不会想到，多年以后，他还是没能成为太子，倒是骆养性子承父业，成了锦衣卫的又一任指挥使。朱常洵那年最终不得不离开京城，前往自己的封地时，送行的母亲和父皇在秋风中落下两行不忍割舍的泪。因为在国本之争中败下阵来，母亲郑贵妃那时十分替他担心，怕他此去孤独落寞，失去宫中照应后就前途未卜生死难料。但父皇擦去泪水后就拍拍他肩膀，叫他挺直了胸膛。父皇说，孩儿啊，你去吧，以后的路上没有什么可怕的。想想你和父皇一起经历过的，你就要勇敢。你要记得，我们甚至一起打败过一只目中无人的公鸡，他就叫丰臣秀鸡。

那时，朱常洵看见风中哭泣的母亲百感交集，又突然在父皇的玩笑话里破涕为笑。他于是想，此后的岁月，他和母亲及父皇都将是相见时难别亦难。

23

锦衣卫北镇抚司的诏狱里，粽子一样的郝富贵和千田薰以及高桥一郎一起，经受了锦衣卫漫长的酷刑。被锁上琵琶骨后，骆思恭异常耐心地询问千田薰，这一切从头至尾究竟是怎么发生的？千田薰一直回答得很坦然，直到说起自己其实认得那个冒充的锦衣卫，他以为元规是被区伯派过来配合这里的刺杀，所以他张开手臂接受安检时，还觉得元规可能会往他和服里塞进一把枪。骆思恭听着听着就笑了，他让手下给一字一句地记了下来。这时候，在阅兵现场厮杀时被唐胭脂的钢针扎穿眼球而失明的千田薰，感觉一双眼睛疼得不行。

骆思恭后来让手下将千田薰他们的皮肤用开水烫烂，然后把他们扔到皮床上，用尖利的铁刷子一缕一缕地刮走身上烂茄子一样的皮肤，直到最终露出浅紫色的骨头。站在一旁的程青说，看看你们的骨头还硬不硬？那时候，骆养性把眼睛给闭了起来，他说父亲你们太残忍了，把他们的牙齿给敲碎就行了。参与审讯的郑国仲身边，病夫一闪身像鬼魅一样闪了出来。他也露出鄙夷的神色，不屑地说，野蛮。然后掏出几粒刚刚研配好的“黑无常”，将它们拍进了千田薰满是血污的嘴里。

郑国仲和郑贵妃并没有因为郑太傅一事而受牵连，相反，皇上还授予了太傅忠勇的谥号。当着郑国仲的面，皇帝问满脸诧异的田小七，还记得朕说过的文章如虎豹，斑斑在儿孙吗？田小七不解地点头，听见皇帝又说，那你知道黄庭坚这诗接下去还有一句是什么吗？田小七不解地摇头。皇帝于是说，田小七你记住了：吏民欺公亦可忍，慎勿惊鱼使水浑。更何况太傅他不仅是朕的老师，也还是郑贵妃和郑国仲的父亲。

那么，贵妃她……郑国仲忐忑地说。

皇帝抬起手，走下龙椅说，朕知道你们在担心什么。东瀛一直是我们汉室的藩属国，那么郑贵妃的血难道就和你的血不一样？还有，中山幸之助和千田薰他们虽然都是假使团的成员，但德川家康的那纸议和书却是真的。我看过了，一手汉字写得不错。

那时候，田小七差点就要在乾清宫里跪了下去。他听见皇帝又接着说，仇恨是没有尽头的。

24

一个月后，田小七和元规在山东沿海登上了一艘大船。按照万历皇帝的旨意，他们被派往日本，向德川家康通报使团遭遇丰臣秀吉残余势力剿杀的消息。田小七的怀里，藏了一封皇帝亲笔写下的议和回执。

刘一刀、唐胭脂和土拨枪枪也出现在码头上。他们浑身热气腾腾的样子，穿着挺括簇新的飞鱼服。而且土拨枪枪正在向唐胭脂抱怨着这套衣裳是天底下最糟糕的衣裳，是那么的不合身，而且他腰间挂着的那把绣春刀的刀鞘也毫无悬念地拖在了地上。田小七朝送别的人群挥手时，吉祥肩头的豹猫却突然纵出身子，义无反顾地冲上了海船。它后来静静地蛰伏在田小七的脚下，神情忧伤地望着海水对面的吉祥。它或许是以为，凡是大船，即将要驶往的一定是遥远的浡泥国。它太想要回到故乡了。

这个夜晚，吉祥院的木门吱呀一声打开了，吉祥手中提着梆子和一盏灯笼迈出了院门。他突然看到了不远处的前方，出现了满落大师。满落双掌合十，缓慢地行走着，像一片被风吹刮着的树叶。满落后来在灯笼的光晕里站定了，他笑了一下，吉祥也笑了一下。他绕了吉祥一周，认真地说，天注定，你就是个佛门中人。这时候吉祥突然之间泪如雨下，他把灯笼和梆子及铜锣扔在地上，用一双泪眼望着满落。

满落说，把眼泪擦干，这个世界没有那么多可以哭的事。

吉祥于是把眼泪擦干了。

满落说，走！

吉祥跟着满落大师向前走去。万历二十八年的一个深夜，有人看到一大一小两个人，双掌合十地穿过了黑夜。他们走向的地方，白茫茫的一片，像一道光。吉祥就这样消失了。

海阔洋洋的水面上，暮色深沉。底尖上阔、尾部高耸的海船昂首开始劈波斩浪时，田小七站在船头的夜风中，很自然地想起了不知去向的锦衣卫副千户大人甘左严。甘左严那次抱着冷却在怀里的春小九，走出京城一直向南。在埋葬了春小九以后，据说他真的就一路走向了遥远的温州南麂岛。田小七还想起，甘左严当年独自离开福建水师后，就知道小铜锣和驼龙他们会因为他没有保护好战友陈丑牛而恨他一辈子。果然没过多久，他就被兵部当作逃兵四处通缉。他于是留起了野草一样的胡子，让它们一个劲地任意生长。但是关于陈丑牛之死，甘左严一直不愿意去多想，虽然心底里，它们其实也一直在胡乱生长。事实上，那次的福建海滩，甘左严是为了挡住刺向小铜锣后背的一把倭刀，而放下了怀里紧紧保护着的陈丑牛，才致陈丑牛被敌人杀死。

田小七抚摸着挂在胸前的那串碧靛子，凝望头顶一览无遗的夜空时，无恙的身影便自然而然地出现在了眼里。在那阵海浪的拍打声中，他觉得自己从未像现在这样无边无际的思念着无恙。这时候，身边一声不吭的元规望着手里的北斗令牌笑了，他说没想到曾经名动京城的鬼脚遁师竟然如此一往情深，好比我们敬爱的皇帝，再怎么威风凛凛，心里也始终只装着郑贵妃。

田小七终于流下了两行热泪，他仿佛能听见自己在许多年前的赌馆里叫了郑云锦一声姐姐。然后郑云锦望着浓烟的方向，声嘶力竭地告诉他，起火了，跟着姐姐一起冲出去。再然后，郑云锦教这个弟弟用炭在地上写字，并且送给他一只木碗。现在，田小七好像已经冲出了众多纠结在一起的往事，但他还是一头撞进了对无恙的绵延不绝的无尽思念中。

田小七再次抬头时，看见蓝色夜空中的北斗七星正闪闪发光，而由天权、玉衡、开阳以及摇光这四颗星组成的勺柄正缓慢地移向记忆中的南方。他对已经熟睡过去的元规说，兄弟，你知不知道，火热的夏天就要到来了。等我们回京城，皇帝迎接我们归来的街道上，就到处都挂满了火红的石榴。

这时候，异常清醒而冷静的豹猫对着遥远的海水悠长而低沉地吼了一声，它的声音像极了豹子。异国的海风正轻抚着它的体毛，它像是满腹心事，缓缓地走进了船舱里。

后记

两年过去了。万历三十年的春天冷清中透出一丝热闹，河水渐暖。锦衣卫千户大人田小七在他的那匹枣红马上连打了三个喷嚏，他回头看了一眼身后晃晃悠悠的唐胭脂、刘一刀和土拔枪枪，十分担心春天令人昏睡的暖风会把他的这三位兄弟从马背上吹落。

这是辽东一个叫居就的地方，春天显然已经逼近了居就。

然后四匹马出现在一条叫“唐山海”的破败大街上。在这条平凡而落寞的大街上，田小七看到一名醉客坐在屋檐下的一张酒桌旁，默不作声地吃酒。阳光细碎，均匀地拍打醉客胡子上亮晶晶的酒水。在注视了很久以后，田小七脸上慢慢露出了笑容，他从马背上跳下来，手按着绣春刀的刀柄，大摇大摆地走过去，说，化成灰我也能认得你。

那个人就是甘左严。他的长刀胡乱地丢在桌面上，刀身上裹着一只麻袋。而他冷冷的眼神，从低垂的乱发中间穿越而过，落在了对面的酒楼上。那里的二楼窗口，站着一个女人。她是速把亥的孙女，速把亥曾经率军反叛明朝，结果和自己的兄弟炒花一起被辽东总兵李成梁斩杀。速把亥战死的地方，就在居就。而她的父亲把兔儿为了复仇，也被明将董一元击杀于襄平城外的一片树林里。

速把亥的孙女站在二楼窗口，她久久地望着对面楼下一名穿着飞鱼服的匀称男子，胸前挂着一串碧靛子。他正手按绣春刀的刀柄朝一名醉客走去，一些零碎的往事随即海市蜃楼一般浮现在眼前……

这时候一名随从匆匆上楼，轻声禀告，杀不杀？

她的右眼皮跳了几下，突然想起两年前自己赤脚奔跑在欢乐坊时的情景。那时候她叫无恙，负责为速把亥在辽东的残部收集明军情报。无恙的目光慢慢上移，看到空中一只瘦弱而孤单的小鸟掠过。于是她对随从这样说，令人担心的寒潮，还是如期而至了。